KB084518

한솔 … 이다!

건축기사 … 인터넷 강좌

한솔과 함께라면 빠르게 합격 할 수 있습니다.

단계별 완전학습 커리큘럼

시험 시 유의사항 – 정규이론과정 – 모의고사 – 마무리특강의 단계별 학습 프로그램 구성

시험 시 유의사항 ▶ **정규강의** (이론+문풀) ▶ **모의고사** (시험 2주 전) ▶ **마무리 특강** (우선순위핵심)

※동일강좌 재수강 신청시 50% 할인 적용
※건축(산업)기사 필기 종합/4주완성 종합반 수강 후 실기 종합반 신청시 20% 할인적용

건축기사 실기 유료 동영상 강의

구 분	과 목	담당강사	강의시간	동영상	교 재
실 기	건축시공	한규대	약 35시간		
	건축적산	이병억	약 14시간		
	공정품질	안광호	약 6시간		
	건축구조	안광호	약 17시간		
	기사 과년도	과목별 교수님	약 60시간		

• 유료 동영상강의 수강방법 : www.inup.co.kr

본 도서를 구매하신 분께 드리는 혜택

본 도서를 구매하신 후 홈페이지에 회원등록을 하시면 아래와 같은
학습 관리시스템을 이용하실 수 있습니다.

01 질의응답

본 도서 학습 시 궁금하나 사항은 전용 홈페이지를 통해 질문하시면 담당 교수님으로부터 답변을 받아 볼 수 있습니다.

전용 홈페이지(www.inup.co.kr)–학습게시판

02 무료 동영상 강좌

교재구매 회원께는 아래의 동영상 강좌 무료수강을 제공합니다.

① 건축기사 실기 출제 경향 분석 3개월 무료수강 제공
② 건축기사 실기 최근 3개년 기출문제 동영상강의 3개월 무료수강

03 자율 모의고사

교재구매 회원께는 자율모의고사 혜택을 드립니다. 자율모의고사는 나의강의실에 올려드리는 문제지를 출력하여 각자 실제 시험과 같은 환경에서 제한된 시간 내에 답안을 작성하여 주시고 이후 올려드리는 해설답안을 참고하시어 부족한 부분을 보완할 수 있도록 합니다.

- 시행일시 : 건축기사 시험일 2주 전 실시(세부일정은 인터넷 전용 홈페이지 참고)

| 인증번호 등록 절차 |

도서구매 후 본권② 뒤표지 회원등록 인증번호 확인

인터넷 홈페이지(www.inup.co.kr)에 인증번호 등록

교재 인증번호 등록을 통한 학습관리 시스템

❶ 출제 경향 분석 3개월 무료제공 ❷ 3개년 기출문제 3개월 무료제공
❸ 시험 2주 전 자율모의고사 ❹ 동영상강좌 할인혜택

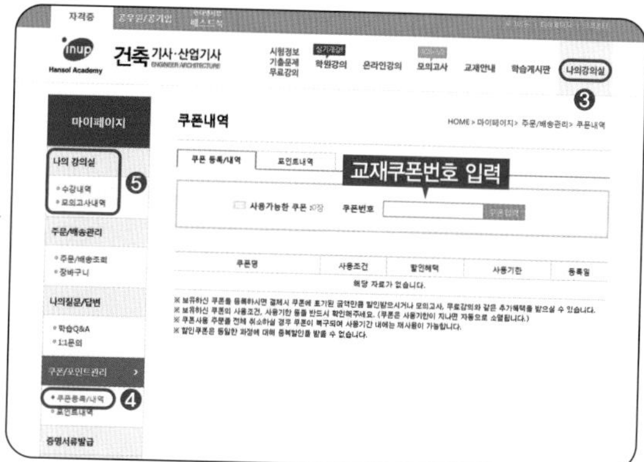

01 사이트 접속

인터넷 주소창에 https://www.inup.co.kr 을 입력하여 한솔아카데미 홈페이지에 접속합니다.

02 회원가입 로그인

홈페이지 우측 상단에 있는 **회원가입** 또는 아이디로 **로그인**을 한 후, **[건축]** 사이트로 접속을 합니다.

03 나의 강의실

나의강의실로 접속하여 왼쪽 메뉴에 있는 **[쿠폰/포인트관리]-[쿠폰등록/내역]**을 클릭합니다.

04 쿠폰 등록

도서에 기입된 **인증번호 12자리** 입력(-표시 제외)이 완료되면 **[나의강의실]**에서 학습가이드 관련 응시가 가능합니다.

■ 모바일 동영상 수강방법 안내

❶ QR코드 이미지를 모바일로 촬영합니다.
❷ 회원가입 및 로그인 후, 쿠폰 인증번호를 입력합니다.
❸ 인증번호 입력이 완료되면 [나의강의실]에서 강의 수강이 가능합니다.

※ 인증번호는 ②권 표지 뒷면에서 확인하시길 바랍니다.
※ QR코드를 찍을 수 있는 앱을 다운받으신 후 진행하시길 바랍니다.

신뢰(信賴)

신뢰는 하루아침에 이루어질 수 없습니다.
매년 약속된 결과보다 더 큰 만족을 드리며
새롭게 앞서나가려는 노력으로
혼신의 힘을 다할 때
신뢰는 조금씩 쌓여가는 것으로
39년 전통의 한솔아카데미의 신뢰만큼은
모방할 수 없는 것입니다.

출제기준

직무 분야	건 설	중직무 분야	건 축	자격 종목	건축기사	적용 기간	2020. 1. 1 ~ 2024. 12. 31

○ 직무내용 : 건축시공 및 구조에 관한 공학적 기술이론을 활용하여, 건축물 공사의 공정, 품질, 안전, 환경, 공무관리 등을 통해 건축 프로젝트를 전체적으로 관리하고 공종별 공사를 진행하며 시공에 필요한 기술적 지원을 하는 등의 업무 수행

○ 수행준거 : 1. 견적, 발주, 설계변경, 원가관리 등 현장 행정업무를 처리할 수 있다.
2. 건축물 공사에서 공사기간, 시공방법, 작업자의 투입규모, 건설기계 및 건설자재 투입량 등을 관리하고 감독할 수 있다.
3. 건축물 공사에서 안전사고 예방, 시공품질관리, 공정관리, 환경관리 업무 등을 수행할 수 있다.
4. 건축 시공에 필요한 기술적인 지원을 할 수 있다.

실기검정방법	필답형	시험시간	3시간

실기 과목명	주요항목	세 부 항 목
건축시공실무	1. 해당 공사 분석	계약사항 파악하기, 공사내용 분석하기, 유사공사 관련자료 분석하기
	2. 공정표작성	공종별세부공정관리계획서작성하기, 세부공정내용파악하기, 요소작업(Activity)별 산출내역서작성하기, 요소작업(Activity) 소요공기 산정하기, 작업순서관계표시하기, 공정표작성하기
	3. 진도관리	투입계획 검토하기, 자원관리 실시하기, 진도관리계획 수립하기, 진도율 모니터링하기, 진도 관리하기, 보고서 작성하기
	4. 품질관리 자료관리	품질관리 관련자료 파악하기, 해당공사 품질관리 관련자료 작성하기
	5. 자재 품질관리	시공기자재보관계획수립하기, 시공기자재검사하기, 검사 · 측정시험장비 관리하기
	6. 현장환경점검	환경점검계획수립하기, 환경점검표작성하기, 점검실시 및 조치하기
	7. 현장착공관리 (6수준)	현장사무실개설하기, 공동도급관리하기, 착공관련인 · 허가법규검토하기, 보고서작성/신고하기, 착공계(변경)제출하기
	8. 계약관리	계약관리하기, 실정보고하기, 설계변경하기
	9. 현장자원관리	노무관리하기, 자재관리하기, 장비관리하기
	10. 하도급관리	발주하기, 하도급업체선정하기, 계약/발주처신고하기, 하도급업체계약변경하기
	11. 현장준공관리	예비준공검사하기, 준공하기, 사업종료보고하기, 현장사무실철거및원상복구하기, 시설물 인수 · 인계하기
	12. 프로젝트파악	건축물의 용도파악하기
	13. 자료조사	사례조사하기, 관련도서검토하기, 지중주변환경조사하기
	14. 하중검토	수직하중검토하기, 수평하중검토하기, 하중조합검토하기
	15. 도서작성	도면작성하기
	16. 구조계획	부재단면 가정하기
	17. 구조시스템계획	구조형식 사례검토하기, 구조시스템 검토하기, 구조형식 결정하기
	18. 철근콘크리트 부재	철근콘크리트 구조 부재 설계하기
	19. 강구조 부재설계	강구조 부재 설계하기

실기 과목명	주요항목	세 부 항 목
건축시공실무	20. 건축목공시공계획수립	설계도면검토하기, 공정표작성하기, 인원투입계획하기, 자재장비투입계획하기
	21. 검사하자보수	시공결과확인하기, 재작업검토하기, 하자원인파악하기, 하자보수계획하기, 보수보강하기
	22. 조적미장공사시공계획수립	설계도서검토하기, 공정관리계획하기, 품질관리계획하기, 안전관리계획하기, 환경관리계획하기
	23. 방수시공계획수립	설계도서검토하기, 내역검토하기, 가설계획하기, 공정관리계획하기, 작업인원투입계획하기, 자재투입계획하기, 품질관리계획하기, 안전관리계획하기, 환경관리계획하기
	24. 방수검사	외관검사하기, 누수검사하기, 검사부위손보기
	25. 타일석공시공계획수립	설계도서검토하기, 현장실측하기, 시공상세도작성하기, 시공방법절차검토하기, 시공물량산출하기, 작업인원자재투입계획하기, 안전관리계획하기
	26. 검사보수	품질기준확인하기, 시공품질확인하기, 보수하기
	27. 건축도장시공계획수립	내역검토하기, 설계도서검토하기, 공정표작성하기, 인원투입계획하기, 자재투입계획하기, 장비투입계획하기, 품질관리계획하기, 안전관리계획하기, 환경관리계획하기
	28. 건축도장시공검사	도장면의상태확인하기, 도장면의색상확인하기, 도막두께확인하기
	29. 철근콘크리트시공계획수립	설계도서검토하기, 내역검토하기, 공정표작성하기, 시공계획서작성하기, 품질관리계획하기, 안전관리계획하기, 환경관리계획하기
	30. 시공 전 준비	시공상세도 작성하기, 거푸집 설치 계획하기, 철근가공 조립계획하기, 콘크리트 타설 계획하기
	31. 자재관리	거푸집 반입 · 보관하기, 철근 반입 · 보관하기, 콘크리트 반입검사하기
	32. 철근가공조립검사	철근절단가공하기, 철근조립하기, 철근조립검사하기
	33. 콘크리트양생 후 검사보수	표면상태 확인하기, 균열상태검사하기, 콘크리트보수하기
	34. 창호시공계획수립	사전조사실측하기, 협의조정하기, 안전관리계획하기, 환경관리계획하기, 시공순서계획하기
	35. 공통가설계획수립	가설측량하기, 가설건축물시공하기, 가설동력및용수확보하기, 가설양중시설설치하기, 가설환경시설설치하기
	36. 비계시공계획수립	설계도서작성검토하기, 지반상태확인보강하기, 공정계획작성하기, 안전품질환경관리계획하기, 비계구조검토하기
	37. 비계검사점검	받침철물기자재설치검사하기, 가설기자재조립결속상태검사하기, 작업발판안전시설재설치검사하기
	38. 거푸집동바리시공계획수립	설계도서작성검토하기, 공정계획작성하기, 안전품질환경관리계획하기, 거푸집동바리구조검토하기
	39. 거푸집동바리검사점검	동바리설치검사하기, 거푸집설치검사하기, 타설전중점검보정하기
	40. 가설안전시설물설치점검해체	가설통로설치점검해체하기, 안전난간설치점검해체하기, 방호선반설치점검해체하기, 안전방망설치점검해체하기, 낙하물방지망설치점검해체하기, 수직보호망설치점검해체하기, 안전시설물해체점검정리하기
	41. 수장시공계획수립	현장조사하기, 설계도서검토하기, 공정관리계획하기, 품질관리계획하기, 안전환경관리계획하기, 자재인력장비투입계획하기
	42. 검사마무리	도배지검사하기, 바닥재검사하기, 보수하기
	43. 공정관리계획수립	공법 검토하기, 공정관리계획하기, 공정표작성하기
	44. 단열시공계획수립	자재투입양중계획하기, 인원투입계획하기, 품질관리계획하기, 안전환경관리계획하기
	45. 검사	육안검사하기, 물리적검사하기, 화학적검사하기
	46. 지붕시공계획수립	설계도서확인하기, 공사여건분석하기, 공정관리계획하기, 품질관리계획하기, 안전관리계획하기, 환경관리계획하기
	47. 부재제작	재료관리하기, 공장제작하기, 방청도장하기
	48. 부재설치	조립준비하기, 가조립하기, 조립검사하기
	49. 용접접합	용접준비하기, 용접하기, 용접후검사하기
	50. 볼트접합	재료검사하기, 접합면관리하기, 체결하기, 조임검사하기
	51. 도장	표면처리하기, 내화도장하기, 검사보수하기
	52. 내화피복	재료공법선정하기, 내화피복시공하기, 검사보수하기
	53. 공사준비	설계도서 검토하기, 공작도 작성하기, 품질관리 검토하기, 공정관리 검토하기
	54. 준공 관리	기성검사준비하기, 준공도서작성하기, 준공검사하기, 인수 · 인계하기

출제기준

직무 분야	건 설	중직무 분야	건 축	자격 종목	건축기사	적용 기간	2020. 1. 1 ~ 2024. 12. 31

○ 직무내용 : 건축시공 및 구조에 관한 공학적 기술이론을 활용하여, 건축물 공사의 공정, 품질, 안전, 환경, 공무관리 등을 통해 건축 프로젝트를 전체적으로 관리하고 공종별 공사를 진행하며 시공에 필요한 기술적 지원을 하는 등의 업무 수행

○ 수행준거 : 1. 견적, 발주, 설계변경, 원가관리 등 현장 행정업무를 처리할 수 있다.
2. 건축물 공사에서 공사기간, 시공방법, 작업자의 투입규모, 건설기계 및 건설자재 투입량 등을 관리하고 감독할 수 있다.
3. 건축물 공사에서 안전사고 예방, 시공품질관리, 공정관리, 환경관리 업무 등을 수행할 수 있다.
4. 건축 시공에 필요한 기술적인 지원을 할 수 있다.

실기검정방법	필답형	시험시간	3시간

실기 과목명	주 요 항 목	세 부 항 목	세 세 항 목
건축시공실무	1. 해당 공사 분석	1. 계약사항 파악하기	1. 계약서 내용의 공사규모를 파악하여 계약범위, 공사의 한계 및 범위를 명확히 파악 할 수 있다. 2. 공사 마일스톤을 파악하여, 계약 내용 중에 특정사항이나 특정 공종에 대해 종료일자나 시공관리상의 주의 사항을 파악 및 분석할 수 있다 3. 공사계약서상 명시된 기성금 지급 기준 및 방법에 대해 분석할 수 있다. 4. 계약서 내용에서 명시된 BIM의 절차와 과업내용을 파악하여 BIM의 적용여부와 범위를 명확히 파악 할 수 있다.
		2. 공사내용 분석하기	1. 계약문서를 검토하여 공사수행 방법, 각종자재 조달방법, 하도급 여부를 조사할 수 있다. 2. 공사수행 방법을 체계화하여 공사 내역항목을 분류할 수 있다. 3. 설계도서의 특수공법을 조사하여 공사의 특이 사항을 분석할 수 있다. 4. 공정 회의를 통해 공사의 내용을 분석하고 공사과정에서의 협력사항을 도출할 수 있다. 5. 시공계획을 분석하여 해당 공사의 특수성을 파악하고, 이에 따른 상세 공정 일정, 자재 조달 계획 등을 공정관리에 반영할 수 있다. 6. 현장이 특수한 지역인 경우 각종 규제사항 및 기상자료를 분석하여 공정관리에 반영할 수 있다.

실기 과목명	주 요 항 목	세 부 항 목	세 세 항 목
			7. 공사담당자와 협의하여 해당 공사에 적용되는 공법이 공사일정에 미치는 영향을 분석할 수 있다. 8. 해당공사의 특성 및 제한사항을 분석하여 BIM 적용범위에 적합한 공정관리 BIM 기능들을 도출할 수 있다. 9. 발주자 및 공사담당자와의 협의를 통해 최종적으로 적용될 BIM 기능들을 결정하고, 합의된 BIM기능을 구현하기 위한 구체적인 BIM 제작수준(LOD, Level of Detail) 및 운영방식을 결정할 수 있다.
		3. 유사공사 관련자료 분석하기	1. 유사공사 관련자료와 실적을 분석 · 정리하여 결과를 파악하고 동시에 신공법, 신기술의 적극적인 도입을 반영할 수 있다. 2. 기 완공된 동종 프로젝트 공정표를 파악하고 축적된 자료의 활용을 통하여 최적공사 계획에 반영할 수 있다. 3. 관련 자료 및 유사 공사자료의 일정표와 자원내역을 파악하고 비용과 일정을 동시에 분석하여 자료에 반영할 수 있다.
	2. 공정표작성	1. 공종별세부공정관리계획서 작성하기	1. 분석된 자료를 가지고 단위공정/단위기간의 세부공정계획 및 일정보고서 등을 작성할 수 있다. 2. 일일작업지시 및 통제가 가능한 세부공정계획을 작성할 수 있다. 3. 공정계획을 요소작업별로 최적화하여 작성할 수 있다. 4. 관리기준 공정표를 참고하여 세부공정별로 선 · 후행 관계를 작성하고 주요자재의 발주계획을 수립할 수 있다. 5. 각 공정별 담당자 및 협력업체와 협의된 내용을 세부공정계획에 반영할 수 있다. 6. 분석에 따른 세부 내용을 조정하여 계획서를 작성할 수 있다.
		2. 세부공정내용파악하기	1. 각 공정별 자료를 수집하여 신규 공정이나 경험부족 공정에 대한 지식을 습득할 수 있다. 2. 공사에 미치는 영향과 위해요소를 사전에 파악 · 분석하여 계획을 적정하게 변경할 수 있다.
		3. 요소작업(Activity)별 산출내역서작성하기	1. 네트워크 공정도를 정해진 양식에 기입할 수 있다. 2. 물량산출 근거를 가지고 각 요소작업의 주요 공종과 물량을 할당할 수 있다. 3. 품셈 및 실무경험에 의한 작업자의 일일 작업량을 결정할 수 있다. 4. 설계서를 분석하여 요소작업별 재료비, 노무비, 경비를 작성할 수 있다.
		4. 요소작업(Activity) 소요공기 산정하기	1. 요소작업별 각 주요물량의 일평균 작업량을 산정하여 소요공기를 산정할 수 있다. 2. 각 주요물량 작업간 시차와 검사, 대기시간 등 작업외 시간을 감안하여 여유시간을 결정할 수 있다. 3. 요소작업의 총공기를 「요소작업공기+여유시간」으로 산정할 수 있다.

실기 과목명	주 요 항 목	세 부 항 목	세 세 항 목
			4. 요소작업의 소요공기 산정시 계절 및 장소 등을 감안한 작업 불능일수를 산정할 수 있다. 5. 요소작업별 자원의 투입 가능량을 분석하여 요소작업별 공사기간을 계산할 수 있다. 6. 관련자료 또는 유사 공사자료를 분석하여 요소작업별 공사기간을 결정할 수 있다. 7. 작업 유형별 공정모델 DB를 구축하여 소요공기 산정을 단축할 수 있다.
		5. 작업순서관계표시하기	1. 공사내용을 분석하여 작업카드(Activity Card)를 시공순서에 맞게 배열할 수 있다. 2. 선행작업과 후속작업의 연관관계를 파악하여 작업카드를 배열할 수 있다. 3. 각 작업에 있어 병행작업이 가능한지를 파악하여 순서를 조정할 수 있다. 4. 적용 공법을 분석하여 동일 공정 및 선·후행 공정간의 작업 순서를 작성할 수 있다. 5. 공사담당자와 협의하여 공정간 작업순서와 방법을 통한 리드타임(Lead Time)을 작성할 수 있다.
		6. 공정표작성하기	1. WBS를 기준으로 주요작업에 대한 작업순서를 검토하여 전체공정을 수립할 수 있다. 2. 네트워크 유형 및 레벨을 결정하고 공사계획에 따라 작업순서를 세우고 세부단계별 공정계획을 네트워크로 작성할 수 있다. 3. 분야별 시공법, 공사경험, 장비의 능률성을 고려하여 공정표를 작성할 수 있다. 4. 발주처 담당자와 협의하여 공정표 양식을 결정할 수 있다. 5. 공정관리 프로그램을 사용하는 경우, 사용설명서를 참고하여 공정표를 작성할 수 있다. 6. 요소작업별 자원 투입계획을 입력하여 자원 투입계획을 수립할 수 있다. 7. BIM기반 공정프로그램을 이용하여 공정표를 작성할 수 있다.
	3. 진도관리	1. 투입계획 검토하기	1. 예정된 공사일정을 유지하는데 필요한 인력 소요를 일별로 작업과 기능에 따라 집계할 수 있다. 2. 소요 시공장비는 종류별로 일정에 따라 일별 집계를 하고, 상호 활동 간에 상충하면 여유 활동의 일정을 조정할 수 있다. 3. 자재사용 일정표는 자재의 품목별로 사용되는 일정에 따라 작성할 수 있다. 4. 일정계획 수립 시 자원 투입계획을 검토하여 사용량, 조달시기에 의한 제한사항을 검토할 수 있다. 5. 일정계획 수립 시 자원 투입계획을 검토하여 사용량, 조달시기에 의한 제한사항을 검토할 수 있다. 6. 자원의 배분이 적정하지 않은 경우 평준화(levelling) 등의 기법을 이용하여 요소작업에 투입되는 자원 계획을 목표에 맞게 평준화할 수 있다.

실기 과목명	주요항목	세부항목	세세항목
			7. 현장에 투입되는 자재, 인력, 장비는 필요한 시기에 필요한 만큼을 적기 투입되도록 검토할 수 있다. 8. BIM 모델에 투입자원정보를 반영한 공정 프로그램으로 자원투입계획을 검토할 수 있다.
		2. 자원관리 실시하기	1. 인력, 자재, 장비의 적기공급을 위해 일정분석, 자원배당 등을 수행하여 네트워크별로 정확한 예상 소요물량을 산출할 수 있다. 2. 자원배당을 EST(Earliest Starting Time)에 의한 방법, LST(Latest Starting Time)에 의한 방법, 자원의 평준화(leveling)방법에 의해 구할 수 있다. 3. 작성된 자원계획에 따라 주기적으로 자원동원의 적정성을 확인하여 자원 투입이 공사 완성에 지장 여부를 판단할 수 있다. 4. 공사 담당자와 협의하여 자원 투입 정보를 수집하며, 당초 계획과 상이한 경우 자원 투입계획을 변경 검토할 수 있다. 5. 실시간 자원정보 및 현장 정보를 BIM 모델에 반영하여 공정간 자원투입 간섭과 오류를 검토할 수 있다.
		3. 진도관리계획 수립하기	1. 공정별 성과 측정 기준을 발주처 및 공사 관련자와 협의하여 진도관리계획을 수립할 수 있다. 2. 공사 관련자와 실적자료 수집절차를 협의하여 진도관리 계획을 수립할 수 있다. 3. 발주처 및 공사 관련자와 협의하여 각 요소작업별 진도율 측정 절차 및 기준을 설정하여 계획에 반영할 수 있다. 4. 진도관리 계획은 현장에서 바로 공사에 적용되도록 수립할 수 있다. 5. 공사분야별 상호 갈등요인을 파악하여 해소되도록 진도관리 계획을 수립할 수 있다.
		4. 진도율 모니터링하기	1. 수립된 계획에 따라 공사를 일정기간 수행한 후 작업의 진도를 측정할 수 있다. 2. 진도율 산정방식을 이해하여 적정한 방법을 통해 계측을 실시할 수 있다. 3. 계획공정표에 제시된 작업에 대해 진도측정일자(현재기준일, Data date)를 기준으로 완료작업과 잔여작업량을 조사할 수 있다. 4. 요소작업별 예정계획과 현재의 실적현황을 비교 분석하여 요소작업 및 공사전체의 진도율을 산출할 수 있다. 5. 계획공기와 실적공기를 비교하여 차이를 분석하고, 진도관리상의 문제점 및 그 원인을 파악하여 대책을 수립할 수 있다.
		5. 진도 관리하기	1. 예정공정 계획에 현재의 실적자료를 입력하고 일정 분석을 실시하여 현시점을 기준으로 일정상의 변동을 반영시킬 수 있다. 2. 계획공정표에 지연된 작업을 표시하고, 작업의 지연으로 인한 전체 공기의 지연시간을 산정할 수 있다. 3. 기준이 되는 진도율 표준편차를 산출하여 수정계획 수립이 필요한 시점을 결정할 수 있다.

실기 과목명	주 요 항 목	세 부 항 목	세 세 항 목
			4. 산정한 지연공기를 만회할 수 있도록 작업순서(Logic)와 공사기간을 재검토할 수 있다. 5. 공정 총괄관리자 및 담당 공정관리자의 세부 진도관리에 따른 전체 진도를 비교 · 분석하여 일정조정 한계치 도달 시 수정할 수 있다. 6. 수정 주기 및 기준을 선정하여 공정표에 반영할 수 있다. 7. 수정된 공정표가 공사에 적용될 수 있도록 모든 공사관계자에게 공지할 수 있다.
		6. 보고서 작성하기	1. 실적자료로 일정분석을 실시하여 그 결과로 주공정(Critical Path)의 변경여부와 전체 공사의 지연여부를 검토할 수 있다. 2. 일정분석 후 각 요소작업의 여유일수 변화를 검토하여 보조공정(Sub Critical Path)으로 관리할 요소작업을 도출할 수 있다. 3. 실적이 반영된 예정공정표 및 공정관련 보고서를 작성하고 예상문제점에 대한 대책을 수립할 수 있다. 4. 진도측정은 정기적으로 측정하고 이에 따른 결과물을 보고서로 작성할 수 있다. 5. 작업진도 보고는 사업의 종류와 형태, 공사목적, 발주처의 요구사항 등에 따라 보고양식을 결정할 수 있다. 6. 공정 여유일정을 산정하여 공기가 부족한 공정에 이용할 수 있는지 여부를 검토하여 보고서를 작성할 수 있다. 7. 주공정(Critical Path)을 중심으로 기준 공정계획(baseline schedule) 대비 진척사항을 보기 쉽게 도표화할 수 있다.
	4. 품질관리 자료관리	1. 품질관리 관련자료 파악하기	1. 법적근거에 따라 실행하고, 유지되어야 하는 품질관련 문서를 파악하여 목록화 할 수 있다. 2. 품질관계자의 요구사항을 근거로 하여 발생하는 문서를 식별하고, 이 중 개정관리가 필요한 문서와 기록으로 관리할 문서를 파악할 수 있다. 3. 문서관리 및 기록관리를 위해 필요한 절차 및 양식을 결정하여 문서화할 수 있다. 4. 조사된 필요자료는 가능한 모든 방법을 통해 수집할 수 있다. 5. 수집된 모든 자료를 조직적이고, 체계적으로 분류할 수 있다. 6. 수집된 자료들을 업무내용별 및 단계별 필요로 하는 방법으로 정리할 수 있다. 7. 자료들을 체계적으로 정리하고, 활용하는 방법을 교육할 수 있다. 8. 자료를 질서정연하게 정리하여 식별이 용이하도록 보관할 수 있다.
		2. 해당공사 품질관리 관련자료 작성하기	1. 각종 품질관리 결과 보고서를 품질관련 법규에 의거 기록하고 보고하여 문서로 보관할 수 있다. 2. 기록은 법령 등 요구사항에 명시된 기준에 의거 작성하고, 검사 및 시험 기록의 경우 적부 판정을 하여 관리할 수 있다.

실기 과목명	주 요 항 목	세 부 항 목	세 세 항 목
			3. 업무의 규정된 책임 및 권한에 따라 품질관련 문서와 기록을 작성, 검토 및 확인할 수 있다. 4. 품질관련 문서의 식별, 수집, 색인, 열람, 파일링, 보관, 유지 및 폐기에 대한 문서화된 절차서를 수립 및 유지 관리할 수 있다. 5. 계약서 시방서에 따라 품질기록의 보존기간을 유지하거나 현장이나 회사의 방침에 따라 최소한 설정기간을 정해 보존할 수 있다. 6. 품질 기록의 변경 불가 또는 수정이 필요시 그 확인 절차의 유효성 및 적합성을 파악할 수 있다. 7. 각종 품질관리 자료를 전산통합관리 할 수 있다.
	5. 자재 품질관리	1. 시공기자재보관계획수립하기	1. 자재 담당 및 공사 담당과 협의하여 관리하는 자재의 품질을 유지할 수 있는 취급, 보관, 보존방법을 문서화 할 수 있다. 2. 자재의 열화 및 파손을 방지하기 위하여 자재 보관 계획 및 점검 계획을 수립할 수 있다. 3. 부적합 자재의 처리에 대한 관리와 관련된 책임 및 권한을 문서화된 절차로 규정할 수 있다. 4. 정해진 자재보관 기준에 따라 보관 자재의 품질을 측정하여 품질 변동여부를 검사할 수 있다. 5. 보관자재의 취급, 보관 및 보존 방법에 따라 자재가 관리되는지 최소 주 1회 보관자재의 품질 이상 유무를 검사하고, 이 결과를 기록으로 관리할 수 있다. 6. 자재보관 계획 및 점검 계획에 따라 보관 자재의 이상 유무를 판단하고, 이상 발생 시 개선 조치를 취할 수 있다.
		2. 시공기자재검사하기	1. 수립된 사용자재의 품질 측정방법 및 품질기준에 따라 그 품질을 측정하고, 그 과정 및 결과를 검토할 수 있다. 2. 발주처 관급, 건설사 사급, 협력업체 투입 자재가 공사 요구사항을 만족할 수 있는지 자재성적서 등을 검토, 승인할 수 있다. 3. 자재의 입고부터 공사에 투입까지의 절차 및 보관방법을 결정, 문서화할 수 있다. 4. 현장 내 자재 보관상태를 주기적으로 점검할 수 있다. 5. 자재 인수검사 계획에 따라 규정된 시방에 적합한 자재가 반입되었는지를 육안검사, 치수검사 등을 통해 확인할 수 있다.
		3. 검사 · 측정시험장비관리하기	1. 검사, 측정 및 시험장비에 대한 교정기록을 유지 보존할 수 있다. 2. 장비의 형식, 고유한 식별표시방법, 위치, 점검빈도, 점검방법, 합부판정기준 결과가 미흡했을 때 조치에 관한 사항을 포함한 검사, 측정 및 시험장비의 교정에 적용할 절차를 실시하여 관리할 수 있다.

실기 과목명	주 요 항 목	세 부 항 목	세 세 항 목
	6. 현장환경점검	1. 환경점검계획수립하기	1. 환경관리계획서의 내용을 검토하여 계획의 원활한 실행 또는 환경오염(영향)물질의 법적 기준 및 관리기준의 준수를 위하여 구체적인 환경점검계획을 수립할 수 있다. 2. 건설시공현장 및 이해관계자의 요구사항 등의 내용을 검토하여 점검 주기, 대상, 공정 및 시기 등을 포함하는 환경점검계획을 수립할 수 있다.
		2. 환경점검표작성하기	1. 환경관리계획서 또는 지침서 내용을 참고하여 환경점검 항목을 선정하여 환경점검표를 작성할 수 있다. 2. 설계도서의 검토 및 해당 공사의 환경관리상 특성분석 등의 내용을 토대로 환경요인(항목)을 예측·파악하고, 이를 반영하여 환경점검표를 작성할 수 있다. 3. 공사진행에 따라 변화하는 환경영향 정도를 파악하여 공사중에도 점검항목을 추가 또는 삭제하는 등 필요시 환경점검표를 변경하여 작성할 수 있다.
		3. 점검실시 및 조치하기	1. 수립된 환경점검계획에 따라 환경점검표를 활용하여 시공중의 환경관리 상태를 점검할 수 있다. 2. 점검결과를 토대로 환경영향의 법적기준 및 관리기준의 준수여부 또는 건설시공현장 및 이해관계자 요구사항에 적합/부적합 여부를 평가할 수 있다. 3. 관리기준 초과 또는 부적합 사항이 있는 경우 원인을 규명하고 조치할 수 있다. 4. 점검 및 평가결과 부적합 또는 시정조치의 책임소재가 시공사에 있을 경우 환경관리 담당자가 스스로 조치하거나 유관부서에 협조를 요청하여 시정·조치할 수 있다. 5. 점검결과의 보고가 필요한 경우 점검 및 평가결과를 토대로 이행상태 보고서를 작성할 수 있다.
	7. 현장착공관리 (6수준)	1. 현장사무실개설하기	1. 사무실 부지 또는 기존건물 확보를 위해 관련 당사자와 협의 및 임대 매입에 합의 할 수 있다. 2. 계약서 및 현장조건에 부합되는 현장사무실 등 공사수행에 필요한 가시설물 들을 관련부서와 협의하여 축조할 수 있다. 3. 유관기관의 인·허가 및 신고사항의 절차 등을 파악하여 처리함으로서 시설물을 안정되게 사용하게 할 수 있다.
		2. 공동도급관리하기	1. 공사수행 도중 공동도급회사의 부도 등으로 인하여 공동수급 지위탈퇴 및 시공권 등을 포기할 경우, 공동도급협약서에 따라 지분율의 변경관리를 할 수 있다.
		3. 착공관련인·허가법규검토하기	1. 착공 전 공사수행과 연관된 분야의 인·허가 사항과 관련 법률, 조례 및 규정을 분석할 수 있다.

실기 과목명	주 요 항 목	세 부 항 목	세 세 항 목
		4. 보고서작성/신고하기	1. 투입 기술자의 자격여건 및 보유 장비의 투입 기준 등이 관련기관의 규정에 적정한지 판단하여 신고서를 작성할 수 있다. 2. 가설물축조 / 사업개시 / 안전 / 환경 / 지장물 / 특정공사 등 해당공사의 요구되는 법규에 의거 관련기관 처리절차에 따라 신고서를 작성 보고할 수 있다. 3. 허가 및 신고서 제출 시 유예기간 및 준수사항을 인지하고 관리할 수 있다.
		5. 착공계(변경)제출하기	1. 건설기술진흥법 현장건설기술자 배치기준에 규정된 인원 및 공사 계약 일반조건에 따라 장비동원 계획 및 공사예정공정표 등이 포함된 착공계를 작성할 수 있다. 2. 변경사항 발생시 관련부분을 반영하여 변경계를 제출 할 수 있다.
	8. 계약관리	1. 계약관리하기	1. 발주처에 예산배정 금액을 파악할 수 있다. 2. 용지보상 여부, 지장물 철거 여부 등을 참고하여 공사가능여부를 판단할 수 있다. 3. 중요 공종을 파악하고 우선순위를 정할 수 있다.
		2. 실정보고하기	1. 설계도서와 현지여건과의 불일치 상황에 대하여 그 내용과 시공방안을 검토할 수 있다. 2. 조사 확인된 내용을 설계자와 전문가의 의견을 들어 타당성을 검토할 수 있다. 3. 타당성이 인정된 부분에 대하여 적정공법 등을 비교 검토할 수 있다. 4. 비교 검토된 안을 가지고 적정 공사비 등을 산출할 수 있다. 5. 산출된 공사비, 도면등을 갖추어 실정보고를 통해 발주처의 승인을 요청할 수 있다.
		3. 설계변경하기	1. 실정보고 승인 내용을 정리할 수 있다. 2. 관련자료 및 승인 공문 등을 첨부하여 변경사유서를 작성할 수 있다. 3. 실정보고된 내용에 따라 설계내역서를 작성할 수 있다. 4. 설계 변경된 부분을 알 수 있도록 도면에 표기하고 전 구간을 도식화할 수 있다. 5. 물가변동으로 인한 계약금액조정이 필요한 경우 관련규정에 의거 물가적용 금액을 산출하여 계약변경에 반영할 수 있다.
	9. 현장자원관리	1. 노무관리하기	1. 공사에 필요한 건설 근로자 수요를 공종별로 파악하여 담당자에게 투입을 요구할 수 있다. 2. 근로 계약서를 작성 할 수 있고, 일일 출역을 확인하여 인건비 지급을 위한 기초자료를 관리할 수 있으며. 인건비 지급을 본사에 청구할 수 있다. 3. 외국인 근로자의 채용에 따른 법적인 규정을 준수하여 관리할 수 있다. 4. 건설 근로자의 4대 보험의 가입 및 공제 등에 대한 적용을 할 수 있다. 5. 협력업체에서 투입한 건설 근로자를 파악하고 적정성을 검토하여 근로가능 여부를 협력업체와 협의 결정할 수 있다.

실기 과목명	주 요 항 목	세 부 항 목	세 세 항 목
		2. 자재관리하기	1. 설계내역서 및 공정계획에 따라 자재투입계획서를 작성할 수 있다. 2. 자재의 규격별, 공종별 수요를 파악하여 청구할 수 있다. 3. 입 · 출고 시 자재의 소요 적정성을 파악하고 자재 승인서와 일치 여부를 자재 담당자와 협력하여 확인 할 수 있다. 4. 보유자재에 대한 식별, 취급, 보관, 등 관리업무를 파악하여 유지할 수 있다. 5. 자재 공급원 확보 및 발주처로부터 공급원 승인을 득할 수 있다. 6. 공종별 자재 입. 출고 관리를 하여 자재의 과다 또는 과소 투입여부를 파악하여 설계에 반영 할 수 있다. 7. 자재납품계약서를 작성할 수 있고, 정품반입 여부 및 정량검수를 할 수 있다.
		3. 장비관리하기	1. 공사부서와 협의하여 장비의 사용신청서를 작성할 수 있다. 2. 장비 관련법령을 이해하여 적법한 장비가 동원될 수 있도록 조치할 수 있다. 3. 건설기계 운전원의 자격 확인, 건설기계의 각종세금납부 여부 및 적정한 건설 기계로 등록 되었는지를 확인 검수 할 수 있다.
	10. 하도급관리	1. 발주하기	1. 건설산업기본법에 의거 면허종류를 고려하여 공종에 따른 하도급항목을 분류할 수 있다. 2. 하도급으로 발주할 공사의 공사비(예산)를 산정할 수 있다.
		2. 하도급업체선정하기	1. 지급자재의 종류와 범위를 확정할 수 있다. 2. 공사시행 중 분쟁의 소지가 있는 공종의 책임소재를 분명히 설명 할 수 있다.
		3. 계약/발주처신고하기	1. 하도급업체에 계약내역서 및 관련 설계도서를 지급할 수 있다.
		4. 하도급업체계약변경하기	1. 도급 변경계약의 내용에 따라 하도급 계약을 변경 할 수 있다.
	11. 현장준공관리	1. 예비준공검사하기	1. 준공 2개월전에 예비준공검사 계획서, 예비준공검사원을 제출할 수 있다. 2. 관계기관 및 시설물 유지관리 기관등을 입회시킬 수 있다. 3. 예비 준공검사시 지적사항에 대하여 대책을 수립하고 시행할 수 있다.
		2. 준공하기	1. 준공 전에 예비준공검사 계획서, 예비 준공검사원을 제출할 수 있다. 2. 준공계, 준공조서를 작성하여 제출할 수 있다. 3. 수량, 구조계산서, 민원 관련서류 등 유지관리에 필요한 부분은 별도 정리 보관할 수 있다.
		3. 사업종료보고하기	1. 사업종료 시 공사 준공보고서를 통하여 공사규모, 참여기관/업체. 투입원가, 사후관리 계획을 본사에 제출할 수 있다. 2. 최종설계도서 및 준공검사 결과물을 본사 및 발주처, 필요에 따라서는 시설안전공단에 이관하여 사후 관리 계획을 수립할 수 있다.

실기 과목명	주요항목	세부항목	세세항목
		4. 현장사무실철거및원상복구하기	1. 인근 사업과의 연관성 파악을 통하여 가설사무실의 존치 및 재활용 여부를 파악할 수 있다. 2. 사무실 부지 임차계약서의 계약기간을 확인하여 사 무실 철거 일정을 조정할 수 있다. 3. 사무실 부지는 임차계약서의 계약기준에 따라 원상 복구 할 수 있다. 4. 가설사무실 축조 시 해당 기관에 제출한 대관 업무 신고서의 종료 신고를 통하여 관련 기관에 사업 종료를 알릴 수 있다. 5. 사업종료 신고를 통하여 각종 보증금 및 예치금을 환원 받을 수 있다.
		5. 시설물인수 · 인계하기	1. 시설물을 인수받아 유지관리 업무를 수행하는 사용자의 요구사항을 파악할 수 있다. 2. 공사 진행과 관련되어 인수 · 인계시 예상되는 사항을 사전에 검토하여 처리 계획을 수립할 수 있다. 3. 시설물 인수 · 인계서를 작성할 수 있다.
	12. 프로젝트파악	1. 건축물의 용도파악하기	1. 발주자의 요구사항과 건축설계도서를 근거로 건축물의 용도와 소요공간의 종류를 파악할 수 있다. 2. 건축설계도서를 바탕으로 한 건축물의 용도에 따른 소요설비를 파악할 수 있다. 3. 건축설계도서를 바탕으로 한 건축물의 용도에 따라 소요되는 구조적인 특징을 파악할 수 있다. 4. 기본 설계도서에 의해 건축물의 용도에 따른 대피시설 및 소방설비 등을 파악할 수 있다.
	13. 자료조사	1. 사례조사하기	1. 구조설계 대상 건축물의 용도와 특성을 파악하여, 이와 밀접한 관련이 있는 사례를 조사할 수 있다. 2. 구조설계에 대한 기본적인 지식과 개념을 근거로 조사된 사례를 구조 설계에 적용할 수 있다.
		2. 관련도서검토하기	1. 발주자, 설계자의 요구조건에 따라 건축 도서를 파악하고, 구조설계의 기본 방향을 설정할 수 있다.
		3. 지중주변환경조사하기	1. 현장조사 및 문헌 등을 통해 대지 내 · 외부에 있는 지하철 선로, 지하도로, 각종 배관, 시설물 등을 분석, 파악하여 건축물의 안전성을 검토할 수 있다. 2. 현장조사 및 문헌 등을 통해 구조설계에 영향을 줄 수 있는 하수관거, 맹암거 등을 파악할 수 있다. 3. 현장 및 지도 등을 통해 대지주변의 도로, 교통상황, 지형, 지물 등을 파악하고 교통의 흐름을 분석할 수 있다. 4. 현장조사 및 문헌 등을 통해 대지주변의 건축물, 구조물, 공작물을 파악하고 분석할 수 있다. 5. 현장조사를 통해 대지와 대지주변의 풍향, 강우, 온도, 공해 등을 파악, 분석할 수 있다.

실기 과목명	주요항목	세부항목	세세항목
	14. 하중검토	1. 수직하중검토하기	1. 평면도, 입면도, 마감재료표 등을 통하여 바닥과 벽체에 적용할 재료의 중량과 고정하중을 산정할 수 있다. 2. 설계도면과 바닥용도에 따라 활하중을 산정할 수 있다. 3. 건축물의 위치에 따라 적설하중을 산정할 수 있다.
		2. 수평하중검토하기	1. 건축물의 형태에 따라 풍하중을 산정할 수 있다. 2. 구조설계기준 및 고정하중에 따라 지진하중을 산정할 수 있다.
		3. 하중조합검토하기	1. 건축구조기준에 따라 구조형식별 하중조합을 할 수 있다. 2. 하중특성에 따른 하중조합을 할 수 있다. 3. 부재설계를 위한 하중조합과 구조물의 변위를 검토하기 위한 하중조합을 구분할 수 있다. 4. 장기 및 단기하중에 따른 하중조합을 할 수 있다.
	15. 도서작성	1. 도면작성하기	1. 구조계산서에 따라 기초, 기둥, 슬래브, 벽체, 배근도를 작성 할 수 있다. 2. 관련도서에 따라 타 기술분야와의 간섭여부를 검토하여 상호 불일치 할 경우 구조계산에 반영하여 수정작성 할 수 있다.
	16. 구조계획	1. 부재단면 가정하기	1. 건축구조기준에 따라 선정된 구조시스템에 적합한 부재 배치 배열기본계획도를 작성할 수 있다. 2. 건축구조기준에 따라 구조부재별 적정단면 크기(설비 및 기계등)를 설정할 수 있다(슬래브-보-기둥-기초 및 벽체등 주요구조체)
	17. 구조시스템계획	1. 구조형식 사례검토하기	1. 건물의 형태 및 위치에 따라 기존 유사 프로젝트의 구조형식 사례를 검토할 수 있다. 2. 유사 사례에 따라 가장 경제적인 구조시스템을 선정할 수 있다.
		2. 구조시스템 검토하기	1. 조적조, 목구조, 철근콘크리트조, 강구조 등 재료별 구조 시스템의 장단점을 이해하고 특징을 활용할 수 있다. 2. 전단벽식 구조, 이중골조 구조, 튜브 구조 등 횡력 저항 구조시스템을 이해하고 활용할 수 있다. 3. 내진, 면진, 제진 구조의 특징을 이해하고 지진 저항 시스템으로 활용할 수 있다.
		3. 구조형식 결정하기	1. 건축구조기준에 따라 가장 경제적인 구조시스템을 선정할 수 있다 2. 건축법령 및 건축구조기준에 따라 공사기간, 공사비, 건축물의 존치기간, 건축물의 용도 등에 의한 재료 및 골조방식을 선정할 수 있다.
	18. 철근콘크리트 부재	1. 철근콘크리트 구조 부재 설계하기	1. 건물의 규모 및 용도에 3차원구조해석을 통해 각 구조체(슬래브, 보, 기둥. 벽체 등)의 적정크기 및 철근을 산정하고 배치할 수 있다.

실기 과목명	주 요 항 목	세 부 항 목	세 세 항 목
			2. 지반조사보고서를 참조하여 지내력기초, 파일기초 등 기초형식의 타당성에 대해 판단할 수 있다. 3. 지진하중을 받는 철근콘크리트 구조물의 안전성을 검토 할 수 있다.
	19. 강구조 부재설계	1. 강구조 부재 설계하기	1. 강재를 활용하여 인장재, 압축재, 휨재 등의 부재의 크기를 산정하고 접합부를 설계할 수 있다. 2. 건물이 토압(흙)을 받을 경우 건축구조기준에 따라 건물의 전도(OVERTURNING) 및 활동(SLIDING)에 대한 검토를 할 수 있다. 3. 건물의 기초가 부득이하게 편심을 받을 경우 건축구조기준 지진하중편의 편심에 의한 기초설계를 할 수 있다.
	20. 건축목공시공계획 수립	1. 설계도면검토하기	1. 설계도면에 따라 주요 시공부분과 시공방법을 파악할 수 있다. 2. 계약서상의 공사규모를 파악하여 공사의 계약내용에 따라 공사의 한계 · 범위를 분석할 수 있다. 3. 설계도서 검토를 통해 세부공정을 파악할 수 있다. 4. 설계도면에 따라 계약 내역과 도면상의 내역 물량을 파악할 수 있다.
		2. 공정표작성하기	1. 설계도면에 따라 도출된 작업량에 의거하여 세부 작업공기를 산출할 수 있다. 2. 전체 공정을 파악하여 주요 공정을 구분할 수 있다. 3. 전체공정표에 따라 공사의 선후 관계를 고려하여 목공사 공정표를 작성할 수 있다. 4. 분류된 선후 관계에 따른 목공사 공정표를 작성할 수 있다.
		3. 인원투입계획하기	1. 산출된 작업량을 기준으로 실행내역을 작성할 수 있다. 2. 작업공정에 따라 필요 인원을 배치할 수 있다.
		4. 자재장비투입계획하기	1. 파악된 가공물량을 기준으로 필요한 장비를 선정하고 소요량을 산출할 수 있다. 2. 공정표에 따라 필요장비의 투입날짜와 시간을 계획할 수 있다.
	21. 검사하자보수	1. 시공결과확인하기	1. 도면에 따라 시공 상태의 완성도를 판단할 수 있다. 2. 벽 설치 공사완료 후 육안 · 측량기구에 따라 기둥과 샛기둥의 부재, 고정상태를 확인할 수 있다. 3. 천장 설치 공사완료 후 육안 · 측량기구를 이용하여 천장수평상태와 천장부재의 허용오차가 시방서의 규정이내인지 확인할 수 있다. 4. 바닥 공사완료 후 육안검사를 통하여 접착 · 고정상태를 확인할 수 있다. 5. 창호설치 공사완료 후 개폐 방향 · 상태를 확인할 수 있다. 6. 도면과 시방서에 의거 부적합 여부를 결정할 수 있다.

실기 과목명	주요항목	세부항목	세세항목
		2. 재작업검토하기	1. 재작업 발생 시 도면 · 시방서에 의해 원인을 규명할 수 있다. 2. 도면에 의한 부적합 부위에 대한 재작업 범위를 판단할 수 있다. 3. 재작업 발생 시 보수방법을 도출할 수 있다.
		3. 하자원인파악하기	1. 시공 후 도면과 시방서에 의거 하자의 원인을 파악하여 체크리스트를 작성할 수 있다. 2. 육안검사를 통해 부위별 불량유무를 파악할 수 있다.
		4. 하자보수계획하기	1. 현장 점검을 통해 파악된 하자와 간섭되는 공종을 파악할 수 있다. 2. 공종 간 간섭유무에 따라 하자보수 계획을 수립할 수 있다. 3. 목재의 길이 · 부피단위를 고려한 하자보수 계획 물량을 수립할 수 있다. 4. 방부처리가 필요한 목재부위를 고려한 하자보수 계획을 수립할 수 있다.
		5. 보수보강하기	1. 하자보수 계획에 의거 인원을 투입할 수 있다. 2. 하자보수 계획에 의거 자재 · 장비를 투입할 수 있다. 3. 현장 점검을 통해 파악된 하자를 도면과 시방서에 의거 재시공하여 보수、보강할 수 있다.
	22. 조적미장공사시공계획수립	1. 설계도서검토하기	1. 설계도를 검토하여, 설계상의 구조형태 공간구획 최종 마감 형태를 파악할 수 있다. 2. 시방서를 검토하여 자재 선정 등의 추구하고자하는 목표를 설정할 수 있다. 3. 설계도서를 검토하여 미장 · 조적 형태 분류와 시행방법을 검토할 수 있다. 4. 내역서를 검토하여 공사의 규모와 범위를 검토할 수 있다. 5. 설계도서를 검토하여 가설 계획, 안전 계획, 공정 관리 계획을 수립할 수 있다.
		2. 공정관리계획하기	1. 프로젝트 전체공정계획에 부합하는 공정계획서를 작성할 수 있다. 2. 공사의 종류에 따라 우선순위에 의하여 공정관리를 계획할 수 있다. 3. 공사 환경여건을 검토하여 공정관리 계획할 수 있다. 4. 내 · 외부공사를 구분하고 연관공정을 고려하여 공정계획을 관리할 수 있다. 5. 작업 조건을 검토하여 공정관리 계획을 수립할 수 있다.
		3. 품질관리계획하기	1. 설계도서에서 요구하는 품질의 수준을 파악할 수 있다. 2. 품질 확보를 위해 시공부위에 대하여 시험방법과 횟수를 규정할 수 있다.
		4. 안전관리계획하기	1. 공사의 규모에 따라 안전 계획을 수립하고 관리할 수 있다. 2. 근로자의 건강을 관리할 수 있는 안전교육 계획을 수립할 수 있다. 3. 위해 요소가 우려되는 부분은 별도로 관리할 수 있다.

실기 과목명	주요항목	세부항목	세세항목
		5. 환경관리계획하기	1. 환경 관련법에 따라서 환경 관리 계획을 수립할 수 있다. 2. 환경오염 방지를 위한 시설 및 기구 설치 계획을 수립할 수 있다. 3. 유해 폐기물로 인하여 2차오염이 발생되지 않도록 관리할 수 있다. 4. 환경 관련법에서 규정하고 있는 폐기물은 별도로 관리할 수 있다.
	23. 방수시공계획수립	1. 설계도서검토하기	1. 방수시공 설계도서에 따라 방수시공의 시공범위와 시공방법, 자재를 파악할 수 있다. 2. 방수시공 설계도서에 따라 방수시공의 품질수준을 확인할 수 있다. 3. 방수시공 설계도서에 따라 방수시공의 문제점과 대안을 파악할 수 있다.
		2. 내역검토하기	1. 방수시공 설계도서에 따라 시공수량을 산출할 수 있다. 2. 방수시공 설계수량과 방수시공 시공수량을 검토할 수 있다. 3. 방수시공 설계도서에 따라 방수시공의 경제성을 분석할 수 있다. 4. 시방서에 따라 방수시공의 특수 조건을 확인할 수 있다.
		3. 가설계획하기	1. 방수시공 설계도서에 따라 필요한 가설물을 선정할 수 있다. 2. 타공사와의 관계에 따라 소요가설자재를 산출할 수 있다. 3. 방수시공 공정표에 따라 가설시설물의 설치와 해체시기를 파악할 수 있다.
		4. 공정관리계획하기	1. 공정표에 따라 방수시공의 선행과 후행공사의 관계를 고려하여 방수시공 공정표를 작성할 수 있다. 2. 방수시공 공정표에 따라 방수시공의 시공범위를 파악할 수 있다. 3. 방수시공 공정표에 따라 방수시공의 작업순서를 파악할 수 있다. 4. 방수시공 공정표에 따라 방수시공 소요기간을 파악할 수 있다.
		5. 작업인원투입계획하기	1. 방수시공 시공수량에 따라 소요 인원을 산정할 수 있다. 2. 방수시공 공정표에 따라 소요 인원을 조직할 수 있다. 3. 방수시공 인원계획에 따라 소요 인원을 투입할 수 있다.
		6. 자재투입계획하기	1. 방수시공 시공수량에 따라 소요 자재를 산정할 수 있다. 2. 방수시공 자재계획에 따라 소요 자재를 구매할 수 있다. 3. 방수시공 공정표에 따라 소요자재를 투입할 수 있다.
		7. 품질관리계획하기	1. 방수시공 품질관리기준에 따라 품질보증계획서를 작성할 수 있다.

실기 과목명	주요항목	세부항목	세세항목
			2. 계약서와 방수시공 설계도서에 근거하여 하자보수를 실시할 수 있다.
		8. 안전관리계획하기	1. 산업안전보건법에 따라 안전관리 조직을 구성할 수 있다.
		9. 환경관리계획하기	1. 환경관련법규에 따라 환경 계획서를 작성할 수 있다. 2. 환경관련법규에 따라 환경관리 교육을 실시할 수 있다.
	24. 방수검사	1. 외관검사하기	1. 자재 시방서에 따라 검사방법을 확인할 수 있다. 2. 설계도서에 따라 방수시공 상태를 확인할 수 있다. 3. 시방서에 따라 단계별 방수시공 절차를 확인할 수 있다.
		2. 누수검사하기	1. 시공계획에 따라 누수검사 계획을 수립할 수 있다. 2. 시방서에 따라 우기 시에 누수검사를 실시할 수 있다. 3. 시방서에 따라 살수하여 누수검사를 실시할 수 있다. 4. 시방서에 따라 시공 부위별로 담수하여 누수검사를 실시할 수 있다.
		3. 검사부위손보기	1. 자재 시방서에 따라 검사부위 손보기 계획을 수립할 수 있다. 2. 자재 시방서에 따라 방수재료 특성을 확인할 수 있다. 3. 자재 시방서에 따라 손보기 작업을 수행할 수 있다.
	25. 타일석공시공계획 수립	1. 설계도서검토하기	1. 설계도서에 따라 자재의 크기, 종류, 모양을 결정할 수 있다. 2. 전체 공정표에 따라 시공시 다른 공종들과 연관 되는 것을 확인할 수 있다. 3. 설계도서에 따라 도면과 현장상태의 상이점을 비교 · 확인할 수 있다. 4. 시공상세 도면 · 시방서에 따라 시공 방법 · 가공 방법을 검토할 수 있다. 5. 설계도서 · 현장여건을 고려하여 도출된 작업의 소요 공사 기간을 산출할 수 있다. 6. 전체 공정표에 준하여 타 공종과 연계성을 고려한 해당 공정표를 작성할 수 있다.
		2. 현장실측하기	1. 발주처가 정하는 기준선에 따라 시공 면적을 실측할 수 있다. 2. 시공상세 도면에 따라 공구 · 측정기구를 활용하여 수평 · 수직을 측정할 수 있다. 3. 시공상세 도면에 따라 실측 후, 시공 면적범위를 확인하여 나누기 작업을 할 수 있다.
		3. 시공상세도작성하기	1. 각 실별바탕면이 시공된 상태에서 실측한 산출자료를 감독자의 검토확인을 받아 시공상세도를 작성할 수 있다. 2. 기본도면에 의하여 치수를 활용하여, 시공상세도를 작성할 수 있다.

실기 과목명	주 요 항 목	세 부 항 목	세 세 항 목
			3. 설계도서에 따라 시공시 타 공종들과 연관성을 고려하여 시공 상세도를 작성할 수 있다. 4. 설계도서에 따라 작성된 시공 상세도를 발주처로 부터 승인을 요청할 수 있다.
		4. 시공방법절차검토하기	1. 설계도서에 의하여 공법을 검토할 수 있다. 2. 설계도서에 따라 시공 절차를 검토할 수 있다. 3. 전체 공정표에 따라 타일 · 석공사 공정을 검토할 수 있다.
		5. 시공물량산출하기	1. 작업지시서에 따라 시공상세도에서 요구하는 붙이는 장소에 따른 자재의 종류 · 규격을 적용할 수 있다. 2. 작업지시서에 따라 자재의 규격을 고려하여 시공 물량을 산출할 수 있다. 3. 작업지시서에 따라 자재의 특성을 고려하여 자재 할증을 고려할 수 있다.
		6. 작업인원자재투입계획하기	1. 산출된 작업량을 기준으로 공정표에 따라 주어진 기간 내에 작업완료를 위해 인원을 조직하고 운영할 수 있다. 2. 단위공정에 따라 필요한 인원을 배치할 수 있다. 3. 단위공정에 따라 필요한 · 자재 투입 계획을 세울 수 있다.
		7. 안전관리계획하기	1. 산업안전보건법에 따라 공사규모에 맞는 유해위험 방지계획서 · 안전관리계획서를 작성할 수 있다.
	26. 검사보수	1. 품질기준확인하기	1. 설계도서에 따라 입고된 자재의 외관 · 규격을 검사하여 품질기준에 미달한 자재를 선별할 수 있다. 2. 설계도서에 따라 입고된 접착제, 시멘트, 기성배합모르타르, 앵커세트 부자재의 품질을 확인할 수 있다. 3. 설계도서에 따라 석재 · 타일 시공의 줄눈간격 적정여부를 확인할 수 있다.
		2. 시공품질확인하기	1. 설계도서에 따라 측정기를 이용하여 석재 · 타일이 수직 · 수평하게 시공되었는지 확인할 수 있다. 2. 설계도서에 따라 석재 · 타일에 줄눈이 품질에 기준에 맞게 시공되었는지 확인할 수 있다. 3. 설계도서에 따라 붙임 모르타르가 경화된 후 검사봉으로 석재 · 타일 표면을 두들겨 부착상태를 검사할 수 있다. 4. 설계도서에 따라 들뜸, 균열등 하자에 대한 소리와 울림으로 확인할 수 있다. 5. 설계도서에 따라 모르타르 줄눈시공 후 충전성을 확인할 수 있다.
		3. 보수하기	1. 설계도서에 따라 주위의 타 자재가 파손되지 않도록 보수할 수 있다. 2. 설계도서에 따라 분진 · 소음을 방지할 수 있다.

실기 과목명	주 요 항 목	세 부 항 목	세 세 항 목
			3. 하자에 따른 보수계획을 수립할 수 있다. 4. 설계도서에 따라 동일자재 수급계획을 수립할 수 있다. 5. 설계도서에 따라 바탕면의 기능을 확보할 수 있다.
	27. 건축도장시공계획 수립	1. 내역검토하기	1. 계약서 및 과업 지시서상 도장공사의 범위를 분석할 수 있다. 2. 계약서 및 과업 지시서의 물량을 확인할 수 있다. 3. 계약서 및 과업 지시서상 별도의 특수조건이 있는지를 파악할 수 있다.
		2. 설계도서검토하기	1. 설계도서를 보고 도장할 면의 위치 및 도장 바름 두께를 확인할 수 있다. 2. 시공면을 파악하여 사용될 재료의 양을 산출할 수 있다. 3. 재료 마감표 또는 재료마감 시공 상세도를 보고 필요한 재료를 확인할 수 있다. 4. 도장부위 주변에 설치된 마감 부재와의 마감 관계 상세도를 숙지할 수 있다.
		3. 공정표작성하기	1. 전체공정표에 따라 선후공사 관계를 고려하여 도장공사 공정표를 작성할 수 있다. 2. 공법에 따른 요소 작업을 구분하여 분할할 수 있다. 3. 설계도서에 따라 도출된 작업량에 의거하여 요소작업 공기를 산출할 수 있다.
		4. 인원투입계획하기	1. 산출된 작업량으로 인원을 산출할 수 있다. 2. 산출된 인원을 조직하고 구성할 수 있다. 3. 필요한 인원을 주어진 공정에 따라 배치할 수 있다.
		5. 자재투입계획하기	1. 설계도서에서 지정한 공법에 따른 자재를 선정, 소요량을 산출할 수 있다. 2. 공법 및 구조체 부위에 따라 필요 가설재를 선정 및 소요량을 산출할 수 있다. 3. 각 자재 및 가설재를 공정표에 따라 투입일정을 계획할 수 있다. 4. 투입일정에 따라 미리 자재 및 가설재를 공사현장에 반입할 계획을 수립할 수 있다.
		6. 장비투입계획하기	1. 공법에 따라 필요장비를 선정 및 소요량을 산출할 수 있다. 2. 투입장비를 공정표에 따라 투입일정을 계획할 수 있다. 3. 투입장비에 대한 안전 계획을 수립할 수 있다.
		7. 품질관리계획하기	1. 품질관리계획에 따라 시공계획서를 작성할 수 있다. 2. 품질관리계획에 따라 주기적인 품질관리 교육 계획을 수립할 수 있다. 3. 품질관리계획에 따라 품질시험계획을 수립할 수 있다.
		8. 안전관리계획하기	1. 작업 전 주기적인 안전교육 계획을 수립할 수 있다.

실기 과목명	주 요 항 목	세 부 항 목	세 세 항 목
			2. 작업 전 안전 로프의 이상 유무를 확인할 수 있다. 3. 안전사고에 대비하여 보호 장구를 준비할 수 있다. 4. 작업 공간에 휘발성 가스가 고이지 않도록 환기 시킬 수 있다. 5. 인화성 도료 등을 안전하게 보관할 수 있다. 6. 소화기를 설치하여 화재에 대처할 수 있다. 7. 환기시설을 설치하여 환기시키면서 작업할 수 있다. 8. 밀폐된 공간에서 작업할 경우 호흡기 보호 장구를 착용할 수 있다.
		9. 환경관리계획하기	1. 환경법규에 따라 환경계획을 수립할 수 있다. 2. 도장부위 주변시설물이 오염되지 않도록 보양계획을 수립할 수 있다. 3. 작업 후 폐자재처리에 대한 계획을 수립할 수 있다.
	28. 건축도장시공검사	1. 도장면의상태확인하기	1. 도장면이 충분히 경화건조 되었는지를 육안과 촉감을 이용하여 확인할 수 있다. 2. 도장면 외관상 들뜸이나 균열 등의 결함이 있는지 확인할 수 있다. 3. 도장면 외관상 오염 및 훼손 등을 확인할 수 있다.
		2. 도장면의색상확인하기	1. 도장면의 색채계획서와 동일색상여부를 확인할 수 있다. 2. 도장면의 외관상 변색 및 이색 등을 있는지 확인할 수 있다. 3. 도장면의 균질한 색도를 확인할 수 있다.
		3. 도막두께확인하기	1. 도막두께가 시방서와 동일한지 확인할 수 있다. 2. 도장면이 평활하게 도장되었는지 육안으로 확인할 수 있다. 3. 도막두께 측정기를 사용할수 있다.
	29. 철근콘크리트시공계획수립	1. 설계도서검토하기	1. 건설기술진흥법에 따라 시공계획서 작성시 설계도서와 일치하는지를 검토할 수 있다. 2. 설계도에 따라 시공현장에서 사용되는 부재의 종류 · 형상을 파악할 수 있다. 3. 건설기술진흥법에 따라 설계도가 현장 상황에 적합한지의 여부를 판별할 수 있다. 4. 건설기술진흥법에 따라 설계도의 문제점을 파악하고 대안 · 개선안을 제시할 수 있다. 5. 건설기술진흥법에 따라 설계도 검토시 시방서의 도면과 일치여부를 파악할 수 있다.
		2. 내역검토하기	1. 건설기술진흥법에 따라 설계도서와 내역서가 일치하는지를 파악할 수 있다. 2. 내역서에 따라 공사범위를 확인할 수 있다. 3. 설계도면 · 시방서에 따라 내역서의 수량산출 적정여부를 판별할 수 있다.
		3. 공정표작성하기	1. 설계도서 · 계약서에 따라 작업공정 절차에 맞게 작업순서를 결정할 수 있다. 2. 설계도서에 따라 도출된 작업량에 의거하여 요소 작업 공기를 산출할 수 있다.

실기 과목명	주 요 항 목	세 부 항 목	세 세 항 목
			3. 전체 공정표에 따라 선 · 후 공사 관계를 고려하여 철근 및 콘크리트공사 공정표를 작성할 수 있다. 4. 전체 공정표에 따라 주 · 월간 공정표를 작성할 수 있다.
		4. 시공계획서작성하기	1. 시공계획서에 따라 인원을 조직하고 자재소요량을 산출할 수 있다. 2. 설계도서에 따라 철근 가공 · 조립계획을 검토할 수 있다. 3. 설계도서에 따라 거푸집 · 동바리 설치 계획을 수립할 수 있다. 4. 설계도서에 따라 콘크리트 시공 · 이음계획을 검토할 수 있다.
		5. 품질관리계획하기	1. 품질관리기준에 따라 세부적 품질관리지침을 작성할 수 있다.
		6. 안전관리계획하기	1. 산업안전보건법에 따라 공사규모에 맞는 안전관리조직을 구성할 수 있다. 2. 산업안전보건법에 따라 공사일정서에 맞춰 안전교육 계획표를 작성할 수 있다. 3. 각 종 공사안전규정법규에 따라 현장 안전수칙을 실행할 수 있다. 4. 작업평가서에 따라 안전지침을 준수하여 작업을 시행할 수 있다.
		7. 환경관리계획하기	1. 환경법규에 따라 환경계획을 수립할 수 있다.
	30. 시공 전 준비	1. 시공상세도 작성하기	1. 관련근거에 따라 설계도서상에 불명확한 부분을 파악하여 시공상세도를 작성할 수 있다. 2. 관련근거에 따라 작업상의 유의사항을 세부시공부위별로 표현할 수 있다. 3. 작성된 시공 상세도가 자재 · 인력을 관리 할 수 있는 시공관리 기준에 적합한지를 판별할 수 있다.
		2. 거푸집 설치 계획하기	1. 도면 · 시방서에 따라 공사특성에 맞게 거푸집 재료를 선정할 수 있다. 2. 도면 · 시방서에 따라 검토하여 마감도와 거푸집형상의 일치여부를 판별할 수 있다. 3. 콘크리트 타설관련 안전규정과 거푸집 조립 · 해체방법에 따라 거푸집 설치 공법을 선정할 수 있다.
		3. 철근가공 조립계획하기	1. 오차분석방법에 따라 가공오차를 확인하여 가공계획서를 작성할 수 있다. 2. 설계도와 시방서에 따라 철근이음 · 정착방법을 결정할 수 있다. 3. 설계도에 따라 부재별 철근조립작업을 분할하여 작업의 선 · 후 관계를 도출할 수 있다. 4. 조립방법이 복잡할 경우 시공상세도에 따라 샘플을 제작할 수 있다.
		4. 콘크리트 타설 계획하기	1. 품질관리 기준에 따라 품질관리 계획서를 작성할 수 있다. 2. 시방서에 따라 운반거리를 검토하여 공장을 선정할 수 있다.

실기 과목명	주 요 항 목	세 부 항 목	세 세 항 목
			3. 콘크리트의 타설 · 운송방법에 따라 필요한 타설 기계와 타설 순서를 계획할 수 있다. 4. 시방서에 따라 양생조건을 고려하여 양생계획을 수립할 수 있다.
	31. 자재관리	1. 거푸집 반입 · 보관하기	1. 거푸집설계도에 따라 반입된 거푸집재료 상세내역을 파악하여 반입검사 · 보관을 할 수 있다. 2. 시방서에 따라 거푸집재료를 검사하여 콘크리트의 품질을 확보할 수 있다. 3. 시방서에 따라 동바리를 확인하여 거푸집의 시공안전성을 확인할 수 있다.
		2. 철근 반입 · 보관하기	1. 시방서에 따라 철근의 제조업체 · 시험 성적서를 파악하여 철근품질을 확인할 수 있다. 2. 시방서에 따라 반입된 철근의 시료를 채취 · 시험의뢰 하여 재질의 품질을 확보할 수 있다. 3. 시공계획서에 따라 확보된 야적장에 반입된 철근을 저장 보관할 수 있다. 4. 철근가공도 · 수량산출서에 따라 철근을 규격별로 파악하여 보관 · 관리할 수 있다.
		3. 콘크리트 반입검사하기	1. 콘크리트재료의 품질을 확보하기 위하여 시방서에 따라 품질성적서를 확인할 수 있다. 2. 콘크리트 반입시 시방서에 따라 배합설계서를 확인할 수 있다. 3. 콘크리트 반입시 품질확보를 위하여 시방서에 따라 납품검사 · 시료채취검사를 할 수 있다.
	32. 철근가공조립검사	1. 철근절단가공하기	1. 철근 절단 가공시 철근가공도에 따라 가공오차 이내로 절단가공 할 수 있다. 2. 철근가공도에 따라 철근의 종류 · 가공장비의 특성을 파악하여 절단, 절곡 방법과 장비를 결정 할 수 있다.
		2. 철근조립하기	1. 철근배근시공도에 따라 부재별 철근을 파악하여 철근의 배근 · 정착 · 이음위치를 표시할 수 있다. 2. 철근배근시공도에 따라 배근된 철근 상태를 확인할 수 있다. 3. 철근배근시공도에 따라 적합한 이음방법을 결정 할 수 있다.
		3. 철근조립검사하기	1. 조립검사 체크리스트에 따라 철근 조립검사를 할 수 있다. 2. 콘크리트 치기 전 철근배근시공도에 따라 철근의 조립상태를 확인하여 이상유무를 파악할 수 있다. 3. 철근배근시공도에 따라 조립상태를 확인 · 교정 할 수 있다.
	33. 콘크리트양생 후 검사보수	1. 표면상태 확인하기	1. 품질관리계획서에 따라 재료분리충진 불량부위를 판별할 수 있다. 2. 품질관리계획서에 따라 균열이 발생된 부위를 판별할 수 있다. 3. 품질관리계획서에 따라 표면이 고르지 못한 부위를 판별할 수 있다.

실기 과목명	주요항목	세부항목	세세항목
		2. 균열상태검사하기	1. 시방서에 따라 균열측정기를 설치할 수 있다. 2. 시방서에 따라 설치된 균열측정기를 사용하여 균열의 진행여부를 파악할 수 있다. 3. 시방서에 따라 균열 보수여부를 결정할 수 있다.
		3. 콘크리트보수하기	1. 보수계획서에 따라 표면이 고르지 못한 부위를 보수할 수 있다.
	34. 창호시공계획수립	1. 사전조사실측하기	1. 수직 · 수평측정기기를 사용하여 전체적인 수직과 수평을 확인하고 기록할 수 있다. 2. 개구부의 형태가 설계도서와 맞는지 확인하고, 거리 측정기를 사용하여 높이, 폭, 벽, 두께를 측정하여 기록할 수 있다.
		2. 협의조정하기	1. 형성된 개구부에 문제가 있을 때는 설계도서 또는 시공상세도에 따라, 공사 책임자와 협의하여 조정할 수 있다. 2. 사전조사 내용을 바탕으로 공사일정 및 제품의 규격 등을 공사 책임자와 협의하여 조정할 수 있다. 3. 공사회의 결과에 따라, 협의된 내용을 기록하고 공사에 반영할 수 있다.
		3. 안전관리계획하기	1. 산업안전보건법에 따라 공사규모에 맞는 안전관리조직을 구성할 수 있다. 2. 공사일정에 맞춰 안전관리계획표를 작성할 수 있다. 3. 노동안전관리규칙, 노동위생관리규칙 및 기타관련 규정을 현장 안전수칙에 맞게 계획할 수 있다.
		4. 환경관리계획하기	1. 환경 관련법에 따라서 환경 관리 계획을 수립할 수 있다. 2. 환경오염 방지를 위한 시설 및 기구 설치 계획을 수립할 수 있다. 3. 유해 폐기물로 인하여 2차 오염이 발생되지 않도록 특별 관리할 수 있다. 4. 환경 관련법에서 규정하고 있는 지정 폐기물은 별도로 관리할 수 있다.
		5. 시공순서계획하기	1. 주요 공정을 분류하여, 작업분류체계(WBS; Work Breakdown Structure)를 작성할 수 있다. 2. 세부공정표에 따라, 자재수급을 조사하여 생산일정을 수립할 수 있다. 3. 계절에 따라, 현장일정 및 기후를 고려하여 시공인원계획을 수립할 수 있다. 4. 시방서에 따라 출하 전 품질검사계획을 수립할 수 있다. 5. 주요공정의 시공절차 및 방법에 따라, 작업의 전반적인 내용을 숙지하여 시공계획서를 작성할 수 있다. 6. 사전협의내용과 전체 공정계획표에 따라 관련 공종 및 공정을 고려하여 세부공정계획표를 작성할 수 있다. 7. 작업현장의 여건을 고려하여 공사진척이 지연될 경우, 작성한 세부공정계획표를 수정할 수 있다.

실기 과목명	주요항목	세부항목	세세항목
			8. 장비, 자재, 인력 수급에 따라 세부공정계획표를 작성할 수 있다.
	35. 공통가설계획수립	1. 가설측량하기	1. 건축, 기계, 전기, 조경, 토목 및 부대공사 등을 원활하고 효율적으로 시행할 수 있도록 공사 전반에 걸쳐 필요한 측량을 실시할 수 있다. 2. 담당원 및 인접지 소유자 입회하에 인접지 및 도로와의 경계측량을 실시할 수 있다. 3. 설계도서에 따라 시공 측량 후, 경계말뚝 설치(보호, 감시, 관리 등)를 할 수 있다. 4. 설계도서에 따라 경계선, 도로 및 건물과의 이격거리를 확인할 수 있다. 5. 설계도서에 따라 지적공사의 대지경계선 측량성과를 확인할 수 있다.
		2. 가설건축물시공하기	1. 설계도서에 따라 가설건물 배치가 현장조건에 맞는지를 확인할 수 있다. 2. 가설관련 법규에 따라 가설건물의 종류 및 규격을 설치 · 확인할 수 있다. 3. 설계도서에 따라 작업장의 위치가 현장여건에 적합한지를 확인할 수 있다. 4. 가설관련 법규에 따라 가설건물이 설치되었는지를 확인할 수 있다.
		3. 가설동력및용수확보하기	1. 가설전기 공급을 위하여 현장을 확인하고 가설전기계획을 수립할 수 있다. 2. 설계도서에 따라 공사용수 상수도 시설, 지하수의 용량이 본 공사를 위해 충분히 확보되었는지를 확인할 수 있다. 3. 설계도서에 따라 전화 및 인터넷의 통신선로를 보호 · 관리할 수 있다. 4. 가설시공계획서에 따라 가설전주 갯수, 위치, 수변전설비 등을 확인할 수 있다.
		4. 가설양중시설설치하기	1. 설계도서에 따라 타워크레인(Tower Crane) 기초가 시공되었는지를 확인할 수 있다. 2. 설계도서에 따라 호이스트가 시공되었는지를 확인할 수 있다. 3. 설계도서에 따라 가설리프트가 시공되었는지를 확인할 수 있다.
		5. 가설환경시설설치하기	1. 가설시공계획서에 따라 세륜시설이 시공되었는지를 확인할 수 있다. 2. 환경관리계획서에 따라 폐기물에 대한 처리시설이 시공되었는지를 확인할 수 있다. 3. 가설시공계획서에 따라 가설 휀스 및 울타리를 설치할 수 있다. 4. 환경관리계획서에 따라 현장에서 발생하는 오 · 폐수를 처리할 수 있다.
	36. 비계시공계획수립	1. 설계도서작성검토하기	1. 산업안전보건법 등에 따라 설계도서를 작성할 수 있다. 2. 현장상황을 파악하여 설계도서를 작성 · 검토할 수 있다. 3. 설계도서를 검토하여 시공방법이 적합하지 않을 시 대안 및 개선안을 제시할 수 있다.

실기 과목명	주 요 항 목	세 부 항 목	세 세 항 목
			4. 비계의 종류에 따라 안전인증서, 성능인증서, 재사용 가설기자재 자율등록증, 성능시험성적서, 가설기자재 검수보고서 등을 참고하여 설계도서를 작성 · 검토할 수 있다.
		2. 지반상태확인보강하기	1. 산업안전보건법 등에 따라 지반상태를 확인 · 보강할 수 있다. 2. 현장상황을 파악하여 설계도서와의 상이점을 발견하고 지반을 보강할 수 있다.
		3. 공정계획작성하기	1. 공사규모, 공종 등에 따라 BAR CHART, PERT, CPM 등을 활용하여 공정표를 작성할 수 있다. 2. 비계의 종류에 따라 안전인증서, 성능인증서, 재사용 가설기자재 자율등록증, 성능시험성적서, 가설기자재 검수보고서 등을 참고하여 공정계획을 작성할 수 있다.
		4. 안전품질환경관리계획하기	1. 산업안전보건법 · 건설기술진흥법 등에 따라 공사규모에 맞는 유해위험방지계획서 · 안전관리계획서를 작성할 수 있다. 2. 품질관리기준에 따라 품질관리계획서를 작성할 수 있다. 3. 환경법규에 따라 환경관리계획서를 작성할 수 있다. 4. 산업안전보건 관리비 계상 및 사용기준에 따라 관리비를 계상 및 적용할 수 있다.
		5. 비계구조검토하기	1. 현장상황과 설계도서에 따라 비계 구조 검토를 실시할 수 있다. 2. 비계 공법 및 비계 종류에 따라 작용하는 하중을 산정할 수 있다. 3. 비계 구조검토에 필요한 허용응력 설계법을 설명할 수 있다. 4. 비계 구조검토를 위하여 구조해석 프로그램을 사용할 수 있다. 5. 안전인증서, 성능인증서, 재사용 가설기자재 자율등록증, 성능시험성적서, 가설기자재 검수보고서 등을 활용하여 비계 구조검토를 실시할 수 있다.
	37. 비계검사점검	1. 받침철물기자재설치검사하기	1. 산업안전보건기준에 관한 규칙 등에 따라 받침철물, 기자재 설치상태를 검사 · 점검할 수 있다. 2. 시공계획서, 관련 도서 등을 적용하여 받침철물, 기자재 설치상태를 검사 · 점검할 수 있다. 3. 도서 상에 불분명한 사항이 있는 경우에는 상세 시방서 등을 참고하거나 관리감독자와 협의하여 결정할 수 있다. 4. 지반상태 및 지내력을 참고하여 받침 철물, 기둥, 깔목, 깔판 등을 검사할 수 있다. 5. 설계도서, 시방서에 따라 조립된 비계의 수직도, 수평도를 검사 · 점검할 수 있다. 6. 안전인증서, 성능인증서, 재사용 가설기자재 자율등록증, 성능시험성적서, 가설기자재 검수보고서 등을 확인하여 검사 · 점검할 수 있다.

실기 과목명	주 요 항 목	세 부 항 목	세 세 항 목
			7. 산업안전보건기준에 관한 규칙 등에 비계의 구조검토(받침철물 · 기자재 등) 결과를 확인할 수 있다.
		2. 가설기자재조립결속상태검사하기	1. 산업안전보건기준에 관한 규칙 등에 따라 가설기자재 조립 · 접속부 · 교차부의 상태를 검사 · 점검할 수 있다. 2. 시공계획서, 관련 도서에 따라 가설기자재 조립 · 접속부 · 교차부의 상태 검사 · 점검할 수 있다. 3. 산업안전보건기준에 관한 규칙 등에 따라 조립 · 연결부, 부착부, 교차부 등의 재료의 손상, 변형, 부식, 탈락여부 등을 검사할 수 있다. 4. 산업안전보건기준에 관한 규칙 등에 따라 비계재료의 연결부, 접속부, 교차부 등의 손상, 변형, 변위, 풀림여부 등을 검사할 수 있다. 5. 산업안전보건기준에 관한 규칙 등에 따라 수평재, 수직재, 가새재의 조립상태, 띠장, 장선, 벽지지, 받침대 등의 상태를 검사할 수 있다. 6. 안전인증서, 성능인증서, 재사용 가설기자재 자율등록증, 성능시험성적서, 가설기자재 검수보고서 등을 참고하여 검사할 수 있다. 7. 산업안전보건기준에 관한 규칙 등에 따라 비계의 구조검토(가설기자재 조립 · 접속부 · 교차부 등) 결과를 확인할 수 있다. 8. 비계의 구조검토 결과를 확인할 수 있다.
		3. 작업발판안전시설재설치검사하기	1. 산업안전보건기준에 관한 규칙 등에 따라 작업발판 · 안전시설재의 설치상태를 검사할 수 있다. 2. 시공계획서, 관련 도서 등에 따라 작업발판 · 안전시설재의 설치상태를 검사할 수 있다. 3. 도서 상에 불분명한 사항이 있는 경우에는 상세 시방서 등을 참고하거나 관리감독자와 협의하여 결정할 수 있다. 4. 작업발판 재료가 견고한지, 폭이 규정에 맞는지, 발판재료간의 틈새 등은 산업안전보건 규칙 등에 따라 검사할 수 있다. 5. 발판의 부착 또는 걸림 상태, 발판이 뒤집히지 않도록 2개 이상의 부재에 단단하게 고정이 되어 있는지 등을 검사할 수 있다. 6. 안전난간, 발끝막이 판, 낙하물 방지망, 안전방망, 수직형 추락방지망, 방호선반 등의 안전시설을 산업안전기준에 관한 규칙, 관련 도서, 시방서 등에 따라 검사할 수 있다. 7. 안전인증서, 성능인증서, 재사용 가설기자재 자율등록증, 성능시험성적서, 가설기자재 검수보고서 등을 참고하여 검사할 수 있다. 8. 안전보건에 관한 규칙 등에 따라 비계의 구조검토(작업발판 · 안전시설재 등) 결과를 확인할 수 있다.
	38. 거푸집동바리시공계획수립	1. 설계도서작성검토하기	1. 설계도서에 명시된 공법이 비현실적이거나 이상이 있을 때 대안을 제시할 수 있다.

실기 과목명	주요항목	세부항목	세세항목
		2. 공정계획작성하기	1. 전체 공정표에 따라 선·후행 공사 및 관련 공정 관계를 고려하여 거푸집공사 공정표를 작성할 수 있다. 2. 기상정보·휴무일 등을 고려하여 전체 공정표를 작성할 수 있다.
		3. 안전품질환경관리계획하기	1. 산업안전보건법·건설기술진흥법 등에 따라 공사규모에 맞는 유해위험방지계획서·안전관리계획서를 작성할 수 있다. 2. 품질관리기준에 따라 품질관리계획서를 작성할 수 있다. 3. 환경법규에 따라 환경관리계획서를 작성할 수 있다. 4. 산업안전보건 관리비 계상 및 사용기준에 따라 관리비를 계상 및 적용할 수 있다.
		4. 거푸집동바리구조검토하기	1. 현장상황과 설계도서에 따라 거푸집·동바리 구조검토를 실시할 수 있다. 2. 거푸집·동바리 공법 및 종류에 따라 작용하는 하중을 산정할 수 있다. 3. 거푸집·동바리 구조검토를 위하여 허용응력설계법을 설명할 수 있다. 4. 거푸집·동바리 구조검토를 위하여 구조해석프로그램을 사용할 수 있다. 5. 거푸집·동바리 구조검토 결과에 따라 안전성 여부를 분석할 수 있다.
	39. 거푸집동바리검사점검	1. 동바리설치검사하기	1. 산업안전보건법령에 따라 안전인증을 받지 않은 동바리를 교체할 수 있다. 2. 산업안전보건법령에 따라 심하게 손상·변형·부식된 동바리를 교체할 수 있다. 3. 산업안전보건법령에 따라 동바리용 부재가 설치되었는지를 확인할 수 있다. 4. 산업안전보건법령에 따라 동바리의 수직도 유지·미끄럼방지 조치가 되었는지를 확인할 수 있다. 5. 산업안전보건법령에 따라 진동·충격·편심 등에 의하여 이탈되지 않도록 고정되었는지를 확인할 수 있다.
		2. 거푸집설치검사하기	1. 시공계획서에 따라 심하게 손상·변형·부식된 거푸집 재료를 교체할 수 있다. 2. 설계도서에 따라 거푸집이 설치되었는지를 확인할 수 있다. 3. 설계도서에 따라 거푸집 재료의 전용횟수를 확인할 수 있다. 4. 설계도서에 따라 폼타이·컬럼밴드 등이 콘크리트 측압에 견딜 수 있도록 시공되었는지를 확인할 수 있다.
		3. 타설전중점검보정하기	1. 콘크리트 타설계획서에 따라 장비, 인원, 물량 등을 점검할 수 있다. 2. 품질관리계획서에 따라 타설 전 거푸집의 변형·동바리의 수직도 등 시공 상태를 점검할 수 있다. 3. 콘크리트 타설계획서에 따라 타설장비 및 배관의 접속·고정상태를 점검할 수 있다.

실기 과목명	주 요 항 목	세 부 항 목	세 세 항 목
			4. 콘크리트 타설계획서에 따라 콘크리트의 타설속도 · 순서를 정하여 타설하도록 점검할 수 있다. 5. 콘크리트 타설계획서에 따라 슬래브에 편심하중이 발생되는지를 점검할 수 있다.
	40. 가설안전시설물설치점검해체	1. 가설통로설치점검해체하기	1. 시방서에 기준하여 가로재, 수평재, 받침물 등의 가설재의 종류를 파악하고 제 규정에 준한 재료를 선별할 수 있다. 2. 수직, 수평재설치를 위한 밑받침 철물의 간격을 정하고 지반이 고른 상태인지를 확인, 밑받침 철물을 설치할 수 있다. 3. 수직재의 간격을 정하고, 수평재는 작업자의 이동과 운반물에 걸리지 않도록 유동성있게 위치를 조정할 수 있다.
		2. 안전난간설치점검해체하기	1. 시방서에 기준하여 안전난간 설치기준에 의거한 구조적 기능을 파악하고 제 규정에 준한 자재를 선별할 수 있다. 2. 시방서에 따라 안전난간 자재의 규격, 설치간격, 위치 등을 파악하여 위험장소별로 조립하여 설치할 수 있다. 3. 난간자재의 적정성과 안전인증 기준에 적합한 것을 확인, 점검 후 보완이 충분히 가능한 것을 설치하고, 순조롭게 해체작업을 수행할 수 있다. 4. 작업자의 이동과 운반물에 걸리지 않도록 유동성 있게 위치를 조정할 수 있다.
		3. 방호선반설치점검해체하기	1. 구조물의 위치에 따라 설치된 방호선반이 견고한지 확인하고 낙하물 발생위험 위치파악, 구조물의 중량을 견딜 수 있도록 설치계획을 수립할 수 있다. 2. 시방서에 기준하여 방호선반에 대한 안정인증기준의 적합여부를 확인할 수 있다. 3. 사용부재의 규격, 간격, 높이 등을 검토하여 사용상의 문제와 걸림 등을 확인하여 방호선반을 설치할 수 있다. 4. 상부에서 낙하될 위험물을 가정하여 설치자재, 간격, 가설재의 견고성이 적정한지를 검토하여 자재를 반입, 검수하여 사용할 수 있다. 5. 자재의 경제성, 사용성, 자재의 재사용 등을 고려하여 구매할 수 있다.
		4. 안전방망설치점검해체하기	1. 구조물 설치기준 높이에 따라서 첫 단은 작업에 지장이 없는 가장 낮은 곳(위치) 현장여건에 따라 위치조정, 안전방망 설치계획을 수립할 수 있다. 2. 구조물과 낙하물방지 사이에 안전거리, 이격거리 등을 확인하여 추락위험을 감지하고 안전방망을 설치할 수 있다. 3. 육안검사를 통하여 가설재의 불량품 혼입여부를 확인하고, 사용상의 문제와 걸림 등을 확인하여 설치할 수 있다. 4. 상부에서 낙하될 위험물을 가정하여 설치위치, 간격, 각도, 겹침폭, 처짐량이 적정한지를 검토하여 설치, 보완, 검수 등을 실시할 수 있다.

실기 과목명	주요항목	세부항목	세세항목
			5. 자재의 경제성, 사용성, 자재의 재 사용 등을 고려하여 구매할 수 있다.
		5. 낙하물방지망설치점검해체하기	1. 시방서에 기준하여 수직재, 수평재, 방지망, 등의 가설재의 종류를 파악하고 제 규정에 준한 재료를 선별할 수 있다. 2. 시방서에 따라 본 구조물에 지장을 주지 않는 곳으로 상부층에서 낙하되는 물체, 작업자의 추락, 낙하물 등이 방지망에 얽혀져서 하부층으로 낙하되지 않게 조치를 취할 수 있다. 3. 수직, 수평재설치를 위한 고정철물의 간격 자재 등을 정하고 자재설치 전 자재상태를 확인, 설치할 수 있는 준비상태를 점검할 수 있다. 4. 수평재의 각도, 간격을 정하고, 수평재는 낙하물의 중량에 견딜 수 있는 견고성과 불에 견딜수 있는 재질 등을 결정할 수 있다. 5. 간격과 위치가 정해지면 연결재와 철물을 이용하여 탈락되지 않게 낙하물 방지망을 고정할 수 있다.
		6. 수직보호망설치점검해체하기	1. 시방서에 기준하여 수직재, 수평재, 방지망, 등의 가설재의 종류를 파악하고 제 규정에 준한 재료를 선별할 수 있다. 2. 시방서에 따라 본 구조물에 지장을 주지 않는 곳으로 각층에서 낙하되는 물체, 작업자의 추락, 비산분진발생 등이 발생되지 않는 가설재를 선정할 수 있다. 3. 수직, 수평재설치를 위한 고정철물의 간격, 상태 등을 정하고 태풍, 강풍 등의 기후조건에 견딜수 있는 재질과 자재 등으로, 설치할 수 있는 준비상태를 점검할 수 있다. 4. 수직재의 간격, 위치 등을 정하고, 견고성, 경제성 등을 확인, 쉽게 파손되지 않는 재질 등을 확인하여 정할 수 있다.
		7. 안전시설물해체점검정리하기	1. 해체시간, 출입통제, 작업자 상호간 표준 신호체계에 따라 작업순서, 낙하물의 유무를 파악하고, 신호수 등을 배치하여 해체작업을 진행할 수 있다. 2. 구조물의 손상을 주지않고, 설치조립 순의 역순으로 진행하며 안전장구류를 착용하고 작업을 진행할 수 있다. 3. 사고를 예방하기 위하여 작업장 주변을 정리할 수 있다.
	41. 수장시공계획수립	1. 현장조사하기	1. 자재운반 및 적재를 위해 현장여건을 확인할 수 있다.
		2. 설계도서검토하기	1. 설계도서를 검토하여 현장여건과의 상이점을 파악할 수 있다. 2. 설계도서를 검토하여 시공방법의 적정성과 사용재료의 적합여부를 파악할 수 있다.
		3. 공정관리계획하기	1. 단위 공정표를 바탕으로 인원 투입 계획을 수립할 수 있다. 2. 산출된 수량을 기준으로 자재 투입 계획을 수립할 수 있다.

실기 과목명	주요항목	세부항목	세세항목
		4. 품질관리계획하기	1. 품질관리기준에 따라 품질확보를 위하여 품질관리계획서를 수립할 수 있다. 2. 품질관리에 필요한 체크리스트를 작성하여 시공 상태를 확인할 수 있다. 3. 견본시공(Mock-up)을 통해 품질성을 확보할 수 있다.
		5. 안전환경관리계획하기	1. 공종별로 안전관리 계획을 수립할 수 있다. 2. 작업환경을 고려하여 안전장비 및 공구사용 계획을 수립할 수 있다. 3. 환경법규에 따라 환경계획을 수립할 수 있다. 4. 작업 중 발생할 수 있는 오염원을 제거하고, 폐기물 처리 계획을 수립할 수 있다.
		6. 자재인력장비투입계획하기	1. 설계도서에 따라 인력 · 자재 · 장비의 수급상황을 파악할 수 있다. 2. 작업 일정에 따라 작업팀을 편성할 수 있다. 3. 자재의 공급이 불안정한 경우에 대비하여 대체 자재를 파악할 수 있다. 4. 인력 · 자재 · 장비의 투입량을 산출하여 원가 절감방안을 마련할 수 있다.
	42. 검사마무리	1. 도배지검사하기	1. 도배지의 시공품질을 확인하기 위하여 검사 체크리스트를 작성할 수 있다. 2. 육안 검사를 통하여 기포, 주름 및 처짐이 없는지, 무늬가 맞는지를 검사할 수 있다. 3. 도배지의 이음방향 및 이음처리를 검사할 수 있다. 4. 타공종 및 장애물과의 간섭부위에 대한 마감처리를 검사할 수 있다.
		2. 바닥재검사하기	1. 바닥재의 시공품질을 확인하기 위하여 검사 체크리스트를 작성 할 수 있다. 2. 육안검사 등 바닥재의 하자 여부를 검사할 수 있다. 3. 검측장비를 활용하여 평활도를 검사할 수 있다. 4. 육안 검사를 통하여 연결부 및 이음부의 시공상태를 검사할 수 있다. 5. 육안 검사를 통하여 무늬 및 줄눈 시공상태를 검사할 수 있다.
		3. 보수하기	1. 보수 유형별 발생 원인을 분석하고 보수 방법을 결정할 수 있다. 2. 보수작업 후 선행 작업 부위와 미관상 부조화 여부를 파악할 수 있다. 3. 보수가 완료되면 마무리 작업을 할 수 있다.
	43. 공정관리계획수립	1. 공법 검토하기	1. 현장조사를 통해 전체적인 공사진행 상황을 파악하여 착수시점을 확인할 수 있다. 2. 현장조사를 통해 단열공사에 지장을 줄 수 있는 요인을 확인하여 시공계획 작성 시 반영할 수 있다. 3. 단열재 시공부위를 정밀하게 실측하여 필요한 장비 및 재료를 파악할 수 있다. 4. 단열공사 시공부위를 정밀하게 실측하여 필요한 인력과 투입시기 등을 검토 할 수 있다.

실기 과목명	주 요 항 목	세 부 항 목	세 세 항 목
		2. 공정관리계획하기	1. 설계도서에 적시된 작업량에 따라 필요한 공사기간을 산출할 수 있다. 2. 공법에 따라 선공사 및 후속공사 관계를 이해하고 계획할 수 있다. 3. 현장여건이나 계절 및 지역기후에 따른 작업 가능 기간을 조정할 수 있다. 4. 단열공사의 규모와 방법에 따라 필요한 가설물 설치공정을 추가 계획할 수 있다.
		3. 공정표작성하기	1. 전체공정표에 따라 선후공사 관계를 고려하여 단열공사 공정표를 작성할 수 있다. 2. 공법에 따른 요소 작업을 구분하여 분할할 수 있다. 3. 설계도서에 따라 도출된 작업량에 의거하여 요소작업 공기를 산출할 수 있다.
	44. 단열시공계획수립	1. 자재투입양중계획하기	1. 계획된 공정표에 따라 필요한 자재의 소요시점을 파악하여 투입일자를 계획할 수 있다. 2. 현장여건을 고려하여 자재의 양중계획을 수립할 수 있다.
		2. 인원투입계획하기	1. 공사지역의 특성 및 기후를 반영하여 소요되는 인원 투입 계획을 조정할 수 있다. 2. 작업공정에 따라 필요한 인원을 투입 · 조정할 수 있다.
		3. 품질관리계획하기	1. 건설기술진흥법의 품질관리 기준에 따라 품질 시험 의뢰 및 현장품질관리 세부계획을 수립할 수 있다. 2. 품질관리 세부계획에 따라 작업자에 대한 교육을 할 수 있다. 3. 품질관리 세부계획에 따라 견본시공을 통하여 품질기준을 수립할 수 있다. 4. 주요공정 및 특수공정에 대해 부실시공이 되지 않도록 절차서를 작성할 수 있다.
		4. 안전환경관리계획하기	1. 산업안전보건법에 따라 공사규모와 공법에 맞는 안전관리계획을 수립할 수 있다. 2. 안전관리계획에 따라 작업자에 대한 교육을 실시할 수 있다. 3. 환경관련법규에 따라 환경관리계획을 수립할 수 있다. 4. 환경오염요인에 따라 오염원 제거 및 폐기물 처리에 대한 대책을 수립할 수 있다.
	45. 검사	1. 육안검사하기	1. 각 부위별 재료의 규격 품질이 설계도서에 따라 설치되었는지 검사할 수 있다. 2. 제출된 견본에 따라 시공된 단열재료의 규격이 동일한지를 검사할 수 있다. 3. 설계도서에 따라 충진상태와 두께가 적합한지를 검사할 수 있다. 4. 시공된 부위의 손상 및 균열 등의 하자여부를 검사할 수 있다.
		2. 물리적검사하기	1. 품질관리계획서에 따라 단열재의 부착성을 검사할 수 있다. 2. 품질관리계획서에 따라 단열재의 빛, 공기, 물 투과여부를 검사할 수 있다.

실기 과목명	주요항목	세부항목	세세항목
			3. 단열뿜칠피복공사는 한국산업규격 또는 공인시험기관에서 인정한 성능별 밀도, 부착강도, 두께 등에 따라 시공되었는지 검사할 수 있다. 4. 단열뿜칠피복공사는 관련기준에 따라 품질을 검사할 수 있다.
		3. 화학적검사하기	1. 단열시공 및 시방기준에 따라 실내공기의 오염 및 유해여부검사를 실시할 수 있다. 2. 단열재의 화학적 변형이 발생한 경우 한국산업규격에 따라 적합한지를 외부공인시험기관에 검사를 의뢰할 수 있다. 3. 화재시 단열재에서 유해성분의 발생 여부를 관련 법규에 따라 검사의뢰할 수 있다.
	46. 지붕시공계획수립	1. 설계도서확인하기	1. 설계도서에 따라 인원 및 자재 수량 등을 파악하여 공사내역을 확인할 수 있다. 2. 설계도면 검토에 따라 재료특성과 지붕형태 등 공사특성을 파악할 수 있다. 3. 시방서를 확인하여 고객의 요구사항을 파악하고 공사방법을 결정할 수 있다. 4. 설계도서에 표기된 이질 또는 동질 구조체의 접합 마감 관계를 분석하여 시공의 적합성을 확인할 수 있다. 5. 지역 강수량을 파악하고 지붕 면적에 따라 배수면적 및 배수용량을 검토할 수 있다.
		2. 공사여건분석하기	1. 작업착수 시점, 민원발생 등 공사여건을 사전에 분석하기 위하여 현지 조사를 할 수 있다. 2. 공사의 편의성 및 신속성을 확보하기 위하여 타 공종과 공사일정을 협의할 수 있다. 3. 선행 공정을 파악하고 생산성을 향상시키기 위하여 시공조건의 상호관계를 분석할 수 있다.
		3. 공정관리계획하기	1. 설계도서 및 시방서에 알맞은 지붕을 완성시키기 위한 공사방법을 선택할 수 있다. 2. 설계도서에 따라 도출된 작업량에 의거하여 작업 공정표를 작성할 수 있다.
		4. 품질관리계획하기	1. 수립된 품질관리계획에 따라 품질시험 및 검사를 실시할 수 있다. 2. 품질관리기준에 따라 공사의 품질을 확보하기 위하여 품질관리자를 선임할 수 있다. 3. 품질관리계획에 따라 작업의 정밀도를 높이기 위해 품질관리 교육을 할 수 있다. 4. 부적합 사항의 처리계획에 따라 시정 및 예방 조치를 하고 완성품을 검증할 수 있다.
		5. 안전관리계획하기	1. 산업안전관련 법령에 따라 현장 안전 확보를 수단, 절차 등을 위한 안전관리계획을 수립할 수 있다. 2. 안전관리계획에 따라 안전관리 조직을 구성하고 안전관리규정을 작성할 수 있다. 3. 산업안전법령에 따라 안전관리책임자, 안전담당자등을 선임하고, 관련 임무를 부여할 수 있다.

실기 과목명	주 요 항 목	세 부 항 목	세 세 항 목
			4. 관련 법령 및 안전관리계획에 따라 근로자의 안전의식 고취를 위하여 안전교육을 실시할 수 있다. 5. 관련 법령에 따라 추락방지 등을 위하여 안전시설물의 설치계획을 수립할 수 있다.
		6. 환경관리계획하기	1. 공사장 주변의 환경오염 방지를 위하여 관련 규정에 따라 환경관리계획서를 작성할 수 있다. 2. 환경관리계획에 따라 조직을 구성하고 환경관리자를 선임할 수 있다. 3. 관련 법령 및 환경관리계획에 따라 공사장 주변의 환경오염 방지를 위하여 환경관리 교육을 실시할 수 있다. 4. 인근주민 등의 민원방지를 위하여 분진, 소음 등 환경오염원에 대한 환경측정 검사를 실시할 수 있다. 5. 분진, 소음 등에 의한 인근 주민의 민원을 적극적으로 해결할 수 있다.
	47. 부재제작	1. 재료관리하기	1. 설계도서에 따라 자재의 규격 및 수량을 확인할 수 있다. 2. 공작도 또는 내역서에 따라 확인된 자재를 재료의 특성과 제작공정에 맞추어 수배(발주)할 수 있다. 3. 수배된 자재를 공장도 오차 범위 내에서 치수와 종류 등을 확인할 수 있다. 4. 입고된 자재는 흡수와 오염 및 재료 휨, 균열, 파손이 없도록 파렛트를 깔고 보관(야적)할 수 있다. 5. 수배된 자재에 대하여 필요시 선택적으로 재료시험을 공인인증기관에 의뢰할 수 있다.
		2. 공장제작하기	1. 공작도에 따라 허용오차의 범위 내에서 각 부재의 치수와 종류를 확인할 수 있다. 2. 운송방법에 따라 각 부재의 길이 및 제작방법을 결정할 수 있다. 3. 공작도에 따라 각 부재의 부착자재를 가공할 수 있다. 4. 용접 방법 및 볼트 접합 등에 따라 각 부재의 접합면을 가공할 수 있다. 5. 현장제작이 필요한 경우 부재를 확인하고 공작도에 따라 장비를 이용하여 허용오차의 범위 내에서 절단 및 가공할 수 있다.
		3. 방청도장하기	1. 설계도면 및 시방서에 따라 녹막이도장 및 내화성능 확보를 위하여 도장재료를 준비할 수 있다. 2. 도장의 부착 등 성능확보를 위하여 바탕 만들기를 할 수 있다. 3. 시방서에 따라 도장의 품질확보를 위하여 녹막이 도장작업을 할 수 있다. 4. 녹막이 도장공사 완료 후 내화성능 확보 등을 고려하여 마감 도장작업을 할 수 있다. 5. 시방서에 따라 도장의 두께 등에 대하여 육안으로 검사할 수 있다.

실기 과목명	주요항목	세부항목	세세항목
	48. 부재설치	1. 조립준비하기	1. 현장에서 필요한 부재를 분류하여 보관된 부재를 조립위치로 반입할 수 있다. 2. 반입된 부재 중, 훼손 및 변형 등 손상의 유무를 확인하여 설치 전에 수정할 수 있다. 3. 앵커볼트의 위치와 레벨확인을 위하여 기초공사시에 매립된 앵커볼트의 시공상태를 확인할 수 있다.
		2. 가조립하기	1. 본조립 작업중에 예상되는 외력(풍하중, 시공하중 등)에 대하여 변형 및 도괴 방지를 위해 가조립 계획을 수립할 수 있다. 2. 시방서에 따라 가조립 방법, 측정 및 확인항목 등을 기재한 가조립 지침서를 작성할 수 있다.
		3. 조립검사하기	1. 구조물 상태를 확인하기 위하여 접합부상태, 변형상태 등 외관을 검사할 수 있다. 2. 허용시공오차기준에 따라 측정장비 등을 사용하여 구조물의 수직 · 수평상태를 검사할 수 있다. 3. 고장력볼트의 체결상태를 확인하기 위해 측정도구를 사용하여 검사할 수 있다. 4. 도장상태를 검사하기 위하여 육안검사 또는 도막두께측정기를 사용한 정밀검사를 할 수 있다.
	49. 용접접합	1. 용접준비하기	1. 품질기준에 따라 용접면의 표면상태를 육안으로 확인하고, 불순물을 제거할 수 있다. 2. 설계도서에 따라 용접재료, 장비, 도구를 준비하고, 용접방법을 선정할 수 있다. 3. 용접사 및 용접기기를 선정할 수 있다.
		2. 용접하기	1. 품질기준에 따라 도면에 표기된 부재의 이음방법을 확인하고, 목두께, 루트간격을 확인하여 용접을 실시할 수 있다. 2. 용접 위치에 따라 용접자세(상향, 하향, 수직용접 등)를 확인하여 올바른 용접을 실시할 수 있다. 3. 용접열과 아크의 발생에 따른 보호장구 및 안경 등 안전장구를 올바르게 착용할 수 있다.
		3. 용접후검사하기	1. 용접 후 가열에 의한 부재 변형을 방지하고, 용접부의 성능을 개선하기 위해 용접 후 열처리를 실시하여 부재를 수정할 수 있다. 2. 변형상태 등의 용접결함에 대하여 육안으로 검사할 수 있다. 3. 용접결함 여부를 검사하기 위하여 초음파, 엑스레이 등 장비를 활용하여 비파괴 검사를 수행할 수 있다.
	50. 볼트접합	1. 재료검사하기	1. 설계 도서에 따라 적정한 볼트의 규격 및 수량을 구매할 수 있다. 2. 설계 도서에 따라 부재별 사용볼트의 조립계획을 수립할 수 있다. 3. 볼트의 규격이 다른 것이나 불량품이 혼입되지 않도록 정돈하여 양호한 상태로 보관하여 작업 준비 할 수 있다.

실기 과목명	주 요 항 목	세 부 항 목	세 세 항 목
		2. 접합면관리하기	1. 품질 기준에 따라 볼트접합면의 상태를 확인하고 불순물을 제거할 수 있다. 2. 주각부는 패드 레벨(PAD LEVEL) 및 위치를 확인하기 위하여 현장측량을 실시할 수 있다. 3. 접합부의 밀착성을 유지하고, 모재 접합부분의 변형, 뒤틀림, 이음판의 구부러짐 등이 있는 경우에는 마찰면이 손상되지 않도록 교정할 수 있다. 4. 볼트 구멍이 어긋났을 경우에는 구조적인 안전성을 검토하여 수정할 수 있다. 5. 마찰 접합면의 불순물 제거로 마찰력이 저하되는 것을 방지할 수 있다.
		3. 체결하기	1. 토크관리법, 너트회전법과 같은 조임공법을 사용하여 조임볼트의 장력을 확보할 수 있다.
		4. 조임검사하기	1. 볼트의 검사는 작업구역별, 층별 및 부재별 등으로 구분하여 검사계획을 수립할 수 있다. 2. 모든 볼트에 대해서 조임 후 회전의 유무, 너트 회전량 및 너트 여장의 과부족을 육안으로 검사할 수 있다. 3. 너트의 회전량이 현저하게 차이가 나는 볼트군에 대해서는 모든 볼트를 점검 후 재조임하거나 교체할 수 있다. 4. 본조임후 볼트에 소요축력이 되는지의 여부를 측정도구를 사용하여 검사할 수 있다. 5. 토크시어(Torque Shear)볼트인 경우 핀테일(pintail) 파단여부로 육안검사를 할 수 있다.
	51. 도장	1. 표면처리하기	1. 시방서 및 품질기준에 따라 표면처리 대상을 분류할 수 있다. 2. 시방서 및 품질기준에 따라 부재의 표면상태를 확인하고 표면처리 공법을 선정할 수 있다. 3. 선정된 표면처리 공법을 고려하여 재료, 장비, 도구 등을 준비할 수 있다. 4. 조립공사 과정 중에 발생된 불순물을 제거할 수 있다.
		2. 내화도장하기	1. 시방서에 따라 바탕 방청페인트 부착유무를 조사할 수 있다. 2. 프라이머 공정에 따라 방청도료(내화성)의 성능을 조사하고 선정할 수 있다.
		3. 검사보수하기	1. 내화 성능을 확보하기 위한 검사항목, 방법을 시방서에 준해 선정할 수 있다. 2. 내화 피복의 보수 및 보양 등 필요한 조치를 할 수 있다. 3. 폐기물 처리 및 공구 청소를 시방서에 따라 할 수 있다.
	52. 내화피복	1. 재료공법선정하기	1. 설계도서에 따라 구조물의 용도에 적합한 자재 및 공법을 선정할 수 있다. 2. 도면과 내역서의 산출물량을 비교 분석할 수 있다. 3. 내화성능 기준에 따른 피복두께를 결정할 수 있다.

실기 과목명	주요항목	세부항목	세세항목
		2. 내화피복시공하기	1. 강재표면의 불순물을 제거한 후 내화피복을 시공할 수 있다. 2. 안전사고 및 인근 비산먼지 관리대책을 검토할 수 있다. 3. 내화재 뿜칠시 시방서에 따라 건조, 환기 및 낙진을 고려한 시공을 할 수 있다.
		3. 검사보수하기	1. 검사항목, 방법을 공사 시방서에 준해 진행할 수 있다. 2. 품질이 허용기준에 미달할 경우 보수 및 보양 등 조치를 할 수 있다. 3. 폐기물 처리 및 공구 청소를 시방서에 따라 할 수 있다.
	53. 공사준비	1. 설계도서 검토하기	1. 설계도서에 따라 자재의 규격 및 수량 등을 파악하여 공사내역을 확인할 수 있다. 2. 설계도서분석의 결과에 따라 공사특성 및 구조물의 안전성여부를 검토할 수 있다. 3. 시방서를 확인하여 발주자의 요구사항을 파악하고 공사방법을 제시할 수 있다. 4. 설계도서에 대한 누락, 오류 및 불일치한 부분에 대하여 검토할 수 있다. 5. 공사비 절감, 공기단축, 시공성 향상 등을 위하여 시공 개선방안을 검토할 수 있다.
		2. 공작도 작성하기	1. 실시설계도서에 따라 부재별 번호를 반영한 공작도를 작성할 수 있다. 2. 공사우선순서에 따라 공작도를 작성하고 설계도와 비교 · 검토한 후, 보완을 요청할 수 있다. 3. 공사 우선순서에 따라 공작도 작성 전산프로그램을 활용하여 각종 부재의 공작도를 작성할 수 있다. 4. 작성된 공작도에 따라 재료별, 부재별로 각각의 수량 및 전체수량을 산출할 수 있다.
		3. 품질관리 검토하기	1. 품질관리기준에 따라 설계도서에 명시된 주요 자재 및 기자재 승인과 품질시험계획서를 작성할 수 있다. 2. 시방서 및 품질관리계획서에 따라 강재의 품질관리 시험의 시행을 준비할 수 있다. 3. 품질관리기준에 따라 공사 준비과정부터 완료시까지 품질확보를 위하여 품질보증계획서를 작성할 수 있다. 4. 주요 기자재 및 시공 상태확인을 위하여 체크리스트를 작성할 수 있다.
		4. 공정관리 검토하기	1. 공사의 진행순서 및 투입자원을 검토하여 실행예정 공정표를 작성할 수 있다. 2. 예정공기를 준수할 수 있도록 주공정의 공정표를 이해하고 분석할 수 있다. 3. 타 분야의 공정계획을 확인하여 공정계획을 조정할 수 있다. 4. 수립된 공정계획에 따라 인력 및 장비운용계획, 자재발주, 검수계획, 운반계획 및 납품계획을 수립할 수 있다. 5. 수립된 공정계획에 따라 시공계획서를 작성할 수 있다.

실기 과목명	주 요 항 목	세 부 항 목	세 세 항 목
	54. 준공 관리	1. 기성검사준비하기	1. 공사의 기성부분에 대한 적합성을 확인하기 위하여 설계도서에 따라 예비검사를 수행할 수 있다. 2. 기성검사가 신속하게 진행되도록 하기 위하여 기성검사서류를 정확하게 작성할 수 있다. 3. 기성검사를 기간 내에 종료하기 위하여 발주자에게 설명할 수 있다. 4. 기성내용이 계약내용과 상이하거나 오류가 있음을 지적받은 때에는 시정하여 정해진 기간 내에 재검사 받을 수 있다. 5. 기성검사가 완료된 후, 공사비 수령을 위해 발주자에게 기성대가를 청구할 수 있다.
		2. 준공도서작성하기	1. 공사 중 변경사항 등을 확인하여 시공상태와 일치하는 준공도면을 작성할 수 있다. 2. 공사 중 변경사항을 확인하고 투입된 자재, 물량 등을 따라 준공내역서를 작성할 수 있다. 3. 시설물 유지관리를 고려하여 각종 자료(시방서, 품질성적서, 사진첩 등)를 정리하고 준공도서를 작성할 수 있다. 4. 최종 확정된 준공도서를 종합하여 정해진 기간 내에 발주자에게 제출할 수 있다.
		3. 준공검사하기	1. 발주자의 준공검사에 대비하여 준공검사 청구서류를 준비할 수 있다. 2. 품질관리계획 및 안전관리계획의 이행여부를 확인하여 승인을 받을 수 있다. 3. 조립 · 완성된 강구조 시공 상태에 대한 지적사항을 보완하여 재검사 받을 수 있다. 4. 준공설계도서에 대한 지적사항을 보완하여 재검사 받을 수 있다. 5. 발주자의 제반지적사항을 보완하여 준공계를 작성하고 제출할 수 있다.
		4. 인수 · 인계하기	1. 발주자와 인수 · 인계할 준공도서의 목록을 협의할 수 있다. 2. 발주자에게 제출하기 위한 강구조물의 인수 · 인계서를 작성하고 적기에 인계할 수 있다 3. 인수 · 인계에 대한 발주자의 이견이 있는 경우 이에 대한 원인분석과 대책방안 등에 대한 의견을 제시할 수 있다. 4. 발주자의 요청에 따라 유지관리지침서를 작성할 수 있다.

머 리 말

건축기사 실기시험은 1차 필기시험에 비해 범위는 많지 않으나 주관식시험이기 때문에 학습방법이 필기시험준비와는 다소 다릅니다.
주관식시험은 어느 정도 준비요령이 필요합니다. 시공, 적산, 공정, 품질관리 등으로 나눠 각각의 특성에 따라 암기보다는 이해를 중심으로 공부하는 것이 필요합니다.
따라서 이 교재는 다년간의 현장실무경험과 대학강의경험 그리고 학원강의경험을 바탕으로 가장 짧은 기간내에 효율적으로 학습할 수 있도록 최선의 노력을 다하였습니다.

주요특징으로는

1. 각 단원별 핵심내용과 출제문제를 대비하여 한 눈에 출제경향과 문제에서 요구하는 답안을 바로 추출할 수 있도록 하였습니다.
2. 시공부분의 방대한 내용과 이론을 거의표로 정리하여 한번에 파악할 수 있도록 하였고, 국·내외 사진자료를 모아 시공공법과 내용을 쉽게 이해하도록 배려 하였습니다.
3. 실기시험에서의 답안작성을 용이하게 하고, 최대한 관리공단의 정답에 일치하도록 고딕체로 색깔을 달리하여 핵심내용을 정확히 인지하고 암기할 수 있도록 하였습니다.
4. 실기시험 실시 첫해부터 가장 최근까지 기출문제를 내용에 따라 중요도별로 분류 정리하였고, 최종 개정된 시방서 내용과 최신교과서 내용을 모두 반영하였습니다.
5. 적산에 관한 핵심사항은 상세그림을 그려 쉽게 이해될 수 있도록 하였습니다.
6. 종합모의고사를 실제시험양식에 맞춰 실었으며 채점기준을 달아 답안작성요령을 터득할 수 있도록 하였습니다.

끝으로 이 교재의 기획과 교정에 이르기까지 온갖 정성을 기울여주신 시공분야의 한규대 교수님과 적산분야의 김형중 원장님 그리고 품질관리분야의 염창열 원장님, 공정부분의 안광호팀장님께 깊은 감사를 드립니다.
또한 이책이 나오기까지 한솔아카데미 한병천 사장님, 이종권 전무님 이하 관계직원 여러분께 감사드리며 많은 분들의 정성과 땀으로 열매 맺게된 이책은 해마다 더욱 보완하고 다듬어 모든 수험생 여러분께 가장 사랑받는 교재가 되며, 필독서가 될 수 있도록 앞으로도 배전의 노력을 다할 것을 다짐합니다.

한솔아카데미 원장 김형중
시공실무분야 담당 한규대
공정·품질·구조담당 안광호

개정된 건축기사 실기 출제기준 설명

1 시공부분 관련

(1) 기존에 출제되었던 건축적산, 공정관리, 품질관리 부분이 건설경영이라는 대단원의 소과목에서 다루어진다.

(2) 건설경영 중 시공부분과 관련된 것은 건설업과 건설경영, 건설생산 조직, 건설계약 일반사항, 계약의 변경, 계약 및 클레임 관리, 공사계획시 고려할 사항 등이며, 이러한 내용들은 종전의 교재 내용 중 일부 다루어진 내용과 중복되는 부분도 있으나 새로운 유형의 문제들이 보다 심도 깊게 다루어질 것으로 예상된다.

(3) 건축시공 각론 중에는 기존에 대부분 다루었었던 내용이나 착공계획의 수립, 토공사계획 및 각종공사의 계획부분이 새롭게 다양한 형태로 출제될 것으로 보이며 프로젝트파악, 자료조사라는 단원이 신설되었으므로 여기에 대한 이론 정리가 필요하겠다.

(4) 유지관리 단원이 신설되어 건축물의 안전, 유지관리, 보수・보강 등의 소단원이 있는데 이중 콘크리트 구조물의 열화원인, 균열 등과 이의 보수・보강 부분은 다른 수험서와는 다르게 본문에서 이미 다루었으나 새롭게 유지관리, 안전진단, 보수・보강, 균열제어, 열화방지 등의 이론이 폭넓게 출제 예상되는 중요부분으로 인식되므로 새로운 문제들이 출제될 것으로 예상된다.

2 적산부분 관련

(1) 적산부분은 전면 개편되어 새롭게 출제되는 것이 아니라, 기존에 출제되었던 부분에서 신규문제들이 다소 보강되어서 출제될 것으로 보인다.

(2) 출제기준이 새롭게 추가된 부분은 원가관리 부분으로써, 공사비의 구성, 원가관리의 필요성, 원가절감대책, 실행예산 등이며, 이러한 부분은 기존에 출제된 부분도 있고 앞으로 출제가 예상되므로 여기에 대한 학습이 요구된다.

3 공정부분 관련

(1) 그 동안 네트워크 공정관리 중 CPM 기법이 대부분이었으나 EVMS기법의 활용의 의무화에 따라 관련용어 위주의 학습이 필요할 것으로 예상된다.

(2) 출제범위의 증가보다는 그 동안 건축기사 실기시험에서 출제되지 않았던 최적공기 산정 및 진도관리계획 부분이 점차 출제되어질 것으로 예상된다.

3 건축구조 관련

(1) 건축물의 구조분류를 간단히 정리하고 토질 및 기초 부분은 시공 부분과 중복되므로 한 쪽의 내용만 학습해 둔다. 내진설계 부분은 지진의 규모와 진도의 비교, 내진・제진・면진의 용어정리, 내진설계의 일반원칙과 상세규정을 보부재와 기둥부재로 나누어 정리하도록 한다.

(2) 구조역학 분야는 정정구조와 부정정구조의 해석과 관련된 문제가 매회 1~2문항 정도가 출제될 것으로 예상이 되며, 1차 필기시험에서 다루었던 역학관련문제가 주관식으로 출제되리라 예상한다.

(3) 철근콘크리트와 강구조 부분은 본서에서 제시하는 최소한의 내용과 예제를 풀어낼 수 있는 능력을 배양하도록 한다.

건축기사실기 출제경향분석

92년 3회 문제 이후에는 시공의 출제비중이 높아졌고 상대적으로 적산, 공정, 품질관리 비중이 낮아졌다. 특히 99년 4회이후 최근의 문제 출제경향은 시공에서 매회 6~7문제(40%) 정도의 새로운 문제가 출제되므로 시공전반의 폭 넓은 정리와 철저한 학습대책이 요구되고 있습니다. 2011~2021년도에는 새로운 출제경향에 맞추어서 시공실무가 약 60점(17문항) 정도 출제되고, 역학을 포함한 구조에서 약 20점(6문항), 나머지 공정, 적산, 재료품질관리에서 약 20점(4~5문항) 정도가 출제되었다.

■ 각 과목별 문제출제 점수범위 (2011~2022년 출제문제 분석)

분 류		출제점수범위	평 균
1	시공실무	58~73점	60점(17EA)
2	공정관리	0~10점	8점(1EA)
3	적산실무	0~12점	8점(1EA)
4	재료품질관리	4~8점	5점(2EA)
5	건축구조(역학포함)	20점	19점(6EA)

■ 실기시험 응시자격기준

건 축 기 사	산 업 기 사
1. 전공무관 4년제 대졸 및 예정자 (4학년 1학기 등록)	1. 전공무관 전문대 졸업 및 예정자 (2학년 1학기 등록)
2. 전공무관 전문대 졸업후 2년 경력	2. 전공무관 4년제 대학(3학년 1학기 등록)
3. 산업기사 취득후 1년 경력	3. 기능사 취득후 1년경력
4. 기능사 취득후 3년 경력	4. 학력무관 2년 경력
5. 학력무관 4년 경력	5. 기능경기대회 입상자
6. 타종목 기사취득자	6. 타종목 산업기사 취득자

실기시험 합격기준	유 형	출제문항수	소요시간	기 준
	단답형(주관식)	25~30문항	3시간	평균60점이상

www.inup.co.kr

"한솔아카데미" 교재는

시공부분 교재구성 내용

내용파악이 용이하도록 모든 내용을 도표화 하였습니다.

사진자료를 충분히 활용하여 시공상태, 공법, 내용파악을 용이하게 배려하였습니다.

본문내용과 기출제 내용과 항목을 바로 비교하여 내용의 중요성은 물론, 학습방향을 그대로 파악 할 수 있습니다.

중요핵심내용 파악과 암기의 범위를 정하여 학습효율과 정답의 기술 범위를 명확히 설정할 수 있습니다.

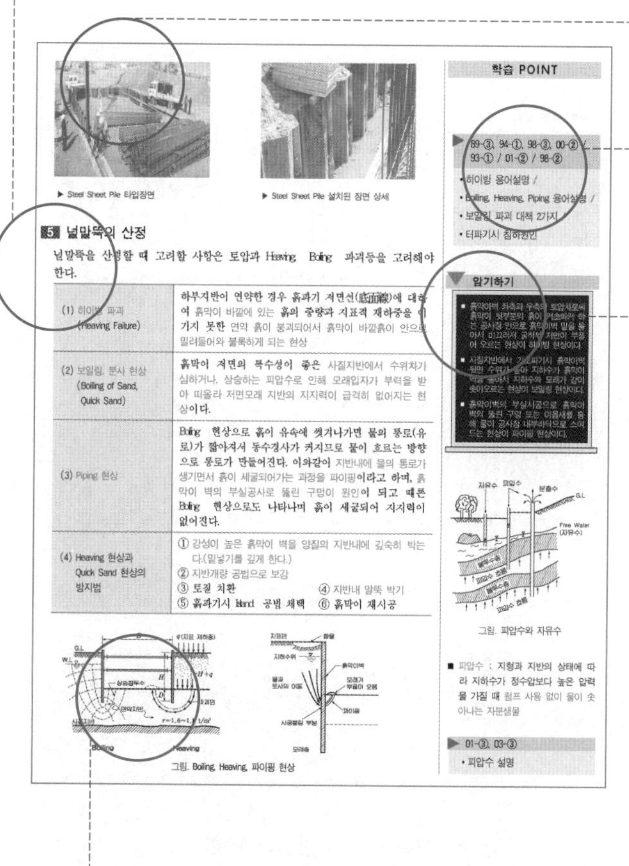

▶ Steel Sheet Pile 타입장면

▶ Steel Sheet Pile 설치된 장면 상세

학습 POINT

▶ 89-③, 94-①, 98-③, 00-② / 93-① / 01-② / 98-②

- 히이빙 용어설명 /
- Boiling, Heaving, Piping 용어설명 /
- 보일링 파괴 대책 2가지 /
- 터파기시 침하원인

5 널말뚝의 산정

널말뚝을 산정할 때 고려할 사항은 토압과 Heaving Boiling 파괴등을 고려해야 한다.

(1) 히이빙 파괴 (Heaving Failure)	하부지반이 연약한 경우 흙파기 저면선(底面線)에 대하여 흙막이 바깥에 있는 흙의 중량과 지표적 재하중을 이기지 못한 연약 흙이 붕괴되어서 흙막이 바깥흙이 안으로 밀려들어와 불룩하게 되는 현상
(2) 보일링, 분사 현상 (Boiling of Sand, Quick Sand)	흙막이 저면의 투수성이 좋은 사질지반에서 수위차가 심하거나, 상승하는 피압수로 인해 모래입자가 부력을 받아 떠올라 저면모래 지반의 지지력이 급격히 없어지는 현상이다.
(3) Piping 현상	Boiling 현상으로 흙이 유속에 씻겨나가면 물의 통로(유로)가 짧아져서 동수경사가 커지므로 물이 흐르는 방향으로 통로가 만들어진다. 이와같이 지반내에 물의 통로가 생기면서 흙이 세굴되어가는 과정을 파이핑이라고 하며, 흙막이 벽의 부실공사로 뚫린 구멍이 원인이 되고 때론 Boiling 현상으로도 나타나며 흙이 세굴되어 지지력이 없어진다.
(4) Heaving 현상과 Quick Sand 현상의 방지법	① 강성이 높은 흙막이 벽을 양질의 지반내에 깊숙히 박는다.(밑넣기를 깊게 한다.) ② 지반개량 공법으로 보강 ③ 토질 치환 ④ 지반내 말뚝 박기 ⑤ 흙파기시 Island 공법 채택 ⑥ 흙막이 재시공

그림. Boiling, Heaving, 파이핑 현상

암기하기

- 흙막이벽 좌측과 우측의 토압차로써 흙막이 뒷부분의 흙이 기초파기 하는 공사장 안으로 흙막이벽 밑을 돌아서 미끄러져 굴착저면이 부풀어 오르는 현상이 히이빙 현상이다.
- 사질지반에서 기초파기시 흙막이벽 뒷면 수위가 높아 지하수가 흙막이벽을 돌아서 지하수와 모래가 같이 솟아오르는 현상이 보일링 현상이다.
- 흙막이벽의 부실시공으로 흙막이벽의 뚫린 구멍 또는 이음새를 통해 물이 공사장 내부바닥으로 스며드는 현상이 파이핑 현상이다.

그림. 피압수와 자유수

■ 피압수 : 지형과 지반의 상태에 따라 지하수가 정수압보다 높은 압력을 가질 때 펌프 사용 없이 물이 솟아나는 자분샘물

▶ 01-③, 03-③

- 피압수 설명

사진자료와 함께 풍부한 그림 설명으로, 연상학습효과를 3배로 향상시켜 드립니다.

본문내용과 관계된 관련문제를 모두 연결시켜 학습효과를 극대화 할 수 있습니다.

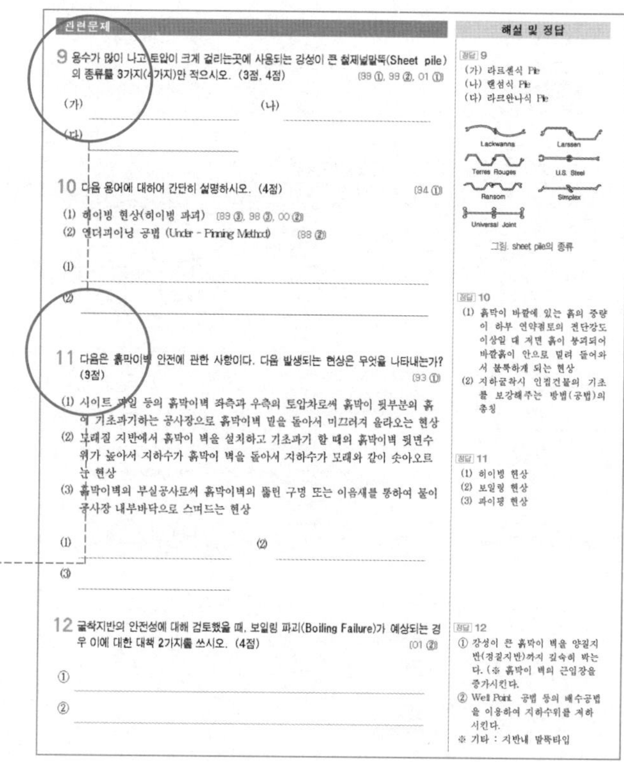

관련문제

9 용수가 많이 나고 토압이 크게 걸리는곳에 사용되는 강성이 큰 철제널말뚝(Sheet pile)의 종류를 3가지(4가지)만 적으시오. (3점, 4점) (98 ①, 99 ②, 01 ①)

(가) ________ (나) ________

(다) ________

10 다음 용어에 대하여 간단히 설명하시오. (4점) (94 ①)

(1) 히이빙 현상(히이빙 파괴) (89 ③, 98 ③, 00 ②)
(2) 언더피이닝 공법 (Under - Pinning Method) (98 ②)

(1) ________

(2) ________

11 다음은 흙막이벽 안전에 관한 사항이다. 다음 발생되는 현상은 무엇을 나타내는가? (3점) (93 ①)

(1) 시이트 파일 등의 흙막이벽 좌측과 우측의 토압차로써 흙막이 뒷부분의 흙이 기초파기하는 공사장으로 흙막이벽 밑을 돌아서 미끄러져 올라오는 현상
(2) 모래질 지반에서 흙막이 벽을 설치하고 기초파기 할 때의 흙막이벽 뒷면수위가 높아서 지하수가 흙막이 벽을 돌아서 지하수가 모래와 같이 솟아오르는 현상
(3) 흙막이벽의 부실공사로써 흙막이벽의 뚫린 구멍 또는 이음새를 통하여 물이 공사장 내부바닥으로 스며드는 현상

(1) ________ (2) ________

(3) ________

12 굴착지반의 안전성에 대해 검토했을 때, 보일링 파괴(Boiling Failure)가 예상되는 경우 이에 대한 대책 2가지를 쓰시오. (4점) (01 ②)

① ________

② ________

해설 및 정답

정답 9

(가) 라르센식 Pile
(나) 랜섬식 Pile
(다) 라크완나식 Pile

그림. sheet pile의 종류

정답 10

(1) 흙막이 바깥에 있는 흙의 중량이 하부 연약점토의 전단강도 이상일 때 저면 흙이 붕괴되어 바깥흙이 안으로 밀려 들어와서 불룩하게 되는 현상
(2) 지하굴착시 인접건물의 기초를 보강해주는 방법(공법)의 총칭

정답 11

(1) 히이빙 현상
(2) 보일링 현상
(3) 파이핑 현상

정답 12

① 강성이 큰 흙막이 벽을 양질지반(경질지반)까지 깊숙히 박는다. (※ 흙막이 벽의 근입장을 증가시킨다.
② Well Point 공법 등의 배수공법을 이용하여 지하수위를 저하시킨다.

※ 기타 : 지반내 말뚝타입

HANSOLACADEMY

최고를 추구합니다!!

적산부분 교재구성 내용

기출문제의 예제와 출제년도를 표시하여 경향파악을 할 수 있습니다.

적산부분에서 가장 문제되는 정확한 물량 산출 근거와 정확한 물량산출을 통하여 오답의 확율을 근원적으로 제거했습니다.

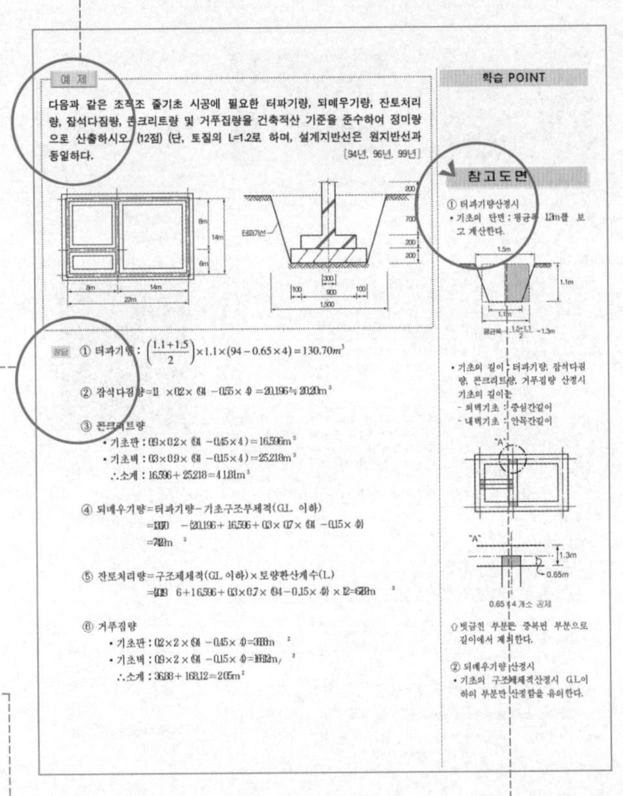

예제에 따라 관련내용을 설명함으로써 문제에 대한 이론적 배경을 함축, 요약, 정리하여 한문제를 통한 학습기대 효과를 극대화 하였습니다.

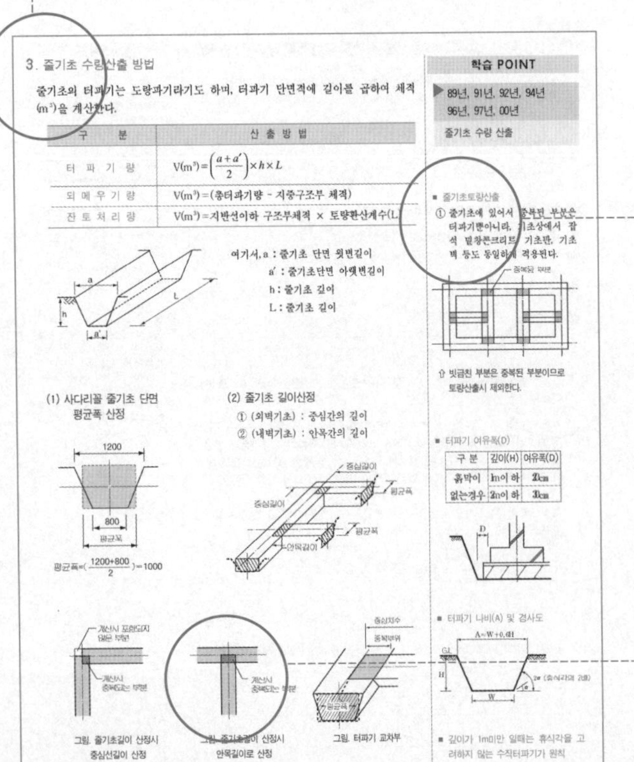

해설부분에서는 산정되는 방법, 내용을 전부 도표화, 그래픽화하여 연상암기를 통한 파악과 산정내용의 정확성을 파악할 수 있게 하였습니다.

학습포인트 에서는 문제해결의 열쇠가 되는 필수암기사항과 정확한 물량산출의 안내서 역할을 합니다.

수험생들의 이해와 정확한 물량산출을 위하여 실수하기 쉬운 부분과 이해가 어려운 부분들을 일일이 도해화 하였습니다.

국가기술자격검정 실기시험 문제 및 답안지

감 독 위 원 확 인 란

자격종목 및 등급(선택분야)	시 험 시 간	형 별	수험번호	성 명
건축 기사	3시간	A		

■ 수험자 유의사항

답안 작성시 유의사항

1. 시험 문제지를 받는 즉시 종목의 문제지가 맞는지 여부를 확인하여야 한다.
2. 시험문제지 총면수 · 문제번호 순서 · 인쇄상태 등을 확인하고, 수험번호 및 성명을 답안지에 기재한다.
3. 답안작성(계산식 포함)은 흑색 또는 청색 필기구만 사용하되, 동일한 한 가지 색의 필기구만 사용하여야 하며 흑색, 청색을 제외한 유색 필기구 또는 연필류를 사용하거나 2가지 이상의 색을 혼합 사용하였을 경우 그 문항은 0점 처리된다.
4. 답란에는 문제와 관련 없는 불필요한 낙서나 특이한 기록사항 등을 기재하여서는 안되며 부정의 목적으로 특이한 표식을 하였다고 판단될 경우에는 모든 득점이 0점 처리된다.
5. 답안을 정정할 때에는 반드시 정정부분을 두 줄로 그어 표시하여야 하며, 두줄로 긋지 않은 답안은 정정하지 않은 것으로 간주한다.
6. 계산문제는 반드시 「계산과정」 과 「답」 란에 계산과정과 답을 정확히 기재하여야 하며 계산과정이 틀리거나 없는 경우 0점 처리된다. (단, 계산연습이 필요한 경우는 연습란을 이용하여야 하며, 연습란은 채점대상이 아니다.)
7. 계산문제는 최종 결과 값(답)에서 소수 셋째자리에서 반올림하여 둘째자리까지 구하여야 하나 개별문제에서 소수 처리에 대한 요구사항이 있을 경우 그 요구사항에 따라야 한다. (단, 문제의 특수한 성격에 따라 정수로 표기하는 문제도 있으며, 반올림한 값이 0이 되는 경우는 첫 유효숫자까지 기재하되 반올림하여 기재하여야 한다.)
8. 답에 단위가 없으면 오답으로 처리된다. (단, 문제의 요구사항에 단위가 주어졌을 경우는 생략되어도 무방함.)
9. 문제에서 요구한 가지 수(항수)이상을 답란에 표기한 경우에는 답란기재순으로 요구한 가지 수 (항수)만 채점하여 한 항에 여러 가지를 기재하더라도 한 가지로 보며 그 중 정답과 오답이 함께 기재되어 있을 경우 오답으로 처리한다.
10. 한 문제에서 소문제로 파생되는 문제나, 가지수를 요구하는 문제는 대부분의 경우 부분배점을 적용된다.
11. 부정 또는 불공정한 방법으로 시험을 치른 자는 부정행위자로 처리되어 당해 시험을 중지 또는 무효로 하고, 3년간 국가기술자격시험의 응시자격이 정지된다.
12. 복합형 시험의 경우 시험의 전 과정(필답형, 작업형)을 응시하지 않은 경우 채점대상에서 제외한다.
13. 저장용량이 큰 전자계산기 및 유사 전자제품 사용시에는 반드시 저장된 메모리를 초기화한 후 사용하여야 하며 시험 위원이 초기화 여부를 확인할 시 협조하여야 한다. 초기화되지 않은 전자계산기 및 유사 전자제품을 사용하여 적발시에는 부정행위로 간주한다.
14. 시험위원이 시험 중 신분확인을 위하여 신분증과 수험표를 요구할 경우 반드시 제시하여야 한다.
15. 시험 중에는 통신기기 및 전자기기(휴대용 전화기 등)를 지참하거나 사용할 수 없다.
16. 문제 및 답안(지), 채점기준은 일절 공개하지 않는다.

목 차

제 1권

제1편 건축시공

제7장 철골공사 1-311

제8장 조적공사 1-363

제9장 목공사 1-397

제10장 지붕 및 방수공사 1-421

제2편 건축적산

제4편 품질관리 및 재료시험

제5편 건축구조

제 3권

제6편 부록 : 과년도 출제문제

■ 대단원별 출제비중 - 건축시공실무 -

단원	명 칭	출제비율(%)	최근출제문제(%)	비고
1	총론	10.24	11.7	
2	대지 및 지반조사	5.12	3.0	
3	가설공사	2.5	3.2	
4	토공사	8.21	8.6	83%
5	지정 및 기초공사	5.48	6.4	
6	철근콘크리트공사	26.43	27.7	
7	철골공사	14.05	12.7	
8	조적공사	6.79	9.7	
9	목공사	4.52	2.3	
10	지붕 빛 방수공사	5.24	5.0	
11	미장, 타일공사	4.28	5.0	17%
12	창호, 유리, 금속, PC 커튼월, 유리공사	7.14	4.7	
총 계		100(%)	100(%)	

제1편

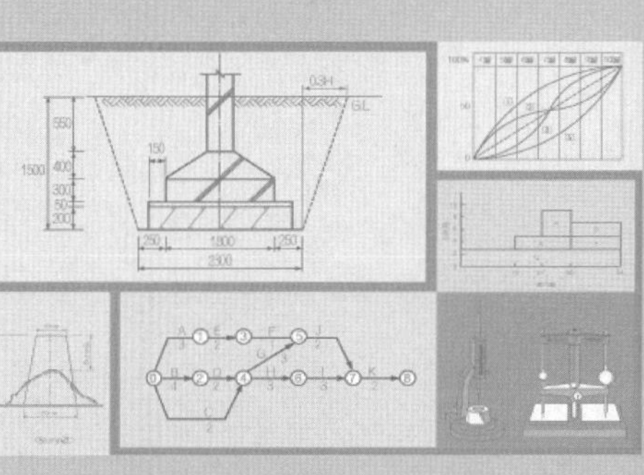

건 축 시 공

제1장

총 론

핵심 1 시공의 개요, 사업의 집행 및 관리

1 건축시공의 개요

건축시공(Execution of Building Work)은 구조, 기능, 미의 3요소를 갖춘 건축물을 최적공비로 최적시간내에 완성하는 기술활동으로써 최소의 노력으로 최대의 효과를 얻는 경제원칙에 의해서 합리적으로 생산되어야 하며, 속도와 경제성을 중요시 한다.

1. 건축생산의 3大관리, 3S system

(1) 건축생산 3대 관리목표	(2) 3S system
① 원가관리 ② 공정관리 ③ 품질관리	① 작업의 표준화(Standardization) ② 작업의 단순화(Simplification) ③ 작업의 전문화(Specialization)

2. 기타 관리, 4차산업혁명 대응기술개발

(1) 건축생산관리의 종류	(2) 4차산업혁명에 대응하는 기술개발 · 신사업육성	
① 안전관리(4대 관리) ② 환경관리(5대 관리) ③ 자재, 노무관리 ④ 정보, 생산관리 ⑤ 클레임, 위험도 관리	기술개발	① 스마트건설 기술을 통한 생산성 향상 ② 해외 수요 대응형 건설기술 개발
	고부가 산업육성	③ 분야간 융.복합을 통한 경쟁력 강화 ④ 건설 Big Data 유통을 통한 신사업 육성
	건설안전 강화	⑤ 건설의 안전 · 환경관리 강화

3. 생력화(省力化 : Labour Saving) 시공

(1) 정의 : 투입자원 전체를 검토하여 작업 및 생산 공정에서 불필요한 요소를 제거하여 단순화, 자동화, 기계화를 통한 노무절감, 원가절감, 공기단축과 품질향상을 위해 주력하는 일련의 과정을 의미한다.

(2) 계약단계, 설계, 자재구매, 실시공, 관리단계 등 각 단계별로 인력절감방안, 공기단축방안 등을 검토 실시

보충설명

(1) 스마트 건설 자동화 : BIM을 이용한 가상 시공후 3D 프린터를 활용하여 공장에서 건설부재를 모듈화로 제작하고, 인공지능(AI)을 탑재한 다기능 건설로봇에 의해 현장에서 조립하는 스마트 건설 자동화기술

학습 POINT

▶ 89-①, 91-③, 98-②, 01-①, 04-① / 99-③, 01-③, 07-①

- 건축생산 3大 관리 /
- 3S system
- 목표가 되는 관리와 수단이 되는 관리구분

▶ 04-②

- 건축 시공 기술의 분류
  ① 하드웨어 기술
  · 공법 · 재료 · 기계
  ② 소프트웨어 기술
  · 기획 · 관리 · 운영

(2) pre-construction(가상시공) : 발주자 · 설계자 · 시공자가 함께 가상시공을 통해 설계적정성, 공정성, 안전성, 공사비 등을 종합적으로 검토하여 설계 · 시공 최적화

2 공사관계자

1. 건축주, 설계자, 감리자, 관리자

(1) 건축주 (Owner)	공사시행주체, 발주자, 직영공사에서의 공사수행 주체. 개인, 기업주, 법인, 공공단체, 정부가 될 수 있다.
(2) 설계자 (Designer)	자신의 책임하에 설계도서를 작성하고 설계도서의 의도를 해설, 지도 자문하는 자
(3) 감리자 (Supervisor)	건축물과 설비, 공작물이 설계도서대로 시공되는지 여부를 확인 감독하는 자. 건축사, 건축사보, 감리업체 등
(4) 관리자 (Manager)	건축주나 도급자에게 고용되어 공사관계업무를 담당하는 자 현장소장, 공사과장, 관계전문기술자 등

보충설명 **일반적인 감리자의 업무**

① 건축자재의 확인과 품질시험의 실시, 시험성과의 검토, 확인.
② 시공방법의 지도, 공사의 지시, 공사진도 파악 및 시공계획, 공정표의 검토.
③ 구조물의 위치, 규격의 적정성여부 확인 및 공사관리, 설계변경의 적정 여부 확인.
④ 공사비 내역 명세조사, 공사비 지불조사 및 사정, 상세시공도면의 검토 확인.
⑤ 공사현장의 안전관리 실시여부의 지도, 감독.

2. 도급자

(1) 원도급자 (Main Contractor)	건축주와 직접 도급 계약을 체결한 자
(2) 재도급자 (Re-Contractor)	건축주와는 관계없이 원도급자와 도급공사 전부를 수행하기로 계약을 맺은 자
(3) 하도급자 (Sub-Contractor)	건축주와는 관계없이 원도급자와 도급공사 일부를 수행하기로 계약한 자

보충설명 **건설산업기본법상 금지되는 도급 형태 (※ 일부 하도급만 허용)**

① 재도급
② 일괄하도급
③ 무면허도급
④ 재하도급
⑤ 면허대행 도급행위

학습 POINT

■ 용어설명

1. 감독자 : 감독 책임기술자로서 당해 공사의 공사관리 및 기술관리 등을 감독하는 자를 말한다.
2. 감리원 : 다음 각목에 규정된 자를 말한다.
1) 건축법규, 건축사법규, 주택법규의 규정에 의한 감리원 또는 공사감리자
2) 건설기술진흥법규의 규정에 의한 감리원
3) 건설산업기본법규의 규정에 의한 감리원
3. 감리(건설기술진흥법)
건설공사가 관계 법령이나 기준, 설계도서 또는 그 밖의 관계 서류 등에 따라 적정하게 시행될 수 있도록 관리하거나 시공관리 · 품질관리 · 안전관리 등에 대한 기술지도를 하는 건설사업관리 업무

▶ 93-④, 98-③ / 06-②
- 건설업, 원도급자, 재도급자, 하도급자
- 원도급자, 감리자, 건설사업관리자 (CMr, CM Manager)

■ 건설업은 종합공사를 시공하는 업종과 전문공사를 시공하는 업종으로 한다.
■ 종합공사란 종합적인 계획, 관리 및 조정을 하며 시공하는 건설공사
■ 전문공사란 시설물의 일부 또는 전문분야에 관한 건설공사

학습 POINT

3. 건축주와 도급자의 권리, 의무관계

(1) 건축주	① 권리	건물인수권(완성건물을 인수받을 권리)
	② 의무	공사비 지불 의무(공사비 청구에 대한 지불 의무)
(2) 도급자	① 권리	공사비 청구권
	② 의무	기간 내 건물완성후 인도 의무

▶ 93-②
• 건축주와 도급자의 권리, 의무, 기술

4. 건설노무자

(1) 직용노무자	원도급자에게 직접 고용, 잡역등 미숙련자가 많다.
(2) 정용노무자	전문업자, 하도급자, 도편수의 기능노무자 등 숙련공이다.
(3) 임시고용노무자	날품노무자, 보조노무자로 임금이 싸다.

※ 노무자의 임금은 정액임금제와 기성고임금제가 있다.

▶ 90-①, 92-③, 94-②, 96-② / 00-①
• 직용 노무자 /
• 직용, 정용, 임시고용 노무자

3 사업(Project)의 집행절차

1. Project(사업)의 전개 과정 및 수행절차

(1) Project 전개과정	(2) Project 수행(진행)절차	
① Project의 기획(착상) 및 타당성조사 ② 설계(Design) : 기본, 본설계 ③ 구매 및 조달 ④ 시공 ⑤ 시운전 및 완공 ⑥ 건물인도(Turn Over) ⑦ 유지관리	계획	① 계획(Plan)
	통제	② 점검(Monitoring) ③ 평가 및 예측 (Evaluation & Forecasting) ④ 수정조치 및 재계획 (Corrective Action & Updating)

▶ 98-⑤, 05-②
• Project 전개과정

2. 공사시공계획 및 공사시공순서, 공정계획의 요소

(1) 시공계획의 순서	(2) 공사 시공 순서	(3) 공정 계획 요소
① 현장원의 편성 ② 공정표작성 ③ 실행예산의 편성 ④ 하도급자 편성 ⑤ 자재, 설비의 운반, 설치 계획 (가설준비물 결정) ⑥ 노무계획, 노력공수결정 ⑦ 재해방지(안전)대책	① 공사착공준비 ② 가설공사 ③ 토공사 ④ 지정 및 기초공사 ⑤ 구체공사 ⑥ 방수 방습공사 ⑦ 지붕 및 홈통공사 ⑧ 외벽마무리공사 ⑨ 창문달기 ⑩ 내부 마무리 공사	① 공사의 시기 (천후, 기타요인) ② 공사의 내용 (구조, 품질요구 수준) ③ 공사수량(공사규모) ④ 노무자의 수배 ⑤ 재료의 수배 ⑥ 시공기기의 수배 (가설동력 설비 등)

학습 POINT

▶ 96-③, 96-⑤, 98-①, 99-⑤, 01-② / 85-①, 86-③ / 93-④

- 공사계획 순서 /
- 공사시공 순서 /
- 공정계획의 요소 5가지

3. 공사중의 식전(式典 : 예식 행사)

(1) 기공식(起工式)	공사 착수전에 행하여지는 의식, 착공식, 기공식
(2) 정초식(定礎式)	기초공사 완료시에 행하는 의식, 주로 정초석을 설치하는 의식
(3) 상량식(上樑式)	RC조에서는 지붕공사 완료시, 목조에서는 마룻대 설치시 행하는 의식
(4) 낙성식(落成式)	공사 준공 후 건물을 인도하면서 혹은 인도 후 행하여지는 의식, 준공식

▶ 92-③, 07-③

- 정초식, 상량식 설명

▶ 16-①

- 건설현장 가설건축물 축조시 제출하는 구비서류 3가지

① 가설건축물축조신고서
② 가설건축물 배치도
③ 가설건축물 평면도
※ 기타 구비서류
① 가설계획 Fence
② 건축허가서, 시공자 각서
③ 토지사용 허가서

4 사업의 관리

1. 공정관리

(1) Project의 기획, 통제, 관리 기법으로 Gantt, Chart, CPM, PERT, LOB(Line of Balance), PDM(Precederce Diagram Method), Simulation과 비용일정의 통합관리(EVMS : Earned Value Management System) 등을 이용한다.

(2) 공정관리는 공정기본계획(Planning : 수순계획) → 일정계획(Scheduling), → 진도관리(Monitoring) → 통제, 조정, 대책수립(Control 혹은 반복 Feedback)의 절차대로 관리된다.

(3) 원가, 견적, 공정관리 등을 유기적 연관관계로 효율적 관리를 위해 작업분할 구조의 도입이 필수적이다.

(4) 분류체계 (Breakdown Structure)의 종류

① WBS 작업분류체계	Work Breakdown Structure 공사내용을 작업의 공종별로 분류한 (계층적 혹은 위계적으로 분류한) 작업분류체계, 경제적인 최상의 시공관리가 목적이다.
② OBS 조직분류체계	Organization Breakdown Structure 공사내용을 관리조직에 따라 분류한 것
③ CBS 원가분류체계	Cost Breakdown Structure 공사내용을 원가발생요소의 관점에서 분류한 공사비내역 체계의 표준화를 말한다.

(5) 작업기간 산정시 작업불가일수와 자재승인과 조달일정 등을 반영한다.

(6) 관리목적상 반드시 지켜야 되는 몇 개의 주요시점(Mile stone : 중간관리일)을 지정한다.

학습 POINT

▶ 05-②, 12-① / 17-①, 22-①

- 분류체계의 종류 3가지
- WBS의 정의 쓰기

2. 품질관리

(1) 품질경영(Quality Management) : 품질을 통한 경쟁력 확보와 고객만족을 통한 기업의 장기적 성공추구를 위해, 경영기능의 전과정을 통해, 품질목표를 달성하는 경영관리적 품질관리이다.

(2) 품질경영의 3단계 활동

① 품질관리 (Quality Control)	설계도서 및 계약서에 명시된 규격의 목적물을 경제적으로 완성하기 위한 생산자 입장에서의 품질관리
② 품질감리 (Quality Assurance)	발주자나 원도급자가 하도급자를 감독, 확인하는 절차로써 품질보증이라고도 한다.
③ 품질인증 (Quality Verification)	품질감리결과 규정된 품질의 구현이 의심되거나 품질관리 규정상 특별한 품질검사나 실험을 요구할 때 행하는 검사, 실험

(3) 품질관리의 목적 : 시공능률의 향상, 품질 및 신뢰성 향상, 설계의 합리화, 작업의 표준화

(4) 설계 감리를 비롯한 품질관리계획, 조직과 책무, 품질지침과 절차, 시험절차, 하자처리, 보고서작성의 사항을 기획, 설계시공, 하자보수 등으로 구분하여 공사규모와 내용, 법규규정과 시방서 규정 등을 고려하여 시행한다.

(5) ISO-9000 인증제도와 ISO 14000 Series

① 모든 업무를 문서화. 문서대로 실시하고 있음을 증명하도록 요구하는 품질경영 시스템. 총 20가지의 품질 요소, 5종의 기본규격, 14종의 보조규격으로 구성

② ISO-9001~9003은 구입자가 공급자에게 요구하는 품질 System으로써 공급자의 품질 system을 제3자가 평가하여 품질보증능력을 인정하여 주는 제도로서, 기존 품질관리(Q.C)제도는 완성된 제품에 대한 품질검사로 결과를 중시하지만, ISO 9000은 제품을 생산하는 과정에 대한 검사로 과정(system)을 중시하는 차이점이 있다.

(6) ISO-9000 Series의 종류

① ISO-9000	품질경영과 품질보증 규격의 선택과 사용, 기본사항 및 용어
② ISO-9001	기존 9001+9002+9003에 대한 품질보증
③ ISO-9004	품질경영시스템의 성과와 개선지침

(7) ISO-14000 Series

① 국제표준화 기구에서 제정한 환경경영에 대한 국제규격으로써, 환경보호 및 환경관리 개선을 위한 환경경영 관련 제반사항을 기술한 ISO 9000 규격의 참고규격이다.

② 제품원료 생산에서 폐기에 이르기까지 전 작업과정에서 야기될 수 있는 환경에 미치는 영향을 제3자가 객관적 입장에서 평가 인정해 주는 제도이다.

3. 원가관리 (건축물의 공사비 관리)

(1) Cost Planning(공사비 예측) : 기본구상단계, 약설계단계, 상세검토단계, 설계확정단계에서의 코스트 플래닝이 있다.

(2) Cost Modeling : 공사비와 공사비에 영향을 주는 대표적인 변수상호관계를 기호나 수학적으로 표현하는 체계

(3) Cost Balance : 각 공종별, 작업별 예산배분, 구상을 코스트 밸런스라고 한다.

(4) Cost Control : 시공단계에서 예산이 잘 집행되기 위한 활동이다.

※ 예정원가와 사회원가의 차이가 최소화 되도록 관리가 필요

(5) 실행예산 : 공사목적물을 계약된 공기내 완성하기 위해, 공사손익을 사전에 예시하고 이익계획을 명확히하여, 합리적이고 경제적인 현장운영 및 공사수행을 도모하도록 작성되는 예산이다.

※ 실제공사원가이며, 공사집행의 기준이 되는 단가이고, 품질저하 없는 현장활동, 관리의 지침예산으로써 손익분기점이 되는 예산을 말한다.

학습 POINT

참고사항

■ ISO(internationalorganization for standardization : 국제표준화기구)는 국제 표준의 보급과 제정, 각국 표준의 조정과 통일, 국제기관과 표준에 관한 협력 등을 취지로, 세계 각국의 표준화의 발전 촉진을 목적으로 설립되었다.(전기, 전자를 제외한 전산업분야)

4. 안전관리

(1) 재해예방 기본원칙과 대책선정의 원칙

재해예방 기본원칙	대책선정의 원칙
① 손실우연의 원칙 : 손실은 예측이 불가능하게 우연히 발생하므로 예방이 중요 ② 원인계기(연계)의 원칙 : 사고발생과 원인은 필연적 인과관계이다. ③ 예방가능의 원칙 : 재해는 원칙적으로 원인만 제거되면 예방이 가능하다. ④ 대책선정의 원칙 : 재해 예방을 위해 가능한 안전 대책은 반드시 존재한다. ※ 산업재해발생의 기본원인(4M) : Man(사람), Machine(기계, 설비), Media(사고발생 과정), Management(관리)	기술적대책, 교육적 대책, 규제적 대책등이 재해방지의 중요한 고려사항이다. **(2) 안전관리의 3E, 4E** ① 기술(Engineering)적 대책 ② 교육(Education)적 대책 ③ 관리, 규제(Enforcement)적 대책 ④ 환경(Environment)적 대책

학습 POINT

▶ 98-③ / 99-②

- 현장의 보고서류 종류 /
- 실행예산의 정의

5. 전산통합관리

(1) 노무, 자재 관리의 건설정보관리 System 활용(CIMS : Construction Information Management System) : 전산망 구축을 통한 본사와 현장간의 신속한 정보교류, 인사, 자재정보의 Data Base화와 표준화를 통한 구매, 입출고, 재고관리, 인사관리를 주로 개인용 컴퓨터(PC)를 통해서 행하는 System이 활용된다.

(2) EDB(Engineering Data Base) : Project 전단계에 걸쳐 발생되는 정보의 통합관리를 목표로 한다.

(3) CIC(Computer Integrated Construction) : 컴퓨터를 통한 건설 통합 생산 System

※ 컴퓨터, 정보통신 및 자동화 조립기술을 토대로 건설생산에 기능, 인력들을 유기적으로 연계하여 각 건설업체의 업무를 각사의 특성에 맞게 최적화하는 개념 (제조업의 CIM에 상응하는 건설생산 개념이 CIC다.)

보충설명 **MIS와 CIC의 차이점 비교**

경영정보 시스템	MIS(Mangement Information System) 재무, 인사, 노무 등 전통적 기업 운영 요소 대상
CIC	건설생산에 촛점을 맞추어 계획, 관리, 엔지니어링, 설계, 구매, 시공, 유지・보수 등 건설 업체 수행 모든 행위를 대상으로 한다.

(4) PMIS(Project Management Information System) : 사업별 경영정보 전산체계

① 사업의 전 과정에서 건설관련주체간 발생되는 각종 정보를 체계적, 종합적으로 관리하여 최고품질의 사업 목적물을 건설하도록 지원하는 전산 system 혹은 전산 Software

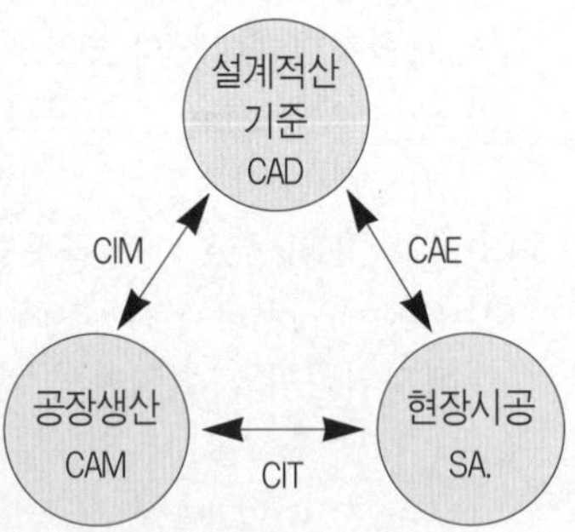

CIM : Computer Integrated Manufacture
CAE : Computer Aided Engineering
CIT : Computer Integrated Transportation
CAD : Computer Aided Design
CAM : Computer Aided Manufacture
SA : Site Automation

그림. CIC의 개념도

※ 프로젝트 참여주체들 간 원활한 의사소통을 이루고, 각종 정보를 관리하고 공유하는 의사결정 지원 시스템을 의미

② 건설공사의 정보화된 종합관리체계로 전체공사 단계에 걸쳐서 계약관리, 공정관리, 품질관리, 원가관리, 자원관리, 건설정보관리, 도면관리 등을 인터넷 및 전산화된 환경기반에서 실시간으로 운영할 수 있는 종합공사관리시스템을 의미

(5) CALS(Continuous Acquisition & Life Cycle Support/Commerce At Light Speed) : 건설분야 통합정보 통신시스템 : 문서없이 건설사업을 종합관리

건설업의 기획, 설계, 계약, 시공, 유지관리 등 건설생산활동의 전과정에서 발주자, 설계, 시공 감리자등 건설관련주체가 초고속정보통신망과 전자상거래등을 활용하여 관련정보를 실시간으로 교환, 공유하여 건설사업을 지원하는 건설분야의 통합정보통신 시스템을 말한다.

6. 클레임(Claim) 관리

(1) 정의 : 계약이나 계약당사자간 분쟁에 관하여 그 한편이 상대편에 대하여 요구하는 청구나 이의신청(손해배상)을 말한다.

(2) 대표적인 Claim 유형

① 공사지연	② 작업범위 클레임
③ 현장조건 변경	④ 계약 파기
⑤ 공사비 지불 지연	⑥ 작업 기간단축(작업가속)
⑦ 계약조건에 대한 해석차이	⑧ 작업중단 (공사중지)
⑨ 도면과 시방서의 하자 (불일치)	⑩ 기타 손해배상

(3) Claim 해결방안

① 합의	분쟁당사자간 협상에 의한 합의서작성(일차적 해결)
② 조정 및 중재	조정자와 조정위원회에 대한 해결(2차적 해결)
③ 소송	재판에 의한 법정판결로 해결(최종해결방안)
④ 철회	분쟁당사자 일방의 철회

7. 위험도 관리(Risk Management) : 위험과 불확실성에 대한 대책, 관리

(1) 관리체계 : 위험도 인식 → 분석평가 → 대응관리 → 조직관리 과정으로 이루어짐.

(2) 위험 대응(위험도 관리) 전략

※ 위험도 대응 전략은 리스크전이, 리스크보유, 리스크회피, 손실감소와 리스크방지 등으로 크게 나눈다.

학습 POINT

▶ 01-③, 05-③, 10-① / 07-② / 10-②, 10-③

- CALS 설명
- CALS, EC, L.C.C
- CIC의 정의 설명
- PMIS 설명

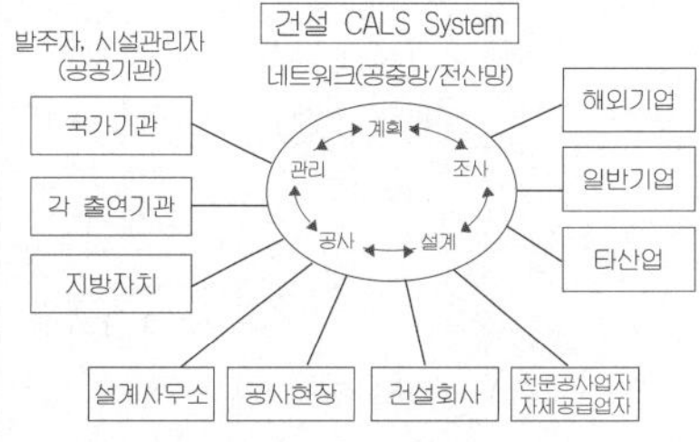

CALS SYSTEM 개념도

▶ 02-②, 05-③ / 05-①

- 계약분쟁해결방안 3가지
- 대표적인 Claim 유형 4가지

① 보증(Bond)	※ 건설산업에서 자주 사용되는 보증 종류 ㉮ 입찰보증(Bid Bond) ㉯ 하자보증(Maintenance Bond) ㉰ 계약이행보증(Performance Bond) ※ 기타 : 선수금환급보증, 유보금환급보증, 현지 금융담보조 지급보증, 보증보험증권 등
② 보험(Insurance)	위험도 관리 중 자주 사용되는 대응전략이다. ※ 여러가지 보험의 종류가 있다.
③ 위험도 회피 (Risk avoidance)	위험도 노출을 피하므로 잠재적 손실을 줄일 수 있다. ※ 공사 입찰 포기 등으로 잠재적 이익을 잃을 수 있다.
④ 손실감소와 위험도 방지	위험도 손실 확율을 줄임. 위험발생시 피해를 줄임. 예) 도난방지시설이나 화재, 재난방지시설 설치시 손실을 최소화하며 보험요율도 삭감된다.

8. 건설관리조직의 종류와 특징

종 류	특 징	
(1) 라인조직 (직계식 조직)	• 건설사업에서 전통적으로 사용되어 온 것으로, 사업성격이 분명하고 단순하며 각 업무가 분절되어도 서로 큰 영향을 미치지 않는 경우에 적합하다. 대규모 복잡공사에는 부적절하다. • 특징: 책임과 권한이 명확하다. 소수의 능력에 따라 성패가 좌우된다. 횡적 연락이 어렵다. 책임자는 이질적 업무까지 담당하게된다. 설계와 시공이 완전분리되어 업무가 진행되는 경우에 적합	
(2) 평셔널 조직 (기능식 조직)	직무를 기능별로 나누어 분할하여 복수의 책임자를 만들고, 각 책임자가 작업자에게 분담 업무에 대해 지시하는 형태	
	장 점	단 점
	• 전문화로 숙련도, 능률 향상 • 직능별로 업무수행, 통제용이 • 전문적 지시, 지도 가능	• 결과에 대한 책임 불명학 • 권한다툼, 업무조정이 힘들다. • 지령계통 질서가 문란하기 쉽다.
(3) 라인 · 스탭조직 (조합식 조직)	• 공기단축을 목적으로 패스트 트랙(Fast Track)공사를 진행하기에 적합한 구조이다. • 특징: CM계약관리조직 등 전문분야의 생산성을 높이는 라인조직의 장점과 태스크 포스 수준 이상의 전문관리자들의 지원을 받을 수 있다. 책임 불명확에 따른 스텝의 무력화와 스텝의 월권행위 등이 문제점이다.	
(4) 전담반 조직 (Task Force)	• 각 분야의 전문가들이 모인 한시적 조직이다. • 특징: 긴급공사, 중요한 공사를 할 때처럼 조직이 해결해야 할 과업의 성격이 그 조직이 사활을 좌우할 만큼 중요할 때 필요한 조직이다. 상호의존적인 기능을 경우에 효과적인 역할을 한다.	
(5) 메트릭스 조직 (Matrix 조직)	• 지하철, 공항건설, 발전소, 고속도로 등과 같이 대규모 사업에 적합하다 기능조직과 전담반 조직이 결합된 형태이다. • 특징: 업무가 다양하고 복잡하게 상호 관련되어 있는 경우 업무간의 조정이 용이하며, 각 부문의 전문가들을 효과적으로 배치할 수 있다.	
(6) 부문별 조직	각 부분이 하나의 자주적, 독립채산적인 경영을 한다. 플랜트 사업부, 주택사업부, SOC, 사업부 등	
(7) 전략사업부 조직	(SBU:Strategic Business Unit)조직을 말하며 조직의 복잡화, 권한의 지나친 분산등에 따른 경영의 통제 불능상태 해결을 위해 조직을 몇개 부분으로 묶어서 그책임자(사업본부장등)에게 권한과 책임을 위임한 구조의 조직이다.	

학습 POINT

▶ 03-②, 06-②

• 건설계약제도상 보증금 종류 3가지

※ 보증과 보험은 대표적인 리스크전이 전략이다.

▶ 06-③ / 10-③

• 라인조직
• task force조직 설명

관련문제

1 건축생산에서 관리의 3대 목표가 되는 관리명을 쓰시오. (3점)

〔89 ①, 91 ②, 98 ②, 01 ①, 04 ①〕

① ______________ ② ______________

③ ______________

2 건축시공의 현대화방안에 있어서 건축생산의 3S System을 쓰시오. (3점)

〔99 ③, 01 ③, 07 ①〕

① ______________ ② ______________

③ ______________

3 건축시공 기술을 분류할 때 해당되는 관리 항목을 3가지씩 쓰시오. (4점) 〔04 ②〕

가. 하드웨어 기술 : ______________

나. 소프트웨어 기술 : ______________

4 다음 기술 ( ) 안에 알맞는 용어를 쓰시오. (4점) 〔93 ④, 98 ③〕

건설공사를 완성하고 그 대가를 받는 영업을 (㈎)이라 하고 건축주와 직접 도급계약을 한 시공업자를 (㈏)업자라 하며 이 도급공사의 전부를 건축주와는 관계없이 다른 시공자에게 도급주어 시행하는 것을 (㈐)이라 하며 부분적으로 분할하여 제 3자에게 도급주어 시행하는 것을 (㈑)이라 한다.〕

5 건설노무자 중 원도급자에게 직접 고용되어 임금을 받으며 잡역 등 미숙련 노무자가 많은 노무고용 형태 명칭은? (1점) 〔90 ①, 92 ③, 94 ②, 96 ②〕

____

해설 및 정답

정답 1

건축생산의 3大 관리
① 원가관리(돈)
② 공정관리(시간)
③ 품질관리(신용, 질)

정답 2

① 단순화(Simplification)
② 규격화(Standardization)
③ 전문화(Specialization)

정답 3

가. 공법, 재료, 기계
나. 계획, 관리, 운영

정답 4

㈎ 건설업
㈏ 원도급
㈐ 재도급
㈑ 하도급

정답 5

직용노무자

관련문제

6 **고용형태로 분류한 건설노무자에 대한 설명이다. ( )안에 알맞은 용어를 쓰시오. (3점)** 〔00 ①〕

가. 원도급업자에게 직접 고용되어 임금을 받는 노무자로써 잡역 등 미숙련자가 많다. ____________

나. 직종별 전문업자 혹은 하도급업자에 상시 종속되어 있는 기능 노무자로써 출역일수에 따라 임금을 받는다. ____________

다. 날품노무자로써 보조노무자이고, 임금도 싸다. ____________

7 **공사계약에 따른 건축주와 도급자의 기본적인 권리 및 의무에 대해 각각 기술하시오. (4점)** 〔93 ②〕

① 건축주의 권리 : ____________

② 견축주의 의무 : ____________

③ 도급자의 권리 : ____________

④ 도급자의 의무 : ____________

8 **다음 설명에 해당되는 용어를 쓰시오. (3점)** 〔06 ②〕

(가) 건축주와 직접계약을 체결한 자 ____________

(나) 건축물이 설계도서대로 시공되는지의 여부를 확인 및 감독하는 자

____

(다) 건설프로젝트의 전 과정에 CM업무를 수행하는 자 ____________

9 **프로젝트의 전개과정에서 다음의 빈칸을 채우시오. (4점)** 〔98 ⑤, 05 ②〕

(가) 프로젝트 착상 및 타당성 분석　　(나) ____(1)____

(다) ____(2)____　　(라) ____(3)____

(마) 시운전 및 완공　　(바) ____(4)____

해설 및 정답

정답 **6**

가. 직용노무자
나. 정용노무자
다. 임시고용노무자

정답 **7**

① 건축주의 권리 : 완성된 건축물을 인수 받을 권리가 있다.
② 건축주의 의무 : 건축공사의 공사비를 지불해야 한다.
③ 도급자의 권리 : 건축공사의 공사비를 청구할 권리가 있다.
④ 도급자의 의무 : 건축공사를 기간내에 완성할 의무가 있다.

정답 **8**

(가) 원도급자
(나) 감리자
(다) 건설사업 관리자 (CM Manager)

정답 **9**

(1) 설계(Design)
(2) 구매・조달
(3) 시공(Construction)
(4) 인도(Turn over)

관련문제

10 공사계획의 일반적인 순서를 보기에서 골라 기호로 쓰시오. (4점)

〔96 ③, 96 ⑤, 98 ①, 99 ⑤, 01 ②〕

〔보기〕

(가) 공정표 작성	(나) 하도급자의 선정
(다) 재료의 선정 및 노력의 결정	(라) 현장원 편성
(마) 실행예산의 편성과 조정	(바) 가설준비물의 결정
(사) 재해예방	

11 다음은 도급계약 체결 후 해야 할 공사들이다. 공사순서를 번호순으로 나열하시오. (5점)

〔85 ①, 86 ③〕

(1) 기초공사　　(2) 방수공사
(3) 지붕공사　　(4) 구체공사
(5) 가설공사　　(6) 내부마무리 공사

12 공정계획의 요소를 5가지만 쓰시오. (4점)

〔93 ④〕

① ______ ② ______
③ ______ ④ ______
⑤ ______

13 다음 용어를 설명하시오. (4점)

〔92 ③, 07 ③〕

(가) 정초식 : ______

(나) 상량식 : ______

14 건설공사 현장의 보고(報告)중 주기가 짧은 것부터 긴 것을 보기에서 골라 번호를 쓰시오. (3점)

〔98 ③〕

〔보기〕

① 순보　② 분기보　③ 일보　④ 월보　⑤ 주보

해설 및 정답

정답 **10**
(라)
(가)
(마)
(나)
(바)
(다)
(사)

정답 **11**
(5)
(1)
(4)
(2)
(3)
(6)

정답 **12**
① 공사시기
② 공사규모
③ 공사의 내용
④ 노무자, 재료의 수배
⑤ 시공기기의 수배

정답 **13**
(가) 정초식 : 기초공사 완료시에 행하는 의식
(나) 상량식 : 콘크리트조에서는 콘크리트 지붕공사가 완료되었을 때 행하는 의식
※ 목조에서는 지붕마룻대가 올라갈 때 행한다.

정답 **14**
③ → ⑤ → ① → ④ → ②

관련문제

15 공사목적물을 계약된 공기내에 완성하기 위하여, 공사손익을 사전에 예시하고 이익계획을 명확히 하여, 합리적이고 경제적인 현장운영 및 공사수행을 도모하도록 사전에 작성되는 예산을 무엇이라 하는가? (2점) 〔99 ②〕

16 (가) CALS(Continuous Acquisition and Life cycle Support)에 대해 설명하시오. (4점) 〔01 ③〕

(나) 건설사업통합전산망인 CALS(Computer Aided Logistic Support)에 관하여 기술하시오. (4점) 〔05 ③〕

17 CIC(Computer Integrated Construction)를 설명하시오. (3점) 〔10 ②〕

18 PMIS(Project Management Information System)에 대해 설명하시오. (3점) 〔10 ③〕

19 공사내용의 분류방법에서 목적에 따른 Breakdown Structure의 3가지 종류를 쓰시오. (3점) 〔05 ②, 12 ①〕

① ②

③

해설 및 정답

정답 **15**

실행예산

정답 **16**

건설산업의 설계·입찰·시공·유지 관리등 건설생산의 전과정에서 발주청, 설계·시공업체등 관련주체가 초고속 정보통신망을 활용하여 관련정보를 실시간으로 교환, 공유하여 건설사업을 지원하는 건설분야의 통합정보통신시스템을 말한다.

정답 **17**

컴퓨터를 통한 건설통합 System으로써 컴퓨터, 정보통신 및 조립기술을 토대로 건설생산에 기능, 인력들을 유기적으로 연계하여 각 건설업체의 업무를 각사의 특성에 맞게 최적화하는 개념

정답 **18**

사업의 전 과정에서 건설관련주체간 발생되는 각종 정보를 체계적, 종합적으로 관리하여 최고 품질의 사업목적물을 건설하도록 지원하는 전산 시스템.

정답 **19**

① 작업분류체계 (WBS : Work Breakdown Structure)
② 조직분류체계(OBS : Organization Breakdown Structure)
③ 원가분류체계(CBS : Cost Breakdown Structure)

관련문제

해설 및 정답

20 계약서류 조항간의 문제점이나 계약서류와 현장조건 또는 시공조건의 차이점에 의해 발생되는 문제점에 대해 발주자나 시공자가 이의를 제기하여 발생하는 클레임의 유형 4가지를 쓰시오. (4점) 〔05 ①〕

① ______________ ② ______________

③ ______________ ④ ______________

정답 20
① 공사지연 (공기지연)
② 현장 공사 조건의 변경
③ 공사비 지불 지연
④ 도면과 시방서의 불일치
※ 작업범위 변경, 일방적인 계약 파기, 불합리한 작업기간 단축

21 건설공사에서 계약분쟁의 해결방법 3가지를 쓰시오. (3점) 〔02 ②, 05 ③〕

① ______________ ② ______________

③ ______________

정답 21
① 상호합의에 의한 해결(합의)
② 조정 및 중재에 의한 해결(조정, 중재)
③ 재판에 의한 해결(소송)

22 현행 건설계약 제도상 자주 사용되는 보증금의 종류를 3가지 적으시오. (3점) 〔03 ②, 06 ②〕

① ______________ ② ______________

③ ______________

정답 22
① 입찰보증금
② 계약이행보증금(계약보증금)
③ 하자보증금

23 다음이 설명하는 건설관리조직의 명칭을 쓰시오. (3점) 〔06 ③〕

건설사업에서 전통적으로 사용되어 온 것으로, 사업성격이 분명하고 단순하며 각 업무가 분절되어도 서로 큰 영향을 미치지 않은 경우에 적합하지만 CM 등이 적용되는 대규모 공사에는 부적합하고 자칫 관료적이 되기 쉬운 건설관리조직 :

____

정답 23
라인조직 또는 직계식 조직

핵심 2 공사시공 방식 및 계약방식

학습 POINT

1 시공방식 및 계약방식의 분류

1. 설계와 시공의 분리계약제도(Design-Bid-Build Contract : 전통적 방식)

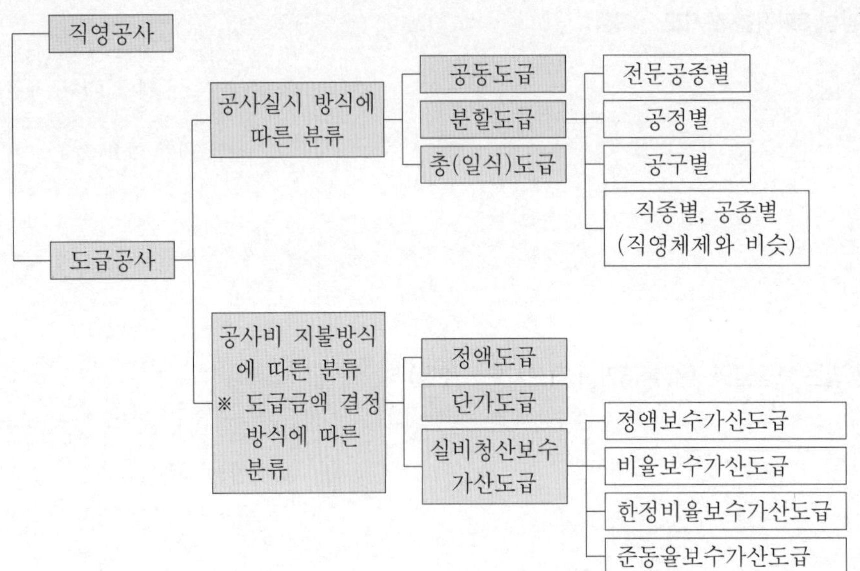

▶ 94-② / 08-②
- 도급금액 결정에 따른 도급방식의 분류 · 종류
- 공사실시방식의 분류, 공동도급의 종류

2. 업무범위에 따른 계약 방식

① 턴키 계약방식 (Turn-key Base Contract)
② 공사관리(사업관리)계약제도 (Construction Management Contract)
　㉮ 대리인형 CM 방식 (CM for fee 방식)
　㉯ 시공자형 CM 방식 (CM at Risk 방식)
③ 프로젝트 관리방식(Project Management 방식)
④ BOT(Build-Operate-Transfer Contract) : 개발계약방식
⑤ Partnering 방식
※ 기타방식 : 성능발주 방식

▶ 89-①, 99-① / 89-①
- 도급방식의 특징, 정의
- 정액, 단가, 실비청산, 턴키도급, 도급방식의 특징 설명

2 직영공사(Direct Management Work)

건축주가 직접 재료구입, 노무자수배, 기계설치, 감독 등 직접 시공하는 방식이다. (영리를 도외시한 공사나 도급자가 감당하기 어려운 대형공사)

장　　점	단　　점
① 도급공사에 비해 확실한 공사가능 ② 계약의 구속감이 없는 임기응변 처리 가능 ③ 발주계약 등 수속 절감	① 공사비 증대 ② 재료낭비 또는 잉여, 시공시기의 불경제성 ③ 시공관리 능력부족으로 공사기간 연장

학습 POINT

■ 직영공사가 채택되는 경우
① 공사내용이 간단하여 시공이 용이한 경우(건축주가 현장관리 능력이 있을 때)
② 시급한 준공이 필요없는 경우
③ 중요건물인 경우(기밀상이유)
④ 풍부한 노동력, 자재를 보유한 때
⑤ 실험연구가 필요한 공사로써 설계변경이 많이 예상될 때
⑥ 특수공사, 난공사, 견적산출이 곤란한 공사 등

3 공사실시방식에 따른 계약 방식

1. 일식도급(총도급 : General Contract)

공사전체를 한 업자에게 주어서 시공업무 일체를 시행하는 방법

장　　점	단　　점
① 공사비 확정, 공사관리 용이함. ② 계약, 감독업무가 단순하다. ③ 가설재 중복이 없으므로 공비 절감	① 건축주 의도나 설계도서의 의도가 충분히 이행되지 못한다. ② 말단 노무자의 지불금 과소로 공사부실 우려(하도급 관행)

2. 분할도급(Serveral Contract, Partial Contract)

공사유형별로 전문업자에게 분할도급

(1) 분할도급의 종류

① 전문공종별(專門工種別) 분할도급	공사 중 설비공사(전기, 설비)를 주체공사와 분리하여 발주. 설비업자의 자본, 기술 강화 · 전문화로 능률 향상
② 공정별(工程別) 분할도급	공사의 과정별로 나누어서 도급을 주는 방식 예산배정상 구분될 때 편리, 부분 · 분할 발주 가능. 후속공사 연체, 도급자 교체 어려움
③ 공구별(工區別) 분할도급	대규모 공사에서 지역별로 분리 발주하는 방식으로 각 공구마다 일식도급 체제 운영. 도급업자의 기회 균등, 시공 기술 향상, 높은 성과도 기대
④ 직종별, 공종별 분할도급	전문직종이나 각 공종별로 분할하여 도급을 주는 직영공사에 가까운 제도이다. 건축주의도 철저 반영, 현장 종합관리 어려움, 경비 가산

(2) 장 · 단점

장 점	단 점
① 전문업자가 시공하므로 우량공사 기대 ② 업자간 경쟁으로 저액시공 가능 ③ 건축주와 의사소통이나 설계도서의 취지가 잘 반영된다.	① 건축공사와의 관계에 대한 상호교섭 등이 복잡하게 된다. ② 감독상 업무가 증가된다. ③ 비용증가

3. 공동도급(Joint Venture)

(1) 공동도급의 정의, 특징, 장 · 단점

정 의	건설공사의 도급형태 중 대규모 공사 시공에 대하여 여러개의 건설회사가 공동출자 기업체를 조직하여 한회사 입장에서 공사를 수주하고 시공하는 도급형태를 말한다.
특 징	① 임의성 ② 일시성 ③ 이행의 확실성 ④ 단일목적성 ⑤ 공동출자 ⑥ 손익의 공동배분

장 점	단 점
① 공사이행의 확실성이 보장된다. ② 여러회사 참여로 위험이 분산된다. ③ 자본력과 신용도가 증대된다. ④ 공사도급경쟁의 완화수단이 된다. ⑤ 기술향상, 경험의 확충 기대	① 단일회사 도급보다 경비가 증대 ② 이해충돌, 책임회피 우려 ③ 경영방식 차이에서 오는 능률저하 ④ 사무관리, 현장관리, 혼란의 우려 ⑤ 하자책임 불분명

※ Joint Venture의 흐름도

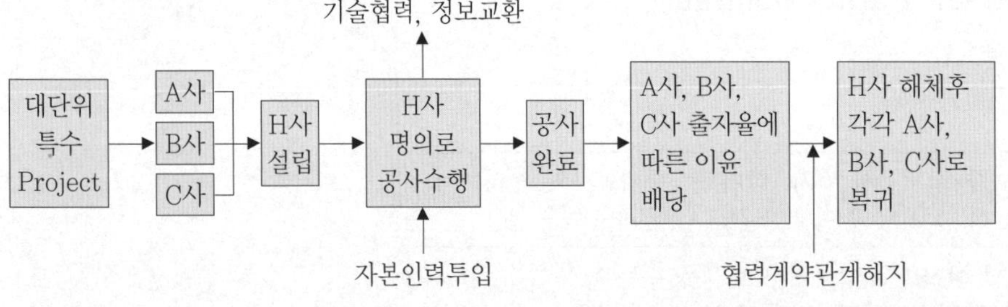

보충설명 페이퍼 죠인트(Paper Joint)

컨소시엄(Consortium) 공사에 있어서 명목상(서류상)으로는 여러 회사의 공동도급이지만 실제로는 한회사가 공사 전체를 진행하며 나머지 회사는 하도급 형태로 참여하거나 단순한 이익배당에만 참여하는 서류상의 공동도급을 의미.

※ 공동도급(Joint Venture)를 악용한 일종의 담합 형태로써, 지역업체와의 공동도급 의무화, 시공능력의 차이, 도급한도액의 합산적용 등이 발생 이유이다.

학습 POINT

▶ 88-② / 94-④, 96-⑤, 09-③, 11-③, 18-③ / 08-②, 18-①

- Joint Venture의 용어정의
- 공동도급의 장점 3가지, 4가지
- 공동도급 운영방식의 종류

▶ 00-①, 07-③, 13-②

- Paper Joint 설명

(2) 공동도급의 운영방식 및 특징 비교

공동이행방식 (Sponsor Ship)	정 의	참여회사들이 일정비율의 노무, 기계, 자금을 제공하여 새로운 조직으로 시공하는 방식
	특 징	주로 건축공사에 적용. 전체 연대책임. 손익은 출자 비율에 따라 공동배분.
분담이행방식 (Consortium)	정 의	각자 회사가 공사를 구분(분할)시공하는 형태. 연속반복되는 단일공사에 주로 적용.
	특 징	주로 토목공사에 적용. 구성원 각자의 책임. 손익은 분담 내용에 따라 배분.
주계약자형 공동도급방식 (Partner Ship)	주계약자(Leading Company)는 자신의 분담공사 이외에 전체 공사에 대해 관리, 조정하며 다른 회사의 계약이행에 대해서도 연대 책임을 지면서 다른 회사의 공사금액에 대해서도 자신의 실적으로 인정받는 방식	

학습 POINT

■ Joint Venture와 Consortium의 비교
① J.V.(공동출자 합작기업)
② Consortium(공사협력 연합체)

4 공사비 지불방식에 따른 계약방식

1. 정액도급(Lump Sum Contract)

공사비 총액을 확정하고 계약하는 방식

장 점	단 점
① 경쟁입찰로 공사비가 저액이다 ② 공사관리 업무가 간편하다. ③ 총액이 확정되므로 자금계획이 명확하다. ④ 공사비 절감노력이 있다.	① 공사변경에 따른 도급금액 증감이 곤란 ② 설계도서가 완성되어야 하므로 입찰시까지 상당기간이 필요하며 장기공사나 설계변경이 많은 공사는 불리하다. ③ 이윤관계로 공사가 조악해질 우려

2. 단가도급(Unit Price Contract)

단위공사 부분(재료, 노임, 면적, 체적)의 단가만을 계약하고 실시수량 확정에 따라 차후 청산하는 방식으로 긴급공사나 수량이 명확치 않을 때 채용

장 점	단 점
① 공사를 신속히 착공할 수 있다. ② 설계변경으로 인한 수량계산이 용이하다. ③ 설계변경, 수량불명시 간단히 계약가능	① 총공사비 예측이 어렵다. ② 공사량 절감노력이 없어진다. ③ 공사비가 높아지므로 단일공사나 단순한 작업일 때 채용하는 것이 좋다.

3. 실비청산(정산) 보수가산 도급(Cost plus fee Contract)

공사비의 실비를 (건축주, 감독자, 시공자) 3자 입회하에 확인 청산하고, 건축주는 미리 정한 보수율에 따라 공사비를 지급하는 방식.

(1) 특징

① 설계도서가 명확치 않고, 공사비 산출이 곤란한 공사나, 발주자가 아주 양질의 공사를 기대할 때 채용될 수 있다.
② 이론상으로는 직영과 도급제도의 장점만을 딴 이상적 제도이다.
③ 선진국에서 많이 책택되는 제도이다.

(2) 장 · 단점

장　　점	단　　점
① 신용계약의 기초가 되며, 양심시공 기대 ② 우수한 시공기대, 시공자가 손해 볼 여지가 적다.	① 공사기간 연장의 우려가 크다. ② 공사비 절감 노력이 없어지고 공사비 증가가 우려된다.

(3) 종류

종　류	총공사비산출식	내 용 설 명
① 실비비율 보수가산식	A+Af	사용된 실비와 이 실비에 계약된 비율을 곱한 금액을 가산 지불하는 방식
② 실비한정비율 보수가산식	A′+A′f	실비에 제한을 두고 시공자에게 제한된 금액 내에서 공사를 완성시키는 방식
③ 실비정액 보수가산식	A+ F	실비여하를 막론하고 실비와 미리 계약된 일정액의 보수만을 가산 지불하는 방식
④ 실비준동률 보수가산식	A+A×f′ : 비율보수 A+(F-A×f′) : 정액보수 (f′ : Variable : 변화가능)	실비를 미리 여러단계로 분할하여 공사비가 각 단계의 금액보다 증가 될 때는 비율보수 또는 정액 보수를 체감하는 방식

(A : 공사실비　A′ : 한정된(제한된 실비)　f : 비율보수　F : 정액보수)

※ 실비청산 보수가산도급방식은 공사비 절감노력이 없어지고, 공사비 증가의 우려가 있으므로 최대보증한도 실비청산 보수가산방식(Cost Plus fee with Guaranteed Maximum Price Contract)을 채택하는 경우도 있다.

학습 POINT

▶ 18-②
- 실비청산 보수가산방식 용어, 정의

▶ 07-③, 18-② / 92-④, 95-⑤, 98-①, 00-⑤, 03-③ / 96-① / 09-②, 13-① / 11-②
- 실비청산 용어설명
- 실비청산 방식의 종류 4가지
- 실비청산장점과 한정비율 설명
- 실비청산 한정비율 보수가산 방식의 도급금액 계산
- 실비청산 공사비 산출식 (비율, 한정비율, 정액)

5 업무범위에 따른 계약방식

1. 턴키 도급(Turn-key Contract) : 일괄수주방식

한 Project의 토지조달, 기업, 금융, 설계, 시공, 기계기구설치, 시운전, 조업지도 등 주문자가 요구하는 모든 것을 조달하여 인도하는 도급계약 방식으로 주문자는 key만 돌리면 된다는 뜻에서 나온 말이다. 주로 대규모 공사, 특정 주요 공사에서 채택되며 Package Contract, All in Contract라고도 한다.

(1) 공사수행 형태에 의한 분류

① Design-Build 방식 (D/B : 설계, 시공방식)	설계와 시공을 동일회사 혹은 동일 사업추진 팀에서 직접 또는 하도급자가 사업을 시행하는 방식
② Design-Manage방식 (D/M : 설계, 관리방식)	설계와 시공을 한회사에서 책임지며, 공사관리자에 의해 공종별 하도급자에 의해서 사업을 시행하는 방식

(2) 계약방식의 종류 : 여러 형태의 계약이 가능하다

① 설계도서 없이 성능만을 제시하고 모두 도급자에게 위임하는 방식
② 기본설계도서와 개략시방서가 주어지고 상세설계와 성능을 요구하는 방식
③ 상세설계도서가 주어지고 특정한 부분 혹은 전체의 대안을 요구하는 방식
※ 공사의 성격이나 자본유치 등과 관련되어서는 BOT(Build-Operate-Transfer) 방식 등이 사용될 수 있다.

(3) 장·단점 비교

장　　점	단　　점
① 설계와 시공의 의사소통개선. ② 책임시공으로 책임한계 명확. ③ 공기단축. 공사비 절감 노력 왕성. ④ 공법의 연구개발, 기술개발 촉진. (창의적 설계. 신공법 개발 유도) ⑤ 도급자의 전문지식, 공사경험을 설계단계부터 반영할 수 있다.	① 건축주 의도 반영의 어려움. ② 대규모회사 유리, 중소업체 육성저해. ③ 최저가 낙찰제인 경우 공사 품질 저하. ④ 공사비 사전 파악의 어려움. ⑤ 우수한 설계의도 반영이 어려움. ⑥ 입찰시 비용 과다 소모. ⑦ 설계지침의 잦은 변경.

학습 POINT

▶ 89-①, 94-①, 97-④, 99-① / 96-①, 97-⑤, 12-① / 11-① / 94-①

- Turn-key 정의 /
- Turn-key의 장·단점 3가지 / 2가지
- 일괄계약의 장점 3가지
- 특명입찰과 턴키 용어설명 /

2. 건설사업관리(Construction Management)계약방식

① CM방식이란 기획, 설계, 시공, 유지관리의 건설업 전과정에 대해.
공기단축, 원가절감, 품질향상의 관리 3요소를 통합시켜 사업수행을 효율적, 경제적으로 수행하기 위해 각부분 전문가 집단의 통합관리기술을 건축주에게 서비스하는 것이다.

▶ 95-⑤, 96-④, 97-④, 98-①, 07-③ / 95-⑤, 02-③, 08-③ / 94-①, 98-②

- CM 용어설명 /
- PQ, CM, VE 용어설명 /
- 설계, 시공의 의사소통 개선방안

② 전문가 집단에 의한 설계와 시공을 통합관리하는 조직을 CM조직이라 하며, 건설사업관리란 건설산업기본법에서 건설공사에 관한 기획, 타당성 조사, 분석, 설계, 조달, 계약, 시공관리, 감리, 평가 또는 사후관리 등에 관한 관리를 수행하는 것으로 규정하고 있다.

※ 설계단계부터 공법지도, 설계, 시공의 동시수행방법(Fast Track), 시공성을 고려한 원가절감방안(VE), 공기단축방안(단계적 분할 발주) 등을 통하여 원가절감, 공기단축, 설계자와 시공자의 의사소통을 원활히 개선할 수 있다.

학습 POINT

04-②, 07-①, 10-②, 19-③, 20-④ / 07-①

- cm for fee 방식과 cm at risk 방식을 설명
- CM의 계약 유형에 따른 분류

(1) CM의 기본형태의 분류와 정의, 특징

① CM for fee 방식 (대리인형 CM)	발주자와 하도급 업체는 직접계약을 체결하며, CM은 프로젝트 전반에 걸쳐서 발주자의 컨설턴트 역할만을 수행하고 그에 대한 보수를 받으며 공사결과에는 책임이 없는 순수한 의미의 CM형태이다.
② CM at risk 방식 (시공자형 CM)	CM조직이 직접공사를 수행하거나 전문하도급 업체와 직접 계약을 체결하여 공사전반을 책임지는 형태로 공사결과의 이익에 대한 보상을 함께 추구하며 손실에 대한 책임이 주어진다.

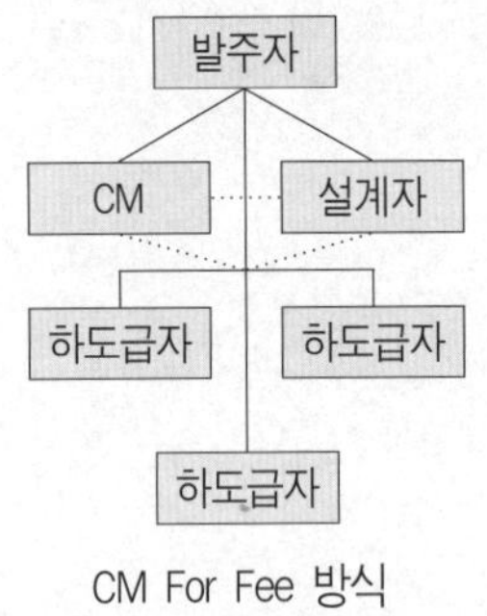

CM For Fee 방식

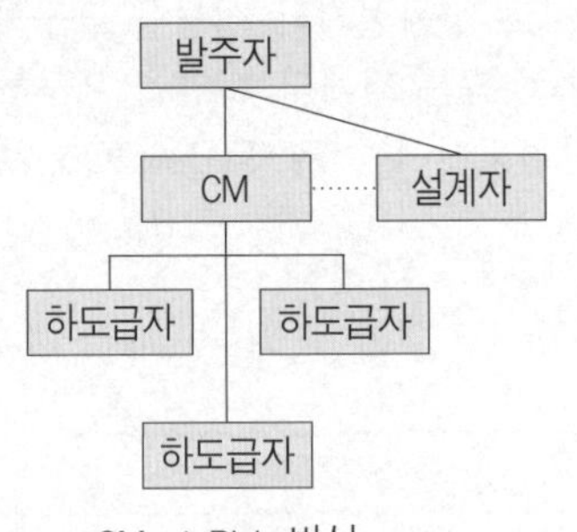

CM at Risk 방식

*CMr(CM 관리자)은 건축주의 Agent 업무를 수행하고 서비스에 대한 수수료를 받는 형태로 순수한 의미의 CM방식이다.

*CMr(CM 관리자)이 직접 도급자를 고용하여 책임시공을 하고 공사에서 발생되는 이윤을 취한다.

■ CM의 계약 유형에 따른 분류와 특징

① ACM(Agency CM) : 발주자의 용역형태
② XCM(Extended CM) : 복합업무 수행. 사업 전과정의 사업, PM과 유사
③ OCM(Owner CM) : 발주자가 CM 업무를 수행. 경영상 부담
④ GMPCM(Guaranteed Maximum Price CM) : XCM과 유사업무 담당. 공사금액 초과시 CM도 책임. 최종공사비가 초과되지 않도록 하는 방법

참고사항 **시공책임형 건설사업관리(건설산업기본법)**

종합공사를 시공하는 업종을 등록한 건설사업자가 건설공사에 대하여 시공이전 단계에서 건설사업관리(CM) 업무를 수행하고 아울러 시공단계에서 발주자와 시공 및 건설사업관리에 대한 별도의 계약을 통하여 종합적인 계획, 관리 및 조정을 하면서 미리 정한 공사금액과 공사기간 내에 시설물을 시공하는 것

(2) CM의 장점과 단점

CM의 장점	CM의 단점
① 설계자와 시공자의 통합관리로 상호 조정가능, 의사소통개선, 마찰감소. ② VE이나 단계적발주로 원가절감, 공기 대폭단축. ③ 사업전과정에서 공사비, 공기, 시공성에 대한 종합평가가 가능하여 설계변경시 타당성에 대한 독립적 평가가 가능하여 발주자의 최적 결정에 큰도움을 줌. ④ 설계도서의 시공성향상과 기술조언, 시공성 검토 등으로 종합적 품질향상가능.	① 사업의 성패가 상당부분 CM 관리자의 능력에 좌우됨. ② 대리인형 CM인 경우 공사품질에 책임이 없어, 문제 발생시 책임소재가 불명확. ③ 공사도급자 선정시기가 설계/시공의 분리계약과 동일하므로 공사계약 이전에 공사수급자의 의견반영이 어려움. ④ 발주자의 신속한 의사결정 책무가 공사의 성패좌우. ⑤ 단계적 발주/시공인 경우 초기 총공사비 파악의 어려움. 공사비 상승 우려

(3) CM의 단계별 주요업무

CM의 단계별 업무	CM의 업무내용(※건설기술진흥법)
① Pre-Design(기획) 단계 • 사업의 발굴 및 구상(사업총괄계획) • 현지조사, 사업의 타당성 검토 및 사업 수행의 구체적 계획 수립단계 • 초기견적 및 공사예산 작성 • 발주자의 기본공사 지침서 이해 • 자재, 시공업자, 공사관련 법규조사 ② Design(설계) 단계(기본, 본설계) • Consulting 및 건축물 기획입안 • 비용의 분석 및 VE의 도입, 대안공법의 검토 단계 • 설계도면검토, 발주자의도 반영 • 초기구매 활동개시 ③ Pre-Construction(발주) 단계 • 입찰 및 계약 절차 지침 마련 • 전문 공종별 업체선정 및 계약체결 • 공정계획 및 자금계획 수립 ④ Construction(시공) 단계 • 현장사무소 설립 및 조직 편성 • 필요한 인허가 취득 • 설계도면, 시방서에 따른 공사진행검사 및 검토 • 공정, 품질, 원가, 안전, 노무관리 • 기성고 작성 및 승인, 하도급 관리, 조정 • 설계변경 및 claim관리 ⑤ Post Construction(유지관리) 단계 • 유지관리 지침서 작성 • 사용 계획 및 최종 인허가 • 하자 보수 계획 수립	① 건설공사의 기본구상 및 타당성조사관리 • 사업의 수행절차, 지침작성 • 사업계획의 수립, 운영, 조정업무 ② 건설공사의 계약관리 • 설계변경, Claim 및 분쟁해결 ③ 건설공사의 설계관리 ④ 건설공사의 사업비관리 • 기성고 산출, 공사비 집행 분석 • 설계변경에 의한 공사비 증감 확인 ⑤ 건설공사의 공정관리 • 공정계획의 수립, 운영 · 조정 • 각 시공자의 공정표 검토승인 ⑥ 건설공사의 품질관리 • 품질보증계획과 절차에 따라 계획 검토 승인 ⑦ 건설공사의 안전관리 • 재해예방과 안전확보기준, 방안의 계획, 검토, 조정 ⑧ 건설공사의 환경관리 ⑨ 건설공사의 사업정보관리 • 단계별 문서, 도면, 기술자료축적, 관리 • 사업정보 관리, 운영 ⑩ 건설공사의 준공후 사후관리 ⑪ 그 밖에 건설공사의 원활한 관리를 위하여 필요한 사항

학습 POINT

▶ 06-①
- CM의 장 · 단점 2가지씩

▶ 00-①, 00-③, 03-③ / 02-①
- CM의 주요업무 /
- CM의 단계별 업무

3. Project 관리방식(Project Management 방식)

Program Management 라고도 하며 초대형 공사에서 주로 사용되는 개념으로, Project의 기획단계에서 시설물 인도에 이르는 모든 활동의 계획·통제 및 관리에 필요한 제반사항을 종합적으로 관리하는 기술을 말하며, 최소의 자원(5M)을 들여 최대의 효과를 얻는 것을 목표로 한다.

PM의 관리 분류	PM의 관리 단계
① 업무영역 관리(Scope Management) ② 공정관리(Time Management) ③ 품질관리(Quality Management) ④ 원가관리(Cost Management) ⑤ 인사관리(Human Resources Managemenet) ⑥ 계약 및 구매관리(Contract/ Procurement Management) ⑦ 정보관리(Communications Management) ⑧ 위험도관리(Risk Management)	① 제안단계(proposal) ② 착수 초기단계 (preimplementation) ③ 실행단계(excution) ④ 인계단계(turn over) ⑤ 보증단계(warranty)

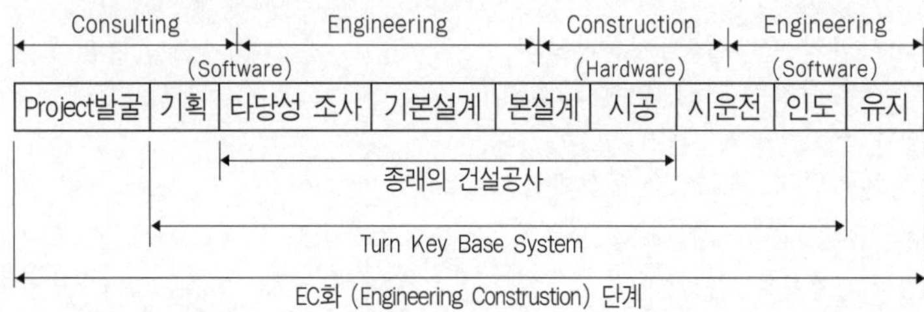

■ EC화(Engineering Construction화)

"종래의 단순한 시공업과 비교하여 건설사업의 발굴, 기획, 설계, 시공, 유지 관리에 이르기까지 사업(project) 전반에 관한 것을 종합, 기획 관리하는 업무 영역의 확대를 말한다."

4. BOT, BOO, BTO 계약방식(개발계약방식)

최근 사회간접자본(SOC : Social Overhead Capital)에 대한 필요성이 급격히 증가되나 정부 투자력에 한계에 따라 이러한 방식들이 생겨났으며 Turn-key 방식에 추가되어서 계약이 이루어지는 경우도 있다.

(1) 계약방식의 종류

① BOT(Build - Operate - Transfer) 방식

② BOO(Build - Operate - Own) 방식

③ BTO(Build - Transfer - Operate) 방식

학습 POINT

▶ 05-② / 18-③

- 용어설명 EC화
- 종합건설업(제네콘) 설명

▶ 00-④, 03-②, 04-①, 08-③, 14-①, 14-③, 16-①, 16-③, 07-②, 21-①, 21-③ / 08-①, 10-③, 19-② / 11-②, 20-① / 15-③ / 11-②, 17-②, 17-③, 20-④, 20-⑤

- BOT 방식설명
- BOT 방식과 BTO 방식의 비교 설명
- BOT, BTO, BOO, 성능발주
- BOT 방식설명, 유사방식을 3가지 쓰기
- BTO 방식설명
- BTL 방식

(2) 종류별 특징

① BOT 방식	설계, 시공 완료 후 → 일정기간 운영 → 발주자에 소유권 이전 발주측이 Project 공사비를 부담하는 것이 아니라 민간부분 수주측이 설계, 시공 후 일정기간 시설물을 운영하여 투자금을 회수하고 시설물과 운영권을 무상으로 발주측에 이전하는 방식
② BOO 방식	설계, 시공 후 → 운영 → 소유권도 획득 민간부분이 설계, 시공 주도 후 그 시설물의 운영과 함께 소유권도 민간에 이전되는 방식이다.
③ BTO 방식	설계, 시공 후 → 소유권 일단 이전 → 약정 기간동안 운영권 획득 사회간접시설을 민간부분 주도하에 설계, 시공 후 소유권을 공공부분에 먼저 이양하고, 약정기간 동안 그 시설물을 운영하여 투자금액을 회수하는 방식이다.

학습 POINT

5. Partnering 방식

▶ 00-③, 16-①, 16-③
• Partnering 계약방식설명

(1) 개요

① partnering방식은 발주자가 직접 설계, 시공에 참여하고 프로젝트 관련자들이 상호 신뢰를 바탕으로 team을 구성해서 project의 성공과 상호 이익확보를 공동목표로 하여 프로젝트 집행 및 관리하는 새로운 방식으로 미국등지에서 활용하고 있는 새로운 공사수행 방식이다.
② 발주자와 수급자 관계는 기본적으로 공동 혹은 동맹관계이고 계약이행의 분쟁이나 대립을 회피하려는 목적이며, 업무내용의 실제 계약이 체결되는 것은 아니다.

(2) Partnering 유형

① 장기적인 partnering	수년간에 걸친 장기적인 파트너링 협정과 project 단위로 수행하는 방식
② 단기적인 partnering	일반 건설공사 등에 적용하는 방식으로 단기간동안 파트너링 협정에 의해 수행하는 방식이다.

(3) Partnering의 기대효과

① 능률향상과 비용절감 ② 공사기간의 단축 ③ 분쟁(claim)의 축소 ④ VE(Value Engineering)의 활성화	⑤ 설계와 시공의 의사소통 개선 ⑥ 상호신뢰와 공동목표에 대한 헌신 ⑦ 공유하는 문화의 창달 ⑧ 자부심 증진과 상호이익 증대

6. 성능발주방식 : 일종의 특명입찰방식이다

① 구조물의 성능을 확인할 수 있는 공사의 경우 당초의 설계의도나 공사기간을 바꾸지 않는 한도내에서 건축주는 발주시에 설계도서를 사용치 않고 요구성능만을 표시하고 시공자는 거기에 맞는 시공법, 재료 등을 자유로이 선택할 수 있게 하는 발주방식이다.

② 시공자의 창조적 활동을 가능케하며 신기술, 신공법을 최대한 활용 가능하고, 설계와 시공의 의사소통 개선 방안이 된다.

③ 전체발주방식, 부분발주방식, 대안발주방식, 형식발주방식 등이 있다.

■ 장 · 단점

장　　점	단　　점
① 시공자의 창조적 시공을 최대한 기대할 수 있다. ② 설계와 시공의 관계를 개선할 수 있다. ③ 시공자의 기술향상을 기대할 수 있다.	① 성능을 확인하기 어렵다. ② 성능을 정확히 표현하기 어렵다. ③ 공사비가 증대된다.

학습 POINT

▶ 96-①, 98-①, 07-③ / 08-①

• 성능발주와 CM 용어설명
• 성능발주 용어

관련문제

1 **도급금액 결정방법에 따른 도급방식을 분류하면 다음과 같다. 간단히 설명하시오. (8점)** 〔89 ①〕

(1) 정액도급

(2) 단가도급

(3) 실비 청산 보수 가산 도급 〔07 ③〕

(4) 턴키(Turn-key) 도급

2 **도급공사의 설명을 읽고 해당되는 도급명을 쓰시오. (5점)** 〔99 ①〕

① 대규모 공사의 시공에 있어서 시공자의 기술·자본 및 위험등의 부담을 분산, 감소시킬 수 있다.

② 양심적인 공사를 기대할 수 있으나 공사비 절감 노력이 없어지고 공사기일이 연체되는 경향이 있다.

③ 모든 요소를 포괄한 도급 계약으로 주문자가 필요로 하는 모든 것을 조달 및 완수한다.

④ 도급업자에게 균등한 기회를 주며, 공기단축·시공기술 향상 및 공사의 높은 성과를 기대할 수 있다.

⑤ 공사비 총액을 확정하여 계약하는 방식으로, 공사발주와 동시에 공사비가 확정되고 관리업무를 간편하게 한다.

해설 및 정답

정답 **1**

(1) 정액도급
공사비총액을 확정하여 계약하는 것으로, 공사발주와 동시에 공사비가 확정되며 관리업무가 간편하다.

(2) 단가도급
공사금액을 구성하는 물공량 또는 단위공사부분에 대한 단가를 계약의 기초로 결정하고 실시수량 확정에 따라 청산하는 방식

(3) 실비 청산 보수 가산 도급
건축주가 시공자에게 공사를 위임하고, 실제로 공사에 소요되는 실비와 보수, 즉 공사비와 미리 정한 보수를 시공자에게 지불하는 방식

(4) 턴키도급
모든 요소를 포괄한 도급계약으로 주문자가 필요로 하는 모든 것을 조달한다.

정답 **2**

① 공동 도급
② 실비청산 보수가산 도급
③ 턴키도급
④ 공구별 분할 도급
⑤ 정액도급

관련문제

해설 및 정답

3 건설공사의 도급형태 중 대규모 공사의 시공에 대하여 수개의 건설회사가 공동출자 기업체를 조직하여 한회사의 입장에서 공사수급 및 시공을 하는 도급형태의 명칭은? (1점)

〔88 ②〕

정답 3
공동도급(Joint Venture)

4 공동도급(Joint Venture Contract)의 장점을 3가지(4가지)만 쓰시오. (3점, 4점)

〔95 ④, 96 ⑤, 09 ③, 11 ③, 18 ③〕

①

②

③

정답 4
① 위험의 분산
② 자본력, 신용도의 증대
③ 공사이행의 확실성 보장
④ 공사도급경쟁의 완화수단이 된다.

5 컨소시엄(Consortium)공사에 있어서 페이퍼조인트(paper joint)에 관하여 기술하시오. (3점)

〔00 ④, 07 ③, 13 ②〕

정답 5
명목상(서류상)으로는여러회사의 공동도급 형태이지만 실제로는 한 회사가 공사를 진행하고 하도급형태로 이루어지거나, 단순한 이익배당에만 관여하는 서류상으로만 공사에 참여하는 것을 말한다.

6 다음 도급계약방식의 분류를 설명한 것 중 (　　) 안에 들어갈 내용을 써 넣으시오. (4점)

〔08 ②〕

도급공사는 공사실시방식에 따라 공동도급, 분할도급, (　　①　　)으로 분류하며 공동도급의 운영방식은 공동이행방식, (　　②　　), 주계약자형 공동도급방식으로 분류된다.

① 　　　　②

정답 6
① 일식도급, 총도급
② 분담이행방식

7 공사비 지불방식에 따른 도급방식 중 실비청산 보수가산 도급에서 공사비 산정방식의 종류를 4가지 쓰시오.

〔92 ④, 95 ⑤, 98 ①, 00 ⑤, 03 ③〕

① 　　　　②

③ 　　　　④

정답 7
① 실비청산 정액보수 가산도급
② 실비청산 비율보수 가산도급
③ 실비청산 한정비율보수 가산도급
④ 실비청산 준동율보수 가산도급

관련문제

8 **실비정산식 계약제도의 장점을 2가지로 들고 실비한정비율 보수가산식에 대해 기술하시오. (4점)** 〔96 ①〕

(가) 장점 : ①

②

(나) 실비한정비율 보수가산식 :

9 **건축주와 시공자간에 다음과 같은 조건으로써 실비한정비율보수가산식을 적용하여 계약을 체결했으며, 공사완료 후 실제소요공사비를 상호 확인한 결과 90,000,000원이었다. 이 때 건축주가 시공자에게 지불해야 하는 총 공사금액은 얼마인가?** 〔09 ②, 13 ①〕

〔계약조건〕

(1) 한정된 실비 : 100,000,000원

(2) 보수비율 : 5%

해설 실비한정비율보수가산식에서의 공사비 산출 방법

(1) 실제소요공사비가 계약한 한정된 실비보다 커진 경우
한정된 실비+(한정된 실비×보수비율)로 산정즉, 실제소요공사비가 한정된 실비보다 커졌더라도1억 5백만원 이내에서 지불함

(2) 실제소요공사비가 계약한 한정된 실비보다 작은 경우
실제소요공사비+(실제소요공사비×보수비율)로 산정함
※ 이 문제의 경우는 (2) 방법으로 계산
9천만원+(9천만원×0.05) = 9천4백5십만(94,500,000원)

10 **아래에 표기된 실비청산보수 가산방식의 종류를 보기에 주어진 기호를 사용하여 적절히 표기하시오. (3점)** 〔11 ②〕

〔보기〕

A : 공사실비 A′ : 한정된 실비 f : 비율보수 F : 정액보수

(1) 실비비율보수가산식 :

(2) 실비한정비율보수가산식 :

(3) 실비정액보수가산식 :

해설 및 정답

정답 **8**

(가) ① 양심시공 가능
② 우수한 공사기대

(나) 실비에 제한을 두고 시공자에게 제한된 금액내에서 공사를 완료시키는 방식이다.

정답 **9**

9천4백5십만원 (94,500,000원)

정답 **10**

(1) A+A×f

(2) A′+A′×f

(3) A+F

관련문제

11 Turn-Key 도급계약제도에 대하여 기술하시오. (3점) 〔93 ②〕

12 (가) Turn-Key Base 제도의 장점과 단점을 각각 3가지, 2가지씩 쓰시오. (4점) 〔96 ①, 97 ⑤, 12 ①〕

(나) 설계 · 시공 일괄계약 (Design-Build Contract)의 장점을 3가지만 기술하시오. (3점) 〔11①〕

장 점 :

① ②

③

단 점 :

① ②

③

13 다음 용어를 간단히 설명하시오. (4점) 〔96 ④, 98 ①, 07 ③〕

(가) 성능발주 : 〔08 ①, 10 ③〕

(나) 콘스트럭션 매니지먼트(Construction Management)

해설 및 정답

정답 **11**

하나의 Project에서 토지조달, 기업, 금융, 설계, 시공, 기계기구설치, 시운전, 조업지도까지 모든 것을 조달하여 주문자에게 인도하는 도급계약방식.

정답 **12**

• 장점

① 공기단축, 공사비 절감 노력이 왕성하다.

② 동일한 시공자와 설계자로 문제발생의 소지가 적다.

③ 책임시공, 기술개발을 촉진할 수 있다.

• 단점

① 덤핑의 우려, 공사의 질저하의 우려가 있다.

② 건축주의 의도가 잘 반영되지 못한다.

③ 대규모 회사에 유리, 중소기업에 불리하다.

정답 **13**

(가) 발주시 설계도서를 사용하지 않고 건물의 요구성능만을 표시하고 시공자가 재료나 시공법을 자유로이 선택하여 그 요구성능을 실현하는 방식(성능표현이 명확한 경우 적용하는 방식이다.)

(나) 전문가 집단에 의한 통합관리 기술을 건축주에게 서비스하는 건설사업관리를 말한다.

관련문제

해설 및 정답

14 다음 설명이 뜻하는 용어를 쓰시오. (4점) 〔96 ④〕

(가) 건축주가 시공회사의 신용, 자산, 공사경력, 보유기재, 자재, 기술등을 고려하여 그 공사에 가장 적격한 1명에게 지명하여 입찰시키는 방법은 ?

(나) 대상계획의 기업, 금융, 토지조달, 설계, 시공, 기계기구설치, 시운전 및 조업지도까지 주문자가 필요로 하는 모든 것을 조달하여 주문자에게 인도하는 도급계약방식은 ?

정답 14
(가) 특명입찰
(나) 일괄수주방식
(Turn-Key Contract)
턴키도급계약방식

15 다음 설명이 가르키는 용어를 쓰시오. (3점, 4점) 〔95 ⑤, 08 ③〕

(가) 건설업체의 공사 수행능력을 기술적 능력, 재무 능력, 조직 및 공사능력등 비가격적 요인을 검토하여 가장 효율적으로 공사를 수행할 수 있는 업체에 입찰 참가자격을 부여하는 제도는 ? 〔08 ③〕

(나) 발주자가 요구하는 성능, 품질을 보장하면서 가장 싼 값으로 공사를 수행하기 위한 수단을 찾고자 하는 체계적이고 과학적인 공사방법은 ?

(다) 설계에서부터 각종 공사정보의 활용성을 고려하여 원가절감 및 공기 단축을 꾀할수 있는 설계와 시공의 통합시스템은 ? 〔08 ③〕

정답 15
(가) PQ제도(Pre-Qualification 제도), 입찰참가자격 사전심사제도
(나) 가치공학
(VE : Value Engineering)
(다) CM조직
(Construction Management)

16 C.M의 용어설명을 하시오. (2점, 1점) 〔95 ⑤, 96 ④, 97 ④, 98 ①〕

정답 16
건설사업관리를 말하며 건설전과정에 걸쳐 사업을 보다 효율적, 경제적으로 수행하기 위해 각 부분 전문가 집단에 의한 통합된 관리기술을 건축주에게 서비스하는 것

관련문제

17 **파트너링(Partnering Agreement)방식 계약제도에 관하여 설명하시오. (4점)**
〔00 ③, 16 ①, 16 ③〕

18 **다음의 설명에 알맞은 계약방식을 쓰시오.** 〔08 ①, 10 ③, 19 ②〕

가. (   ) : 발주측이 프로젝트 공사비를 부담하는 것이 아니라 민간부분 수주측이 설계, 시공 후 일정기간 시설물을 운영하여 투자금을 회수하고 시설물과 운영권을 무상으로 발주측에 이전하는 방식

나. (   ) : 사회간접시설물을 민간부분 주도하에 설계, 시공 후 소유권을 공공부분에 먼저 이양하고, 약정기간 동안 그 시설물을 운영하여 투자금액을 회수하는 방식

다. (   ) : 민간부분이 설계, 시공 주도 후 그 시설물의 운영과 함께 소유권도 민간에 이전되는 방식

라. (   ) : 건축주는 발주시에 설계도서를 사용하지 않고 요구성능만을 표시하고 시공자는 거기에 맞는 시공법, 재료 등을 자유로이 선택할 수 있게 하는 일정의 특명입찰방식

19 **BOT(Build-Operate-Transfer contract)방식을 설명하시오. (3점)**
〔00 ④, 03 ②, 04 ①, 08 ③, 14 ①, 14 ③, 16 ①, 16 ③, 17 ①, 21 ①, 21 ③〕

20 **BTO(Build-Transfer-Operate)방식을 설명하시오. (3점)** 〔15 ③〕

해설 및 정답

정답 **17**
발주자가 직접 설계, 시공에 참여하고 사업관련자들이 상호신뢰를 바탕으로 Team을 구성하여 사업성공과 상호이익 확보를 공동목표로 사업을 집행·관리하는 새로운 방식.

정답 **18**
(가) BOT(Build-OPerate-Transfer) 방식
(나) BTO(Build-Transfer-Operate) 방식
(다) BOO(Build-Operate-Own)방식
(라) 성능발주방식

정답 **19**
민간부분 수주측이 설계, 시공 후 일정기간 시설물을 운영하여 투자금을 회수하고 시설물과 운영권을 무상으로 발주측에 이전하는 방식

정답 **20**
※ 문제 18번 참조

관련문제

21 (가) BOT방식과 BTO방식의 차이점을 비교 설명하시오. (3점) 〔07 ②〕

(나) BOT방식을 설명하고 이와 유사한 방식을 3가지 쓰시오. (5점) 〔11 ②, 20 ①〕

• 설명

• 유사방식 :

(다) 민간 주도하에 Project(시설물) 완공 후 발주처(정부)에게 소유권을 양도하고 발주처의 시설물 임대료를 통하여서 투자비가 회수되는 민간투자사업 계약방식의 명칭은 무엇인가? (2점) 〔11 ②, 17 ②, 17 ③, 20 ④, 20 ⑤〕

22 건축생산에서 일반적으로 시공조직이 설계조직으로부터 독립되어 있는 관계로 설계와 시공사이에 의사소통이 나쁘게 되어 여러문제를 야기시키고 있다. 이를 해결하기 위한 방안으로 보기에서 골라 기호를 쓰시오. (3점) 〔94 ①〕

〔보기〕
(가) TURN KEY BASE 발주
(나) 국내건설시장의 해외개방
(다) 성능발주
(라) 제한경쟁 입찰방식 발주
(마) JOINT VENTURE
(바) CONSTRUCTION MANAGEMENT 제도의 도입

23 설계와 시공의 의사소통의 개선방법을, 계약이나 제도 또는 기법측면에서 5가지 기술하시오. (5점) 〔98 ②〕

① ②
③ ④
⑤

해설 및 정답

정답 **21**
(가) ※문제 18번 참조
(나) ■ BOT와 유사한 방식 3가지
① BTO(Build-Transfer-Operate)방식
② BOO(Build-Operate-Own)방식
③ BTL(Build-Transfer-Lease)방식
(다) BTL(Build-Transfer-Lease)방식

정답 **22**
㈎, ㈐, ㈓
㈎ Turn key 방식 : 일괄수주방식
㈐ 성능발주방식 : 설계시 시공자의 의견반영
㈓ C.M 조직 : 설계와 시공조직을 관리하는 전문가 집단

정답 **23**
① 건설사업관리 계약의 활용(CM)
② 설계 시공의 일괄계약 방식
③ 성능발주 방식의 도입
④ Partnering 계약제도
⑤ 시공성 향상기법의 도입

관련문제

24 (가) 사업관리(CM)란 건설의 전 과정에 걸쳐 프로젝트를 보다 효율적이고 경제적으로 수행하기 위하여 각 부문의 전문가들로 구성된 통합된 관리기술을 건축주에게 서비스하는 것을 말하는데, 그 주요업무를 5가지 쓰시오. (5점) 〔00 ①, 03 ③〕

(나) CM(Construction Management)의 주요 업무를 4가지 쓰시오. (4점) 〔00 ③〕

① ______________________ ② ______________________

③ ______________________ ④ ______________________

⑤ ______________________

25 다음은 건설사업관리(CM)의 단계적 역할을 설명한 것이다. 해당단계를 보기에서 골라 기호로 쓰시오. (3점) 〔02 ①〕

〔보기〕

㉮ Design 단계	㉯ Pre-construction 단계
㉰ Pre-design 단계	㉱ Post-construction 단계
㉲ Construction 단계	

① 비용의 분석 및 VE기법이 도입, 대안공법의 검토단계 : __________

② 설계도면, 시방서에 따른 공사진행 검사 및 검토단계 : __________

③ 사업의 타당성 검토 및 사업수행의 구체적 계획수립단계 : __________

26 CM계약의 장점과 단점을 2가지씩 쓰시오. (4점) 〔06 ①〕

장 점 :

① ______________________

② ______________________

단 점 :

① ______________________

② ______________________

해설 및 정답

정답 24

① 설계관리
② 계약관리
③ 공정관리
④ 비용(원가)관리
⑤ 품질관리

정답 25

① : ㉮
② : ㉲
③ : ㉰

정답 26

• 장점

① 설계자와 시공자의 통합관리로 상호 조정가능, 의사소통개선, 마찰감소
② VE/단계적발주로 원가절감, 공기대폭단축가능

• 단점

① 프로젝트의 성패가 상당부분 CM관리자의 능력에 좌우됨.
② 대리인형 CM인 경우 공사품질에 책임이 없어, 문제발생시 책임소재 불명확.

관련문제

27 다음의 공사 관리 계약 방식에 대하여 설명하시오. (4점)

〔04 ②, 07 ①, 10 ②, 19 ③, 20 ④〕

가. CM for fee 방식 :

나. CM at Risk 방식 :

28 다음의 보기에서 CM(건설사업관리)의 계약유형을 모두 골라 기호를 쓰시오. (4점)

〔07 ①〕

〔보기〕

① ACM(Agency CM)	⑤ EC(Engineering Contractor)
② XCM(Extended CM)	⑥ Design-Build 방식
③ OCM(Owner CM)	⑦ PM방식
④ GMPCM(Guaranteed Maximum Price CM)	⑧ Partnering 방식
	⑨ Time+Cost 계약 방식

해설

① ACM(Agency Construction Managerment): ACM방식은 CM의 기본형태로 공사의 계획단계부터 대리인으로 고용되어, 유지관리까지의 전 과정에 대하여 발주자와 별도의 계약을 체결

② XCM(Extended CM): CM이 본래의 역할뿐만 아니라 설계자 및 도급자 또는 시공자로서 복합적인 역할을 수행하는 방식이다.

③ OCM(Owner CM): 발주자가 자체의 내부 능력에 따라 CM 또는 CM 및 설계업무를 동시에 수행하는 것으로 전문적 수준의 자체 조직을 보유해야 하므로 운영상 상당한 부담이 될 수 있는 방식.

④ GMPCM(Guaranteed Maximum Price CM): GMPCM은 계약 조건상 공사금액을 산정해 놓고 공사완료시의 최종공사비가 예상금액을 초과하지 않도록 하는 것으로 성격상 도급과 시공에 관련된 XCM의 유형과 유사한 것이다.

29 다음 설명이 가리키는 용어명를 쓰시오. (2점)

〔05 ②〕

"종래의 단순한 시공업과 비교하여 건설사업의 발굴, 기획, 설계, 시공, 유지 관리에 이르기까지 사업(project) 전반에 관한 것을 종합, 기획 관리하는 업무 영역의 확대를 말한다."

해설 및 정답

정답 27

가. 대리인형 CM으로써, CM조직은 프로젝트 전반에 걸쳐 컨설턴트 역할만 수행하고, 보수를 받으며 공사결과에 대한 책임은 없는 수행 형태이다.

나. 시공자형 CM으로써, CM이 직접공사를 수행하거나 전문시공업자와 직접계약을 맺어 공사 전반을 책임지는 형태이다.

정답 28

①, ②, ③, ④

정답 29

EC화(Engineering Construction화)

핵심 3

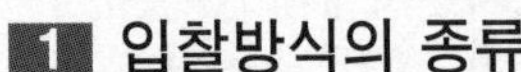

입찰방식, 정부계약, 계약서류 및 시방서

1 입찰방식의 종류

구분	내용
(1) 특명입찰(수의계약)	건축주가 시공에 접합하다고 인정하는 단일 업자를 선정 발주하는 방식. 특수공사, 기밀공사, 추가공사 등 도급자 선정 여유가 적을 때 행하며, 재입찰 후 낙찰자가 없을 때 한다. (비교견적입찰도 있다)
(2) 공개경쟁입찰(공입찰) (일반경쟁입찰)	참가자를 공모하여 유자격자를 모두 입찰에 참여시키는 방식이다. (정부계약의 원칙)
(3) 지명경쟁입찰	공사에 적격한 3~7개 업자를 선정하여 입찰에 참여시키는 방법. (5개 이상 지명, 2개 이상 응찰시 성립)

보충설명 **제한경쟁입찰**

지역제한, 시공능력이나 실적 등을 제한하여 입찰하는 방법

학습 POINT

▶ 94-①, 95-③, 96-④ / 95-③, 10-②

- 특명입찰용어설명 /
- 공개경쟁, 지명경쟁, 특명입찰용어설명, 특징

■ 수의계약 대상공사

① 하자책임구분 곤란시(증축하는 경우)
② 동일현장에서 2인 이상 작업곤란시(중복공사)
③ 마감공사시(건축준공 후 마무리공사인 경우)
④ 접적지역 공사, 특허공법 공사인 경우
⑤ 경쟁계약이 정부에 불리한 경우

2 각 입찰방식의 장 · 단점

구 분	장 점	단 점
(1) 특명 입찰	① 공사의 기밀유지 가능. ② 우량공사 기대. (전문업자가 시공) ③ 입찰수속이 가장 간단하다.	① 공사비가 높아질 우려가 있다.(한개의 전문업자가 시공) ② 공사금액 결정에 불순한 일이 내재될 가능성이 있다.
(2) 공개경쟁입찰 (공입찰)	① 경쟁으로 인한 공사비 절감. ② 기회균등.(민주적 방식이다) ③ 담합의 우려가 적다.	① 과다경쟁으로 부실공사 우려. ② 입찰사무 복잡. ③ 부적격자에게 낙찰될 우려가 있다.(투찰우려)
(3) 지명경쟁입찰	① 부적격자가 제거되어 적정 공사 기대. ② 시공상 신뢰성 확보. (전문업자 시공)	① 담합의 우려가 있다. ② 공사비가 공개경쟁 입찰보다 상승한다.

보충설명 **우편입찰제도**

소정의 입찰서식을 사용하여 작성한 입찰서를 등기우편 등을 이용하여 입찰서 제출 마감일 전일까지 입찰 담당자에게 도착시키는 방법을 말한다.

▶ 96-④, 07-①, 13-③ / 97-① / 11-③, 18-②, 22-①

- 특명 입찰 장 · 단점 /
- 공개경쟁 입찰의 장 · 단점
- 공개경쟁, 지명, 특명입찰 설명

3 입찰 순서

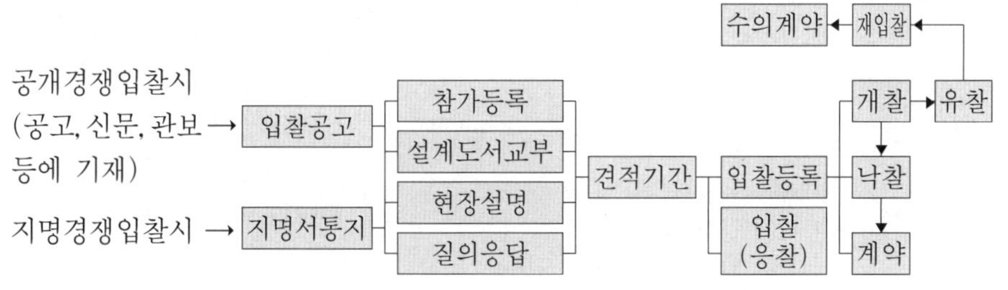

※ 입찰순서 : 입찰공고 → 참가등록 → 설계도서열람 및 교부 → 현장설명 → 질의응답 → 견적기간 → 입찰등록 → 입찰 → 개찰 → 낙찰 → 계약

※ 유찰될 경우는 재입찰 한다.

※ 입찰보증금 : 입찰금액의 5~10%를 현금이나 보증수표, 국채, 보증보험 등으로 입찰보증금을 납입하고 입찰등록

※ 계약보증금 : 계약시 공사비의 10%를 납부한다.(계약 이행 보증금)

학습 POINT

▶ 84-①, 86-②, 88-③, 91-①, 95-①, 97-③, 08-①, 17-② / 97-① / 99-②

- 공개경쟁 입찰의 입찰순서 /
- 지명경쟁 입찰순서 /
- 입찰시 현장설명 사항

■ 현장설명에 필요한 사항

① 대지의 위치, 고저차 등
② 인접대지상황 및 주변안전사항
③ 지하매설물(전기, 설비, 기초)
④ 공사비지불 조건 및 공사기간

※ 기타사항 질문은 현장설명 후 질의응답한다.

4 입찰자와 낙찰자의 선정방식

▶ 06-②

- 낙찰자 선정방식 종류 4가지

1. 최저가 낙찰제

2인 이상 입찰자 중 예정가격 범위 내에서 최저가격으로 입찰자 선정. 부적격 업자에게 낙찰될 우려

※ 추정가격 100억 이상, PQ대상 공사는 PQ심사 실시 여부에 관계없이 최저가낙찰제 적용

▶ 05-② / 20-① / 21-③

- 우편입찰제도 기술
- 적격낙찰제 설명
- 지역제한입찰제도

2. 적격심사 낙찰제 (종합평가제)

경쟁입찰공사에서 예정가 이하 최저가격 입찰자 순으로 계약이행능력 심사후 낙찰자를 결정하는 제도로 종합낙찰제 라고도 한다.

※ cost + 기술능력, 공사경험, 경영상태 등 계약 수행능력을 종합 평가

3. 내역입찰제

입찰시 입찰자로 하여금 별지서식에 단가 등 필요한 사항을 기입한 산출내역서를 제출하게 하는 방식

※ 추정가격 50억 이상 공사에 적용. 입찰시 산출내역서 없으면 입찰 무효

4. Pre-Qualification(PQ제도)

입찰전 회사의 기술능력, 재정상태, 동종의 시공경험 등을 제출토록하여 매 공사마다 자격을 얻은 업체만 입찰에 참여시키는 입찰참가자격의 사전심사제도

장 점	단 점
① 부실시공 방지. ② 기업의 경쟁력 확보. ③ 입찰자 감소로 입찰시 소요시간과 비용 감소 ④ 무자격자로부터 유능업체 보호. ⑤ 건실업체 시공으로 우수시공 기대	① 자유경쟁 원리에 위배. ② 대기업에 유리한 제도. ③ 평가의 공정성 확보 문제. ④ 신규참여 업체에 장벽으로 간주. ⑤ PQ 통과후 담합 우려

※ 추정가격 200억 이상 공사중, 18개 대상 공사에 적용

① 100억 ~ 1,000억 미만 : 시공경험(30점), 기술능력(37점), 경영상태(33점), 신인도(±3점)

② 1,000억 이상 공사 : 시공경험(32점), 기술능력(35점), 경영상태(33점), 신인도(±3점)

5. 부대입찰제

하도급업체의 보호육성차원에서 입찰자에게 하도급자의 계약서를 입찰서에 첨부하도록하여 덤핑입찰을 방지하고 하도급의 계열화를 유도하는 입찰방식이다.

6. 대안입찰제도

원안입찰과 함께 대안입찰이 허용되는 입찰방식으로 우리나라만의 독특한 방식이다. 정부공사에서는 대형공사나 신규공사의 경우 당초 설계된 내용보다 더 공사비를 낮추면서도 기본방침의 변경없이 동등이상의 기능과 효과를 가진 방안을 시공자가 제시할 경우 이를 검토하여 채택할 수 있는 제도가 대안 입찰방식이다.

5 계약

1. 계약서류의 종류

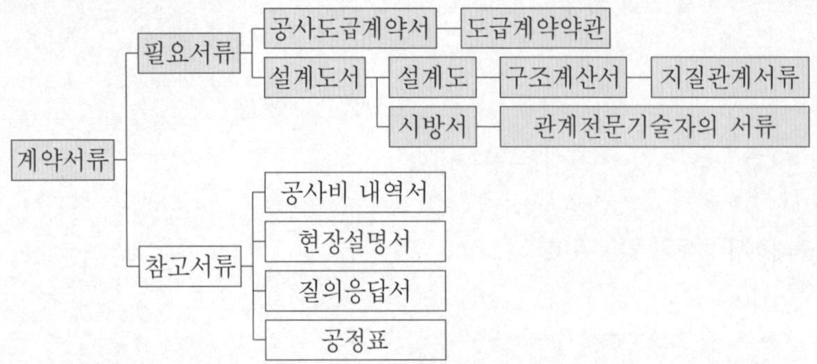

학습 POINT

▶ 95-②, 97-④ / 97-①, 02-③ / 10-①

- PQ제도 용어설명 /
- PQ제도 장점 3가지
- PQ제도 장,단점 3가지씩

참고사항

- 현행 낙찰자 선정방식 종류

① 최저가낙찰제도
② 적격심사제도(종합평가제)
③ 턴키입찰제도
(설계/시공 일괄입찰제도)
④ 대안입찰제도
⑤ 기술제안 입찰제도
⑥ 종합심사제도
※내역입찰제도

▶ 06-②, 15-② / 11-①, 20-②

- 대안입찰제도 설명
- 부대, 대안입찰제 설명

▶ 92-①, 93-②

- 도급계약서 첨부서류 3가지

2. 설계도서의 종류 및 도면의 종류

건축법상 설계도서의 종류	도면의 종류
① 공사용 설계도면 ② 시방서 ③ 구조계산서 ④ 토질 및 지질관계 서류 ⑤ 기타공사 관련 필요서류	① 기획도면(기획설계 : Schematic Design) ② 기본도면(기본설계 : Basic Design) ③ 상세도면(Detailed Drawings=본설계도면) ④ 시공상세도면(Shop Drawings=제작도면) ⑤ 실제도면(완성도면 : As-built Drawings)

3. 시공도와 제작도(Shop Drawing)의 비교

① 시공도	② 제작도
기본설계에 의한 본설계도면으로 공사발주, 계약 및 허가에 사용되는 도면으로 법규에 맞추어 작성된다.(보통 설계사무소에서 작성한다.)	본설계도면을 기초로 상세사항을 현장에서 직접시공 가능하도록 제작하는 도면이다.(공장 제작, 가공시 기본부재와 부품 작성을 위한 도면도 포함된다.)
③ 차이점 비교	
시공도는 현장개시전 계약, 허가, 견적에 사용되는 공사전반의 본설계도면이며 제작도는 현장의 시공성 향상을 위해 현장에서 직접작성하여 공사품질을 확보하기 위한 도면이다.	

4. 도급계약서의 기재내용

① 공사도급금액
② 공사착수시기, 완공시기 (공사기간)
③ 공사금액 지불방법 및 지불시기
④ 설계변경, 공사중지의 경우 도급액 변경, 손해 부담에 대한 사항
⑤ 천재지변에 의한 손해부담
⑥ 건물인도 검사 방법 및 인도 시기
⑦ 계약자의 이행지연, 채무불이행 사항
⑧ 지체 보상금, 위약금에 관한 사항
⑨ 공사시공으로 인하여 제3자가 입은 손해부담에 관한 사항
⑩ 공사기간에 따른 도급금액 변동에 관한 사항 및 기타사항

5. 계약변경(재계약) 사유

① 계약사항의 변경이 있는 경우
② 설계도면이나 시방서의 하자(결함, 오류)
③ 현장조건이 상이한 경우

학습 POINT

97-①
- 설계도서종류 3가지

■ 시방서상 설계도서의 정의
① 설계도면
② 시방서
③ 현장설명서
④ 질의응답서

01-② / 23-②
- 도면과 시방서 우선순위
- 설계도서 해석 우선순위

① 도면과 시방서중 시방서 우선
② 표준시방과 전문시방중 전문시방이 우선
③ 기본도면과 상세도면 중 상세도면이 우선 적용

96-③, 96-④, 98-④, 00-①
- 계약서 기재내용 4가지(3가지)

암기하기

■ 도급계약서 기재내용
① 공사도급금액
② 공사기간
③ 공사금액 지불방법
④ 건물인도 검사방법

99-①, 03-③
- 계약체결 후 재계약 사유

6 정부계약의 종류

(1) 확정계약	정부계약은 예정가격을 미리 작성하고 낙찰자를 체결하는 확정계약이 원칙임
(2) 개산계약 (Force Account Contract)	제품의 개발, 제조계약이나 시험, 조사, 연구, 용역계약과 추진기관, 위탁기관의 위탁 대행 등 미리 가격을 결정할 수 없을 때 예정가격을 작성하지 않는 개산계약 가능
(3) 총액계약	당해계약 목적물 전체에 대해 총액으로 체결한 계약
(4) 단가계약	일정기간 계속 제조, 수리, 가공, 매매, 공급, 사용 등의 계약 필요시 당해연도 예산 범위 안에서 단가에 대해 체결하는 계약
(5) 단년도계약	이행기간이 1회계 연도인 경우로 당해연도 세출예산 범위에서 입찰 및 계약
(6) 장기계속계약	계약 성질상 수년간 존속필요가 있거나 이행에 수년을 요하는 경우. 총공사금액으로 입찰 후 각 회계년도 예산범위내에서 계약, 체결 및 이행(당해년도 예산만 확보된 상태의 계약임)
(7) 계속비계약	계속비 예산으로 편성된 사업에 대한 계약 총공사금액으로 입찰 및 계약

학습 POINT

7 공사비 지불순서

(1) 착공금	전도금, 선수금, 선급금, 착수금이라고 하며, 보통 도급금액의 70% 이내 ※ 3천만원 이상 60일 이상 공사에서 지급
(2) 중간불	기성불, 기성고라고 하며 월별이나 공종부분별로 지급한다. 통상 9/10까지 지급
(3) 준공불	완공불, 일시불이라고도 하며, 건물인도 후 대금 청산하고 계약 해지한다.
(4) 하자보증금	준공검사 후 하자에 대한 보증금. 1~3년까지 2/100~5/100를 예치한다.

▶ 91-③
- 공사비 지급금의 명칭 기재

8 시방서(specification)

1. 시방서의 의의

계약서와 설계도면에 표현하기 어려운 공사이행에 관련한 일반사항과 건축물의 요구품질과 규격, 시공방법의 상세, 자재(재료)등의 사항을 기재하여 도면과 함께 공사의 지침이 되도록 작성되는 설계도서의 일종이다.(도면은 도해적, 시방서는 서술적으로 중복없이 상호보완적으로 작성)

2. 시방서의 종류

(1) 내용에 따른 분류

기술시방서	건축물의 요구품질, 규격, 시공법 등 기술적 사항을 표기한 시방서
일반시방서	공사기일 등 공사전반에 걸친 비 기술적 사항을 표기한 시방서. (예 : 계약시방서)

(2) 작성방법에 따른 분류

공통시방서 (표준시방서)	각 직종에 공통으로 적용되는 공사전반에 관한 규정을 기술한 시방서. (권리, 의무 보증, 행정절차, 법률관계, 재료시방, 시공방법 포함)
특기시방서	표준시방서에 추가, 변경, 삭제 등을 규정. 당해공사 특정사항이 포함된다.

(3) 목적에 따른 분류

공사시방서	특정 공사용으로 작성된 시방서로 공통시방서와 특기시방서를 포함한다.
안내시방서 (참고시방서)	공사시방서를 작성할 때 참고나 지침서가 될 수 있는 시방서로 몇가지를 첨부하거나 삭제하면 공사시방서가 될 수 있도록 한 것이다.
표준규격 시방서	공사에 관련된 재료, 제품에 따라, 표준규격과 표준공법을 나타내는 시방으로 우리나라의 KS, 일본의 JIS, 미국의 ASTM 등이 사용되며 국제입찰에도 인용된다.
약술시방서 (개략시방서)	설계자가 초기 사업진행 단계에서 설명용으로 작성된다.

(4) 자료시방서 : 자료나 부품의 생산업자가 생산제품에 따라 작성하는 시방서로 성능, 치수, 용도, 사용법 등이 포함된다.

(5) 성능시방과 서술시방

성능(性能) 시방서	목적하는 결과, 성능의 판별기준과 이를 판별할 수 있는 방법을 규정한 시방서로 최종결과를 언급하고 그 결과를 얻기 위한 수단과 과정은 생략한다. 성능규정의 충족 여부를 확인할 수 있는 품질기준, 평가방법, 시험결과 분석방법 등이 꼭 필요하다.
서술(敍述) 시방서	제품명이나 상품명을 사용하지 않고 공사자재의 특성이나 설치방법을 정확히 규정하는 시방서로써 원하는 품질과 성능 또는 작업결과를 얻기 위해 사용재료의 특성, 혼합 및 제조법, 설치법 등을 최대한 자세히 기술하기 때문에 記述(기술) 시방서라고도 한다.

(6) 개방시방서(Open Specification)와 제한시방서(Closed Specification) : 경쟁유무에 따른 분류

학습 POINT

▶ 00-⑤, 04-③ / 98-③, 07-①

- 기술시방, 성능시방 설명 /
- 시방서의 종류

■ 시방서의 종류

① 일반시방서 : 비기술적 사항을 표기한 시방서

② 건축공사표준시방서 : 공사전반의 제반규정에 대해 건교부가 제정한 시방서

③ 공사시방서 : 당해 공사용 시방서(특정공사용시방)

④ 안내(참고)시방서 : 공사시방서 작성 시 참고, 지침이 되는 시방서

(7) 품명(전용)시방서(Proprietary Specification)

제조업체의 상품명, 모델번호, 제품명, 제품분류방식, 기타 제품의 특성을 시방서에 그대로 명기되는 방식이다.

3. 시방서의 기술내용

① 사용재료나 장비의 종류 및 시험검사방법
② 시공의 일반사항 및 주의사항, 시공정밀도(허용오차)
③ 성능의 규정 및 지시, 시방서의 적용범위
④ 시공오차의 허용값, 표준규격(코드)요건
⑤ 대안의 선택 기타 도면표기 어려운 보충사항이나 특기사항

4. 시방서 작성시 주의사항

① 공사전반에 걸쳐 시공순서에 맞게 빠짐없이 기재한다.
② 오자, 오기가 없고, 도면과 중복하지 않게, 간단명료하게 기재, 이중으로 해석되는 문구는 피한다.
③ 재료, 공법을 정확하게 지시하고 도면과 시방서가 상이하지 않게 기록한다.

학습 POINT

▶ 96-②, 96-④
• 시방서 기재사항 4가지

■ 시방서 기재내용
① 사용재료의 시험검사방법
② 시공의 일반사항 및 주의사항
③ 시공정밀도
④ 성능의 규정 및 지시

관련문제

1 특명입찰(수의계약)의 장 · 단점을 2가지씩 쓰시오. (4점) 〔96 ①, 07 ①, 13 ③〕

장 점 : 단 점 :

① ______ ① ______

② ______ ② ______

2 건설공사의 입찰방법 중 일반 공개입찰의 장점 2가지와 단점 2가지를 쓰시오. (4점) 〔97 ①〕

장 점 :

① ______ ② ______

단 점 :

① ______ ② ______

3 공개 경쟁입찰의 순서를 쓰시오. (4점) 〔84 ①, 86 ②, 88 ③, 91 ①, 95 ①, 97 ③, 08 ①〕

(1) 입찰공고 (2) (가) (3) (나) (4) (다)
(5) (라) (6) 견적기간 (7) (마) (8) (바)
(9) (사) (10) (아) (11) 계약

(가) ______ (나) ______

(다) ______ (라) ______

(마) ______ (바) ______

(사) ______ (아) ______

4 지명경쟁 입찰의 순서를 보기에서 골라 번호를 쓰시오. (5점) 〔97 ①〕

〔보기〕
(1) 낙찰 (2) 견적기간 (3) 현장설명 (4) 입찰(응찰)
(5) 지명서 통지 (6) 공사계약 (7) 개찰

______

해설 및 정답

정답 1

장 점	단 점
① 공사기밀 유지 가능	① 공사비 상승 우려
② 우량공사 기대 가능	② 공사금액 결정의 불투명성

정답 2

장 점	단 점
① 경쟁으로 인한 공사비 절감	① 부적격자에게 낙찰우려
② 균등기회 보장 (민주적 방식)	② 과다경쟁으로 부실공사 우려

정답 3

(가) 참가등록
(나) 설계도서열람 및 교부
(다) 현장설명
(라) 질의응답
(마) 입찰등록
(바) 입찰
(사) 개찰
(아) 낙찰

정답 4

(5)
(3)
(2)
(4)
(7)
(1)
(6)

관련문제

5 입찰과정에서 현장설명시 필요한 사항을 4가지 쓰시오. (4점) 〔99 ②〕

① ______ ② ______

③ ______ ④ ______

6 PQ제도의 용어를 설명하시오. (2점) 〔95 ⑤, 97 ④〕

______

7 (가) PQ제도의 장점에 대해 3가지를 적으시오. (3점) 〔97 ①, 02 ③〕

(나) PQ제도의 장점, 단점에 대해서 각각 3가지를 쓰시오. (6점) 〔10 ①〕

① ______

② ______

③ ______

8 (가) 다음 설명이 뜻하는 입찰방식을 쓰시오. (3점) 〔10 ②, 22 ①〕

(1) 부적격자가 제거되어 공사의 신뢰성을 확보할 수 있으나 담합의 우려가 있음: ______

(2) 입찰참가에 균등한 기회를 부여한 민주적인 방식이지만 과다경쟁으로 부실공사의 우려가 있음: ______

(3) 공사의 기밀유지가 가능하지만 공사비가 높아질 우려가 있음: ______

(나) 공개경쟁입찰, 지명경쟁입찰 특명입찰 간단히 설명하기 (3점) 〔11 ③〕

9 입찰제도 중 낙찰자 선정방식의 종류를 4가지만 적으시오. (4점) 〔06 ②〕

① ______ ② ______

③ ______ ④ ______

해설 및 정답

정답 **5**

① 인접부지 현장주변상황 설명
② 지하매설물(기초, 전기, 가스, 상·하수도 등)
③ 공사기간, 공사비 지불조건 설명
④ 대지의 위치, 고저차 등 현장설명

정답 **6**

입찰참가자격의 사전심사제도로써 공고를 통해 회사의 기술능력, 재정상태, 동종의 시공경험 등을 제출토록하여 매 공사마다 자격을 얻은 업체만 입찰에 참여시키는 제도

정답 **7**

• 장점
① 부실시공 방지대책이다.
② 무자격자로부터 유능업체 보호
③ 입찰자감소로 시간, 비용 감소
④ 기업의 경쟁력 확보

• 단점
① 자유경쟁 원리에 위배된다.
② 대기업에 유리한 제도이다.
③ 신규참여 업체에 장벽으로 간주
④ PQ 통과후 담합 우려

정답 **8**

(1) 지명경쟁 입찰
(2) 공개(자유) 경쟁입찰
(3) 특명입찰(수의계약)

정답 **9**

※ 현행입찰제도를 기준(2013년)
① 최저가 낙찰제도
② 적격심사제도
③ 턴키 입찰제도(설계/시공 일괄입찰제도)
④ 대안 입찰제도
※ 기타 : 내역입찰제도

관련문제

10 우편입찰제도에 관하여 기술하시오. (2점) [05 ②]

11 (가) 대안입찰제도 대하여 설명하시오. (3점) [06 ②, 11 ①, 15 ②]

(나) 부대입찰제도와 대안입찰제도를 설명하시오. (4점) [11 ①, 20 ②]

12 도급공사에서 도급계약서에 첨부되는 것을 3가지만 쓰시오. (3점, 4점) [92 ①, 93 ②]

① ②

③

13 건축주와 도급자의 당사자간 계약 체결시 포함되어야 할 계약내용에 대하여 4가지(3가지)만 쓰시오. (3점, 4점) [96 ③, 96 ④, 98 ④, 00 ①]

① ②

③ ④

14 계약을 체결한 후 다시 재계약을 할 수 있는 요건 3가지를 쓰시오. (3점) [99 ①, 03 ③]

① ②

③

15 시방서에 기재되어야 할 사항에 대하여 4가지만 쓰시오. (4점) [96 ②, 96 ④]

① ②

③ ④

해설 및 정답

정답 **10**

소정의 입찰서식을 이용하여 작성한 입찰서류를 등기우편 등을 이용하여 입찰서 제출 마감일 전일까지 입찰 담당자에게 도착시키는 방법을 말한다.

정답 **11**

(가) 처음 설계된 내용보다 기본방침의 변경없이 공사비를 낮추면서 동등 이상의 기능과 효과를 갖는 방안을 시공자가 제시할 경우 이를 검토하여 채택하는 입찰제도.

(나) 부대입찰제도 : 하도급업체의 보호육성 차원에서 입찰자에게 하도급자의 계약서를 입찰서에 첨부하도록 하여 하도급의 계열화를 유도하는 입찰방식

정답 **12**

① 설계도면
② 구조계산서
③ 시방서

정답 **13**

① 도급금액
② 공사의 착수일 및 완료일 (공사기간)
③ 건물의 인도시기 및 검사일
④ 공사금액 지불시기 및 방법

정답 **14**

① 계약사항의 변경이 있는 경우
② 도면과 시방서의 결함, 오류
③ 현장조건이 상이한 경우

정답 **15**

① 성능의 규정 및 지시
② 사용재료, 자재의 검사방법
③ 시공의 일반사항 및 주의사항
④ 시공의 정밀도

관련문제 | **해설 및 정답**

16 다음 설명이 의미하는 시방서명을 쓰시오. (4점) 〔98 ③, 07 ①〕

가. 공사기일 등 공사전반에 걸친 비기술적인 사항을 규정한 시방서

나. 모든 공사의 공통적인 사항을 건설교통부가 재정한 시방서

다. 특정공사별로 건설공사 시공에 필요한 사항을 규정한 시방서

라. 공사시방서를 작성하는데 안내 및 지침이 되는 시방서

17 다음 용어를 설명하시오. (4점) 〔00 ⑤, 04 ③〕

가. 기술시방서(Descriptive specification) :

나. 성능시방서(Performance specification) :

18 다음 예와 같이 설계도면과 시방서상에 상이점이 발생한 경우 어느 것이 우선하는가를 쓰시오. (3점) 〔01 ②〕

가. 설계도면과 공사시방서에 상이점이 있을 때

나. 표준시방서와 전문시방서에 상이점이 있을 때

다. 도면 중에서 기본도면(1/100, 1/200 축척)과 상세도면(1/30, 1/50 축척)에 상이점이 있을 때

정답 **16**
가. 일반시방서
나. 건축공사표준시방서
다. 공사시방서
라. 안내시방서

정답 **17**
가. 제품명이나, 상품명을 사용하지 않고 공사자재, 공법의 특성이나 설치방법을 정확히 규정하여 성능실현을 위한 방법을 자세히 서술한 시방서.
나. 목적하는 결과, 성능의 판정기준과 이를 검사하는 방법 등을 기술한 시방서.

정답 **18**
가. 공사 시방서
나. 전문 시방서
다. 상세도면

용어정의 • 해설

01 V.E.(Value Engineering) : 가치공학

▶92-④, 98-③, 98-④, 00-②, 09-②, 15-③, 22-① / 98-①, 11-③, 14-③, 20-③ / 00-④, 01-③, 08-③, 17-③, 22-③ / 07-②, 13-② / 08-① / 15-①

- VE의 정의식 /
- VE의 사고방식 /
- VE의 기본추진절차
- VE의 절차 4단계
- VE의 가치 향상방법 4가지
- VE 설명, 효과적 적용단계

1. 정의
   (1) 건축생산을 비롯한 산업생산 전반에 걸쳐서 최저의 총 Cost(Life Cycle Cost)로써 필요한 기능을 확실히 달성하기 위하여 제품이나 Service의 기능 분석에 쏟는 조직적 노력이며, 대안창출을 통한 원가절감 기법이다.
   (2) 발주자가 요구하는 기능, 성능을 보장하면서 가장 저렴한 비용으로 공사를 수행하는 대안창출을 통한 원가절감기법이다.
2. V.E 수법에서 물건이나 사물의 가치정의식 :

$$\text{Value(가치)} = \frac{\text{Function(기능)}}{\text{Cost(비용)}}$$

- Cost = Life Cycle Cost(건물의 전생애 비용 : 수명 주기비용)
- Function = Utility, Quality, Service
- 즉 가치란 기능의 값어치를 수요자가 치르는 대가(Cost)로 나눈 것이다.

3. VE의 기본추진절차 및 활동효과

VE의 추진절차(수행절차)		효과적인 VE 대상공사	
(1) 정보수집 및 기능 분석단계	㉮ VE대상선정 ㉯ 목표설정 ㉰ Team의 편성 ㉱ 관련정보 수집 ㉲ 기능분석 단계 ㉠ 구성요소 나열 ㉡ 기능의 정의 ㉢ 기능의 분류 ㉣ 기능비용 및 최소비용할당 ㉤ 가치지수의 결정	① 대상선정 ② 정보수집 ③ 기능정의 ④ 기능정리	① 가설, 토공사 등 직접 연관공사 ② 반복수행 사업 ③ 금액, 시간, 공수등의 규모가 큰사업 ④ 안전관리, 운반 등 공통 공사사항
		⑤ 기능평가	VE 활동효과(거시적 측면)
(2) 아이디어 창출 단계	아이디어 개발단계로 3~5개 가능안 도출	⑥ 아이디어 발상	① 기존자원의 효율적 활용 ② 비용에 대한 인식 및 효율성의 제고 ③ 고정관념 탈피를 통한 자기혁신 ④ 아이디어 창출을 통한 기술혁신 ⑤ 이윤극대화로 기업경쟁력 향상 및 국민세금의 절약
(3) 대체안 평가 및 개발 단계	㉮ 대안평가 ㉯ 대안개발	⑦ 평가	
(4) 제안 및 실시단계	제안이 수락되어 실제 적용	⑧ 제안 ⑨ 실시	

■ VE의 사고방식
① 고정관념의 제거
② 사용자 중심의 사고(고객본위)
③ 기능중심의 접근(기능중심)
④ Team Design의 조직적 노력 (집단사고)

4. VE의 가치향상방법

① 기능을 일정하게 하고 비용을 내린다.
② 비용을 일정하게 하고 기능을 올린다.
③ 비용을 내리고 기능을 올린다.
④ 비용을 약간 올리고 기능을 많이 올린다.
⑤ 기능을 약간 내리고 비용은 많이 내린다.

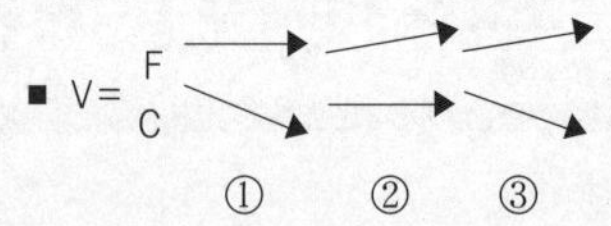

보충설명 **건설VE(Value Engineering) 기법**

① 기업 전략의 일환으로 수행되는 VE 활동은최고 경영자에게 생산현장에 이르기까지 폭넓게 전개될 필요가 있다.
② VE 활동을 통한 이익의 확대는 타 기업과의 경쟁 없이 이루어지며, 적은 투자로 큰 성과를 얻을 수 있다.
③ 설계변경, 시공방법의 변경, 재료, 공법, 인력, 장비, 생산설비, 과정의 변경 등 VE의 대상은 다양하다.
④ 설계 단계에서 대부분의 공사비가 결정되는 건설공사의 특성에 따라 빠른 시점에서의 VE 적용이 필요하다.

※ 100억 이상 공사의 설계 VE 검토가 의무화 되어 있다.

07-② / 07-③, 10-①, 10-③, 12-③, 16-①, 19-③, 22-①

• CALS, EC, L.C.C 용어설명
• L.C.C. 설명
• L.C.C와 VE 설명

02 건축물의 수명 주기비용(Life Cycle Cost)

① 건축물의 기획, 설계, 시공, 유지관리, 해체의 전과정에 필요한 제비용을 합한 전생애 주기비용을 말함.
② L.C.C 기법이란 종합적 Total Cost로 경제성을 평가하는 방법을 말한다.

※ L.C.C = 생산비 + 유지관리, 해체비용

03 시공성 향상 프로그램(Constructablity) : 시공성

① Constructability는 프로젝트의 전체적인 목표를 달성하기 위하여 계획, 설계, 구매, 현장운용에 시공지식과 경험을 최적으로 활용하고자 하는 시도이다.
② 공기단축 · 품질향상 · 원가절감 · 안전성 확보 등의 효과를 얻을 수 있으며, 시공지식과 경험이 프로젝트 계획과 설계 단계에서 반영되면서 종합적으로 Project가 관리되도록 하여 비용, 공기, 안전 품질측면에서 건설과정을 최적화 하려는 것이다.

07-①

• Brain Storming의 4원칙

■ 브레인 스토밍의 4원칙
① 아이디어에 대한 비판 금지(비판 엄금의 원칙)
② 자유분방한 분위기 조성(자유분방의 원칙)
③ 많은 양의 아이디어를 추구(질보다 양의 원칙)
④ 돌출된 아이디어의 조합-개선(조합-개선의 원칙)

04 Brain storming

아이디어(Idea)를 토의식으로 개발하는 기법으로써 문제를 여러 사람이 모여 자유분방하게 이야기를 통해서 아이디어를 창출하는 기법이다.

05 Tool Box Meeting(T.B.M)

작업시작전 5~15분, 중식이나 작업종료후 3~5분 정도 5~6명이 작업공구나 기계 주위에서 실시하는 안전 Meeting으로써 재해를 예방하고 근로자의 안전의식의 앙양을 위해 실시한다.

06 즉시(적시) 생산방식(Just In Time)

▶ 07-①
• JIT 용어설명

무재고를 목표로 하는 생산 System으로 작업에 필요한 자재 · 인력을 적재, 적소, 적시에 공급함으로써 운반 · 대기시간을 절약하는 효율적 생산방식
※ 주로 공장 생산 부품을 현장조립하는 방식에서 사용된다.

07 예정가격(Budget Price)

(1) 계약담당 공무원이 낙찰자 또는 계약자의 결정기준으로 삼기 위하여 입찰 또는 계약체결전에 미리 작성 · 비치해두는 가액
(2) 당해공사에 내정한 최고가로써 입찰시 기준단가를 말한다.
(3) 건설기술자가 설계도서를 통한 적산에 의해 설계가격을 정하거나, 계약담당공무원이 거래실례가격(조달청 · 전문조사기관 등에서 통보)에 따라 설계 가격에 일정 비율을 감하여 결정한다.

■ 거래실례가격
계약담당공무원이 2 이상의 사업자에 대해 물품의 거래실례를 직접 조사 확인한 가격 혹은 조달청장이 조사하여 통보한 가격이나 재무부장관이 정하는 전문가격조사기관이 조사하여 통보한 가격을 말한다.

08 담합(談合 : Conference)

입찰전에 경쟁자(입찰참가자)들이 미리 낙찰자나 낙찰금액을 미리 협정하여 입찰에 참가하는 것을 말한다.

09 조기착공방식(Fast Track Method)

▶ 23-①
• Fast Track 진행방식 설명

① 설계와 시공을 병행하는 방식으로써 기본설계도서에 의하거나 설계가 일부 진행된 후 부분적으로 공사를 진행시켜 나가면서 다음 단계의 설계도서를 작성하고 완료된 설계도서 부분의 공사를 계속 진행한다.
② 본 설계 도면을 작성하는 데 필요한 시간의 일부를 절약할 수 있으므로, 공기를 단축할 수 있고 공사비 절감이 가능하며, 주로 대규모 공사에서 시행되며 CM의 주관하에 단계적 분할 발주가 가능하다.

10 T.E.S(TWO Envelope System : 선기술 후가격 협상제도)

▶ 07-③
• TES 설명

① 공사발주시 기술능력 우위업체를 선정하기 위한 방법으로, 기술제안서(Technology proposal)와 가격 제안서(Cost proposal)를 분리하여 제출받아 평가하는 낙찰자 선정제도이다.
② 입찰 참가자격 사전심사제도에 의해 자격이 합당한 업체 중에서 기술능력이 우수한 3개 업체를 선정하여, 기술능력 점수가 우수한 업체 순으로 예정가격 내에서 입찰가를 협상하여 계약하는 제도이다.

11 Lead Time : 자재승인 및 조달일정

계약 체결후 현장공사 착수시 까지의 준비기간으로 자재나 제품 발주 후 물품이 납입되고 검사가 끝나서 출고 요구에 응할 수 있도록 되기까지의 조달기간을 말한다.

▶ 07-③
• Lead Time 용어설명

12 표준시장 단가제도

표준시장단가방식은 과거 수행된 공사(계약단가, 입찰단가, 시공단가)로부터 축적된 공종별 단가를 기초로 매년의 인건비, 물가상승률 그리고 시간, 규모, 지역차 등에 대한 보정을 실시하여 차기 공사의 예정가격 산출에 활용하는 방식

※ 종전 실적공사비는 계약단가를 기준하여 실적공사비로 산정했지만, 표준시장단가는 계약단가, 입찰단가, 시공단가 등 다양한 시장거래 가격을 반영

13 린 건설(Lean Construction)

정 의	낭비를 최소화 하는 가장 효율적인 건설 생산 체계(system) ※ 작업단계(운반, 대기, 처리, 검사)중 가치창출 과정인 처리작업 이외에 비가치창출 과정들을 최소화 하여 작업간 대기시간, 재고등 낭비를 최소화하고, 생산의 효율성을 증진시키는 건설 생산 방식.
린 건설의 추구 목표	① 낭비의 최소화 및 생산의 효용성 증대 ② 최소비용, 최소기간, 무결점, 무사고 추구 ※ 무결점, 무재고, 무낭비(zero defect, zero Inventory, zero Waste) ③ 고객 만족 실현.

[참고] 린 건설과 기존의 관리방식의 비교

구 분	린 건설	기존의 관리방식
생산방식	· 당김식(pull-Type)생산방식 후속작업의 상황을 고려하여 후속작업에 필요한 품질수준에 맞추어 필요로 하는 양만큼만 선작업 시행	· 밀어내기식(Push-Type)생산방식 각 작업에서의 생산량이 전체생산시스템의 작업량을 최대로 할 수 있는 양으로 결정되고 최대량 생산이 목적
프로세스 개선목표	효용성(Effectiveness : 질적생산효율성)제고	효율성(Efficiency : 계량적 생산성)
관리사항	운반, 대기, 처리, 검사과정에서의 자재, 장비, 정보 등의 흐름처리 관리, 변이관리	작업(Activity)중심의 변환처리 관리 (예)PERT, CPM

※ 변이관리(Variation Management) 일반원인 변이, 특별원인 변이, 조작, 구조원인 변이 등이 유형을 구분한 후 상호의존성 분석 및 대책 수립.

14 BIM(Building Information Modeling)

3차원형상정보모델로써 건축, 토목, 플랜트를 포함한 건설 전 분야에서 시설물 객체의 물리적 혹은 기능적 특성에 의하여 시설물 수명주기 동안 의사결정을 하는데 신뢰할 수 있는 근거를 제공하는 디지털 모델과 그의 작성을 위한 업무절차를 말함.

① 시설물의 수명주기 동안 시설물 정보를 생성하고 관리하는 일련의 행위들 또는 과정이 포함된다.

② BIM의 궁극적인 목적은 3차원의 시각정보 뿐 아니라 건축 시공관리의 핵심인 공정, 적산(견적), 정보관리의 다차원 정보공유를 목표로 한다.

③ 또한 BIM(Building Information Modeling) 기반 물량 산출시스템은 시공성이 고려된 물량산출로 정확도가 향상되며, 물량산출근거에 대한 확인 작업이 간소화되고, 설계변경에 대한 물량산출 재작업 시간이 감소되는 장점이 있다.

15 RFID(Radio Frequency IDentification) 시스템

근거리 자동 무선인식 기술 System으로써 상품이나 동물, 사물에 마이크로칩을 내장한 태그, 카드, 라벨 등을 부착하고 여기에 저장된 Data를 무선주파수를 이용하여 근거리에서 비접촉으로 정보를 읽고 전달하는 System

※ 태그반도체 칩과 리더(인식기)로 구성된 System이며, 바코드와는 달리 전파이기 때문에 어느 방향에서도 Data 판독이 가능, 노무, 자재, 장비관리 등에 사용

16 3D 프린팅(Printing) 기술 : 3차원 적층제조 기술

연속적인 계층의 물질을 뿌리거나 배출해 내면서 3차원 물질을 만들어 내는 기술

(1) 다양한 3D Printer를 사용함

(2) 3D Printing 건축기술 : 3차원 설계도를 기반으로 원재료를 적층하여 사물을 출력하는 기술

① 비용, 시간, 재료와 노동력 절감(80% 이상 절감)

② 폐기물 발생이 없는 친환경적 건축

③ 기하학적인 복잡한 형상의 건물 적용이 용이함. (디자인의 다양화)

관련문제

1 건축생산을 비롯한 공업생산의 원가관리 수법 가운데 하나인 VE(Value Engineering)수법에서 물건 또는 서비스의 가치를 정의하는 식을 쓰시오. (2점)

〔92 ④, 98 ③, 00 ②, 22 ①〕

______

2 VE의 사고방식에 대하여 4가지를 쓰시오. (4점) 〔98 ①, 11 ③, 14 ③, 20 ③〕

① ______ ② ______

③ ______ ④ ______

3 Value Engineering 개념에서 $V = \frac{F}{C}$ 식의 각 기호를 설명하시오. (3점)

〔98 ④, 09 ②, 15 ③〕

가. ______ 나. ______ 다. ______

4 아래 보기에서 가치공학(Value Engineering)의 기본추진절차를 순서대로 나열하시오. (4점)

〔00 ④, 01 ③, 08 ③, 17 ③, 22 ③〕

〔보기〕

(가) 정보수집	(나) 기능정리	(다) 아이디어 발상
(라) 기능정의	(마) 대상선정	(바) 제안
(사) 기능평가	(아) 평가	(자) 실시

______

5 가치공학(Value Engineering)의 기본추진 절차를 4단계로 구분하여 쓰시오.(4점)

〔07 ②, 13 ②〕

① ______ ② ______

③ ______ ④ ______

해설 및 정답

정답 **1**

$$\text{Value(가치)} = \frac{\text{Function(기능)}}{\text{Cost(비용)}}$$

* Cost = 수명주기비용 (Life Cycle Cost)

정답 **2**

① 고정관념의 제거
② 사용자 중심의 사고(고객본위)
③ 기능중심의 접근(기능중심)
④ Team Design의 조직적 노력 (집단사고)

정답 **3**

가. V : Value(가치)
나. C : Cost(비용)
* 수명주기비용(Life Cycle Cost)
다. F : Function(기능)

정답 **4**

(마)
(가)
(라)
(나)
(사)
(다)
(아)
(바)
(자)

정답 **5**

① 정보수집 및 기능분석단계
② 아이디어 창출단계
③ 대체안 평가 및 개발단계
④ 제안 및 실시단계

관련문제

6 VE(Value Engineering : 가치공학)의 아이디어 창출기법으로 사용되는 Brain storming의 4가지 원칙을 기술하시오. (4점) 〔07 ①〕

(1) ____________ (2) ____________

(3) ____________ (4) ____________

7 원가절감 기법인 VE(Value Engineering)의 가치를 향상시키는 방법을 4가지 쓰시오. (4점) 〔08 ①〕

(1) ____________ (2) ____________

(3) ____________ (4) ____________

8 다음 설명이 뜻하는 알맞은 용어를 보기에서 골라 기호로 적으시오. (3점) 〔07 ②〕

〔보기〕

① CM (Construction Managenent)
② EC (Engineering Construction)
③ CALS (Continuous Acquisition & Life Cycle Support)
④ Fast track
⑤ VE (Value Engineering)
⑥ L. C. C (Life Cycle Cost)

(가) 건설생산 전과정에서 건설관련 주체가 정보를 실시간 공유하여 건설사업을 지원하는 건설분야 통합정보 통신 시스템 : ____________

(나) 종래의 단순 설계, 시공에서 project의 발굴, 기획, 설계, 실시공, 유지관리 등 업무영역의 확대를 말함. : ____________

(다) 건축물의 초기 단계에서 설계, 시공, 유지관리, 해체에 이르는 일련의 과정과 제비용 : ____________

해설 및 정답

정답 **6**

(1) 아이디어에 대한 비판금지(비판금지의 원칙)
(2) 자유분방한 분위기 조성(자유분방의 원칙)
(3) 많은 양의 아이디어 추구(질보다 양의 원칙)
(4) 아이디어의 조합·개선 추구(조합-개선의 원칙)

정답 **7**

(1) 기능을 일정하게 하고 비용을 내린다.
(2) 비용을 일정하게 하고 기능을 올린다.
(3) 비용을 내리고 기능을 올린다.
(4) 비용을 약간 올리고 기능을 많이 올린다.
(5) 기능을 약간 내리고 비용은 많이 내린다.

정답 **8**

(가) ③ (나) ② (다) ⑥

관련문제

9 다음의 용어를 설명하시오. (4점) 〔07 ③〕

(1) 성능발주방식 : ______

(2) CM : ______

(3) L. C. C : ______

(4) 실비청산 보수 가산 도급 : ______

10 L.C.C (Life Cycle Cost)에 대하여 설명하시오. (2점)

〔10 ①, 12 ③, 16 ①, 19 ③, 22 ①〕

______

11 다음 용어를 설명하시오. (6점) 〔10 ③, 20 ③〕

(가) LCC(Life Cycle Cost): 〔20 ③〕 ______

(나) VE(Value Engineering): 〔20 ③〕 ______

(다) Task Force 조직: ______

12 적시생산시스템 Just In Time(JIT)에 대한 용어를 설명하시오. (4점) 〔07 ①〕

______

해설 및 정답

정답 **9**

(1) 발주시 설계도서를 사용하지 않고 건물의 요구성능만을 표시하고 시공자가 시공법을 자유로이 선택하여 그 요구성을 실현하는 방식

(2) 전문가집단에 의한 통합관리 기술을 건축주에게 서비스하는 건설사업관리를 말한다.

(3) 건축물의 기획, 설계, 시공, 유지관리, 해체의 전과정에 필요한 제비용을 합한 전생애 주기비용을 말함.

(4) 건축주가 시공자에게 공사를 위임하고, 실제로 공사에 소요되는 실비를 확인청산하고, 공사비와 미리정한 보수를 시공자에게 지불하는 방식

정답 **10**

건축물의 기획, 설계, 시공, 유지관리, 해체의 전과정에 필요한 제비용을 합한 전생애 주기비용을 말함.

정답 **11**

(가) 건축물의 기획, 설계, 시공, 유지관리, 해체의 전과정에 필요한 제비용을 합한 전생애 주기비용을 말함.

(나) 발주자가 요구하는 기능, 성능을 보장하면서 가장 저렴한 비용으로 공사를 수행하는 대안창출을 통한 원가절감기법(가치공학).

(다) 건축공사, 중요공사에서 전문가들이 모여 사업수행기간 동안만 한시적으로 운영하는 건설관리조직을 말함.

정답 **12**

즉시(적시) 생산시스템이란 무재고를 목표로 하는 생산 System으로 작업에 필요한 자재·인력을 적재·적소에 적시에 공급함으로써 운반·대기시간을 절약하는 효율적 생산방식을 말한다.

※ 주로 공장생산부품을 현장조립하는 방식에서 많이 사용된다.

관련문제

13 다음 용어를 설명하시오. (3점) 〔07 ③〕

- TES (선기술 후가격 협상제도)

---

14 다음 설명을 읽고 그 설명이 뜻하는 용어를 적으시오. (5점) 〔05 ③〕

(가) 공공공사에서 신기술, 신공법을 적용하여 공사비의 절감, 공기단축의 효과를 가져온 경우 계약금액을 감액하지 못하도록 하는 제도
( )

(나) 공사계약자와 발주자간 공사계약사항의 실행을 보증회사(제3자)가 일정 수수료를 받고 보증해 주는 것 ( )

(다) 발주기관이 설계와 시공에 필요한 공사기일을 표준화 하여 무리한 공기 단축과 부실시공을 방지하기 위한 방안 ( )

(라) 재입찰후에도 낙찰자가 없을 때 최저 입찰자순으로 교섭하여 계약을 체결하는 것 ( )

(마) 건설업의 고부가가치를 추구하기 위해 종래의 단순시공에서 벗어나 설계, 엔지니어링, Project 전반사항을 종합, 관리, 기획하는 업무영역의 확대를 뜻하는 용어. ( )

해설 및 정답

정답 **13**

공사발주시 기술능력 우위업체를 선정하기 위한 방법으로, 기술제안서와 가격제안서를 분리하여 제출받아 기술능력 우위업체 중 예정가격내에서 협상에 의해 낙찰자와 계약하는 방식

정답 **14**

(가) 기술개발보상제도
(나) 건설보증(Surety Bond)제도
(다) 표준공기제도
(라) 수의계약
(마) EC화
(Engineering Construction化)

출제예상문제

1 다음 보기의 각종 관리 중 목표가 되는 관리와 수단이 되는 관리로 구부하여 번호로 쓰시오. (4점) 〔03 ①〕

〔보기〕
(1) 원가관리 (2) 자원관리 (3) 설비관리 (4) 품질관리
(5) 자금관리 (6) 공정관리 (7) 인력관리

가. 목표 : ______

나. 수단 : ______

정답 1
가. 목표 : (1) (4) (6)
나. 수단 : (2) (3) (5) (7)

2 다음 건설공사조직의 형태와 특징을 설명한 사항 중에서 A항과 관련된 것을 B항에서 번호로 골라 옳바로 연결하시오.

A항	B항
① 직계식 조직	(가) 대규모 복합사업에 적합
② 기능식 조직	(나) 긴급공사 등에 한시적으로 운영
③ 조합식 조직	(다) 명령전달 신속, 단순한 공사조직
④ 메트릭스 조직	(라) 스텝에 의한 월권행위 우려
⑤ 전담반 조직	(마) 전문화로 능률향상, 책임불명확

정답 2
① - ㈐
② - ㈒
③ - ㈑
④ - ㈎
⑤ - ㈏

3 공동도급의 운영방식별 분류를 3가지를 적으시오. (3점) 〔18 ①〕

(가) ______ (나) ______

(다) ______

정답 3
(가) 공동이행 방식
(나) 분담이행 방식
(다) 주계약자형 도급방식

4 건축공사의 시공방식의 종류 중에서 공사비 지불방식에 따른 분류를 3가지 쓰시오.

① ______ ② ______ ③ ______

정답 4
① 정액도급
② 단가도급
③ 실비청산보수가산도급

5 공사수행방식 중 직영공사가 채택되는 경우를 3가지 적으시오.

① ______ ② ______

③ ______

정답 5
① 간단한 공사인 경우
② 기밀상 중요건물인 경우
③ 특수공사, 난공사인 경우

출제예상문제

6 건축물의 기획에서 완성, 유지 관리 단계에 이르기까지 필요한 설계도면의 종류를 5가지로 구분하여 쓰시오.

① ______ ② ______

③ ______ ④ ______

⑤ ______

7 시공도와 제작도(Shop Drawing)의 차이점을 비교하여 간단히 쓰시오.

(가) 시공도 : ______

(나) 제작도 : ______

8 스마트 도시(Smart City) 등 미래 도시의 건설에 필요한 기반 기술의 하나인 증강현실(AR : Augmented Reality)에 대하여 설명하시오.

______

9 스마트 도시(Smart City) 등 미래 도시의 건설에 필요한 기반 기술의 하나인 가상현실(VR : Virtual Reality)에 대하여 설명하시오.

______

10 건설공사를 착수할 때 시공자가 발주기관에 제출하는 착공계에 포함해야 할 사항을 4가지 쓰시오.

① ______ ② ______

③ ______ ④ ______

해설 및 정답

정답 **6**

① 기획설계도면
② 기본설계도면
③ 본설계도=상세도
④ 제작도면=시공상세도
⑤ 완성도면=실제도면

정답 **7**

(가) 주로 건축사 사무소에서 작성되며 기본설계 작성 후 본설계에서 작성된 현장시공도면이다. 기초 도면, 각층 평면도, 구조상세도 등이 있다.
(나) 주로 전문시공업체에서 작성된 현장시공자용 공사도면이다. 시공도 보다 훨씬 자세한 상세부분 표현이 많고 시험성적표, 구조계산서, 견본(카다로그)등이 첨부되는 경우도 있다.

정답 **8**

건설 프로젝트 수행과정 특히, 초기 계획 및 설계 단계에서 작업자의 눈으로 보는 현실세계에 BIM 기반의 가상 객체정보를 겹쳐서 보여주는 기술로, 현실세계와 가상객체를 합쳐 제공하므로 혼합현실(Mixed Reality: MR)이라고도 함.

정답 **9**

건축설계에서 그래픽 등을 통해 현실이 아닌 환경을 마치 현실과 흡사하게 만들어내는 기술로서, 가상(가짜) 세계를 실제로 체험할 수 있게 해줌. 각종 건설공사 시뮬레이션 콘텐츠도 VR기술을 활용한 것임.

정답 **10**

① 공사예정공정표
② 장비동원계획
③ 품질관리계획
④ 안전관리계획
⑤ 유해위험방지계획 등

해설 및 정답

11 다음 설명이 의미하는 국제표준화기구(ISO)의 표준(Standaeds) 규격 번호와 명칭을 쓰시오.

> 기업경영에서 환경 분야를 체계적으로 파악, 평가, 관리 및 시정조치(개선)함으로써, 기업이 받게 될 환경 위험을 시스템적으로 관리하기 위하여 필요한 규격

정답 11
ISO14001 환경경영시스템

12 다음 설명이 뜻하는 유엔 산하 국제협의체의 명칭을 쓰시오.

> 기후변화와 관련된 전 지구적 위험을 평가하고 국제적 대책을 마련하기 위해 세계기상기구(WMO)와 유엔환경계획(UNEP)이 공동으로 설립한 협의체

정답 12
IPCC(Intergovernmental Panel on Climate Change: 기후변동에 관한 정부간 패널)

13 다음 설명이 뜻하는 시방서 명칭을 보기에서 골라 번호로 표기하시오.

〔보기〕

(가) 공사시방서	(나) 표준규격시방서	(다) 약술시방서
(라) 건축공사표준시방서	(마) 품명시방서	(바) 참고시방서
(사) 오픈(open)시방서	(아) 일반시방서	

① 초기사업 진행단계에서 설명용으로 작성. ____________

② 미국의 ASTM 같은 것. ____________

③ 공통시방서와 특기시방서를 포함하는 것. ____________

④ 비기술적 사항을 기술한 시방서. ____________

⑤ 제품의 특성을 그대로 시방서에 명기. ____________

정답 13
① - (다)
② - (나)
③ - (가)
④ - (아)
⑤ - (마)

출제예상문제

14 지명경쟁입찰이나 PQ제도(사전심사제도)에서 도급자 선정시 평가하는 항목중 3가지를 적으시오.

① ________________ ② ________________

③ ________________

15 다음의 용어를 간단히 설명하시오.

(가) 예정가격 : ________________

(나) 실행예산 : ________________

(다) 담합(Conference) : ________________

16 일반적으로 재해를 예방하기 위한 대책으로 3E를 말하는데 이 3E에 해당되는 대책을 간단히 쓰시오.

① ________________ ② ________________

③ ________________

17 다음은 건축공사 식전(式典)의 순서를 적은 것이다. ( ) 안을 채우시오.

① 기공식(착공식) → ② → ③ → ④

② ________________ ③ ________________ ④ ________________

18 경영기능의 전과정을 통한 품질경영(Quality Management)의 3단계 활동에 관계되는 용어를 쓰시오.

(가) ________________ (나) ________________ (다) ________________

해설 및 정답

정답 **14**

① 도급자의 시공경험
② 도급자의 기술능력(장비, 인원 보유현황)
③ 도급자의 자본금, 신용도(경영 상태)

정답 **15**

(가) 계약담당 공무원이 낙찰자 또는 계약자의 결정기준으로 삼기 위하여 입찰 또는 계약 체결전에 미리 작성・비치해 주는 가액
(나) 공사손익을 사전에 예시하고 합리적, 경제적 현장운영과 공사수행을 도모하도록 작성되는 예산으로 현장관리 지침 예산이며, 손익분기점이 되는 예산이다.
(다) 입찰전에 경쟁자간 낙찰자와 낙찰금액을 미리 협정하여 정하는 불공정 행위를 말한다.

정답 **16**

① 기술(Engineering)적 대책
② 교육(Education)적 대책
③ 관리, 규제(Enforcement)적 대책

정답 **17**

② 정초식(定礎式)
③ 상량식(上梁式)
④ 낙성식(落成式)

정답 **18**

(가) 품질관리
(나) 품질감리
(다) 품질인증

출제예상문제

해설 및 정답

19 공사를 수행할 때 시공자는 환경관리와 친환경시공과 관련된 환경관리 계획서를 발주자 또는 담당원에게 제출을 하여 승인을 받아야 하는데, 이 환경관리 계획서에 포함될 항목을 4가지 서술하시오. (4점) 〔18 ③, 20 ⑤〕

(1) ____________ (2) ____________

(3) ____________ (4) ____________

정답 19
(1) 건설폐기물 저감 및 재활용계획
(2) 산업부산물 재활용계획
(3) 작업장, 대지 및 대지 주변의 환경관리계획
(4) 온실가스 배출 저감 계획
(5) 천연자원 사용 저감 계획
(6) 수자원 활용 계획

20 건설업의 주요 경영지표를 나타내는 4가지 지표를 적으시오. (4점)

① ____________ ② ____________

③ ____________ ④ ____________

해설
① 성장성지표 : 건설업의 경영규모, 영업활동의 성과가 과거와 비교하여 얼마나 성장했는지를 표시하는 지표로써 기업의 경쟁력이나 미래의 수익창출 능력을 간접적으로 표시해준다. 매출증가율, 총자본증가율, 자기자본증가율 등이 있다.
② 안정성지표 : 기업의 재무능력, 경영능력을 측정, 판단하여 기업의 단기적 지금지급능력과 장기적 경제 여건 변화에 대응할 수 있는 정도를 측정한다. 유동비율, 부채비율, 자기자본비율 등이 있다.
③ 수익성지표 : 기업이 사용한 자본에 대해 어느 정도 수익이 있는지를 나타내는 것으로 매출액 경상이익율, 총자본 경상이익율, 자기자본 경상이익율 등이 있다.
④ 생산성지표 : 기업활동의 능률 또는 성과를 나타낸 것으로 경영합리화의 척도라 할 수 있는 지표이다. 생산성 향상으로 얻은 결과에 대한 분배기준이다. 총자본 투자효율, 부가가치율, 노동소득분배율 등이 있다.

정답 20
① 성장성 지표
② 안정성 지표
③ 수익성 지표
④ 생산성 지표

21 경영전략 수립을 위한 건설산업의 환경분석은 기회요소와 위협요소에 대한 표출작업이라 할 수 있다. 이를 대비하여 조사하여야 할 항목을 3가지만 쓰시오. (3점) 〔06 ②〕

① ____________ ② ____________

③ ____________

정답 21
① 일반 경제지표
② 정부의 투자계획 및 제도
③ 건설수요 예상물량
④ 잠정적 고객
⑤ 경쟁자의 능력
⑥ 자원공급력(인력, 자재, 하도급업자 등)
⑦ 지역별 특수조건(제도 등)

해설 및 정답

22 건설공사의 계약방식은 여러 범주로 분류할 수 있는데 일반적으로 건설사업의 관리 방식에 따라 설계와 시공이 분리계약되는 전통적인 방식과 업무범위에 따른 계약 분류방법이 있는데, 이러한 업무범위에 따른 계약방식의 종류를 4가지만 쓰시오. (4점)

(가) ______________ (나) ______________

(다) ______________ (라) ______________

정답 22
(가) 턴키계약방식
(나) 건설사업관리(CM) 계약
(다) BOT계약방식
(라) 파트너링 방식

23 다른 산업과 비교한 건설산업의 특수성을 3가지만 적으시오. (3점)

① ______________ ② ______________

③ ______________

해설

(1) 단품수주생산 산업이다 : 소비자의 선택에 따라 판매여부가 결정되는 제조업과는 달리 선수주 후 생산방식을 취한다. (1품수주, 주문생산방식이다.)
 ① 비반복사업, 계속수행의 어려움
 ② 표준화, 분업화에 의한 대량생산이 어려움
(2) 복잡한 중층 하도급 구조로 공사가 진행된다. : 최근에는 다양한 분업관계, 전문시공업자의 책임시공 등이 요구되고 있다.
(3) 노동집약적 산업이다 : 시기적으로 지역적으로 공사량의 변동이 커서 노동시장의 유동성이 크며 임시고용 비율이 대단히 높다.
 ① 생산/품질관리의 어려움
 ② 소규모 하도급으로 경영이 불안정하다.

※ 기타 : ① 공공 공사시장이다:공공공사가 전체 40% 정도이며, 건설업 경영에 영향이 크다.
 ② 종합적 의사결정의 어려움, 공사목적이 다양, 관리의 분절화
 ③ 수직적, 산만한 조직체계로 관리의 어려움
 ④ 공사성패의 불확실성(새로운 공법, 실현 어려움)
 ⑤ 산재된 공기지연요소(옥외작업, 기후영향, 지리적 제한)
 ⑥ 대형공사, 자금일시 투입, 거대자금 일시 투입
 ⑦ 표준화, 규격화, 자동화, Robot화의 어려움

정답 23
① 단품수주생산 산업이다.
② 복잡한 중층 하도급 구조로 공사가 진행된다.
③ 노동 집약적 산업이다.

출제예상문제

해설 및 정답

24 다음 보기에서 우리나라에서 현재 시행하고 있는 정부 발주공사의 입찰 및 계약 절차를 나열하고 있다. 옳바른 순서대로 번호로 정리하시오. (6점)

〔보기〕

(1) 대가지급	(2) 입찰공고	(3) 계약방법의 결정
(4) 하자보수 및 계약종료	(5) 선급금 및 기성고 지급	(6) 검사및 준공
(7) 입찰	(8) 입찰등록	(9) 개찰및 낙찰자 결정
(10) 계약체결	(11) 현장설명및 설계서 열람	(12) 계약이행

해설 ※ 정부발주 공사의 입찰 및 계약 절차

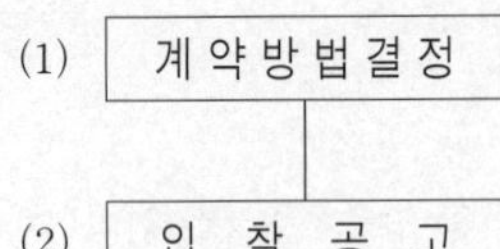

(1) 계약방법결정
- 사업계획과 예산배정 완료 후 발주기간과 절차를 결정
- 일반경쟁, 제한경쟁, 지역경쟁, 수의계약, 기타

(2) 입찰공고
- 입찰일 10일 전, 현장설명 7일 전 (PQ 대상은 30일 전 공고)
- 3억 원 이상 공사 (관보, 일간신문)

(3) 현장설명및 설계도서열람
- 공사규모별로 일정기간 전에 실시 · 입찰일 최대 30일전
- 토목공사와 30억 원 이상 건축공사는 공종별 목적물의 물량내역서 배부

(4) 입찰등록
- 입찰보증금(bid bond ; 입찰금액의 5%) 납부
- 구비서류 제출

(5) 입찰
- 입찰유의서 수락 및 입찰금액 기재
- 내역서 제출 · 부대입찰(100억 원 이상)
- 입찰참가자격심사: PQ

(6) 개찰 및 낙찰자 결정
- 입찰자의 면전에서 선언
- 낙찰 적격 여부 심사(적격심사낙찰제)

(7) 계약체결
- 계약서 작성 · 계약보증금(10% 이상)
- 낙찰통지 후 10일 이내 체결

(8) 계약이행
- 착공계(계약 후 7일 이내) 및 예정공정표 제출
- 산출내역서 제출 · 착공 및 현장감독원 임명

(9) 선급금 및 기성고 지급
- 선금급 : 계약금액의 70% 이내에서 지급
- 기성고 지급 : 기성검사 완료일로 부터 7일 이내 지급

(10) 검사 및 준공
- 계약이행 완료 사실 통지(준공계 등)
- 준공검사(준공계 등 제출일로부터 14일 이내)

(11) 대가지급
- 검사 후 대가 청구일로부터 14일 이내 지급

(12) 하자보수 및 계약종료
- 하자보수보증금 납부(2% 이상 ~ 10% 미만 : 공사에 따라 관련법규에 의한 보증기간 및 보수율 구분)

정답 **24**

(3) - (2) - (11) - (8) - (7) - (9) - (10) - (12) - (5) - (6) - (1) - (4)

출제예상문제

해설 및 정답

25 **다음 용어에 대하여 설명하시오. (6점)**

(1) 조기착공계약 (fast track contract) : ____________________

(2) 개산(槪算) 계약 (force account contract) : ____________________

(3) BTL (Build - Transfer - Lease)방식 : ____________________

정답 25

(1) 발주자는 먼저 설계자와 계약하고 설계자가 설계를 완성하는 공종에 따라 도급자와 차례대로 계약하는 유형으로 phased construction이라고도 한다.
※ 공기단축을 위하여 설계가 완성된 부분부터 공사를 단계적으로 집행하는 방식으로 급속쾌도 방식의 계약이라고도 한다. (공기단축과 대규모공사시 예산확보가 용이해진다.)

(2) 조사・연구용역계약, 신기술, 신공법 또는 개발된 시제품의 설비를 포함하는 공사 등에서 사전에 계약금액을 결정하기가 어려울 때 적용된다. (공사대금의 지불은 계약의 성격상 실비정산방식이 주로 채택된다.)
※ 직영공사를 뜻하는 경우도 있다.

(3) 프로젝트완공후 발주자에게 소유권을 양도하고 발주자는 제 3자에게 일정기간 시설을 임대하여 사업에 소요된 원리금과 수익을 확보하는 기법이다.
※ 민자임대사업

26 **착공 시 필요한 다음의 인허가 관련 사항 중 빈칸을 적절히 채워 넣으시오.**

(가) 가설사무실 사용 승인 신청은 건축법에 의거하여 가설건축물 완료(____)일 전 관할(____)에 신고하여야 한다.

(나) 유해・위험방지계획서는 산업안전보건법에 의거하여 착공 전 (____)에 제출하여야 한다.

정답 26

(가) 7, 동사무소
(나) 안전보건공단(www.kosha.or.kr)

27 **건설공사의 원가관리를 위한 실행예산 작성 과정에서 실 투입 예정원가 산출에 참고하는 자료를 3가지 쓰시오.**

① ____________________ ② ____________________

③ ____________________

정답 27

① 표준품셈
② 표준시장단가
③ 견적단가
④ 물가조사서 등

28 **시설물의 효율적인 유지관리를 위하여 시행하는 시설물 육안(외관) 점검 후 작성하는 서류를 2가지 쓰시오.**

① ____________________ ② ____________________

정답 28

① 안전점검 현황점검 결과표
② 외관조망도
③ 외관조사 총괄표

해설 및 정답

29 건설공사의 타당성조사 및 분석 과정에서 활용하는 경제성 분석 기법을 3가지 쓰시오.

① ________ ② ________

③ ________

정답 29
① 순현재가치법(NPV)
② 비용편익(B/C)분석법
③ 내부수익율(IRR)법
④ 시나리오 분석법 등

30 건설공사에서 근로자의 안전을 확보하기 위하여 착용하는 개인안전보호구의 종류를 3가지 쓰시오.

① ________ ② ________

③ ________

정답 30
① 안전모
② 안전대
③ 안전화
④ 구명줄
⑤ 안전장갑
⑥ 마스크 등

31 건설공사에서 요소작업의 작업기간(공사기간)을 결정하는 일반적인 산식을 쓰시오.

____

정답 31
작업 물량(수량)÷(생산성×작업인원수)

32 건설기업의 성장 및 발전 전략 수립에 활용하는 SWOT 분석 방법에 대하여 기술하시오.

____

____

정답 32
기업의 내부 역량인 강점(Strength)과 약점(Weakness) 및 외부 환경적 요인으로서 기회(Opportunity) 및 위협(Threat) 요인을 분석하여, 미래 발전전략 마련을 위한 기초 자료로 활용하기 위하여 사용하는 기법

33 공공공사를 수행하는 경우 정부계약관련법규에 의한 계약문서(서류)의 종류를 3가지 쓰시오.

① ________ ② ________

③ ________

정답 33
계약관련법규에 의한 계약문서
① 계약서
② 설계도서, 공사입찰유의서
③ 공사계약 일반조건
④ 공사계약 특수조건
⑤ 산출내역서

34 계약체결당시, 계약 특수조건으로써 계약금액 변동에 관한 사항을 약정하였다면 (①), (②), (③) 등에 의하여 불가피하게 계약금액 조정을 신청하여 계약금액을 조정할 수 있다. 이 내용 중 ①, ②, ③에 들어갈 알맞는 내용을 쓰시오. (3점)

① ________ ② ________

③ ________

정답 34
① 물가변동
② 설계변경
③ 계약내용변경

출제예상문제

35 **다음 ( ) 안에 들어갈 적절한 말을 쓰시오. (3점)**

• 설계변경으로 인한 계약금액의 조정은 공사계약 일반조건에 따라 (①)가 요구하는 경우와 (②)가 요구하는 경우가 있는데 물가변동으로 인한 계약금액의 조정은 국가계약법(국가를 상대로 하는 계약에 관한법률) 시행령 규정에 따라 품목조정율 또는 (③) 율에 따라 계약금액을 조정한다.

① ____________ ② ____________

③ ____________

36 **작업계획이라는 것은 특정의 공법을 실현하기 위해서 어떻게 공구분할을 하고 어떻게 작업팀을 구성하여 어떻게 일정계획을 세울까 하는 문제에 대해서 최적의 해법을 구하는 것을 말한다. 이러한 작업계획의 목표를 4가지 쓰시오. (4점)**

① ____________ ② ____________

③ ____________ ④ ____________

37 **작업계획에 따라 작업을 진행하는 방식에는 여러가지가 있으며 동일작업이라도 순서와 능률, 작업시간이 달라질 수 있다. 아래에 설명한 작업진행방식에 대해 답하시오. (3점)**

(1) 각층마다 동시에 작업을 진행하는 방식으로 속도가 가장 빠르나, 많은 자원이 동시에 투입되어야 하는 단점이 있다. ____________

(2) 한개 층의 작업이 무두 끝난 후에 그 다음 층을 진행하는 방식으로 속도가 가장 느리다. 아래층이 끝난 후에 위층을 진행할 수 있는 경우에 적당한 방식이다. ____________

(3) 각 작업조가 규칙적으로 반복 진행하는 방식으로 속도는 동시진행형에 비해 느리고 연속진행형에 비해 빠르다. 자원을 효율적으로 활용할 수 있으므로 경제적이다. ____________

38 **CALS(Continuous Acquisition & Life Cycle Support)란 건설사업의 전과정에서 발생되는 정보를 건설관련주체 들이 초고속 정보통신망을 이용하여 교환 · 공유하는 경영전략 혹은 지원체계라고 정의할 수 있다. 이러한 CALS 적용을 통하여 얻어질 수 있는 효과를 크게 4가지로 구분하여 간단히 적으시오. (4점)**

① ____________ ② ____________

③ ____________ ④ ____________

해설 및 정답

정답 35

① 발주자(건축주)
② 계약상대자(시공자, 감리자 혹은 설계자)
③ 지수조정

정답 36

(1) 품질확보
(2) 공기준수
(3) 작업의 안전성 확보와 제3자 재해의 방지
(4) (1), (2), (3)을 고려한 비용의 최소화

정답 37

① 동시진행방식 (simultaneous proceeding)
② 연속진행방식 (successive proceeding)
③ 순환진행방식 (flow line proceeding)

정답 38

① 종이 없는 업무 수행체제의 구축
② 제품개발, 또는 조달 기간의 단축
③ 제반 비용의 절감(업무비용절감 또는 유지관리비용절감)
④ 제품의 종합적 품질향상을 달성

출제예상문제

39 다음 용어를 설명하시오. (6점)

(1) 전자입찰제도 : ______________________

(2) 건설산업 정보교환 시스템 (CITIS: Contractor integrated Technical information Service: 계약자간 통합 기술정보 서비스)

____

해설

① 정보통신망 이용 촉진 및 정보보호등에 관한법률과 시행령 규정
② 유사공사 실적자료의 재사용, 문서와 설계도서 절감, 협의기간 단축, 정보의 적시제공으로 효율적인 건설사업관리와 유지관리업무와 연계가능 등의 장점이 있다.

40 그린빌딩(Green Building)에 대하여 설명하시오.

____

____

41 품질(Quality)이란 제품이나 서비스에 명시되어있는 묵시적 요망(Needs)을 만족시켜 줄 수 있는 특징으로 정의될 수 있는데 이러한 품질의 종류를 생산과정별로 크게 3가지로 나누어 쓰시오. (3점)

(가) ______________ (나) ______________

(다) ______________

42 건축공사에서 합리적인 시공 관리와 요구품질을 확보하기 위해서는 현장조건에 맞는 합리적인 시공방법의 선정과 시공계획이 필요하다. 현장에서 시공공법을 검토 · 선택할 때 고려사항 중 가장 일반적이고 중요하게 우선 고려하여야 하는 사항을 4가지 적으시오. (한단어로 표기하여도 됨) (4점)

(가) ______________ (나) ______________

(다) ______________ (라) ______________

해설 및 정답

정답 **39**

(1) 조달청에서 시행하는 입찰제도로써 지정공인 인증기관에서 발급받은 인증서로 조달청 전자입찰 시스템의 절차에 따라 인터넷접속을 통하여 입찰하는 제도
※ 입찰공고 - 서류전달- 대금지급 등이 전부 인터넷을 통하여 이루어진다.

(2) CITIS(건설사업 정보교환 System): 계약서에 명시된 건설사업 관리에 필요한 자료를 전 사업주기동안 사업수행자가 발주자에게 전자적으로 보고하고 승인 받는 체계를 말한다.

정답 **40**

친환경 건축물이라 하며, 환경보존을 목표로 설계에서 해체의 전과정에 걸쳐 자원 및 에너지절약, 자연환경의 보전과 자연친화적인 설계, 쾌적한 실내환경을 유지할 수 있도록 하여 환경의 부하를 줄이고 사용자의 쾌적성과 건강을 향상시킬 수 있도록 계획된 건축물

정답 **41**

(가) 설계품질
(나) 제조품질(완성품질)
(다) 서비스 품질(사후 서비스)

정답 **42**

(가) 시공성(시공용이성)고려 혹은 시공성
(나) 최소비용 공법고려, 혹은 경제성
(다) 안전성을 우선적으로 고려 혹은 안전성
(라) 관련법규에 따른 무진동, 무소음공법선택 혹은 환경친화성

출제예상문제

43 공사현장관리는 원칙적으로 수급인의 책임 하에 자주적으로 실시하여야 하는데 건설기술자 이외에 현장에 반드시 비치해야 하는 필수 서류 중 표준시방서에서 정한 서류를 4가지 적으시오. (4점)

① ______________ ② ______________

③ ______________ ④ ______________

44 현장 수급인은 공사착수전에 시공계획서를 담당원에게 제출하여 그 승인을 받아야 한다. 시공계획서에 포함되는 계획으로 표준시방서에서 정한 계획의 종류를 4가지 적으시오. (4점)

① ______________ ② ______________

③ ______________ ④ ______________

45 다음 용어를 설명하시오. (4점)

• 분별해체 : ______________

____

해설 및 정답

정답 43

① 공사계약 일반조건 상의 계약문서
② 관계법규
③ 한국산업표준
④ 중요가설물의 응력계산서
⑤ 공사예정공정표
⑥ 시공계획서
⑦ 기상표 및 기타 필요한 도서

정답 44

① 공정계획
② 인력관리계획
③ 시공장비계획
④ 장비사용계획
⑤ 자재반입계획
⑥ 품질관리계획
⑦ 안전관리계획
⑧ 환경관리계획

정답 45

건설폐기물의 재활용을 고려하여 구조체의 해체 이전에 내·외장재, 창호, 문틀, 각종 설비 등을 성상별, 종류별로 나누어 해체하는 작업을 말한다.

제2장

대지 및 지반조사

핵심 4 대지 상황 조사, 측량, 흙의 성질

학습 POINT

1 대지상황 조사

공사실시전에 기존 건축물, 건축선, 도로, 지하매설물 등 대지의 주변상황을 정밀히 조사하고 기록하여서 분쟁의 소지를 예방하고 차후 공사에 차질이 없도록 한다.

(1) 경계 명시 측량	인접지 및 도로와의 경계, 인접지 소유자, 관계자의 입회하에 행하며, 면적, 칫수, 고저차, 방위, 안전사항 등을 점검한다.
(2) 현황측량	대지의 고저 및 지상물의 형상 등을 표시하는 현황측량은 담당원의 지시에 따라서 한다.
(3) Sub-Structure (지하구조물)의 조사	지하의 매설물, 급·배수관, 가스관, 고압선, 통신선로 등 지하 매설물을 면밀히 조사하고 관계도면을 입수, 파악하여 공사수행시 착오가 없도록 한다.
(4) 인접건축물	인접건물의 구조, 규모 등을 조사하여 필요시 적당한 보강법을 강구한다.

2 측 량

사용기구에 의해서 사진측량, 삼각측량, 수준측량, 트래버스측량, 평판측량 등이 있고 기타 측량이외에 대략의 값을 얻기 위한 기압계(Barometer)를 사용한 높이 측정, 보측, 음측, 시측 등에 의한 수평거리 측정 등이 있다.

1. 거리측량

(1) 보측 : 통상 75~80cm
(2) 음측 : 1초간의 음속 ≒ 340m
(3) 기구에 의한 측량
  ① 줄자
  ② 스타디아 측량 : 중간에 장애물이 있을 때 편리
  ③ 측량방법 : 강측이 정확하고 능률적이다.

2. 평판측량(Plane Table Surveying)

(1) 개요 : 적은 부지 측량에 편리한 측량법으로 측량실시와 동시 현장에서 즉시 제도할 수 있다.

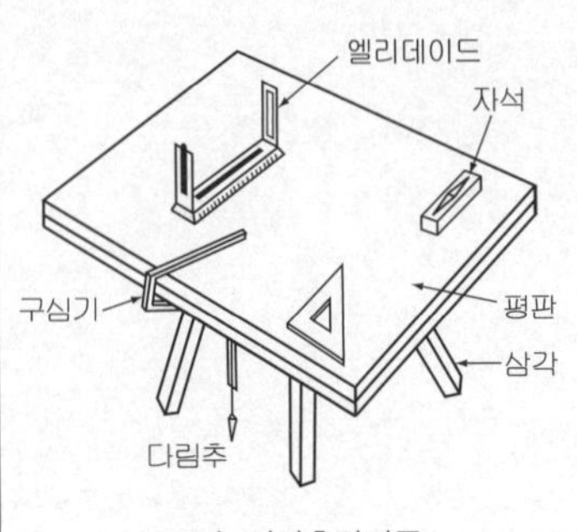

그림. 평판측량기구

(2) 장점

① 현장에서 직접 작도하므로 야장이 불필요하고 시간절약.
② 필요한 사항의 누락, 틀림을 곧 발견하여 지형을 그릴 수 있다.
③ 기계가 간단하여 운반이 편리.
④ 지형도 작성시간이 짧다.

(3) 단점

① 우천시, 습한 날, 측량불가능하며 가시거리 50m 정도이다.
② 정밀도가 정확치 않다.(토지의 건습에 의한 신축오차발생)
③ 축척이 다른 지도를 만들기 곤란하다.

(4) 사용기구

① 평판 ② 엘리데이드(Alidade) ③ 3 脚	④ 구심기 ⑤ 자침기 ⑥ 다림추

(5) 설치방법 : 어느 측점에 설치할 때 다음 3가지 조정(조건 : 표정(標定))을 만족시켜야 한다.

① 정치(定置) : 엘리데이드에 설치된 수준기로 수평이 되도록 설치한다.
② 정위(定位) : 평판이 일정한 방향과 방위를 유지하도록 한다. 엘리데이드와 자침기를 이용한다. (시준, 표정 이라고도 한다.)
③ 치심(致心) : 평판의 측점을 표시하는 위치가 지상측점과 일치하도록 구심기와 다림추를 이용한다.(수직맞춤)

3 토질종류와 지반의 장기허용 응력도(흙의 지내력도)

지반의 허용응력도 * 1ton = 10kN

(단위 : kN/m²)

지 반		장기허용 지내력도		단기허용 지내력도
경암반	화강암, 섬록암, 편마암, 안산암 등의 화성암 및 굳은 역암등의 암반	4000		통상 장기허용 지내력도의 2배로 본다. (법규규정은 1.5배)
연암반	판암, 편암 등의 수성암의 암반 혈암, 토단반 등의 암반	2000 1000		
자갈		300	(600)	
자갈과 모래와의 혼합물		200	(500)	
모래섞인 점토 또는 롬토		150	(300)	
모래		100	(400)	
점토		100	(250)	

柱) ( )안의 수치는 지반이 밀실한 경우

학습 POINT

▶ 92-①, 93-②, 95-①
92-② / 96-② / 06-①

- 평판측량 사용기구 4가지 /
- 평판측량 3가지 조정(표정) /
- 평판 설치시 만족조건 3가지
- 평판측량기구와 Level측량기구 구분

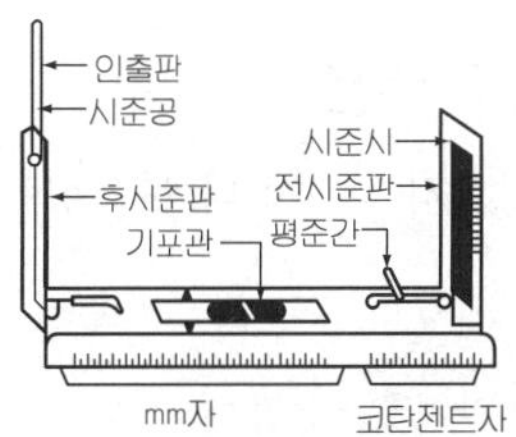

그림. 엘리데이드

암기하기

■ 평판측량시 3가지 만족조건 (조정, 표정)
① 정치 : 수평을 맞춘다.
② 정위 : 일정한 방위를 맞춘다.
③ 치심 : 수직을 맞춘다.

▶ 89-③, 04-① / 97-① / 10-②, 14-③

- 지내력의 크기 순서
- 지내력 크기 쓰기. 5가지

보충설명 흙입자의 입경(공학적 분류)

① Clay(진흙) : 0.005~0.001mm
② Silt(실트) : 0.005~0.05mm
③ Sand(모래) : 0.05~0.02mm
*압밀량(압밀시간) : 점토 〉 Silt 〉 모래
*loam토 : 모래+실트+점토의 혼합토

4 흙의 전단강도

전단강도는 기초의 극한 지지력을 파악할 수 있는 흙의 가장 중요한 역학적 성질이다. Mohr의 파괴이론을 쿨롱이 흙에 적용하였다.

$\tau = C + \sigma\tan\phi$	τ : 전단강도 C : 점착력 $\tan\phi$: 마찰계수 ϕ : 내부마찰각 σ : 파괴면에 수직인 힘

(1) 점토인 경우	(2) 모래인 경우
내부 마찰각 $\phi \fallingdotseq 0$이므로 $\tau \fallingdotseq C$ * 점착력 C는 Vane Test에서 구한다.	점착력 $C \fallingdotseq 0$이므로 $\tau \fallingdotseq \sigma\tan\phi$이다. * 마찰각 ϕ는 표준관입시험에서 구한다.

※ 전단강도란 흙에 관한 역학적 성질로써 기초의 극한 지지력을 알 수 있다. 따라서 기초의 하중이 흙의 전단강도 이상이 되면 흙은 붕괴되고 기초는 침하를 일으키며 그 이하가 되면 흙은 안정되고 기초는 지지된다.

학습 POINT

▶ 95-⑤, 99-②, 08-②, 15-① / 94-④, 98-①, 06-③

- 전단강도 공식 설명 /
- 전단강도의 이해

5 투수성

터파기시 지반의 투수성은 배수공사와 지하수처리에 영향을 준다.

(1) Darcy's Law

침투수량 = 투수계수 × 수두경사(기울기) × 단면적
(중력작용에 의해 물이 흙속을 흐를 때 유량을 계산하는 기본이 되는 식)

▶ 90-②, 95-④, 98-⑤

- Darcy법칙 = 투수성과 관련있다

(2) 투수계수의 성질

투수계수가 크면 침투량이 크다. 간극비가 클수록, 포화도가 클수록 증가한다.
조립토(모래나 자갈)인 경우 평균알 지름의 제곱에 비례한다.

(3) 투수량

시료의 길이에 반비례하고 단면적에 비례한다.

6 간극비(Void Ratio), 함수비(Moisture Content)

흙은 토립자와 간극으로 구성되며, 간극은 물과 공기로 구성된다.

(1) 간극비 $= \dfrac{\text{간극의 용적}}{\text{토립자의 용적}} = \dfrac{V_v}{V_s}$

▶ 11-③ / 93-②, 97-④, 00-①, 03-①

- 간극비, 함수비, 포화도 기호 표시
- 간극비, 함수율 구하기

(2) 공극율 $= \dfrac{\text{공극의 용적}}{\text{흙전체의 용적}} \times 100(\%) = \dfrac{V_V}{V} \times 100(\%)$

(3) 함수비 $= \dfrac{\text{흙의함수중량}}{\text{흙의전건중량}} \times 100(\%) = \dfrac{W_W}{W_S} \times 100(\%)$

(4) 함수율 $= \dfrac{\text{물의 중량}}{\text{흙전체의 중량}} \times 100(\%) = \dfrac{W_W}{W} \times 100(\%)$

(5) 포화도(S) $= \dfrac{\text{물의 용적}}{\text{공극(간극)부분의 용적}} \times 100(\%) = \dfrac{V_W}{V_V} \times 100(\%)$

학습 POINT

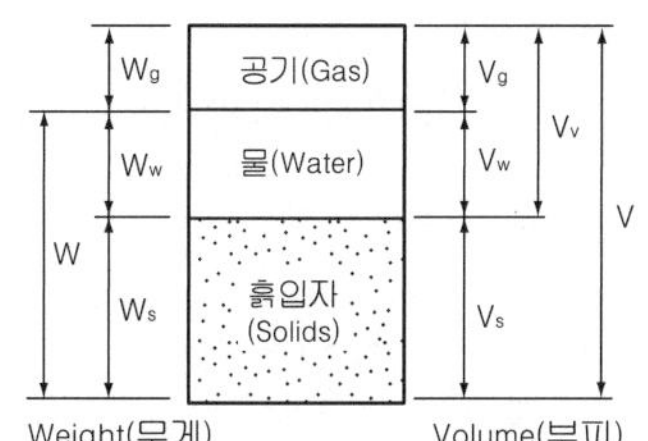

그림. 흙의 주상도(柱狀圖)

7 흙의 성질

1. 압밀과 다짐

> 20-①, 23-①
> • 압밀과 다짐의 차이점 기술

(1) 압밀(Consolidation)	(2) 다짐(Compaction)
점토지반에서 하중을 가해 흙속의 간극수를 제거하는 것을 말한다. (하중을 받는 점토 지반에서 물과 공기가 빠져나가 흙입자간 간격이 좁아지는 것)	사질지반에서 외력을 가해 공기를 제거하여 압축시키는 것.(밀도를 증가시키는 것.) ※ 지지력 증가, 강도 증가
특 징	특 징
① 점토에서 발생. ② 흙중의 간극수를 배제하는 것. ③ 장기압밀 침하. ④ 침하량이 비교적 크다. ⑤ 소성 변형 발생.	① 사질지반에서 발생. ② 흙중의 공극을 제거하는 것. ③ 단기적, 침하발생. ④ 흙의 역학적, 물리적 성질 개선. ⑤ 탄성적 변형 발생.

2. 흙의 압밀침하(Consolidation Settlement)현상

> 01-③, 03-③
> • 압밀침하, 피압수 용어설명

① 압밀에 의한 침하 현상을 말하며 점토지반은 투수성이 작아서 압밀시간이 장기간 계속된다.

② 침하의 종류

탄성침하 (Elastic Settlement)	재하와 동시에 일어나며, 하중을 제거하면 원상회복된다. 사질지반은 압밀침하가 없으므로 탄성침하량을 전침하량으로 본다.
압밀침하	점성토에서 탄성침하후 장기간 일어나는 침하현상으로 1차 임밀침하라 하며, 하중을 제거하면 침하상태로 남는다.
2차압밀침하 (Creep Consolidation Settlement)	압밀침하 완료후 계속되는 침하현상으로 구조물 crack 발생의 원인이 된다. creep 압밀침하라고도 한다.

학습 POINT

▶ 07-③, 12-①, 15-② / 92-①, 17-②, 23-① / 95-④ / 18-②, 22-② / 07-③, 19-③

- 압밀, 예민비 설명
- 예민비 구하는 문제
- 압밀, 예민비, 달비계 용어설명
- 예민비의 식을 쓰고 간단히 설명
- 예민비, 지내력 시험 설명

3. 예민비(Sensitivity Ratio)(ST) = $\frac{\text{자연시료의강도(천연시료의강도)}}{\text{이긴시료의강도(흐트러진시료의강도)}}$

① 진흙의 자연시료는 어느 정도 강도는 있으나 그 함수율을 변화시키지 않고 이기면 약하게 되는 성질이 있고 그 정도를 나타내는 것이 예민비이다.
② 흙의 일축압축 시험은(KSF 2314) 흙의 압축강도와 예민비를 결정하는 시험이다. (압축강도의 감소비가 예민비이다.)
③ 예민비가 4이상은 예민비가 크다고 한다. (점토 : 4~10 정도, 모래 ≒ 1)
④ 예민비 값이 클수록 공학적 성질이 약하다.

4. 간극수압(공극수압)

① 흙속에 포함된 물에 의한 상향수압을 말한다. 간극수압은 지반의 강도를 저하시키며 물이 깊을수록 커진다.
② 흙의 유효응력은 전체응력에서 간극수압을 뺀 값을 말한다.

$$\overline{\sigma}\text{(유효응력)} = \sigma\text{(전응력)} - \upsilon\text{(간극수압)}$$

③ 간극수압은 well point 공법, 샌드드레인 등과 관계가 깊으며, 피에조미터(Piezometer)에 의해 측정할 수 있다. 토압은 토압계(Earth Pressure Meter)로 측정한다.

5. 액상화(Liquefaction)

① 사질토층에서 지진, 진동 등에 의해서 간극수압의 상승으로 유효응력이 감소하여 전단저항을 상실하여 액체와 같이 급격히 변형을 일으키는 현상.
② 흙이 유효응력($\overline{\sigma}$)을 상실할 때 발생하며 부동침하, 지반이동, 작은 건축물의 부상(浮上) 등이 발생된다.

6. 샌드벌킹(Sand Bulking)현상

① 모래에 물이 흡수되어 체적이 팽창되는 현상이다.
② 물의 표면장력 때문에 발생하여 함수율 6~12%(10% 정도)에서 체적 팽창이 최대로 되고, 중량이 최소로 되며 체적변화는 모래의 함수율과 입자의 크기에 따라 좌우된다.

7. 아터버어그 한계(Atterburg Limits) : 흙의 연경도 시험

고체상태	반고체상태	소성상태	액체상태
전건상태	바삭바삭 끈기없는 상태 변화시작	끈기있고 반죽가능한 흙	질퍽한 흙 (유동화상태)

수축한계 　 소성한계 　 액성한계

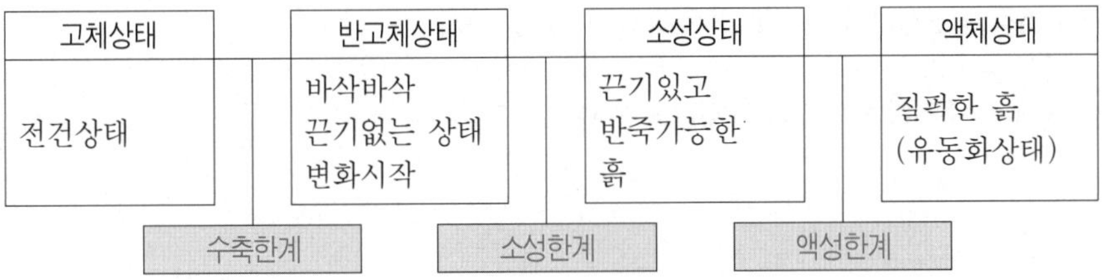

참고사항 **(표준시방서 기준)**

(1) 일반적으로 조립토(자갈, 모래)는 상대밀도로 특성을 나타내며 세립토(실트, 점토)는 연경도로 특성을 나타낸다.
(2) 정확한 흙의 특성은 물리적·역학적(강도, 변형, 투수 특성 등) 시험을 통해 결정된다.

8. 점토질과 사질지반의 비교

비 교 항 목	사　질	점　토
(1) 투수계수	크　다	작　다
(2) 가소성	없　다	크　다
(3) 압밀속도	빠 르 다	느 리 다
(4) 내부마찰각	크　다	없　다
(5) 점착성	없　다	크　다
(6) 전단강도	크　다	작　다
(7) 동결피해	적　다	크　다
(8) 불교란시료	채취 어렵다	쉽　다

학습 POINT

97-③, 08-③, 11-①, 15-②, 21-①

• 흙의 3가지 상태변화

관련문제

1 평판측량에 사용되는 기구명칭을 4가지 쓰시오. (4점) 〔92 ①, 93 ②, 95 ①〕

① ________ ② ________

③ ________ ④ ________

2 (가) 평판 측량시 측량개시전의 3가지 조정을 표정이라 하는데 이 표정의 3사항을 쓰시오. (3점) 〔92 ②〕

(나) 평판 측량시 평판을 설치할 때 만족시켜 주어야 하는 3가지 조건을 쓰시오. (3점) 〔96 ②〕

① ________ ② ________

③ ________

3 다음 보기의 지반 중에서 지내력이 큰 것부터 순서를 쓰시오. (3점) 〔89 ③, 04 ①〕

〔보기〕

(가) 자갈	(나) 자갈 모래 반 섞임	(다) 경암반
(라) 모래 섞인 진흙	(마) 연암반	(바) 진흙

____

4 지반의 내력이 큰 순서대로 기호들을 나열하시오. (4점) 〔97 ①〕

〔보기〕

① 굳은 역암	② 자갈섞인 점토	③ 모래
④ 자갈	⑤ 모래섞인 점토	⑥ 편암

____

해설 및 정답

정답 **1**

① 평판 ② 앨리데이드(Alidade)
③ 자침기 ④ 다림추
※ 3각, 구심기

정답 **2**

① 정치 : 수평을 맞춘다.
② 정위 : 일정한 방위를 맞춘다.
③ 치심 : 수직을 맞춘다.

정답 **3**

(다)-(마)-(가)-(나)-(라)-(바)

정답 **4**

① - ⑥ - ④ - ② - ⑤ - ③
지반의 장기허용응력도
① 굵은 역암 : 4000 kN/m²
② 편암, 수성암 : 2000 kN/m²
③ 자갈 : 300~600 kN/m²
④ 자갈+점토 : 200~500 kN/m²
⑤ 모래+점토 : 150~300 kN/m²
⑥ 모래 : 100~400 kN/m²

관련문제

5 **토질의 종류와 지반의 허용응력도에 관하여 (　)안을 알맞은 내용으로 채우시오. (5점)** 〔10 ②, 14 ③〕

(1) 장기허용지내력도
① 경암반 : (　　　) KN/m^2
② 연암반 : (　　　) KN/m^2
③ 자갈과 모래의 혼합물 : (　　　) KN/m^2
④ 모래 : (　　　) KN/m^2

(2) 단기허용지내력도 = 장기허용지내력도 × (　　　)

6 **(가) 공사에서 흙의 전단강도 공식을 쓰고 설명하시오. (5점)** 〔95 ⑤〕

(나) 흙의 전단강도 식을 쓰고 각 기호가 나타내는 것을 쓰시오. (4점, 3점) 〔99 ②, 08 ②, 15 ①〕

7 **흙의 전단강도에 관한 설명 중 (　)안의 내용을 보기 중 골라 기재하시오. (4점)** 〔96 ④, 98 ①, 06 ③〕

〔보기〕
① 지지　② 안정　③ 침하　④ 붕괴　⑤ 안전　⑥ 융기

전단강도란 흙에 관한 역학적 성질로서 기초의 극한 지지력을 알 수 있다. 따라서 기초의 하중이 흙의 전단강도 이상이 되면 흙은 ((1))되고, 기초는 ((2))되며, 이하이면 흙은 ((3))되고, 기초는((4))된다.

8 **자연상태의 시료를 운반하여 압축강도를 시험한 결과 6kg/cm²이었고 그 시료를 이긴시료로 하여 압축강도를 시험한 결과는 4kg/cm² 이었다면 이 흙의 예민비를 구하시오. (5점)** 〔17 ②, 92 ①, 23 ①〕

9 **점토에 있어서 자연시료는 어느 정도의 강도가 있으나 이것의 함수율을 변화시키지 않고 이기면 약해지는 성질이 있다. 이러한 흙의 이김에 의해서 약해지는 정도를 표시하는 것을 무엇이라 하는가?** 〔03 ①〕

해설 및 정답

정답 **5**
(1) ① 4,000 ② 2,000 ③ 200 ④ 100
(2) 2배(두배)

정답 **6**

$\tau = C + \sigma \tan\phi$	τ : 전단강도 C : 점착력 $\tan\phi$: 마찰계수 ϕ : 내부마찰각 σ : 파괴면에 수직인 힘

① 점토인 경우 : 내부 마찰각 $\phi \fallingdotseq 0$ 이므로 $\tau \fallingdotseq C$
*점착력 C는 Vane Test에서 구한다.
② 모래인 경우 : 점착력 $C \fallingdotseq 0$ 이므로 $\tau \fallingdotseq \sigma\tan\phi$ 이다.
*마찰각 ϕ는 표준관입시험에서 구한다.

정답 **7**
(1) 붕괴 (2) 침하
(3) 안정 (4) 지지

정답 **8**
$$예민비 = \frac{자연시료강도}{이긴시료강도} = \frac{6}{4} = 1.5$$

정답 **9**
예민비(흙의 예민비)

관련문제

10 다음 용어를 설명하시오. (6점) 〔95 ④〕

① 압밀 : 〔12 ①, 15 ②〕

② 예민비 : 〔12 ①, 15 ②, 18 ②〕

③ 달비계 :

11 흙은 일반적으로 물을 포함하고 있으며 그 함수량의 변화에 따라 아래와 같이 그 성질이 변화한다. (　)속에 알맞은 표현을 쓰시오. (2점) 〔97 ④, 08 ③〕

전건상태(1) - 소성상태 - (2) - 질컥한 액성의 상태

① ______ ② ______

12 흙의 함수량 변화와 관련하여 (　) 안을 적당한 용어로 채우시오. (2점) 〔11 ①, 15 ②, 21 ①〕

흙이 소성 상태에서 반고체 상태로 옮겨지는 경계의 함수비를 (①)라 하고, 액성 상태에서 소성 상태로 옮겨지는 함수비를 (②)라고 한다.

① ______ ② ______

13 다음 용어를 설명하시오. (4점) 〔01 ③, 03 ③〕

가) 압밀침하 :

나) 피압수 :

해설 및 정답

정답 **10**

① 압력을 받은 흙의 내부 간극에 물이 빠져나가면서 흙입자의 간격이 좁아지는 현상.

② 점토에 있어서 함수율을 변화시키지않고 이기면 약해지는데 그 정도를 나타내는 것이 예민비이다. (압축강도의 감소비이다.)

③ 건물에 고정된 돌출보등에 철선이나 밧줄로 달아맨 비계로써 외부수리공사, 마감공사 고층건물등의 유리창 청소에 사용되는 비계.

정답 **11, 12**

① 소성한계 (塑性限界 : plastic limit)

② 액성한계 (液性限界) : liquid limit)

정답 **13**

가) 압밀침하 : 압력에 의해 흙(점토) 내부의 물과 공기가 배출되는 압밀에 의해 침하되는 현상(체적이 감소하는 현상)

나) 피압수 : 정수압보다 높은 압력의 지하수로 펌프사용 없이 물이 솟아 오르는 자분샘물을 말한다.

핵심 5 지반조사

학습 POINT

01-② / 92-③, 95-①, 97-③ / 07-②
- 지하탐사법 종류 /
- 터파보기, 짚어보기, 물리적 지하탐사 정의
- 지반조사의 순서

1 지하탐사법

(1) 터파보기 (Test pit)	직경 60~90cm, 깊이 1.5~3.0m, 간격 5~10m로 대지일부를 시험 파기하여 지층상태로 내력추정, 토질, 지하수위 조사
(2) 탐사간(짚어보기) (Sounding Rod)	9mm~45mm정도의 철봉을 땅속에 박아서 그 침하력으로 지층의 깊이를 추정(수개소시행)
(3) 물리적 지하탐사	광대한 지하 구성층의 대략적 탐사방법. 종류: 탄성파탐사, 전기비저항탐사, 전자탐사, 레이저탐사 (GPR탐사), 중력탐사 등이 있다. (표준시방서기준)

※ 조사는 각 구조물과 시설물 설계에 필요한 각종 지반 자료와 정보를 얻기 위하여 실시하며, 크게 사전조사, 예비조사, 본조사, 추가조사로 이루어진다.

▶ 물리적 지하탐사 중 전기탐사방법

2 보오링(Boring) : 시추조사

지반을 천공하고 토질의 시료를 채취하여 지층상황을 판단하는 방법

※ 간단한 경우 기초폭의 1.5~2.0배, 보통깊이 20m 이상, 지지층이상 30m간격으로 3개소 이상 행한다.

21-③
- 수세식, 회전식 보링 설명

(1) Boring의 목적	(2) 토질의 주상도(柱狀圖)
① 흙(토질)의 주상도 작성 ② 토질조사(토질시험) ③ 시료채취 ④ 지하수위 측정 ⑤ Boring 공내의 원위치시험 ⑥ 지내력 추정	토질시험이나 표준관입시험등을 통하여 지층경연, 지층서열상태, 지하수위 등을 조사하여 지층의 단면상태를 축척으로 표시한 예측도 ※ 조사지역, 작성자, 날짜, Boring종류(방법), 지하수위 위치, 지층두께와 구성상태, 심도에 따른 토질 및 색조, N값, sampling방법 등이 기재된다.

1. 보오링의 종류

92-⑤, 95-①, 97-③ / 11-③, 23-① / 95-⑤, 02-②, 03-①, 06-②, 07-② / 94-②, 95-④, 09-②, 11-②, 12-③, 13-②, 14-②, 16-①, 16-③, 20-④, 22-③, 23-② / 92-②, 95-① / 18-①
- Boring 정의 /
- Boring의 정의와 종류를 4가지 쓰기
- Boring의 종류 용어설명 /
- Boring의 종류 3가지 /
- Boring의 4대 기구
- Boring의 목적 3가지

Boring의 종류	내 용
① Auger Boring	Auger 회전, 시료채취, 얕은 지반, 시료교란의 결점, 10m 정도는 Hand Auger, 10m 이상은 기계 Auger 사용.
② 수세식 보오링 (Wash Boring)	연약한 토사에 수압을 이용하여 탐사. (물을 분사해서 흙과 물을 같이 배출 침전시켜서 토질판정) 외관이나 이수를 사용. 많이 사용한다.

③ 충격식 보오링 (Percussion Boring)	경질층의 깊은 굴삭에 사용. 와이어 로프 끝에 Bit를 달고 60~70㎝낙하충격으로 토사, 암석을 파쇄후 천공 Bailer로 퍼내고 이수사용
④ 회전식 보오링 (Rotary Boring)	지층의 변화를 연속적으로 비교적 정확히 알 수 있다. 회전 천공 후 이수사용(불교란 시료 채취 가능) 4명 1조로 속도는 1일 3~5m로 10m정도굴착

학습 POINT

2. 보오링의 사용기구

① Bit(칼날) : 굴삭용
② Rod(쇠막대) : 지지연결대
③ 코어튜브(Core Tube) : 시료 채취기
④ 외관(Casing) : 공벽보호용

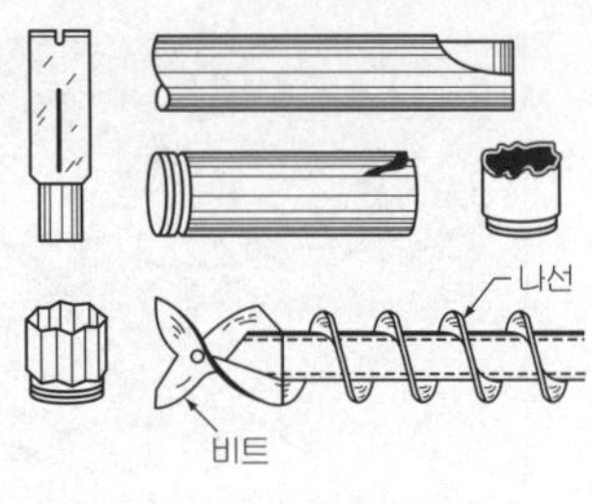

그림. 각종 비트의 모양

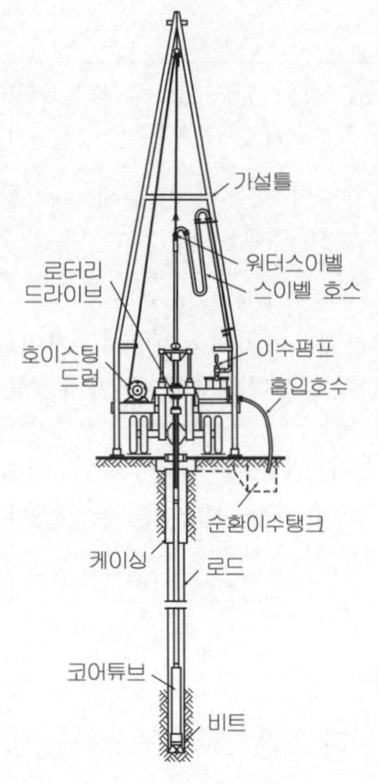

그림. 로터리 보오링기

3 샘플링(Sampling)

Sampling 종류	특 징	필요구멍 지름	Sample tube
Thinwall Sampling	연약한 점토층 (N치 : 0~4)	85mm 이상	두께 : 1.1~1.3mm (놋쇠 또는 강재)
Composite Sampling	다소 연한 점성토, 허술한 모래, 다소 굳은 점토(N치 : 0~8)	85mm 이상	두께 : 1.3mm (놋쇠 또는 Plastic)
Denison Sampling	굳은 점토(N치 : 4~20)	100mm 이상	Thinwall Sampling 과 동일
Foil Sampling	연약점토(N치 : 0~4) 의 연결시료 채취 가능	125mm 이상	두께 : 4.5mm (강제)

92-③, 93-③, 95-②, 97-②, 04-①, 10-③, 19-③ / 90-②, 95-④, 98-⑤

- Thinwall Sampling /
- Composite Sampling

4 사운딩(Sounding)

Rod 선단에 설치한 저항체를 땅속에 삽입하여서 관입, 회전, 인발 등의 저항으로 토층의 성상을 탐사하는 방법으로써 원위치시험이라고 한다.

(1) 정적인 것	(2) 동적인 것
Vane Test : 연약점성토의 현장시험. +자형 Vane Tester를 회전시켜 점착력을 이용, 전단강도를 구한다. ＊표준관입시험 N값은 사질지반과 점토질지반이 다르게 적용됨	표준 관입 시험기(Standard Penetration Test) : 주로 사질지반의 현장시험. Rod 선단에 Sampler를 부착하고 63.5Kg의 추를 76㎝ 높이에서 낙하시켜 30㎝ 관입시키는데 필요한 타격횟수 N치를 구하고 동시에 Sampler로 시료 채취.

(3) 표준관입시험 N값의 밀도측정 및 N값 보정법

① 점토지반		N값	② 모래질 지반		N값
hard	매우 단단한 점토	30~50	dense	밀실한 모래	30~50
very stiff	단단한 점토	15~30	medium	중정도 모래	10~30
stiff	비교적 경질 점토	8~15	loose	느슨한 모래	5~10
medium	중정도 점토	4~8	very loose	아주 느슨한 모래	5 이하
soft	무른 점토	2~4			
very soft	아주 무른 점토	0~2			

③ N값의 보정방법

㉮ 토질에 의한 보정방법　㉯ 상재압에 의한 보정방법
㉰ Rod 길이에 따른 응력보정　㉱ 해머낙하방법에 의한 에너지 보정

▶ 표준관입시험과 지반조사장비

▶ 표준관입시험용 Sampler(Split Spoon Sampler) 모습과 채취된 시료

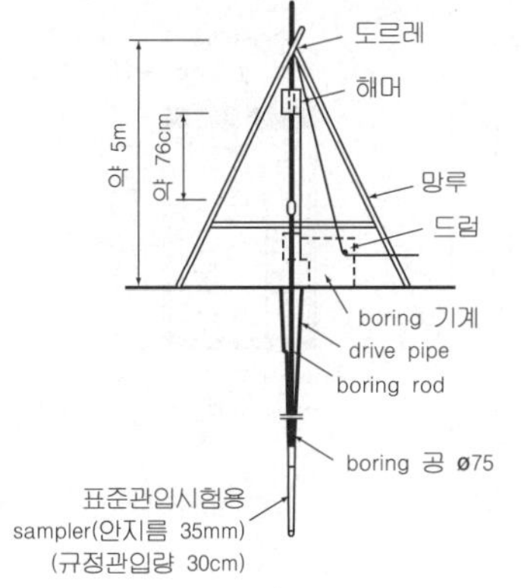

그림. 표준관입시험장치

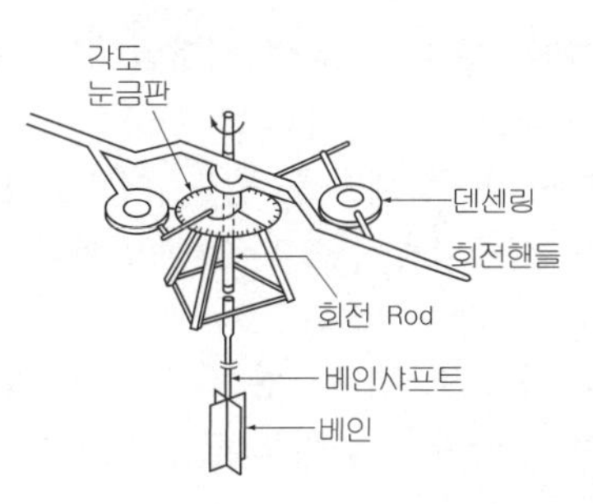

그림. 베인 시험기

학습 POINT

▶ 00-①, 19-①, 21-③ / 96-④, 97-③, 01-② / 90-②, 92-⑤, 92-③, 93-③, 95-①, 95-②, 95-④, 97-②, 97-③, 98-⑤, 04-① / 10-① / 17-③

- 사운딩의 정의와 종류 /
- 표준관입시험 순서 /
- Vane Test와 SPT
- SPT 설명
- Vane Test

▶ 16-①

- SPT의 N값에 의한 사질지반의 상태쓰기

암기하기

■ 표준관입시험순서
① Rod선단에 sampler부착
② 로드상단에 63.5kg 추를 76cm높이에서 자유낙하
③ 지반에 30cm 관입시의 타격회수 N값을 측정, 밀도파악

3. 기타 사운딩의 종류, 특징 ※ ①, ②, ③, ④는 정적사운딩

① 휴대용 원추 관입시험 (Portable cone penetration test)	연약점토에 사용, 구조가 간단, 경량 휴대가 간편, 단관식과 이중관식이 있다. 콘 지수는 건설기계의 주행성(Trafficability)을 표시
② 화란식 원추관입시험 (Dutch cone penetration test)	가장 많이 사용. 자갈이외에 대부분의 지반에 적용. 2cm/sec의 속도로 관입. 콘의 선단 지지력을 측정
③ 스웨덴식 관입시험 (Swedish penetration test)	자갈이외의 대부분 지반에 적용. Rod 선단에 스크류 포인트를 부착하여 5~100kg의 추 무게와 회전력으로 관입저항을 측정. 최대관입 심도는 25~30m 정도
④ 이스키 미터 (Isky meter)	연약점토에 적용. 닫혀진 상태로 시추공에 압입하고 인발시 인발저항으로 전단강도를 측정

학습 POINT

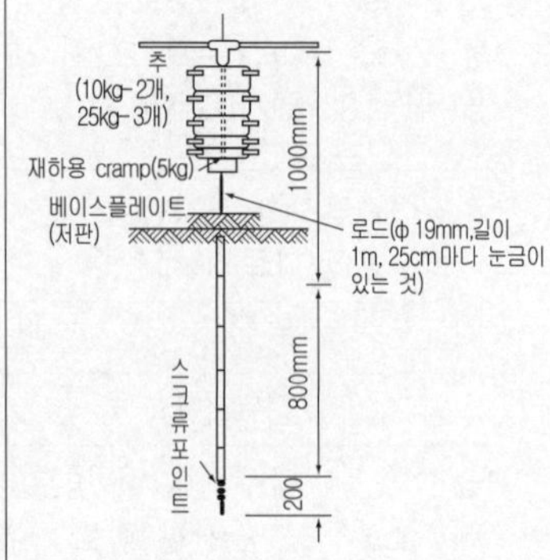

그림. 스웨덴식 관입 시험기

참고사항

① 현장시험은 현장에서 흙과 암의 특성을 확인하거나, 시험결과를 직접적으로 설계에 적용하기 위하여 실시한다.

② 현장시험 항목으로는 일반적으로 표준관입시험, 베인시험, 콘관입시험, 간극수압소산시험, 시추공전단시험, 공내재하시험, 투수 및 수압시험 등이 있다. (표준시방서기준)

5 토질시험(실내시험)

(1) 물리적 성질 판별시험	함수량시험, 투수시험, 입도시험, 비중시험, 연경도 시험 (액성한계, 소성한계, 수축한계 시험)
(2) 역학적 성질 판별시험	다짐시험, 전단시험, 압밀시험, 일축 압축시험, 삼축 압축시험

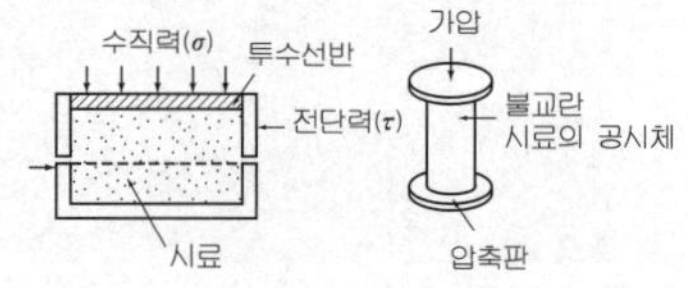

1면전단 시험장치 1축 압축시험

참고사항 **(표준시방서 규정)**

※ 실내시험은 현장에서 채취한 교란, 불교란시료에 대하여 지반의 물리·역학적 특성을 파악하기 위하여 실시한다.

① 실내토질시험 항목으로는 함수량, 비중, 체가름, 입도, 액·소성시험, 일축압축시험, 직접전단시험, 압밀시험, 삼축압축시험, 다짐시험, 실내CBR시험 등이 있다.

② 실내암석시험 항목으로는 비중, 흡수율, 단위중량, 포아송비, 일축압축, 삼축압축시험, 인장시험, 점하중시험, 탄성파속도, 마모시험, 체가름, 풍화내구성지수시험, 팽윤시험, 절리면전단시험 등이 있다.

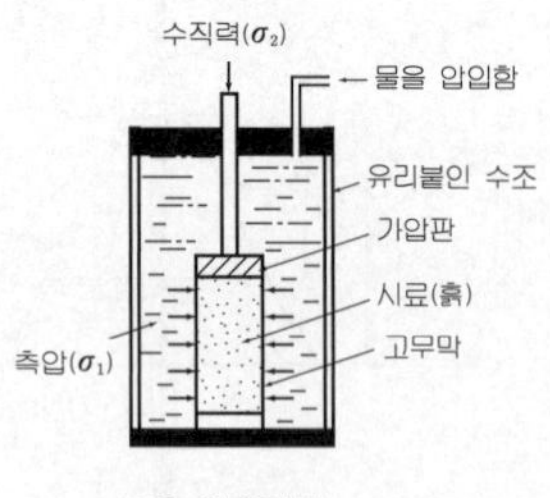

3축 압축장치

6 지내력시험(KS F 2444 규정)

(1) 직접지내력 시험, 재하시험이며 시험은 예정기초 저면(밑면)에서 행한다.

(2) 재하판은 300mm, 400mm, 750mm의 원형철판(두께 25mm 이상)을 사용한다.

※ 등가면적의 정사각형 철판가능

(3) 시험 위치는 최소한 3개소에서 시험을 하여야 하며, 시험 개소 사이의 거리는 최대 재하판 지름의 5배 이상이어야 한다.

(4) 계획된 시험목표하중의 8단계로 나누고 누계적으로 동일 하중을 흙에 가한다. 각 하중을 정확하게 측정하고 모든 하중을 충격 및 또는 편심이 적용하지 않도록 정적 하중으로 지반에 전달되도록 한다.

(5) 침하량 측정은 하중 재하가 된 시점에서, 그리고 하중이 일정하게 유지되는 동안 15분까지는 1, 2, 3, 5, 10, 15 각각 침하를 측정하고 이 이후에는 동일 시간 간격으로 측정한다. 15분까지 침하 측정 이후에 10분당 침하량이 0.05mm/min 미만이거나 15분간 침하량이 0.01mm 이하이거나, 1분간의 침하량이 그 하중 강도에 의한 그 단계에서의 누적 침하량의 1% 이하가 되면, 침하의 진행이 정지된 것으로 본다. 즉, 그 단계에서의 침하가 종료되어 다음 단계로 하중 증가가 진행된다.

(6) 침하종료

시험하중이 허용하중의 3배 이상이거나 누적 침하가 재하판 지름의 10%를 초과하는 경우로 한다. (시험의 종료는 극한하중이 발생할 때로 정의)

(7) 장기 하중에 대한 지내력

단기 하중 지내력의 1/2, 총 침하 하중의 1/2, 침하 정지 상태의 1/2, 파괴시 하중의 1/3 중 작은 값으로 한다.

(8) 하중 방법에 따라

직접 재하시험, Level 하중에 의한 시험, 적재물 사용에 의한 시험, 인발저항에 의한 평판 재하 시험 등이 있다.

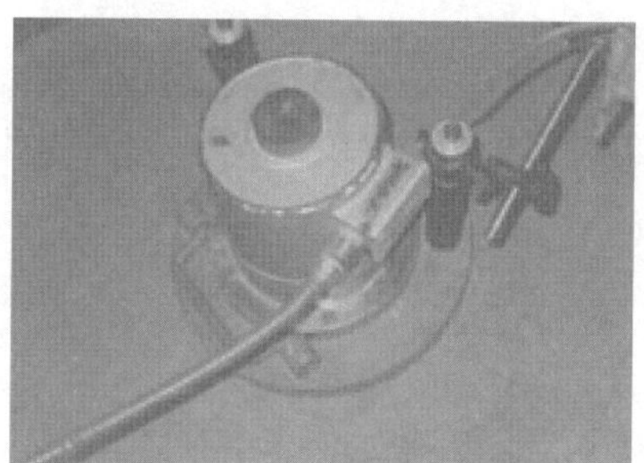

▶ 지내력 시험용 재하판 모습

▶ 건축용 지내력 시험 세트

학습 POINT

▶ 07-③, 19-③ / 90-④ / 91-②, 94-②, 95-①, 97-⑤, 00-② / 90-④, 99-③ / 88-③, 97-②, 00-⑤ / 01-②, 07-①, 12-③, 15-②

- 지내력시험의 정의 /
- 지내력시험 순서
- 지내력시험에 의한 지내력도 산출 /
- 그래프에 의한 지내력도 산출 /
- 재하시험 관련사항 /
- 지내력시험 종류

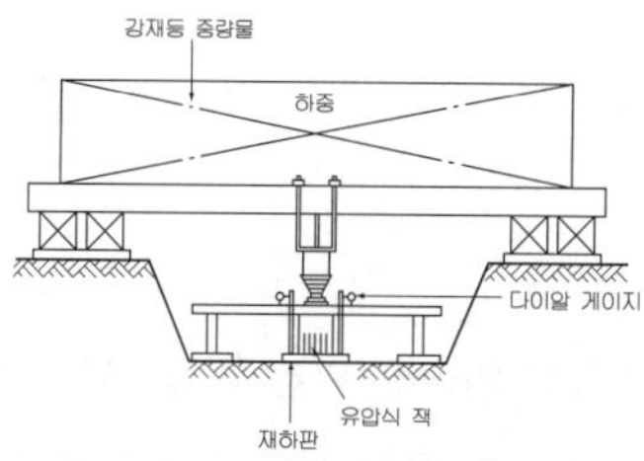

그림. 적재물하중에 의한 재하시험

▶ 말뚝의 재하시험

관련문제

1 지반조사시 실시하는 보오링(Boring)의 종류를 3가지만 쓰시오. (3점)

〔94 ③, 95 ④, 09 ②, 11 ②, 12 ③, 16 ①, 20 ④, 23 ②〕

① ____________ ② ____________ ③ ____________

2 보오링의 4대 구성 기구명 중 3가지를 쓰시오. (3점) 〔92 ②, 95 ①〕

① ____________ ② ____________ ③ ____________

3 다음은 지반 조사법 중 보오링에 대한 설명이다. 알맞은 용어를 쓰시오. (3점)

〔95 ⑤, 02 ②, 03①, 06②, 07 ②, 07 ③, 13 ②, 16 ③〕

① 비교적 연약한 토지에 수압을 이용하여 탐사하는 방식
② 경질층을 깊이 파는데 이용하는 방식
③ 지층의 변화를 연속적으로 비교적 정확히 알고자할 때 사용하는 방식

① ____________ ② ____________ ③ ____________

4 (1) Boring 완료 후 표준관입시험 순서를 쓰시오. (4점) 〔88 ③, 96 ④〕
(2) 표준관입시험 순서를 3단계로 나누어 간략하게 쓰시오. (3점) 〔97 ③, 01 ②〕
(3) 표준관입시험을 설명하시오. (3점) 〔10 ①〕

① ____________
② ____________
③ ____________

5 지반조사 방법 중 보링(Boring)의 정의와 종류 2가지, 3가지, 4가지를 쓰기. (4점, 5점)

〔11 ③, 23 ①〕

(가) 정의 : ____________

(나) 종류 :

① ____________ ② ____________

③ ____________ ④ ____________

해설 및 정답

정답 **1**
① Auger Boring
② 수세식 보오링(Wash Boring)
③ 충격식 보오링
(Percussion Boring)
④ 회전식 보오링(Rotary Boring)

정답 **2**
① Bit(칼날) : 굴삭용
② Rod(쇠막대) : 지지연결대
③ 코어튜브(Core Tube) :
시료 채취기
④ 외관(Casing) : 공벽보호용

정답 **3**
① 수세식 보오링
② 충격식 보오링
③ 회전식 보오링

정답 **4**
① 로드(rod)선단에 샘플러 부착
② 로드상단에 63.5kg 추를 76cm 높이에서 자유낙하
③ 지반에 30cm 관입시 타격횟수 N을 측정하여 밀도판별

정답 **5**
(가) 지반을 천공하고, 토질의 시료를 채취하여 지층상황을 판단하는 방법
(나)
① Auger Boring
② 수세식 보오링(Wash Boring)
③ 충격식 보오링
(Percussion Boring)
④ 회전식 보오링(Rotary Boring)

관련문제

6 **지반조사방법의 적절한 지반조사대상을 보기에서 골라 기입하시오. (5점)**

〔92 ②, 95 ①, 97 ③〕

〔보기〕

(1) 파보기	(가) 극히 연약한 점토지반의 조사
(2) 보오링	(나) 광대한 대지의 지하구성층의 개략적 탐사
(3) 베인테스트	(다) 수개소시행하여 지층의 깊이를 추정
(4) 짚어보기	(라) 토질의 시료를 채취하여 지층의 상황을 판단
(5) 물리적 지하탐사	(마) 대지의 일부분을 시험파기하여 그 지층의 상태를 보고 내력을 추정

(1) ________ (2) ________ (3) ________ (4) ________ (5) ________

7 **다음 설명의 토질시험과 관계하는 항목을 보기에서 골라 번호를 쓰시오. (4점)**

〔90 ②, 95 ④, 98 ⑤〕

〔보기〕

(1) darcy' s law	(2) vane test
(3) composite sampler	(4) standard panetration test

(가) 굳은 지층의 시료채취(　　) (나) 사질지반의 밀도측정(　　)
(다) 점토질의 점착력 확인(　　) (라) 투수계수 확인 (　　)

8 **시험에 관계되는 것을 보기에서 골라 번호를 쓰시오. (4점)**

〔92 ③, 93 ③, 95 ②, 97 ②, 04 ①, 10 ③, 19 ③〕

〔보기〕

(1) 신월 샘플링(Thin wall sampling)
(2) 베인시험(Vane test)
(3) 표준관입시험
(4) 정량분석시험

(가) 진흙의 점착력 (나) 지내력 (다) 연한 점토 (라) 염분

____

9 **지내력시험 순서를 쓰시오. (4점)** 〔90 ④〕

① 시험면파기 — ② (1) — ③ (2) — ④ (3) — ⑤ (4)
— ⑥ 장기 허용지내력 산출

____

해설 및 정답

정답 **6**
(1) 마 (2) 라 (3) 가
(4) 다 (5) 나

정답 **7**
(가) (3) (나) (4)
(다) (2) (라) (1)

정답 **8**
(가) (2) (나) (3)
(다) (1) (라) (4)

정답 **9**
(1) 재하판설치
(2) 하중대설치
(3) 재하 및 침하량측정
(4) 단기허용 지내력산출

관련문제

10 (1) 지반조사 방법 중 사운딩을 간략히 설명하고 탐사방법을 3가지 쓰시오. (6점) 〔00 ①〕

(2) 지반조사 방법 중 사운딩의 정의와 종류를 2가지 쓰시오. (4점) 〔19 ①〕

① 사운딩 : ______________________

② 탐사방법(종류) : ______________________

11 큰부류의 지반조사 방법을 열거한 다음 항목의 빈칸을 알맞는 말로 써 넣으시오. (3점) 〔07 ②〕

(가) (   ) (나) (예비조사) (다) (   ) (라) (   )

(가) __________ (다) __________ (라) __________

참고사항 **단계별 지반조사**

사전조사 - 예비조사 - 본조사 - 추가(보완)조사 - 특정조사
(계획단계)(설계단계) (시공단계) (유지관리단계)

12 지내력을 시험하는 방법을 2가지만 적으시오. (2점) 〔01 ②, 07 ①, 12 ③, 15 ②〕

① __________ ② __________

참고사항

채점시 광범위한 정답을 인정할 경우에는 표준관입시험을 비롯한 모든 관입시험이 정답으로 인정될 수 있음.

13 다음의 용어를 설명하시오. (4점) 〔07 ③〕

(1) 예민비 : 〔19 ③〕 ______________________

(2) 지내력시험 : 〔19 ③〕 ______________________

(3) 지내력시험의 종류 : ______________________

해설 및 정답

정답 **10**

① 사운딩 : 저항체를 땅속(지중)에 삽입하여 관입, 회전, 인발저항으로 지층을 탐사하는 원위치 시험을 말한다.

② 탐사방법

- 표준관입시험 (Standard Penetration Test)
- Vane Test
- 스웬덴식 사운딩, 화란식 사운딩

정답 **11**

지반조사방법
(가) 사전조사
(나) 본조사
(다) 추가조사

정답 **12**

① 평판재하시험 (P.B.T : Plate Bearing Test)
② 말뚝의 재하시험

정답 **13**

(1) 점토에서 함수율을 변화시키지 않고 이기면 강도가 약해지는 정도를 나타낸 것
(2) 재하시험이라고도 하며, 기초지반저면에 직접 하중을 가하여 지반의 허용지내력을 구하는 시험
(3) 직접재하시험, 반력을 이용한 재하시험

관련문제

14 **지정 및 기초공사와 관련된 다음 용어를 설명하시오. (4점)** 〔13 ②〕

(1) 재하시험 : ____________________

(2) 합성말뚝 : ____________________

15 **다음 설명에 해당하는 보링 방법을 쓰시오. (4점)** 〔14 ②, 22 ③〕

〔보기〕

① 충격날을 60~70cm 정도 낙하시키고 그 낙하충격에 의해 파쇄된 토사를 퍼내어 지층상태를 판단하는 방법
② 충격날을 회전시켜 천공하므로 토층이 흐트러질 우려가 적은 방법
③ 오거를 회전시키면서 지중에 압입, 굴착하고 여러번 오거를 인발하여 교란 시료를 채취하는 방법
④ 깊이 30m 정도의 연질층에 사용하며, 외경 50~60mm관을 이용, 천공하면서 흙과 물을 동시에 배출시키는 방법

① ____________ ② ____________

③ ____________ ④ ____________

해설 및 정답

정답 14
(1) ※ 지내력 시험 참조
(13번의 (2))
(2) 두가지 상이한 재료를 이음 혹은 결합하여 하나의 말뚝으로 만든 것
예) 나무+콘크리트말뚝,
강관+콘크리트 충전 등

정답 15
① 충격식 보링
② 회전식 보링
③ 오거 보링
④ 수세식 보링

출제예상문제

1 흙의 구성요소 3가지를 쓰시오.

① ______ ② ______ ③ ______

정답 1
① 공기
② 물
③ 흙입자(토립자)

2 다짐(Compaction)과 압밀(Consolidation)의 차이점을 비교하여 설명하시오. (4점)
〔20 ①, 23 ①〕

______

정답 2
다짐이란 사질지반에서 외력작용에 의해 공기가 빠지면서 압축되는 현상을 말하며 압밀이란 점토지반에서 하중을 가하여 흙 속의 간극수를 제거하는 것을 말한다.

3 다음 용어를 설명하시오.

① 액상화

______

② Sand Bulking

______

정답 3
① 사질지반에서 충격, 지진, 진동등에 의해 간극수압이 상승되어 유효응력이 감소되어 전단저항을 상실하고 액체와 같이 되는 현상으로 부동침하등의 원인이 된다.
② 모래에 물이 흡수되어 체적이 팽창되는 현상으로 표면장력 때문에 발생하며 함수율이 10%정도(8~12%)에서 체적이 최대가 된다.

4 점성토 지반에서 시공되는 기초의 압밀침하(Consolidation Settlement)현상의 종류를 3가지 쓰시오.

① ______ ② ______ ③ ______

정답 4
① 탄성침하(즉시침하)
② 압밀침하
③ 2차 압밀침하(2차압축침하)

5 간극수압의 정의를 쓰고 간극수압과 유효응력과의 관계식을 쓰고 설명하시오.

① 정의

______

② 관계식

______

정답 5
① 정의 : 지중의 물에 의한 상향수압을 말한다.
② 관계식
$\bar{\sigma}$(유효응력)
$=\sigma$(전응력)$-u$(간극수압)
간극수압이 크면 유효응력이 감소된다.

출제예상문제

6 흙의 간극비(Void Ratio)의 정의와 간극비가 클 때의 일반적 성질의 3가지만 쓰시오.

(가) 정의

(나) 간극비가 클 때의 성질

7 다음 지반조사의 방법 중 지하 탐사법에 의한 것을 모두 골라 쓰시오. (3점) 〔01 ②〕

〔보기〕

㉮ 터파보기	㉯ 철관박아 넣기	㉰ 베인테스트
㉱ 탐사간	㉲ 시료채취	㉳ 대개시료채취
㉴ 관입시험	㉵ 하중시험	㉶ 물리적탐사법

8 지반천공(Boring)을 하는 목적에 대하여 3가지를 쓰시오. (3점) 〔18 ①〕

(가)　　　　(나)

(다)

9 흙의 역학적 성질을 판단하기 위한 시료 체취방법에 관계되는 것 중 좌측항목에 관계되는 것을 우측 항목에서 골라 번호를 적으시오.

(가) Thin wall Sampling	① 연약점토의 연결시료체취 가능
(나) Composite Sampling	② 굳은 점토층(N : 4~20)
(다) Denison Sampling	③ 연약점토층(N : 0~4)
(라) Foil Sampling	④ 다소 굳은 점토, 허술한 모래층

해설 및 정답

정답 6

㈎ 흙입자의 용적에 대한 간극의 용적을 말한다.

$$간극비 = \frac{간극의\ 용적}{흙입자의\ 용적}$$

㈏ ① 전단강도는 감소된다.
② 투수성은 증대된다.
③ boiling 현상이 발생한다.
④ 압밀침하가 커진다.
⑤ 사질지반에서 내부마찰력이 작아진다.
⑥ 점토지반에서 점착력이 감소된다.

정답 7

㉮ 터파보기(Test Pit)
㉱ 짚어보기(탐사간 : Sounding Rod)
㉶ 물리적 지하탐사법

정답 8

*Boring의 목적
(가) 시료채취
(나) 토질조사(토질시험)
(다) 토질의 주상도(柱狀圖) 작성
(라) 지하수위 측정
※ Boring 공내의 원위치시험

정답 9

㈎ ③　㈏ ④　㈐ ②　㈑ ①

10 **표준관입시험(SPT) 결과 N치가 20이었다. 이 결과에 의한 사질지반과 점토지반을 판별하시오.**

(가) 사질지반 : ______

(나) 점토질지반 : ______

11 **표준관입시험 결과인 N치로 추정할 수 있는 것을 사질지반과 점토지반으로 나누어 3가지씩 쓰시오.**

(가) 사질지반	(나) 점토지반
① ______	① ______
② ______	② ______
③ ______	③ ______

12 **다음 ( )안에 알맞는 수치를 보기에서 골라 적으시오.**

1. 지내력시험은 예정기초(㉮)에서 행하며, 통상 재하판은 3가지 칫수의 (㉯)을 사용한다. 시험위치는 최소한 (㉰) 개소에서 시험한다.
2. 베인테스트는 (㉱)형 날개의 베인테스터를 지중에 박고 (㉲)력으로 점토의 점착력을 판별하는 (㉳) 시험이다.

〔보기〕
저면(밑면), 위면, 원형철판, 각형철판, 3. 2, 4, 1/3, 1/5, 1/6, 5cm, 2cm, 2시간, −자, +자, 마찰, 회전, 부착, 시험실, 원위치, 재하

㉮ ______ ㉯ ______ ㉰ ______ ㉱ ______

㉲ ______ ㉳ ______

해설 및 정답

정답 **10**
(가) 중간(보통)모래
(나) 경질점토

정답 **11**
(가) 사질지반
① 상대밀도(다짐상태의 정도)
② 침하에 대한 허용지지력
③ 지지력계수
※ 탄성계수, 전단저항각
(나) 점토지반
① consistency(경연의 정도)
② 일축(一軸)압축강도
③ 점착력
※ 파괴에 대한 극한 허용지지력

정답 **12**
㉮ 저면(밑면) ㉯ 원형철판
㉰ 3 ㉱ +자
㉲ 회전 ㉳ 원위치

제3장

가설공사

핵심 6 가설공사, 가설건물, 기준 및 규준틀

1 가설공사 일반사항

가설공사(Temporary Work)는 건축공사 기간 중 임시로 설치하여 공사를 완성할 목적으로 쓰이는 제반 시설 및 수단의 총칭이고, 공사가 완료되면 해체·철거·정리하게 되는 임시적인 공사이다.

▶ 기계기구 설치, 양중, 하역 운반설비, 비계설비, 낙하물 방지망시설, 건축물 보양 등은 중요한 가설설비이다.

(1) 간접(공통)가설항목	(2) 직접(전용)가설항목
※ 운영·관리상 필요한 가설시설	※ 본건물 축조에 직접 필요한 시설
① 가설건물(사무소, 창고, 일간, 숙사, 화장실, 식당등) ② 공사용 임시동력, 통신설비 ③ 공사용수비 ④ 가설울타리, 안전간판, 투시도 ⑤ 대지측량비, 도로점용료, 가설도로, 대지사용료, 피해복구비 ⑥ 안전, 위험, 재해방지설비(경비소, 위험물저장, 방화설비) ⑦ 각종조사, 연구, 시험비 ⑧ 공구, 장비비(측량기, 양수기, 전동기) ⑨ 현장정리 청소비 (상용인부) ⑩ 운반비(공통가설에 수반되는 운반, 쓰레기 처리 등)	① 수평보기, 규준틀 설치(수평규준틀, 귀규준틀, 세로규준틀) ② 비계설치(내부, 외부, 말비계, 달비계, 선반비계, 비계다리) ③ 먹매김(먹줄치기) ④ 건축물 보양설비(각종공사보양, 휘장막 등) ⑤ 양중, 운반, 타설시설(콘크리트 타워, 자재운반용 타워, 콘크리트 타설용 수평비계, 슈트, 타워크레인, Hoist, 가설Lift 등) ⑥ 안전시설 중 낙하물 방지설비(작업중 낙하, 추락, 먼지나 잔재의 비산방지 시설 등)

※ 공사수급자(시공자)는 관련법규 및 업무수행 지침에 따라서 적법하고 가설시설물을 설치·관리하며, 가설시공 계획도를 작성하여 발주처나 감리자의 승인을 받아야 한다.

학습 POINT

▶ 03-③

• 가설계획 입안시 유의사항 3가지

■ 가설계획 입안시 유의사항
① 가설설비의 현장 설치의 최소화 추구
② 철저한 사전점검에 의한 안전확보 및 공해방지
③ 효율적 운용으로 경제성 추구(높은 전용성과 조립해체의 간편성 추구)
④ 현장 조립작업의 축소

▶ 92-① / 00-②, 00-④

• 공통가설 항목 5가지 /
• 공통가설과 직접가설항목의 구분

1. 가설울타리

설치목적	대지의 경계, 교통차단, 위험방지, 도난방지, 미관 및 선전효과 기대
재 료	나무널, 철판, 목책, 철조망, 기성 Concrete재, Key Stone Plate 등
높 이	공사현장 경계의 가설울타리는 높이 1.8m 이상으로 설치하고, 야간에도 잘 보이도록 발광 시설을 설치하여야 하며 다만, 공사장 부지 경계선으로부터 50m 이내에 주거·상가건물이 집단으로 밀집되어 있는 경우에는 높이 3m 이상으로 설치하여야 한다.
출입구폭	4m 이상 통용문 설치

▶ 철판과 방음판으로 구성된 가설울타리 설치 모습

▶ 가설울타리에 미관을 고려하여 이미지 처리한 모습

2. 현장사무소 등의 규모 (건축) (2002년 보완 : 표준품셈기준)

종별 \ 단위 \ 본건물의 구분		1,000m² 이 하	3,000m² 이 하	6,000m² 이 하	6,000m² 초 과
감독, 감리사무소	m²	18	38	46	80
수급자사무소	m²	24	50	60	100
기타자재창고	m²	70	100	130	180

※ 현장사무소는 감리·감독자 사무소, 수급자사무소, 자재창고 사무소로 구분하여 본 건물 규모에 따라 적절한 규모로 설치한다.

3. 시멘트 창고의 구조, 설치 및 관리방법

구조	바닥	마루널 또는 마루널위 철판깔기
	지붕및 주위벽	골함석, 골슬레이트 붙임. 루핑붙임 등. 비가새지 않는 구조로 할 것.
설치및 관리방법	① 설치시 주위에 배수도랑을 두고 누수를 방지한다. ② 바닥은 지면에서 30cm 이상 띄우고 방습처리한다. ③ 필요한 출입구 및 채광창이외에 공기유통을 막기 위하여 될 수 있는대로 개구부를 설치하지 아니한다. (환기창 설치금지) ④ 반입, 반출구는 따로 두고 먼저 반입한 것을 먼저 쓴다. ⑤ 쌓기단수는 13포 이하로 보관(장기저장시 7포 이하) ⑥ 3개월 이상 경과한 시멘트는 제시험을 거친 후 사용한다.	

학습 POINT

■ 구대(構臺 : over bridge) : 구대란 대지가 협소할 경우 적법한 절차를 거쳐서 보도상부에 설치하는 육교식 구조물이다.

▶ 92-④
• 기준점, 구대 용어해설

▶ 87-②, 89-③, 97-③, 08-②, 13-① / 10-③
• 시멘트 창고 관리법 4가지
• 시멘트의 풍화작용

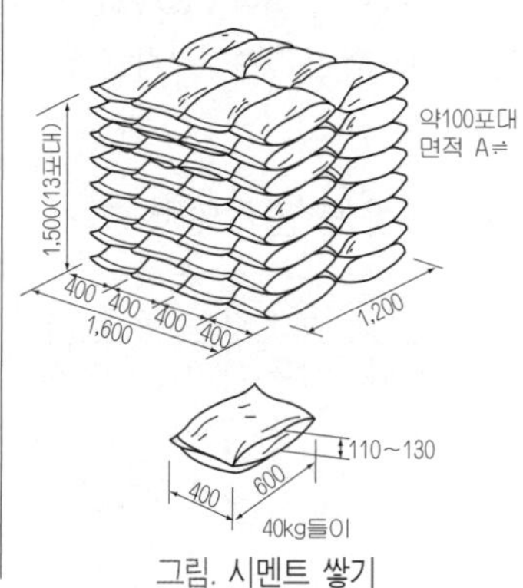

그림. 시멘트 쌓기

2 기준점, 줄쳐보기, 규준틀

1. 기준점

① 정의	공사중 건물의 높이 및 기준이 되는 표식으로, 건물인근에 설치 ※ 건물, 말뚝 등의 기준위치나 높이 측정의 원점(原点)
② 설치시 주의(고려) 사항	㉮ 이동의 염려가 없는 곳에 설치(인근의 벽돌담 이용가능) ※ 마땅한 장소가 없으면 건물의 지표가 될 수 있는 곳에 따로 설치 ㉯ 현장어디서나 바라보기 좋고 공사에 지장이 없는 곳에 설치 ㉰ 최소 2개소 이상, 여러 곳에 설치한다. (필요시 보조 기준점 1~2개소 설치) ㉱ 지면에서 0.5~1m 정도의 위치에 설치(기준표에 기록) ㉲ 설치위치, 개소는 현장일지에 기록하며, 공사종료시까지 존치되어야 한다.

※ 건물의 G.L(Ground Line : 지표면)은 현지에서 지정되던지 입찰전 현장설명에서 지정된다.

학습 POINT

92-④, 95-④, 10-①, 11-①, 14-①, 16-③, 20-③ / 93-④, 96-④, 04-③, 07-③, 17-①, 18-① / 11-②, 21-③, 22-②

- 기준점의 정의, 설명
- 기준점(Bench Mark)의 정의 및 설치시 고려점(주의점) 2가지, 3가지
- 기준점 설치시 주의점 2가지 쓰기

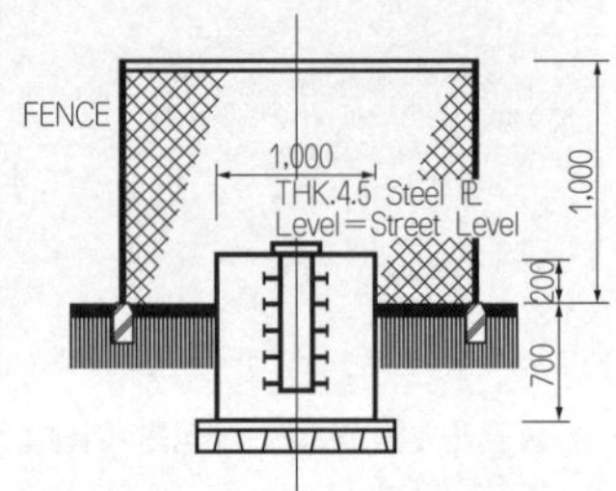

그림. Bench Mark 설치 Detail의 예

2. 줄쳐보기 (줄 띄우기)

도면에 따라 대지에 건물의 위치를 결정하기 위한 가설작업으로 외벽선을 따라 작은 말뚝을 박고 줄친다.

※ 대지와 인접도로와의 관계를 확인하고 가설계획을 수립하는데 의의가 있다.

3. 규준틀 설치

① 수평규준틀	건축물의 각부위치 및 높이, 기초너비를 결정하기 위한 것 ※ 이동변형이 없도록 견고히 설치하며 기초 및 기둥폭의 크기, 기초중심선, 기초나 터파기폭 등이 표시된다.
② 세로규준틀	벽돌, 블록, 돌쌓기 등 조적공사에서 고저 및 수직면의 기준을 삼고자 설치한다. ※ 쌓기단수와 줄눈표시, 앵카Bolt와 매립철물의 위치, 창문틀의 위치와 칫수표시, 테두리보나 안방보의 설치 위치 등이 표시된다.

※ 수평규준틀은 건물의 각부 위치를 정확하게 표시하고, 건물의 높이, 기초너비, 길이 등을 정확하게 결정할 목적으로 설치한다.

95-⑤, 97-⑤, 98-① / 12-①, 15-②

- 세로규준틀 기입사항 4가지
- 수평규준틀 설치목적 2가지

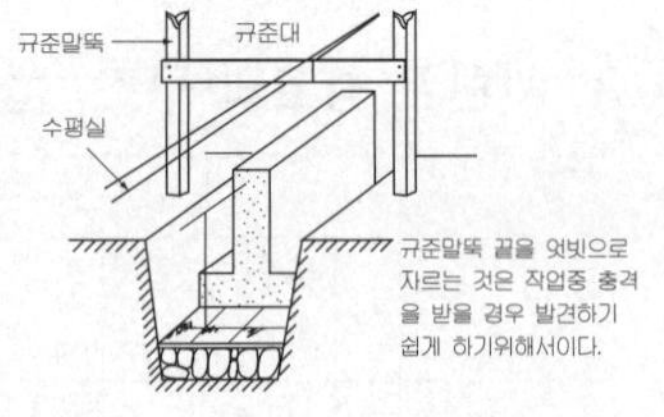

그림. 수평규준틀

4. 규준틀 설치위치

종류/구조	R.C 조	조 적 조
① 평 규준틀	기둥마다 설치	노출되는 내력벽마다 설치
② 귀 규준틀	외곽 모서리 기둥과 외부로 노출되는 기둥에 설치	모서리 부분 및 노출되는 부분에 설치

관련문제

1 **가설공사 중 공통가설비 항목에 대하여 5개만 쓰시오. (5점)** 〔90 ①〕

① ____________ ② ____________

③ ____________ ④ ____________

⑤ ____________

2 **다음 설명이 가르키는 건축용어를 쓰시오. (4점)** 〔92 ④〕

(1) 대지가 협소할 경우 적법한 절차를 따라 인근 보도의 상부에 설치하게 되는 현장사무소 등 구조물을 지칭하는 명칭은 ?

(2) 건축공사 중 건축물의 고저에 기준이 되도록 건축물 인근에 높이의 기준을 설치하는 표시물의 명칭은 ?

(1) ____________ (2) ____________

3 **시멘트 창고 관리방법 4가지를 쓰시오. (4점)** 〔87 ②, 89 ③, 97 ②, 08 ②, 13 ①〕

① ____________ ② ____________

③ ____________ ④ ____________

4 **다음은 시멘트의 풍화작용에 대한 설명이다. ( )안에 알맞은 말을 각각 써 넣으시오. (3점)** 〔10 ③〕

〔보기〕

시멘트가 대기중에서 수분을 흡수하여 수화작용으로 (①)가 생기고 공기중 (②)를 흡수하여 (③)를 생기게 하는 작용

① ____________ ② ____________

③ ____________

해설 및 정답

정답 **1**

① 가설운반로
② 가설울타리
③ 가설건물
④ 공사용 동력 및 통신설비
⑤ 공사용수비

정답 **2**

(1) 구대
(2) 기준점

정답 **3**

① 주위에 배수도랑을 두고 누수를 방지한다.
② 바닥은 지반에서 30cm 이상의 높이로 한다.
③ 필요한 출입구 및 채광창이외에 공기유통을 막기 위하여 될 수 있는대로 개구부를 설치하지 아니한다.(환기창 설치금지)
④ 반입, 반출구는 따로 두고 먼저 반입한 것을 먼저 쓴다.

정답 **4**

① $Ca(OH)_2$:수산화석회
② CO_2:이산화탄소
③ $CaCO_3$:탄산석회

관련문제

5 건축공사에서 기준점(Bench Mark)의 설치위치를 설정함에 고려하여야 할 사항을 2가지 쓰시오. (2점)
〔93 ④〕

① ____________________ ② ____________________

6 (1) 기준점(Bench Mark)의 정의 및 설치시 주의사항을 3가지를 쓰시오. (3점)
〔96 ④, 04 ③, 07 ③, 10 ①, 11 ①, 17 ①〕

(2) 기준점(Bench Mark)을 설정할 때 주의사항을 2가지 쓰시오. (2점, 4점)
〔11 ②, 18 ①, 21 ③, 22 ②〕

(가) 정의 : 〔14 ①, 16 ③, 18 ①, 20 ③〕
____

(나) 주의사항 : ① ____________________

② ____________________

③ ____________________

7 가설공사에서 사용되는 수평규준틀 설치 목적을 2가지 쓰시오. (2점) 〔12 ①, 15 ②〕

① ____________________

② ____________________

해설 및 정답

정답 **5**

① 이동의 염려가 없는 곳에 설치한다.

② 바라보기 좋고 공사에 지장이 없는 곳에 2곳이상 설치한다.

정답 **6**

(가) 건축물 시공시 기준위치를 정하는 원점으로 공사중 높이의 기준을 정하고자 설치한다.

(나) ① 이동의 염려가 없는 곳에 설치한다.
② 2개소 이상 설치한다.
③ 지면에서 0.5m~1.0m정도 바라보기 좋고 공사에 지장이 없는 곳에 설치한다.

정답 **7**

① 건물의 각부 위치를 정확하게 표시

② 건물의 높이, 기초너비, 길이 등을 정확하게 결정

핵심 7 비계, 낙하방지 안전시설

1 비계(飛階 : scaffolding)

1. 비계의 종류

① 재료별 분류	통나무 비계, 파이프 비계
② 공법상 분류	쌍줄비계, 외줄비계, 겹비계, 틀비계, 달비계, 선반비계
③ 용도상 분류	외부비계, 내부비계, 수평비계, 우마(말비계)

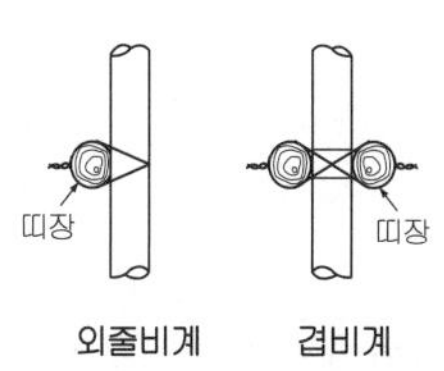

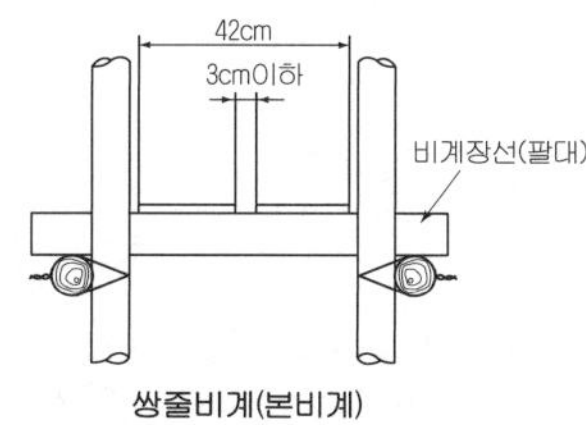

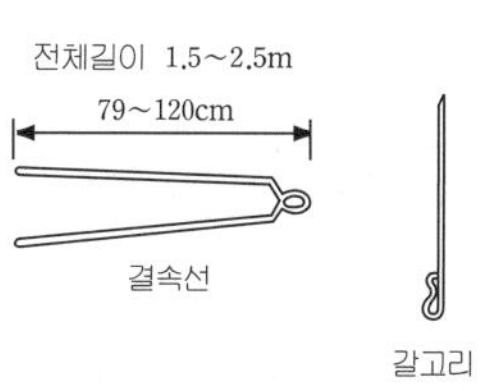

그림. 통나무비계와 결속선

2. 비계의 사용 용도

① 외줄비계	경미한공사에 사용. 한쪽면을 벽체에 걸치고 기둥에 띠장, 장선 발판을 댄다. 외줄겹비계는 발판없이 도장공사 등에 사용
② 쌍줄비계	본비계라고도 하며, 일반비계는 강관비계로 쌍줄비계가 원칙이다. 구조체에서 300mm 이내로 설치
③ 말비계 (우마)	주로 건축물의 천장과 벽면의 실내 내장 마무리 등을 위해 바닥에서 2m 이하 높이로 설치하며, 발판의 폭은 0.4m 이상, 길이는 0.6m 이상으로 한다.
④ 달비계	건물에 고정된 보나 지지대에 와이어로 달아맨비계로 외부수리, 마감, 청소 등에 사용하며 이동걸이식과 System비계도 있다.

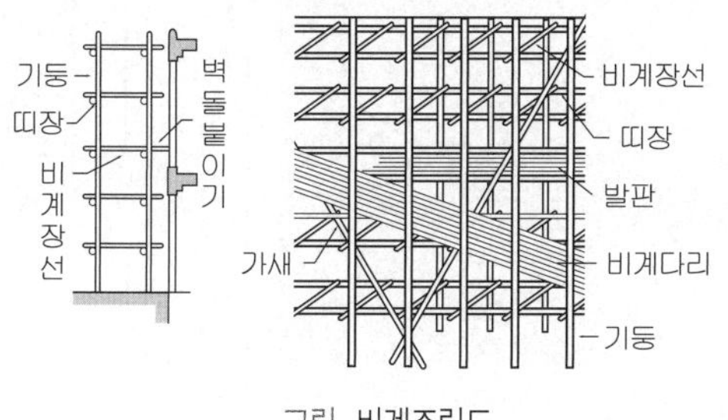

그림. 비계조립도

학습 POINT

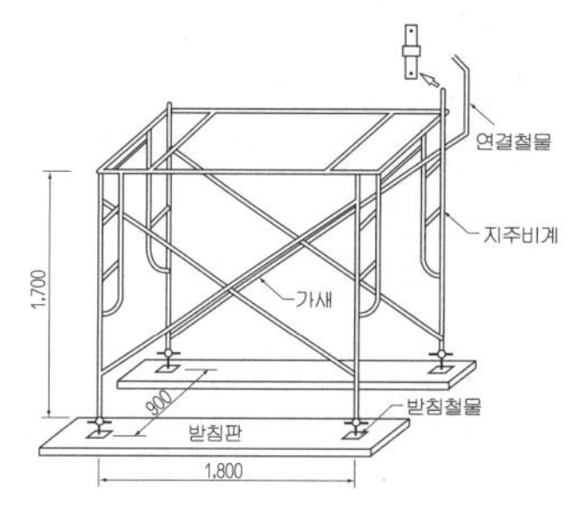

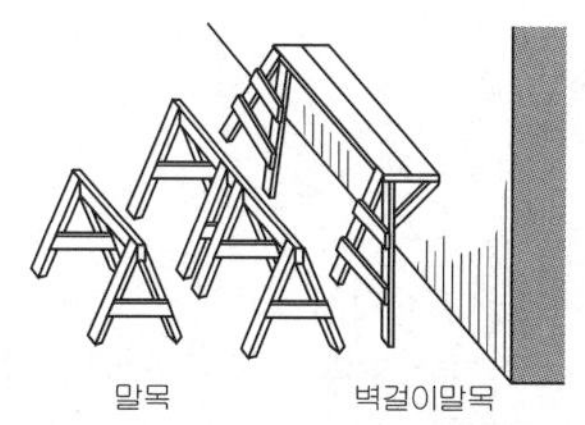

▶ 95-④

• 용어설명, 압밀, 예민비, 달비계

▶ 발코니에서 내민 선반비계(까치발 비계)의 설치된 모습

3. 통나무, 파이프, 틀비계의 비교, 정리

구 분	통나무 비계	강관 파이프 비계	강관틀 비계
비계기둥 간격	1.5~1.8m (최대 2.0m 이내)	• 띠장방향 : 1.5~1.8m 이하 ※산업안전보건기준 : 1.85m 기준 • 장선(보)방향 : 1.5m 이하	높이 20m 초과시, 중량작업시 틀높이 2m 이하 틀간격 1.8m 이내
띠장, 장선간격	1.5m 이하 제1띠장 : 2~3m	1.5m 이하 ※2.0m 이하(산업안전보건기준) 제1띠장 : 2m 이하	최고높이제한 40m 이하
하부 고정	60m 밑둥 묻음 또는 밑둥잡이로 고정	Base Plate 설치 및 밑받침 설치	Base Plate 설치
기둥1본 부담하중	—	7.0KN 이내	2500 kg(24.5kN) (견고지반, Concrete 위)
기둥과 기둥사이 적재하중	—	4.0kN 이내 (기둥간격 1.8m)	4.0kN 이내 (틀 간격 1.8m)
벽체와의 연결	수직 : 5.5m 이하	수직 : 5m 내외	수직 : 6m
	수평 : 7.5m 이하	수평 : 5m 이하	수평 : 8m
결속선 결속재	#8~#10 철선 #16~#18 아연도금 철선(1개소 5m 이상)	Coupler, clamp로 연결	끼움재, 연결재 Pin등으로 고정
가새및 수평재 (가새는 모든 기둥과 긴결)	수평 14m 내외 간격 (45°~60° 방향)	수평 약 10m 내외 간격 (45°~60° 방향)	띠장방향으로 길이 4m이하이고 높이 10m를 초과하는 경우는 높이 10m 이내마다 띠장방향으로 보강틀 설치
통나무 비계 (기타사항)	① 이음 : 겹침이음원칙 1.0m 이상, 2개소 이상 결속. ② 맞댄이음 : 1.8m 이상, 4개소 이상 결속, 못박기 금지.		
강관비계 (기타사항)	① 건물 최고부에서 31m 하부는 2본의 강관을 겹쳐서 사용. ② 비계 밑받침(Base)은 강관비계기둥 3본 이상이 연결되도록 함.		
작업발판	장선에 100~200mm 이하 ① 높이 2m 이상 작업장소는 발판을 설치해야 한다. ③ 폭 0.4m 이상, 재료저장시 폭은 최소 0.6m 이상 최대폭은 1.5m 이내로 한다. ③ 발판은 비계의 장선에 고정하고, 장선에서 100~200mm 이내로 내민다.		

▶ 외부 System 강관 비계 설치장면

▶ 강재 발판이 설치된 System 강관비계

학습 POINT

▶ 89-③ / 93-②, 98-②

- 파이프비계의 기둥간격, 적재하중 /
- 강관틀비계 연결간격, 높이제한

암기하기

① 파이프 비계 기둥간격 보방향 : 1.5m간격
② 기둥간 적재하중 : 400kg
③ 기둥한개 부담하중 : 700kg
④ 강관틀 비계는 수직6m, 수평 8m 내외 간격으로 구조체에 연결하고 최고높이는 40m 이하로 제한한다.

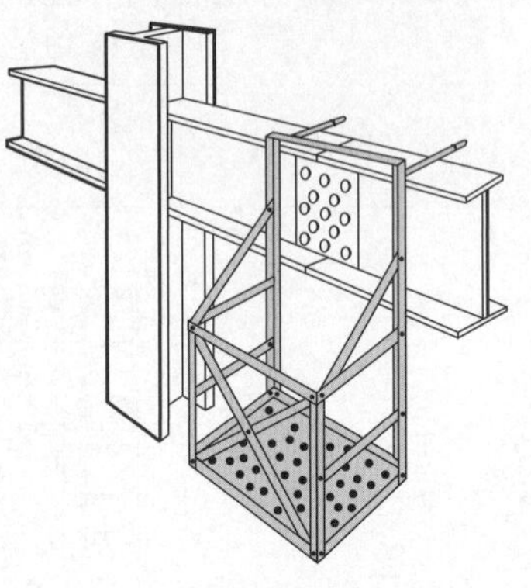

그림. 철골작업대

4. 경사로, 연결철물, 시공순서

경사로 계단	① 경사로 지지기둥은 3m 이내마다 설치하여야 한다. ② 경사로 폭은 0.9m 이상. 경사각은 30° 이하 ③ 발판은 장선에 2곳 이상 고정하고, 이음은 겹치지 않게 맞대어야 하며, 발판널에는 단면 15mm×30mm 정도의 미끄럼막이를 300mm 내외의 간격으로 고정 ④ 계단의 단 너비는 350mm 이상. 높이 7m 이내마다와 계단의 꺽임부분에는 계단참을 설치 ⑤ 높이 1m 이상인 계단의 개방된 측면에는 안전난간을 설치
강관비계 연결철물	① 클램프 : 고정형, 회전형, 단일클램프, 3연클램프 등 ② 이음관 : 강관 조인트(마찰형과 전단형) ③ 기타 : Base Plate 철물(받침 철물), 벽체연결철물 등
통나무비계 시공순서	① 비계기둥 → ② 띠장 → ③ 가새및버팀대 → ④ 장선 → ⑤ 발판 → ⑥ 구조체(벽체)와 연결
강관비계 시공순서	① 소요자재 현장반입 → ② 바닥고르기, 다지기 → ③ Base Plate 설치 → ④ 비계기둥설치 → ⑤ 띠장설치 → ⑥ 장선설치 → ⑦ 발판설치 및 구조체와연결

※ 시스템 동바리의 높이가 4m를 초과할 때에는 높이 4m 이내마다 수평 연결재를 두 직각 방향으로 설치하고, 이 때 연결부분에 변위가 발생하지 않도록 수평 연결재의 끝부분은 단단한 구조체에 연결되어야 한다.

▶ 비계다리(경사로) 설치모습

▶ 비계다리 (계단식)가 설치된 System강관 비계 설치모습

▶ 고정형 크램프

▶ 자유형(회전형) 크램프

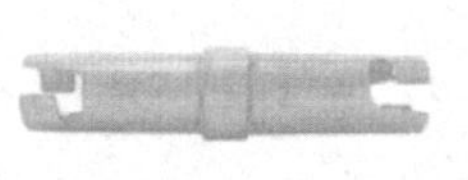

▶ 일자형 연결재

학습 POINT

▶ 88-②, 91-① / 00-③, 07-①

- 비계다리규격 /
- 강관비계 연결철물종류

▶ 85-③ / 86-③

- 통나무비계 시공순서 /
- 강관비계 시공순서

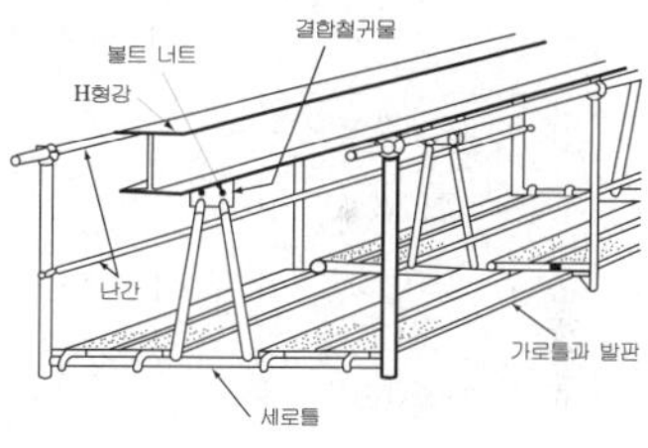

▶ 철골보에 달아맨 System 달비계 모양

2 낙하방지 안전시설 (표준시방서 규정)

(1) 추락방호망	① 구조체 외부, 철골구조물 하부 등과 같이 작업 중 추락의 위험이 있는 곳에는 안전방망을 설치 지점에서 작업 위치까지의 높이 10m를 초과하지 말아야 한다. ② 추락방호망과 구조체 사이의 간격은 30cm 이하, 이음은 0.75m 이상의 겹침으로 틈없이 한다.
(2) 낙하물 방지망 (수직 • 수평)	① 설치높이 : 10m이내, 3개층 마다 설치 ② 내민길이 : 구조체나 비계 외측에서 2m 이상, 겹친길이 : 15cm 이상, 각도 : 수평면에서 20°~30° ③ 버팀대 : 가로 1m이내, 세로 1.8m이내 간격 ④ 외부 비계와 벽체사이는 틈이 없도록 안전망 설치 불가능한 경우는 벽과의 간격은 25cm 이하
(3) 방호선반	① 주출입구 및 리프트 출입구 상부등에 설치 ② 1.5cm 이상의 판재나 동등이상 자재사용(하부, 양옆 안전망) ③ 방호선반의 설치위치는 지상으로부터 10m 이내 ④ 방호선반 내민길이는 구조체 외측에서 2m 이상. 방호선반 끝단에 0.6m 이상의 방호벽 설치
(4) 접근방지책	출입통제 필요장소(1.8M간격 45cm, 90cm 높이로 강관등 설치)
(5) 안전난간	① 개구부등 추락위험 있는곳에 난간설치 ② 상부난간대는 바닥면에서 0.9m 이상 높이를 유지, 상부난간대를 1.2m 이하로 설치하는 경우는 중간에 중간 난간대 설치. 1.2m 초과시 0.6m 이하로 난간대 설치 ※ 발끝막이판은 바닥에서 10cm 이상 높이로 설치
(6) 수평개구부 보호덮개	12mm 두께이상의 합판과 45mm×45mm 이상의 각재 사용
(7) 안전걸이대 및 로프설치	높이 1.2m 이상, 수직방향 7m이내의 간격으로 강관등을 사용하여 안전걸이대를 설치하고 인장강도 14.7kN 이상의 안전걸이대용 로프를 설치해야 한다.

※ 낙하방지 안전시설은 방호시트, 방호철망, 철판, 방호망 등 규정에 적합한 재료를 사용한다.

학습 POINT

▶ 00-② / 01-① / 10-①, 13-③

- 낙하물 위험 방지시설 3가지 /
- 추락, 낙하, 비래방지시설 3가지
- 방호선반 설명

▶ 주출입구의 방호선반(철판)의 조립 모습

▶ 수직 · 수평 낙하물 방지망 설치모습

▶ 수평 낙하물 방지망과 개구부에 안전난간이 설치된 모습

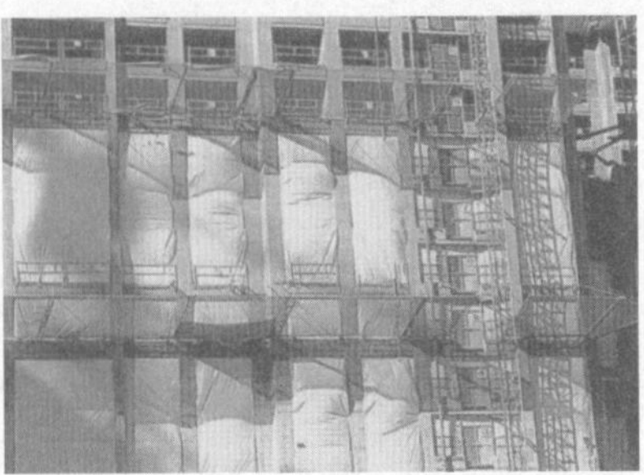

▶ 3층마다 설치된 낙하물 방지망과 먼지, 잔재 비산 방지 sheet 처리된 모습

용어정의 • 해설

01 구대 (構臺; over bridge)

대지가 협소할 경우 적법절차를 거쳐 인근 보도상부에 설치한 현장사무소등 육교식 구조물을 말한다.

> 92-④
> • 구대용어설명

02 기준점 (bench mark)

공사중 건물의 높이 및 위치의 기준이 되는 표식

※ 건물, 말뚝 등의 기준위치나 높이 측정의 원점(原点)

> 92-④, 93-④, 96-④
> • 기준점 용어설명

03 달비계 (Hanging or Suspended Scaffolding)

건물에 고정된 돌출보등에 와이어로 달아맨 비계로 외부마감, 수리 청소공사에 쓰인다.

> 95-④
> • 달비계 설명

04 커플링 (Coupling)

강관비계의 연결철물을 말한다.

> 97-④
> • 커플링 용어설명

05 대운반

원거리운반 또는 공사현장까지의 운반을 말한다.

> 92-①
> • 대운반, 소운반 용어해설

06 소운반

공사현장 내의 20m이내 거리의 운반을 말한다. (경사로 운반시 직고 1m를 수평거리 6m비율로 환산한다.)

07 까치발(선반)비계

발코니벽이나 외부벽체에 2층바닥높이부터 강재를 받침대로 이용하여 설치한 내부 외부 비계를 말한다.

08 투하설비

높이가 3m 이상인 장소로부터 물체를 투하하는 때에는 물체의 비산 등을 방지하기 위하여 투하설비 또는 슈트를 설치하여야 한다.

관련문제

1 **건축시공 순서에 관한 사항에서 가설공사 중 단관파이프로 외부 쌍줄비계를 설치하는 일반적인 순서를 보기에서 골라 번호를 쓰시오. (5점)** 〔86 ③〕

〔보기〕

(1) BASE PLATE설치	(2) 비계기둥 설치
(3) 장선설치	(4) 바닥면의 고르기 및 다지기
(5) 소요 자재량의 현장반입	(6) 띠장설치

2 **파이프 비계에 대해서 쓰시오. (3점)** 〔89 ③〕

기둥간격은 보방향으로 (①)m, 도리방향으로 (②)-(③)m로 설치하고, 기둥과 기둥사이의 적재하중은 (④)kN, 기둥한개에 부담되는 적재하중은 (⑤)kN 이하로 한다.

① ② ③

④ ⑤ ⑥

3 **강관틀비계의 설치에 관한 다음 설명 중 ( )안에 적합한 숫자를 적으시오. (3점)** 〔93 ②, 98 ②〕

세로틀은 수직방향((가))m, 수평방향((나))m 내외의 간격으로 건축물의 구조체에 견고하게 긴결해야 하며 높이는 원칙적으로 ((다))m를 초과할 수 없다.

(가) (나) (다)

4 **다음 괄호안에 적당한 규격을 숫자로 써 넣으시오. (3점)** 〔88 ②〕

"가설공사 중 비계다리는 폭을 ((1))cm 이상으로 하고 참의 높이는 ((2))m 이하로 하며, 미끄럼막이는 ((3))cm 이하의 간격으로 각재를 철선으로 묶는다."

(1) (2) (3)

해설 및 정답

정답 1

(5)-(4)-(1)-(2)-(6)-(3)

※ 통나무비계나 단관비계의 시공순서 중 기둥→띠장→가새 및 버팀대→장선→발판의 순서는 동일하다.

정답 2

① 1.5 ② 1.5 ③ 1.8
④ 4 ⑤ 7

정답 3

(가) 6 (나) 8 (다) 40

정답 4

(1) 90 (2) 7 (3) 30

관련문제

5 **비계다리에 대한 설명이다. 괄호안에 적당한 숫자를 쓰시오. (5점)** [91 ①]

비계다리의 폭은 최소 ((1))cm이상, 비계다리의 경사는 최대 ((2))이하, 보통 ((3))로 하고, ((4))m이내마다 되돌음참을 설치한다.

(1) ____________ (2) ____________ (3) ____________ (4) ____________

6 **강관비계를 수직 수평 경사방향으로 연결 또는 이음 고정시킬 때 사용하는 부속철물의 명칭을 3가지 쓰시오. (3점)** [00 ③, 07 ①]

① ____________ ② ____________

③ ____________

7 **강관파이프 비계에 대한 다음 물음에 답하시오. (3점)** [15 ①]

(1) 수직, 수평, 경사방향으로 연결 또는 이음 고정시킬 때 사용하는 클램프의 종류 2가지 : ____________

(2) 지반이 미끄러지지 않도록 지지하거나 잡아주는 비계기둥의 맨 아래에 설치하는 철물 : ____________

8 **(가) 직접가설공사 항목 중 낙하물에 대한 위험방지물이나 방지시설을 3가지 쓰시오. (3점)** [00 ②]

(나) 가설 공사시 추락, 낙하, 비래 방지를 위한 안전 설비의 종류를 3가지 쓰시오. (3점) [01 ①]

① ____________ ② ____________

③ ____________

9 **다음 용어를 설명하시오. (4점)** [92 ①]

(1) 대운반 : ____________

(2) 소운반 : ____________

해설 및 정답

정답 **5**

(1) 90 (2) 30°

(3) 17° (4) 7

▶ 비계다리(경사로) 설치 모습

정답 **6**

① 이음관(강관조인트)

② 고정형 클램프

③ 회전형 클램프

④ 벽체 연결철물

정답 **7**

(1) 고정형 클램프, 회전형 클램프

(2) Base Plate 철물(받침철물)

정답 **8** (※ 표준시방서)

① 추락방호망

② 낙하물방지망

③ 방호선반

④ 접근방지책

⑤ 안전난간

⑥ 안전대걸이 및 로프

정답 **9**

(1) 대운반 : 원거리 운반 또는 공사장까지의 운반

(2) 소운반 : 20m이내로 공사장내의 운반을 말한다. (경사로 운반시 직고 1m를 수평거리 6m로 환산한다.)

관련문제

해설 및 정답

10 다음 용어를 설명하시오. (4점)

〔10 ①, 13 ③, 21 ①〕

(1) 기준점 : 〔14 ①, 16 ③〕 ______________________

(2) 방호선반 : ______________________

정답 10

(1) 건축물 시공시 기준위치를 정하는 원점으로 공사중 높이나 위치의 기준을 정하고자 설치하는 가설물을 말한다.

(2) 주출입구 및 리프트 출입구 상부 등에 설치한 낙하방지 안전시설

11 다음 설명을 읽고 ( ) 안에 들어갈 적당한 부재 명칭을 쓰시오. (4점)

〔08 ①〕

(가) 단관비계에서 (①)은 도리방향으로 1.5~1.8m, 보방향으로 1.5m 정도 벌려서 세우고 최고높이가 31m를 넘으면 두개를 합쳐서 세워야 한다. 통나무비계에서 (②)은 최하부에서는 높이 3m 이하로 설치하고 그 위는 1.5m 내외로 설치하는 수평부재를 말한다. ①과 ②의 이음은 모두 겹친이음을 하는 것이 원칙이다.

(나) 단관비계나 통나무비계에서 (③)의 간격은 1.5m 이내로 배치하고 ①과 ②에 결속한다. 강관틀비계에서 (④)는 도리방향으로 세로틀에 설치하며, 보통은 수평방향으로 10m 내외 간격으로 설치되며 ①에 모두 결속되어야 한다.

정답 11

① 기둥(비계기둥)
② 띠장(비계띠장)
③ 장선(비계장선)
④ 가새(비계가새)

12 가설공사 중 Jack Support의 정의를 설명하고, 설치위치를 2군데 쓰시오. (4점)

〔15 ③〕

(1) 정의 : ______________________

(2) 설치위치 : ______________________

정답 12

(1) 공사 중 설계기준을 초과하는 과다하중 또는 장비 사용시 진동, 충격이 예상되는 부위에 임시로 보강하는 하부에 Jack을 장착한 대형 가설 지주(Support)

(2) ① 보의 중앙부
② 장비 진입시 바닥판 하부

※ 기타 : 지하주차장의 상부, 공사차량 통로 등

출제예상문제

3 CHAPTER 가설공사

1 **가설건물에 대한 설명 중 ( )안에 적당한 말을 써 넣으시오.**

1. 가설울타리의 높이는 2층 건물 이상일 경우 최소((가))m이상으로 한다. 다만, 50m 이내에 주거·상가건물이 밀집된 지역에서는 ((나))m 이상으로 설치하여야 한다.
2. 시멘트창고는 설치시 지면에서 ((다))cm 이상 띄우고 저장은 ((라))포이하로 쌓아 저장한다. 동력발전소 필요면적을 m^2로 구할 때 식은((마))이다.

(가)______ (나)______ (다)______ (라)______

(마)______

정답 1
(가) 1.8 (나) 3 (다) 30
(라) 13 (마) $3.3\sqrt{w}$(kwh)

2 **비계에 대한 다음 설명 중 ( )안에 적당한 말이나 숫자를 써 넣으시오.**

1. 통나무 비계기둥은 ((가))이음을 원칙으로 하고 맞댄이음시에는 이음목을 ((나))m 정도 양쪽에 대고 4개소 이상 결속한다. 또한 비계기둥은 땅속 ((다))cm 정도 밑둥하거나 밑둥잡이로 고정시킨다.
2. 강관비계 이음시 제1띠장은 ((라))m 이하에 설치하여 벽체와 ((마))m간격으로 연결하여 건물최상부에서 ((바))m 하부는 2본의 강관으로 기둥을 연결한다. 또한 강관틀 비계의 기둥사이 하중한도는 ((사))kN 이하로 본다.

정답 2
(가) 겹친 (나) 1.8 (다) 60
(라) 2 (마) 5 (바) 31
(사) 4

3 **시스템(System) 비계에 설치하는 일체형 작업 발판의 장점을 3가지만 적으시오. (3점)**

〔20 ②〕

1. ______ 2. ______

3. ______

정답 3
1. 부재(수직, 수평, 계단 등)의 공장제작으로 균일품질 확보
2. 일체화 조립으로 안정성 증가
3. 넓은 작업공간 확보로 작업능률 향상

4 **가설공사는 한정적인 목적을 갖고 시작되며 공사의 목적이 총족되면 해체하여야 되는 특성이 있다. 비계공사 계획시 고려할 사항을 3가지 쓰되 각 항목을 한 단어로 간략히 적으시오. (예 : 가변성)**

① ______ ② ______

③ ______

정답 4
① 안전성
② 경제성
③ 반복성 (전용성)
④ 이동성

5 비계를 포함한 가설설비의 새로운 발전방향으로 고려할 사항 4가지를 적으시오.

(1) ____________ (2) ____________

(3) ____________ (4) ____________

6 다음 (　　)안을 채우시오.

1. 내부비계는 연면적의 (①)% 정도로 계산한다. 또한 수평비계는 2가지 이상의 복합공사에 사용되며, 말비계는 층고(②)m 이하의 내부공사에 사용함이 원칙이다.
2. 외부비계용 까치발(선반비계) 설치시 15층이하 건물은 (③)개소 이상(④)층 이하 건물은 3개소(2층, 10층, 18층)에 설치하며, 설치간격은 수평방향 (⑤)m ~(⑥)m 이내로 한다.
3. 수평방호선반은 주출입구 상부에 설치하고, 낙하물 방지망은 (⑦)m 이내마다 설치하며 지면과 (⑧)° 각도를 이루게 하며 비계발판 외측에서 (⑨)m 이상 내밀어 설치한다.

① ________ ② ________ ③ ________ ④ ________ ⑤ ________

⑥ ________ ⑦ ________ ⑧ ________ ⑨ ________

7 다음 용어에 대해 설명하시오.

가. 줄띄우기 ____________

나. 수평규준틀 ____________

다. 커플링(Coupling) ____________

8 시공계획도란 시공계획을 도식적으로 표현한 것으로 안전, 품질, 경제성을 고려한 계획이 되어야 하며, 공법의 적정성 여부를 검토하고, 인접도로, 지반의 고저차, 지장물 등 현장 주변상황을 고려하여 작성해야 한다. 일반적으로 가설공사에서 작성되는 시공계획도의 종류를 4가지 적으시오. (4점)

(1) ____________ (2) ____________

(3) ____________ (4) ____________

해설 및 정답

정답 5

① 가설재의 강재화 혹은 경량금속화
② 규격화된 공장생산으로 조립, 해체의 간편화를 도모.
③ 취급, 운반의 편리를 위한 부재체적의 축소
④ 시설의 자동화, 시공의 기계화 도모
⑤ 부재의 Unit화, 이동설비화 고려

정답 6

1. ① 90 ② 3.6
2. ③ 2 ④ 25 ⑤ 1.5 ⑥ 1.8
3. ⑦ 10 ⑧ 30 ⑨ 2

정답 7

가. 건물의 위치를 결정하기 위해 말뚝을 박고 줄을 띄워보는 것.
나. 건물의 각부 위치 및 높이 기초의 나비를 결정하기 위해 설치하는 규준틀로 이동이 없게 견고히 설치한다.
다. 강관 pipe비계의 연결 철물을 말한다.

정답 8

(1) 종합가설계획도
(2) 외부비계계획도
(3) 양중설비계획도
(4) 전기, 급배수설비계획도
(5) 현장주변시설현황도

출제예상문제

해설 및 정답

9 벽돌이나 블록 등 조적공사를 수행하기 위한 규준틀 설치와 먹매김 시 유의할 사항을 2가지 쓰시오.

① ____________________ ② ____________________

10 가설공사에서 사용되는 비계의 구조적, 재료적 성능을 확인할 수 있는 서류를 2가지 쓰시오.

① ____________________ ② ____________________

11 공사현장의 공사장 진 · 출입로, 토사야적장, 레디믹스트 콘크리트 제조시설, 골재파쇄시설, 가설도로 건설, 토사운반, 구조물 철거 등 비산먼지 방지시설을 설치하여야 한다. 건설현장에서 설치되는 비산먼지 방지시설을 4가지 쓰시오. (4점) 〔21 ③〕

(1) ____________________ (2) ____________________

(3) ____________________ (4) ____________________

12 비산먼지를 방지하기 위해서 규정된 다음 항목의 ( )안에 적합한 수치를 단위와 함께 쓰시오.

(1) 토사를 수송할 때에는 적재함에 반드시 덮개를 설치하여 운행하여야 한다. 수송함에 수송물 적재 시에는 적재함 상단으로부터 수평 (①) 이하까지만 적재함 측면에 닿도록 적재하여야 한다.

(2) 도로가 비포장 사설 도로인 경우 비포장 사설 도로로부터 반경 500m 이내에 10가구 이상의 주거시설이 있을 때에는 해당 마을로부터 반경 (②) 이내는 포장하여야 하며, 공사장 내 차량통행도로는 가능한 한 다른 공사에 우선하여 포장하여야 한다.

(3) 통행차량은 먼지가 흩날리지 않도록 공사장 안에서 시속 (③)이하로 운행하여야 한다.

정답 **9**
① 수직 · 수평의 정확도
② 먹줄의 긴장도(tight) 유지
③ 표식성 확보

정답 **10**
① 재사용가설기자재 자율등록증
② 성능시험성적서
③ 가설기자재 검수보고서

정답 **11**
(1) 방진덮개
(2) 방진망
(3) 방진막
(4) 방진벽

정답 **12**
① 5cm
② 1km
③ 20km

제4장

토 공 사

핵심 8 흙파기 공법의 분류, 흙막이 공법

1 흙파기

1. 터파기, 절토(Cutting)시 주의사항

① 경사파기 : 흙입자간의 응집력, 부착력을 무시한채 즉, 마찰력만으로 중력에 대하여 정지하는 흙의 사면각도가 휴식각이며 터파기경사각은 휴식각의 2배이다.
② 성토(Heaping up) : 배수처리에 주의하고 1 : 4 이상의 급경사지는 단지어 파기하여 원지반과 밀착시킨다.
③ 되메우기(Back filling)
　㉮ 모래로 되메우기 할 경우는 물다짐을 실시한다.
　㉯ 일반흙으로 되메우기할 경우 30cm 마다 다짐밀도 95% 이상으로 다진다.

2. 터파기시 흙의 부피 증가율

종　류	부피증가율(L)	C	평균부피 증가율	
경　암	70~90%	1.3~1.5	① 암석	60%이상
연　암	30~60%	1~1.3		
자갈섞인점토	35%	0.95	② 자갈+점토	35%
점토+모래+자갈	30%	0.9	③ 보통흙	30%
점토	20~45%	0.9	④ 점토	25%
모래,자갈	15%	0.9	⑤ 모래 또는 자갈	15%

2 흙파기 및 흙막이 공법의 분류

1. 흙파기 공법의 분류

① 오픈커트(Open cut)공법
- 경사면파기 : 경사면(비탈지운) Open cut
- 흙막이 공법 : 자립식 흙막이, 버팀대식 흙막이
- 기타 : 어스앙카공법(타이백공법)

② 아일랜드 컷(Island Cut)공법
③ 트렌치 컷(Trench Cut)공법

학습 POINT

▶ 97-② / 94-①, 98-②, 01-①
12-③

- 휴식각을 기술 /
- 휴식각 용어설명

암기하기

■ 흙의 휴식각이란 응집력, 부착력을 무시한채 마찰력 만으로 중력에 대해 정지되는 흙의 사면각도 이다.

▶ 93-③, 98-②, 99-⑤

- 굴착토량의 증가량 순서

보충설명 건축공사 중 토공사의 종류

① 절토(切土 : Cutting) : 터깍기
② 성토(盛土 : Heaping up) : 터돋우기
③ 정지(整地 : Grading) : 터고르기
④ 굴토(掘土 : Excavation) : 기초파기
⑤ 매토(埋土 : Back filling) : 되매우기
⑥ 달고(撻高 : Tamping) : 다짐
⑦ 기타 : 잔토처리, 흙막이, 석축, 배수로 공사등

④ 구체흙막이지보공법(케이슨(Caisson)工法) ─ 심초공법(깊은우물 기초) / 용기잠함공법 / 개방잠함공법

학습 POINT

▶ 02-②, 06-③, 13-③

• 구체흙막이 지보공법 종류

2. 흙막이 공법의 분류

흙막이 공법은 사용재료에 따라, 지지방식에 따라, 구축형상 따라 분류할 수 있으나 일반적인 분류방식은 다음과 같다.

① 줄기초 흙막이	줄기초 파기시 공벽붕괴방지용
② 버팀대식 흙막이	빗버팀대식, 수평버팀대식 등
③ 어미말뚝식 흙막이	어미말뚝과 나무나 철재널 이용
④ 강재널 말뚝공법	철재 sheet pile을 이용한 흙막이
⑤ 소일시멘트 주열벽	오우거로 천공후 소일시멘트와 H형강 이용
⑥ 기성말뚝 주열벽	기성콘크리트와 강관 pile을 이용 ※ NC벽체 pile과 ONS주열벽 등
⑦ 지중연속벽	지중에 지하 연속벽체를 구축하는 공법
⑧ 어스앵커 흙막이	버팀대 대신 어스앵커를 사용하여 흙막이 판을 지지

⑨ 지하연속벽공법 : 표준시방서 분류
㉮ Slurry wall 공법 = 격막벽 공법
㉯ Icos 공법
㉰ 프리팩트콘크리트 말뚝 : CIP말뚝, PIP말뚝, MIP말뚝
㉱ Soil Cement Wall(S.C.W) 공법

▶ 03-② / 12-①, 14-②, 20-①

• 흙막이 형식의 종류 4가지

• SPS:(Strut as permanent System) 공법 특징 4가지

① 지하구조물과 지상작업 병행가능으로 공기가 단축된다.
② 지하구조물과 가설물의 간섭 배제로 시공성이 향상됨.
③ 가설재의 폐기물 발생이 저감된다.
④ 채광, 환기 등 별도시설이 불필요

※ 기타
가설지지체의 설치 및 해체 공정이 없어 작업능률 향상

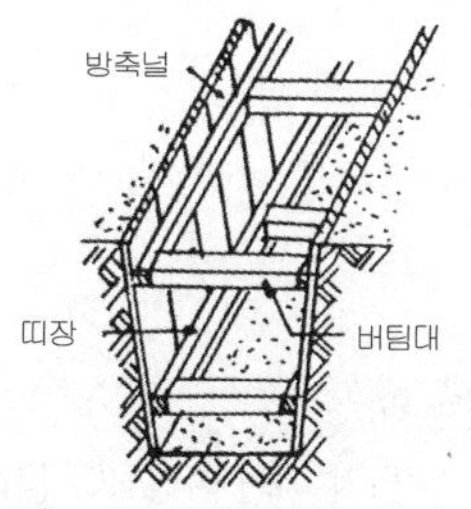

그림. 줄기초 흙막이

▶ 철재sheet pile과 어스앵커 공법 수평버팀대공법의 병행시공 장면

▶ 어미말뚝식 흙막이 널 시공 장면

▶ 제자리콘크리트 파일을 이용한 주열식 흙막이

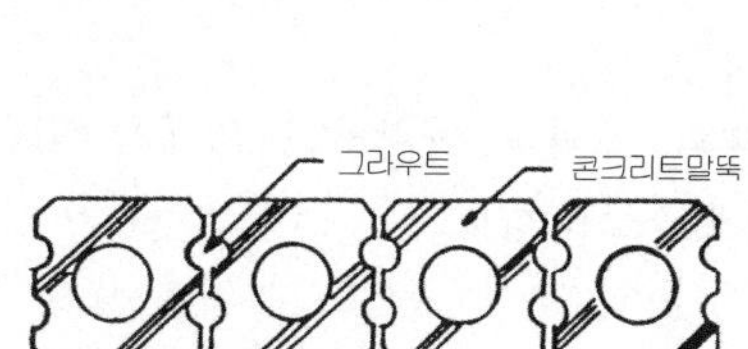

그림. NC벽체파일

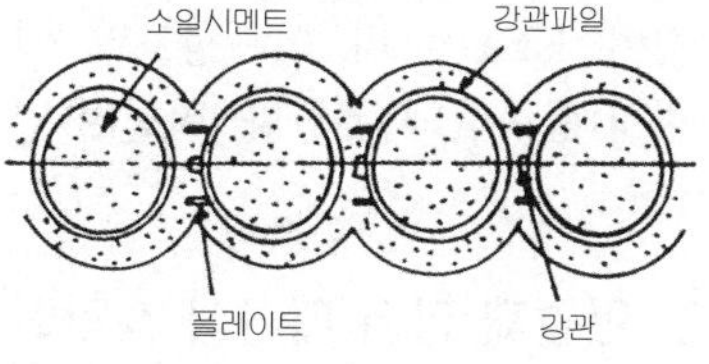

그림. ONS 주열벽

3. 흙막이에 작용하는 토압

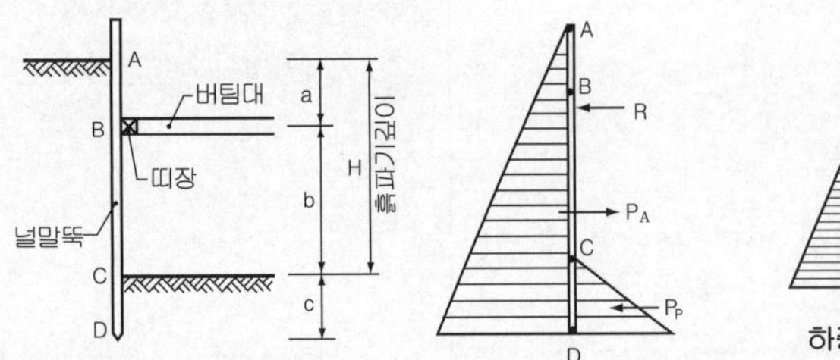

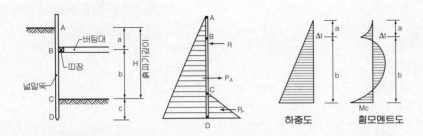

그림. 흙막이의 응력도

① 흙막이 설계시 널말뚝, 배면의 토압분포는 흙을 유체로 생각하여 토압이 기초파기에 비례하여 증대하는 것으로 하고 측압계수는 토질과 지하수위에 따라 변한다.

② 수평버팀대식 흙막이의 응력 :
널말뚝 AC에 작용하는 주동토압 P_A, 밑둥넣기 CD에 작용하는 수동토압을 P_P, 버팀대에 작용하는 토압에 대한 반력을 R이라 하면 $R+P_P \geq P_A$가 되도록 널말뚝을 산정한다. 이론상으로 a : b = 2 : 1일 때 Mc(최대Moment)가 최소로 되어 버팀대는 흙파기 바닥면에서 1/3 위치에 설치하는 것이 가장 효과적이나 실제로 버팀대는 작업상 지장이 없는 곳에 설치한다. 간단한 흙막이인 경우 a : b : c = 1 : 2 : 1로 하고 AC가 10m이상이면 CD는 2m이상 필요하다.

※ 주동토압(Active Earth Pressure)
옹벽 또는 흙막이벽체가 뒷채움 쪽에서 앞면에 작용할 때 가해지는 토압으로 토압의 최소값을 취함. 연직응력이 최대(면을 따라 흙이 가라 앉는다.)

※ 수동토압(Passive Earth Pressure)
옹벽 또는 흙막이벽체가 뒷채움 쪽으로 후퇴할 때 가해지는 토압으로 토압의 최대값을 취함. 수평응력이 최대(흙이 면을 따라 부풀어 오른다.)

3 간단한 흙막이

1. 줄기초 흙막이

깊이 1.5m, 나비 1m 정도일 때 옆벽의 붕괴를 방지하기 위해서 널판, 띠장, 버팀대 등을 사용한다. 버팀대 간격은 1.5~2m 정도

2. 연결재 당겨 매기식 흙막이

지반이 연약하여 버팀대로 지지하기 곤란한 넓은 대지에 사용한다.

학습 POINT

▶ 00-②, 09-①, 16-①, 22-①

• 버팀대식 흙막이에 작용되는 응력

P_A : 주동토압
P_P : 수동토압
R : 버팀대의 반력

▶ 97-④

• 당겨 매기식 흙막이 공법 시공순서

암기하기

■ 연결재 당겨매기식 흙막이 순서
① 어미말뚝 시공
② 널말뚝 시공
③ 말뚝상부 ㄱ자 띠장설치
④ 로프 당겨매기
⑤ 흙파기

3. 버팀대식 흙막이

① 빗 버팀대식 : 줄파기와 규준띠장을 대고 널말뚝을 박고, 중앙부, 주변부의 흙을 판다.

② 수평버팀대식 : 빗 버팀대와 같이 중앙부의 흙을 파내고 중간 지주말뚝을 박는다. 띠장, 버팀대를 견고히 댄 다음 휴식각에 따라 남겨둔 흙을 파낸다.

∗버팀대의 위치 : $\frac{H}{3}$, 띠장의 이음위치 : $\frac{l}{4}$

> **학습 POINT**
>
> ▶ 84-①, 85-② / 95-③
>
> • 빗 버팀대식 공법 시공순서 /
>
> • 수평버팀대식 시공순서

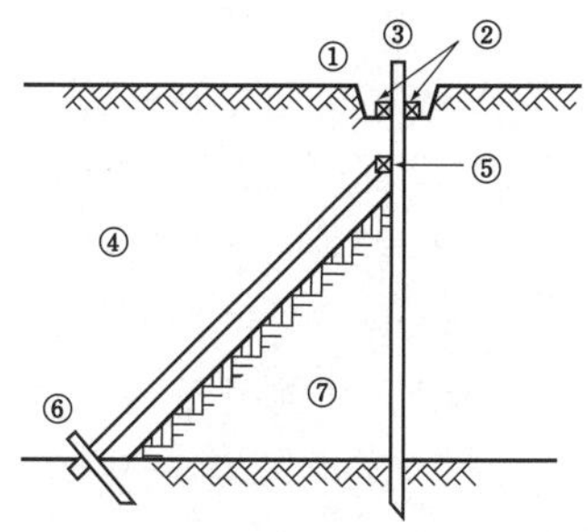

① 줄파기 ② 규준대대기 ③ 널말뚝박기
④ 중앙부 흙파기 ⑤ 띠장대기
⑥ 버팀말뚝및 버팀대대기 ⑦ 주변부 흙파기

그림. 빗버팀대식 공법

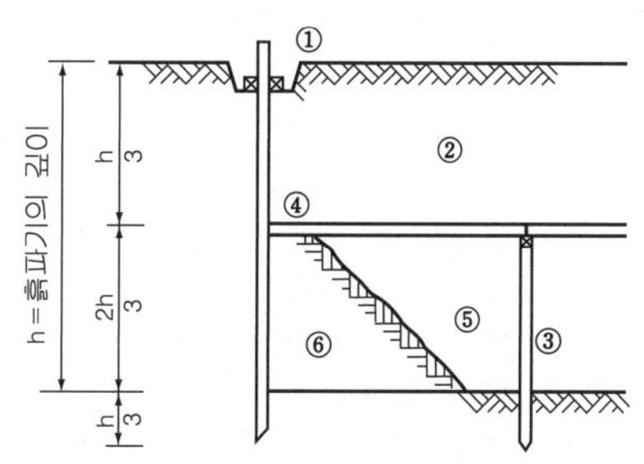

① 줄파기, 규준대대기, 널말뚝박기 ② 흙파기
③ 받침기둥박기 ④ 띠장, 버팀대대기
⑤ 중앙부 흙파기 ⑥ 주변부 흙파기

그림. 수평버팀대식 흙막이

4 널말뚝에 의한 흙막이 공법

목재널말뚝, 철재널말뚝, 철근콘크리트 기성재 널말뚝 등이 있다.

1. 목재 널말뚝(어미 말뚝식 : Guide Pile)

① 재료	낙엽송, 소나무 등 생나무 사용
② 사용깊이	높이 4m까지 사용, 4m이상 : 철재 널말뚝 사용
③ 두께	t ≥ l / 60 또는 5cm 이상, 나비 : b ≤ 3t 또는 25cm 이하

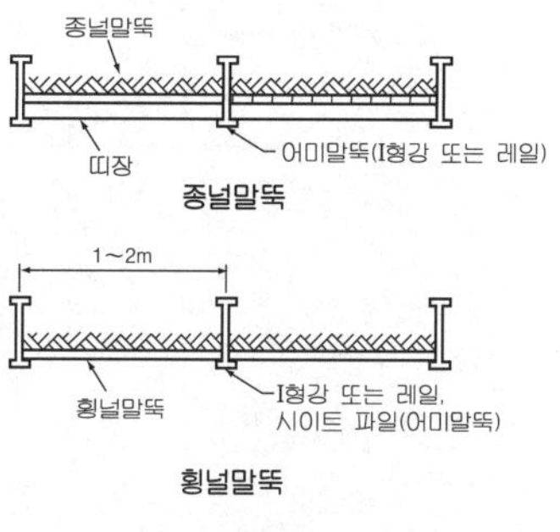

그림. 목재 널말뚝

> ▶ 99-①, 99-②, 01-①
>
> • 철재널말뚝의 종류 명칭

2. 철재 널말뚝(Steel Sheet Pile)

① 지하수가 많고 수압이 커 차수막이 필요한 경우

② 기초 파기가 깊어서 토압이 많이 걸려 흙막이 강성이 필요한 경우

③ 경질지층으로 타입시 재료의 강성이 요구되는 경우

※ 기초가 4m 이상 깊을 때 사용하며, 라르센식이 강성이 크며, 랜섬식을 가장 많이 사용한다.

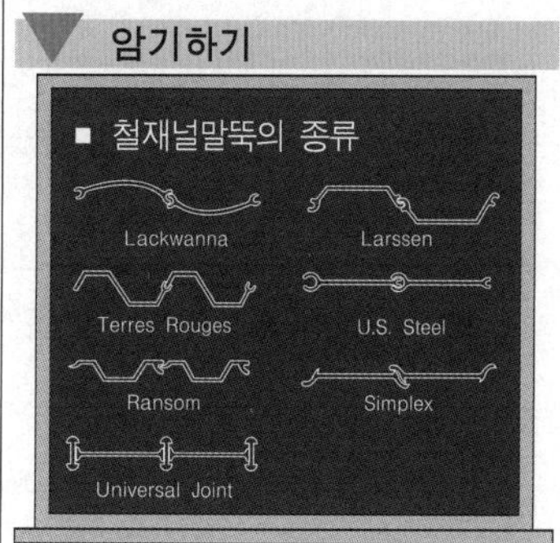

▶ Steel Sheet Pile 타입장면

▶ Steel Sheet Pile 설치된 장면 상세

5 널말뚝의 산정

널말뚝을 산정할 때 고려할 사항은 토압과 Heaving, Boiling 파괴 등을 고려해야 한다.

(1) 히이빙 파괴 (Heaving Failure)	흙막이벽 좌측과 우측의 토압차로써 흙막이 일부의 흙이 재하하중 등의 영향으로 기초파기하는 공사장 안으로 흙막이 벽 밑을 돌아서 미끄러져 올라오는 현상
(2) 보일링, 분사 현상 (Boiling of Sand, Quick Sand)	모래질 지반에서 흙막이벽을 설치하고 기초파기 할 때의 흙막이벽 뒷면수위가 높아서 지하수가 흙막이벽을 돌아서 지하수가 모래와 같이 솟아오르는 현상
(3) Piping 현상	흙막이벽의 부실공사로서 흙막이벽의 뚫린 구멍 또는 이음새를 통하여 물이 공사장 내부바닥으로 스며드는 현상 지반내에 물의 통로가 생기면서 흙이 세굴되어가는 과정을 파이핑이라고 하며, 흙막이 벽의 부실공사로 뚫린 구멍이 원인이 되고 때론 Boiling 현상으로도 나타나며 흙이 세굴되어 지지력이 없어진다.
(4) Heaving 현상과 Quick Sand 현상의 방지법	① 강성이 높은 흙막이 벽을 양질의 지반내에 깊숙히 박는다.(밑넣기를 깊게 한다.) ② 지반개량 공법으로 보강 ③ 토질 치환 ④ 지반내 말뚝 박기 ⑤ 흙파기시 Island 공법 채택 ⑥ 흙막이 재시공

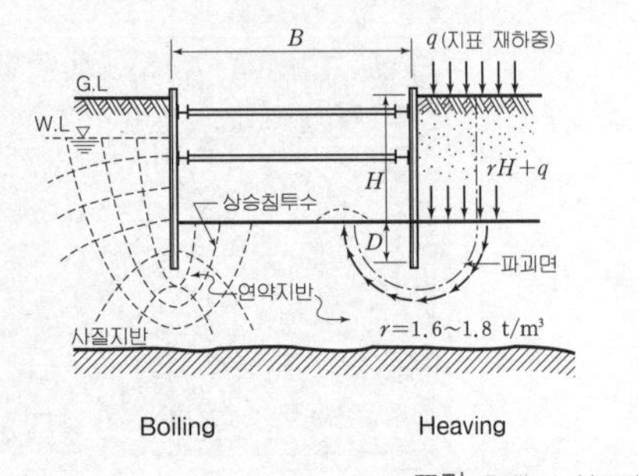

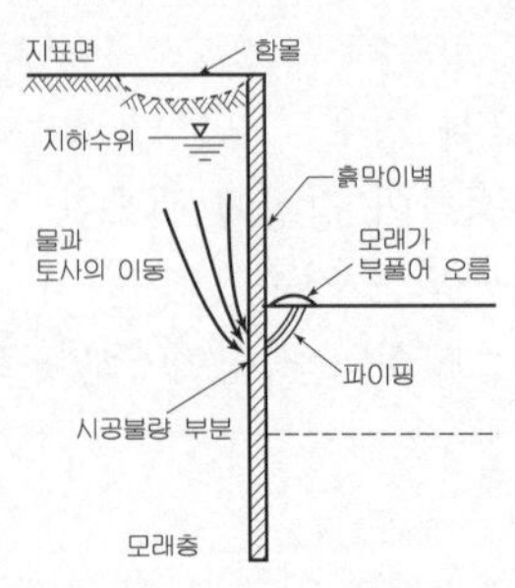

그림. Boiling, Heaving, 파이핑 현상

학습 POINT

89-③, 94-①, 98-③, 00-②, 10-③, 13-③, 19-③, 21-③ / 93-①, 05-①, 08-② / 01-②, 09-②, 12-①, 12-③, 13-②, 20-③ / 98-②, 12-③, 19-② / 17-①

- 히이빙 용어설명 /
- Boiling, Heaving, Piping 용어설명 /
- 보일링, 히이빙 용어설명 /
- 보일링 파괴 대책 2가지 /
- 보일링, 히이빙 방지대책 /
- 터파기시 침하원인
- 히이빙 파괴대책 3가지

암기하기

- 흙막이벽 좌측과 우측의 토압차로써 흙막이 뒷부분의 흙이 기초파기 하는 공사장 안으로 흙막이벽 밑을 돌아서 미끄러져 굴착부 저면이 부풀어 오르는 현상이 히이빙 현상이다.
- 사질지반에서 기초파기시 흙막이벽 뒷면 수위가 높아 지하수가 흙막이벽을 돌아서 지하수와 모래가 같이 솟아오르는 현상이 보일링 현상이다.

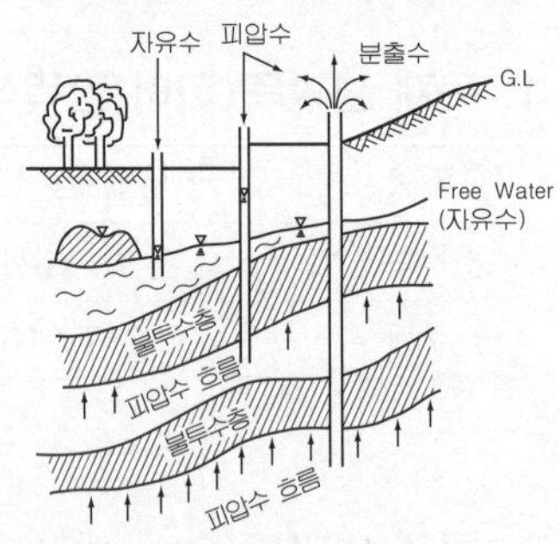

그림. 피압수와 자유수

- 피압수 : 지형과 지반의 상태에 따라 지하수가 정수압보다 높은 압력을 가질 때 펌프 사용 없이 물이 솟아나는 자분샘물

01-③, 03-③

- 피압수 설명

6 흙막이의 계측관리(Monitoring System)

1. 계측관리의 필요성

예측치와 실제 거동치가 불일치하므로 정확한 계측관리를 하여 실제와 설계의 차이를 조기에 발견하여 문제점을 해결하고 안전하고 정밀한 시공을 하며, 민원발생시 정보확보를 한다는 의미도 있다. 정보화시공 계측관리 (Real Time Construction Control System)라고도 한다.

2. 계측관리 항목과 측정기기의 종류

① 인접구조물의 기울기 측정 : Tilt Meter(경사계), Level & Transit
※ Transit : 이동을 측정
② 인접구조물의 균열측정 : Crack Gauge(균열측정기)
③ 지중수평변위 계측 : Inclinometer(경사계)
※ 지반이나 흙막이 구조물의 경사 측정
④ 지중수직변위 계측 : Extension Meter(지중침하계)
⑤ 지하수위 계측 : Water Level Meter(지하수위계)
⑥ 간극수압 계측 : Piezometer(간극수압계)
⑦ 흙막이벽, 버팀대(Strut)의 하중측정 : Load Cell(하중계)
※ 토질시험, 현장계측의 실하중 측정
⑧ 버팀대(Strut)의 응력, 변형 계측 : Strain Gauge(변형계, 변형률계)
※ 지중 콘크리트 벽체나 어미말뚝에 부착하여 응력에 따른 변형 측정
⑨ 토압측정 : Soil Pressure Gauge(토압계)
⑩ 지표면 침하측정 : Level & Staff
※ 지표면 침하와 융기측정
⑪ 소음측정 : Sound Level Meter
⑫ 진동측정 : Vibrometer

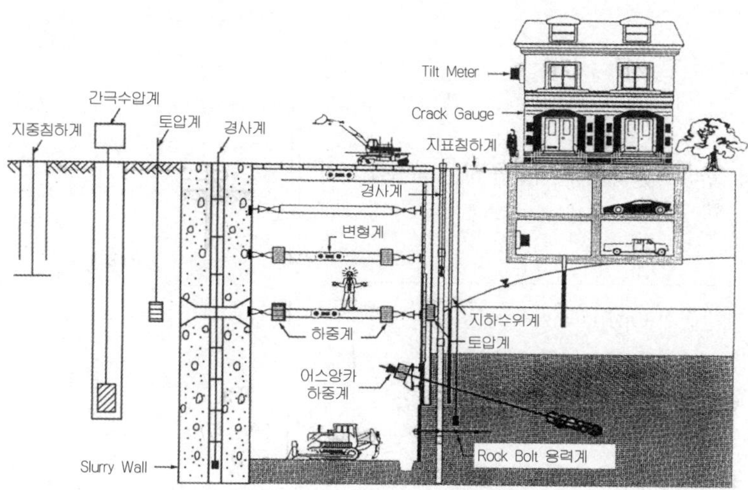

그림. 측정기기의 종류 및 설치위치

학습 POINT

97-①, 01-②, 04-③, 14-③ / 06-③, 12-②, 18-①, 20-④ / 13-①, 21-② / 15-③

- 토공사 계측관리 항목
- 흙막이 계측시 사용되는 측정기 3가지
- 하중계, 토압계, 변형률계, 경사계의 설치위치
- 흙막이 계측기기 쓰기

관련문제

1 **휴식각에 대하여 쓰시오. (3점)** 〔97 ②〕

2 **다음 ( )안에 알맞는 용어를 보기에서 골라 기호를 쓰시오. (3점)** 〔94 ①, 98 ②〕

〔보기〕
(1) 압축력 (2) 마찰력 (3) 중력 (4) 응집력 (5) 지내력

흙의 휴식각이란 흙입자간의 부착력, (㈎)을 무시한 채, 즉 (㈏)만으로서 (㈐)에 대하여 정지하는 흙의 사면각도이다.

(가)　　　　(나)

(다)

3 **다음 보기의 토질 중에서 굴착에 의한 토량이 가장 크게 증가하는 것부터 순서대로 그 번호를 쓰시오. (4점)** 〔93 ③, 98 ②, 99 ⑤〕

〔보기〕
(1) 점토 (2) 점토, 모래, 자갈의 혼합토 (3) 모래 또는 자갈 (4) 암석

4 **흙막이 공법 중 그 자체가 지하구조물이면서 흙막이 및 버팀대 역할을 하는 공법을 보기에서 모두 골라 기호로 쓰시오. (3점)** 〔02 ②, 06 ③, 13 ③〕

〔보기〕
㉮ 지반정착(Earth Anchor) 공법　㉯ 개방잠함(Open Caisson)공법
㉰ 수평버팀대공법　㉱ 강재널말뚝(Sheet pile)공법
㉲ 우물통(Well) 공법　㉳ 용기잠함(Pneumatic Caisson)공법

해설 및 정답

정답 1

흙입자간의 응집력, 부착력을 무시한채 즉 마찰력만으로 중력에 대해 정지하는 흙의 사면각도이다.
(흙을 한군데 쌓아올렸을 때 자연적으로 무너져내려 이루는 각도로 흙의 함수량에 따라 달라지며 실제로는 응집력, 부착력도 작용한다.)
*습윤상태 모래의 휴식각 : 20~35°
습윤상태 진흙의 휴식각 : 20~45°

정답 2

(가) : (4)
(나) : (2)
(다) : (3)

정답 3

(4) - (2) - (1) - (3)
*점토, 모래, 자갈의 혼합토 = 보통흙

정답 4

㉯, ㉲, ㉳

관련문제

5 흙막이는 토질, 지하출수, 기초깊이 등에 따라 그 공법을 달리하는데 흙막이의 형식을 4가지 적으시오. (4점)
〔03 ②〕

(1) ____________ (2) ____________

(3) ____________ (4) ____________

6 수평버팀대식 흙막이에 작용하는 응력이 아래의 그림과 같을 때 (　)안에 알맞은 말을 보기에서 골라 기호로 쓰시오. (3점)
〔00 ②, 09 ①, 16 ①, 22 ①〕

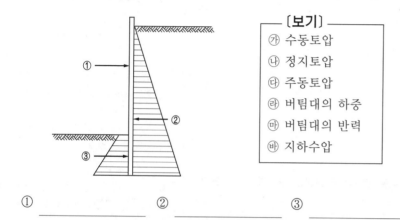

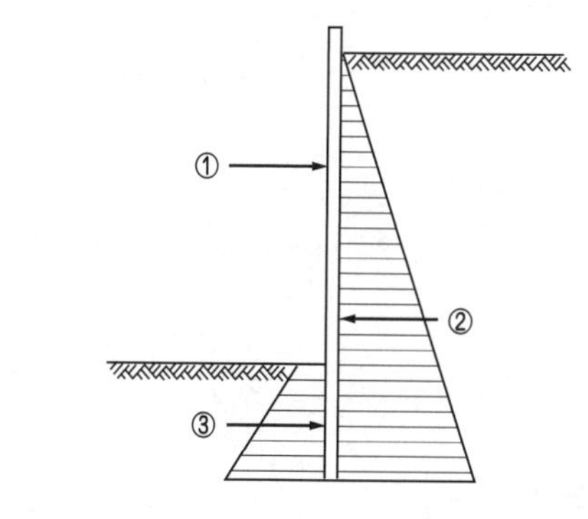

〔보기〕
㉮ 수동토압
㉯ 정지토압
㉰ 주동토압
㉱ 버팀대의 하중
㉲ 버팀대의 반력
㉳ 지하수압

① ____________ ② ____________ ③ ____________

7 연결재 또는 당겨매기식 흙막이 공법 시공순서를 보기에서 골라 기호로 쓰시오. (3점)
〔97 ④〕

〔보기〕
(가) 로프 당겨매기　(나) 말뚝상부 띠장(ㄱ자형강)
(다) 널말뚝　(라) 흙파기
(마) 어미 말뚝

____

8 빗 버팀대식 흙막이 공법의 시공순서를 보기에서 번호를 골라 쓰시오. (5점)
〔84 ①, 85 ②〕

〔보기〕
(1) 갓둘레 흙파기　(2) 줄파기　(3) 중앙부 흙파기
(4) 널말뚝박기　(5) 띠장대기　(6) 버팀말뚝 및 버팀대 대기
(7) 규준대대기

____

해설 및 정답

정답 **5**
(1) 어미(=엄지) 말뚝식 흙막이
(2) 강재말뚝에 의한 흙막이 공법
(3) 주열식 말뚝에 의한 흙막이 공법(=콘크리트말뚝 주열식 공법)
(4) 버팀대(strut) 흙막이 공법
※기타 : 어스앵커(earth anchor) 공법, 지하연속벽에 의한 흙막이 공법(sturry wall 공법) 등

정답 **6**
① ㉲
② ㉰
③ ㉮

정답 **7**
(마) - (다) - (나) - (가) - (라)

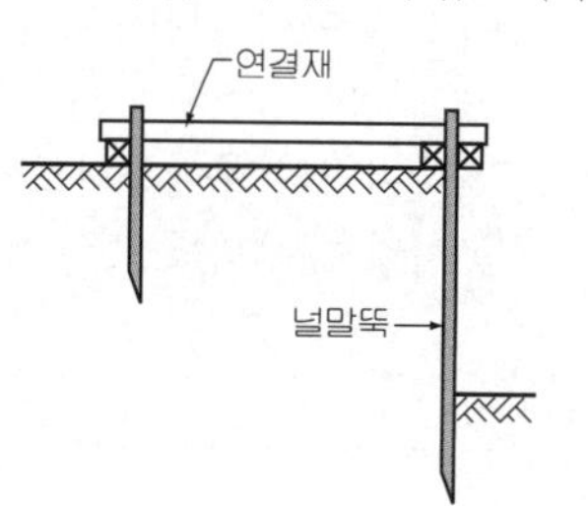

정답 **8**
(2)
(7)
(4)
(3)
(5)
(6)
(1)

관련문제

9 **용수가 많이 나고 토압이 크게 걸리는곳에 사용되는 강성이 큰 철제널말뚝(Sheet pile)의 종류를 3가지(4가지)만 적으시오. (3점, 4점)** 〔99 ①, 99 ②, 01 ①〕

(가) ______________ (나) ______________

(다) ______________

10 **다음 용어에 대하여 간단히 설명하시오. (4점)** 〔94 ①〕

(1) 히이빙 현상(히이빙 파괴) 〔89 ③, 98 ③, 00 ②, 10 ②, 12 ①, 12 ③, 19 ③, 21 ③〕
(2) 언더피이닝 공법 (Under - Pinning Method) 〔88 ②〕

(1) ______________

(2) ______________

11 **다음은 흙막이벽 안전에 관한 사항이다. 다음 발생되는 현상은 무엇을 나타내는가? (3점)** 〔93 ①, 05 ①, 13 ③〕

(1) 시이트 파일 등의 흙막이벽 좌측과 우측의 토압차로써 흙막이 뒷부분의 흙이 기초파기하는 공사장으로 흙막이벽 밑을 돌아서 미끄러져 올라오는 현상
(2) 모래질 지반에서 흙막이 벽을 설치하고 기초파기 할 때의 흙막이벽 뒷면수위가 높아서 지하수가 흙막이 벽을 돌아서 지하수가 모래와 같이 솟아오르는 현상 〔08 ②, 12 ①, 12 ③〕
(3) 흙막이벽의 부실공사로써 흙막이벽의 뚫린 구멍 또는 이음새를 통하여 물이 공사장 내부바닥으로 스며드는 현상

(1) ______________ (2) ______________

(3) ______________

12 **다음에 설명한 용어를 써 넣으시오. (2점)** 〔08 ②〕

흙막이 벽을 이용하여 지하수위 이하의 사질토 지반을 굴착하는 경우에 생기는 현상으로 사질토 속을 상승하는 물의 침투압에 의해 모래가 입자사이의 평형을 잃고 액상화 되는 현상 ______________

해설 및 정답

정답 **9**
(가) 라르센식 Pile
(나) 랜섬식 Pile
(다) 라크완나식 Pile

Lackwanna
Larssen
Terres Rouges
U.S. Steel
Ransom
Simplex
Universal Joint

그림. sheet pile의 종류

정답 **10**
(1) 흙막이벽 좌측과 우측의 토압차로써 흙막이 일부의 흙이 재하하중 등의 영향으로 기초파기하는 공사장 안으로 흙막이벽 밑을 돌아서 미끄러져 올라오는 현상
(2) 지하굴착시 인접건물의 기초를 보강해주는 방법(공법)의 총칭

정답 **11**
(1) 히이빙 현상
(2) 보일링 현상
(3) 파이핑 현상

정답 **12**
보일링 현상 또는 분사현상
(Boiling of Sand, Quick Sand)

관련문제

13 굴착지반의 안전성에 대해 검토했을 때, 보일링 파괴(Boiling Failure)가 예상되는 경우 이에 대한 대책 2가지를 쓰시오. (4점) 〔01 ②, 09 ②〕

① ______________________

② ______________________

14 아래 그림에서와 같이 터파기를 했을 경우, 인접 건물의 주위 지반이 침하할 수 있는 원인을 5가지, 3가지만 쓰시오. (5점, 3점) (단, 일반적으로 인접하는 건물보다 깊게 파는 경우) 〔98 ②, 12 ③, 19 ②〕

인접건물
G.L
연약지반
터파기
I형강, 널말뚝

① ______________ ② ______________

③ ______________ ④ ______________

⑤ ______________

15 지하 토공사 중 계측관리와 관련된 항목을 골라 번호로 쓰시오. (4점) 〔97 ①,01 ②〕

〔보기〕

① Strain Guage	② 경사계(Inclino Meter)
③ Water Level Meter	④ Level and Staff

(가) 지표면 침하측정 : ______________

(나) 지중 흙막이벽 수평변위측정 : ______________

(다) 지하수위 측정 : ______________

(라) 응력측정(엄지말뚝, 띠장에 작용하는 응력측정) : ______________

해설 및 정답

정답 **13**

① 강성이 큰 흙막이 벽을 양질지반(경질지반)까지 깊숙히 박는다. (※ 흙막이 벽의 근입장을 증가시킨다.

② Well Point 공법 등의 배수공법을 이용하여 지하수위를 저하시킨다.

※ 기타 : 지반내 말뚝타입

정답 **14**

① 히이빙 파괴에 의한 경우
② 보일링 현상에 의한 경우
③ 버팀대를 시공치 않았을 경우
④ 파이핑에 의한 침하
⑤ 널말뚝의 저면타입 깊이를 작게 했을 경우
⑥ 널말뚝 이동에 따른 침하
⑦ 뒷채움 불량에 의한 침하
⑧ 연약지반의 보강공사를 하지 않은 경우의 부동침하

정답 **15**

(가) - ④
(나) - ②
(다) - ③
(라) - ①

관련문제

16 다음 계측기의 종류에 맞는 용도를 골라 번호로 쓰시오. (6점) 〔04 ③, 14 ③〕

종 류	용 도
가. Piezometer	① 하중 측정
나. Inclinometer	② 인접건물의 기울기도 측정
다. Load Cell	③ Strut 변형 측정
라. Extensometer	④ 지중 수평 변위 측정
마. Strain Gauge	⑤ 지중 수직 변위 측정
바. Tilt Meter.	⑥ 간극수압의 변화 측정

(가) ________ (나) ________ (다) ________

(라) ________ (마) ________ (바) ________

17 흙막이의 계측관리시 계측에 사용되는 측정기 중 3가지를 쓰시오. (3점)
〔06 ③, 12 ②, 18 ①, 20 ④〕

(1) ________ (2) ________

(3) ________

18 다음에 제시한 흙막이 구조물 계측기 종류에 적합한 설치 위치를 한가지씩 기입하시오. (4점) 〔13 ①, 21 ②〕

① 하중계 : ________

② 토압계 : ________

③ 변형율계 : ________

④ 경사계 : ________

해설 및 정답

정답 **16**
(가) - ⑥
(나) - ④
(다) - ①
(라) - ⑤
(마) - ③
(바) - ②

정답 **17**
(1) 경사계 : Tilt Meter
(2) 변형계 : Strain Gauge
(3) 토압계 : Soil Pressure Gauge

정답 **18**
① strut(버팀대)의 양단에 설치
② 토압측정위치의 지중에 설치
③ 지중의 콘크리트 벽체나 어미말뚝 혹은 버팀대 중간에 설치
④ 인접건물의 벽체나 바닥에 설치

핵심 9

어스앵커, 지하연속벽, Top Down공법

1 Earth Anchor 공법(Tie - Rod 공법)

(1) 공법의 정의	① 흙막이 배면을 Earth Drill로 천공하여 앵커체와 Mortar를 주입 경화시켜 버팀대 대신 강재의 인장력으로 토압을 지지하는 흙막이 공법 ② 버팀대 대신 어스앵커를 이용. 선단부를 정착시키고 이를 반력으로 흙막이 벽체나 구조체를 지지하는 공법

(2) 장점	(3) 단점
① 지보공이 불필요하여 깊은 굴착의 STRUT 공법보다 경제적이다. ② 넓은 작업장 확보가 가능 ③ 부분굴착 가능하고 공구 분할이 용이하다. ④ 굴착작업공간이 넓어 기계화 시공 가능. ⑤ 시공중 지반변화에 따른 설계변경 용이. ⑥ 경사지의 지하공사가 용이하다. ⑦ 굴착시 공기 단축 가능	① 주변대지 사용에 의한 민원인의 동의가 필요하다. ② 어스앵커 정착장 부위가 토질이 불확실한 경우는 위험하다. ③ 지하수위가 높은 경우는 시공중 지하수위 저하의 우려가 있다. **(4) 주의점** ① 토질조사 충분히(연약점토 적용불가) ② 흙막이 앵커체의 인발력은 한개마다 체크 ③ 상하수도, 전선, 가스관등의 매설에 유의

※ 어스앵커는 흙막이벽 이외에 지내력 시험의 반력용, 옹벽의 수평 저항용, 흙붕괴 방지용, 교량의 반력용 등 다양하게 이용된다.

(5) 설치간격

① 어미말뚝 : 간격 1.5m 표준, 구조물과의 간격 50cm이상, 관입깊이 최소 1.5m 이상
② 띠장 : 수직거리 3m마다 설치, 어미말뚝머리에서 1m이내에 제1띠장 설치.
③ 앵카 : 상하 좌우 간격 : 1.5 ~ 2m 이상
④ Tie - Rod로 지지하는 흙파기 깊이 한도는 6m이내

(6) 앵커의 용도별 종류

영구앙카와 가설(임시) 앙카가 있다.

학습 POINT

93-④ / 94-②, 95-④, 98-⑤, 12-③, 19-① / 90-① / 93-④, 99-② / 11-③, 17-②

- 어스 앵커 공법 기술 /
- 어스 앵커 공법 설명 /
- Earth anchor 공법 시공순서 /
- 토류벽 수직터파기 공법 시공순서
- 어스앵커 공법 특징 4가지

참고사항 시방서의 정의

■ 타이로드(Tie Rod)
흙막이 공사에서 띠장으로부터 전달되는 측압을 정착부재에 전달하는 인장재

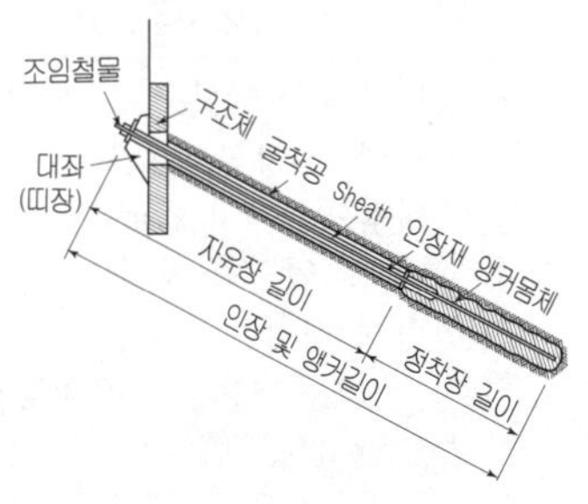

■ 어스앵커공법의 시공순서
① 어미 말뚝 설치
② 흙파기
③ 토류판 설치(흙막이판 설치)
④ 어스 드릴로 구멍 천공(앵카용 보링)
⑤ P.C 케이블 삽입 후 그라우팅(앵커 그라우팅)
⑥ 띠장 설치
⑦ 앵커 긴장 및 정착
⑧ 인장시험

(7) 앵커체 지지방식

① 주변 마찰형
② 지압형
③ 복합형이 있다.

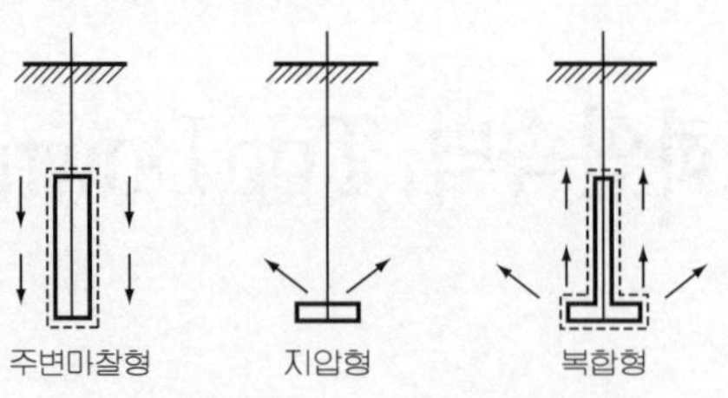

그림. 앵커체의 주변지지 형식

학습 POINT

▶ 어스앵커 공법의 삽입 긴장재 모습

▶ 어스앵커드릴 천공작업

▶ 어미말뚝식 흙막이와 어스앵커가 시공된 장면 (버팀대가 없다.)

2 Rock 앵커 공법

연약지반에서 암반까지 천공하여 설치하는 영구용 Anchor를 말한다.

(1) 시공순서	(2) 사용용도
① 암반부에 굴착천공 ② 인장재(PS강선) 삽입 ③ 정착장에 1차 grouting ④ 양생 및 인장력 확인 ⑤ 인장재 정착 ⑥ 자유장인 PS강선의 부식방지를 위한 2차 grouting 완료	① 피압수에 의한 건물 부상방지용 ② 암반 기초부위의 미끄럼(Sliding) 현상 방지 ③ 교량이나 옹벽의 보강용

▶ 04-③, 09-②, 12-①, 14-①. 20-①, 22-③, 23-①, 23-②

• 건물 부상 방지대책 4가지, 2가지

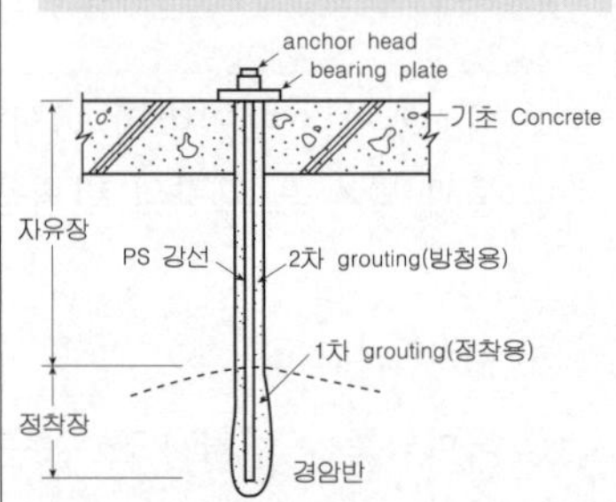

그림. Rock Anchor 설치모양

3 지하연속벽 공법

1. Icos Pile 공법(주열식 지하연속벽)

① 공법의 정의	제자리 Concrete 말뚝을 주열식으로 나열하여 지하연속벽으로 구성한 것으로 어미말뚝식 흙막이의 대용 공법이다.
② 시공순서	㉮ 말뚝구멍을 하나 걸름으로 굴착한다. ㉯ 공내에 콘크리트를 타설한다. (부어넣는다) ㉰ 말뚝과 말뚝 사이에 다음 말뚝 구멍을 굴착한다. ㉱ 공내에 콘크리트를 타설 주열식으로 완성한다.

▶ 88-②, 96-④

• ICOS 공법 시공순서

③ 말뚝배치방법	㉮ 접선형배치 ㉯ 독립형배치 ㉰ 겹침형(Over Lapping) 배치 ㉱ 어긋 매김형 배치 ㉲ 혼합형 배치(MIP공법과 혼용)

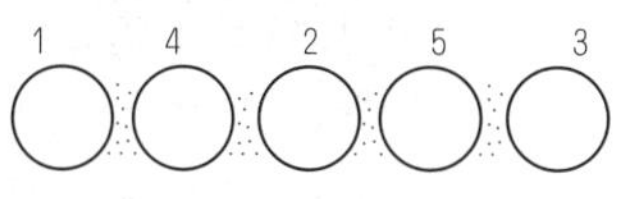

그림. 일반주열(독립형) 배치

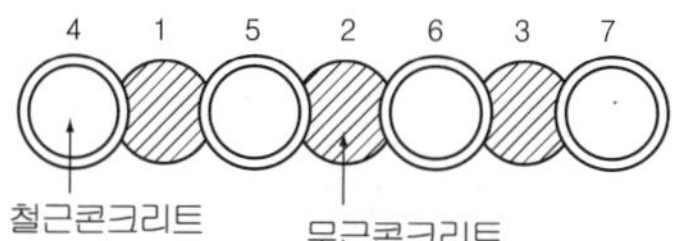

오버래핑공법

그림. 오버래핑 배치방법

2. CIP(Cast in Place)말뚝 공법 *CIP말뚝은 Prepacked Pile의 일종

① 정의	로터리 보링기로 지반 굴착후 공내에 조립된 철근 및 조골재를 채우고 Mortar를 주입하여 현지조성 Pile을 시공하는 방법

② 시공순서	③ 특징
㉮ 지반천공 ㉯ 철근조립 후 공내 삽입 ㉰ Mortar주입용 pipe설치 ㉱ 자갈 다져넣기(충전) ㉲ pipe를 인발하면서 Mortar을 주입 완성	㉮ 차수벽, 흙막이벽으로 사용가능. ㉯ 협소한 장소의 시공이 가능. ㉰ 진동 소음이 적고 장비투입용이. ㉱ 이음부위의 취약성. ㉲ Slime 발생 우려. ㉳ 암반 천공이 불가능 하다.

3. PIP(Packed In place)말뚝 공법

Screw Auger를 지중에 회전, 삽입 후 오우거 중심관 선단을 통해 Mortar나 콘크리트를 주입하여 현지조성 Pile을 시공하는 공법

4. MIP(Mixed In place)말뚝 공법

주위의 자연토질을 시멘트 밀크로 혼합한 후 철근을 압입시공하여 soil cement pile을 형성하는 공법

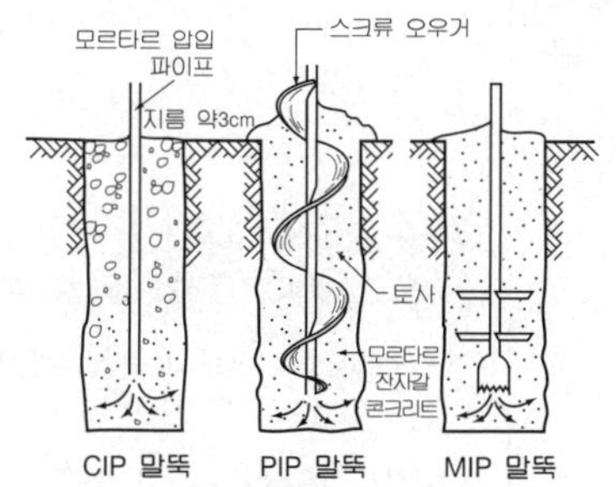

그림. 프리팩트 말뚝

▶ 현장타설 주열식 CIP 말뚝이 시공된 장면

▶ 중간에 보강한 H Pile은 필요시 버팀보와 귀잡이보 등 보강부재나 띠장에 연결하여 보강된다.

학습 POINT

▶ 96-⑤, 99-③, 03-①
• CIP 말뚝 시공순서

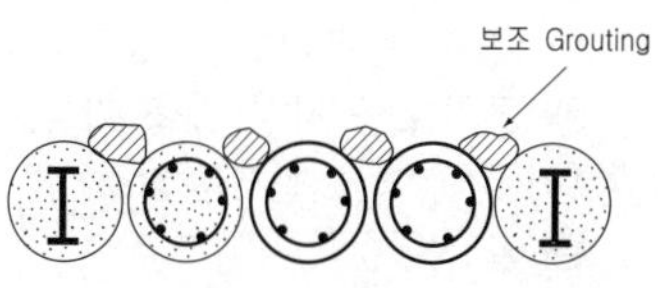

그림. C.I.P 공법

5. 격막벽 공법(Slurry Wall 공법 = Diaphragm Wall 공법)

Bentonite Slurry의 안정액을 사용하여 지반굴착, 철근망 삽입후 Concrete 타설하여 지중에 철근 Concrete 연속벽체를 형성하는 공법

(1) 안내벽(Guide wall)의 시공목적

㉮ 자체토류벽기능	굴착공이나 인접지반의 붕락방지
㉯ 중량물의 지지역할	굴착기계 이동, 철근망거치 등
㉰ 기준면 역할	굴착심도, 철근망심도, 평면, 수직도 등
㉱ 저수조기능	안정액 수위유지, 유출방지

(2) 시공순서

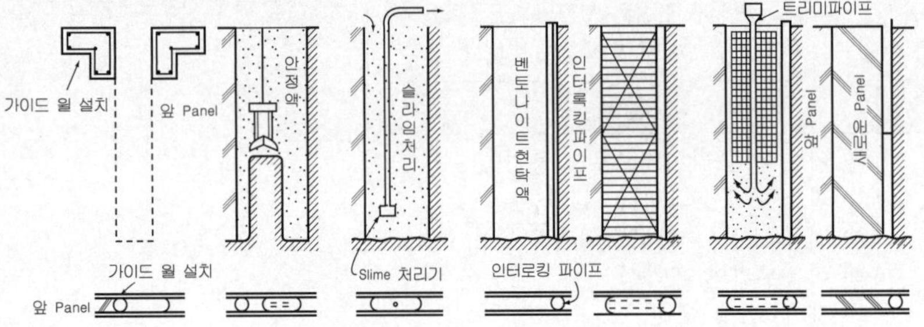

그림. 지하연속벽 시공순서

(3) 안정액(Bentonite)과 Desanding

안정액 사용목적 · 기능	Desanding의 효과와 방법
㉮ 굴착면의 붕괴 방지 (물을 함유하면 6~8배 체적 팽창) ㉯ 굴착토량 지상 방출 기능. ㉰ 굴착부의 마찰저항 감소 ㉱ 물 유입방지, 지수효과. ㉲ 안정액속에 Slime 부유물 배제 효과가 있다.	㉮ 모래 흡입에 따른 Slime 발생 제거. ㉯ Concrete 치환능력저하방지. ㉰ 안정액 재사용. * 방법(Tremie 병용의 Suction Pump 방식, Air Lift방식, Sand Pump방식 (Jet 수방식) 등을 사용한다. * 모래함유율 3%이내 Desanding한다.

※ Slime : 현탁액 입자나, 현탁액에 혼입된 흙 부스러기가 결합하여 덩어리진 점착성 찌꺼기가 굴착공내에 가라앉은 퇴적물을 말한다. 이것은 콘크리트 부착력을 저해하므로 제거해야 한다.

(4) Slurry Wall공법과 S.C.W공법의 비교

공통특징(장점)	Slurry Wall 특징
㉮ 진동, 소음이 적다. ㉯ 인접건물 경계선까지 시공가능. ㉰ 지반보강, 차수(遮水)효과가 확실.	㉮ 60m이상 깊은 벽체 축조가능 ㉯ 타 흙막이보다 공사비 고가 ㉰ 수평연속성 부족, 품질유의

학습 POINT

▶ 96-② / 03-② / 90-④, 93-③, 96-② / 93-① / 99-⑤, 02-③, 10-③, 23-① / 16-③, 19-② / 20-②

- 지하연속벽 CIP, MIP, PIP와 격막벽공법 설명 /
- 가이드월 타설목적 /
- Slurry wall의 시공순서 /
- 지중연속벽 1개 panel 시공순서 /
- Bontonite 용액사용목적
- Slurry wall의 정의, 특징
- Slurry wall의 장 · 단점 쓰기

※ 벤토나이트(Bentonite)용액
이수, 현탁액, 팽창진흙이라고도 하며 주성분은 점토, 광물질, 몬모리로나이트(Montmorillonite)이다. Slurry wall이나 제자리 콘크리트 파일등에서 굴착된 공벽붕괴를 방지하고 지하수의 침투를 방지할 목적으로 사용한다.

▶ 90-③, 97-④, 03-③ / 96-①, 98-①, 00-②, 10-②, 14-③

- Soil cement wall의 특징(장점) 5가지 /
- 지하 연속벽 공법의 특징 4가지, 3가지 쓰기

㉣ 강성(剛性)이 높고 변형이 적어 주변지반에 영향이 없고 안정적. ㉤ 길이, 깊이, 칫수조정이 자유롭다. ㉥ 기계, 부대설비 대형, 소규모 현장의 시공 불가능.	㉣ 고도의 기술 경험 필요 ㉤ 흙막이벽, 기초말뚝, 본구조체벽 역할을 동시에 수행 가능.
	S.C.W의 특징
	㉮ 이동이 빠르고 작업능률 우수 ㉯ 암반, 자갈층 시공시 비경제적 ㉰ 토층변화에 따른 배합의 어려움

학습 POINT

▶ 지하철 일부 연약지반 보강공사로 Slurry Wall을 시공하는 현장(Bentonite와 시멘트 저장고, 사용 장비)

▶ Slurry Wall 공사중 Trench 내 철근 건립장면

▶ 가이드월 해체장면

▶ Slurry Wall의 벽면 정리작업

▶ S.C.W 공법 시공장비모습(3축 오우거)

▶ S.C.W 공법의 3축 오우거 시공장면

6. Soil Cement Wall(S.C.W)공법

① 주위의 자연토질을 시멘트 밀크로 혼합 교반하여 지중에 연속벽체를 형성 후 굴착하는 공법

※ MIP공법과 유사하여 철근, H형강, 강관, Sheet Pile 등을 압입시공하여 보강한다.

※ 1축오우거와 3축오우거를 사용하여 굴삭, 축조

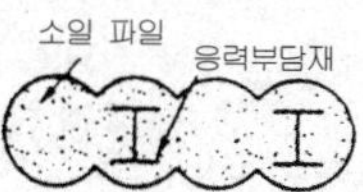

그림. H형강삽입

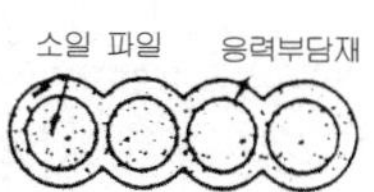

그림. 강관삽입

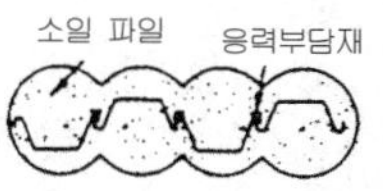

그림. Sheet Pile 삽입

② 축조방식의 종류

㉮ 연속축조방식	3축 auger로 하나의 element를 조성하여 그 element를 반복 시공	① ③ ②
㉯ 엘리먼트방식	3축 auger로 하나의 element를 조성하여 1개공 간격을 두고 선행과 후행으로 반복시공	① ② ③
㉰ 선행축조방식	1축오우거로 1개공 간격을 두고 선행시공한 후 엘리먼트방식과 동일한 시공법으로 지중연속벽을 축조하는 방식	

학습 POINT

일축오거 ① ② ③ ④
삼축오거 ① ② ③

그림. 선행축조방식

참고 **IPS흙막이 공법, SPS흙막이 공법**

① IPS흙막이 공법의 주요 내용은 중간말뚝 설치, 띠장 설치, 버팀보의 설치이며, 띠장에 사전긴장을 가하는 장치를 도입하고 버팀보를 보강함으로써 버팀보의 수평지지점 간격을 크게 늘릴 수 있도록 한 것이다.

② SPS흙막이 공법의 주요내용은 현장타설 말뚝공사, 띠장 설치, 하부 구조체 철골 설치 및 현장용접 시공이며, 시공순서는 흙막이벽체와 현장타설 말뚝공사에 이어 지표면 아래로 내려가면서(downward) 설치되는 철골구조체가 지지구조의 기능을 담당하는 것이다.

③ 시공에 관한 일반적 사항은 표준시방서에 의하고, 이 공법을 지정하는 경우에는 공사시방서에 의한다.

4 Top Down 공법(역구축 공법, 逆打工法, 逆行工法)

96-①, 98-③, 00-②, 01-②, 02-①, 06-③, 09-②, 11-①, 16-②, 19-② 21-②, 22-② / 05-① / 06-②, 12-②, 17-②, 20-④

- 역타설 공법의 장점 4가지(3가지)
- 공기단축과 전천후 작업이 가능한 이유 설명.
- 지상이 협소한 대지에서 작업공간이 부족하여도 작업할 수 있는 이유 설명.

지하연속벽(Slurry wall, Diaphragm Wall)에 의해 지하 외부 옹벽과 기둥을 선시공한 후 1층 Slab을 시공하여 이를 방축널로 이용 지하를 굴착하고 동시에 상부공사를 진행하는 것으로 도심지나 공사여건이 열악한 부분에서 Open Cut나, Strut 공법, 어스앵커 공법 등의 적용이 어려운 곳에서 사용하는 공법이다.

1. 공법의 장 · 단점

장 점	단 점
① 주변건물과 지반에 악영향이 없는 안정적 공법이다. ② 지상, 지하 동시작업으로 공기 단축 ③ 1층 바닥을 작업장으로 활용 가능 ④ 전천후 작업가능(천후와 무관) ⑤ 도심지에서 소음, 진동, 분진 피해감소 ⑥ 흙막이 안정성이 우수	① 소형의 고성능 장비 필요 ② 설계변경이 곤란 ③ 정밀한 시공계획수립 필요 ④ 환기, 전기설비 필요 ⑤ 기둥이음, 벽과 바닥판 이음등 수직부 일체화 시공의 어려움 ⑥ 공사비 상승

암기하기

■ Top Down 공법의 장점
① 주변건물, 지반에 악영향이 없는 안정적 공법
② 지상, 지하 동시작업으로 공기가 단축된다.
③ 1층 바닥판을 작업장으로 활용이 가능하다.
④ 천후와 무관한 전천후 작업이 가능하다.

2. 공법의 분류, 중량지지법

공법의 분류	상부구조체의 중량지지법
① 완전역타 공법 ② 부분역타 공법 ③ Beam, Girder 역타공법 ④ 심초공법에 의한 역타 공법 ⑤ 무지보 역타공법 등	① 깊은 기초(深礎)에 의한 역구축 공법 ② 대구경 Pier 기초에 의한 역구축 공법 ③ 제자리 말뚝을 구조체 기둥으로 이용하는 방법 ④ 지하 구조체의 임시지지 공법 ⑤ 달아매기 공법 등

▶ Slurry Wall의 두부 정리후 Cap Beam의 철근작업모습

▶ RCD 기둥의 위치 수정후 버림 콘크리트 타설 장면

▶ Slurry Wall의 바닥 연결 철근 정리

▶ 1층 구간별 콘크리트 타설

▶ 지하 2층의 토공사 처리 장면

▶ 지상층 콘크리트 타설후 지하층 형틀 작업

▶ 하부층 보형틀 설치작업
※ 상부기둥, 벽 연결철근이 돌출된 모습

학습 POINT

5 흙파기 형식의 종류

Open Cut방식, Island Cut방식, Trench Cut방식이 있다.

1. Open Cut방식

① 지반이 양호하고 대지 여유가 있을 때 경사면 Open Cut방식을 사용한다.(경사면 Open Cut, 단지어파기)

② 흙막이 Open Cut방식에는 자립식공법, 버팀대공법, Tie Rod앵커식 공법 등이 있다.

2. Island Cut방식

① 정의	중앙부분을 먼저 터파기하고 기초를 축조한 후 이를 반력으로 버팀대를 지지하여 주변흙을 굴착하여 지하구조물을 완성하는 공법
② 시공순서	① 흙막이 설치 → ② 중앙부 굴착 → ③ 중앙부 기초 축조 → ④ 버팀대 설치 → ⑤ 주변부 흙파기 → ⑥ 지하구조물 완성

3. Trench Cut방식

Island와 역순으로 공사, 주변부를 선굴착후 기초구축하여 중앙부 굴착후 기초구조물을 완성하는 공법

4. Island Cut 공법과 Trench Cut 공법의 특징 및 장점

① Island Cut 공법의 장점	③ 공통의 특징
㉮ 대지전체에 건축물 구축 가능 ㉯ 지보공 절감(버팀대 공법의 30~50%) ㉰ 내부굴착에 중기사용 가능 **② Trench Cut 공법의 장점** ㉮ 연약지반에서 일시굴착 곤란시, 면적이 넓고 굴착깊이가 얕은 경우 채택 ㉯ 중앙부는 작업장으로 활용가능 ㉰ 버팀대가 짧아서 처짐, 변형이 작다.	㉮ 연약지반에 적용이 가능하다. ㉯ 깊은 기초에는 부적합하다. ㉰ 이중 작업으로 인해 공기가 길다. ㉱ Island Cut 공법에서 경사버팀대 설치 시 버팀대가 길어 변형우려. ㉲ Trench Cut 공법은 이중 널말뚝을 시공하므로 공기가 길어진다.

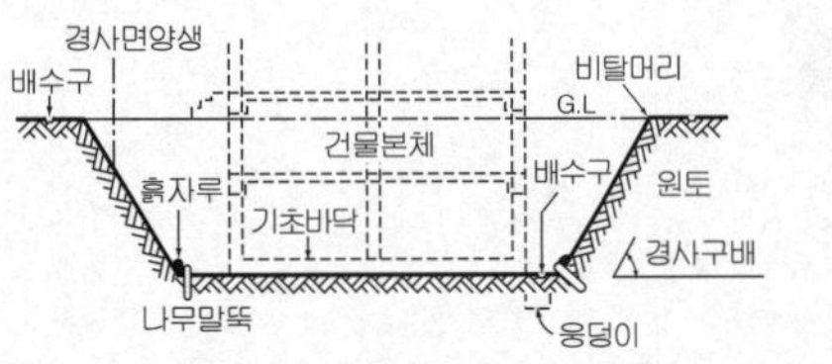

그림. 경사면 절개 open cut공법

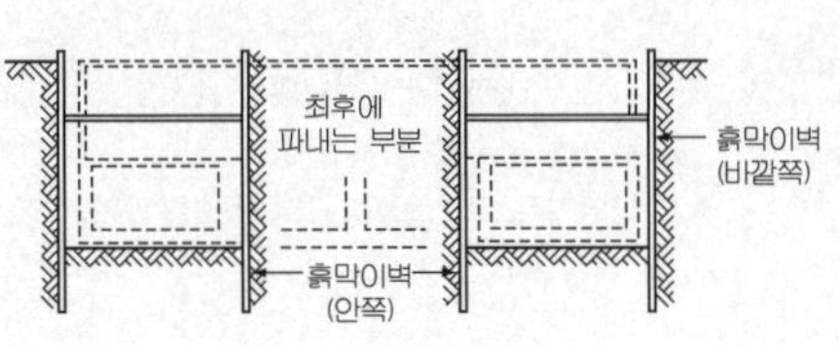

그림. 트렌치컷 공법

학습 POINT

▶ 89-①

• 흙파기 공법 종류 3가지

▶ 90-③, 92-③, 94-②, 96-②, 97-④ 17-② / 93-①, 94-②, 05-②, 18-① / 09-② / 13-②, 21-①

• 아일랜드 컷 용어설명 /
• 아일랜드컷 시공순서
• 아일랜드컷, 트렌치컷 시공순서
• 아일랜드컷, 트렌치컷 용어설명

암기하기

■ 트렌치컷 시공순서
① 흙막이설치 → ② 주변부 흙파기(굴착) → ③ 버팀대 설치 → ④ 주변부 기초축조 → ⑤ 중앙부 굴착 → ⑥ 지하구조물 완성

관련문제

1 Earth anchor tie back에 의한 흙막이 시공순서를 보기에서 골라 번호를 쓰시오. (6점) 〔90 ①〕

〔보기〕

(1) 어미말뚝을 박는다. (2) 흙파기를 한다.
(3) 토류판을 설치한다. (4) 앵커를 긴장 및 정착시킨다.
(5) 띠장을 설치한다. (6) 어스 앵커드릴로 구멍을 뚫는다.
(7) P. C 케이블을 삽입하고 그라우트한다.

2 (가) 어스 앵커(Earth Anchor) 공법에 대하여 기술하시오. (3점) 〔93 ④〕
(나) 어스 앵커(Earth Anchor) 공법에 대하여 설명하시오. (3점) 〔94 ②, 95 ④, 98 ⑤, 12 ③, 19 ①〕

3 토류벽을 이용한 수직 터파기공법의 순서를 보기에서 골라 번호를 쓰시오. (4점) 〔93 ④, 99 ②, 03 ③〕

〔보기〕

① 앵커용 보링 ② 엄지 말뚝박기
③ 인장시험 ④ 띠장설치
⑤ 앵커그라우팅 ⑥ 흙막이 벽판설치

4 흙막이 공사에 사용하는 어스앵커공법의 특징을 4가지 쓰시오. (4점) 〔11 ③, 17 ②〕

①
②
③
④

5 이코스(ICOS) 파일공법의 지수 흙막이벽 시공순서를 쓰시오. (단, 4가지로 나누어 간략하게 서술하시오) (4점) 〔88 ②, 96 ④〕

① ②
③ ④

해설 및 정답

정답 **1**
(1)
(2)
(3)
(6)
(7)
(5)
(4)

정답 **2**
흙막이 설치후 흙막이 배면을 Earth Drill로 천공하여 인장재와 Mortar를 주입, 경화시킨 후 강재의 인장력에 의해서 토압을 지지하게 하는 흙막이 공법으로써 좌우 토압이 불균등하여 버팀대 공법 사용 불가시 채택되며 넓은 작업공간 확보가 용이하며 부분시공이 가능하다.

정답 **3**
②
⑥
①
⑤
④
③

정답 **4**
① 버팀대가 불필요하여 깊은 굴착시 버팀대공법보다 경제적이다.
② 넓은 작업장 확보가 가능하다.
③ 부분굴착이 가능하고, 공구분할이 용이하다.
④ 지반변화에 따른 설계변경이 용이하다.
※ 굴착공간이 넓어 기계화 시공이 가능하다. 정착부위의 토질이 불확실할 경우 위험하다.

정답 **5**
① 말뚝구멍을 하나 걸름으로 뚫는다.
② 콘크리트를 부어 넣는다.
③ 말뚝과 말뚝사이에 다음 말뚝구멍을 뚫는다.
④ 다음 말뚝구멍에 콘크리트를 부어 넣는다.

관련문제

6 지하 흙막이 공사의 지하연속벽 공법에 대하여 설명하시오. (8점) 〔96 ②〕

(가) MIP공법 :

(나) CIP공법 :

(다) PIP공법 :

(라) 격막벽 공법 :

7 슬러리 월(Slurry wall)의 시공순서를 보기에서 골라 쓰시오. (5점) 〔90 ④, 93 ③, 96 ②〕

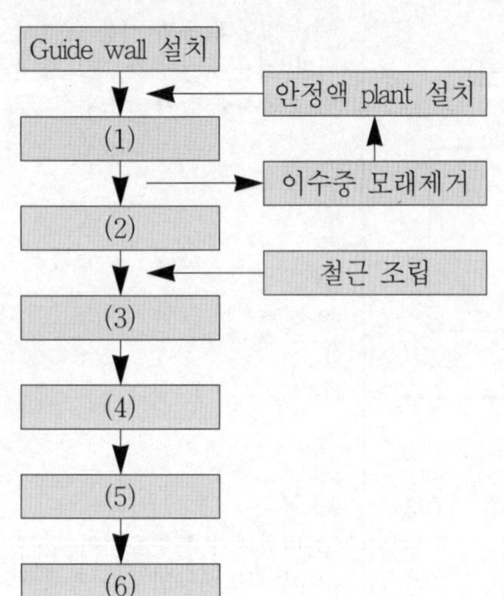

〔보기〕

(가) 엔드파이프 인발
(나) 철망삽입
(다) 콘크리트 타설
(라) 트리미관 설치
(마) 엔드파이프 설치
(바) 굴착

8 연속지중벽 1개 PANEL 시공순서를 보기에서 골라 기호로 쓰시오. (5점) 〔93 ①〕

〔보기〕

(1) Guide wall설치 (2) 굴착 (3) 안정액 투입
(4) 양생 (5) 콘크리트 타설 (6) Inter locking pipe 설치
(7) 철근망 설치 (8) Inter locking pipe 인발

해설 및 정답

정답 **6**

(가) 주위의 자연토질을 시멘트밀크로 혼합한후철근을 압입시공하여 Soil Concrete pile을 형성한다.
(나) 로터리보링기(Auger)로 지반 굴착후 공내에 조립된 철근 및 조골재를 채우고 Mortar를 압입 주입하여 현지 조성 pile을 시공하는 방법
(다) Screw Auger를 지중에 회전 삽입 후 오우거 중심 선단을 통해 Mortar나 콘크리트를 주입하여 현지 조성 파일을 형성하는 방법
(라) Slurry wall공법이라고도 하며 Bentonite(안정액)를 사용하여 지반굴착 후 철근망을 삽입하고 Concrete를 타설하여 지중에 철근 콘크리트 연속벽체를 형성하는 공법

정답 **7**

(1) (바)
(2) (마)
(3) (나)
(4) (라)
(5) (다)
(6) (가)

정답 **8**

(1)
(2)
(3)
(6)
(7)
(5)
(8)
(4)

관련문제

9 CIP공법을 이용한 제자리 콘크리트 말뚝지정의 시공순서를 보기에서 골라 기호로 쓰시오. (3점) 〔96 ⑤, 99 ③, 03①〕

〔보기〕

① 철근조립 ② 모르타르 주입용 PIPE 설치
③ 모르타르 주입 ④ 자갈 다져넣기

____

10 (1) 슬러리 월(Slurry wall) 공사에서 사용되는 벤토나이트 용액의 사용목적(기능)에 대하여 2가지를 쓰시오. (4점, 2점) 〔99 ⑤, 10 ③〕
(2) 제자리콘크리트 말뚝시공시 벤토나이트 용액을 넣는 목적을 2가지, 3가지 쓰시오. (3점, 4점) 〔02 ③, 23 ①〕

① ____________ ② ____________

③ ____________

11 슬러리월(Slurry wall) 공법을 서술하고, Guide wall의 설치목적을 2가지 쓰시오. (4점)) 〔03 ②〕

가. 슬러리월 공법 : ____________

나. Guide wall 설치목적 : ____________

12 S.C.W(soil cement wall)의 특징을 5가지 쓰시오. (5점) 〔90 ③, 97 ④, 03③〕

① ____________ ② ____________

③ ____________ ④ ____________

⑤ ____________

13 주열식 지하 연속벽 공법의 특징(장점)을 4가지, 3가지 쓰시오. (4점, 3점) 〔96 ①, 98 ①, 00 ②, 10 ②, 14 ③〕

① ____________ ② ____________

③ ____________ ④ ____________

해설 및 정답

정답 **9**
①
②
④
③

정답 **10**
① 굴착공내의 붕괴 방지
② 지하수 유입방지(차수역할)
③ 굴착부의 마찰저항 감소
④ Slime 등의 부유물 배제, 방지 효과

정답 **11**
가. Slurry wall 공법
안정액을 사용하여 지반을 굴착하고 철근망삽입 후 콘크리트를 타설하여 지중에 철근콘크리트 연속 벽체를 구축하는 공법

나. Guide wall의 역할
① 굴착공이나 인접지반의 붕괴방지(자체토류벽기능)
② 굴착기계의 이동, 철근망거치등 중량물의 지지 역할
※ 기타 : 기준면의 역할(굴착심도, 철근망심도, 파악의 기준면 역할) 저수조 기능(안정액 수위유지 및 유출방지)

정답 **12**
① 무소음, 무진동 공법이다.
② 자체토류벽 이용이 가능하다.
③ 이동이 빠르고 능률이 좋다.
④ 임의의 형상, 치수가 가능하다.
⑤ 인접건물의 근접시공이 가능하다.
※ 벽체보강공법에 따라 다목적 이용이 가능하다.

정답 **13**
① 무소음, 무진동 공법이다.
② 임의 형상, 칫수가 가능하다.
③ 지반조건에 좌우되지 않는다.
④ 차수성이 우수하다.

관련문제

14 SPS(Strut as Permanent System)공법의 특징을 4가지 쓰기 (4점)

[12 ①, 14 ②, 20 ①]

① ________ ② ________

③ ________ ④ ________

15 흙막이 버팀대(Strut)를 가설재로 사용하지 않고 굴토 중에는 토압을 지지하고, 슬래브 타설 후에는 수직하중을 지지하는 영구 구조물 흙막이 버팀대를 가리키는 용어를 쓰시오. (2점)

[15 ①]

____

16 역타설 공법(Top-Down Method)의 장점을 4가지(3가지) 쓰시오. (4점, 3점)

[96 ①, 98 ③, 00 ②, 01 ② 02 ①, 06 ③, 09 ②, 11 ①, 16 ②, 17 ③, 19 ②, 21 ②, 22 ②]

① ________ ② ________

③ ________ ④ ________

17 기존의 공법은 기초를 축조하여 상부로 시공해 나가는 공법이지만 톱다운 공법 (top-down method)을 지하 구조물의 시공순서를 지상에서부터 시작하여 점차 깊은 지하로 진행하며 완성하는 공법으로서 여러 장점을 갖고 있다. 이 장점 중 기상변화의 영향이 적어 공기단축을 꾀할 수 있는데 그 이유를 설명하시오. (3점)

[05 ①]

____

18 탑다운공법(Top-Down Method)은 지상이 협소한 대지에서 작업공간이 부족하여도 공간을 활용하여 작업을 행할 수 있는데 그 이유를 기술하시오. (4점, 3점)

[06 ②, 12 ②, 17 ②, 20 ⑤]

____

19 흙파기 형식에 의한 흙파기 공법을 3가지만 쓰시오. (3점)

[89 ①]

① ________ ② ________

③ ________

해설 및 정답

정답 **14**

① 지하구조물시공과 지상작업을 병행가능하므로 공기가 단축된다.
② 공정간섭이 작고, 장비의 작업 효율화로 원가절감
③ 지하구조물과 가설 post pile의 간섭 배제로 시공성이 향상됨
④ 가설재의 폐기물 발생이 저감된다.

※ 기타 :
① 가설지지체의 설치 및 해체 공정이 없어 작업능률 향상
② 채광, 환기 등 별도시설이 불필요

정답 **15**

SPS(Strut as Permanent System) 공법

정답 **16**

① 주변지반과 건물에 영향이 없는 안정적공법이다.
② 지상, 지하 동시작업으로 공기가 단축된다.
③ 1층 바닥판을 작업장으로 활용이 가능하다.
④ 천후와 무관한 전천후 작업이 가능하다.

정답 **17**

1층바닥 슬래브가 선시공되어, 슬라브 밑에서 굴토공사를 진행하므로 동절기에도 전천후 시공이 가능하기 때문이다.

정답 **18**

역타공법은 1층 바닥판을 선시공하여서 이것을 작업장으로 활용하므로 협소한 대지에서도 효율적인 공간 활용이 가능한 공법이다.

정답 **19**

① Open Cut
② Island Cut
③ Trench Cut

관련문제

20 (1) 터파기 공사시 중앙부분을 먼저 파고, 기초를 축조한 다음, 버팀대로 지지하여 주변흙을 파내고, 지하구조물을 완성하는 터파기 공법명은? (1점) 〔90 ③, 92 ③, 97 ④〕

____

(2) 아일랜드 컷(Island Cut) 공법을 설명하시오. (3점) 〔17 ②〕

____

21 다음 설명에 해당하는 흙파기공법의 명칭을 쓰시오. (4점) 〔13 ②, 21 ①〕

(가) 구조물 측벽이나 주열선 부분만을 먼저 파내고 그 부분의 기초와 지하구조체를 축조한 다음 중앙부의 나머지 부분을 파내어 지하구조물을 완성하는 공법 : ____________

(나) 중앙부의 흙을 먼저 파고, 그 부분에 기초 또는 지하구조체를 축조한 후, 이것을 지점으로 흙막이 버팀대를 경사지게 또는 수평으로 가설하여 널말뚝 부근의 흙을 파내고 지하 구조체를 완성하는 공법 : ____________

22 아일랜드식 터파기 공법의 시공순서를 번호로 쓰시오. (5점) 〔93 ①, 94 ②〕

〔보기〕

(1) 중앙부 기초 구조물 축조	(2) 주변 흙파기
(3) 버팀대 설치	(4) 지하 구조물 완성
(5) 중앙부 굴착	(6) 흙막이 설치

____

23 아일랜드식 터파기 공법의 시공순서에서 번호에 들어갈 내용을 쓰시오. (4점, 3점) 〔05 ②, 18 ①〕

흙막이 설치 - (1) - (2) - (3) - (4) - (지하구조물 완성)

(1) ____________ (3) ____________

(2) ____________ (4) ____________

해설 및 정답

정답 20
아일랜드 컷 공법

정답 21
(가) 트렌치컷 공법
(나) 아일랜드컷 공법

정답 22
(6)
(5)
(1)
(3)
(2)
(4)

정답 23
(1) 중앙부 굴착
(2) 중앙부 기초 구조물 축조
(3) 버팀대 설치
(4) 주변부 흙파기

관련문제

24 **다음은 아일랜트 컷 공법과 트렌치 컷 공법의 시공순서를 단계별로 나열한 것이다. (　　　) 안에 들어갈 알맞는 내용을 순서별로 적으시오. (4점)** 〔09 ②〕

(1) 아일랜드 컷 : 흙막이 설치 - (　　　　　) - (　　　　　) - (　　　　　) - (　　　　　) - 지하구조물 완성

(2) 트렌치 컷 : 흙막이 설치 - (　　　　　) - (　　　　　) - (　　　　　) - (　　　　　) - 지하구조물 완성

25 **지하구조물은 지하수위에서 구조물 밑면까지의 깊이만큼 부력을 받아 건물이 부상하게 되는데, 이것에 대한 방지대책을 4가지, 2가지 기술하시오. (4점)**

〔04 ③, 09 ②, 12 ①, 14 ①, 20 ①, 22 ③, 23 ①, 23 ②〕

(1) ______________________

(2) ______________________

(3) ______________________

(4) ______________________

해설 및 정답

정답 24

(1) 중앙부굴착, 중앙부 기초구조물 축조, 버팀대설치, 주변부 흙파기

(2) 주변부 흙파기(굴착), 버팀대설치, 주변부기초 축조, 중앙부굴착

정답 25

(1) Rock Anchor공법을 사용하여 부상을 방지한다.

(2) 배수공법으로 지하수위를 낮춘다.

(3) 구조물의 단면을 확대하여 수압에 저항한다.

(4) 차수공법으로 물을 차단한다.

※ 기타

① 마찰말뚝을 사용하여 기초하부의 마찰력을 증진시킨다.

② 인접건물과 긴결하여 수압상승에 대처한다.

핵심 10 지반개량공법, 토공사기계

학습 POINT

▶ 95-④, 96-⑤ / 89-①, 95-①, 96-③, 19-③, 23-② / 93-①, 95-②, 97-①, 04-①, 05-②

- 지반개량의 목적, 지반개량 공법 3가지 /
- 지반개량 공법 5가지, 3가지
- 말뚝 공법과 지반개량 공법 분류

1 지반개량공법

(1) 정의	지반개량이란 인위적인 흙의 성질개량을 말한다.

(2) 지반개량의 목적	(3) 지반개량공법의 분류	
① 지반의 지지력 증강	① 탈수법	② 치환법
② 기초의 부동침하 방지	③ 재하공법	④ 다짐법
③ 지하굴착시 안정성 확보	⑤ 고결법(응결법, 약액주입법)	
④ 기초의 보강 및 말뚝의 가로저항력 증진	⑥ 동결법	⑦ 화학적공법

1. 사질지반용 탈수(배수) 공법의 종류, 특징

공법의 종류	내 용
① 집수정법 (Sump Pit)	깊은 집수통 설치 후 지하수가 고이면 원심펌프, 수중펌프로 배수. 간단, 경제적. 자갈, 모래층에 적용. 2~4m 깊이에 설치
② 깊은 우물 공법 (Deep well) (Siemens Well)	투수계수가 큰 사질지반에 사용. 터파기 내부에 7m이상의 Sand Filter가 있는 우물을 파고 스트레이너를 부착한 Pipe를 삽입하여 수중 펌프로 양수하는 공법
③ Well point 공법	사질지반의 대표적인 탈수공법으로서 직경 약 20cm 특수파이프를 상호 2m 내외 간격으로 관입하여 모래를 투입한 후 진동다짐하여 탈수통로를 형성시켜서 탈수하는 공법이다. 깊은 지하수는 다단식으로 설치 배수한다. 사질지반에서만 사용.
④ 진공식 Siemens Well 공법	Well point 공법과 Siemens Well을 병용하여 진공 펌프로 강제 배수하는 공법이다.

보충설명 Well point 공법의 특징 및 이점

① 지하굴착 작업시 dry work 가능 : 시공속도 증진효과.
② quick sand 현상방지.
③ 흙의 압밀촉진, 전단저항증가, 사면붕괴방지.
④ 공기와 공비절감.
⑤ 영구적인 지하수 채취, 방류시설로도 이용 가능.

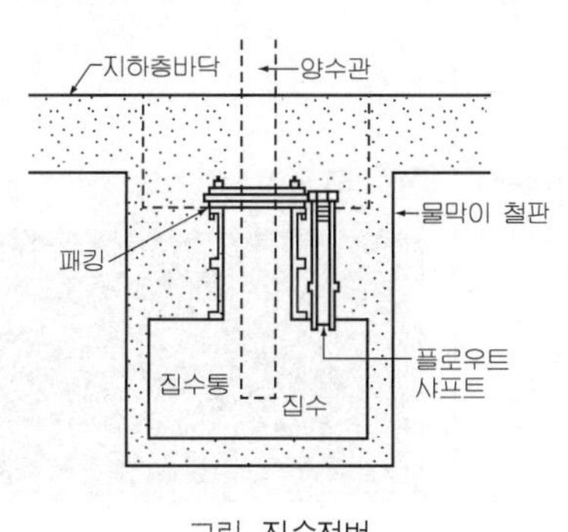

그림. 집수정법

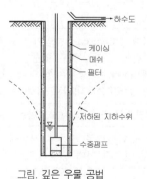

그림. 깊은 우물 공법

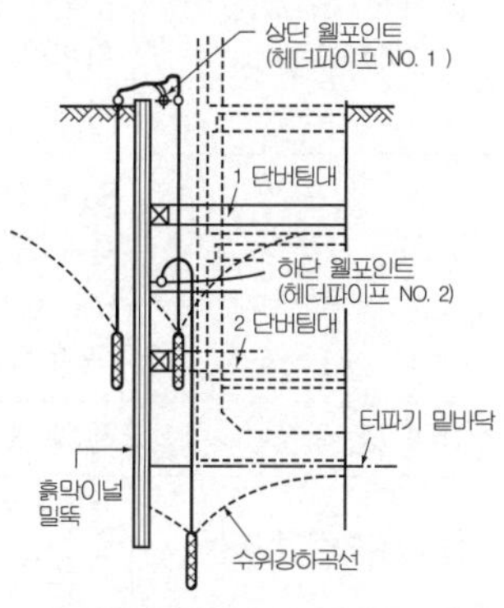

그림. 웰 포인트에 의한 배수계획

2. 탈수공법

① 사질지반	Well Point공법, 보일링현상 방지와 강도증진 목적
② 점토지반	Sand Drain공법
㉮ 목적	모래말뚝을 이용하여 점토지반을 탈수하여 지반을 강화
㉯ 방법	지름 40~60cm의 구멍을 뚫고 모래를 넣은 후, 성토 및 기타 하중을 가하여 점토질 지반을 압밀하여 탈수하는 공법

※ 점토지반의 기타 탈수법: Sand drain vaccum공법, paper drain(plastic drain)공법, 생석회(화학적)공법 등

※ 샌드드레인 버큠(Sand Drain Vaccum) 공법(대기압공법, 진공공법)
지반에 모래말뚝을 시공하고 성토하여 하중을 가하는 대신 대기압을 이용하여 연약점토층의 탈수를 통해 압밀을 촉진시키는 방식이다. 배수속도가 2배 이상 빠르며 전단파괴현상이 없다.

▶ Sand Drain 시공장면

▶ Paper drain 시공현황

학습 POINT

▶ 08-③, 09-②, 10-①, 12-②, 14-③, 16-①, 17-③, 20-② / 94-④, 09-② / 98-②, 01-③, 05-③, 08-②, 09-③, 13-③ / 99-①, 04-②, 08-①, 13-② / 99-⑤, 07-① / 11-①, 16-②

- Sand drain 공법 설명
- Sand drain 공법 목적과 방법 설명 /
- 사질, 점성토의 대표적 탈수공법 /
- 탈수공법 3가지(4가지) /
- Sand drain, well point공법
- 점토지반 개량공법 2가지 제시후 한가지 설명하기

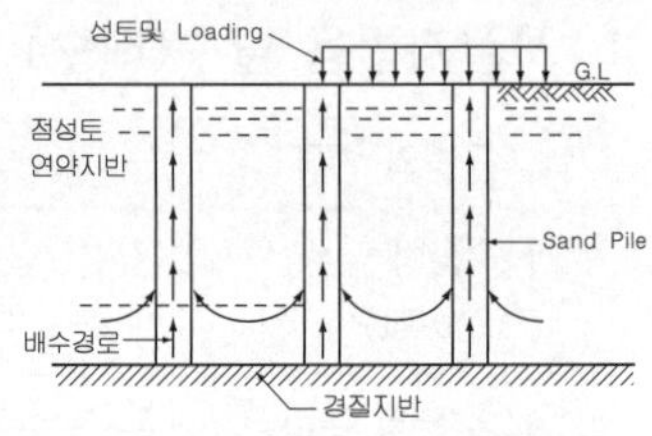

그림. Sand Drain 공법

3. 사질지반의 지반개량공법

공법의 종류	내용 · 특징 · 장 · 단점
① 다짐 말뚝법	나무나 Concrete 말뚝을 이용 지반을 압밀, 강화시킴
② 진동 부유공법 (Vibro-Flotation)	수평방향으로 진동하는 직경 20cm의 봉상 Vibro 플롯트로 사수와 진동을 동시에 일으켜 빈틈에 모래나 자갈을 채워 모래지반을 다짐. 공기 빠르고 10m 정도 개량에 유효. 내진효과 기대.
③ 다짐 모래 말뚝 공법	Sand Compaction Pile : Compozer 공법이 대표적. 특수 Pipe를 관입하여 모래투입후 진동 다짐하여 Compozer Pile 형성. Vibro-Flotation보다 5배이상 강한 기계사용. 구멍 20cm 지름 상호간격 2m 내외로 시공. 부동침하 방지
④ 폭파다짐법	폭파 혹은 인공지진으로 느슨한 사질지반을 다짐
⑤ 전기충격법	물을 주어 지반을 포화상태로 만든후 지중에 삽입한 방전 전극으로 고압전류를 일으켜 이때 충격력으로 지반을 개량

▶ 98-⑤, 99-⑤, 01-③ / 05-①, 06-③

- 진동, 압입개량공법 종류
- 다짐공법 종류 2가지

암기하기

■ 진동, 압입개량공법의 종류
① 바이브로 프로테이션 공법
② 바이브로 콤포저공법
③ 동다짐(동압밀)공법
④ 폭파다짐공법

⑥ 약액주입법 (응결공법)	응결재를 주입 고결시키는 방법. 고결재 : Cement Grout, 점토, Bentonite액, Asphalt액. 화학약품(Chemical Grout), 합성수지, 물유리 등 종류 : ㉮ 표층안정처리공법 : 시멘트나 석회사용(1.5~2.0m 깊이) ㉯ 심층혼합처리공법 : 기계적 혼합처리, 분사혼합처리공법 등

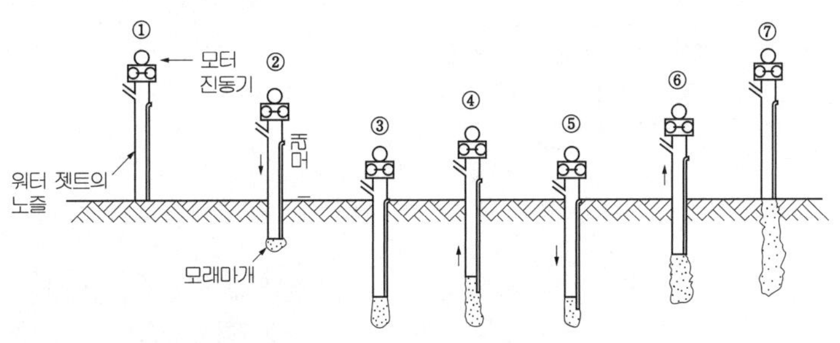

그림. Vibro floatation 공법

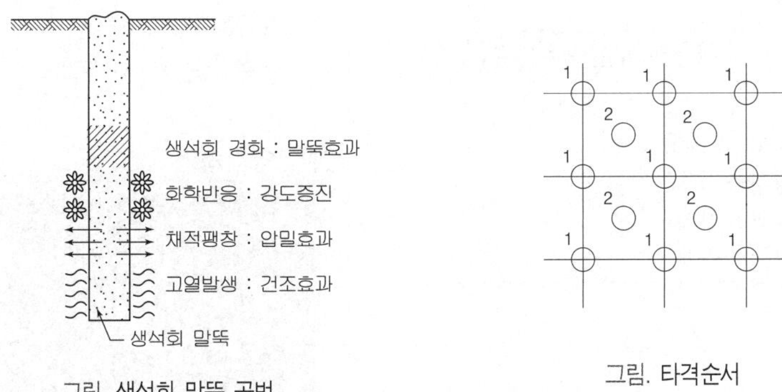

그림. 생석회 말뚝 공법

그림. 타격순서

4. 점토질 지반의 지반개량공법

공법의 종류	내용·특징·장·단점
① 치환공법	1~3m 정도의 박층을 사질토로 치환.(굴착, 활동, 폭파치환법)
② 재하공법 (載荷工法)	① Pre Loading(선행재하)공법 : 사전 재하하여 미리 압밀침하 ② Sur-Charge공법(과재하중 : 압성토공법) ③ 사면 선단재하공법
③ Paper Drain (Plastic Drain)	모래대신 합성수지로 된 Card Board를 박아 압밀, 배수촉진. Sand drain 공법보다 시공속도가 빠르고 배수효과가 양호하나 타설본수가 Sand drain 공법의 2~3배가 되며 장시간 사용시 배수효과가 감소된다.(재료의 열화 발생)
④ 생석회 공법 (화학적 공법)	Chemico Pile : 모래대신 CaO(석회)사용. 수분흡수시 체적 2배 팽창. 탈수, 압밀효과 증진. 공해, 인체 피해의 단점

학습 POINT

※ 그라우팅 공법
파이프를 지중에 박고 시멘트 페이스트(grout)를 콤푸레셔에 의해서 지반중에 주입하는 공법으로 시멘트 주입 공법이라고도 한다.

▶ 동다짐공법 실황(Dynamic Compaction 공법)

22-②
• 약액주입법 시공후 효과 확인법

04-③
• 치환·동결·선행재하공법 설명

10-③, 20-③
• 페이퍼 드레인, 생석회공법 설명

⑤ 침투압공법 (MAIS)	삼투압 현상을 이용, 반투막통을 넣고 그 안에 농도가 큰 용액을 넣어 점토의 수분을 탈수 3m이하에 적용
⑥ 전기적 탈수법	전기침투공법 및 전기화학적 고결방법 이용. 불투수성 연약점토 지반에 적용. 산사태같은 개량 곤란한 곳에 구조물 보강법으로 사용. 양극(+)에 알미늄을 사용한다.
⑦ 소결공법	점토지반에 연직, 수평의 Boring 구멍을 뚫고 그 속에 액체 기체를 태움으로 흙을 고결시키는 방법
⑧ 동결공법	1.5~3인치의 동결관을 박고 액체질소나 프레온 가스를 주입하거나 직접 사용 드라이 아이스 등도 사용

학습 POINT

■ 지반강재압밀공법
재하방법과 드레인방법 중 하나나 두개 이상을 조합시킨 방법으로 행한다.
① 재하방법(성토공법, 지하수위저하공법, 대기압공법)
② 드레인방법 (샌드드레인, 플라스틱드레인)

2 토공사용 기계와 용도

▶ 03-②, 17-②
• 토공장비 선정시 기본 요소 4가지

1. 토공장비 선정시 고려사항과 장비의 분류

① 장비선정시 기본 고려사항	② 장비의 용도별 분류
㉮ 굴착깊이에 따른 장비의 규모 ㉯ 굴착된 흙의 반출거리 ㉰ 흙의 종류에 따른 능률성 고려 ㉱ 토공사 기간에 따른 장비의 유형 및 갯수	㉮ 굴삭용 기계 ㉯ 배토, 정지용 기계 ㉰ 상차용기계 ㉱ 운반용기계 ㉲ 다짐용기계

▶ 89-②, 92-③, 00-④ / 92-②
• 토공장비와 그 쓰임새 /
• 각종 토공 장비와 작업명

암기하기

■ 장비의 종류와 특징
① 기계보다 높은곳 굴착 : 파워 쇼벨
② 도랑파기 : 백호우
③ 기계보다 낮은 연질 흙파기 : 드래그 라인
④ 좁은 곳의 수직굴착(깊은 우물파기) : 크람쉘
⑤ 60M이하의 배토작업 : 불도저
⑥ 정지작업 : 그레이더
⑦ 상차작업(토사 적재) : 로우더
⑧ 운반, 배토작업 : 스크레이퍼

2. 장비의 종류와 용도, 특징

종 류		특징 및 장, 단점
굴삭용	Power Shovel 파워 쇼벨	기계보다 높은 지반의 굴삭에 적당. 굴삭력 우수 굴삭높이 : 1.5~3m, 굴삭깊이 : 지반 밑 2m정도 버켓용량 : 0.6~1.0㎥ , 선회각 : 90°
	Drag Shovel = Back Hoe = Trench Hoe	기계가 서있는 지반보다 낮은곳의 굴착에 좋다. 파는 힘이 강력하고 비교적 경질지반도 적응한다. 굴삭깊이 : 6.4m, 굴삭폭 : 8~12m, 버켓용량 : 0.3~1.9m³, Boom의 길이 : 4.3~7.7m, 용량이 작은 배수로용을 Trench hoe라고 부른다.
	Drag Line 드래그라인	기계위치보다 낮은곳의 연질지반 굴착에 사용된다. 넓은 면적에 적용되나 힘이 강력하지 못하다. 굴삭깊이 : 8m, 선회각 : 110°, 굴삭폭 : 14m

▶ 지하철에서 지하흙을 Drag Line이 덤프트럭에 상차하는 모습

굴삭용	Clamshell 크람쉘	좁은 곳의 수직굴착에 알맞다.(Surry Wall 공사 등) 사질지반에 적당하고, 비교적 경질지반에도 적용할 수 있다. 굴삭깊이 : 보통 8m, 최대 : 18m, 버켓용량 : 2.45m³, 토사체취에도 사용된다.
	Bucket Excavator	순환하는 쇠사슬에 다수의 버켓을 설치, 연속적으로 아래에서 위로 떠올린다. 채석장, 배쳐 Plant 등에서 사용 용도가 넓다.
	Suspension Dredger	케이슨이나 피어기초의 안쪽 흙을 수직으로 팔 때 사용하며, Bucket이나 Excavator를 수직으로 이용한 것이다.
	Trencher	좁고 깊은 도랑을 연속으로 일정하게 파면서 전진하는 기계로써 하수도관, 가스관, 송유관 등의 굴착용이다.

▶ Drag Shovel 작업모습

▶ Trencher에 의한 굴착작업모습

배토정지용	Bull Dozer	운반거리 50~60m 이내, 최대 100m에서 배토작업에 사용한다. 1일 배토량 : 운반거리 30m 일 때 100~300 m³/일
	앵글 Dozer	산악지역 도로개설 등에 쓰인다. 배토판이 위, 아래 뿐아니라 진행방향에서 30°까지 좌우로 각도회전가능, 측면으로 흙을 보낼수 있다.
	Tilt Dozer	브레이드를 레버로 조정가능, 상하 20~25°까지 기울일 수 있다. V형 배수로 작업, 땅파헤치기, 나무뿌리 제거, 돌굴리기에 효과적이다.
	Scraper Carryall Scraper	흙을 깍으면서 동시에 기체내에 담아 운반하고 깔기작업을 겸할 수 있다. 작업거리는 100~1,500m 정도의 중장거리용이다.
	그레이더(Grader)	땅고르기, 정지작업, 도로정리 등에 사용한다.
상차용	Loader	상차 작업에 사용하며, 기동성이 우수하다. (휠로더, 페이로더 등이 있다.)
	Forklift	창고 하역, 벽돌, 목재 등을 운반하는 지게차
	Crawler Loader	불도저 대용으로 쓰며, 굴착력도 강하다.

학습 POINT

※ Trafficability(장비의 주행성능) : 토공사용 시공기계가 그 토질에 대해서 주행할 수 있는가를 판단하는 장비주행의 난이정도를 말한다.

▶ Dozer 작업모습

▶ Grader 모습

▶ 10-③ / 18-②, 20-⑤

- 정지용 기계장비를 3가지 쓰고 특성, 용도 기술
- 클람쉘, 파워쇼벨

운반용	Elevator Tower	흙이나 Concrete 등을 Elevator로 운반한다.
	Conveyor	Belt Conveyor : 경사가 급한곳에 사용. 자갈, 모래, Concrete 등을 운반 Screw Conveyor : 버켓의 시멘트를 수평으로 운반한다.
	기 타	Truck류(덤프트럭, Trailer, 트랙터 등)
다짐용	전압식	로드 Roller, Tamping Roller, Tire Roller 등
	진동식	진동롤러(Vibro Roller), Vibro Compactor 사질지반 다짐용으로 주로사용. 진동 Tire Roller도 있다.
	충격식	내연기관의 폭발력을 이용하여 충격을 주어 다짐. Rammer, Compactor(Tamper), Tamping Rammer 등이 있다.

▶ Rammer(다짐기)

▶ 지게차 모습

학습 POINT

▶ Roller 다짐 작업

▶ 되메우기 다짐 작업

▶ Soil Compactor

관련문제

1 **지반개량의 목적과 지반개량 공법을 각각 세가지만 쓰시오. (4점)** 〔95 ④, 96 ⑤〕

(가) 지반개량의 목적 :

① ________ ② ________

③ ________

(나) 지반개량 공법 :

① ________ ② ________

③ ________

2 **지반 개량공법을 5가지만, 3가지만 쓰시오. (5점, 3점)** 〔89 ①, 95 ①, 96 ③, 19 ③, 23 ②〕

(1) ________ (2) ________ (3) ________

(4) ________ (5) ________

3 **보기에 열거한 공법들을 아래 분류에 따라 골라 번호를 쓰시오. (4점)**

〔93 ① , 95 ②, 97 ①, 04 ①, 05 ②〕

〔보기〕

(1) 칼 웰드 공법	(2) 샌드 드레인 공법	(3) 베노토 공법
(4) 동결 공법	(5) 그라우팅 공법	(6) 이코스 공법

(가) 제자리 콘크리트 말뚝 공법 : ________

(나) 지반개량 공법 : ________

4 **(1) Sand drain 공법의 목적을 설명하고 방법을 쓰시오. (4점)** 〔94 ④, 09 ②〕

(가) 목적 : ________

(나) 방법 : ________

(2) Sand drain 공법에 대하여 설명하시오. (3점)

〔10 ①, 12 ②, 14 ③, 16 ①, 17 ③, 20 ③, 21 ②〕

____

해설 및 정답

정답 **1**

(가) ① 지반의 지지력 증가
② 부동침하방지
③ 지반굴착시 안전성 확보

(나) ① 치환공법
② 재하공법
③ 탈수, 배수공법

정답 **2**

(1) 치환법 (2) 다짐법
(3) 탈수법 (4) 약액주입법
(5) 재하공법

정답 **3**

(가) (1), (3), (6)
(나) (2), (4), (5)

정답 **4**

(가) 연약한 점토층을 탈수하여 지반강화

(나) 지름 40~60cm의 구멍을 뚫고 모래를 넣은 후, 성토 및 기타 하중을 가하여 점토질 지반을 압밀하여 탈수하는 공법

관련문제

5 **지반개량공법중 탈수법에서, 다음 토질에 적당한 대표적 공법을 각각 1가지씩 쓰시오. (2점)** 〔98 ②, 01 ③, 05 ③, 08 ②, 09 ③, 13 ③〕

① 사질토 : ______

② 점성토 : ______

6 **(가) 연약지반의 수분을 탈수시켜 지반을 강화 개량하는 공법을 3가지 쓰시오. (3점)** 〔99 ①〕

(나) 지반개량공법 중 탈수공법의 종류를 4가지 쓰시오. (4점) 〔04 ②, 08 ①, 13 ②〕

① ______ ② ______

③ ______ ④ ______

7 **다음 지반탈수공법의 명칭을 쓰시오. (4점, 3점)** 〔99 ⑤, 07 ①, 08 ③, 21 ①〕

(1) 점토질지반의 대표적인 탈수공법으로서 지반에 지름 40~60cm의 구멍을 뚫고 모래를 넣은후, 성토 및 기타 하중을 가하여 점토질 지반을 압밀하므로써 탈수하는 공법을 무슨공법이라고 하는가 ? 〔08 ③〕

(2) 사질지반의 대표적인 탈수공법으로서 직경 약 20cm 특수파이프를 상호 2m 내외 간격으로 관입하여 모래를 투입한 후 진동다짐하여 탈수통로를 형성시켜서 탈수하는 공법을 무슨 공법이라고 하는가 ?

① ______ ② ______

8 **탈수공법 중 다음 공법에 대하여 기술하시오. (4점)** 〔10 ③, 20 ③〕

• 페이퍼 드레인(paper drain)공법 : ______

______

• 생석회 말뚝(chemico pile) 공법 : ______

______

해설 및 정답

정답 **5**
① 웰 포인트(Well Point)공법
② 샌드 드레인(Sand Drain)공법

정답 **6**
① 웰포인트 공법
② 페이퍼드레인 공법
③ 샌드드레인 공법
④ 생석회 공법
(화학적 공법)

정답 **7**
(1) Sand drain 공법
(2) 웰 포인트 공법

정답 **8**
• 페이퍼 드레인(paper drain)공법 : 모래 대신 합성수지로 된 카드보드를 지반에 삽입하여 점토지반의 배수를 촉진하는 지반개량 압밀공법
• 생석회 말뚝(chemico pile)공법 : 모래 대신 석회를 넣어 탈수 및 지반압밀을 증진시키는 점토지반 개량공법

관련문제

9 (가) 지반개량공법에서 진동다짐 압입공법의 종류를 2가지(3가지) 나열하시오. (2점, 3점) 〔98 ⑤, 99 ⑤, 01 ③〕

(나) 연약지반의 지내력을 강화시키기 위하여 지반개량을 실시하는데, 지반개량의 공법 중에서 다짐공법의 종류 2가지를 쓰시오. (2점) 〔05 ①, 06 ③〕

① ______________________ ② ______________________

③ ______________________

10 (1) 지반개량공법에 대한 설명이다. 올바른 용어를 채우시오. (3점) 〔04 ③〕

연약층의 흙을 양질의 흙으로 교체하는 방법을 (①)공법이라고 하며, 지반에 파이프를 박고 액체질소나 프레온가스를 주입하여 지하수를 동결시켜 차단하는 것은 (②)공법이라고 한다. 또한 구조물에 상당하는 무게를 미리 연약지반위에 일정기간 방치하여 연약지반을 압밀시키는 것을 (③)공법이라고 한다.

① ______________ ② ______________ ③ ______________

(2) 점토지반 개량공법 중 두가지를 제시하고 그 중 한가지를 선택하여 간단히 설명하시오. (4점) 〔11 ①, 16 ②〕

____

____

11 토공장비 선정시 고려해야 할 기본적인 요소를 4가지, 3가지 적으시오. (4점, 3점) 〔03 ②, 17 ②〕

(1) ______________________ (2) ______________________

(3) ______________________ (4) ______________________

12 다음 토공작업에 적당한 장비명을 쓰시오. (5점) 〔89 ②, 92 ③〕

(1) 좁은곳의 수직굴착 : ______________________

(2) 기계가 서 있는 지반보다 낮은곳 굴착 : ______________________

(3) 운반거리 50~60m 이하의 배토작업 : ______________________

(4) 기계가 서 있는 지반보다 높은곳 굴착 : ______________________

(5) 굴착한 토사의 상차작업 : ______________________

해설 및 정답

정답 9

① 바이브로 프로테이션 공법
② 바이브로 콤포저 공법
(다짐모래말뚝 공법)
③ 동다짐(동압밀) 공법
④ 폭파 다짐 공법

정답 10

① 치환
② 동결
③ 선행재하(성토)

정답 11

(1) 굴착깊이에 따른 장비의 규모
(2) 굴착된 흙의 반출거리
(3) 흙의 종류에 따른 능률성 고려
(4) 토공사기간에 따른 장비의 유형 및 갯수

정답 12

(1) 클람쉘(Clamshell)
(2) 드래그라인, 드래그쇼벨(백호우)
(3) 불도우저(Bull Dozer)
(4) 파워쇼벨(Power Shovel)
(5) 로우더(페이로더, 휠로우더)

13 다음 각종 장비가 유효하게 쓰여질 수 있는 작업명을 보기에서 골라 번호를 쓰시오. (5점) 〔92 ②〕

(가) 스크레이퍼 (나) 그레이더 (다) 쇼벨로우더 (라) 백호우 (마) 크램쉘

〔보기〕

(1) 토사적재 (2) 깊은 우물통파기 (3) 도랑파기 (4) 다지기
(5) 정지작업 (6) 토사운반 (7) 배토작업

14 연관있는 것끼리 줄을 그으시오. (5점) 〔00 ②〕

㈎ 드래그 셔블(백호우) •	• ① 기계보다 높은 곳을 판다.
㈏ 크램쉘 •	• ② 기계보다 낮은 곳을 판다.
㈐ 파워쇼벨 •	• ③ 일정한 폭의 구덩이를 연속으로 판다.
㈑ 드래그라인 •	• ④ 낮은곳의 흙을 좁고, 깊게 판다. 지하연속벽 공사에 사용
㈒ 트랜쳐 •	• ⑤ 지반보다 낮은 연질의 흙을 긁어 모으거나 판다.

15 아래의 단면도와 같은 줄기초 공사에 있어서 되메우기 흙의 다짐에 적합한 기계장비를 〔보기〕에서 모두 골라 기호로 쓰시오. (3점) 〔00 ②〕

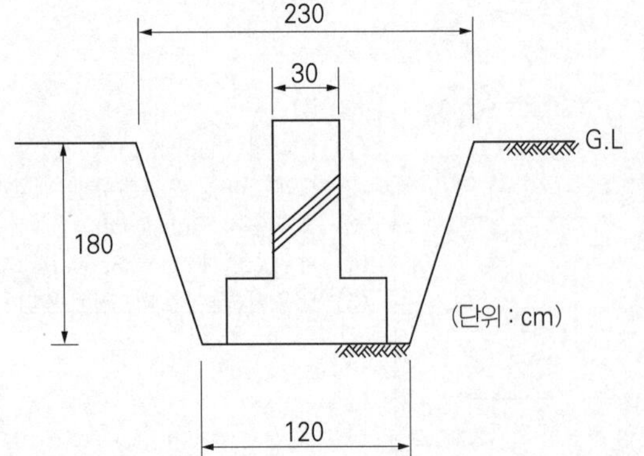

〔보기〕

㉮ Drag Shovel
㉯ Rammer
㉰ 소형 진동 Roller
㉱ Loader
㉲ Plate Compactor
㉳ Scraper

정답 13
(가) - (6),(7) (나) - (5)
(다) - (1) (라) - (3)
(마) - (2)

정답 14
(가) - ② (나) - ④
(다) - ① (라) - ⑤
(마) - ③

정답 15
㉯, ㉰, ㉲

관련문제

16 운반공사에 사용되는 자주식 장비를 3종류 기재하시오. (3점) 〔01 ②〕

① ________ ② ________ ③ ________

17 토공사용 기계 중 정지용 기계장비의 종류 3가지를 들고 특성 및 용도에 대해 간단히 기술하시오. (3점) 〔10 ③〕

- ________
- ________
- ________

18 다음이 설명하는 시공기계를 쓰시오. (4점) 〔18 ②, 20 ⑤〕

> (1) 사질지반의 굴착이나 지하연속벽, 케이슨 기초 같은 좁은 곳의 수직굴착에 사용되며, 토사채취에도 사용된다. 최대 18m 정도 깊이 가지 굴착이 가능하다.
> (2) 지반보다 높은 곳(기계의 위치보다 높은 곳)의 굴착에 적합한 토공장비

(1) ________ (2) ________

해설 및 정답

정답 **16**

① 트랙터(tractor)
② 덤프트럭(dump truck)
③ 자주식 스크레이퍼(scraper)
※ 기타 : 트레일러, 화물트럭

정답 **17**

- 불도우져(Bull Dozer) : 운반거리 50~60m, 최대 100m 정도의 배토, 운반용
- 그레이더(Grader) : 정지작업, 도로정리등에 사용
- 스크레이퍼(Scraper) : 최대 1500m 거리의 중장거리 배토, 정지, 운반용기계

정답 **18**

(1) 클람쉘(Clamshell)
(2) 파워쇼벨(Power Shovel)

출제예상문제

4 CHAPTER 토공사

1 **다음은 터파기시 일반적인 사항이다. (　　)안을 채우시오.**

경사파기에서 흙파기 경사각은 ((가))의 2배 정도로 하며 되메우기할 때 ((나)) cm마다 다짐기로 다져서 원지반과 밀착시킨다. 또한 되메우기는 기초벽 완성 후 ((다))일 정도 지나서 행하는 것이 좋다.

(가) ______________ (다) ______________ (라) ______________

정답 1
(가) 휴식각　(나) 30　(다) 7

2 **다음 그림을 참고하여 (　　) 안에 알맞는 수치를 써 넣으시오.**

이론상으로는 버팀대의 위치는 흙파기 바닥면 (C)에서 (㈎) H 지점에 설치하는 것이 좋으나 간단한 흙막이에서는 a : b : c를 (㈏) : (㈐) : (㈑) 정도로 설치하며 AC ≧ 10이면 CD는 보통 (㈒)m 이상 필요하다.

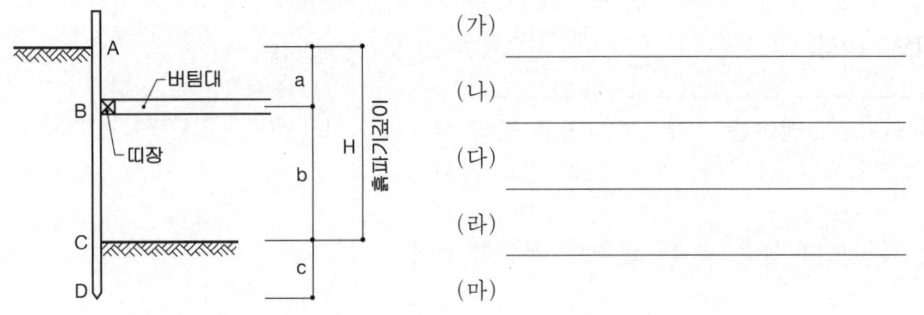

(가) ______________

(나) ______________

(다) ______________

(라) ______________

(마) ______________

정답 2
(가) 1/3　(나) 1　(다) 2
(라) 1　(마) 2

3 **흙파기 공법 중 Island 공법과 Trench Cut 공법의 대표적 공통적인 특징을 3가지 적으시오.**

① ______________ ② ______________

③ ______________

정답 3
① 연약지반에 적용 가능하다.
② 깊은 기초에는 부적합하다.
③ 이중작업으로 공기가 길어진다.

4 **연약한 점성토지반과 사질토지반의 문제점을 개선하고자 연약지반을 개량하게 된다. 연약지반 터파기 공사와 기초설계시 나타날 수 있는 문제점을 점성토와 사질토로 나누어 각각 3가지 쓰시오.**

- 점성토: ______________
- 사질토: ______________

정답 4
- 점성토
① 지내력 저하　② 히빙
③ 압밀침하
- 사질토
① 지내력 저하　② 보일링
③ 액상화

해설 및 정답

5 연약지반에서 암반까지 천공하여 설치하는 영구용 앵커인 락 앵커(Rock Anchor)의 주된 사용용도를 2가지만 적으시오.

(1) ______________ (2) ______________

정답 5
(1) 피압수에대한 건물의 부력(부상) 방지용
(2) 암반, 기초부위의 미끄럼(Sliding) 방지용

6 지하연속벽(Slurry Wall)의 시방서 기준에 대한 설명 중 ( )안을 적당히 채우시오.

연속벽체의 벽두께는 최소 (㈎)m 이상이고, 1개 벽판타설(Panel) 길이는 (㈏) m를 초과할 수 없다. 콘크리트의 물시멘트비는 (㈐)% 이하로 되어 있으며 철근망 피복두께는 (㈑)cm 이상을 유지하여야 한다.

(가) ______________ (나) ______________

(다) ______________ (라) ______________

정답 6
(가) 0.6
(나) 9
(다) 50
(라) 8

7 터파기공사시 지하수처리공법에는 배수공법과 차수공법이 있다. 차수공법 중 물리적인 차수공법과 화학적인 차수공법 각각 3가지 쓰시오.

- 물리적 차수공법: ______________
- 화학적 차수공법: ______________

정답 7
- 물리적 차수공법
① 지하연속벽(Slurry Wall) 공법
② CIP(Cast In-Pile) 공법
③ 강재쉬트파일 공법
- 화학적 차수공법
① LW(Lables Wasserglass) 공법
② JSP(Jumbo Special Pile) 공법
③ SGR(Space Grouting Rocket System) 공법

8 어스앵커(Earth Anchor)공법은 어스앵커체와 주변 지반과의 지지 형식에 따라 3가지로 구분할 수 있다. 그 지지형식을 답란에 적으시오.

① ______________ ② ______________ ③ ______________

정답 8
① 마찰형
② 지압형
③ 복합형

9 지하나 지반의 굴착과 동시에 상차(적재)를 할 수 있는 장비를 3가지만 쓰시오.

① ______________ ② ______________ ③ ______________

정답 9
① Power Shovel
② Drag Shovel
③ Drag Line

출제예상문제

10 **다음 물음에 답하시오.**

(1) 흙막이 공사시 중고 H형강을 이용하여 흙막이를 할 목적으로 사용하는 말뚝을 무엇이라고 하는가 ? ______________

(2) 포화된 모래가 진동이나 충격으로 간극수압이 상승하고 유효응력이 감소되어 그 결과 사질지반이 외력에 대한 전단저항을 상실하게 되는 현상을 무엇이라고 하는가 ? ______________

(3) 지름 0.3~1.5m 정도의 우물을 굴착하여 이 속에 우물측관을 삽입하여 그 안으로 유입하는 지하수를 펌프로 양수하는 공법은 ? ______________

(4) Well point 공법 사용시 Point(라이저파이프)의 지중타입 간격은 ? ______

(5) 교란된 시료의 강도는 불교란 시료에 비해 현저하게 떨어진다. 그러나 시간이 지남에 따라 강도의 일부가 회복된다. 이런 현상을 무엇이라 하는가 ? ___

(6) 정확한 침하량(1/100mm)을 측정할 수 있는 시계형의 측정기구로서 지내력 시험에 이용되는 기구는 ? ______________

11 **주열식 지하연속벽이나 슬러리월에 관하여 규정된 표준시방서에 표시된 내용 중 다음 물음에 하시오.**

(1) CIP(Cast-In-Place) Pile 시공시 말뚝의 연직도(수직도)는 말뚝길이의 (㉮) 이하이어야 한다.

(2) 슬러리월 시공시 물시멘트비는 50% 이하로 하며, 허용공기량은 (㉯) 이하로 해야 한다.

(3) 슬러리월 시공시, 콘크리트 타설은 판넬의 굴착이 완료된 후 (㉰) 시간이내에 시작하고 트레미관의 선단은 항상 콘크리트 속에 (㉱)m 이상 묻혀 있어야 한다.

12 **흙막이 공사중 흙막이의 안전시공과 변위, 기타 계측을 위하여, 계측기를 설치하게 되는데 이러한 계측기 설치를 위한 계측 위치를 선정할 때 고려할 항목으로 표준시방서에서 정한 내용을 4가지 적으시오.**

(1) ______________ (2) ______________

(3) ______________ (3) ______________

해설 및 정답

정답 **10**
(1) 어미말뚝
(2) 액상화(Liquefaction)현상
(3) 깊은 우물공법(Deep well 공법)
(4) 1~2m 간격
(5) thixotropy(딕소트로피) 현상
(6) 다이얼 게이지(dial gauge)

정답 **11**
㉮ : 1/200
㉯ 4.5±1.5%
㉰ 12
㉱ 1

정답 **12**
(1) 굴착에 따른 지반거동을 미리 파악할 수 있는 곳
(2) 지반조건이 충분히 파악되어 구조물의 전체를 대표할 수 있는 곳
(3) 중요구조물 등 공사에 따른 영향이 예상되는 곳
(4) 교통량이 많고 교통 흐름의 장해가 되지 않는 곳
(5) 지하수가 많고, 수위의 변화가 심한 곳
(6) 시공에 따른 계측기의 훼손이 적은 곳

출제예상문제

해설 및 정답

13 다음 물음에 답하시오.

(1) 비교적 느슨한 모래층을 현장에서 다지는 공법으로서, 약 2m 길이의 진동봉을 사출수(water jet)를 이용하여 지중 깊은 심도까지 관입시킨 후 횡방향의 진동을 유발시켜 주변지반을 다져 올라오면서, 진동봉에 위치했던 빈 구멍을 모래나 자갈로 채우는 공법은?

(2) 파이프 회전봉의 선단에 cutter를 장치한 것으로 지중을 파고 다시 회전시켜 빼내면서 모르타르를 분출시켜 지중에 Soil Concrete pile을 형성시킨 말뚝은?

(3) 활주로 또는 폭이 넓은 도로공사에 사용되는 토공기계로서, 절토-싣기-운반-정지(또는 성토)의 작업을 연속적으로 수행하여 cycle 시간을 단축시킬 수 있는 기계의 명칭은?

(1) ______

(2) ______

(3) ______

정답 **13**
(1) 바이브로 플로테이션 (vibro flotation) 공법
(2) MIP(Mixed in Place) Pile
(3) 스크레이퍼(Scaper)

14 철관이나 H-pile 등을 박아서 벽체를 보강하면서 현장타설 concrete pile을 형성하여 흙막이를 하는 주열식 흙막이 공법에서 말뚝을 배열하는 형식을 4가지 쓰시오.

① ______ ② ______

③ ______ ④ ______

정답 **14**
① 독립형 배치 ①③②④
② 접선형 배치 ①④②⑤③
③ 겹침형 배치 ①④②⑤③
④ 어긋매김형 ①④②⑤③
※ 혼합배치형 (MIP형) ④⑤ ①②③

15 흙막이 공사에 많이 사용되는 주열식 말뚝공법의 명칭을 4가지만 적으시오. (4점)

(1) ______ (2) ______

(3) ______ (3) ______

정답 **15**
(1) ICOS 말뚝공법
(2) CIP 말뚝공법
(3) MIP 말뚝공법
(4) PIP 말뚝공법

관련문제

16 일반적인 토공사의 진행절차를 보기에 있는 내용에서 순서대로 나열하시오. (4점)

〔보기〕

(1) 사전조사　　(2) 배수계획수립
(3) 인가 · 도로 양생계획　　(4) 굴착단면검토(흙막이 필요성 검토)
(5) 흙막이 공법의 선정　　(6) 굴착토 · 매립토의운반계획
(7) 굴착방법의 검토

해설 ※ 토공사의 진행절차(Flow Chart)

사전조사	주변조사, 지반조사, 토질조사
굴착단면의 검토 (흙막이 필요성 검토)	부지 경계와 지하실의 관계, 건물의 구조, 지하수의 종류, 건물기초 구조, 부지 주변의 상황
흙막이 공법의 선정	부지 넓이와 지하부분 깊이, 토질확인, 소음진동허용치, 지수의 필요성, 안전성, 경제적 공기의 검토, 공해
배수계획	투수계수 조사, 지하수의 조사, 양수량 측정, 주변 지하수 이용자 조사, 하수관 배수능력 조사, 배수펌프능력 조사, 경제성 검토
굴착방법의 검토	굴착순서, 굴착기계의 선정 및 대수의 산정, 동선 및 구대계획, 잔토반출기계의 선정 및 대수의 산정
굴착토 매립토의 운반	잔토반출도로 및 경로계획, 잔토 / 매립토 반입방법
인가 양생계획 도로 양생계획	인접구조물과 중량기초의 구조 조사 및 동양생방법, 돌담, 옹벽 등의 양생방법, 지중매설물, 전주, 수목 등의 이설 양생

해설 및 정답

정답 **16**
(1) → (4) → (5) → (2) → (7) → (6) → (3)

제5장

지정 및 기초공사

핵심 11 연약지반, 부동침하, 기초 및 지정

학습 POINT

▶ 02-①, 17-② / 06-②, 12-②, 15-①, 20-①, 23-②

- 부동침하 방지를 위한 기초구조물, 상부구조물 대책 각각 2가지씩
- 부동침하 방지대책 4가지

1 연약지반의 기초 대책

(1) 상부구조의 관계	(2) 기초구조와 지반의 관계
① 건물을 경량화 할 것. ② 건물의 길이를 축소할 것. ③ 강성을 높일 것. ④ 인접건물과의 거리를 멀리할 것. ⑤ 건물의 중량 배분을 고려한다.	① 기초를 경질지반에 지지. ② 마찰 말뚝을 사용할 것. (지지말뚝과 혼용금지) ③ 지하실 설치. ④ 복합기초 사용.

2 부동침하(Uneven Settlement)

한 건물에서 부분적으로 상이한 침하가 생기는 현상

▶93-③ / 90-②, 93-③, 95-⑤, 97-③

- 부동침하 발생균열 작도 /
- 부동침하 원인 6가지

1. 부동침하의 원인

① 연약층 ② 연약층의 두께가 상이한 경우 ③ 이질 지층(이중지반) ④ 일부증축(무리한 증축) ⑤ 지하 수위변경	⑥ 낭떠러지 (경사지 근접 시공) ⑦ 이질 지정 ⑧ 일부 지정 ⑨ 지하구멍 ⑩ 인접건물에 근접시공 등

2. 말뚝의 부동침하

부 마찰력(Negative Friction) : 연약지반을 관통한 말뚝이 지반이 침하하면서 하향으로 말뚝을 끌어 내리려는 현상으로 기초 Crack 발생. 부동 침하 발생

▶ 88-②, 90-③, 92-③, 94-①, 94-② / 03-②, 07-①, 10-①, 11-③, 15-① / 08-③, 14-② 18-③, 19-③ / 18-①, 22-③

- 언더피닝 용어설명 /
- 언더피닝공법종류 4가지, 3가지
- 공법의 목적, 종류 2가지
- 언더피닝을 적용해야 하는 경우 2가지, 3가지 쓰기

3. 언더피닝(Underpinning) 공법

인접한 건물 또는 구조물의 침하 방지를 목적으로 하는 지반보강 방법 총칭

4. 언더피닝 공법의 종류

① 차단공법	㉮ 이중널말뚝공법　　㉯ 차단벽 설치 공법
② 보강공법	㉮ 현장타설 콘크리트 말뚝설치 보강공법 ㉯ 강재말뚝 보강공법 ㉰ Mortar 및 약액주입법 등 지반안정공법 ㉱ 기초하부의 보, 기둥 등을 첨가하여지지
③ 직접지지법	㉮ Jack을 이용하여 지지　　㉯ Bracket를 설치하여 지지하는 방법

암기하기

■ 언더피닝 공법의 정의
기존 건축물 가까이 신축공사를 하고자 할때 기존 건물의 지반과 기초를 보강하는 공법이다.

▶ 언더피닝공법중 Jack으로 Support하여 건물을 지지한 모습

▶ 언더피닝 공법중 말뚝과 철골구조체를 이용하여 보강한 장면

3 기초와 지정

1. 기초와 지정의 정의

① 기초	건축물의 최하부에서 상부구조의 하중을 받아서 지반에 안전하게 전달시키는 최하층 구조체
② 지정	기초밑면을 보강하거나 지반의 지지력을 보강해주기 위한 부분

2. 기초의 분류(Slab 형식에 의한 분류)

독립기초	(Independent Footing) : 단일기둥을 기초판이 받친다.
복합기초	(Combination Footing) : 2개 이상 기둥을 한 기초판에 연결 지지
연속기초	(줄기초 : Strip Footing) : 연속된 기초판이 벽, 기둥을 지지
온통기초	(Mat Foundation) : 건물하부 전체를 기초판으로 한 것

3. 지정의 종류, 특징, 목적

지정의 종류	내용・특징・목적
① 잡석지정	• 지름 10~25cm 정도의 호박돌을 옆세워 깐다. (전단력 보강) 그 사이 사춤자갈을 넣고 가장자리에서 중앙부로 다진다. • 두께 : 100~300mm 정도. 사춤자갈량 : 잡석량의 30%
	• 다짐기기 : 손달고, 원달고, 몽둥달고, 람마. Compactor • 지정폭(기초판 끝에서) : 10cm(목조, 조적), 15cm(Concrete조) • 지반이 굳은 층(모래, 자갈), Loam층에서는 오히려 지반 약화
사 용 목 적	㉮ Concrete 두께 절약 ㉯ 기초바닥판의 배수, 방습 효과 ㉰ 이완된 지표면의 다짐, 보강효과 기대
② 모래지정	• 지반이 연약하고 2m내 굳은층이 있을 때 1m 정도한다. • 30cm 마다 물다짐한다. • 방축널 설치시 제거하지 않는다.

학습 POINT

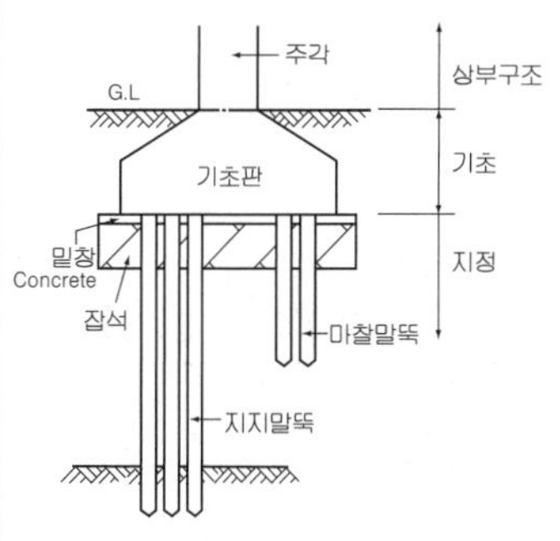

그림. 기초와 지정

▶ 95-①, 06-③, 12-③, 19-①, 20-④ / 96-⑤, 00-① / 06-①

• 기초와 지정의 차이점 기술 /
• 복합기초 용어 설명
• Floating Foundation 설명

▶ 85-③, 89-② / 91-③, 93-②, 96-① / 89-③

• 잡석지정의 시공순서 /
• 잡석지정 시공 목적 3가지 /
• 지정의 종류설명

참고사항 잡석지정의 시공순서

① 지반굴착
② 잡석을 옆세워 깔기
③ 사춤자갈 채우기
④ 다짐
⑤ 밑창 콘크리트 타설

③ 자갈지정	• 4.5cm 정도의 자갈, 깬자갈, 모래반 섞인 것을 6~12cm정도 설치 • 잡석 대신 시공. 하부에 경질 토질일 때 시공
④ 긴 주춧돌 지정	• 간단한 건물, 비교적 지반이 깊을 때 사용. 잡석지정, 자갈지정위 30cm 정도를 지정한다. • Concrete관, 토관에 Concrete 채운 것이나 긴 주춧돌을 세운다.
⑤ 밑창 Concrete지정	• 잡석, 다갈다짐위 5~6cm 정도 Concrete(배합비 : 1 : 3 : 6)를 편편히 친다. ＊설계기준강도 : 14.7N/mm^2 이상
사용목적	• 먹매김이 가능. 거푸집 설치, 철근배근 용이. 바깥방수의 바탕으로 이용하기 위한 것
⑥ 잡석 Concrete지정	• 경미한 건축, 임시건축에 사용. 1 : 4 : 8 배합, 1 : 10~1 : 12 정도의 Lean Concrete로 만든 지정이다.

학습 POINT

▶ 자갈지정 후 콤팩터로 다짐하는 장면

▶ 밑창콘크리트 위 먹매김 작업

관련문제

1 (가) 건물의 부동침하를 방지하기 위한 기초구조물과 상부구조물에 대한 대책을 각각 2가지씩 쓰시오. (4점) 〔02 ①〕

(나) 건물의 부동침하를 방지하기 위한 대책 중 기초구조부에서 처리할 수 있는 방법을 4가지 적으시오. (4점) 〔17 ②〕

(다) 기초구조물의 부동침하 방지대책을 4가지 적으시오. (4점) 〔06 ②, 12 ②, 15 ①, 20 ①, 23 ②〕

(1) 기초구조물에 대한 대책 : ______

(2) 상부구조물에 대한 대책 : ______

2 조적조 건물이 그림과 같이 부동침하되었다. 이 때에 벽체에 발생되는 균열을 그리시오. (3점) 〔93 ③〕

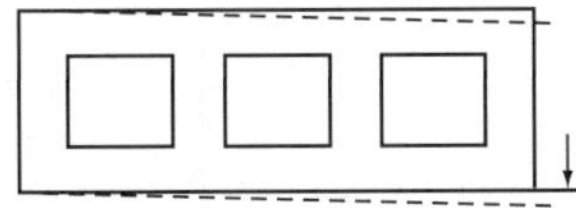

3 건축물의 부동침하 원인에 대하여 6가지만 쓰시오. (6점, 4점) 〔90 ②, 93 ③, 95 ⑤, 97 ③〕

① ______ ② ______

③ ______ ④ ______

⑤ ______ ⑥ ______

4 다음 설명이 뜻하는 용어를 쓰시오. (1점) 〔90 ③, 92 ③, 94 ②〕

기존 건축물 가까이 신축공사를 하고자 할 때 기존건물의 지반과 기초를 보강하는 공법 명칭은 ?

5 지하구조물 축조시 인접구조물의 피해를 막기 위해 실시하는 언더피닝(Under pinning) 공법의 종류를 4가지, 3가지 적으시오. (4점, 3점) 〔03 ②, 07 ①, 10 ①, 11 ③, 15 ①〕

① ______ ② ______

③ ______ ④ ______

해설 및 정답

정답 **1**

(1) ① 기초를 경질지층(경질지반)에 지지시킬 것
② 마찰말뚝을 사용하여 보강할 것(지지말뚝과 혼용금지)
③ 복합기초 사용, 지하실 설치
④ 언더피닝 공법을 적용하여 기초를 보강할 것
※ 기초를 상호 연결할 것

(2) ① 건물의 경량화와 길이를 축소할 것
② 중량 배분을 고려할 것

※ 기타 : 강성을 높일 것
인접건물과의 거리를 멀리할 것(이격시킬 것)

정답 **2**

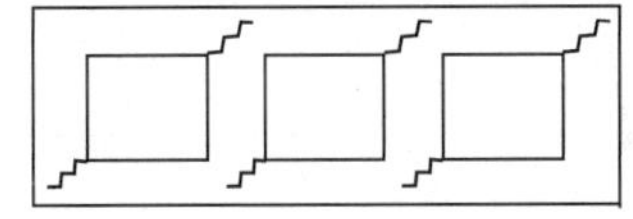

정답 **3**

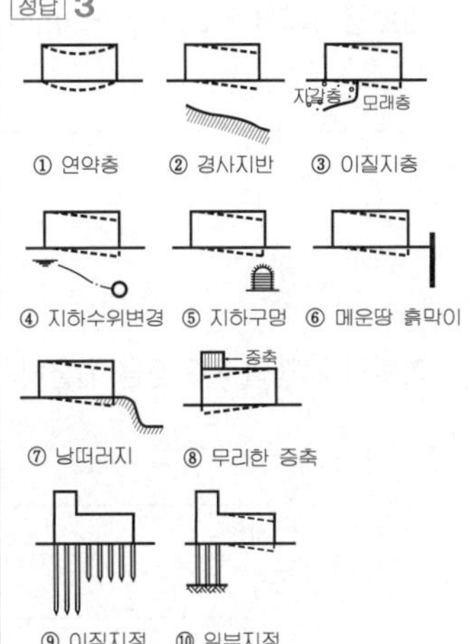

정답 **4**

언더피닝(Under-pinning)공법

정답 **5**

① 이중 널말뚝 설치공법
② 현장타설콘크리트 말뚝설치보강공법
③ Mortar 및 약액주입법등 지반안정공법
④ 강재말뚝보강공법

관련문제

6 (가) 언더피닝 공법을 시행하는 이유(목적)과 그 공법의 종류를 2가지 쓰시오. (4점) 〔08 ④, 14 ②, 19 ③〕

(나) 언더피닝 공법을 설명하고, 그 공법의 종류를 2가지 쓰시오. (4점) 〔18 ③〕

(1) 공법의 목적 : ______________________

____

(2) 공법의 종류 : ______________________

____

7 언더피닝 공법을 적용해야 하는 경우를 2가지, 3가지 쓰시오. (4점, 3점) 〔18 ①, 22 ③〕

(1) ______________________

(2) ______________________

8 기초공사에서 Floating Foundation에 관하여 설명하시오. (3점) 〔06 ①〕

____

____

9 기초와 지정의 차이점을 기술하시오. (4점) 〔95 ①, 06 ③, 12 ③, 19 ①, 20 ④〕

(1) 기초 : ______________________

(2) 지정 : ______________________

10 잡석지정을 시공하는 목적에 대하여 3가지만 쓰시오. (3점) 〔91 ③, 93 ②, 96 ①〕

㉮ ______________________

㉯ ______________________

㉰ ______________________

해설 및 정답

정답 **6**

(1) 지하구조물 축조시나 터파기 시 인접건물이나 구조물의 침하, 균열, 이동 등의 피해를 예방하기 위한 목적

(2) ① 이중널말뚝 설치공법
② 현장타설 콘크리트 말뚝설치보강법
③ Mortar 및 약액주입법

정답 **7**

(1) 기존 건축물의 기초 보강이 필요한 경우

(2) 인접건물의 침하나 이동방지상 필요한 경우

정답 **8**

① 건물하부의 지하실 바닥 전체를 하나의 일체식 기초로 축조하여 상부기둥을 지지하는 기초형식으로 전면기초 또는 Mat Foundation이라고 하다.

② 연약지반에 RC 구조 등의 중량건물을 세우는 경우 굴착한 흙의 중량과 건축물의 중량이 균형을 이루도록 만든 기초 공법 (건물중량=배토중량의 2/3~3/4 정도)

정답 **9**

(1) 건축물의 최하부에서 상부구조의 하중을 받아서 지반에 안전하게 전달시키는 구조부분

(2) 기초밑면을 보강하거나 지반의 지지력을 보강해주기 위한 부분

정답 **10**

㉮ Concrete 두께 절약
㉯ 기초바닥판의 배수, 방습
㉰ 이완된 지표면의 다짐, 보강

관련문제

11 잡석지정의 시공순서를 쓰시오. (5점) 〔85 ③, 89 ②〕

(1) ____________ (2) ____________

(3) ____________ (4) ____________

(5) 밑창콘크리트

12 다음 지정에 대하여 설명하시오. (10점) 〔89 ③〕

(가) 잡석지정

____

(나) 모래지정

____

(다) 자갈지정

____

(라) 긴주춧돌지정

____

(마) 밑창콘크리트지정

____

해설 및 정답

정답 **11**

(1) 기초굴토
(2) 잡석깔기
(3) 사춤자갈 채우기
(4) 다지기

정답 **12**

(가) 지름 15~30cm 정도의 잡석을 세워서 깔고 사춤자갈을 20~30% 채우고 다지는 지정으로 가장자리에서 중앙부로 다짐한다.
(나) 지반이 연약하나 하부 2m이내에 굳은 층이 있어 말뚝을 타입할 필요가 없을 때 그 부분을 파내고 모래를 넣고 30cm마다 물다짐하여 총 1m 정도 설치한다.
(다) 굳은 지반에 지름 4.5cm 내외의 자갈을 6~12cm 정도 깔고 잔자갈을 채운 것.
(라) 비교적 지반이 깊고 말뚝은 사용할수 없는 간단한 건축물에서 사용. 긴주춧돌 또는 30cm 지름의 관을 깊이 묻고 속에 콘크리트를 채운다.
(마) 1 : 3 : 6 배합으로 두께 5~6cm 콘크리트를 치는 것으로 먹줄치기를 가능하게 하고, 거푸집 설치를 용이하게 하며, 잡석의 유동을 막기 위한 것이다.

핵심 12

말뚝지정 및 기초, 시항타

1 말뚝지정 및 말뚝기초

1. 말뚝의 분류

① 종류에 따라 : 나무말뚝, 기성콘크리트 말뚝, 현장타설 콘크리트말뚝, 강재말뚝, 합성말뚝

② 기능에 따라 : 다짐말뚝, 인장말뚝, 경사말뚝(횡력저항말뚝), 흙막이 말뚝(활동방지 말뚝)

③ 지지말뚝과 마찰말뚝

㉮ 지지말뚝	연약지반을 관통하여 굳은 지반에 도달시켜서 말뚝 선단지지력에 의해 지지되는 말뚝
㉯ 마찰말뚝	연약층이 깊어 굳은층에 지지할 수 없을 때 말뚝과 지반의 마찰력에 의해 지지되는 말뚝

2. 말뚝 종류 및 비교

종 별	중심간격	길 이	지지력	특 징
나무말뚝	2.5D 또는 60cm이상	7m 이하	최대 100kN	• 상수면 이하에 타입 • 끝마구리직경 : 12cm이상
기성 콘크리트 말뚝(RC)	2.5D 또는 75cm이상	최대 15m 이하	최대 500kN	• 주근 6개 이상 • 철근량 0.8% 이상 • 피복두께 : 3cm 이상
강재말뚝	직경이나 폭의 2배이상 또는 75cm이상	최대 70m	최대 1000kN	• 깊은 기초에 사용 • 폐단 강관말뚝간격 : 직경의 2.5배 이상
매입말뚝	2D 이상	RC말뚝과 강재말뚝	최대 500~1000kN	• Pre-Boring공법 • SIP공법
현장타설 콘크리트 말뚝	2D 이상 또는 D+1m 이상	보통 30~90m	보통 2000kN 최대 9000kN 이상	• 주근 4개 이상(규정) • 원형단면 : 6개(일반적) • 철근량 : 0.25% 이상 • 피복두께 : 6cm 이상
공통 적용	• 간격 : 보통 3~4D • D : 말뚝외경(직경) • 연단거리 : 1.25D 이상, 보통 2D 이상			

학습 POINT

■ 말뚝공법의 종류
① 관입공법(케이싱공법 : 유관 무관)
② 기계굴삭 : 원주형과 각주형(사각형) 형태
③ 인력굴삭 : 우물통, 심초, 잠함기초

▶ 99-⑤ / 89-③, 13-①, 16-① / 92-④ / 99-⑤

• 지지말뚝과 마찰말뚝 용어설명 /
• 나무, 기성, 제자리 말뚝 간격 /
• 말뚝 재료별 최소 중심간격 /
• 기초의 지정 말뚝종류 3가지

암기하기

■ 말뚝간격
① 나무말뚝 : 60cm 이상
② 기성콘크리트 말뚝 : 75cm 이상

3. 나무말뚝지정

재 료	소나무, 낙엽송, 삼나무 껍질 벗겨 사용.(마찰력감소) 직경 15~20cm, 4.5~5.4m 길이(7m 이하) 말뚝머리에 두겁(Cap), 쇠가락지, 말뚝중심에 심대구멍.
타입기구 및 주의사항	드롭해머(활차와 Winch 이용), 뉴메틱해머 등을 이용하여 타입.
	말뚝의 휨정도 l/50. 이하. 공이무게 : 말뚝무게의 2~3배. 공이 낙하고 : 5m 이내. 예정위치까지 박는다.(지하수위 1m 이하) 상수면이하에 타입. 이음말뚝 : 최대 15m.

학습 POINT

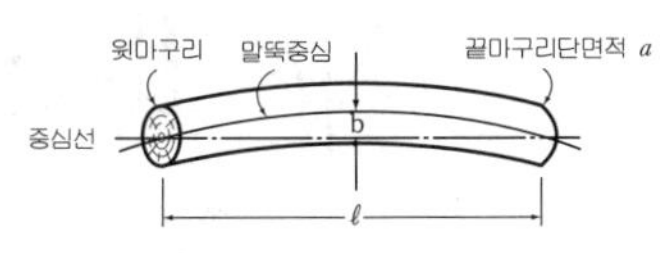

※b≦ l/50이하
(중심선 벗어남 금지)

그림. 나무말뚝의 휨 정도

4. 기성 Concrete 말뚝

(1) 원심력 콘크리트말뚝(중공말뚝 : RC Pile)	
① 일반사항	㉮ 지름 : 20~50cm ㉯ 길이 : 4~15m(길이는 직경의 45배이하) *운반상 : 12m 이하로 제작 ㉰ 최소철근량 0.8% 이상 ㉱ 허용압축응력도 : 8Mpa 이상(4주 압축강도의 1/4)
② 특징	재료구입용이, 지지말뚝에 적합. 이음부 신뢰성 부족, 타격시 균열, 철근부식 우려, 중간경질층 관통 어려움.
(2) 원심력 pre-stressed 콘크리트말뚝(PS Pile)	
① 일반사항	㉮ 4주 강도 : 50Mpa 이상. ※ 고강도 PS Pile : 80~100 Mpa ㉯ 지지력 우수, 60m까지 항타
② 종류	㉮ 프리텐션 방식의 원심력 PS Pile ㉯ 포스트텐션 방식의 원심력 PS Pile ㉰ 프리텐션방식의 원심력 PHC Pile ※ PHC Pile : 프리텐션 방식의 고강도 콘크리트 말뚝
③ 말뚝의 표시법	PHC - A · 450 - 12 ㉮ ㉯ ㉰ ㉮ 프리텐션 방식의 고강도 콘크리트 말뚝 ㉯ 말뚝의 지름 450mm ㉰ 말뚝의 길이 12m
④ 특징	타입시 인장파괴가 없음, 이음부 신뢰성 우수, 중간경질층 관통이 용이, 내구성 휨저항성 우수.
(3) 말뚝 단부형태에 따른 분류	
① 압입공법 적용시	㉮ 연필형태(Pencil Type : 폐쇄돌출형) ㉯ 플랫형태(Flat Type : 폐쇄형, 폐단형)
② 개단말뚝	Open Type이라하며, 중굴공법(내부굴착공법)적용시 사용된다.
※ 기타 : Mammilla Type, Rocket Shoe 등이 있다.	

▶ 00-② / 06-① / 13-②
- 말뚝표시기호(PHC)
- PHC 말뚝의 제작 방식
- 합성말뚝

▶ 03-①
- 압입공법 적용시 채용되는 말뚝단부형태 2가지

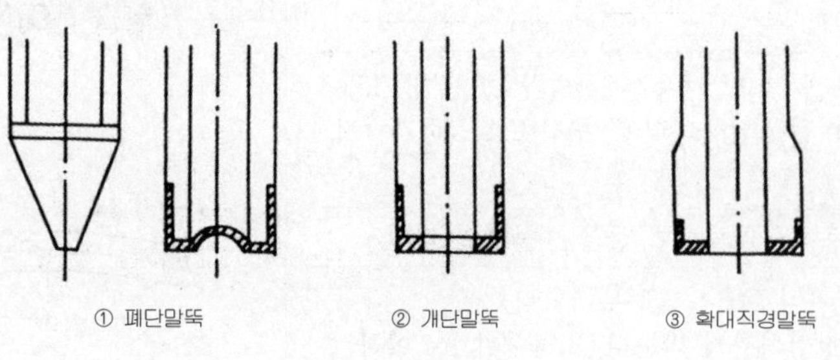

그림. 말뚝의 선단(shoe)모양

학습 POINT

▶ 콘크리트 파일의 선단모양

5. 파일의 이음법

① 기성콘크리트말뚝	㉮ 충전식 이음　　㉯ 용접식 이음 ㉰ bolt식 이음　　㉱ 장부식 이음법 등이 있다.
② 나무말뚝	㉮ 파이프이음법　　㉯ 꺽쇠이음법 ㉰ 덧댐이음법 등을 사용한다.
③ 강재말뚝	주로 용접이음에 의한 강접합을 사용

▶ 96-⑤, 98-①, 00-⑤, 01-②

• 콘크리트 말뚝의 이음방법 3가지

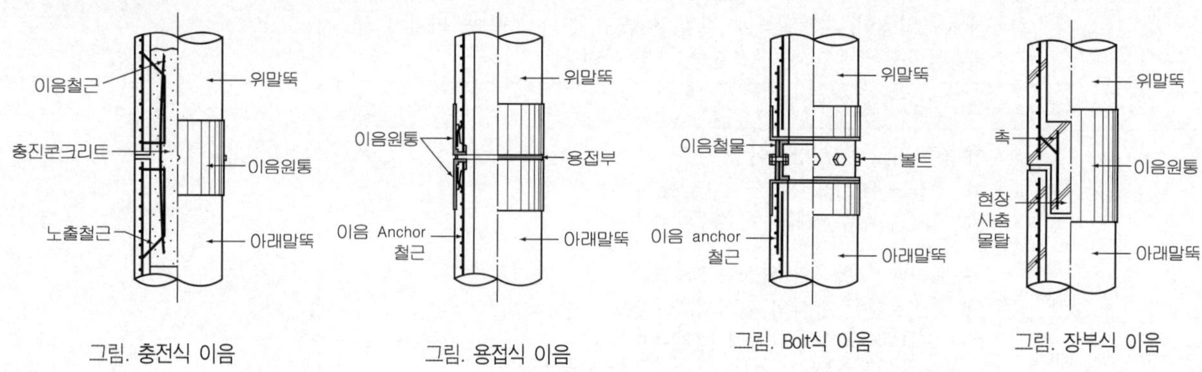

그림. 충전식 이음　　그림. 용접식 이음　　그림. Bolt식 이음　　그림. 장부식 이음

6. 강재(강관) 말뚝

① 특징	② 종류
㉠ 지지층에 깊이 관입. 지지력이 크다. ㉡ 중량이 가볍고, 단면적이 작다. ㉢ 휨저항이 크고, 수평, 충격력등에 대한 저항성이 크다. ㉣ 경질층에 타입, 인발이 용이하다. ㉤ 이음이 강하며 길이조절 용이 ㉥ 부식되며 재료비가 비싸다.(0.05~0.1mm/year로 예측)	㉠ 강관 말뚝과 H형강 말뚝이 있다. ㉡ 선단은 개방형, 폐쇄형이 있다. **③ 부식방지법** ① 판두께 증가법 ② 방청도료를 도포하는 방법 ③ 시멘트 피복법(합성수지피복법) ※ 라이닝법 ④ 전기도금법

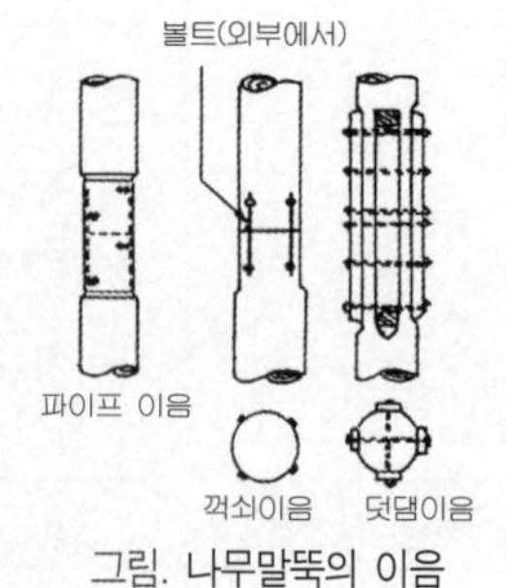

그림. 나무말뚝의 이음

▶ 01-①, 20-② / 01-③, 05-③

• 강관말뚝 특징 3가지 /

• 강관말뚝 부식방지 대책 2가지

7. 말뚝의 시공법 종류

① 타격공법 (타입공법)	Diesel Hammer, Steam Hammer, Drop Hammer 등을 이용하는 방법으로 진동, 소음이 크다.
② 진동공법	상하로 요동하는 Vibro Hammer를 이용. 진동타입이나 진동압입하는 방법.
③ 압입공법	유압 Jack을 이용한 무소음, 무진동공법 또는 회전압입, 진동압입과 수사식을 병용함.
④ Pre-Boring공법	Pile구멍을 선굴착후 매입하거나 타입, 압입을 병용하는 방법. 스크류 오우거, 회전식 버켓, Pit등으로 굴착
⑤ 수사식 공법 (Water Jet 방식)	물을 고속분사하여 타입, 압입을 병용 ※ 타공법의 보조적인 방법이다.
⑥ 중굴공법	말뚝의 중공부(中空部)에 삽입후 굴착. open type의 말뚝에 사용.

※ ③, ④, ⑤, ⑥ 항목은 무소음, 무진동 공법임.

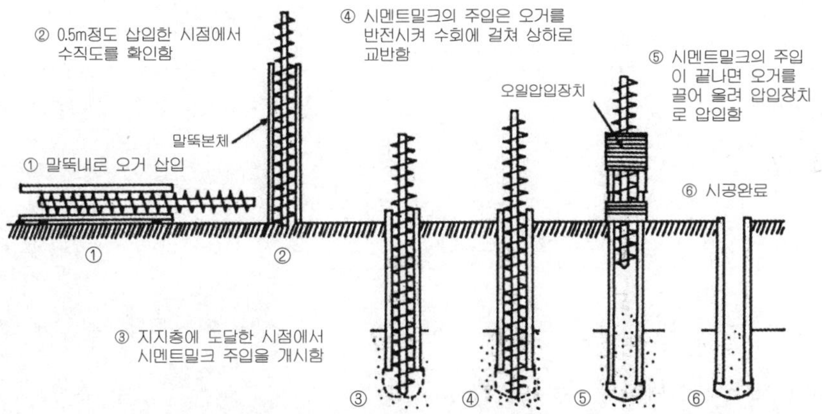
② 0.5m정도 삽입한 시점에서 수직도를 확인함
④ 시멘트밀크의 주입은 오거를 반전시켜 수회에 걸쳐 상하로 교반함
⑤ 시멘트밀크의 주입이 끝나면 오거를 끌어 올려 압입장치로 압입함
오일압입장치
말뚝본체
① 말뚝내로 오거 삽입
⑥ 시공완료
①
②
③ 지지층에 도달한 시점에서 시멘트밀크 주입을 개시함
③
④
⑤
⑥

그림. 중굴공법에 의한 말뚝설치

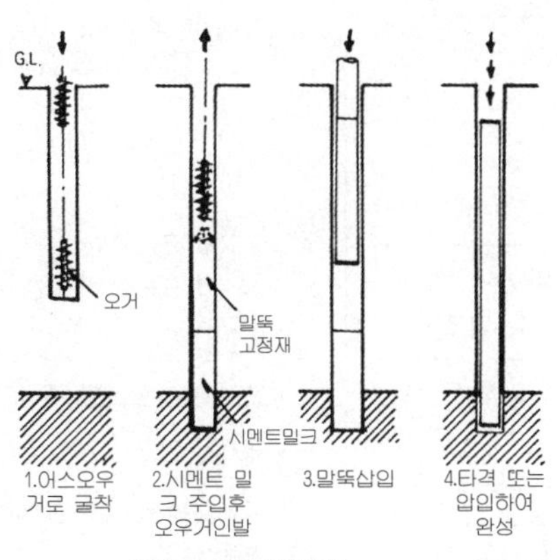
G.L.
오거
말뚝 고정재
시멘트밀크
1.어스오우거로 굴착
2.시멘트 밀크 주입후 오우거인발
3.말뚝삽입
4.타격 또는 압입하여 완성

그림. 프리보링공법

■ 프리보링공법의 시공순서

1. 어스오우거로 굴착
2. 소정의 지지층 확인
3. 시멘트액 주입
4. 기성콘크리트 말뚝 삽입
5. 기성콘크리트 말뚝 경화
6. 소정의 지지력 확보

학습 POINT

▶ 14-②

- 디젤해머의 장 · 단점 3가지 쓰기

▶ 00-②, 02-③ / 01-①, 04-③, 15-① / 10-②

- 기성 말뚝의 무소음, 무진동 공법 4가지, 3가지
- 도심지의 무소음, 무진동 공법을 보기에서 고르기
- 무소음, 무진동 공법 3가지 쓰고 설명

암기하기

■ 무소음, 무진동 공법

1. Pre-Boring공법(방식)
2. 압입(회전압입)공법
3. 수사식공법
4. 중굴공법
5. 수사식과 압입식의 병용공법
6. 중굴식과 압입식의 병용공법

▶ 06-①

- Preboring 시공순서

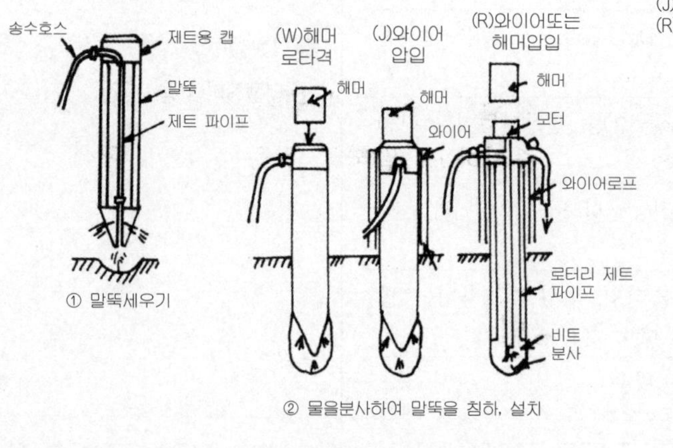

그림. 수사법

8. 시공순서

(1) 무리말뚝 시공순서	(2) 공동주택 기초순서	(3) 페데스탈파일 시공순서
① 표토 걷어내기 ② 수평 규준틀 설치 ③ 말뚝 중심잡기 ④ 가장자리 말뚝박기 ⑤ 중앙부 말뚝박기 ⑥ 말뚝머리 정리 (두부정리)	① 터파기 ② 말뚝박기 ③ 말뚝머리 자르기 ④ 버림 콘크리트 ⑤ 먹줄치기 ⑥ 거푸집 설치 ⑦ 철근배근 ⑧ 콘크리트 부어넣기	(4단계) ① 외관과 내관의 2중관을 동시에 소정위치까지 박는다. ② 내관을 빼낸다. ③ 외관내에 콘크리트를 넣는다. ④ 내관을 넣어 콘크리트를 다지며 외관을 서서히 빼 올리며 콘크리트를 구근형으로 만들어 완성한다.

9. 현장타설 Concrete Pile

① Compressol Pile	1.0~2.5ton의 3가지 추사용. 원추형추로 낙하 천공. 잡석과 Concrete를 교대 투입후 추로 다짐. 지하수 유출이 작은 굳은 지반의 짧은 말뚝.		
② Simplex Pile	철관관입. Concrete 타설후 추다짐. 외관 뽑아냄.		
③ Pedestal Pile	Simplex Pile의 개량. 지지력 증대 위해 구근 형성. 대중적인 현장 말뚝. Concrete 손실이 크다. 구근직경 : 70~80cm 기둥직경 : 45cm내외. 지지력 : 200~300kN		
④ Raymond Pile	외관이 땅속에 남은 유곽 Pile이다. 얇은 철판재 외관에 심대(Core)를 넣고 박아 심대를 뽑고 Concrete를 넣은 후 다진다.		
⑤ Franky Pile	심대 끝에 원추형 주철재의 마개달린 외관 사용. 외관을 박고 내부 마개 제거 후 Concrete 넣고 추로 다진다. 마개대신 나무말뚝을 사용하면 상수면 깊은 곳의 합성말뚝으로 편리.		
⑥ Prepacked Pile	CIP말뚝(Cast in place)	PIP말뚝(Packed in place)	MIP말뚝(Mixed in place)

학습 POINT

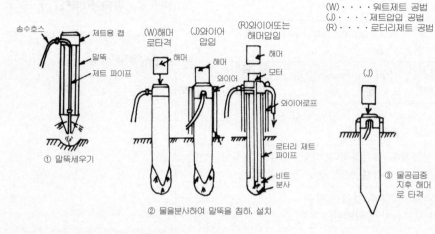

86-③, 92-④, 94-③, 03-② / 90-① / 94-②, 98-②, 02-②, 06-②

- 무리 말뚝 시공순서 /
- 공통주택 기초 시공순서 /
- Pedestal 말뚝의 시공순서 4단계

▶ 말뚝은 일정간격을 유지해야 지지력의 손실이 없으며 상부구조체와의 연결을 위하여 기초판 시공전 두부정리하여 일정한 레벨을 유지한다.

93-③, 09-①, 16-① / 91-②, 94-④, 95-②, 09-②, 16-③ / 06-③

- 프리팩트 말뚝의 종류 3가지 /
- 제자리 말뚝시공 종류 3가지, 5가지
- 콤프레솔, 심플렉스, 레이몬드 말뚝 설명

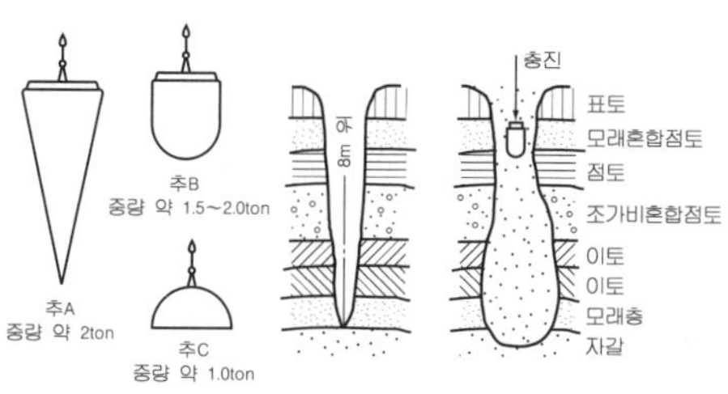

그림. 콤프렛솔 파일

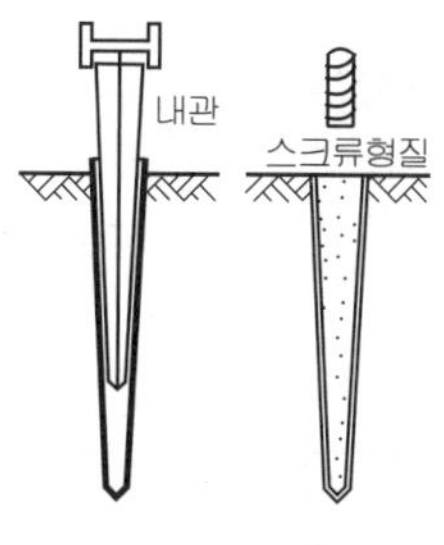

그림. 레이몬드 말뚝

학습 POINT

2 시항타(말뚝박기시험)

1. 목적

① 관입기계의 적합성 측정
② 지층깊이의 확인 및 지내력 측정
③ 말뚝길이, 칫수, 이음법의 적합성 여부 판정

2. 말뚝박기의 유의사항

① 말뚝의 위치는 수직으로 박고, 휴식시간 없이 연속적으로 박는다.
② 시험말뚝은 사용말뚝과 똑같은 조건으로 하고, 3본 이상으로 한다.
③ 소정의 침하량에 도달하면 예정위치에 도달시키려고 무리하게 박지 않는다.
④ 말뚝머리가 직접 기초판 밑면에 닿도록 하고 말뚝위로 밑창 Concrete가 덮이지 않게 한다. 철근은 기초판에 소정위치까지 정착시킨다.
⑤ 타격회수 5회에 총 관입량이 6mm 이하인 경우는 거부현상으로 본다.
⑥ 기초면적 1,500m²까지는 2개의 단일 말뚝 3,000m²까지는 3개를 설치한다.
⑦ 말뚝의 최종관입량은 5회~10회 타격한 평균침하량을 사용한다.
⑧ 말뚝은 박기전 기초 밑면에서 15~30cm 위의 위치에서 박기를 중단한다.
⑨ 말뚝머리, 설계위치와 수평방향 오차는 10cm 이하로 한다.

▶ 93-②, 98-②, 05-③
• 시험말뚝의 관입량과 시험 갯수

암기하기

■ 말뚝박기시험 요점
① 타격회수 5회 총관입량이 6mm 이하는 항복현상으로 간주하여 더이상 타격하지 않는다.
② 기초면적 1,500m² 까지는 2개 3,000m² 까지는 3개의 말뚝을 시험한다.
③ 말뚝 최종 관입량은 5회~10회 평균값으로 한다.

보충설명 말뚝의 허용지지력 산출방법

① 재하시험에 의한 법(지지, 마찰말뚝) : 동적, 정적 재하시험이 있다.
② 말뚝박기 시험에 의한 방법(지지말뚝)
※ 재하방법: 실하중재하, 유압 Jack에 의한 재하, 반력말뚝 또는 인발 저항력에 의한 방법
③ 지반의 허용응력도에 의한 방법(지지말뚝)
④ 표준관입 시험에 의한 방법(지지말뚝)
⑤ 토질시험에 의한 방법(마찰말뚝) (Terzaghi공식, Meyerhof공식)
⑥ 동역학적 추정공식(파일항타분석기 이용: 모든 type의 말뚝 가능)
※ Hiley공식, Sander공식, Engineering News공식 등이 있다.

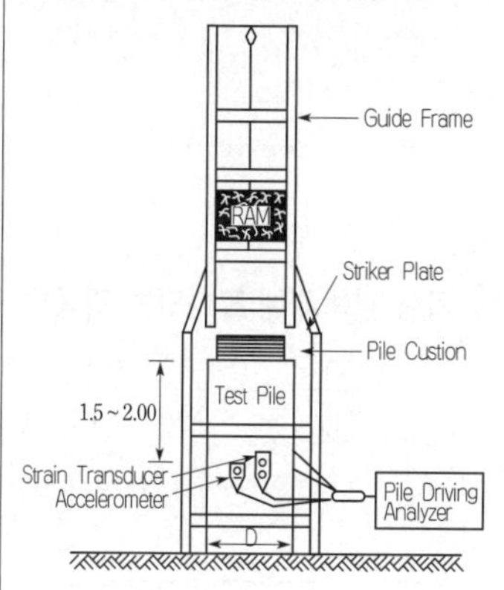

그림. 항타분석기에 의한 말뚝의 동적재하시험

관련문제

1 다음에 설명하는 말뚝의 용어명을 쓰시오. (2점) 〔99 ⑤〕

(가) 연약층이 깊어 굳은 층에 지지할 수 없을 때 말뚝과 지반의 마찰력에 의하는 말뚝은 ?

____

(나) 연약지반을 관통하여 굳은지반에 도달시켜 말뚝선단의 지지력에 의하는 말뚝은 ?

____

2 다음의 말뚝 간격에 대하여 쓰시오. (6점) 〔89 ③〕

(가) 나무말뚝 : __________

(나) 기성 콘크리트 말뚝 : **(2점)** 〔13 ①, 16 ①〕 __________

(다) 제자리 콘크리트 말뚝 : __________

3 지름을 고려하지 않은 각 말뚝재료별 최소 중심간격을 쓰시오. (3점) 〔92 ④〕

(가) 나무말뚝 : __________

(나) 기성 콘크리트 말뚝 : __________

(다) 제자리 콘크리트 말뚝 : __________

4 지정 및 기초공사에서 지정말뚝의 종류를 3개 쓰시오. (3점) 〔99 ⑤〕

① ________ ② ________ ③ ________

5 기성 말뚝재에 표시되는 다음의 표기가 의미하는 바를 쓰시오. (3점) 〔00 ②〕

PHC - A · 450 - 12
(① PHC, ② A · 450, ③ 12)

① ________ ② ________ ③ ________

해설 및 정답

정답 1

(가) 마찰말뚝
(나) 지지말뚝

정답 2

(가) 2.5d 또한 60cm
(나) 2.5d 또한 75cm 이상
(다) 2D 이상 또는 D+1.0m이상
: 현장 콘크리트 말뚝

정답 3

(가) 60cm
(나) 75cm
(다) 2D 이상 또는 D+1.0m이상
: 현장 콘크리트 말뚝

정답 4

① 나무말뚝
② 기성 콘크리트 말뚝
③ H형강 말뚝

정답 5

① 프리텐션방식의 고강도 콘크리트 말뚝(※PHC : Pretensioned High Stress Concrete Pile)
② 말뚝지름이 450mm이다.
③ 말뚝길이는 12m이다.

관련문제

6 기초에 사용되는 압입공법에서 채용되는 말뚝은 단부형태에 따라 구분되며, 말뚝길이가 지지지반까지 이르지 못할 경우 이어서 사용하게 되는데 이음방법도 구분된다. 이들의 종류를 각각 2가지씩 나열하시오. (4점) 〔03 ①〕

가. 선단부 형상의 종류 ______ ______

나. 말뚝이음의 종류 ______ ______

7 APT현장의 독립기초보강에 사용되는 콘크리트 말뚝의 이음시 이용되는 방법을 3가지만 쓰시오. (3점) 〔96 ⑤, 98 ①, 00 ⑤, 01 ②〕

(1) ______ (2) ______ (3) ______

8 강관말뚝 지정의 특징을 3가지만 쓰시오. (3점) 〔01 ①, 20 ②〕

① ______ ② ______

③ ______

9 (가) 강말뚝(Steel pile)의 부식방지 대책을 2가지만 쓰시오. (2점) 〔01 ③〕

(나) 강재말뚝의 부식을 방지하기 위한 방법을 2가지 쓰시오. (2점) 〔05 ③〕

① ______ ② ______

10 기성콘크리트 말뚝을 사용한 기초공사에 사용 가능한 무소음 · 무진동공법 3가지, 4가지를 쓰시오. (3점, 4점) 〔00 ②, 02 ③, 15 ①〕

① ______ ② ______

③ ______ ④ ______

해설 및 정답

정답 **6**

가. 연필형태(Pencil Type : 폐쇄돌출형), 플랫형태(Flat Type : 폐쇄형)

나. 용접식 이음법, Bolt식 이음법
기타 : 충전식 이음법

정답 **7**

(1) 장부식 이음
(2) 용접식 이음
(3) Bolt식 이음

정답 **8**

① 지지층에 깊이 관입할 수 있으며 지지력이 크다.
② 중량이 가볍고 타입이 용이하다.
③ 휨저항이 크고 수평, 충격력 등에 대한 저항성이 크다.

※ • 이음이 자유롭고 길이 조절이 용이하다.
• 관입과 제거가 용이하다.

정답 **9**

① 판 두께를 증가시키는 방법
② Mortar를 피복하는 방법
③ 방청도료를 도포하는 방법
④ 전기도금법

정답 **10**

① Pre-Boring방식
② 중굴식 굴착방식
③ 수사식(water jet)방법
④ 회전식과 회전압입방식

※ 기타 : 회전식과 수사식의 병행 진동식, 진동압입방식 등

관련문제

11 기성콘크리트 말뚝을 기초로 사용하고자 할 때, 도심지에서 사용할 수 있는 무소음, 무진동 공법을 보기에서 모두 골라 쓰시오. (4점) 〔01 ①, 04 ③〕

〔보기〕

㉮ Steam hammer 공법	㉯ 압입(회전압입)공법
㉰ Vibro floatation 공법	㉱ 중공굴삭(중굴)공법
㉲ Preboring 공법	㉳ Diesel hammer 공법
㉴ 수사법(water jet)	

12 말뚝의 시공방법 중 무소음, 무진동 공법을 3가지 쓰고 설명하시오. (3점) 〔10 ②, 15 ①〕

13 프리보링 공법 작업순서를 보기에서 골라 기호로 쓰시오. (3점) 〔06 ①〕

〔보기〕

① 어스오거드릴로 구멍굴착	② 소정의 지지층 확인
③ 기성콘크리트 말뚝 경타	④ 시멘트액 주입
⑤ 기성콘크리트 말뚝 삽입	⑥ 소정의 지지력 확보

14 무리말뚝 기초공사에 관한 사항이다. 일반적인 시공순서를 보기에서 골라 기호로 쓰시오. (4점) 〔86 ③, 92 ④, 94 ③, 03 ②〕

〔보기〕

(가) 수평규준틀 설치	(나) 중앙부 말뚝박기	(다) 가장자리 말뚝박기
(라) 말뚝 중심잡기	(마) 표토 걷어내기	(바) 말뚝머리 정리

해설 및 정답

정답 **11**

㉯, ㉱, ㉲, ㉴

정답 **12**

(1) Pre-Boring 공법 : 말뚝구멍을 선굴착후 말뚝을 매입하거나 타입, 압입을 병용하는 방법
(2) 압입공법 : 유압 Jack을 이용하여 회전압입, 진동압입 등으로 말뚝을 눌러 매입하는 방법
(3) 중굴공법 : 말뚝의 가운데 빈 부분을 이용하여 굴착하고, 말뚝을 매입하는 방법

※ 기타 : 수사식공법 : 물을 고속 분사하여 지반을 무르게 하고 타입, 압입하여 말뚝을 지중에 매입하는 방법

정답 **13**

①, ②, ④, ⑤, ③, ⑥

정답 **14**

(마)
(가)
(라)
(다)
(나)
(바)

관련문제

15 **공동주택 건축물의 기초를 시공하고자 한다. 시공순서를 보기에서 골라 기호를 쓰시오 (6점)** 〔90 ①〕

(1) 터파기 (2) 말뚝머리 자르기
(3) 먹줄치기 (4) 철근배근
(5) 거푸집설치 (6) 버림콘크리트
(7) 콘크리트 부어넣기 (8) 말뚝박기

---

16 **(1) 페디스탈(Pedestal) 말뚝의 시공을(4단계로 나누어) 순서대로 설명하시오. (4점)** 〔94 ②, 98 ②〕

(2) 페디스탈 파일의 시공순서를 보기에서 골라 기호로 쓰시오. (3점) 〔02 ②, 06 ②〕

〔보기〕
㉮ 내관을 빼낸다. ㉯ 외관내에 콘크리트를 넣는다.
㉰ 내관을 넣어 콘크리트를 다지며 외관을 서서히 빼 올리며 콘크리트를 구근형으로 다진다.
㉱ 외관과 내관의 2중관을 동시에 소정위치까지 박는다.

---

17 **다음이 설명하는 현장타설 콘크리트 말뚝의 종류를 쓰시오. (3점)** 〔06 ③〕

(1) 1.0~2.5ton의 3가지 추를 사용하여 잡석과 콘크리트를 교대 투입 후 추로 다짐하여 콘크리트 말뚝을 만드는 공법 : ______

(2) 철관을 쳐서 박아넣고 그 속에 콘크리트를 부어넣고 중추로 다짐하여 외관을 뽑아내는 공법 : ______

(3) 외관에 심대(Core)를 넣고 박아 심대를 뽑고 콘크리트를 넣은 후 다짐을 실시하여 외관이 땅속에 남은 유곽 파일 : ______

18 **프리팩트 콘크리트 말뚝의 종류를 3가지만 쓰시오. (3점)** 〔93 ③, 09 ①, 16 ①〕

① ______ ② ______ ③ ______

해설 및 정답

정답 **15**
일반적 시공순서는
(1)
(8)
(2)
(6)
(3)
(5)
(4)
(7)

정답 **16**
Pedestal pile 시공순서
(1) 외관과 내관의 2중관을 동시에 소정위치까지 박는다.
(2) 내관을 빼낸다.
(3) 외관내에 콘크리트를 넣는다.
(4) 내관을 넣어 콘크리트를 다지며 외관을 서서히 빼 올리며 콘크리트를 구근형으로 다지며 완성
※ ㉱ → ㉮ → ㉯ → ㉰

정답 **17**
(1) 콤프레솔 말뚝(Compressol Pile)
(2) 심플렉스 말뚝(Simplex Pile)
(3) 레이몬드 말뚝(Raymond Pile)

정답 **18**
① CIP(Cast In Place)말뚝
② PIP(Packed In Place)말뚝
③ MIP(Mixed In Place)말뚝

관련문제

19 제자리 콘크리트 말뚝시공 종류명을 3가지, 5가지만 쓰시오. (3점, 4점)

[91 ②, 94 ④, 95 ②, 09 ②, 16 ③]

(1) ______ (2) ______

(3) ______ (4) ______

(5) ______

20 기성 콘크리트 말뚝 지정 공사의 시험 말뚝박기에 대한 다음 설명 중 ( )안에 적합한 숫자를 쓰시오. (4점)

[93 ②, 98 ②, 05 ③]

(1) 타격 횟수 (㈎) 회에 총관입량이 (㈏)mm이하인 경우의 말뚝은 박히는데 거부현상을 일으킨 것으로 본다.

(가) ______ (나) ______

(2) 기초 면적이 (㈎)m^2 까지는 2개의 단일 시험 말뚝을 설치하고 (㈏)m^2 까지는 3개의 단일 시험 말뚝을 설치한다.

(가) ______ (나) ______

21 기성말뚝의 타격공법에서 주로 사용하는 디젤해머(Diesel Hammer)의 장점 또는 단점을 3가지만 쓰기. (3점)

[14 ②]

① ______

② ______

③ ______

해설 및 정답

정답 19

(1) 콤프레솔 말뚝
(2) 심플렉스 말뚝
(3) 페데스탈말뚝
(4) 레이몬드말뚝
(5) 프랭키말뚝
(6) 어스드릴말뚝
(7) 베노토말뚝
(8) 프리팩트말뚝
(9) 리버스 서큘레이션 말뚝 중 5가지를 적으면 된다.

정답 20

표준시방서 규정을 묻는 문제

(1) (가) : 5
(나) : 6
(2) (가) : 1,500
(나) : 3,000

정답 21

(1) 장 점
① 큰 타격력이 얻어지며 시공능률이 우수
② 말뚝두부 손상이 적다.
③ 타격의 정밀도가 우수하다.
④ 장비의 조립·해체가 용이하다.
(2) 단 점
① 해머(램)의 낙하고 조절이 어려움
② 소음, 진동이 크고 기름, 연기의 비산 등 공해가 큼
③ 연약지반에서는 시공능률이 떨어짐

핵심 13 대구경 말뚝공법, 케이슨 기초, 기타

학습 POINT

1 대구경 말뚝공법

1. 특징

① 굴착, 천공식 기초이다. 0.9m~3.0m의 큰 구경이 가능하다.
② 선단지지력에 의존(마찰력무시) 무소음. 무진동. 저공해 공법.
③ 지지력이 크고 수평력에 대한 휨 저항성이 크다.
④ 토질상태, 지지력 확인가능, 확실한 지층까지 도달가능.
⑤ 히이빙 진동은 없으나 주위 지반이나 선단 자연지반을 이완시킬 우려.

2. 어스드릴(Earth Drill) 공법 = 칼웰드공법 = Casing Tube 사용안함.

> 03-③
> • 공법의 명칭 어스드릴, 리버스 서큘레이션, 베노토 공법

① 정의	회전축(Kelly Bar)에 Drilling Bucket을 사용하여 필요깊이까지 굴착후 철근삽입. 콘크리트를 타설하여 말뚝을 조성하는 공법
② 특징	㉮ 점토, 실트, 사질층에 적용 ㉯ 굴착심도는 30~40m정도, 직경 0.6~1.5m정도(대형 어스드릴은 2.0m 구경 가능) ㉰ Bentonite와 스탠딩파이프로 공벽보호, 수직도 유지

장　　점	단　　점
㉮ 경질 점토질 굴착 용이 ㉯ 시공속도가 빠르고 공사비 저렴 ㉰ 기계간단, 기동성 우수	㉮ 굴착저부의 자갈지반은 굴착 곤란 ㉯ 사질지반 공벽 붕괴우려 ㉰ Slime처리 곤란, 지지력 감소 우려

※ 드릴링버켓, 쵸핑버켓, 락버켓 등을 이용 굴착

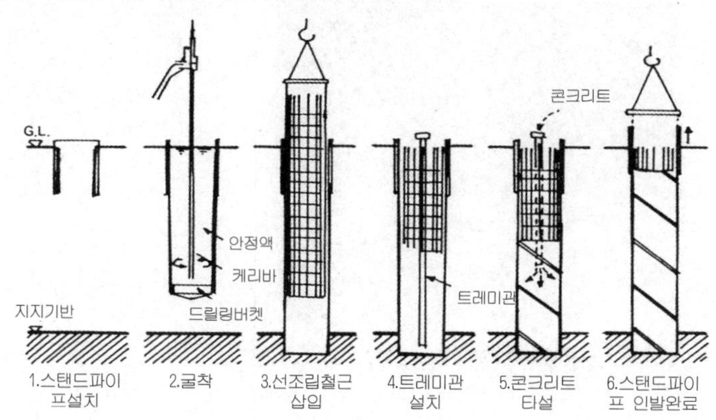

그림. 어스드릴 공법

3. 리버스 써큘레이션 공법(Reverse Circulation Drill) : 역순환공법

구분	내용
① 정의	특수비트의 회전으로 굴착토사를 Drill Rod내의 물과 함께 배출하여 침전지에 토사를 침전후 물을 다시 공내에 환류시켜 굴삭후 철근망을 삽입하고 트레미관에 의해 콘크리트를 타설하여 말뚝형성
② 특징	㉮ 점토, 실트층에 적용 ㉯ 굴착심도 30~70m, 직경 0.9~3m정도 ㉰ 지하수위보다 2m이상 물을 채워 정수압(20kN/m²)으로 공벽유지

장 점	단 점
㉮ 굴착심도가 깊고 효율이 양호 ㉯ casing tube불필요, 수상작업 가능 ㉰ 경사파일 가능. 자갈, 연경암층도 무진동 굴착 가능	㉮ 공벽붕괴 우려. 굴공면이 일정치 않다. ㉯ 옥석, 전석층, Hammer Grab로 처리후 굴착 ㉰ Slime처리, 잔토처리 문제점

학습 POINT

▶ 00-②

• RCD 공법의 특징

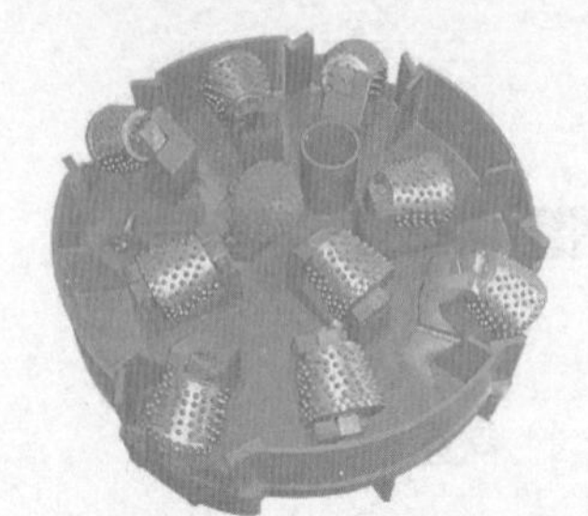

▶ 리버스 써큘레이션 Pile의 굴착용 비트의 모양

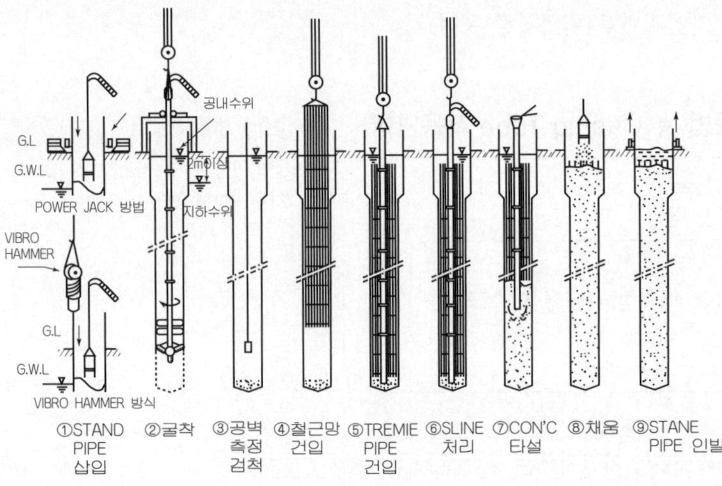

그림. R.C.D 공법의 시공순서

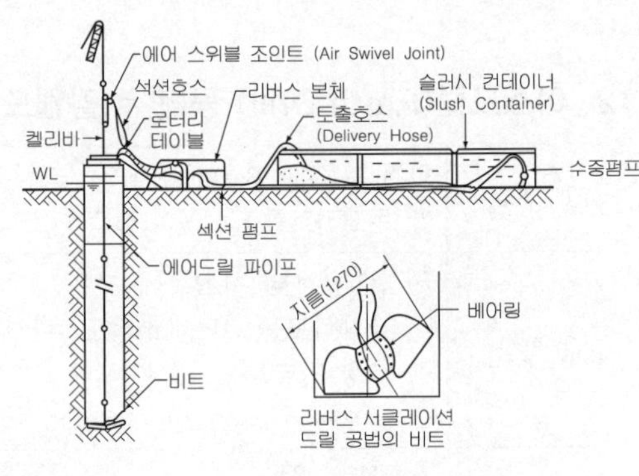

그림. 리버스 써큘레이션 공법

▶ RCD공법 시공기계

▶ Pier 기초용 철근망(철근 Cage) 조립

4. 베노토 공법(Benoto) 공법 = All Casing 공법

① 정의	특수장치에 의해 casing tube를 좌우로 요동압입하면서 Hammer grab로 굴착후 철근망을 삽입하고 콘크리트를 충전하면서 casing tube를 빼내면서 말뚝을 조성하는 공법으로 All casing공법(전관공법)이라고도 한다. ※ Oscillator: Casing Tube를 좌우로 회전시키는 요동압입장치
② 시공순서	㉮ casing tube세우기 → ㉯ 굴착 → ㉰ 철근망 넣기 → ㉱ 트레미관 삽입 → ㉲ 콘크리트 타설 → ㉳ casing tube 인발 → ㉴ 양생, 완료(두부처리)
③ 특징	㉮ 점토, 실트, 모래층 적용가능 ㉯ 직경 1~2m, 굴착심도 보통: 25~35m , 최대: 50~60m

장 점	단 점
㉮ 공벽 붕괴없는 안정적 공법 ㉯ slime제거 확실, 신속 ㉰ 15°경사말뚝 가능 ㉱ 암반을 제외한 전토질 적용가능. 수직도, 정밀도 우수	㉮ 기계가 대형, 복잡 ㉯ 공사비 고가, 속도 느림 ㉰ 전석층, 자갈층 casing 압입과 인발 곤란 ㉱ 수상시공 부적합 ㉲ casing 인발시 철근공상현상 우려

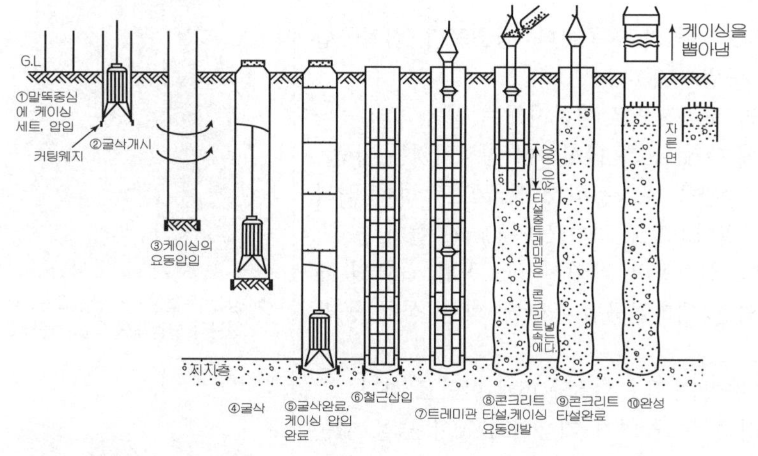

그림. 올케이싱 공법(Benoto 공법)의 시공순서

5. BH(Boring Hole)공법

① 보링기계를 사용 Drill Rod를 회전시켜 선단의 비트로 토사 굴착 후 철근망, 트리미관을 이용 제자리 콘크리트 말뚝을 조성하는 방법
② 공벽보호를 위해 안정액을 이용, 토사와 함께 배출
※ RCD공법은 물의 역순환, B/H공법은 물을 정순환한다.
③ 기계가 소형, 경량이므로 협소한 장소에서 사용 가능
④ 공사비는 저렴, 굴착능력이 작고 슬라임의 침전이 있는 결점
⑤ 언더피닝공법으로도 사용, 경사말뚝도 가능

학습 POINT

▶ 90-④, 98-③, 09-② / 00-① / 92-④, 94-③ / 04-②

- 베노토 공법 설명 /
- 베노토 공법 시공순서 /
- 말뚝 공벽 붕괴 방지 방법 2가지
- 베노토 공법 시공순서 5단계

암기하기

■ 제자리 콘크리트 말뚝시공시 공벽의 토사 붕괴방지법
① 보호외관(casing)을 사용한다.
② 벤토나이트액 또는 이수를 사용한다.
③ 정수압(압력을 가진 물)을 이용하여 보호한다.

▶ 해머 그랩(Grab) 굴착기 모습

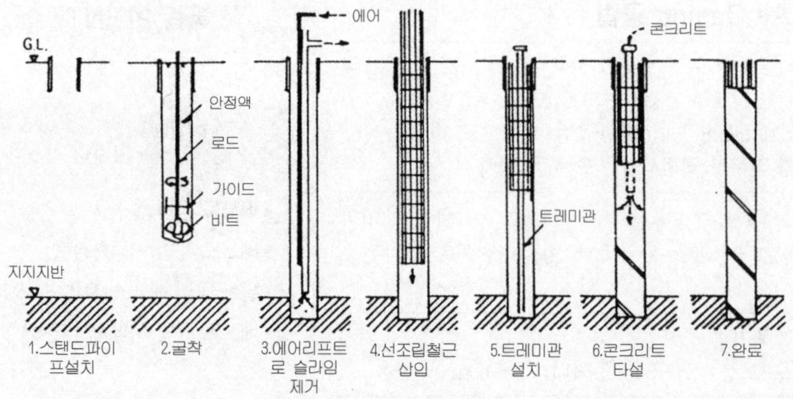

그림. BH 공법

학습 POINT

2 기타 기초공법 및 케이슨 기초

1. 우물기초(Well Foundation)

우물을 파는 식으로 파는 기초이다. Pier 기초의 일종이다. 심초공법, 심관공법 등이 있다. (인력 파기는 Chicago, Gow 공법이 있다.)

① 기성 콘크리트관을 내부 굴착에 따라 순차적으로 침하시키는 방법
② 지상에서 철근을 조립하여 측면 벽체 Concrete를 타설하며 침하시키는 방법
③ 골철판을 Shield로 하고 앵글 또는 강관을 보강용띠장, Ring으로 하여 직경 1.2～4.6m를 침하시키는 방법, 심초공법이라고도 하며, 30～40m가 한계.
④ 심초공법의 종류 : 압입식 심초공법, 심관공법, 개량형 심초공법, 뉴메틱 케이슨 병용 심초공법, 심초공법에 의한 역타설공법, Pier에 의한 심초 공법, Pier에 의한 역타설 공법 등이 있다.
⑤ 최소지름은 90cm 이상으로하고, 전 길이는 최소지름의 15배 이하로 한다.
⑥ 편심거리가 Pier전 길이의 1/60 이상 또는 꼭대기 지름의 1/10이 넘을 때는 철근으로 보강한다.
⑦ 시공순서 : ㉮ 말뚝중심 확인 → ㉯ 삼각대조립, 굴착(강재링 침하, 수중펌프로 배수) → ㉰ 저면부 확대 → ㉱ 선조립근 삽입 → ㉲ 콘크리트 타설 → ㉳ 완료

▶ 강재 우물통기초 조립모습. 내 · 외부 철판과 보강재를 용접 조립하고 있다.

▶ 강판재 우물통 기초 지상조립 모습

2. 잠함기초(Caisson Foundation)

지하구조체를 지상에서 구축, 침하시키는 공법으로 본체를 강체로 간주할 수 있는 큰 수직, 수평지지력이 얻어지는 기초형식을 Caisson 기초라고 한다.

(1) 개방잠함 (Open Caisson)	압축공기를 사용하지 않고 구조물침하. 침하를 돕기 위해 끝날을 사용. (Water jet 방식 병용) 소정깊이 침하 후 중앙부 기초축조. 구조물 완성.
(2) 용기잠함 (Pneumatic Caisson)	압축공기로 지하수 유입막고 고기압내에서 굴착작업실시. ① 용수 유출량이 많은 지반에 사용. 40m 이상 불가 (10~35m). 35m 이상. 10m이하 이면 우물통 기초가 된다. ② 지반 지지력 측정가능. 공사비 고가. 케이슨병 우려. ③ 소음진동 크고, 전문기술자 필요(10m 이하 : 오픈케이슨 유리)
(3) Box Caisson	밑이 폐단면의 박스형으로 되어 있고 육상작업장에서 해상에 건수시켜 모래, 자갈, Concrete를 채워 침하시키는 공법. 공사비가 싸고, 케이슨 구축이 불가능한 해안 구조물 구축에 사용.

3. JSP 공법(Jumbo Special Pile)

연약지반 개량 공법으로 초고압(200kg/cm²)의 제트를 이용하여 연약지반의 내력을 증가시키는 지반 고결재(시멘트 주입재)의 주입 공법이다.

Double Rod 선단에 Jetting Nozzle을 장착하여 시멘트 주입재를 분사하면서 회전하게 하여 지반을 강화한다.

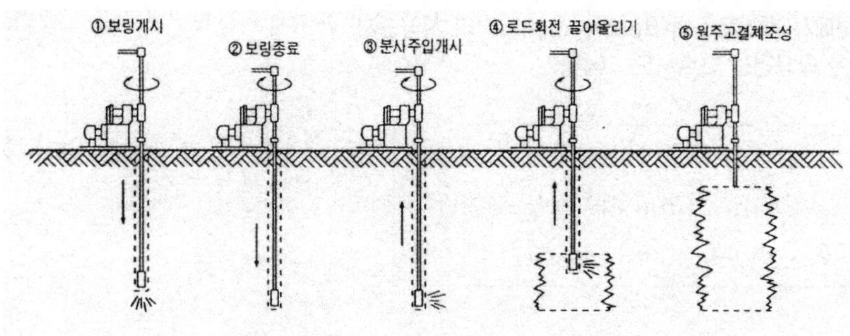

그림. JPS 공법의 시공순서

학습 POINT

▶ 89-③, 92-③, 08-①

개방잠함 시공순서

참고사항 개방잠함 기초의 시공순서(4단계)

① 지하구조체를 지상에서 구축
② 하부 중앙흙 굴착
③ 정위치 침하후 중앙부 기초 구축
④ 주변부 기초 구축하여 완성

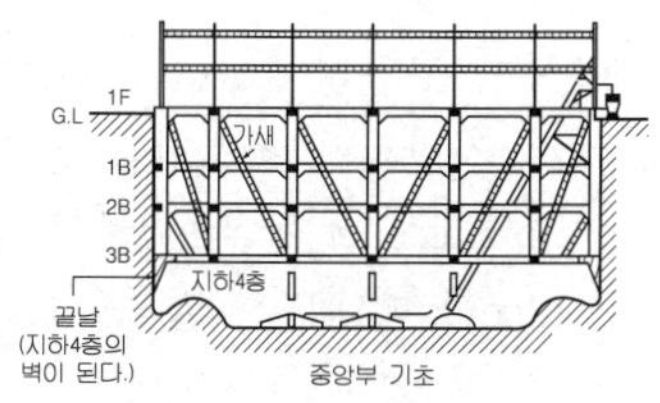

그림. 개방잠함기초

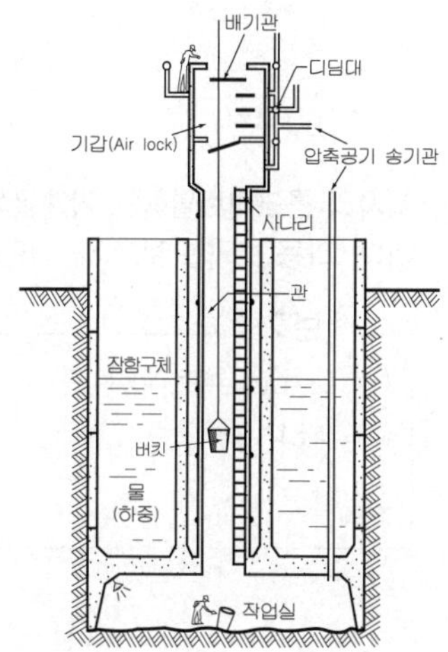

그림. 뉴우메틱 케이슨 공법

관련문제

1 **제자리 콘크리트 말뚝에 관한 공법의 명칭을 기록하시오. (3점)** 〔03 ③〕

가. 회전식 Drilling Buket에 의해 지중에 필요 깊이까지 굴착하고, 그 굴착공에 철근을 삽입하여 콘크리트를 타설하여 말뚝을 조성하는 공법 ____________

나. 특수비트의 회전으로 굴착된 토사를 Drill rod 내의 물과 함께 공외로 배출하여 침전지에 토사를 침전시킨 후 물을 다시 공내에 환류시키면서 굴착한 후 철근망을 삽입하고 트레미관에 의해 콘크리트를 타설하면서 말뚝을 조성하는 공법 ____________

다. 특수 고안된 Cassing tube를 좌회전과 우회전 운동의 반복에 의해 요동시키면서 지반의 마찰저항을 감소시켜 유압잭으로 압입하면서 공벽 파괴를 방지하고 Hammer Grab로 굴착 후 철근을 삽입하고 콘크리트를 충전하면서 Cassing tube를 빼내면서 말뚝을 조성하는 공법 ____________

2 **베노토 공법을 설명하시오. (2점)** 〔90 ④, 98 ③, 09 ②〕

____

3 **제자리 콘크리트말뚝의 기계굴삭공법 중에서 베노토공법(Benoto method)의 시공순서이다. 다음 보기를 보고 ( )안에 적합한 공정명을 고르시오. (4점)** 〔00 ①〕

〔보기〕

① Tremie(트레미)관 삽입	② 철근망 조립
③ 레미콘주문	④ Casing tube(케이싱튜브)인발
⑤ 철근망넣기	⑥ Casing tube(케이싱튜브)세우기

(____________) → (굴착) → (____________) → (____________)

→ (콘크리트타설) → (____________)

4 **대구경 제자리 말뚝을 시공하는 공법 중 베노토공법의 시공순서 5단계를 순서대로 기술하시오. (3점)** 〔04 ②〕

① ____________ ② ____________ ③ ____________

④ ____________ ⑤ ____________

해설 및 정답

정답 **1**

가. 어스드릴(Earth Drill)공법
나. 리버스 서큘레이션(Reverse Circulation)공법
다. 베노토(Benoto)공법

정답 **2**

특수장치에 의해 케이싱 튜브를 지중에 요동압입하면서 해머글래브로 굴착후 철근망을 삽입하고 케이싱을 뽑아 올리면서 콘크리트를 타설하여 말뚝을 조성하는 All Casing 공법(전관공법)

정답 **3**

⑥ → 굴착 → ⑤ → ① → 콘크리트 타설 → ④

정답 **4**

① Casing tube세우기 및 굴착
② 철근망 조립 및 삽입
③ 트레미관 삽입
④ 콘크리트 타설
⑤ 케이싱 튜브 인발 및 양생

관련문제

해설 및 정답

5 제자리 콘크리트 말뚝시공시 공벽토사의 붕괴를 방지하기 위한 방법에 대해 2가지만 쓰시오. (4점)

〔92 ④, 94 ③〕

(가) ______________ (나) ______________

정답 5

(가) 보호외관(casing)을 사용한다.
(나) 벤토나이트액 또는 이수를 사용한다.

6 (   )안에 알맞는 말을 쓰시오. (3점)

〔00 ②〕

제자리 콘크리트 말뚝공법 중 굴착구멍의 붕괴를 방지하기 위하여 물을 채우는 대표적인 공법은 (①)공법이며, 이 공법은 지하수위보다 (②)m 이상 높게 물을 채워서 (③)t/m^2 이상의 정수압을 유지해야 한다.

① ______________ ② ______________ ③ ______________

정답 6

① 리버스 써큘레이션 (Reverse Circulation Drill)
② 2
③ 2

7 개방 잠함 기초의 시공순서를 보기에서 골라 쓰시오. (3점)

〔89 ③, 92 ③, 08 ①〕

〔보기〕

(가) 주변 기초 구축	(나) 지하구조체 지상 구축
(다) 중앙부 기초 구축	(라) 하부 중앙흙 파낸다.

____

정답 7

(나)
(라)
(다)
(가)

출제예상문제

1 **얕은기초(지내력기초)의 지지력을 산정하는 방법 2가지를 쓰시오.**

① ____________ ② ____________

정답 1

① 지지력 공식에 의한 방법
② 재하시험(평판재하시험)에 의한 방법

2 **기성제품 말뚝기초의 지지력을 산정하는 방법 3가지를 쓰시오.**

① ____________ ② ____________

③ ____________

정답 2

① 정역학적 공식에 의한 방법
② 동역학적 공식에 의한 방법
③ 재하시험(정재하 시험, 동재하 시험, 양방향 재하시험)에 의한 방법

3 **지정에 관한 다음 사항의 (   )안에 적합한 수치를 적어 넣으시오.**

(1) 잡석을 옆세워 깐후 틈막이 자갈량은 잡석량의 (㈎)% 정도이며 잡석다짐 폭은 상부구조가 콘크리트조인 경우 기초판 끝에서 (㈏)cm 정도 여유를 두어 정한다.

(2) 모래지정은 두께(㈎)m정도 실시하며 (㈏)cm마다 물다짐한다. 또한 밑창 콘크리트 지정은 배합비 1 : 3 : 6 정도로 잡석다짐 위에 (㈐)cm 정도하며 압축강도는 (㈑)Mpa 이상이다.

(1) (가) ____________ (나) ____________

(2) (가) ________ (나) ________ (다) ________ (라) ________

정답 3

(1) (가) 30 (나) 15
(2) (가) 1 (나) 30
(다) 5 (라) 14.7

4 **프리스트레스트 콘크리트 파일(Prestressed Concrete Pile)의 종류를 3가지만 쓰시오.**

① ____________ ② ____________

③ ____________

정답 4

① 프리텐션방식의 원심력 프리스트레스트 말뚝
② 포스트텐션방식의 원심력 프리스트레스트 말뚝
③ 프리텐션방식의 원심력 고강도 프리스트레스트 말뚝

출제예상문제

5 기성 파일을 이음하는 방법 중 강재말뚝의 대표적 이음법 한가지와 나무말뚝의 이음법 3가지를 적으시오.

(1) 강재말뚝

①

(2) 나무말뚝

① ②

③

6 다음 말뚝 특징에 관한 설명을 읽고 좌항에 관련있는 항목을 우측항목에서 기호로 고르시오.

(1) 흙과 Mortar를 교반	㉮ 레이몬드 파일	㉯ 콤프렛솔 파일
(2) Screw Auger로 굴착	㉰ 프랭키 파일	㉱ RCD 파일
(3) 3가지추를 사용한다.	㉲ PIP 파일	㉳ MIP 파일
(4) 합성말뚝에 사용된다.	㉴ CIP 파일	㉵ Simplex Pile
(5) 외관이 지중에 남는다.	㉶ 어스드릴 공법	㉷ Benoto 공법
(6) 물을 역순환 재사용한다.		

7 개방형 프리스트레스트 말뚝(PS말뚝)의 시공방법(매입방법)을 3가지만 적으시오.

가. 나.

다.

8 다음 용어를 설명하시오.

(1) 레진 콘크리트 말뚝

(2) 부 마찰력(Negative Friction)

해설 및 정답

정답 **5**

(1) ① 용접이음

(2) ① 파이프이용 이음법

② 꺽쇠를 이용한 이음법

③ Bolt를 이용한 덧댐이음법

정답 **6**

(1) ㉳ (2) ㉲ (3) ㉯

(4) ㉰ (5) ㉮ (6) ㉱

정답 **7**

가. 타입공법

나. 프리보오링공법

다. 중굴공법(가운데 굴착식)

정답 **8**

(1) 자갈, 모래 등 골재를 시멘트 대신 플라스틱으로 굳혀서 만든 말뚝으로 내약품성이 높아 온천지, 화학계 공장 등에 사용된다.

(2) 연약층을 관통하여 지지층에 도달한 지지말뚝에서 연약지반이 상부적재하중에 따른 지반침하로 말뚝은 하향력을 받게 되어 지지력이 감소되는데 이러한 하향의 마찰력을 말한다.

출제예상문제

9 말뚝 지지력 산정방법 중 동재하 시험방법에 대하여 설명하시오.

•

10 선단확장파일(S-PHC Pile)에 대하여 설명하시오.

•

11 기성 콘크리트 말뚝 선단부의 대표적인 모양(형상)을 3가지만 적으시오.

① ②

③

12 현장타설 콘크리트 말뚝(Cast in Place Pile)중 대구경 Pile 기초를 축조할 때 사용되는 말뚝공법을 3가지만 쓰시오.

① ②

③

13 말뚝의 축방향 허용 압축 지지력을 산정하는 대표적인 시험인 말뚝의 압축 재하시험의 종류를 3가지만 쓰시오.

(가) (나)

(다)

해설 및 정답

정답 **9**

동재하시험(Dynamic Pile Load Test)은 파동방정식을 근거로 개발된 방법으로 말뚝머리 부근에 변형률계(Strain Transducer)와 가속도계(Accelerometer)를 부착하고 항타분석기(Pile Driving Analyzer : PDA)를 이용하여 항타 중에 말뚝머리에 발생하는 응력과 변형 및 가속도를 측정하여 지지력을 산정하는 방법이다.

정답 **10**

선단확장파일은 기존 PHC 파일의 선단확장을 통하여 선단지지력을 증가시킴으로써 파일 본 수 절감에 따른 경제성 향상 및 공기단축이 가능한 파일

정답 **11**

① 연필형태(폐쇄돌출형)
② 폐단형(Flat Type)
③ 개단형(Open Type)

정답 **12**

① 베노토(Benoto) 공법
② 역순환공법(Reverse Circulation 공법)
③ 어스드릴(Earth Drill) 공법

정답 **13**

(가) 정적재하시험
※ 사하중재하시험
(나) 동적재하시험
(다) 양방향재하시험
※ 기타 : 지반앵커 및 반력말뚝의 인발저항력을 이용한 연직 압축재하시험

출제예상문제

14 **기성 콘크리트 RC파일이나 PS파일에서 자주 시공되는 선굴착(Pre-Boring)방법의 단점을 해결하기 위한 다음 공법의 명칭을 적으시오.**

가. 일반적으로 말뚝직경보다 100mm정도 큰 직경을 갖는 연속날개 또는 교반용 날개를 부착한 Auger로 지반을 선 굴착(Preboring)한 후 굴착공 내에 Cement milk를 주입하고 Auger날개를 상하로 회전시켜 굴착공 내의 토사와 교반한 후 말뚝을 삽입하고 낙하 또는 타입시켜 시공하는 방법

나. 지반응력이완과 굴착면붕괴에 따른 지지력 저감문제를 다소 해소한 공법으로 말뚝직경보다 50mm정도 큰 Casing의 외부에 나선형 날개(Spiral rib)를, 하부에는 개폐식 shoe를 장착 casing screw내부에 말뚝을 낙하시키는 공법으로 수직도와 시공 정밀도가 높은 공법

다. 상호 역(逆)회전하는 상부(내측) Auger screw와 말뚝직경보다 50mm정도 큰 하부(외측) Casing screw에 의한 독립된 2중 굴진식을 채택하고 선단에 Ring bit를 부착한 Casing screw와 Earth 또는 Rock auger를 사용하며 연약층, 자갈층, 풍암반등에도 시공이 가능하여 말뚝선단 지반 확인이 가능한 공법

---

15 **다음 보기의 내용을 이용하여 어스드릴(칼웰드)공법의 시공순서를 완료하시오. (답은 기호로 작성하시오.)**

(①) - 굴착 - (②) - 트레미관 설치 - (③) - (④)

[보기]

㉮ 케이싱 튜브 설치	㉯ 스탠드 파이프 인발 완료
㉰ 케이싱 튜브 인발	㉱ 콘크리트 타설
㉲ 스탠드 파이프 설치	㉳ 양수
㉴ 양생	㉵ 선조립 철근망 삽입
㉶ Drilling Bucket부착	

해설 및 정답

정답 **14**

가. SIP(Soil-Cement Injected Precast Pile) 공법
나. SAIP(Special Auger & Soil-Cement Injected Precast Pile) 공법
다. SDA(Separated Doughnut Auger) 공법

정답 **15**

① - ㉲ ② - ㉵
③ - ㉱ ④ - ㉯

제6장

철근콘크리트공사

핵심 14

철근공사

학습 POINT

1 철근의 재료 및 공정순서

1. 재료

기 호	용 도	항복강도(N/mm²)	철근 끝 양단면의 색깔
SD300	일반용	300~420	녹색 (일명 일반철근)
SD400		400~520	황색(일명 고장력철근 : high bar)
SD500		500~650	흑색(일명 슈퍼바 : super-bar)
SD600		600~780	회색
SD700		700~910	하늘색
SD400W	용접용	400~520	백색
SD500W		500~650	분홍색

① 인장강도는 항복강도의 1.08배 이상~1.25배 이상임
② SD 400 S, SD 500 S, SD 600 S, SD 700 S : 특수내진용
③ 철근의 시험 : 형상, 칫수, 질량, 항복점 또는 인장시험
※ 각 지름 및 각 종류별 무게 40t 마다 1회(시험편 3개의 평균)
④ 철근의 길이는 3.5m~12m까지 생산되지만 일반적으로 8m가 표준이 되고 있다.

> 14-②
> • 철근 선조립공법의 시공측면에서의 장점 3가지

① 시공 정밀도 향상
② 현장 노동력 절감 및 공기단축
③ 품질향상 및 품질관리용이성
④ 강재의 절약 및 작업의 단순화
⑤ 소규모 양중장비로 시공가능
⑥ 전기배선, 배관공사 용이

2. 철근 공정순서

(1) 철근 Shop Drawing(철근공작도, 철근가공도) : 구조도면을 근거로 절단 및 구부리기 등의 공작을 하기 위하여 철근모양, 각부 치수, 구부림위치, 지름, 길이 및 수량 등을 정확히 기입한 상세도면

(2) 철근공사의 공정순서	(3) RC조 배근순서	(4) SRC조 배근순서	(5) 기초철근의 배근순서
① 공작도 작성	① 기초	① 기초	① 거푸집 위치 먹줄치기
② 재료 반입	② 기둥	② 기둥	② 철근간격 표시
③ 저장	③ 벽	③ 보	③ 직교 철근배근
④ 재료 검사 및 시험	④ 보	④ 벽	④ 대각선 철근배근
⑤ 가공	⑤ 바닥판	⑤ 바닥판	⑤ spacer 설치
⑥ 조립	⑥ 계단	⑥ 계단	⑥ 기둥 주근 기초정착
⑦ 조립부 배근검사			⑦ 기둥 띠근 설치

> 87-③ / 93-④, 94-④
> • 철근 공정순서 /
> • Shop Drawing의 정의와 종류

> 95-③, 96-②, 98-⑤, 18-② / 99-② / 00-②, 05-③
> • 철근 콘크리트 일반 건축물의 배근 순서 /
> • 철골철근 콘크리트조의 배근 순서 /
> • 기초철근 배근 순서

3. 철근의 이음, 정착시 주의점과 정착위치

(1) 이음위치 선정시 주의점	① 철근의 이음은 큰 응력을 받는 곳을 피하여 잇는다. ② 이음의 1/2 이상을 한곳에 집중시키지 말고 엇갈려 잇는다. (Staggered Splice) ③ 기둥, 벽 철근 이음은 층 높이의 2/3 하부에서 엇갈리게 한다. ④ 보에서는 중앙에서 하부근을, 단부에서 상부근을 이음하지 않는다.
(2) 기타 주의점	① D35를 초과하는 철근은 겹침이음을 할 수 없다. 다만, 서로 다른 크기의 철근을 압축부에서 겹침이음하는 경우 D35 이하의 철근과 D35를 초과하는 철근은 겹침이음을 할 수 있다. ② 갈고리의 길이는 이음길이에 포함시키지 않는다. ③ 보철근은 기둥 중심선 밖에서 구부림을 둔다.
(3) 철근의 정착 위치	① 기둥주근은 : 기초 또는 바닥판. ② 보의 주근 : 기둥 또는 큰보. ③ 보밑 기둥이 없을 때 : 보상호간. ④ 지중보 주근 : 기초 또는 기둥. ⑤ 벽철근 : 기둥, 보, 바닥판. ⑥ 바닥철근 : 보 또는 벽체.
(4) 정착길이의 산정 표시	40d, 25d, 25d, 보, 기둥 그림. 최상층 40d, 25d, 25d, 보, 기둥 그림. 일반층 40d, 25d, 보, 기둥 그림. Haunch가 있는 일반층

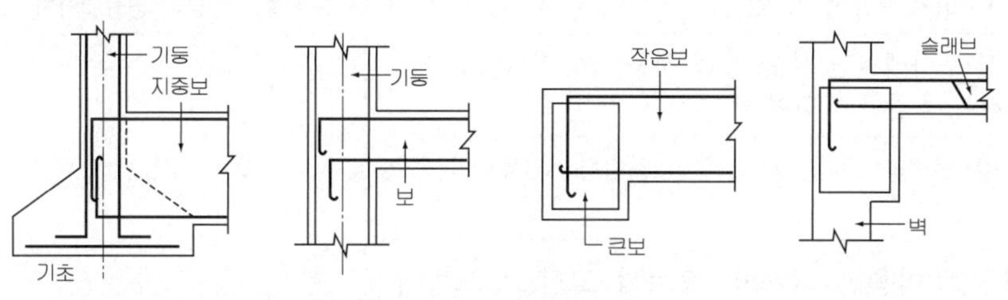

그림. 철근의 정착 위치

2 철근의 가공

(1) 가공	※ 철근은 상온에서 지상 가공하는 것의 원칙 (시방서 기준)
(2) Hook (갈고리)설치	1) 원형철근 말단부는 원칙적으로 Hook를 설치 2) 이형철근 중 다음에 해당하면 Hook 설치 ① 늑근(Stirrup)과 대근(Hoop) ② 기둥 및 보의 돌출부 철근(지중보 제외) ③ 굴뚝의 철근 ④ 피복 Concrete가 파괴되기 쉬운 보, 기둥의 단부 ⑤ 단순보지지단 ⑥ Cantilever 보, Slab 선단 등

학습 POINT

▶ 99-③
- 이음위치선정시 주의점 3가지

▶ 88-③, 90-①, 97-②, 06-②
- 철근의 정착위치

▶ 바닥에 정착된 벽철근 모습

▶ 89-①, 96-④, 96-⑤, 99-②, 99-⑤
- 철근 정착길이 표시

▶ 92-②
- 철근 구부리기, 가공

▶ 95-④, 96-⑤, 05-③
- 철근의 Hook 둘 곳 5가지, 3가지

(3) 절단, 가공기구	① 철근절단 : 절단기(Bar Cutter), Shear Cutter, 쇠톱을 사용 ② 철선절단 : Wire Cliper ③ 구부림 : 중간부 : Bar Bender 사용, 말단부 : Hooker, Pipe 등 사용

※ 철근의 구부림(Hook) 각도 및 여장, 나선철근 중간부, 처리 등은 구조설계기준에 따른다.

학습 POINT

▶ 보철근의 늑근과 Cap Bar인 U Bar가 배근된 모습

3 철근의 이음 및 정착

1. 이음 및 정착길이

① 철근의 이음 및 정착길이는 건축구조설계기준 및 철근배근도에 따른다.
② 정착 및 이음길이의 건축구조설계기준 및 철근배근도에 제시된 길이보다 짧을 수 없으며, 건축구조설계기준 및 철근배근도의 길이를 초과할 경우의 허용차는 소정길이의 10% 이내로 한다.
③ 철근의 이음의 위치, 정착방법은 철근배근도에 따른다.

▶ 09-①, 11-③
• 기둥 띠철근의 역할 2가지

2. 철근 이음법의 종류

① 겹친이음 (Lap Splice)	철근 이음길이 만큼 겹쳐서 #18~#20의 철선을 개소당 2개소 이상 결속하여 이음. 콘크리트와의 부착력 이용
② 용접 이음법	아아크용접, 플러시버트용접 등이 있음.
③ 가스압접 이음법	철근의 단면을 산소-아세틸렌 불꽃 등을 사용하여 가열하고 기계적 압력을 가하여 용접한 맞댐이음
④ 기계적 이음법	sleeve압착이음, sleeve충전식 이음, coupler를 이용한 나사 체결법 등 연결재를 이용한 접합방법.

▶ 96-①, 97-③, 99-④, 02-③, 05-③, 13-①, 16-①, 20-④
• 철근 이음의 종류 3가지

※ ① 기계적이음을 위해 특수기구를 이용한 최근방식으로써 그립죠인트방식, 스퀴즈죠인트방식, 슬립죠인트방식, 너트죠인트방식 등이 사용된다.
② 캐드이음(Cad welding) : 철근에 슬리브를 연결하고 철근과 슬리브 사이의 공간에 순간 폭발을 발생시켜 합금을 흘려보내 충전하여 있는 방법

▶ 수직철근의 Coupler 이음장면

▶ 시공이음부에서의 Coupler이음활용

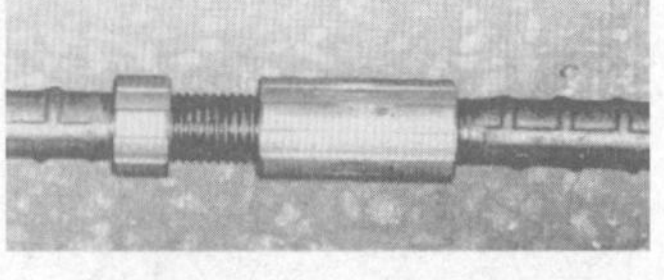

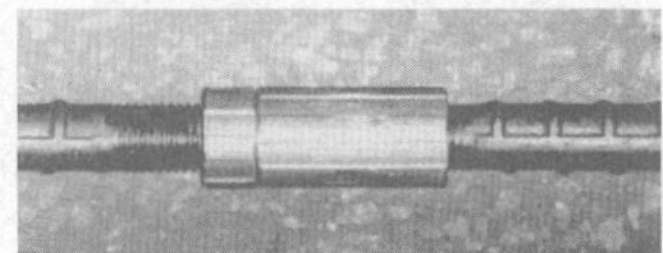

▶ 너트와 커플러를 체결한 나사 체결 이음 방법

▶ 수직철근의 Sleeve 압착이음장면

▶ 가스압접 이음 철근

학습 POINT

3. 용접(가스압접)이음의 장 · 단점

장　점	단　점
① 충분한 강도가 보장된다.(일체성 확보가능) ② 철근 조립부가 단순해져 Concrete 타설이 용이하다. ③ 겹친 이음이 없어서 경제적이다. ④ 철근의 조직 변화가 적다. ⑤ 가공이 단순하고 가공면적이 적다.	① 숙련공이 필요하다. (1개소시공　3~4분) ② 공정상, 작업상 불리하다. (철근공, 용접공 동시 작업) ③ 용접부 검사가 어렵다. ④ 거푸집 위에서 작업시 화재염려 ⑤ 풍우, 강설, 저온시 작업중단

▶ 93-③, 99-②

• 철근 용접이음의 이점 3가지

4. 가스 압접 이음

(1) 순서

① 양쪽으로 30MPa 이상의 압력으로 가압

② 1,200~1,300℃로 가열

② 지름의 1.4배 이상으로 압접 완료

압접면

d

D≥1.4d

1.2d

그림. 압접부분의 돌기

(2) 접합소요시간 : 3~4분(1개소)

(3) 가스 압접의 검사 (시방서 기준) : ※ 1검사로트 : 200개소 정도

① 외관검사	작업 완료후 전체 수량 검사
② 초음파 탐사법	하루 시공분 중 30개소 이상 검사, 불합격이 2개소면 하루 시공분 전체를 불합격으로 간주
③ 인장 시험법	하루 시공분 중 3개 이상 검사, 불합격이 2개소면 하루 시공분 전체를 불합격으로 간주

■ 철근 이음 검사

(1) 가스압접이음

(2) 기계적이음

① 위치, 외관검사 : 전체

② 인장시험 : 설계도서에 따라

(3) 용접이음

① 외관검사 : 전체

② 내부결함 1검사로트마다 30개소, 인장시험 1검사로트마다 3개

(4) 전체 : 설계기준 항복강도의 125%

(4) 압접부의 품질관리와 압접금지 사항

1) 압접의 품질관리	2) 압　접　금　지
① 용접돌출부의 직경 : 1.4배 이상 ② 용접돌출부의 길이 : 1.2배 이상 ③ 철근 중심부 편심오차 : 직경 1/5 이하. (1/5 초과시 재압접) ④ 돌출부와 용접면 엇갈림 : 직경 1/4 이하. (1/4 초과시 재압접)	① 철근의 지름 차이가 6mm 초과시 ② 철근의 재질이 서로 다른 경우 ③ 항복점 또는 강도가 서로 다른 경우 ④ 0℃ 이하 작업 중지 ⑤ 편심오차 : 지름의 1/5 초과금지 (지름이 다르면 : 작은 지름의 1/5)

▶ 02-②, 09-①, 13-②, 17-③

• 압접금지사항 3가지

▼ 가스 압접 과정

▶ 압접부 가공(연마)

▶ 기계장착 및 초기 가열

▶ 1차 가압된 장면

▶ 2차 가압된 장면

▶ 3차 가압된 장면

▶ 압접완료 후 상온 냉각 완성

4 철근의 피복두께와 철근간격

(1) 피복두께 유지목적	(2) 철근간격 유지목적	(3) 철근간격결정
① 내화성능 유지 ② 내구성능 유지 ③ 소요의 구조내력확보 (콘크리트의 유동성, 부착력, 강도확보)	① Concrete의 유동성 (시공성) 확보 ② 재료분리방지 ③ 소요의 강도 유지, 확보	① 주근 공칭지름 이상 ② 2.5cm 이상 ③ 굵은골재 최대치수의 4/3(1.33)배 이상 ④ 위 ①, ②, ③ 중 큰 값

보충설명

(1) 나선철근 또는 띠철근이 배근된 압축부재(기둥)에서 축방향 철근의 순간격
① 철근 공칭 지름의 1.5배 이상
② 40mm 이상
③ 굵은 골재・최대치수의 4/3(1.33)배 이상
위 ①, ②, ③ 중 큰 값
(2) 굵은 골재의 최대 치수의 개별 철근, 다발철근, 긴장재 또는 덕트 사이 최소 순간격의 3/4 이하
(3) 철근의 순간격에 대한 규정은 서로 접촉된 겹침이음 철근과 인접된 이음철근 또는 연속철근 사이의 순간격에도 적용하여야 한다.

※ 철근의 간격(콘크리트 구조 설계기준 : KDS 14 20 50)

학습 POINT

93-②, 96-①, 97-②, 02-②, 06-②, 08-① / 03-①, 07-②, 10-①, 12-②, 13-③, 14-①, 22-② / 09-③, 16-②, 23-② / 10-②, 20-②

- 피복두께 유지 목적 3가지 /
- 철근 간격 유지 목적 3가지, 2가지
- 철근 간격 결정방법, 원칙
- 피복두께의 정의와 목적, 그림도시

1. 피복두께의 최소값 (KDS 14 20 50 콘크리트구조 철근상세 설계기준)

※ 프리스트레스하지 않은 부재의 현장치기 콘크리트인 경우

<table>
<tr><th colspan="3">부위 및 철근 크기</th><th>최소피복두께(mm)</th></tr>
<tr><td colspan="3">• 수중에서 치는 콘크리트</td><td>100</td></tr>
<tr><td colspan="3">• 흙에 접하여 콘크리트를 친 후 영구히 흙에 묻혀 있는 콘크리트</td><td>75</td></tr>
<tr><td rowspan="2">• 흙에 접하거나 옥외의 공기에 직접 노출되는 콘크리트</td><td colspan="2">D19 이상의 철근</td><td>50</td></tr>
<tr><td colspan="2">D16 이하의 철근, 지름 16mm 이하의 철선</td><td>40</td></tr>
<tr><td rowspan="4">• 옥외의 공기나 흙에 직접 접하지 않는 콘크리트</td><td rowspan="2">슬래브, 벽체, 장선</td><td>D35 초과하는 철근</td><td>40</td></tr>
<tr><td>D35 이하인 철근</td><td>20</td></tr>
<tr><td colspan="2">보, 기둥</td><td>40</td></tr>
<tr><td colspan="2">쉘, 절판부재</td><td>20</td></tr>
</table>

※ ① 피복두께의 시공 허용오차는 10mm 이내로 한다.

② 피복두께는 철근콘크리트 구조물이 소요의 내구성, 내화성 및 구조내력이 얻어질 수 있도록 부재의 종류와 위치별로 구조물의 내구연한, 콘크리트의 종류와 품질, 부재가 받는 환경작용의 종류와 강도 등의 폭로조건, 특수한 열화외력, 요구내화성능, 구조내력 상의 요구 및 시공 정밀도를 고려하여 결정한다.

③ 프리스트레스 콘크리트, 프리캐스트 콘크리트, 특수환경에 노출되는 콘크리트 등과 시방서에 별도의 피복두께 규정이 있는 경우에는 KDS 14 20 50의 규정에 따르거나 시방서 규정에 따른다.

2. 철근간격재(spacer)의 종류

① 철재(철근, 철판) 간격재
② 모르타르재 간격재
③ 강화플라스틱재 간격재

▶ 벽철근 Spacer 결속선 설치 모양

▶ 바닥 이형철근, Mortar 간격재, 결속선 연결

학습 POINT

▶ 철근이 밀집배근된 모습

09-① / 00-① / 92-③, 95-②, 97-①, 04-③, 07-③, 13-① / 13-②, 21-①

• SPACER 용어 설명
• 철근 간격재(spacer) 종류 3가지 /
• 철근 배근 갯수
• SPACER 용도설명

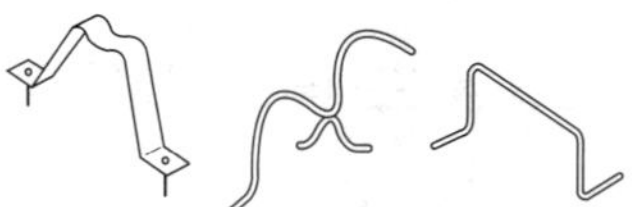

철판제 굄 기성철제 굄 철근제 굄

모르타르제 굄 주근받침

그림. 각종 Spacer

관련문제

1 철근공작도(SHOP DRAWING)의 정의를 간단하게 설명하고 그 종류를 쓰시오. (4점) 〔93 ④, 94 ④〕

(가) 정의 :

(나) 종류 :

2 다음은 철근공사의 사항인데 순서를 골라 그 번호를 쓰시오. (5점) 〔87 ③〕

(1) 가공 (2) 저장 (3) 공작도 작성 (4) 조립검사
(5) 철근의 반입 (6) 조립 (7) 검사 및 시험

3 일반적인 건축물의 철근 조립순서를 보기에서 골라 쓰시오. (4점) 〔95 ③, 98 ⑤, 18 ②〕

〔보기〕
(가) 기둥철근 (나) 기초철근 (다) 보철근
(라) 바닥철근 (마) 계단철근 (바) 벽철근

4 철골 철근콘크리트의 철근 조립순서를 다음 보기에 의해 순서대로 작성하시오. (3점) 〔99 ②〕

〔보기〕
(가) 계단철근 (나) 기초철근 (다) 벽철근
(라) 슬래브철근 (마) 기둥철근 (바) 보철근

( ) → ( ) → ( ) → ( ) → ( ) → ( )

5 다음은 기초철근 조립에 대한 항목들이다. 조립순서에 맞게 기호로 쓰시오. (3점, 4점) 〔00 ②, 05 ③〕

〔보기〕
(가) 기둥주근 설치 (나) 철근간격 표시 (다) 대각선 철근 배근
(라) 띠근(Hoop) 끼우기 (마) 스페이서 설치 (바) 직교철근 배근
(사) 거푸집위치 먹줄치기

해설 및 정답

정답 **1**
(가) 정의 : 철근구조도면에 따라 철근의 절단, 구부림공작을 하기 위한 시공 도면으로 철근의 모양, 칫수,구부림 위치, 길이, 수량, 중량등을 기입, 산출 한다.
(나) 종류 : 기초, 기둥, 벽, 보, 바닥판, 계단 배근도 및 라멘도등

정답 **2**
(3) - (5) - (2) - (7) - (1) - (6) - (4)
공작도 작성 - 재료반입 - 저장 - 검사 및 시험 - 가공 - 조립 - 조립부 검사순이다.

정답 **3**
(나)
(가)
(바)
(다)
(라)
(마)

정답 **4**
(나)
(마)
(바)
(다)
(라)
(가)
※ 철골철근콘크리트(SRC) 구조의 순서이다.

정답 **5**
(사)
(나)
(바)
(다)
(마)
(가)
(라)

관련문제

6 철근공사에 있어 이음위치의 선정시 주의할 사항을 3가지만 쓰시오. (3점) 〔99 ③〕

①

②

③

7 다음 철근의 정착위치를 쓰시오. (5점) 〔88 ③, 90 ①, 97 ②, 06 ②〕

(1) 기둥의 주근 : (　　　)　　(2) 큰보의 주근 : (　　　)
(3) 지중보의 주근 : (　　) 또는 (　　　)
(4) 벽철근 : (　　), (　　) 또는 (　　　)
(5) 바닥철근 : (　　) 또는 (　　　)

8 아래 그림을 보고 철근의 정착 길이에 해당하는 부분을 굵은 선으로 표시하시오. (6점) 〔89 ①, 96 ⑤, 99 ⑤〕

(가)

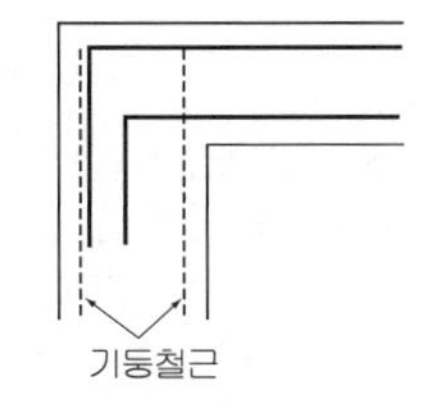

(최상층 보의 단부)

(나)

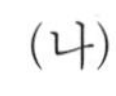
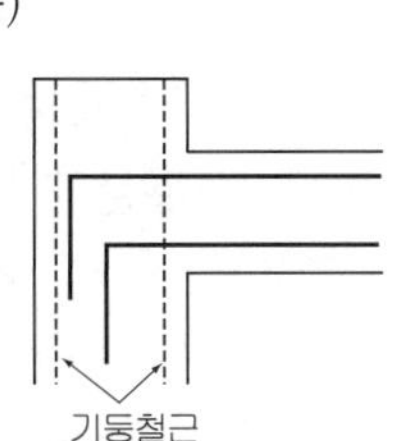

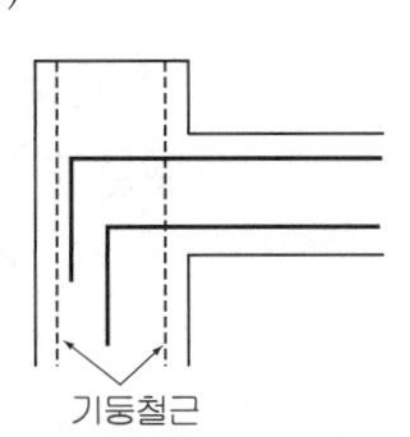

(일반층보의 단부)

(다)

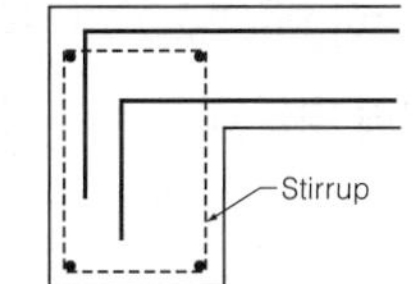

(슬래브의 단부)

9 철근 콘크리트조 보의 최상층보와 중간층 보 단부의 철근(상, 하부근) 정착길이와 위치를 ①~④으로 표시하여 도해하시오. (단, 철근지름 : D) (4점) 〔96 ④, 99 ②〕

(가) 최상층부

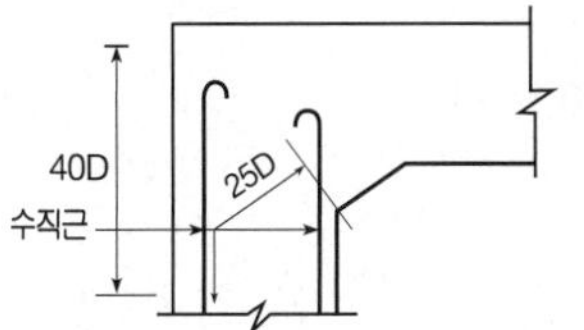

① 상부근 : ――――――――
② 하부근 : ----------------

(나) 중간층부

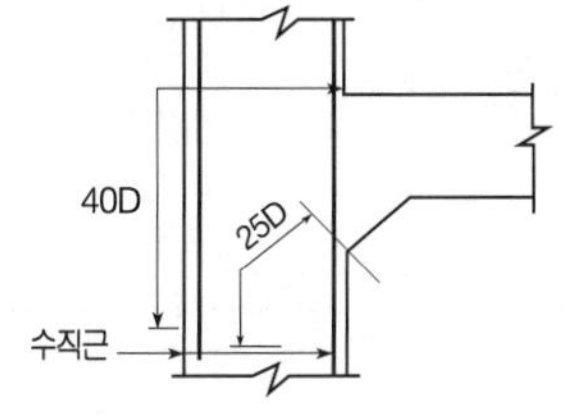

③ 상부근 : ――――――――
④ 하부근 : ----------------

해설 및 정답

정답 6

① 큰 응력을 받는 곳은 피한다.
② 동일장소에 이음이 반수이상 집중되지 않도록 한다.
③ 보철근 이음시 중앙하부근, 단부상부근은 인장력이 적은 곳에서 이음한다.

정답 7

(1) 기초
(2) 기둥
(3) 기초 또는 기둥
(4) 기둥, 보 또는 바닥판
(5) 보 또는 벽체

정답 8

(가)　(나)

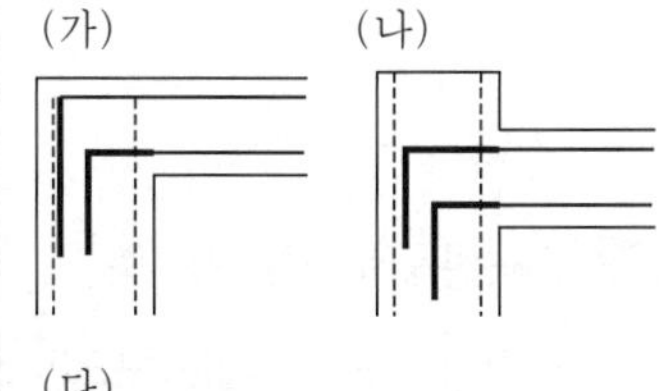

(다)

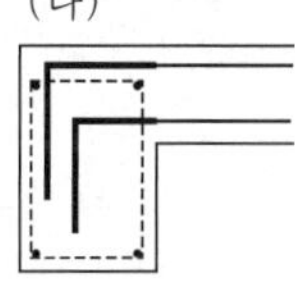

정답 9

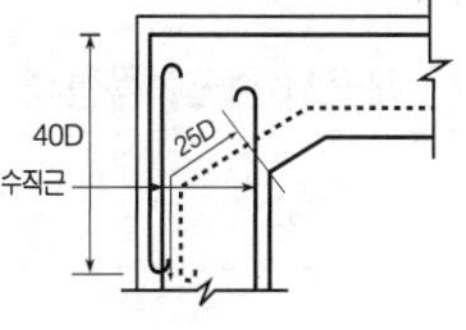

①상부근:――　②하부근:-----

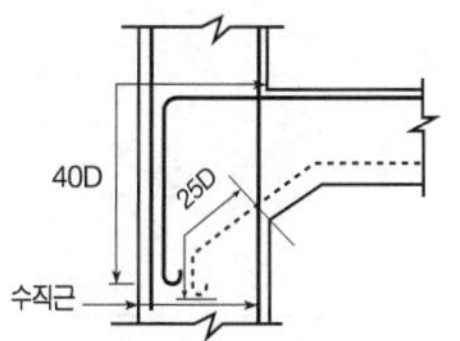

③상부근:――　④하부근:-----

관련문제 | **해설 및 정답**

10 (가) 철근의 Hook를 반드시 두어야 할 곳을 5가지 쓰시오. (5점) 〔95 ④, 96 ⑤〕

(나) 철근의 단부에 갈고리(hook)를 설치해야 하는 경우를 3가지 쓰시오. (3점) 〔05 ③〕

(1) ______ (2) ______

(3) ______ (4) ______

(5) ______

정답 10
(1) 원형철근인 경우
(2) 굴뚝철근
(3) 늑근
(4) 대근
(5) 기둥, 보의 돌출부철근

11 철근의 단부에 갈고리(Hook)를 만들어야 하는 철근을 모두 골라 번호를 쓰시오. (3점) 〔13 ②〕

〔보기〕
① 원형철근 ② 스터럽 ③ 띠철근
④ 지중보의 돌출부 부분의 철근 ⑤ 굴뚝의 철근

______

정답 11
①, ②, ③, ⑤

12 철근이음에 관한 내용 중 ( )안에 알맞는 용어를 쓰시오. (3점) 〔02 ③, 05 ③〕

철근의 이음방법에는 콘크리트와의 부착력에 의한 ① ( )외에 ② ( ) 또는 연결재를 사용한 ③ ( )이 있다.

① ______ ② ______

③ ______

정답 12
① 겹친이음
② 용접이음(가스압접이음)
③ 기계적이음(sleeve이음, coupler 이음(나사식 이음)

13 철근배근시 철근이음방식의 종류를 2가지, 3가지(4가지) 쓰시오. (3점, 4점)
〔96 ①, 97 ③, 99 ④, 13 ①, 16 ①, 20 ④〕

(1) ______ (2) ______ (3) ______

정답 13
(1) 겹친이음
(2) 용접이음(가스압접이음)
(3) 기계식이음(Sleeve 압착이음)
(4) Coupler에 의한 나사식이음

14 철근배근시 용접이음방식의 이점을 3가지만 쓰시오. (3점) 〔93 ③, 99 ②〕

(1) ______

(2) ______

(3) ______

정답 14
(1) 충분한 강도가 보장된다. (일체성 확보가능)
(2) 콘크리트 부어넣기가 용이하다.
(3) 겹친이음이 없어서 경제적이다.

관련문제 | **해설 및 정답**

15 철근콘크리트 공사에서 철근이음을 하는 방법으로 가스압접이 있는데 가스압접으로 이음할 수 없는 경우를 3가지 쓰시오. (3점) 〔02 ②, 09 ①, 13 ②, 17 ③〕

가. ________ 나. ________ 다. ________

정답 **15**

(가) 철근의 지름차이가 6mm를 초과할 때
(나) 철근의 재질이 상이할 때 (항복점 강도나 성질이 다를 때)
(다) 0℃이하의 낮은 온도에서 작업할 때
(라) 지름 1/5 초과의 편심오차 발생시

16 철근콘크리트조 건축물에서 철근에 대한 콘크리트의 피복두께를 유지하여야 하는 주요 이유를 3가지, 4가지 쓰시오. (3점, 4점) 〔93 ②, 96 ①, 97 ②, 02 ②, 06 ②, 08 ①〕

(1) (2)

(3) ________ (4) ________

정답 **16**

(1) 소요의 내구성 확보
(2) 소요의 내화성 확보
(3) 소요의 강도 확보
(4) 콘크리트와의 부착력 확보
※ 콘크리트의 유동성 확보

17 (가) 피복두께의 정의와 유지목적을 적으시오. (4점) 〔10 ②〕

(나) 보의 단면으로 늑근(Stiruup 철근)과 주근(인장철근)까지 도시한 후 피복두께의 정의와 유지목적을 2가지 적으시오 (5점) 〔20 ②〕

(1) 정의 : ________

(2) 유지목적 : ① ________ ② ________

③ ________

정답 **17**

(1) 철근 가장외측 표면에서 이를 감싸고 있는 콘크리트 표면까지의 최단거리
(2) ① 소요의 내구성 확보
② 소요의 내화성 확보
③ 콘크리트와의 부착력 확보 등

18 철근콘크리트공사를 하면서 철근간격을 일정하게 유지하는 이유를 3가지, 2가지 쓰시오. (3점, 2점) 〔03 ①, 07 ②, 10 ①, 12 ②, 13 ③, 14 ①, 22 ②〕

① ________ ② ________ ③ ________

정답 **18**

① 콘크리트의 유동성(시공성) 확보
② 재료분리 방지
③ 소요강도 확보

19 표준시방서에서 규정하고 있는 일반적인 철근간격 결정 원칙 중 보기의 ( )안에 들어갈 알맞는 수치를 쓰시오. (3점) 〔09 ③, 16 ②, 23 ②〕

〔보기〕

철근과 철근의 순간격은 굵은골재 최대치수의 (①)배이상, (②)mm 이상, 이형철근 공칭지름의 (③)배 이상으로 한다.

정답 **19**

① 4/3, (1.33)
② 25
③ 1.0

관련문제

20 철근콘크리트 구조의 기둥에서 띠철근(Hoop Bar)의 역할을 2가지만 쓰시오. (2점)
〔09 ①, 11 ③〕

•

•

21 철근 콘크리트 공사에서 철근의 간격재(spacer)를 3가지 쓰시오. (3점) 〔00 ①〕

① ②

③

22

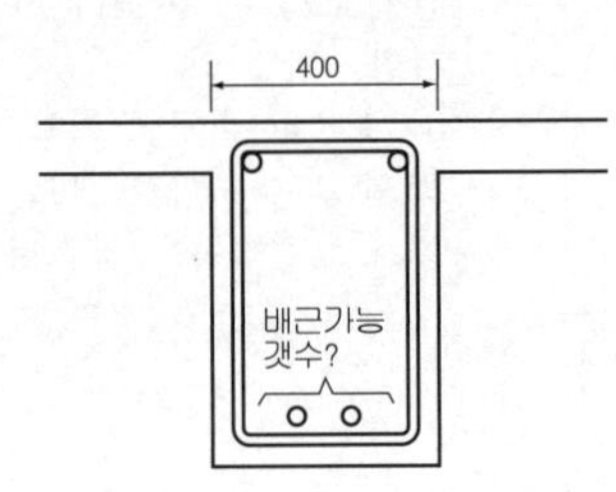

다음 그림과 같은 철근콘크리트 T형보에서 하부의 주근 철근이 1단으로 배근될 때 배근 가능한 개수를 구하시오. (단, 보의 피복두께는 3cm이고, 늑근은 D10-ⓐ200 이며, 주근은 D16을 이용 하고, 사용 콘크리트의 굵은 골재의 최대치수는 18mm이며, 이음정착은 고려하지 않는 것으로 한다.) (3점) 〔92 ③, 95 ②, 97 ①, 04 ③, 07 ③〕

23 철근 콘크리트구조에서 보의 주근으로 4-D25를 1열로 배근할 경우 보 폭의 최소값을 구하시오. (단, 피복두께 40mm, 굵은 골재의 최대치수 18mm이고, 스티럽은 D13 사용) (4점)
〔13 ②〕

해설 및 정답

정답 **20**

① 기둥 주철근의 좌굴 방지
② 수평력에 대한 전단 보강
③ 주근의 위치고정, 피복두께 유지 등

정답 **21**

① 모르타르 재료의 간격재
② 철근을 조립한 간격재
③ 강화플라스틱 간격재

정답 **22**

(1) 철근간격 결정 : 2.5cm
①, ②, ③ 중 큰 값
① : 2.5cm
② : 1.0×주근직경
$1.0 \times 1.6\text{cm} = 1.6\text{cm}$
③ : 1.33×굵은골재직경
$1.33 \times 1.8\text{cm} = 2.4\text{cm}$

(2) 배근가능범위 :
$40\text{cm} - (3+3+1+1) = 32\text{cm}$

(3) 철근갯수(x) :
$1.6x + (x-1) \times 2.5 = 32\text{cm}$
$4.1x = 34.5\text{cm} \quad \therefore x = 8.4$
* 따라서 8개 배근가능

정답 **23**

[건축구조기준 및 표준시방서에 의한 풀이]

(1) 철근 순간격 결정 : ①, ②, ③ 중 큰 값 : 25mm
① 25mm 이상
② $25\text{mm} \times 1.0 = 25\text{mm}$
③ $18\text{mm} \times \frac{4}{3} = 24\text{mm}$

(2) 보폭의 결정(B)
$B = (40 \times 2) + (13 \times 2) + (25 \times 4) + (25 \times 3) = 281\text{mm}$

핵심 15

거푸집 시공 일반사항

(목적, 하중, 측압, 존치기간, 부속재료, 시공순서)

1 거푸집의 시공목적 및 유의사항

(1) 시공목적(거푸집의 역할)	(3) 시공상 주의점, 안전성 검토
① Concrete형상과 칫수 유지 ② Concrete 경화에 필요한 수분과 시멘트 풀의 누출방지 ③ 양생을 위한 외기 영향 방지	① 거푸집 공사비 : 전체 공사비의 10~15%, 철근 Concrete 공사비의 30%, 공정의 1/2~1/3의 비중차지 ② 조립, 해체 전용 계획에 유의 ③ 바닥, 보의 중앙부 치켜 올림 고려 : l/300 ~ l/500 ④ 각종 배관, Box, 매립철물 등을 검토 ⑤ 갱폼, 터널폼은 이동성, 연속성 고려 ⑥ 재료의 허용 응력도는 장기허용 응력도의 1.2배까지 택함. ⑦ 비계나 가설물에 연결하지 않는다.
(2) 거푸집의 구비 조건	
① 수밀성(조립의 밀실성) ② 외력, 측압에 대한 안전성 ③ 충분한 강성과 칫수 정확성 ④ 조립해체의 간편성 ⑤ 이동간편성, 우수한 전용성. (이동용이, 반복사용 가능)	

2 거푸집의 하중 및 측압

1. 거푸집 및 동바리 설계시 고려하중(콘크리트 표준시방서 기준)

※ 연직하중, 수평하중 및 측압을 고려하여 설계해야 하며, 필요한 특수하중 등도 고려하여 안전성, 경제성, 시공성을 고려해야 한다.

시방서규정, 구조기준 하중규정

(1) 연직하중	※고정하중 + 공사중의 활화중이며 다음 값을 적용 ① 고정하중은 철근콘크리트 + 거푸집 중량 • 보통콘크리트 : 24kN/m³(철근중량포함) • 1종 경량골재 콘크리트 : 20kN/m³ • 2종 경량골재 콘크리트 : 17kN/m³ ※거푸집 하중은 최소 0.4kN/m² 적용(특수거푸집은 실제 중량 고려) ② 활하중은 수평투영면적당 최소 2.5kN/m² 이상 ③ 고정하중과 활하중을 합한 연직하중은 Slab 두께와 관계없이 최소 5.0kN/m² 이상, 전동식 카트 장비 사용시 최소 6.25kN/m² 이상을 고려

학습 POINT

92-④ / 96-③, 06-②, 07-② / 91-③, 06-③

• 거푸집 역할 3가지 /
• 거푸집 구비조건 3가지 /
• 거푸집짜기 시공상 주의점

■ 거푸집공법의 발전방향
① 대형화, 강재화, System화
② 알미늄 거푸집 등 부재의경량화 추구
③ 설치의 단순화, 기계화로 인력절감 추구
④ 많은 전용회수로 경제성 추구
⑤ Unit화 자주화로 이동의 용이성 추구
⑥ 규격화로 단면설계의 효율성 추구

90-②, 03-①

• 거푸집 설계 고려 하중

암기하기

■ 부위별 거푸집 고려하중

부위별	고려하중
① 보 Slab 밑면	㉮ 생 Concrete 중량 ㉯ 작업하중 ㉰ 충격하중
② 벽, 기둥, 보옆	㉮ 생 Concrete 중량 ㉯ 생 Concrete 측압력

01-③, 07-③ / 09-①, 11-③, 15-①, 16-①, 23-①

• Concrete Head
• Concrete Head 설명, 정의

(2) 수평하중	※ 고정하중 + 공사중의 활하중 ① 동바리에 작용하는 수평하중은 고정하중의 2% 이상, 또는 상당길이당 1.5kN/m 이상 중 큰 값이 동바리 머리에 수평으로 작용하는 것으로 가정 ② 벽체는 거푸집 측면에 $0.5kN/m^2$ 하중 고려 ③ 그 밖에 풍압, 수압, 지진 영향시 별도 하중을 고려
(3) 측압고려	시방서에서 정한 계산식과 계수를 이용하여 설계

학습 POINT

94-①, 96-③ / 92-②, 07 ① / 98-⑤, 06-①, 15-③, 17-③ / 10-①, 12-②, 20-②

- 거푸집 측압이 크게 걸리는 경우 /
- 측압의 증감 확인문제 /
- 측압에 영향을 주는 요소 4가지를 쓰시오.
- 거푸집 측압이 증가하는 원인에 대하여 설명 4가지

2. 거푸집 측압

(1) Concrete Head : 타설된 콘크리트 윗면으로부터 최대측압면까지의 거리. Concret를 연속타설하면 측압은 높이의 상승에 따라 증가하나 시간의 경과에 따라 감소하여 어느 일정한 높이에서 증가하지 않는다. 이렇게 측압이 최대가 되는 점을 Concrete Head라 한다.

① 기둥 : 1.0m : 측압 : $2.5t/m^2$

② 벽 : 0.5m : 측압 : $1t/m^2$

(2) 거푸집 측압에 영향을 주는 요소

1) 요소별 항목	2) 콘크리트 측압에 미치는 영향
① Concrete 타설 속도	속도가 빠를수록 측압이 크다.
② 콘시스턴시	Slump값이 클수록 측압이 크다.
③ 콘크리트의 비중	비중이 클수록 측압이 크다.
④ 시멘트량	부배합 일수록 크다.
⑤ 온도 및 습도	온도가 높고, 습도가 낮으면 경화가 빠르므로 Concrete 측압이 작아진다.
⑥ 시멘트의 종류	조강(早强) 등 응결시간이 빠를수록 작아진다.
⑦ 거푸집 표면의 평활도	표면이 평활하면 마찰계수가 적게되어 측압이 크다
⑧ 거푸집의 투수성	투수성 및 누수성이 클수록 측압이 작다.
⑨ 거푸집의 수평단면	단면이 클수록 측압이 크다.
⑩ 바이브레이터의 사용	바이브레이터를 사용하여 다질수록 측압이 크다. (30%정도 증가한다.)
⑪ 붓기방법	높은 곳에서 낙하시켜 충격을 주면 측압은 커진다.
⑫ 거푸집의 강성	거푸집의 강성이 클수록 측압이 크다.
⑬ 철골 또는 철근량	철골 또는 철근량이 많을수록 측압은 작게 된다.

암기하기

■ 측압이 크게 걸리는 경우
① 슬럼프가 클때
② 부배합일 경우
③ 벽두께가 두꺼운 경우
④ 부어넣기 속도가 빠른 경우
⑤ 대기습도가 높은 경우
⑥ 온도가 낮은 경우
⑦ 진동기 사용시
⑧ 거푸집 강성이 큰 경우

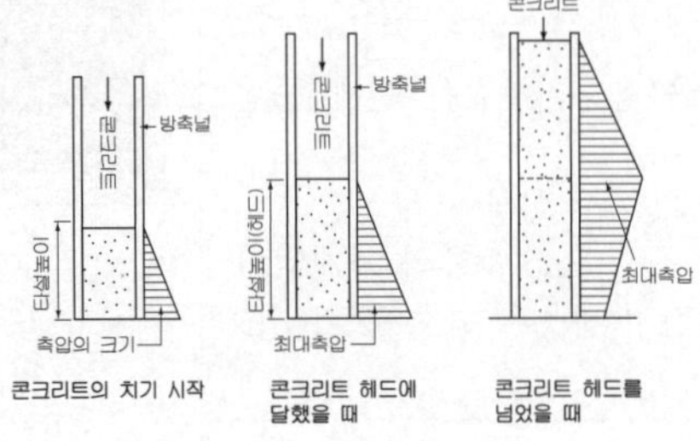

그림. 측압의 상승과정

3 거푸집 및 동바리의 존치기간 (표준시방서)

1. 콘크리트의 압축강도를 시험할 경우 거푸집널의 해체 시기

부 재		콘크리트 압축강도
기초, 보, 기둥, 벽 등의 측면		5MPa 이상
슬래브 및 보의 밑면, 아치내면	단층구조인 경우	설계기준강도의 2/3배 이상 또한, 최소 14MPa 이상
	다층구조인 경우	설계기준압축강도 이상 (필러 동바리 구조를 이용할 경우는 구조계산에 의해 기간을 단축할 수 있음. 단, 이 경우라도 최소강도는 14MPa 이상으로 함)

2. 콘크리트의 압축강도를 시험하지 않을 경우(기초, 보옆, 기둥, 벽등의 측벽)

시멘트의 종류 / 평균 기온	조강포틀랜드 시멘트	보통포틀랜드 시멘트 고로슬래그 시멘트(1종) 플라이애시 시멘트(1종) 포틀랜드포졸란 시멘트(1종)	고로슬래그 시멘트(2종) 플라이애시 시멘트(2종) 포틀랜드포졸란 시멘트(2종)
20℃ 이상	2일	4일	5일
20℃ 미만 10℃ 이상	3일	6일	8일

① 기초, 보, 기둥, 벽 등의 측면 거푸집널 해체는 특히, 내구성이 중요한 구조물에서는 콘크리트 압축강도가 10MPa 이상일 때 거푸집널을 해체할 수 있다.

② 보, 슬래브(slab) 및 아치(arch) 밑의 거푸집널은 원칙적으로 동바리를 해체한후에 떼어낸다. 그러나 충분한 양의 동바리를 현상태대로 유지하도록 설계 시공된 경우 콘크리트를 10℃이상 온도에서 4일 이상 양생한 후 사전에 책임감리원의 승인을 받아 떼어 낼 수 있다.

③ 동바리를 떼어낸 후에도 재하가 있을 경우 적절한 동바리를 재설치하여야 하며, 시공중인 고층건물의 경우 최소 3개층에 걸쳐 동바리를 설치하고 콘크리트 작업에 의한 하중 등을 재하해야 한다.

학습 POINT

▶ 04-① / 98-④, 07-②, 09-①, 15-① / 09-②, 12-②, 17-①, 18-①, 19-①, 20-②, 23-②

- 거푸집 존치기간에 영향을 미치는 것 4가지
- 압축강도 시험시 거푸집 존치기간
- 압축강도시험 안할 경우 거푸집 존치기간

■ 거푸집 존치기간에 영향을 주는 요소 4가지
① 부재의 종류
② 콘크리트 압축강도
③ 시멘트의 종류
④ 평균 기온(온도)

4 거푸집 조립시 부속재료

(1) Form Tie(긴결재)	거푸집 형상유지. 측압에 저항. 벌어지는 것 방지. 직경 6~12mm 양나사 bolt이용, 꺽쇠, 철선, 고정못, Flat Tie 등이 사용된다.
(2) 격리재(Separater)	거푸집의 간격유지, 오그라드는 것 방지 철판, 파이프제, 몰탈제 등이 사용된다.
(3) 박리제(Form Oil)	거푸집을 쉽게 제거하기 위해 표면에 바르는 물질. 동·식물유, 중유, 석유, 아마유, 파라핀유, 합성수지 등 Concrete에 착색이 안되고 표면 마무리에 유해한 영향이 없는 것을 사용.

▶ 88-③, 01-③, 07-①, 09-③, 13-①, 18-③ / 11-②, 17-③

- 거푸집 관계 용어설명
- 스페이서, 세퍼레이터, 칼럼밴드, 박리제 용어

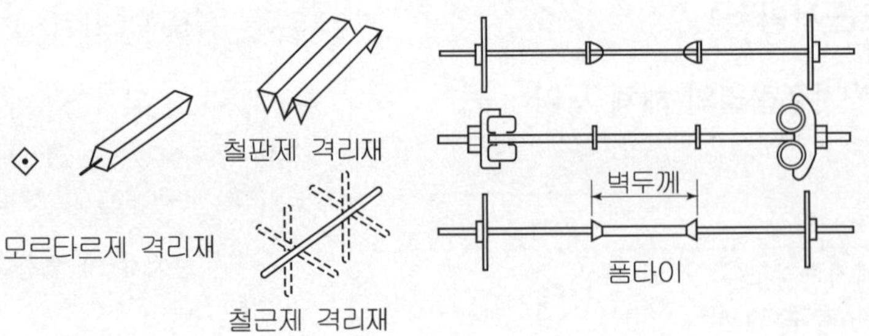

그림. 격리재와 Form Tie형상

5 철근과 거푸집의 시공순서

구분	내용
(1) 지주 바꾸어 세우기 순서	① 큰보 → ② 작은보 → ③ 바닥판 ※ 현행시방서는 지주 바꾸기는 원칙적으로 하지 않는다.
(2) 거푸집 조립순서	① 기초 → ② 기둥 → ③ 보받이 내력벽 → ④ 큰보 → ⑤ 작은보 → ⑥ 바닥판 → ⑦ 계단 → ⑧ 외벽의 순서이다. ※ 외벽중 내부면은 기둥과 동시 또는 기둥 다음에 한다.
(3) RC조 독립기초 시공순서	① 잡석다짐 → ② 밑창콘크리트 타설 → ③ 거푸집, 철근 위치 먹줄치기 → ④ 기초 거푸집 설치 → ⑤ 기초판 철근 배근 → ⑥ 기둥철근 기초에 정착 → ⑦ 콘크리트 부어넣기 → ⑧ 양생의 순서이다.
(4) RC조의 일반적 건물의 1개층 시공순서	① 기초 옆(기초보)거푸집 ② 기초판·기초보 철근 배근 ③ 기둥 철근을 기초에 정착 ④ 기초판(지하실 바닥판, 기초보) 콘크리트 부어넣기 ⑤ 기둥철근배근 ⑥ 기둥 거푸집·벽의 한편 거푸집 ⑦ 벽의 철근배근 ⑧ 벽의 딴편 거푸집 ⑨ 보 밑창판·옆판 및 바닥판 거푸집 ⑩ 보 및 바닥판 철근 ⑪ 콘크리트 부어넣기

학습 POINT

암기하기

■ 거푸집공사 관련 용어
① 피복두께 유지 : spacer (간격재, 굄재)
② 거푸집이 오그라 드는 것 방지 : separater
③ 거푸집이 벌어지는 것 방지 : Form tie
④ 철선절단기구 : wire cliper
⑤ 달대를 고정하기 위한 매입 철물 : 인서트(insert)

▶ 84-①
• 거푸집 지주 바꾸어 세우기 순서

▶ 84-②, 87-③ / 05-③
• 거푸집 조립순서

▶ 88-①
• RC조 독립기초 시공순서

▶ 84-① 5점, 85-② 10점, 86-① 5점, 86-② 10점, 87-③ 5점, 88-③ 6점, 91-① 4점, 93-① 6점, 97-④ 5점, 04-③ 6점
• RC조 일반 건축물 1개층 시공순서

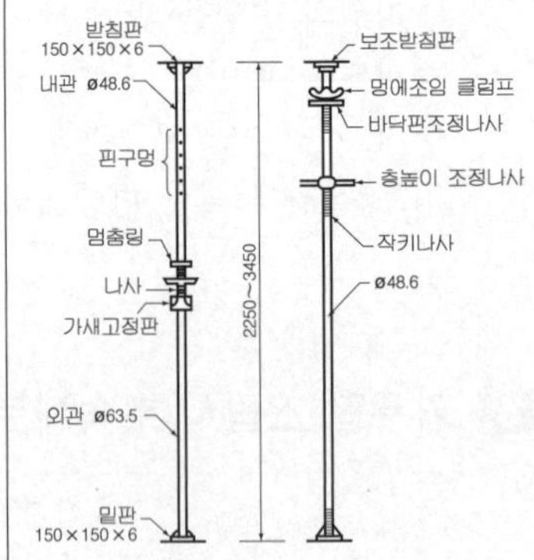

그림. 파이프 서포트

관련문제

1 (가) 콘크리트에서 이용되는 거푸집의 역할을 3가지 쓰시오. (3점) 〔92 ④〕
(나) 거푸집이 갖추어야 할 구비조건을 3가지, 4가지만 쓰시오. (3점, 4점) 〔96 ③, 06 ②, 07 ②〕

① ______________ ② ______________

③ ______________

2 거푸집짜기 시공상 주의사항에 대하여 3가지, 4가지만 쓰시오. (3점, 4점) 〔91 ③, 06 ③〕

① ______________ ② ______________

③ ______________

3 다음 거푸집 설계에서 고려하는 하중을 각각 2가지만 쓰시오. (4점) 〔90 ②〕

(가) 바닥판, 보밑 거푸집 : ______________, ______________

(나) 벽, 기둥, 보옆 거푸집 : ______________, ______________

4 다음의 거푸집을 계산할 때 고려하여야 할 것을 보기에서 모두 골라 번호를 쓰시오. (4점) 〔03 ①〕

〔보기〕
(1) 적재하중 (2) 생콘크리트의 중량 (3) 작업하중 (4) 안전하중
(5) 충격하중 (6) 생콘크리트의 측압력 (7) 고정하중

(가) 보, 슬래브밑면 ______________

(나)벽, 기둥, 보옆 ______________

5 다음 항목별 콘크리트의 측압이 크게 걸리는 경우의 번호를 쓰시오. (5점) 〔94 ①, 96 ③〕

(가) 슬럼프 : ① 크다 ② 작다
(나) 배합 : ① 부배합 ② 빈배합
(다) 벽두께 : ① 두껍다 ② 얇다
(라) 부어넣기 속도 : ① 빠르다 ② 늦다
(마) 대기중의 습도 : ① 높다 ② 낮다

해설 및 정답

정답 **1**
(가) ① 콘크리트의 칫수, 형상 유지
② 경화에 필요한 수분누출 방지
③ 외기에 대한 영향을 방지
(나) ① 시멘트 페이스트 누출방지의 수밀성
② 외력, 측압에 대한 안전성
③ 변형이 없고 칫수 정밀도가 우수할 것.
④ 조립해체 간편성, 반복사용의 전용성

정답 **2**
① 항상 칫수가 정확하고 배부름, 뒤틀림 등 변형이 없을 것
② 외력에 충분히 견디도록 한다.
③ 조립해체가 간편하고 반복 사용 가능할 것
④ 수밀성 확보

정답 **3**
(가) ① 작업하중
② 충격하중
(나) ① 생콘크리트 중량
② 측압력

정답 **4**
가. (2), (3), (5)
나. (2), (6)

정답 **5**
(가) : ① (나) : ① (다) : ①
(라) : ① (마) : ①

관련문제

6 다음 알맞는 말을 보기에서 골라 번호를 쓰시오. (4점) [92 ②, 07 ①]

〔보기〕

(1) 높	(2) 낮	(3) 빠를	(4) 늦을
(5) 두꺼울	(6) 얇을	(7) 클	(8) 작을

생콘크리트의 측압은 슬럼프가 (㈎)수록, 벽두께가 (㈏)수록, 부어넣기 속도가 (㈐)수록 대기습도가 (㈑)을수록 크다.

(가) ______________ (나) ______________

(다) ______________ (라) ______________

7 콘크리트를 타설할 때 거푸집의 측압이 증가되는 요인을 4가지 쓰시오. (4점) [10 ①, 12 ②, 20 ②]

① ______________ ② ______________

③ ______________ ④ ______________

8 거푸집 존치기간에 영향을 미치는 것을 4가지 쓰시오. (4점) [04 ①]

① ______________ ② ______________

③ ______________ ④ ______________

9 건축공사 표준시방서에서 정한 거푸집의 존치기간에 대한 내용이다. ( )를 채우시오. (3점) [07 ②]

「기초, 보옆, 기둥 및 벽의 거푸집널 존치기간은 콘크리트의 압축강도가 (①) N/mm^2 이상에 도달한 것이 확인될 때 까지이며, 받침기둥의 존치기간은 슬래브 밑 및 보밑 모두 설계기준 강도의 (②)% 이상의 콘크리트 압축강도가 얻어진 것이 확인될 때 까지이며, 계산결과에 관계없이 받침기둥을 해체시의 콘크리트의 압축강도는 (③)N/mm^2 이상이어야 한다.」

① ______________ ② ______________

③ ______________

해설 및 정답

정답 **6**

(가) - (7) (나) - (5)
(다) - (3) (라) - (1)

정답 **7**

① 콘크리트 타설속도가 빠를수록
② slump값이 클수록
③ 콘크리트의 비중이 클수록
④ 부배합의 콘크리트일수록
⑤ 온도가 낮고 습도가 높을수록
⑥ 바이브레이터를 사용하여 다질수록
⑦ 거푸집의 강성이 클수록
⑧ 철골 또는 철근 사용량이 적을수록

정답 **8**

① 부재의 종류, 위치
② 콘크리트의 강도
③ 시멘트의 종류
④ 평균온도(기온)

정답 **9**

① 5
② 100
③ 14

관련문제

10 **다음의 건축공사 표준시방서에 관한 내용 중 빈칸을 적절히 채워 넣으시오. (4점)**

〔09 ①, 15 ①〕

(가) 기초, 보옆, 기둥 및 벽의 거푸집널 존치기간은 콘크리트의 압축강도가 (　　) 이상에 도달한 것이 확인될 때까지로 한다.

(나) 다만 거푸집널 존치기간 중의 평균기온이 10℃ 이상이고, 보통 포틀랜드 시멘트를 사용할 경우 재령 (　　)일 이상이 경과하면 압축강도 시험을 행하지 않고도 거푸집을 제거할 수 있다.

11 **다음은 건축공사표준시방서에 따른 거푸집널 존치기간 중의 평균기온이 10℃ 이상인 경우에 콘크리트의 압축강도 시험을 하지 않고 거푸집을 떼어 낼 수 있는 콘크리트의 재령(일)을 나타낸 표이다. 빈 칸에 알맞은 날수를 표기하시오. (4점)**

〔09 ②, 12 ②, 17 ①, 18 ①, 19 ①, 20 ②, 23 ②〕

기초, 보옆, 기둥 및 벽의 거푸집널 존치기간을 정하기 위한 콘크리트의 재령

시멘트의 종류 / 평균기온	조강포틀랜드 시멘트	보통포틀랜드 시멘트 고로슬래그 시멘트 1종	고로슬래그 시멘트 2종 포틀랜드포졸란시멘트 2종
20℃ 이상	①	③	5일
20℃ 미만 10℃ 이상	②	6일	④

① ______________　② ______________

③ ______________　④ ______________

12 **다음은 거푸집공사에 관계되는 용어 설명이다. 알맞은 용어를 보기에서 골라 번호를 쓰시오. (5점)**

〔88 ③, 09 ③〕

(1) 슬라브에 배근되는 철근이 거푸집에 밀착되는 것을 방지하기 위한 간격재(굄재) ______________

(2) 벽거푸집이 오므라드는 것을 방지하고 간격을 유지하기 위한 격리재 ____

(3) 거푸집 긴장철선을 콘크리트 경화 후 절단하는 절단기 ______________

(4) 콘크리트에 달대와 같은 설치물을 고정하기 위하여 매입하는 철물 ______

(5) 거푸집의 간격을 유지하며 벌어지는 것을 막는 긴장제 ______________

〔보기〕

(가) 인서트(insert)　(나) 후커(hooker)
(다) 와이어 클립퍼(wire cliper)　(라) 폼타이(form tie)
(마) 세퍼레이터(separater)　(바) 요오크(yoke)
(사) 클램프(clamp)　(아) 스페이서(spacer)

해설 및 정답

정답 **10**

(가) 5Mpa (5N/mm²)
(나) 6

정답 **11**

① 2일
② 3일
③ 4일
④ 8일

정답 **12, 13**

(1) (아) 스페이서
(2) (마) 세퍼레이터
(3) (다) 와이어 클립퍼
(4) (가) 인서트
(5) (라) 폼타이

관련문제 | **해설 및 정답**

13 **다음은 거푸집공사에 관계되는 용어 설명이다. 알맞은 용어를 쓰시오. (5점)** 〔13 ①, 18 ③〕

(1) 슬라브에 배근되는 철근이 거푸집에 밀착되는 것을 방지하기 위한 간격재(굄재) ______
(2) 벽거푸집이 오므라드는 것을 방지하고 간격을 유지하기 위한 격리재 ______
(3) 거푸집 긴장철선을 콘크리트 경화 후 절단하는 절단기 ______
(4) 콘크리트에 달대와 같은 설치물을 고정하기 위하여 매입하는 철물 ______
(5) 거푸집의 간격을 유지하며 벌어지는 것을 막는 긴장제 ______

14 **다음 보기 중에서 관계있는 것끼리 연결하시오. (5점)** 〔01 ③, 07 ①, 09 ①〕

〔보기〕

① 격리재	② 박리제	③ 콘크리트헤드
④ 페코빔	⑤ 갱폼	

가. 거푸집 간격을 유지
나. 거푸집을 쉽게 떼어낼 수 있도록 거푸집면에 칠하는 약제
다. 타설된 콘크리트 윗면으로부터 최대 측압면까지의 거리 〔07 ③, 09 ①〕
라. 신축이 가능한 무지주 공법
마. 사용할 때마다 작은 부재의 조립, 분해를 반복하지 않고 대형화, 단순화하여 한번에 설치하고 해체하는 거푸집 시스템

______

정답 **14**
가 - ①
나 - ②
다 - ③
라 - ④
마 - ⑤

15 **다음 설명이 뜻하는 용어를 쓰시오. (4점)** 〔07 ③〕

• 타설된 콘크리트 윗면으로부터 최대측압면까지의 거리

______

정답 **15**
콘크리트헤드(Concrete Head)

16 **다음의 용어를 설명하시오, 정의를 쓰시오. (3점)** 〔09 ①, 11 ③, 15 ①, 16 ①, 23 ①〕

• 콘크리트 헤드(Concrete Head) ______

______

정답 **16**
타설된 콘크리트 윗면으로부터 최대측압면까지의 거리

관련문제

17 건축시공현장 담당원의 승인하에 철근 콘크리트의 거푸집 지주를 바꾸어 세우는 순서를 쓰시오. (5점) 〔84 ①〕

---

18 철근 콘크리트 공사의 거푸집 조립순서를 번호순으로 나열하시오. (5점) 〔84 ②, 87 ③〕

① 바닥 ② 큰보 ③ 외벽 ④ 기둥 ⑤ 작은 보

---

19 철근 콘크리트 공사에서 형틀(거푸집) 가공조립은 정밀하고 견고하게 조립되어야 설계도 형상에 의하여 콘크리트 구조체를 형성할 수 있다. 보기의 구조부위별 형틀(거푸집) 조립 작업순서를 맞게 그 기호 순으로 나열하시오. (3점) 〔05 ③〕

〔보기〕

가. 보받이 내력벽 나. 외벽 다. 기둥 라. 큰보
마. 바닥 바. 작은보

---

20 건축시공 순서에 관한 사항중에서 R.C조 건축물 독립기초의 일반적인 시공순서를 보기에서 골라 번호를 쓰시오. (6점) 〔88 ①〕

〔보기〕

(1) 기둥철근 기초에 정착 (2) 기초 거푸집위치 먹줄 놓기
(3) 기초판 철근배근 (4) 콘크리트 부어넣기
(5) 잡석다짐 (6) 기초 옆면 거푸집 설치
(7) 밑창 콘크리트 타설 (8) 양생

해설 및 정답

정답 **17**
① 큰보 → ② 작은보 → ③ 바닥판
※ 시방서 개정전 문제임

정답 **18**
① 기둥 → ② 보받이 내력벽 → ③ 큰보 → ④ 작은보 → ⑤ 바닥 → ⑥ 외벽의 순으로 되는데, 외벽 거푸집 중 내부면은 기둥과 동시에, 또는 기둥 다음에 한다. 외벽 거푸집을 맨 나중 대는 이유는 철근배근을 검사하기 위함인데 철근배근후 즉시 검사가 가능한 경우는 기둥 다음 하여도 좋다.

정답 **19**
다 → 가 → 라 → 바 → 마 → 나

정답 **20**
*R.C조 독립기초의 시공순서는 다음과 같이 한다.
잡석다짐 - 밑창 콘크리트 타설 - 기초 거푸집 위치 먹줄 놓기 - 기초옆 거푸집 설치 - 기초판 철근배근 - 기둥철근을 기초에 정착 - 콘크리트 부어넣기 - 양생
*그러므로 (5) - (7) - (2) - (6) - (3) - (1) - (4) - (8) 순서이다.

관련문제

해설 및 정답

21 RC조 일반적인 건축물 1개층의 시공순서를 보기에서 골라 나열하시오. (4점)

〔84 ① 5점, 85 ② 10점, 86 ① 5점, 86 ② 10점, 87 ③ 5점, 88 ③ 6점, 91 ① 4점〕

〔보기〕

㈎ 기초옆, 지중보 거푸집 설치	㈏ 보의 철근배근
㈐ 기둥 철근배근	㈑ 보밑창판, 옆판 및 바닥판 거푸집 설치
㈒ 바닥판 철근배근	㈓ 기초판 철근배근, 지중보 철근배근
㈔ 기초판(지하실 바닥판, 지중보) 콘크리트 타설	㈕ 기둥, 벽, 보, 바닥판 콘크리트타설
㈖ 기둥철근 기초에 정착	㈗ 벽의 철근배근
㈘ 기둥거푸집, 벽 한쪽 거푸집 설치	㈙ 벽의 딴편 거푸집 설치

정답 **21**

RC조 1개층 시공순서는 다음과 같다. 기초 옆, 지중보 거푸집 설치 - 기초판 철근배근, 지중보 철근배근 - 기둥철근 기초에 정착 - 기초판 콘크리트 타설 - 기둥철근 배근 - 기둥 거푸집, 벽 한쪽 거푸집 - 벽 철근 배근 - 벽의 딴편 거푸집 - 보밑창판, 옆판 및 바닥판 거푸집 - 보철근 배근 - 바닥판 철근배근 - 콘크리트 타설 순이다.

㈎ - ㈓ - ㈖ - ㈔ - ㈐ - ㈘ - ㈗ - ㈙ - ㈑ - ㈏ - ㈒ - ㈕

22 R.C지상 1층 건출물의 골조공사에 관한 사항이다. 시공순서를 보기에서 골라 기호를 쓰시오. (6점)

〔93 ①, 97 ④, 04 ③〕

〔보기〕

가. 기둥철근 기초에 정착	사. 기초판, 기초보 철근 배근
나. 보 및 바닥판 철근 배근	아. 보 및 바닥판 거푸집 설치
다. 기둥철근 배근	자. 기초판 및 기초보 콘크리트치기
라. 벽내부 거푸집 및 기둥 거푸집 설치	차. 기초 및 기초보 옆 거푸집 설치
마. 콘크리트 치기	카. 벽외부 거푸집 설치
바. 벽 철근 배근	

정답 **22**

차 → 사 → 가 → 자 → 다 → 라(카) → 바 → 카(라) → 아 → 나 → 마

※ 두가지로 채점이 됨.

핵심 16

거푸집 공법의 종류, 특징, 장 · 단점

1 재료와 System에 따른 분류

(1) 나무거푸집 (WD.Form)	합판, 멍에, 장선 등으로 구성되는 재래식 거푸집으로 합판과 각재를 이용하여 현장에서 제작 사용. 세부가공이 용이하며 대형, 특수목재를 이용한 대형 System Form도 사용된다.
(2) 강재거푸집 (Metal Form)	철판과 앵글 등으로 패널 제작된 거푸집으로써 concrete 타설면이 평활하므로 제물치장 콘크리트에 사용되며 각종 system거푸집에 응용 사용된다.
(3) 유로거푸집 (Euro Form) (Panel Form)	내수코팅합판과 경량 Frame으로 제작되며 몇가지 형태의 기본 panel로 벽, slab, 기둥의 조립이 가능하다. 못을 사용 안하며 간단하게 조립 해체가 가능하고 목재거푸집보다 전용횟수가 크다. system거푸집의 초기단계로 모듈화된 판넬을 사용하며, 현재 아파트 등의 현장에서 많이 사용된다.
(4) System거푸집	작은 부재를 사용시마다 조립, 제작, 해체하지 않고 거푸집 부재와 서포트, 작업틀을 일체화하여 한번에 해체, 이동 조립하는 거푸집 시스템을 말한다. ※ 주로 강재를 이용, 대형판넬화, 자주화를 추구한다.

▶ 교각타설용 강재 Gang Form 설치모습

▶ Gang Form 하부 Support와 철재 Beam 설치모습

▶ 하부 받침보와 높이조절용 Jack 설치모습

▶ 벽체 Gang Form의 지지 Support

학습 POINT

▶ 92-①, 93-③, 95-③ / 96-④

- Metal Form 용어설명 /
- 대형판넬공법 설명

참고사항 대형판넬공법

연속하여 사용할 수 있는 구체부위의 거푸집 시공을 대형 panel로 거푸집과 지주를 Unit화하여 한 구획전체를 타설할 수 있고 또한 반복사용하는 것을 말한다.

※ 목재, 강재, 콘크리트재, ALC등의 대형판넬이 가능

암기하기

■ 거푸집 공법의 특징

① Metal Form : 제물치장용
② Sliding Form : 단면 변화없는 Silo등 수직 연속 구조물에 사용
③ Slip Form : 전망탑, 급수탑 등 단면변화 있는 연속수직 구조물에 사용
④ Traveling Form : 유니트화된 수평이동 거푸집
⑤ Waffle Form : 무량판 구조에서 2방향 장선 바닥판 구조가 가능한 기성재 거푸집 돔팬(Dome Pan)구조
⑥ Deck Plate : 철골보에 걸어 지주없이 사용하는 바닥판 골철판
⑦ 터널폼 : ㄱ, ㄴ, ㄷ자 형식 APT등의 반복평면에 사용
⑧ Pecco Beam : 신축가능 무지주 공법

2 벽체전용 System 거푸집

<table>
<tr><td rowspan="3">(1) Gang Form</td><td colspan="2">사용할 때마다 작은 부재의 조립, 분해를 반복하지 않고 대형화, 단순화하여 한번에 설치하고 해체하는 거푸집 시스템으로 주로 외벽의 두꺼운 벽체나 옹벽, 피어 기초 등에 이용된다.
※ 거푸집+철재서포트+작업틀의 일체화 거푸집</td></tr>
<tr><td>장 점</td><td>단 점</td></tr>
<tr><td>① 조립과 해체작업이 생략되어 설치 시간이 단축된다.
② 거푸집의 처짐량이 작고 외력에 대한 안정성이 우수
③ 인력절감. 기능공의 기능도에 크게 좌우 안됨.
④ 주요 부재의 재사용이 가능하며 전용성이 우수하다.
⑤ 이음부 감소로 마감작업 단순, 비용 절감.(넓은 구획 타설 가능)</td><td>① 중량이 크므로 운반시 대형 양중장비가 필요
② 초기 투자비가 증가된다.
③ 거푸집 제작, 조립 시간이 필요
④ 복잡한 건물형상에 불리하고 세부가공이 어렵다.
⑤ 기능공의 교육 및 숙달기간이 필요</td></tr>
<tr><td>(2) Climbing Form</td><td colspan="2">벽체용 거푸집으로 거푸집과 벽체 마감공사를 위한 비계틀을 일체로 조립하여 한꺼번에 인양시켜 설치하는 공법으로 Gang Form에 거푸집 설치용 비계틀과 기 타설된 콘크리트의 마감용 비계를 일체로 한 것이다.
※ 전용횟수: 80~100회, 고소 작업시 안전성이 높다. 고층아파트의 측벽시공에 사용된다.</td></tr>
<tr><td>(3) Sliding Form</td><td colspan="2">수평적 또는 수직적으로 반복된 구조물을 시공이음 없이 균일한 형상으로 시공하기 위하여 거푸집을 연속적으로 이동시키면서 콘크리트를 타설하여 구조물을 시공하는 거푸집공법으로 주로 사일로, 교각, 건물의 코아부분 등 단면형상의 변화가 없는 수직으로 연속된 콘크리트 구조물에 사용된다. Yoke와 Oil Jack, 체인블록 등으로 상승되며 작업대와 비계틀이 동시에 상승되어 안전성이 높다.</td></tr>
<tr><td>(4) Slip Form</td><td colspan="2">전망탑, 급수탑 등 단면형상에 변화가 있는 수직으로 연속된 콘크리트 구조물에 사용되는 연속화, 일체화 공법으로 상승작업은 주간에만 하도록 한다.</td></tr>
</table>

▶ 원구조물의 대형 Silding Form 조립모습 (벽체에 부착하여 그대로 상승된다.)

▶ 지하구조체의 슬립 폼 조립장면(철재 Gang Form을 수평이동하는 형식이다.)

학습 POINT

99-④ / 00-④, 01-③, 03-②, 09-①, 10-③, 11-③, 15-①, 19-② / 10-② / 22-①

- Gang Form /
- Gang Form의 장 · 단점 2가지
- 벽체전용 System Form의 종류 3가지
- 작업발판 일체형 거푸집 종류 3가지

▶ 교각용 철재 Gang Form이 설치된 모습

99-④ / 92-①, 93-③, 95-③, 96-③, 99-④, 14-③, 16-②, 18-①, 20-⑤ / 96-③, 99-④, 15-②, 18-③ / 22-②

- Climbing Form /
- Sliding Form /
- Slip Form
- 슬라이딩 폼, 워플 폼 설명

3 바닥판 전용 거푸집

(1) Flying Form (Table Form)	바닥에 콘크리트를 타설하기 위한 거푸집으로서 장선, 멍에, 서포트 등을 일체로 제작하여 부재화한 거푸집 공법으로 Gang Form과 조합사용이 가능하며 시공정밀도, 전용성이 우수하고 처짐, 외력에 대한 안전성이 우수하다.
(2) Waffle Form	무량판구조, 평판구조에서 특수상자모양의 기성재 거푸집(Dome Pan)으로 2방향 장선바닥판 구조가 가능하며, 격자천정형식을 만들 때 사용하는 거푸집이다.
(3) Deck plate 철판 Form	철골조 보에 걸어 지주없이 쓰이는 바닥판 철판으로 초고층 slab용 거푸집으로 많이 사용한다. 철근이 선조립된 Ferro Deck 철판도 있다. ※ 0.8mm정도 두께의 철판을 단면 가공한 것으로 철근 배근이 합리화되어 작업이 간편하다.
(4) Omnier Slab공법 =Half slab공법	공장제작된 Half slab P.C 콘크리트판과 현장타설 Topping concrete로 된 복합구조로 지주수량이 감소되며, 합성 slab공법으로 이용이 가능하다.

※ 기타 대형 가설 지지보를 이용한 공법과 장선보(Joist Beam)를 이용한 바닥판지지 공법 등이 있다.

▶ Table Form 운반작업모습

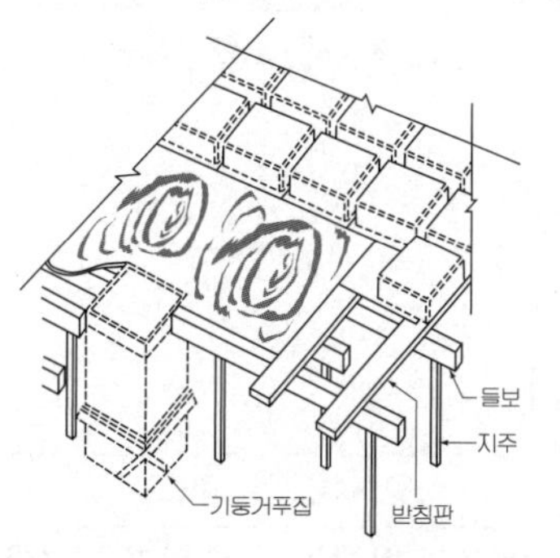

그림. Waffle Form 조립도

▶ 대형가설 지지보 설치

▶ 워플폼 시공후 마감 처리된 천장모습

▶ 철골구조위 바닥판 거푸집 대용으로 사용된 철근이 선조립된 Ferro Deck Plate 모습

▶ 대형가설 지지보에 의한 콘크리트 타설

학습 POINT

99-④, 05-③, 19-③ / 00-④, 02-②, 05-② / 89-③, 90-②, 92-①, 92-③, 93-③, 94-②, 94-④, 95-③, 96-②, 96-③, 97-①, 99-④, 04-①, 08-② / 97-①, 01-②, 18-① / 96-③, 18-①

- Table Form정의 /
- Table Form(Flying form)장점 3가지 /
- Waffle Form 설명 /
- 무량판 구조 /
  (RC조에서 보 없이 바닥 slab를 직접 기둥에 지지시키는 구조)
- Deck Plate

4 바닥+벽체용 거푸집

(1) Tunnel Form (Steel Form)	대형 형틀로서 슬래브와 벽체의 콘크리트타설을 일체화하기 위한 것으로 한 구획 전체의 벽판과 바닥판을 ㄱ자형 또는 ㄷ자형으로 짜는 거푸집(Twin Shell Form과 Mono Shell Form으로 구성) ※ 병실, APT등 연속, 반복 구조물에 적용된다.
(2) Traveling Form	이동식 System Form으로 한 구간의 콘크리트 타설후 다음 구간으로 수평이동이 가능한 거푸집 공법 ※ 트래블러라고 불리는 비계틀 또는 가동골조(Movable Frame)에 지지된 이동거푸집 공법으로 터널, 옹벽, 지하철 등 수평적으로 연속된 구조물에 적용.

▶ 강재 거푸집을 이용한 수평이동 거푸집 (Traveling Form) 모습

▶ 이동가능한 Movable Traveling Form 모습

학습 POINT

▶ 92-①, 93-③, 94-④, 95-③, 97-①, 01-②, 04-①, 08-②, 12-③ / 96-③, 96-④, 99-④, 15-②, 18-①, 18-③ / 10-①, 14-③, 16-②, 18-②, 20-⑤

- 터널 폼 /
- 트래블링 폼
- 터널 폼에 대하여 설명

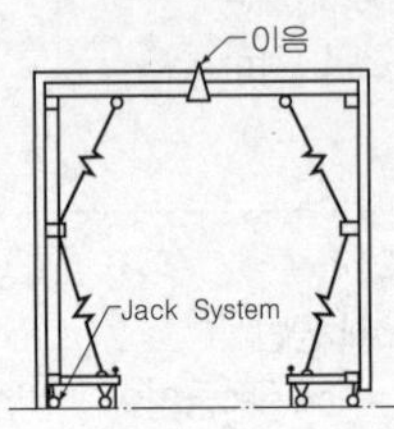

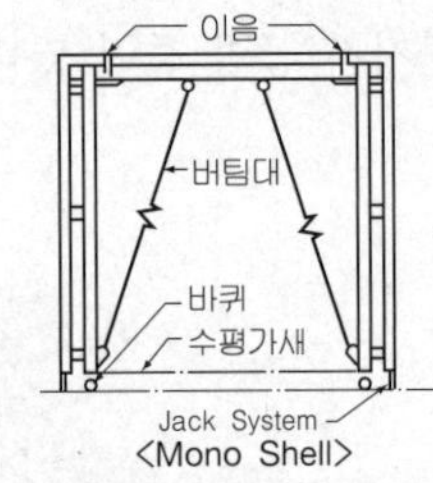

그림. Tunnel Form

5 무지주(Non Support)공법

(1) 정의	지주없이 수평지지보를 걸쳐 거푸집을 지지하는 공법
(2) 종류	① 보우빔(Bow Beam) : 수평조절 불가능 ※ 처짐을 고려해야 함
	② 페코빔(Pecco Beam) : 수평조절 가능 ※ 6.4m까지 신축 가능

▶ 01-① / 92-③, 94-④, 04-①, 08-②, 11-①, 12-③

- 무지주공법 설명, 종류 /
- 보우빔, 페코빔

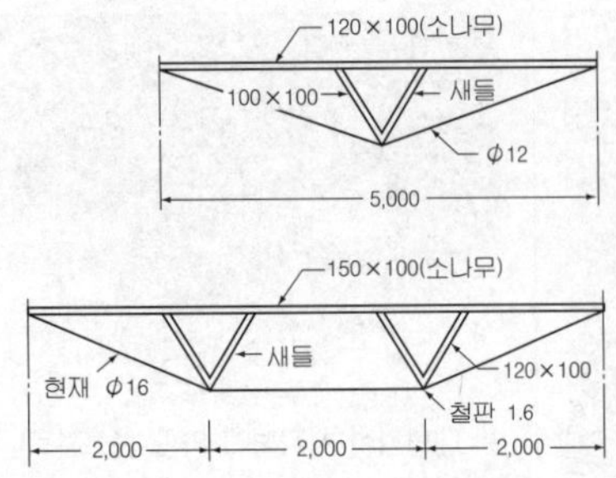

그림. 보우비임

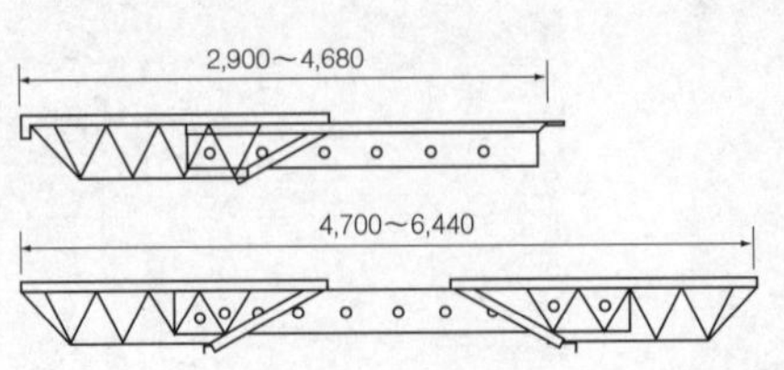

그림. 페코비임

관련문제

1 다음 설명과 같은 거푸집을 아래의 보기에서 골라 쓰시오. (5점) [96 ③, 18 ①]

〔보기〕
① Slip Form ② Traveling Form ③ Deck Plate
④ Sliding Form ⑤ Waffle Form

(가) 사일로, 교각, 건물의 코아부분 등 단면형상의 변화가 없는 수직으로 연속된 콘크리트 구조물에 사용
(나) 전망탑, 급수탑, 등 단면형상에 변화가 있는 수직으로 연속된 콘크리트 구조물에 사용
(다) 장선, 멍에, 동바리 등이 일체로 유니트화한 대형, 수평이동 거푸집
(라) 철골조 보에 걸어 지주없이 쓰이는 바닥판
(마) 격자천정형식을 만들 때 사용하는 거푸집

(가) ________ (나) ________ (다) ________
(라) ________ (마) ________

2 돔팬(Dome Pan)으로서 2방향 장선바닥판구조가 가능한 거푸집 명칭은 ? (1점) [89 ③, 90 ②, 92 ③, 94 ②, 96 ②, 97 ①]

____

3 다음 설명에 알맞는 용어를 쓰시오. (6점) [92 ①, 93 ③, 95 ③]

(가) 철제 거푸집으로 표면이 매끄러워 제치장용 거푸집으로 사용된다.
(나) 연속적으로 끌어올리는 거푸집으로 사일로 등에 사용되는 거푸집.
(다) ㄱ자, ㄷ자형의 기성재 거푸집으로 아파트 공사에 주로 사용되는 거푸집.

(가) ________ (나) ________ (다) ________

4 다음 용어를 설명하시오. (6점) [92 ③]

① 보우빔(bow beam)
____
② 워플폼(waffle form) [14 ③]
____
③ 드롭헤드(drop head)
____

해설 및 정답

정답 1
(가) ④ (나) ① (다) ②
(라) ③ (마) ⑤

정답 2
워플 폼(Waffle Form)

정답 3
(가) 메탈 폼
(나) 슬라이딩 폼
(다) 터널 폼

정답 4
① 보우빔(bow beam) : 강재의 장력을 이용하여 만든 조립보로서 무지주공법에 이용된다.
② 워플폼(waffle form) : 무량판구조 또는 평판구조에서 2방향 장선바닥판구조가 가능하도록 특수 상자모양으로 된 기성재 거푸집
③ 유로폼에서 지주를 제거 안하고 Slab 거푸집만 제거 할 수 있도록 사용되는 보조 철물

관련문제

5 다음 거푸집 공법을 비교설명하시오. (6점) 〔96 ④〕

(가) 트래블링 폼 공법 : 〔15 ②, 18 ③〕

(나) 슬라이딩 폼 공법 : 〔14 ③, 16 ②, 20 ⑤〕

(다) 대형 판넬 공법 :

6 다음 설명이 가르키는 용어명을 쓰시오. (3점) 〔94 ④, 04 ①, 08 ②, 11 ①, 12 ③〕

(가) 신축이 가능한 무지주공법의 수평지지보 :
(나) 무량판 구조에서 2방향 장선 바닥판구조가 가능하도록 된 기성재 거푸집 :
(다) 한 구획 전체의 벽판과 바닥판을 ㄱ자형 또는 ㄷ자형으로 짜는 거푸집 :

(가)＿＿＿＿ (나)＿＿＿＿ (다)＿＿＿＿

7 다음 설명에 해당되는 용어를 쓰시오. (3점) 〔97 ①, 01 ②〕

(가) RC조 구조방식에서 보를 사용치 않고 바닥슬래브를 직접 기둥에 지지시키는 구조방식을 무엇이라고 하는가 ?
(나) 대형 형틀로서 슬래브와 벽체의 콘크리트타설을 일체화하기 위한 것으로 Twin Shell Form 과 Mono Shell Form 으로 구성되는 형틀은 ?
(다) 콘크리트 표면에서 제일 외측에 가까운 철근의 표면까지의 칫수를 말하며 RC조의 내화성, 내구성을 정하는 중요한 요소는 ?

(가)＿＿＿＿ (나)＿＿＿＿ (다)＿＿＿＿

8 대형 system 거푸집중 터널폼(Tunnel Form)을 설명하시오. (3점)
〔10 ①, 14 ③, 16 ②, 18 ②, 20 ⑤〕

해설 및 정답

정답 5
(가) 이동식 System 거푸집으로 한구간의 Concrete를 타설 후 다음 구간으로 수평이동이 가능한 거푸집 공법을 말한다.
(나) 높이 1~1.2m 정도의 조립된 거푸집을 Yoke (요오크)로 끌어올리면서 연속타설하는 수직활동 거푸집공법으로 곡물 창고(Silo) 등의 시공에 적합하다.
(다) 연속하여 사용할 수 있는 구체부위의 거푸집 시공을 대형 panel로 거푸집과 지주를 Unit화하여 한 구획전체를 타설할 수 있고 또한 반복사용하는 것을 말한다.

정답 6
(가) 페코 비임(Pecco Beam)
(나) 워플 폼(Waffle Form)
(다) 터널 폼(Tunnel Form)

정답 7
(가) 무량판 구조
(나) 터널 폼
(다) 피복두께

정답 8
대형 형틀로서 슬래브와 벽체의 콘크리트 타설을 일체화하기 위한 것으로 한 구획 전체의 벽판과 바닥판을 ㄱ자형 또는 ㄷ자형으로 짜서 아파트 공사 등에 사용하는 거푸집

관련문제

해설 및 정답

9 다음에 설명된 공법의 명칭을 기록하시오. (4점) 〔99 ④〕

(가) 사용할 때마다 작은 부재의 조립, 분해를 반복하지 않고 대형화, 단순화하여 한번에 설치하고 해체하는 거푸집 시스템 ______

(나) 벽체용 거푸집으로 거푸집과 벽체 마감공사를 위한 비계틀을 일체로 조립하여 한꺼번에 인양시켜 설치하는 공법 ______

(다) 바닥에 콘크리트를 타설하기 위한 거푸집으로서 장선, 멍에, 서포트 등을 일체로 제작하여 부재화한 거푸집 공법 ______

(라) 수평적 또는 수직적으로 반복된 구조물을 시공이음 없이 균일한 형상으로 시공하기 위하여 거푸집을 연속적으로 이동시키면서 콘크리트를 타설하여 구조물을 시공하는 거푸집공법 ______

정답 9

(가) Gang Form
(나) Climbing Form
(다) Flying Form(Table Form)
(라) Sliding Form(Slip Form)

▶ 조립된 벽체 Gang Form을 상부로 이동하는 장면

10 시공이 빠르고 이음이 없는 수밀한 콘크리트 구조물을 완성할 수 있는 벽체전용 system 거푸집의 종류를 3가지 쓰시오. (3점) 〔10 ②〕

① ______ ② ______

③ ______

정답 10

① 갱폼(Gang Form)
② 클라이밍폼(Climbing Form)
③ 슬라이딩폼(Sliding Form)
④ 슬립폼(Slip Form)

11 (1) 대형 시스템거푸집 중에서 테이블 폼(table form)의 장점을 3가지 쓰시오. (3점) 〔00 ④〕

(2) 시스템 거푸집 중에서 플라잉폼(Flying form)의 장점을 3가지 쓰시오. (3점) 〔02 ①, 05 ②〕

① ______ ② ______

③ ______

정답 11

① 조립과 해체작업이 생략되어 설치시간이 단축된다.
② 거푸집의 처짐량이 작고 외력에 대한 안정성이 높다.
③ 인력이 절감되며, 기능공의 기능도에 크게 좌우되지 않는다.
※ 합판을 제외한 주요부재의 재사용이 가능하며, 전용성이 우수하다.

12 거푸집에서 시멘트 페이스트의 누출을 발견하였을 때 현장에서 취할 수 있는 조치를 쓰시오. (2점) 〔06 ③〕

______

정답 12

넝마 등으로 신속히 메운 다음 급결모르타르나 석고 등과 같은 급경성 재료로 누출부위를 막거나, 각목이나 철판 또는 판자를 붙여 막는다.

관련문제

해설 및 정답

13 대형 시스템거푸집중에서 갱폼(Gang form)의 장·단점을 각각 2가지씩 쓰시오. (4점) 〔00 ④, 01 ③, 03 ②, 09 ①, 11 ③, 13 ①, 15 ①, 19 ②〕

(가) 장 점 :

① ____________ ② ____________

(나) 단 점 :

① ____________ ② ____________

정답 **13**

(가) ① 조립과 해체작업이 생략되어 설치시간이 단축된다.
② 거푸집의 처짐량이 작고 외력에 대한 안정성이 높다.

(나) ① 중량물이므로 운반시 대형양중장비가 필요하다.
② 거푸집 제작비용이 크므로 초기투자비용이 증가된다.

14 무지주공법의 수평지지보에 대하여 간단히 기술하고, 수평지지보의 종류를 2가지 쓰시오. (4점) 〔01 ①〕

가. 수평지지보 :

____

나. 종류 :

① ____________ ② ____________

정답 **14**

가. 받침기둥없이 보를 걸어서 거푸집(널)을 지지하는 방식

나. ① 보우 빔(Bow Beam)
② 페코 빔(Pecco Beam)

15 다음 설명이 뜻하는 거푸집 명칭을 적으시오. (2점) 〔19 ③〕

조립, 분해를 반복하지 않고 대형틀을 단순화하여 한번에 연결하고, 해체할 수 있는 판중, 장선, 멍에, 서포트 등을 일체로 제작하여 부재화한 바닥판 전용 거푸집의 명칭은? ____________

정답 **15**

Table Form(Flying Form)

* 테이블 폼

핵심 17

시멘트와 혼화재(제), 골재와 물

1 시멘트

1. 포틀랜드 시멘트(Portland Cement) *주성분 : 석회석, 점토

(1) 보통 PC	① 비중 : 3.05이상 (보통 3.15이상임) ② 단위용적중량 : 1,500kg/m³ ③ 응결시간 : 1~10시간 *온도 (20±2)℃의 수중 또는 상대습도 95% 이상의 습윤상태에서 양생을 한다. (표준양생)
(2) 조강 PC	① 조기강도가 크고 수화발열량이 크다. ② 긴급공사, 한지공사, 수중공사에도 쓰인다.
(3) 중용열 PC	① C_3S와 C_3A양은 적게 하고 C_2S양을 크게한 시멘트이다. ② 발열량이 적고, 장기강도는 보통 시멘트보다 크다. ③ Mass Concrete 댐공사, 차폐용 Concrete 등에 사용된다.
(4) 백색 PC	① 산화철 성분을 작게 하여 내구성, 내마모성이 우수하다. 백색으로 만든 Cement이다. ② 타일줄눈, 테라죠공사, 교통관계표식에 사용

2. 혼합시멘트

(1) 고로시멘트	① 고로 Cement는 클링커와 고로슬래그+석고를 혼합 분쇄하여 제조 ※ 고로slag : 선철 제조과정에서 발생되는 부유물질인 slag를 급냉시켜 분말화한 것이다. ② 비중이 낮다(2.9). 중성화가 빠르므로 W/C비를 줄여준다. ③ 해수, 하수, 지하수, 광천 등에 대한 저항성이 크며, 건조수축이 작다.
(2) Fly ash Cement	※ 플라이 애쉬 : 표면이 매끄러운 구형의 미세립의 석탄회로 보일러 내의 연소가스를 집진기로 채취한다. ① 시공연도 개선, 수밀성향상, 수화열 작음. 조기강도 작음 ② 천연 포졸란에 대한 인공 포졸란이다.
(3) 실리카 (포졸란) 시멘트	실리카 시멘트에 혼합된 천연 및 인공인 것을 총칭하여 포졸란이라고 한다.(비중 2.7~2.9) 포졸란 반응을 한다. 천연산 : 화산회, 규산백토, 규조토, 응회암 등이 있다. 인공산 : 플라이애쉬나 고로 Slag, 소성점토 등이 있다. *포졸란 반응 : 콘크리트 중 실리카가 수산화칼슘과 반응하여 불용성의 화합물을 만드는 반응

학습 POINT

08-①, 10-③, 17-②, 22-③ / 11-①, 14-③

- 포틀랜드 시멘트 명칭 5가지
- 조강, 백색, 중용열시멘트의 특징

참고사항 포틀랜드시멘트의 종류 (KSL 5201)

- 1종 : 보통 포틀랜드 시멘트
- 2종 : 중용열 포틀랜드 시멘트
- 3종 : 조강 포틀랜드 시멘트
- 4종 : 저열 포틀랜드 시멘트
- 5종 : 내황산염 포틀랜드 시멘트

96-③ / 03-③

- 포졸란 반응, 플라이 애쉬, 고로 슬래그 용어설명
- 혼합시멘트의 종류, 명칭, 3가지

3. 포졸란과 Fly ash의 비교

(1) 공통적인 특징	(2) 포졸란의 기타 특징
① 시공연도(Workability)개선효과 ② 재료 분리, Bleeding 감소 ③ 수화열 감소 ④ 해수, 화학적 저항성의 증진 ⑤ 초기 강도 감소, 장기 강도는 증가 ⑥ 포졸란 반응으로 수밀성 향상 ※ ①, ②와 내구성, 수밀성 향상은 AE제와 동일	① 플라이 애쉬에 비해 건조수축이 약간 증가 ② 인장강도 신장능력 향상 **(3) 플라이 애쉬의 기타 특징** ① 알카리 골재반응 억제 효과 ② AE제와 병용시 AE제 양의 3배 소요 (AE제를 흡착)

4. 특수시멘트

(1) 팽창(무수축) 시멘트	① 건조수축에 의한 균열방지 목적. 인장, 부착강도 개선 ② 수축율은 보통 콘크리트에 비해 20~30% 정도 작다.
(2) 알루미나 시멘트	① 24시간 강도가 보통 P.C의 28일 강도에 필적한다. ② 수화열이 크고 해수저항성, 내열성이 우수 ③ 긴급공사, 해안공사, 동기공사에 적합, 타시멘트와 혼용 금지

5. 시멘트 분말도와 응결의 관계비교

(1) 분말도가 크면	(2) 응결이 빠른 경우
① 표면적이 크다. ② 수화작용이 빠르다. (물과의 접촉면이 커지므로) ③ 발열량 커지고, 초기강도 크다. ④ 시공연도 좋고, 수밀한 Concrete 가능 ⑤ 균열발생이 크고 풍화가 쉽다. ⑥ 장기강도는 저하된다.	① 분말도가 클수록 ② 온도가 높고, 습도 낮을수록 ③ C_3A 성분이 많을수록 **(3) 응결이 느린 경우** ① W/C 비가 많을수록 ② 풍화된 시멘트 일수록

6. 수화작용에 관계있는 혼합물과 특성

화 합 물	특 성	약기법
규산 3석회 $3CaO, SiO_2$ Alite(1,400℃ 소성)	① 공기중 수축 적고 수중 팽창 크다(수경성이 크다) ② 수화열량 : 170cal/g ③ 수화작용 빠르다.(장,단기강도에 영향)	C_3S
규산 2석회 $2CaO, SiO_2$ Belite(1,200℃ 소성)	① 공기중 수축 조금 있다. 수중 팽창이 작은 편이다. ② 수화열량 : 44cal/g ③ 수화작용이 더디다.(장기강도에 공헌)	C_2S
알루민산 3석회 $3CaO, Al_2O_3$ Celite(1,300℃ 소성)	① 공기중 수축이 크고 수중 팽창도 크다. ② 수화열량 : 207cal/g ③ 수화작용이 가장 빠르다.(3~7일 초기강도에 영향)	C_3A
알루민산철 4석회 $4CaO, Al_2O_3, Fe_2O_3$ Felite(1,300℃ 소성)	① 공기중 수축이 적고 수화열량도 적다. ② 내산성이 크다. 수화열량 : 48cal/g ③ 수화작용 더디다.(강도에 거의 영향 없다.)	C_4AF

※ 수화작용이 빠른 순서 : (발열량이 크다) $C_3A > C_3S > C_4AF > C_2S$

학습 POINT

▶ 92-① / 00-③, 16-③ / 04-②

- 포졸란 성질 4가지 /
- Fly ash 시멘트 특징 3가지 /
- 수화열저감, 워커빌리의 증대, 장기강도발현, 수밀성 증진 등의 효과가 있는 혼화재 3가지

▶ 05-①, 18-③

- 응결시간에 영향을 주는 요인 3가지 설명

■ 혼합물 특성

화합물	수화작용	비 고
C_3S	빠르다	경화속도 2~4주
C_2S	가장 느리다	4주 이후에 강도 발생
C_3A	가장 빠르다	1주 이내에 강도 발생

▶ 12-①, 16-③

- 시멘트 주요 화합물 4가지 쓰고 장기강도 (28日 이후)에 관여하는 화합물 쓰기

2 각종 혼화재(제)의 종류, 특성

1. 혼화재와 혼화제의 정의

(1) 혼화재(混和材)	시멘트량의 5%이상. 시멘트의 대체 재료로 이용되고 사용량이 많아 그 부피가 배합계산에 포함되는 것
(2) 혼화제(混和劑)	시멘트량의 1%이하로 약품으로 소량 사용. 배합계산에서 무시

2. 종류

(1) 혼화재	플라이애시, 규조토 등(포졸란작용) 고로슬래그 미분말(잠재수경성), 팽창재, 착색재, 규산질분말, 고강도용 혼화재, 폴리머, 증량재 등
(2) 혼화제	AE제, AE감수제, 고성능 AE 감수제, 유동화제, 지연제, 급결제(방동제), 방수제, 기포제, 발포제, 방청제, 수중불분리성 혼화제, 펌프압송제 등

3. AE제

(1) 역할	표면활성제, AE감수제, (분산제) 등의 작용을 한다. ※ 표면활성제(계면활성제): 콘크리트 속에 다수의 미세기포를 발생시키거나 시멘트 입자를 분산시켜 시공연도를 증가시키거나 감수제 역할을 하는 혼화제
(2) 감수제	표준형, 지연형, 촉진형으로 분류되며 10~20%의 감수효과와 6~12%의 시멘트량 절감효과가 있다.

(3) AE제의 사용 목적	(4) 공기량의 성질, 기타
① 시공연도의 증진 (기포의 볼 베어링역할) ② 동결융해 저항성 증가 (연행공기가 체적 팽창 압력완화) ③ 단위수량 감소 효과 (AE제, AE감수제 병용시 10~15% 감수효과 기대) ④ 내구성, 수밀성 증대 ⑤ 재료분리 저항성, Bleeding 현상 감소 ⑥ 쇄석사용시 현저한 수밀성개선 ⑦ 응결시간의 조절 (표준형, 지연형, 촉진형)	① 공기량 1% 증가시 : Slump치 2cm 증가. 압축강도 4~6%감소 ② AE제 공기량 기준 4~6% (6%이상 : 강도 저하) ③ 잔골재 많을시 공기량 증가 ④ 기계비빔이 손비빔보다 증가 (3분~5분 까지) 그 이하는 감소 ⑤ 온도 높으면 감소 (10℃증가에 따라서 20~30% 감소) ⑥ 진동기 사용시 공기량 감소에 대비하여(비빔시 공기량 1/4~1/6 정도 많게 한다. ⑦ 빈배합 일수록 또한, 슬럼프치 클수록 (18cm까지) 공기량 증가. 그 이상은 감소.

학습 POINT

▶ 99-⑤, 01-③ / 07-③, 13-② / 09-② / 09-③

- 혼화재(제) 종류 각각 3가지
- 혼화제와 혼화재의 정의를 쓰고 종류 3가지씩
- AE감수제, 쉬링크 믹스트 콘크리트 설명
- 혼화재료의 사용목적

▶ 93-④

- 표면 활성제에 대해 기술

▶ 96-①, 99-②, 05-①, 08-① / 90-② / 00-④, 12-②, 17-① / 94-② / 95-①

- AE제, 응결촉진제, 지연제 용어설명 /
- AE콘크리트 특징 6가지 /
- AE제 사용목적 3가지, 4가지 /
- AE제 공기량 변화 증감문제 /
- AE콘크리트 공기량 기술

※ ① 고성능 AE감수제를 사용한 콘크리트의 경우로서 물결합재비 및 슬럼프가 같으면, 일반적인 AE감수제를 사용한 콘크리트와 비교하여 잔골재율을 1~2퍼센트 정도 크게 하는 것이 좋다.
② AE감수제 : 소정의 슬럼프를 얻는데 필요한 단위수량을 감소시키는 동시에 독립된 무수의 미세기포를 연행하여 콘크리트의 워커빌리티 및 내구성을 향상시키기 위하여 사용하는 화학적 혼화재료. 표준형, 지연형 및 촉진형의 3종류가 있음.

4. 고성능 감수제, 유동화제(Super Plasticizer)

(1) 정의	고성능 감수제는 고강도 Concrete용 감수제와 유동화제로 구분하나 그 기본 성능은 동일하다. (유동화제는 감수제에 Slump 손실감소를 조정하는 성분과 지연제를 첨가하여 성능을 보완한 것). 이러한 혼화재를 사용한 Concrete를 유동화 Concrete라 한다.
(2) 유동화 방법	① 공장첨가 유동화 : 공장에서 첨가, 고속교반 후 운반, 타설 ② 현장첨가 유동화 : 유동화제를 현장에서 첨가 후 고속교반하여 타설. 주로 이 방법을 사용 ③ 공장첨가 후 현장에서 유동화 : 공장에서 첨가, 저속교반하며 운반, 현장 도착후 고속교반하여 타설

※ 유동화 콘크리트 = Base concrete + 유동화제
※ 유동화 콘크리트의 슬럼프 및 공기량 시험은 50m³마다 1회씩 실시

5. 기타 혼화재(제)의 종류 및 특성

(1) 응결경화 촉진제 (방동, 내한제)	염화칼슘($CaCl_2$), 식염($NaCl$), Na_2CO_3, $FeCl_3$ 등
	① 시멘트량의 2% 정도 사용할 때 조기강도증진 4% 이상 사용할 때 순간응결, 장기강도 감소. 황산염에 대한 저항성이 적어지고, 알카리 골재 반응촉진, 건조수축이 커진다. ② 저온에서 강도증진 효과있다.
(2) 응결지연제	글루콘산, 구연산, 옥시카본산 계통의 화합물, 당류 등
	① 레미콘 장거리 운반시, Cold Joint 방지목적으로 사용 ② 응결지연시간 : 60~120분 정도. 첨가량을 조절한다.
(3) 방청제	아황산 소다, 인산염 등 사용
	① 염분에 의한 철근 부식 방지 목적. 해사 사용할 시 사용 염분함유한 흙에 접할 때 사용한다. ② 염분함유량을 10배 정도 늘리는 효과가 있다.
(4) 기포제 발포제	기포제 : AE제 이용. 공기량 20~25 % 최고 85%까지 증가시킴.
	발포제 : 알미늄, 아연분말이용. 시멘트중 알카리와 반응하여 수소가스를 생성 ① 부착력 증대 효과. 프리팩트 Concrete나 P.C Grouting에 사용. ② 부재의 경량화, 단열화, 내구성 향상(ALC 패널 등)

학습 POINT

▶ 97-②, 99-①, 02-②, 07-① 11-①
- 유동화 콘크리트 제조방법 3가지

▶ 08-①, 12-③ / 13-①, 16-② / 13-③, 16-①
- 방청제, 기포제, AE제
- 착색제와 색깔
- Silica fume의 정의

(5) 착색재	Concrete에 색을 가하는 안료이며 내알칼리성 광물질이다. ① 빨강색 : Fe_2O_3(산화제이철) ⑤ 검정 : 카본 블랙 ② 녹색 : Cr_2O_3(산화크롬) ⑥ 백색 : TiO_2(산화 티탄), 백연 ③ 노랑 : 크롬산바륨 ⑦ 갈색 : 이산화 망간 ④ 유기안료
(6) Silica fume (실리카흄)	① 각종 실리콘 합금의 제조공정에서 부산물로 얻어지는 초미립자(1㎛이하)를 집진기로 회수하여 얻는다. ② 주성분은 80%이상이 SiO_2이다. 초기수화에 포졸란 반응을 일으킨다. ③ 볼리딩, 재료분리가 감소되며, 고강도용 콘크리트를 만든다. ④ 초미립자이므로 중성화가 빠르고, 단위수량이 대단히 증가하여 건조수축이 커져, 반드시 고성능 감수제와 병용 사용한다.

학습 POINT

3 골재와 물

1. 골재의 종류 및 정의

(1) 잔골재	5mm체에서 중량비 85%이상 통과되는 골재
(2) 굵은 골재	5mm체에서 중량비 85%이상 남는 골재
(3) 경량 골재	절건비중 2.0이하의 모래, 자갈, 잔골재 비중(0.8~1.7) 굵은 골재비중(1.2~2.0), 인공경량골재가 있다. ① 천연경량골재 : 화산자갈, 응회암, 부석, 용암(현무암) 등. ② 인공경량골재 : 팽창성혈암, 팽창성점토, Fly ash 등. ③ 비구조용 경량골재 : 소성규조토, 팽창진주암(퍼얼라이트) ④ 질석, 신더(Cinder), 고로 Slag 등이 경량골재로 쓰인다.

2. 골재의 품질요구 조건 및 저장시 주의점

(1) 골재의 품질요구조건	(2) 골재 저장시 유의점
① 표면이 거칠고 둥근 골재 선택 ② 견고한 것(시멘트 강도 이상일 것) ③ 내마모성이 있을 것(마모 저항성) ④ 석회석(풍화우려), 운모 함유량 적을 것 ⑤ 실적률이 클 것(55 %이상) ⑥ 입도가 좋을 것 ⑦ 청정하고 불순물이 없을 것	① 쌓는 곳은 배수가 양호하고 햇빛을 덜 받는 곳 ② 잔골재, 굵은 골재 별도 분리 ③ 짐부리고, 보관시 세조립이 섞이지 않게 ④ 물뿌리고 포장을 씌워서 습윤상태 유지 ⑤ 경량골재는 흡수율이 크므로 2~3일 전 살수하여 포건내포 상태로 보관 한다. ⑥ 점토질, 유기물질, 염분 등 불순물 제거

90-③, 99-⑤, 16-①
• 콘크리트 골재 요구품질 4가지

※ 콘크리트에 사용되는 골재는 절대건조밀도, 흡수율, 안정성, 마모율, 점토덩어리 함유량, 염분함유량 규정 등 다양한 규정에 알맞는 골재를 사용해야 한다.

3. 골재의 혼합물이 콘크리트에 미치는 영향

(1) 유기불순물	강도, 내구성 저하, 시공연도 저하
(2) 염화물혼입	철근부식, 이상응결(응결촉진), 균열발생
(3) 점토덩어리	강도저하, 흡수율 증가에 따른 수밀성 저하, 부착력 저하
(4) 당분함유	응결지연(응결장애)

※ 알카리 골재 반응우려 : 반응성 골재의 알카리량 0.6% 이하

4. 굵은 골재의 최대치수

구조물의 종류	굵은골재의 최대치수(mm)
일반적인 경우	25 또는 20
단면이 큰 경우	40
무근콘크리트	40 부재 최소치수의 1/4 이하

※ 굵은골재의 최대치수는 거푸집 양측면 최소거리의 1/5, 슬래브 두께의 1/3, 개별 철근, 다발철근, 긴장재 또는 덕트 사이 최소 순간격의 3/4을 초과해서는 안된다.

5. 골재의 염분 함유량 기준과 방청대책

(1) 잔골재 절건중량 기준	염소이온(Cl^-)으로 0.02% 이하 ※ NaCl은 0.04% 이하	(3) 염화물의 악영향 ① 이상응결(급결) ② 균열발생증가 ③ 철근부식 촉진 ④ 내구성 약화
(2) 콘크리트에 함유된 염화물 총량기준	염소이온(Cl^-)량으로 0.3kg/m³ 이하～0.6kg/m³ 초과금지 ※ 0.3kg 초과시 철근의 방청대책 수립요망	(4) 철근의 방청대책 ① 아연도금 처리 ② Concrete에 방청제 혼입 ③ 에폭시 코팅 철근사용 ④ 골재에 제염제를 혼합 사용

6. 골재의 품질규정

(1) 골재의 물리적 성질(부순골재도 동일)

구 분	규정값	
	굵은 골재	잔 골재
밀도(절대건조)(g/cm³)	2.50 이상	2.50 이상
흡수율(%)	3.0 이하	3.0 이하
안정성(%)	12 이하	10 이하
마모율(%)	40 이하	-

학습 POINT

▶ 99-①, 01-①, 06-③

• 혼합물이 concrete에 끼치는 영향

▶ 20-①

• 굵은골재 최대칫수(일반, 무근, 대단면)

▶ 99-② / 96-① / 95-⑤, 99-③, 01-③, 03-②, 03-③, 05-①, 06-③, 09-①, 13-①, 18-③, 20-④, 22-③

• 콘크리트내 염소이온(Cl^-) 규정기술 /
• 해사 사용이 구조물에 미칠 영향 /
• 해사 사용시 철근부식 방지조치

※ 철근은 물, 공기, 염분침투에 의해 녹이 발생한다.

▶ 골재나 콘크리트의 염분함유량을 측정하는 염분농도계(Digital Salt Meter)

(2) 기타사항

① 잔 골재의 조립률은 2.3~3.1인 것이어야 한다.

② 잔 골재의 내구성 시험은 안정성 시험에 의한다.

※ 잔골재의 안정성은 황산나트륨으로 5회 시험으로 평가하며, 그 손실량은 10% 이하를 표준으로 한다.(굵은 골재는 12%이하)

③ 잔골재의 점토덩어리 함유량은 1% 이하, 굵은골재는 0.25% 이하로 한다.

학습 POINT

7. 골재의 시험방법

(1) 로스엔젤레스 시험 : 굵은 골재(부순돌, 자갈)의 마모저항 시험방법

(2) 혼탁비색법 : 잔골재의 유기불순물 측정방법

※ 모래시료와 수산화나트륨 3% 용액(NaOH)을 넣고 섞어 24시간 후 표준색과 비교하여, 표준색보다 진한 것은 유기불순물을 포함한 것으로 판정

8. 콘크리트의 혼합수(물)

콘크리트의 비빔수는 기름, 산, 염류, 유기불순물, 현탁물질 등 콘크리트 및 강재의 품질에 악영향을 미치는 유해물량을 함유해서는 안된다.

	시험항목	허용량
(1) 음용수용 수질기준	색도 탁도(NTU) 수소 이온 농도(pH) 증발 잔류물(mg/L) 염소 이온(Cl^-)량(mg/L) 과망간산칼륨 소비량(mg/L)	5도 이하 0.3 이하 5.8~8.5 500 이하 250 이하 10 이하
(2) KASS 5T-301에 적합한 물	① 현탁물질의 양 ② 용해성 증발 잔류물의 양 ③ 염소 이온량 ④ 시멘트 응결시간의 차 ⑤ 모르타르의 압축 강도비	2g/ 이하 1g/ 이하 250mg/L 이하 초결 30분, 종결 60분 이내 재령 7일 및 28일에서 90% 이상

※ 콘크리트의 비빔물은 먹을 수 있는 물(상수도물)이나 공업용수, 지하수 등이 사용된다.

관련문제

1 **KSL 5201에서 규정하는 정한 포틀랜드 시멘트의 종류를 5가지 쓰시오. (5점)**

〔08 ①, 10 ③, 17 ②, 22 ③〕

① ______________ ② ______________

③ ______________ ④ ______________

⑤ ______________

2 **다음 설명에 해당하는 시멘트 종류를 고르시오. (3점)** 〔11 ①, 14 ③〕

〔보기〕
조강 시멘트, 실리카 시멘트, 내황산염 시멘트, 중용열 시멘트, 백색 시멘트, 콜로이드 시멘트, 고로슬래그 시멘트

(1) ① 특성 : 조기강도가 크고 수화열이 많으며 저온에서 강도의 저하율이 낮다.
　② 용도 : 긴급공사, 한중공사

(2) ① 특성 : 석탄 대신 중유를 원료로 쓰며, 제조시 산화철분이 섞이지 않도록 주의한다.
　② 용도 : 미장재, 인조석 원료

(3) ① 특성 : 내식성이 좋으며 발열량 및 수축률이 작다.
　② 용도 : 대단면 구조재, 방사성 차단물

(1) ______________ (2) ______________ (3) ______________

3 **다음 용어를 설명하시오 (6점)** 〔96 ③〕

(가) 포졸란 반응 :

____

(나) 플라이 애쉬 :

____

(다) 고로슬래그 :

____

4 **콘크리트에 포졸란을 넣었을 때 성질 4가지를 쓰시오. (4점)** 〔92 ①〕

① ______________ ② ______________

③ ______________ ④ ______________

해설 및 정답

정답 1

① 1종 : 보통 포틀랜드 시멘트
② 2종 : 중용열 포틀랜드 시멘트
③ 3종 : 조강 포틀랜드 시멘트
④ 4종 : 저열 포틀랜드 시멘트
⑤ 5종 : 내황산염 포틀랜드 시멘트

정답 2

(1) 조강 시멘트
(2) 백색 시멘트
(3) 중용열시멘트

정답 3

(가) 실리카 재료가 물 속에서 용해하여 수산화칼슘과 화합하여 불용성의 화합물을 만들어 경화하도록 하는 반응.

※ 규산칼슘 수화물을 생성하는 것이 포졸란 반응이다.

(나) 인공포졸란이라 하며 보일러에서 분탄이 연소할 때 부유하는 회분을 전기집진기로 채집한 세립의 구상형의 미소입자

(다) 선철을 제조하는 과정에서 발생하는 부유물질을 냉각시켜 분말화한 것이다.

▶ 콘크리트내 조직형태

정답 4

① 시공연도 증진
② 재료분리 감소
③ 해수에 대한 화학적 저항성 증대
④ 초기강도 감소, 장기강도 증진

관련문제

5 **혼합시멘트 중 플라이애쉬 시멘트의 특징을 3가지 쓰시오. (3점)** 〔00 ③, 16 ③〕

① ______________________ ② ______________________

③ ______________________

6 **콘크리트 제조시에 최근에는 수화열저감, 워커빌리티 증대, 장기강도 발현, 수밀성증대 등 다양한 장점을 얻고자 혼화재를 사용한다. 대표적인 혼화재를 3가지 쓰시오. (3점)** 〔04 ②〕

① ______________ ② ______________ ③ ______________

7 **시멘트 주요화합물을 4가지 쓰고, 그 중 28일 이후 장기강도에 관여하는 화합물 쓰기 (5점)** 〔12 ①, 16 ③〕

가. 주요화합물

① ______________________ ② ______________________

③ ______________________ ④ ______________________

나. 콘크리트의 28일 이후의 장기강도에 관여하는 화합물

____

8 **콘크리트에 사용되는 각종 혼화재료는 콘크리트의 성능, 성질을 보완, 증가시키기 위한 것이다. 이러한 혼화재료의 사용 목적을 4가지만 적으시오. (4점)** 〔09 ③〕

(1) ______________________ (2) ______________________

(3) ______________________ (4) ______________________

9 **시멘트의 응결시간에 영향을 미치는 요소를 3가지 설명하시오. (3점)** 〔05 ①, 18 ③〕

① ______________________ ② ______________________

③ ______________________

해설 및 정답

정답 **5**

① 시공연도가 개선된다.
② 수화발열량이 적어서 초기강도는 작아지며 장기강도가 증대된다.
③ 화학적 저항성을 증진시킨다.
※ 기타사항 : 수밀성이 향상된다. 알칼리골재반응을 억제하는 효과가 있다.

정답 **6**

① 포졸란
② 플라이 에쉬
③ 고로 슬래그

정답 **7**

가. 주요화합물
① 규산 삼석회(C_3S) : 규산3칼슘
② 규산 이석회(C_2S) : 규산2칼슘
③ 알민산 삼석회(C_3A) : 알민산3칼슘
④ 알민산 철 사석회(C_4AF) : 알민산철4칼슘

나. 콘크리트 28일 이후의 장기강도에 관여하는 화합물 : 규산 이석회(C_2S)

정답 **8**

(1) 시공연도의 증진 및 조절
(2) 동결융해 저항성 증가
(3) 단위수량 감소 효과
(4) 내구성 및 수밀성 증대
(5) 재료분리 저항성, Bleeding 현상 감소
(6) 응결시간의 조절

정답 **9**

① 시멘트의 분말도가 크면 응결이 빠르다.
② 온도가 높고, 습도가 낮을수록 응결이 빠르다.
③ 시멘트의 화학성분중 C_3A(알민산 3석회)가 많을수록 응결이 빠르다.
④ 물시멘트비가 클수록 응결이 느리다.
⑤ 풍화된 시멘트일수록 응결이 느리다.

관련문제

해설 및 정답

10 콘크리트의 혼합재료는 혼화제와 혼화재로 구분할 수 있다. 다음 혼화제 및 혼화재의 종류를 3가지 쓰시오. (4점) 〔99 ⑤, 01 ③, 07 ③〕

(가) 혼화제 : ① ____________ ② ____________ ③ ____________

(나) 혼화재 : ① ____________ ② ____________ ③ ____________

정답 **10**

(가) ① AE제 ② 경화촉진제 ③ 유동화제 ※ 발포제 등

(나) ① 플라이 애쉬 ② 고로슬래그 ③ 포졸란 ※ 실리카흄 등

11 혼화재(混和材)와 혼화제(混和劑)를 구분하여 설명하고, 혼화재 및 혼화제의 종류를 3가지씩 쓰시오. (6점) 〔07 ③, 13 ②〕

(1) 혼화재의 정의 : ____

____

(2) 혼화재의 종류 : ① __________ ② __________ ③ __________

(3) 혼화제의 정의 : ____

____

(4) 혼화제의 종류 : ① __________ ② __________ ③ __________

정답 **11**

(1) 혼화재(混和材) : 플라이 애시 등과 같이 비교적 다량으로 사용되고 콘크리트의 성질을 개선하기 위해서 사용하는 것으로 증량재 라고도 한다.

(2) 문제 8번 정답 참조

(3) 혼화제(混和劑) : AE제, 염화칼슘 등과 같이 비교적 소량(시멘트량의 1% 이하)으로 사용되고 콘크리트의 성질을 개선시킨다.

(4) 문제 8번 정답 참조

12 철근 콘크리트 공사에서 표면활성제에 대해 기술하시오. (3점, 4점) 〔93 ④, 95 ②〕

____

정답 **12**

(1) 표면활성제의 정의 : 표면 활성작용에 의하여 콘크리트속에 다수의 미세한 기포를 발생시키거나, 시멘트 입자를 분산시켜 시공연도를 증진시키는 혼화제이다.

※ 종류 : ① AE제 ② 분산제

13 다음은 혼화재 종류에 대한 설명들이다. 아래 설명이 뜻하는 혼화재 명칭을 쓰시오. (3점) 〔96 ①, 99 ②, 05 ①〕

(가) 공기 연행제로서 미세한 기포를 고르게 분포시킨다.

(나) 시멘트와 물과의 화학반응을 촉진시킨다.

(다) 화학반응이 늦어지게 한다.

(가) ____________ (나) ____________ (다) ____________

정답 **13**

(가) AE제

(나) 응결경화 촉진제

(다) 지연제

관련문제

14 AE콘크리트의 특징을 6가지만 쓰시오. (4점)

〔90 ②〕

① ______________ ② ______________

③ ______________ ④ ______________

⑤ ______________ ⑥ ______________

15 AE제의 사용목적을 3가지, 4가지 쓰시오. (3점, 4점)

〔00 ④, 12 ②, 17 ①〕

(1) ______________ (2) ______________

(3) ______________

16 다음은 콘크리트 중의 공기량의 변화에 대한 설명이다. 이 내용을 완성하시오. (5점)

〔94 ②〕

(가) AE제의 혼입량이 증가하면 공기량은 (　　)한다.
(나) 시멘트의 분말도 및 단위 시멘트 량이 증가하면 공기량은 (　　)한다.
(다) 잔골재 미립분이 많으면 공기량은 (　　)하고, 잔골재율이 커지면 공기량은 (　　)한다.
(라) 콘크리트의 온도가 낮아지면 공기량은 (　　)한다.
(마) 콘시턴스가 커지면, 즉 슬럼프가 커지면 공기량은 (　　)한다.

17 AE 콘크리트의 공기량에 대하여 기술하시오. (4점)

〔95 ①〕

____

____

18 유동화 콘크리트의 제조방법을 3가지 쓰시오. (3점)

〔97 ②, 99 ①, 02 ②, 07 ①, 11 ①〕

① ______________

② ______________

③ ______________

해설 및 정답

정답 14
① 워커빌리티(시공연도) 증진
② 단위수량이 감소하고, Bleeding 현상감소
③ 수밀성 증가
④ 내구성 증가
⑤ 동결, 융해 저항성이 향상 된다.
⑥ 철근과의 부착강도, 압축강도 감소

정답 15
(1) 시공연도 증진(개선)
(2) 재료분리 감소
(3) 내동해성 개선(동결융해 저항성 증대)
(4) 수밀성 증진(개선)
※ 단위수량 감소

정답 16
(가) 증가 (나) 감소
(다) 증가, 증가
(라) 증가 (마) 증가

정답 17
AE 공기량은 AE제를 사용하면 할수록 증가하며 잔골재와 잔골재율이 많을시 증가하고 빈배합, Slump치가 클수록 증가하여 온도가 높고, 진동을 주면 감소한다. 이 공기량은 시공연도를 증진시키고 동결융해 피해를 감소시킨다.

정답 18
① 유동화제를 현장에서 첨가하여 유동화하는 방법
② 공장첨가하여 유동화하는 방법
③ 공장첨가후 현장에서 유동화하는 방법

해설 및 정답

19 다음은 혼화제의 종류에 대한 설명이다. 아래의 설명이 뜻하는 혼화제의 명칭을 쓰시오. (3점)

〔08 ①, 12 ③〕

(가) 공기 연행제로서 미세한 기포를 고르게 분포시킨다.
(나) 염화물에 대한 철근의 부식을 억제한다.
(다) 기포작용으로 인해 충전성을 개선하고 중량을 조절한다.

(가)__________ (나)__________ (다)__________

정답 19
(가) AE제
(나) 방청제, 제염제
(다) 기포제, 발포제

20 주어진 색에 알맞은 콘크리트용 착색제를 보기에서 골라 번호로 쓰시오. (3점)

〔13 ①, 16 ②〕

〔보기〕

① 카본블랙	② 군청	③ 크롬산 바륨
④ 산화크롬	⑤ 산화제2철	⑥ 이산화망간

(1) 초록색 - ( ) (2) 빨강색 - ( )
(3) 노랑색 - ( ) (4) 갈 색 - ( )

정답 20
(1) 초록색 - (④)
(2) 빨강색 - (⑤)
(3) 노랑색 - (③)
(4) 갈 색 - (⑥)

21 다음 물음에 답하시오. (2점)

〔13 ③〕

- 전기로에서 페로 실리콘 등 규소합금의 제조시에 발생하는 폐가스를 집진하여 얻어지는 부산물의 일종으로써 이산화규소(SiO_2)를 주성분으로 하는 초미립자

____

정답 21
Silica fume (실리카흄)

22 콘크리트용 골재로써 요구품질(조골재 요구조건)을 4가지만 쓰시오. (4점)

〔90 ③, 99 ⑤, 16 ①〕

① __________ ② __________
③ __________ ④ __________

정답 22
① 표면이 거칠고 둥근모양일 것
② 견고하고 강도가 클 것
③ 실적율이 클 것
④ 입도가 적당하고 좋을 것

23 콘크리트의 제조과정에서 다음의 성분이 과량 함유된 경우 우려되는 대표적 피해현상을 쓰시오. (4점)

〔99 ①, 01 ①, 06 ③〕

(가) 유기불순물 __________
(나) 염화물 __________
(다) 점토덩어리 __________
(라) 당분 __________

정답 23
(가) 유기불순물 : 시공연도 저하, 강도 저하
(나) 염화물 : 철근의 부식 및 이상응결(응결 촉진), 균열 증가
(다) 점토덩어리 : 강도 저하, 수밀성 저하, 흡수율 증가, 부착력 저하
(라) 당분 : 응결지연

관련문제 | **해설 및 정답**

24 콘크리트 내의에 Cl^- 대한 규정에 대하여 기술하시오. (4점) 〔99 ②〕

(1) ______

(2) ______

정답 24

(1) 잔골재의 염분 함유량 : 0.04% 이하(NaCl 기준)

※ 염소이온(Cl^-) 기준시 0.02% 이하

(2) 콘크리트 내부의 염소 이온량 : $0.3kg/m^3$ 이하

25 해사 사용의 증가가 철근콘크리트 구조물에 미칠 영향이 무엇인지 쓰시오. (3점) 〔96 ①〕

① ______ ② ______

③ ______

정답 25

① 이상응결(급결)
② 철근부식촉진
③ 균열발생증가
④ 누수
⑤ 내구성 약화

26 (가) 염분을 포함한 바다모래를 골재로 사용하는 경우 철근 부식에 대한 방청상 유효한 조치를 3가지, 4가지 쓰시오. (4점, 3점)

〔95 ⑤, 01 ③, 03 ②, 05 ①, 06 ③, 09 ①, 13 ①, 18 ③〕

(나) 콘크리트 배합시 잔골재를 세척해사로 사용했을 때 콘크리트의 염화물 함량을 측정한 결과 염소이온량이 $0.3kg/m^3$~$0.6kg/m^3$이었다. 이때 철근콘크리트의 철근부식방지에 따른 유효한 대책을 3가지, 4가지 쓰시오. (3점, 4점)

〔99 ③, 03 ③, 20 ④, 22 ③〕

① ______ ② ______

③ ______ ④ ______

정답 26

① 철근 표면에 아연도금 처리
② 콘크리트에 방청제 혼입
③ 에폭시 코팅 철근사용
④ 골재에 제염제 혼합사용
⑤ W/C비 적게, 철근피복두께 확보

27 (1) 콘크리트 내부의 철근이 부식되기 위해 필요한 3요소는 무엇이며, 이에 대한 대책은 이들 3요소를 억제하거나 콘크리트 중으로의 침투를 막으면 된다. 이를 위한 방법 3가지는 무엇인가? (6점) 〔03 ②〕

(가) 강재피해의 요소 : ① ______ ② ______ ③ ______

(나) 피해방지 대책

① ______

② ______

③ ______

(2) 콘크리트내에 철근의 내구성에 영향을 주는 위험인자를 억제할 수 있는 방법을 4가지 쓰시오. (4점) 〔06 ③〕

정답 27

가. ① 물 ② 공기 ③ 염분

나.

① 물시멘트비를 작게 하여 수밀한 콘크리트를 타설한다.
② 피복두께를 크게 하여 투기성을 감소시켜 탄산가스의 접촉을 방지한다.
③ 바다모래 사용시 잘 세척하여 염분을 제거하고, 방청제, 제염제를 투입하여 염분 영향을 방지한다.
④ 철근표면을 도금처리하거나 수지코팅 철근을 사용

핵심 18

콘크리트 배합설계 및 콘크리트의 성질

1 콘크리트의 배합 설계

1. 배합설계의 목적(배합시 고려할 콘크리트의 구비조건)

① 소요의 강도 유지(강도확보)	④ 소요의 내구성 확보
② 경제적 배합(경제성 추구)	⑤ 단위용적 중량확보
③ 소요의 시공연도(시공성)의 확보	⑥ 균질성, 수밀성 확보

※ 기타 : 균열저항성 확보, 철근이나 강재 보호성능

학습 POINT

▶ 94-④
• 배합설계시 콘크리트가 구비해야 할 성질(배합목적) 5가지

2. 배합의 표시법

(1) 절대용적배합	콘크리트 $1m^3$에 소요되는 재료의 양을 절대용적(l)으로 표시
(2) 중량배합	콘크리트 $1m^3$에 소요되는 재료의 양을 중량(g)으로 표시한 배합
(3) 표준계량 용적배합	콘크리트 $1m^3$에 소요되는 재료의 양을 표준계량 용적(m^3)으로 표시한 배합으로, 시멘트는 1,500kg을 $1m^3$로 한다.
(4) 현장계량 용적배합	콘크리트 $1m^3$에 소요되는 재료의 양을 시멘트는 포대수로, 골재는 현장계량에 의한 용적(m^3)으로 표시한 배합.

※ 시방배합에서의 잔골재는 5mm체를 전부통과한 것이고 굵은 골재는 5mm체에 전부 남는 것을 말하며, 골재는 각각 표면건조 포화상태이어야 한다.

▶ 98-①, 99-⑤
• 배합표시법(설계종류)

3. 배합설계의 순서

(1) 조합표에 의한 콘크리트 배합 설계순서	(2) 표준배합 설계순서
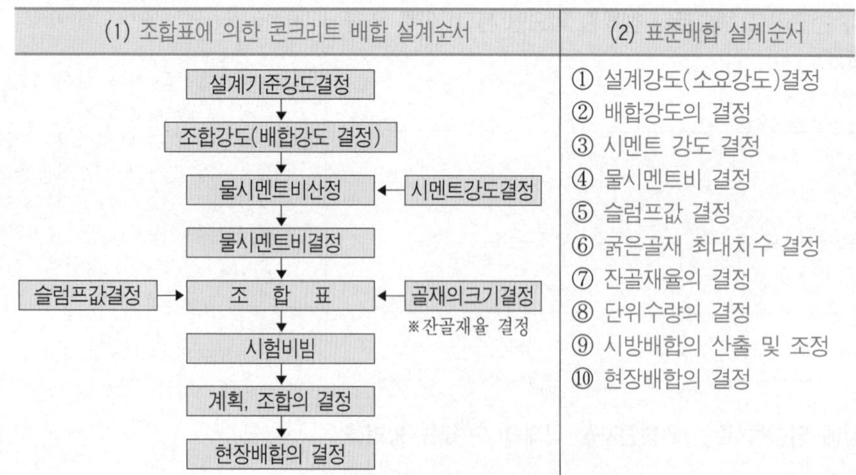	① 설계강도(소요강도)결정 ② 배합강도의 결정 ③ 시멘트 강도 결정 ④ 물시멘트비 결정 ⑤ 슬럼프값 결정 ⑥ 굵은골재 최대치수 결정 ⑦ 잔골재율의 결정 ⑧ 단위수량의 결정 ⑨ 시방배합의 산출 및 조정 ⑩ 현장배합의 결정

※ 설계 기준강도(f_{ck}) : 28일 압축강도를 기준으로 한다.

▶ 93-①, 04-①, 08-② / 88-①, 91-①, 95-③, 06-③ / 88-③ / 92-③, 02-③
• 콘크리트 표준배합설계 순서 /
• 일반적인 배합순서 /
• 조합표에 의한 배합 설계순서 /
• 배합시 관련 조건

4. 배합강도(F)의 결정

① 구조체 콘크리트의 강도관리 재령은 91일 이내로 하고, 공사시방서에 따른다. 공사 시방서에 정한 바가 없을 때에는 28일로 한다.

② 배합강도(f_{cr})는 식(1)과 같이 구조계산에서 정해진 설계기준압축강도(f_{ck})와 내구성 설계를 반영한 내구성 기준 압축강도(f_{cd})중에서 큰 값으로 결정된 품질기준강도(f_{cq})보다 크게 정한다.

$f_{cq}=\max(f_{ck}, f_{cd})$ (MPa) (1)

③ 레디믹스트 콘크리트의 경우에는 현장 콘크리트의 품질변동을 고려하여 배합강도(f_{cr})를 호칭강도(f_{cn})보다 크게 정한다.

④ 레디믹스트 콘크리트 사용자는 생산자에게 호칭강도로 주문하여야 한다. ($f_{cn}=f_{cq}+T_n$(MPa) / T_n : 기온보정강도)

⑤ 배합강도(f_{cr})는 호칭강도(f_{cn}) 범위를 35MPa 기준으로 분류한 아래의 계산식 ①, ②, ③, ④ 중 각각 큰 값으로 정한다.

f_{cn} ≤ 35MPa인 경우	f_{cn} > 35MPa인 경우
① $f_{cr} = f_{cn} + 1.34s$ (MPa)	③ $f_{cr} = f_{cn} + 1.34s$ (MPa)
② $f_{cr} = (f_{cn} - 3.5) + 2.33s$ (MPa)	④ $f_{cr} = 0.9f_{cn} + 2.33s$ (MPa)

여기서, s : 압축강도의 표준편차(MPa)

5. 시멘트 강도의 결정

시멘트강도는 28일 압축강도(K28)을 기준으로 하고 시간 여유가 없는 경우는 3일강도(K_3), 7일강도(K_7)에서 추정할 수 있다.

6. 물결합재비의 결정

(1) W/C비 : 부어넣기 직후의 Mortar나 Concrete속에 포함된 시멘트 풀속의 시멘트에 대한 물의 중량 백분율

(2) 물 - 결합재비는 소요의 강도, 내구성, 수밀성 및 균열저항성 등을 고려하여 정한다.

물시멘트비	물결합재비
$\frac{\text{물의 질량}}{\text{시멘트의 중량}}\times 100(\%)$	$\frac{\text{물의 질량}}{\text{시멘트중량 + 혼화재중량}}\times 100(\%)$

(3) W/C비가 클 때의 문제점

① 강도저하(내부공극증가)	② 부착력 저하
③ 재료분리 증가	④ 내구성, 내마모성, 수밀성 저하
⑤ 건조수축, 균열발생증가	⑥ Creep 현상 증가
⑦ 이상응결(응결지연)	⑧ 시공연도(Workability) 저하

학습 POINT

■ 호칭강도(Nominal Strength)

레디믹스트 콘크리트 주문시 KS F 4009의 규정에 따라 사용되는 콘크리트 강도로서, 구조물 설계에서 사용되는 설계기준압축강도나 배합 설계시 사용되는 배합강도와는 구분되며, 기온, 습도, 양생 등 시공적인 영향에 따른 보정값을 고려하여 주문한 강도(f_{cn})

▶ 88-①, 99-④, 09-①, 10-②, 15-① / 89-② / 90-④, 02-③

- W/C비의 정의, 설명
- 중량과 용적 백분율 관련항목 /
- 물시멘트비 구하는 문제

▶ 93-② / 95-⑤, 97-⑤, 02-①, 03-①, 14-②, 16-③ / 06-③

- 현장 가수시 문제점과 그 이론적 원인
- 현장 가수시 문제점 4가지
- 물시멘트비가 클 때의 결점 4가지

(4) 콘크리트의 내구성 기준(표준시방서)

① 콘크리트는 구조물의 사용기간 중에 받는 여러가지의 화학적, 물리적 작용에 대하여 충분한 내구성을 가져야 한다.

② 콘크리트의 물-결합재비는 원칙적으로 60% 이하이어야 하며, 단위수량은 185kg/m^{3}를 초과하지 않도록 하여야 한다.

③ 콘크리트에 사용하는 재료는 콘크리트의 소요 내구성을 손상시키지 않는 것이어야 한다. 또한 강재를 보호하는 성능을 가져야 한다.

④ 콘크리트는 원칙적으로 공기연행콘크리트로 하여야 한다.

⑤ 콘크리트는 침하균열, 소성수축균열, 건조수축균열, 자기수축균열 혹은 온도균열에 의한 균열폭이 허용균열폭 이내여야 한다.

⑥ 염소이온 침투, 동결융해, 탄산화, 황산염 및 기타 유해한 환경에 노출되는 구조물에 대해서는 시방서와 구조기준에서 정한 조건을 만족하는 콘크리트를 사용해야 한다.

⑦ 구조물에 사용되는 콘크리트는 적절한 내구성을 확보하기 위해 내구성에 영향을 미치는 환경조건에 대해 노출정도를 고려하여 시방서와 구조기준에서 규정한 노출등급을 정하여야 한다.

학습 POINT

▶ 08-① / 09-②, 15-②, 21-②

• 슬럼프와 공기량 표준값

• 슬럼프플로우 · 조립을 설명

7. 소요 Slump의 결정(건축공사 표준시방서 기준)

① Slump Test로 하며 시공연도의 양부를 측정한다.

② Slump 값의 표준값(mm)

종 류	철근콘크리트	무근콘크리트
일반적인 경우	80 ~ 180	50 ~ 180
단면이 큰 경우	60 ~ 150	50 ~ 150

주) 1. 여기에서 제시된 슬럼프값은 구조물의 종류에 따른 슬럼프의 범위를 나타낸 것으로 실제로 각종 공사에서 슬럼프값을 정하고자 할 경우에는 구조물의 종류나 부재의 형상, 치수 및 배근상태에 따라 알맞은 값으로 정하되, 충전성이 좋고 충분히 다질 수 있는 범위에서 되도록 작은 값으로 정하여야 한다.

2. 콘크리트의 운반시간이 길 경우 또는 기온이 높을 경우에는 슬럼프가 크게 저하되므로 운반중의 슬럼프 저하를 고려한 슬럼프값에 대하여 배합을 정하여야 한다.

3. 슬럼프의 증가량은 10cm 이하를 원칙적으로 하며 5~8cm를 표준으로 한다.

4. 유동화콘크리트의 슬럼프는 작업에 적절한 범위로서 원칙적으로 21cm 이하로 한다.

5. 펌프를 이용하여 Concrete 타설시 slump 값은 15cm 이상으로 한다.

③ 레미콘 slump값, 공기량 및 재료 계량, 오차

슬럼프값(mm)	허용오차(mm)	재료의 종류	허용오차(%)
25 50 및 65 80이상	± 10 ± 15 ± 25	물, 시멘트 혼화재 골재, 혼화제	1% 이하 2% 이하 3% 이하
공기량(%)	± 1.5% 이하	※ 고로 slag : 1% 이하	

▶ Slump Test set

▶ 현장 콘크리트의 Slump 시험장면

▶ 현장타설 콘크리트의 공기량 측정장면

8. 잔골재율(S/a)의 결정

① 잔골재율 $= \dfrac{\text{잔골재 체적}}{\text{전골재 체적}} \times 100(\%)$

※ 전골재 체적에 대한 잔골재 체적의 백분율

② 절대 잔골재율은 소요의 Workability를 얻을 수 있는 범위내에서 가능한 작게 하며 골재입도, 공기량, 시멘트량, 혼화제에 따라 변화한다.

③ S/a가 커지면 간극이 많아지므로 단위수량과 단위 Cement량이 증가한다.

④ 잔골재 입도가 변화하여 조립율이 ±0.2 이상 차이가 날 때는 시공연도가 변하므로 배합을 수정할 필요가 있다.

⑤ 고성능 AE감수제를 사용한 콘크리트는 W/C비와 슬럼프가 동일한 경우 일반 AE감수제를 사용한 것보다 1~2% 잔골재율을 크게 하는 것이 좋다.

9. 레미콘 제조공장 조사

(1) 레미콘 공장 조사

1) 레미콘 공장 조사 개요

① 레미콘 공장 조사는 서류 조사가 아닌 레미콘 공장 방문 실사가 필요

② 여러 레미콘 공장을 동시에 방문 실사하여 우열 평가 필요

(2) 레미콘 회사 조사 및 검토사항

1) 조사대상 공장의 일반적 검토사항

① 공장위치, 현장까지의 거리, 소요시간

② 차량 보유대수 및 일일생산 가능 용량

③ 압축강도별 납품실적

2) 레미콘 생산 설비 검토

① 생산 가능량 및 품질예측

- Batcher Plant(B/P) 대수(EA) 및 용량 검토
- 믹서의 형식 조사 및 검토

② 골재 저장 시설 확인(레미콘 품질에 상당히 영향을 줌)

③ 배합 대응성 평가

- 시멘트/혼화재 Silo 대수(EA) 및 용량 검토
- 계량설비 용량

학습 POINT

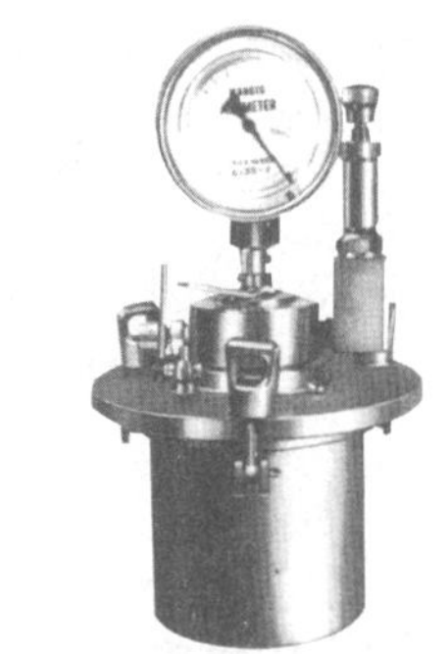

▶ 공기량 측정기

▶ 11-①

- 잔골재율, 조립률 설명

▶ 20-③

- 레미콘 제조공장 선정시 유의사항

④ 계절별 콘크리트 관리 가능 여부 평가
• 보일러 유무, 용량 확인, 트럭 드럼 살수장치, 보양장치

3) 레미콘 품질 관리 조직 및 시스템 검토(품질관리수준 예측 가능)
① 품질관리실의 인원 및 경력 확인
② 품질시험 장비 및 운영 System 확인

4) 콘크리트 원재료 품질 검토
※ 시멘트, 혼화재료, 골재의 제조사 및 실제 품질 확인 필요

2 Concrete의 품질관리(표준시방서규정)

1. 압축강도에 의한 콘크리트의 품질검사

항 목	시기, 횟수	판정기준	
		$f_{cn} \leq 35MPa$	$f_{cn} > 35MPa$
(1) 압축강도	① 1회/일 ② 구조물의 중요도와 공사의 규모에 따라 120m³마다 1회 ③ 배합이 변경될 때마다 ※ 1회의 시험값은 공시체 3개의 압축강도 시험값의 평균값임	① 연속 3회 시험값의 평균이 호칭강도 이상 ② 1회 시험값이 (호칭강도 - 3.5MPa) 이상	① 연속 3회 시험값의 평균이 호칭강도 이상 ② 1회 시험값이 호칭강도의 90% 이상
(2) 염화물량	1) 해사나 염화물이 포함되었는지 의심스러운 골재를 사용한 경우는 타설 초기 및 150m³당 1회 이상 2) 그 외의 경우 1일에 1회 이상	KS F 4009 또는 공사시방서에서 규정한 값 이하일 것	

① 공시체는 제작 24시간 뒤에 탈형하고 20±2℃의 수중 또는 상대습도 95% 이상의 습윤상태에서 양생한다.
② 코어 공시체 3개의 압축강도 평균값이 f_{ck}의 85%에 달하고, 각각의 강도가 f_{ck}의 75%보다 작지 않으면 구조적으로 적합하다고 판정할 수 있다. 불규칙한 코어 강도를 나타내는 위치는 재시험을 실시하여야 한다.

2. 레미콘의 강도규정 (KSF 4009 규정)

(1) 1회시험 결과 : 호칭 강도의 85% 이상
(2) 3회시험 결과 : 호칭강도의 100% 이상이면 합격
(3) 레미콘의 시험단위(Lot) : 450m³

학습 POINT

■ 사용 콘크리트의 품질관리
① 지름 100mm, 높이 200mm의 공시체나 지름 150mm, 높이 300mm의 공시체 사용
② 양생은 표준양생이며 재령 28일 기준

3 강도추정을 위한 비파괴 시험법

(1) 슈미트해머법 (반발경도법)	• Concrete 표면의 타격시 반발의 정도로 강도를 추정한다. • 시험장치가 간단하고 편리하여 많이 쓰인다. • 종류 : N형(보통 Concrete용), C형(경량 Concrete형)
(2) 공진법	• 물체간 고유진동 주기를 이용하여 동적 측정치로 강도를 측정한다.
(3) 음속법 (초음파속도법)	• 피측정물을 전달하는 음파의 속도에 의해 강도를 측정한다. • 많이 사용한다.
(4) 복합법	• 반발경도법+음속법을 병행해서 강도를 추정하고 가장 믿을만하고, 뛰어난 방법이다.
(5) 인발법 (Pull-out법)	• Concrete에 묻힌 Bolt중에서 강도를 측정한다. • Pre-Anchor법, Post-Anchor법이 있고, P.S Concrete에 사용한다.
(6) Core 채취법	• 시험하고자 하는 Concrete부분을 Core Drill을 이용하여 채취하여 강도시험 등 제시험을 한다. Core 채취가 어렵고 측정치에 한계가 있다. (일부파괴법)

학습 POINT

92-④, 97-①, 98-②, 01-①, 15-③ / 02-①, 04-①, 15-③, 21-①

• 강도 추정을 위한 비파괴 시험방법의 명칭 4가지, 3가지

보충설명 **기타 비파괴시험법**

철근탐사법(종류 : 자기법, 레이더법, 자연전극 전위법), 관입법(매입법), 탄성파법, X선법(방사선 투과법), 적외선법 등.

※ 일부파괴법: 관입법, 인발법, core체취법

1. 슈미트 해머 사용시 강도 보정법

① 타격방향에 따른 보정	직각으로 타격 안한 경우(타격각도 보정)
② 응력상태에 따른 보정	타격방향에 직각인 압축응력을 받을 때
③ 건조상태에 따른 보정	기건상태 기준, 습윤상태는 ΔR+5적용
④ 재령에 의한 보정	장기재령 콘크리트가 강도가 크게 나온다.

※ RO(수정반발경도) = R(측정반발경도) + ΔR (보정치)

98-④, 99-⑤, 04-③, 10-②

• 슈미트 테스트해머의 강도 보정방안 3가지

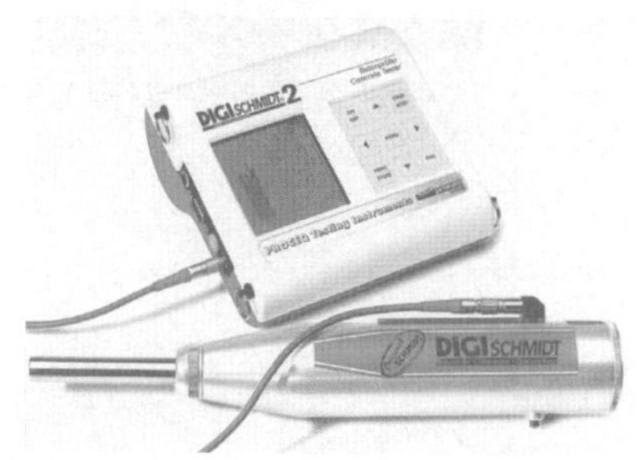

▶ 콘크리트 강도 측정기 (디지털 방식의 슈미트 해머)

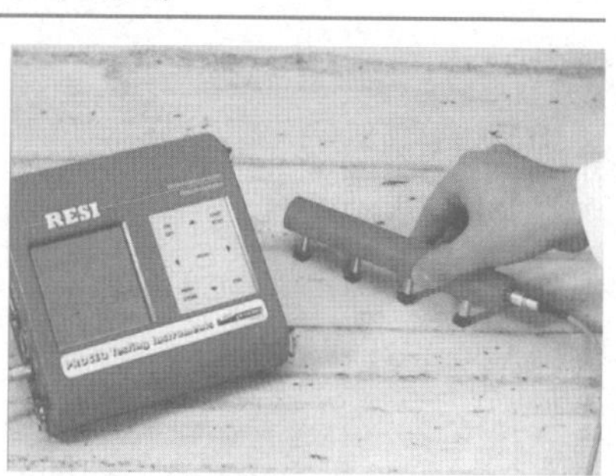

▶ 전기저항 방식의 철근부식도 측정기

▶ 콘크리트 코어 채취 장면

※ 사진참조 : (주) 코세코
(주) 흥진정밀

※ 사진참조 : (주) 코세코
(주) 흥진정밀

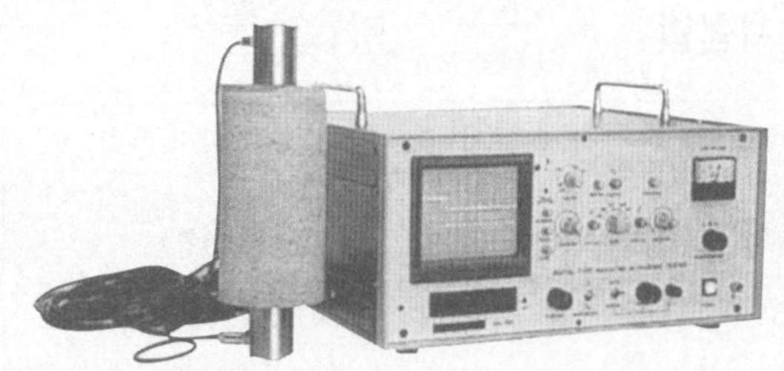
▶ 초음파비파괴시험기(Ultrasonic Tester)

학습 POINT

▶ 슈미트 테스트 해머를 이용하여 강도 시험을 하는 장면

4 아직 굳지 않는 Concrete의 성질

(1) Workability (시공연도)	콘시스턴시에 의한 작업의 難易의 程度 및 재료분리에 저항하는 정도 등 복합적인 의미에서의 시공 난이정도 : (施工性)
(2) Consistency (반죽질기)	단위 수량에 의해 변화하는 콘크리트 유동성의 정도, 혼합물의 묽기 정도(流動性) : 콘크리트의 변형능력의 총칭
(3) Plasticity (성형성)	거푸집 등의 형상에 순응하여 채우기 쉽고, 재료 분리가 일어나지 않은 성질. 거푸집에 잘 채워질 수 있는지의 난이정도 : (粘稠性)
(4) Finishability (마감성)	골재의 최대치수에 따르는 표면정리의 난이정도, 마감작업의 용이성, 마감성의 난이를 표시하는 성질
(5) Pumpability (압송성)	펌프시공 콘크리트의 경우 펌프에 콘크리트가 잘 밀려나가는 지의 난이정도(펌프壓送性) : 펌프압송의 용이성
(6) compactability	(다짐성) : 다짐의 용이성
(7) stability	(安定性) : 블리딩과 재료분리에 대한 저항성
(8) mobility	(可動性) : 점성, 응집력, 내부저항 등에 관한 유동·변형의 용이성

※ 운반용이성(運搬性 : transportability), 물질사이를 흐르는 능력 : fluidity, flowability : 응집성, 가동성과 유사용어, placeability : 형틀충전성 등의 기타 용어들이 사용되고 있다.

▶ 90-③, 95-②, 99-④, 02-③ / 97-①, 99-④, 06-②, 06-③ / 09-①

- 굳지 않은 콘크리트의 성질 5가지 /
- 굳지 않은 콘크리트 성질 관련용어
- 컨시스턴시의 정의

5 굳은(경화) 콘크리트의 성질

(1) 강도	압축, 인장, 휨, 전단, 부착강도 등이 있다. ※ 사용재료, 배합, 시공 및 양생방법, 시험방법 등에 영향
(2) 탄성적 성질	외력에 대해 변형한다.
(3) 단위용적중량	사용골재와 건습상태에 따라 변함.
(4) 체적변화	건조수축, 온도 및 하중에 따른 체적변화 ※ 건조수축은 경화수축, 건조수축, 탄산화수축 등이 있다.
(5) 수밀성	흡수, 투수, 균열 등이 발생
(6) 내화성	피복두께, 골재의 암질 등에 영향을 받는다.

▶ 05-②, 10-②

- 철근 콘크리트의 부재 길이 변화량 산정

6 시공연도와 재료분리

1. 시공연도(Workability)

(1) 시공연도에 영향을 주는 요소	(2) Workability 측정방법
① 단위수량 : 많으면, 재료분리 우려, Bleeding증가 ② 단위시멘트량 : 부배합이 빈배합보다 향상 ③ 시멘트의 성질 : 분말도 클수록 향상 ④ 골재의 입도 및 입형 : 연속입도, 둥근골재 유리 ⑤ 공기량 : 적당 공기량은 시공연도 향상 ⑥ 혼화재료 : AE제, 포졸란, Fly ash향상 ⑦ 비빔시간 : 적정한 비빔시간 ⑧ 온도 : 온도 높으면 시공연도 감소	① Slump시험 ② Flow(흐름)시험 ③ 구관입(Kelly Ball)시험 ④ 드롭테이블 시험(다짐계수 측정시험) ⑤ Remolding시험 ⑥ Vee-Bee시험

참고사항 Bleeding과 Laitance

① Bleeding : 아직 굳지않은 시멘트풀, Mortar 및 콘크리트에 있어서 물이 윗면에 솟아오르는 현상

※ 재료분리 현상의 일종으로 침강균열의 원인이 된다.

② Laitance : Bleeding 수의 증발에 따라 콘크리트면에 침적된 백색의 미세한 물질

2. 재료분리의 원인과 방지대책

(1) 발생 원인	(2) 방지대책
① 단위수량 및 물시멘트비 과다. ② 골재의 입도, 입형의 부적당 ③ 골재의 비중차이 (중량, 경량골재) ④ 타설높이 미준수, 운반길이의 과다, 거푸집 · 철근에 충돌 등 시공상 원인 ⑤ 시멘트 페이스트 및 물의 분리(거푸집 수밀성 부족, Bleeding 현상)	① 물시멘트비를 작게 한다. ② 입도, 입형이 양호한 재료배합 ③ 혼화제(재)의 적절한 사용 (AE제, 양질의 포졸란 등은 재료분리 억제) ④ 철근간격유지, 타설속도, 높이 준수 ⑤ 수밀성이 높은 거푸집 사용, 충분한 다짐.

학습 POINT

▶ 90-②, 95-②, 95-⑤, 96-⑤, 98-④, 99-④, 01-①
• 시공연도 영향요인 5가지, 4가지

▶ 17-③, 19-①
• 콘크리트 반죽질기(시공연도) 측정방법 3가지

▶ 87-①, 96-①, 10-③, 14-③, 20-① / 87-①, 97-②, 12-③
• Laitance 용어기술 /
• 용어설명, 물시멘트비, Bleeding

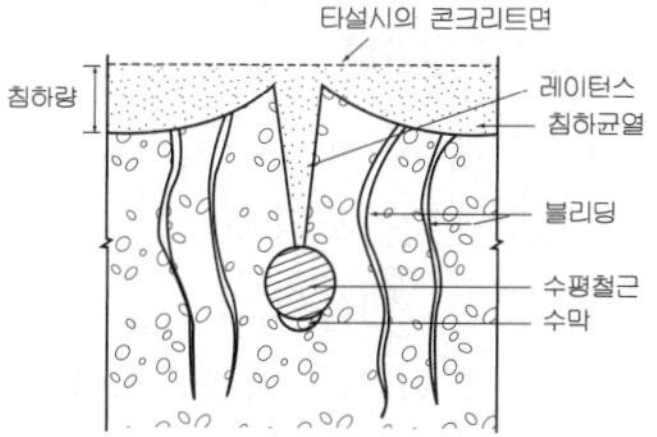

그림. Bleeding과 레이턴스

▶ 95-⑤, 07-①
• 재료 분리의 원인, 대책 각각 3가지

관련문제

1 콘크리트배합설계시 고려해야되는 "콘크리트가 구비해야 할 성질"에 대하여 5가지만 쓰시오. (5점) 〔94 ④〕

① ______ ② ______

③ ______ ④ ______

⑤ ______

2 (1) 콘크리트 배합설계 종류 3가지를 쓰시오. (3점) 〔98 ①〕
(2) 콘크리트의 배합표시법 종류를 3가지 쓰시오. (3점) 〔99 ⑤〕

① ______

② ______

③ ______

3 콘크리트의 표준배합설계 순서를 보기에서 골라 기호로 쓰시오. (4점,5점) 〔93 ①,04①, 08②〕

〔보기〕

(1) 슬럼프값의 결정	(2) 시방배합의 산출 및 조정
(3) 배합강도의 결정	(4) 물시멘트비의 선정
(5) 잔골재율의 결정	(6) 소요강도의 결정
(7) 굵은 골재 최대치수의 결정	(8) 현장 배합의 결정
(9) 시멘트 강도의 결정	(10) 단위수량의 결정

______

4 일반적인 콘크리트 배합설계 순서를 보기에서 골라 번호로 쓰시오. (4점) 〔88 ①, 91 ①, 95 ③〕

(1) 시방배합의 결정 (2) 배합강도의 결정 (3) 물시멘트비의 결정
(4) 잔골재율의 결정 (5) 소요강도의 결정 (6) 현장배합의 결정
(7) 시멘트 강도의 결정 (8) 온도 및 표준편차의 결정

______

해설 및 정답

정답 **1**

① 소요의 강도 유지
② 경제적 배합(경제성)
③ 소요의 시공연도의 확보
④ 소요의 내구성 확보
⑤ 균질성 확보

정답 **2**

① 절대용적배합
② 중량배합
③ 표준계량 용적배합

정답 **3**

※ 콘크리트의 배합설계 순서는 다음과 같다.
설계강도(소요강도)결정 - 배합강도의 결정 - 시멘트 강도 결정 - 물시멘트비 결정 - 슬럼프값 결정 - 굵은골재 최대치수 결정 - 잔골재율의 결정 - 단위수량의 결정 - 시방배합의 산출 및 조정 - 현장배합의 결정
(6) - (3) - (9) - (4) - (1) - (7) - (5) - (10) - (2) - (8)

정답 **4**

(5) - (8) - (2) - (7) - (3) - (4) - (1) - (6)

관련문제

5 일반적인 콘크리트의 배합설계 순서를 8가지로 나누어 쓰시오. (5점) [06 ③]

(1) ______ (2) ______

(3) ______ (4) ______

(5) ______ (6) ______

(7) ______ (8) ______

6 다음은 조합표에 의한 콘크리트 배합설계 순서이다. 보기에서 골라 ☐ 를 알맞은 기호로 채우시오. (4점) [88 ③]

설계기준강도 → (1) → 물시멘트비산정 ← (2)
물시멘트비산정 → (3) → 조합표
(4) → 조합표 ← 골재의크기결정
조합표 → (5) → (6)

〔보기〕
(가) 슬럼프치 결정
(나) 시험비빔
(다) 조합강도(배합강도 결정)
(라) 계획 조합의 결정
(마) 물시멘트비 결정
(바) 시멘트 강도의 결정

(1) ______ (2) ______ (3) ______

(4) ______ (5) ______ (6) ______

7 다음 콘크리트 배합 설계시에 제일 관련이 있는 것을 1가지씩만 골라 쓰시오. (4점) [92 ③, 02 ③]

〔보기〕
(1) 단위수량 혹은 시멘트량 (2) 굵은 골재의 최대치수
(3) 잔골재율 혹은 단위 굵은 골재량 (4) AE제 의량
(5) 물시멘트비

(가) 콘크리트의 반죽질기 조정 : ______

(나) 콘크리트의 강도 고려 : ______

(다) 콘크리트의 점도 및 재료분리 조정 : ______

(라) 콘크리트의 내구성 고려 : ______

해설 및 정답

정답 5
(1) 소요강도의 결정(설계기준 강도결정)
(2) 배합강도 결정
(3) 시멘트 강도 결정
(4) 물시멘트비 결정
(5) 슬럼프값 결정
(6) 골재크기 결정(잔골재율결정)
(7) 시방배합결정
(8) 현장배합결정(조정)

정답 6
(1) (다)
(2) (바)
(3) (마)
(4) (가)
(5) (나)
(6) (라)

정답 7
(가) - (1) (나) - (5)
(다) - (3) (라) - (4)

관련문제

8 백분율로 나타내는 방법은 중량과 용적이 있다. 각 백분율에 속하는 실험 항목을 보기에서 골라 쓰시오. (4점) 〔89 ②〕

〔보기〕
① 흙의 간극율　　② 흙의 흡수율
③ 콘크리트의 물시멘트비　　④ 콘크리트의 잔골재율

(1) 중량 백분율(°/wt) : ________

(2) 용적 백분율(°/vl) : ________

9 다음 문장의 (　　)안을 적당한 용어로 채우시오. (2점) 〔10 ②〕

물시멘트비는 시멘트에 대한 물의 (　　)백분율이다.

10 콘크리트 시공시 레미콘과 같이 미리 제조된 소정의 콘크리트에 현장에서 다시 물을 첨가하는 경우, 경화 후 콘크리트 품질에 초래할 것으로 예상되는 가장 중요한 결과와 그 이론적 원인에 대해 간단히 쓰시오. (4점) 〔93 ②〕

____

11 (가) 콘크리트 타설시 현장 가수로 인한 문제점을 3가지, 4가지 쓰시오. (3점, 4점) 〔95 ⑤, 97 ⑤, 02 ①, 03 ①, 14 ②, 16 ③〕

(나) 콘크리트의 물시멘트비가 클때 예상되는 결점을 4가지 쓰시오. (4점) 〔06 ③〕

① ________ ② ________

③ ________ ④ ________

12 다음 글을 읽고 (　　) 안에 들어갈 적당한 내용을 쓰시오. (3점) 〔08 ①〕

시방서에서 규정한 철근콘크리트 슬럼프값의 표준은 일반적인 경우 (　①　)mm 이며, 단면이 큰 경우는 (　②　)mm이다.
AE제의 공기량 기준은 (　③　)% 정도이다.

① ________ ② ________ ③ ________

해설 및 정답

정답 8
(1) 중량 백분율 : ②, ③
(2) 용적 백분율 : ①, ④

정답 9
중량

정답 10
결과 : 강도저하
원인 : 물시멘트비 증가에 따른 내부 공극증가와 부착력 저하, 재료분리 증가, 응결지연 등

정답 11
① Concrete의 강도 저하
② 재료분리 및 Bleeding 현상 증가
③ 건조수축 및 침강균열 증가
④ 내구성, 수밀성 저하

정답 12
① 80~180
② 60~150
③ 4~6

관련문제

13 다음의 용어를 설명하시오. (4점)

〔09 ②, 15 ②, 21 ②〕

(1) 슬럼프 플로우(Slump flow) : ____________________

____

(2) 조립률 : 〔11 ①〕 ____________________

____

14 (1) 시공된 콘크리트 구조물에서 경화 콘크리트의 강도추정을 위해 이용되고 있는 비파괴시험방법의 명칭을 3가지, 4가지 쓰시오. (3점, 4점)

〔92 ④, 97 ①, 98 ②, 01 ①, 15 ③〕

(2) 콘크리트 구조물의 압축강도를 추정하고 내구성 진단, 균열의 위치, 철근의 위치 등을 파악하는데 있어서 구조체를 파괴하지 않고, 비파괴적인 방법으로 측정하는 검사방법을 3가지, 4가지 쓰시오. (3점, 4점) 〔02 ①, 04 ①, 21 ①〕

① ____________ ② ____________

③ ____________ ④ ____________

15 콘크리트 압축강도를 조사하기 위해 슈미트 햄머를 사용할 때 반발경도를 조사한 후 추정강도를 계산할 때 실시하는 보정 방안 3가지를 쓰시오. (3점)

〔98 ④, 99 ⑤, 04 ③, 10 ②〕

① ____________ ② ____________

③ ____________

해설 및 정답

정답 **13**

(1) 아직 굳지 않은 콘크리트의 유동성을 나타내는 지표, 시험규정에 따라 슬럼프 콘을 들어올린 후 원형으로 퍼진 콘크리트의 직경을 측정하여 나타냄.

※ 콘크리트의 퍼진 지름이 500mm가 될 때까지의 시간을 체크하여 5±2초 이내면 합격 판정하는 (초)유동화 콘크리트의 유동성, 충전성, 재료분리 저항성 평가시험

(2) 75, 40, 20, 10, 5, 2.5, 1.2, 0.6, 0.3, 0.15mm 10개체를 1조로 체가름시험을 하였을 때 각체에 남는 누적중량백분율의 합을 100으로 나눈값을 말한다.

※ 골재의 10개 체가름시험을 통한 골재입도를 파악하기 위한 시험

$$조립률 = \frac{각체에\ 남는\ 양의\ 총\ 누계율}{100}$$

정답 **14**

(1) ① 슈미트 해머법(반발경도법)
② 공진법
③ 음속법(초음파 속도법)
④ 복합법(반발경도법+음속법)

(2) ① 철근탐사법

※ 기타 정답은 (1)과 동일

정답 **15**

① 타격각도 보정
② 콘크리트 재령 보정
③ 압축응력에 따른 보정

관련문제

16 **다음 굳지 않은 콘크리트의 성상을 설명한 용어를 쓰시오. (영어발음을 한글로 써도 가능함) (5점)** 〔90 ③, 95 ②, 99 ④, 02 ③〕

(1) 단위 물량 다소에 따르는 혼합물의 묽기정도 (　　　)
(2) 구조체에 타설된 콘크리트가 거푸집에 잘 채워질 수 있는지의 난이정도 (　　　)
(3) 도로포장등에서 골재의 최대치수에 따르는 표면정리의 난이정도 (　　　)
(4) 펌프시공 콘크리트의 경우 펌프에 콘크리트가 잘 밀려나가는 지의 난이정도 (　　　)
(5) 묽기정도 및 재료분리에 저항하는 정도 등 복합적인 의미에서의 시공 난이정도 (　　　)

(1) ________ (2) ________ (3) ________

(4) ________ (5) ________

17 **(1) 콘크리트 공사시 다음 설명이 뜻하는 용어를 쓰시오. (4점)** 〔97 ①, 06 ②〕

(가) 수량에 의해 변화하는 콘크리트 유동성의 정도
(나) 콘시스턴시에 의한 치어붓기 난이도 정도 및 재료분리에 저항하는 정도
(다) 마감성의 난이를 표시하는 성질
(라) 거푸집 등의 형상에 순응하여 채우기 쉽고, 분리가 일어나지 않은 성질

(가) ________ (나) ________

(다) ________ (라) ________

(2) 굳지 않은 콘크리트의 성질을 4가지 쓰시오. (4점) 〔06 ③〕

18 **다음 중 서로 연관이 있는 것끼리 연결하시오. (6점)** 〔99 ④〕

(가) 워커빌리티	(1) 다짐성
(나) 컨시스턴시	(2) 안정성
(다) 스태빌리티	(3) 성형성
(라) 컴팩터빌리티	(4) 시공성
(마) 모빌리티	(5) 가동성
(바) 플라스티시티	(6) 유동성

(가) ________ (나) ________ (다) ________

(라) ________ (마) ________ (바) ________

해설 및 정답

정답 **16**
(1) 반죽질기(Consistency)
(2) 성형성(Plasticity)
(3) 마감성(Finishability)
(4) 압송성(Pumpability)
(5) 시공연도(Workability)

정답 **17**
(가) 반죽질기(Consistency)
(나) 시공연도(Workability)
(다) 마감성(Finishability)
(라) 성형성(Plasticity)

정답 **18**
(가) : (4)
(나) : (6)
(다) : (2)
(라) : (1)
(마) : (5)
(바) : (3)

관련문제

19 콘크리트의 시공연도(Workability)에 영향을 미치는 요인중 5가지(4가지)만 쓰시오. (5점, 4점) 〔90 ②, 95 ②, 95 ⑤, 96 ⑤, 98 ④, 99 ④, 01 ①〕

① ______________ ② ______________

③ ______________ ④ ______________

⑤ ______________

20 철근 콘크리트의 선팽창 계수가 1.0×10^{-5}이라면 10m 부재가 10℃의 온도변화시 부재의 길이 변화량은 몇 cm인가? (3점) 〔05 ②, 10 ②〕

계산식 : ______________

21 콘크리트의 재료분리의 원인 및 대책에 대하여 각각 3가지 쓰시오. (4점) 〔95 ⑤〕

(가) 원인 : ______________

(나) 대책 : ______________

22 다음의 재료분리의 원인과 방지대책을 간단히 서술하시오. (4점) 〔07 ①〕

(1) 원인 :

① 물시멘트비 : ______________

② 굵은골재최대치수 : ______________

(2) 방지대책 :

① 혼화제 2개 : ______________

② 잔골재율 : ______________

23 다음 용어에 대하여 간략하게 쓰시오. (5점) 〔87 ①, 10 ②, 14 ③, 20 ①〕

＊Laitance

____

해설 및 정답

정답 19

① 물, 시멘트비
② 시멘트의 성질
③ 골재의 입도 및 입형
④ 혼화재의 성질
⑤ 비빔시간

정답 20

계산식 : 길이변화(Δl)＝선팽창계수 $\times \Delta T$ ∴ $1 \times 10^{-5} \times 10 \times 10 \times 1{,}000 = 1$mm이다.

답 : 0.1cm

정답 21

(가) 원인 :
① 반죽질기가 지나칠때
② 골재의 입도, 입형이 부적당한 경우
③ 골재의 비중차이가 큰 경우

(나) 대책 :
① 재료배합을 잘한다.
② 적정한 물시멘트비를 유지한다.
③ 시공상 타설높이를 준수한다.

정답 22

(1) 원인 :
① 물시멘트가 클 때(물시멘트비 과다)
② 굵은골재최대치수가 클 때

(2) 방지대책 :
① AE제, 포졸란
② 잔골재율을 증가시킨다.

정답 23

콘크리트를 부어 넣은후 블리딩수의 증발에 따라 그 표면에 나오는 백색의 미세한 물질로 얇은 피막을 형성하며 Concrete의 부착력을 저하시킨다.

핵심 19

콘크리트의 비빔, 운반, 타설, 다짐, 죠인트 처리

학습 POINT

1 콘크리트 비빔

1. 일반사항

(1) 기계비빔을 원칙으로 한다.(Mixer로 콘크리트를 비비는 것)
(2) 재료투입은 동시투입이 이상적이나, 실제로는 모래+시멘트+물+자갈 순이다. (단, 이론적으로는 입자가 작은 순으로 물+시멘트+모래+자갈)
(3) 비빔시간은 가경식 믹서일 때에는 1분 30초 이상, 강제식 믹서일 때에는 1분 이상을 표준으로 한다. (수밀 콘크리트는 3분 정도)
※ 비빔시간은 원래 계획된 시간의 3배 초과금지

2. 믹서의 종류

믹서(Mixer)에는 이동식과 고정식이 있으며, 또 비빔 콘크리트를 배출할 때 그 동체를 기울이는 가경식(Tilting Type)과 기울이지 못하는 불경식(Non- Tilting Type)이 있다.

▶ 가경식 Mixer

보충설명 **믹서 윈치용 동력**

믹서용량(절)	6, 8, 10	12, 14, 16	21	비 고
믹서용 동력(HP)	7.5	10	15	1HP = 0.746kW
윈치용 동력(HP)	10	15	20~25	

※ 1절(切) = 0.3m × 0.3m × 0.3m = 0.027m³

3. 각종 계량장치

(1) 물의 계량장치	오우버 플로우식(Overflow System), Siphon식, Float System, 양수계식 등이 있고 Over Flow 식이 가장 많이 쓰인다.
(2) Dispenser	AE 제를 계량하는 분배기. 자동식, 수동식이 있다.
(3) Inundator	모래의 용적계량장치, 모래를 수중에 완전 침수시키면, 그 용적이 표준계량일 때와 같아지는 것을 이용한다.
(4) Wacecretor	물 Cement비가 일정한 Cement Paste의 혼합 계량장치를 갖춘계량기이다. Batcher Plant 사용으로 거의 사용 안한다.

92-③, 97-①, 07-③ / 99-④, 04-②, 05-①, 08-②, 09-①, 11-②, 14-①, 17-②

• 각종 계량장치, 측정기기 용도를 쓰시오.

암기하기

① Batching plant : 자동중량계량 장치
② Dispenser : AE제계량 장치
③ Inundator : 모래용적계량장치
④ Wacecretor : Batcher plant 사용전 혼합계량장치
⑤ 와싱턴미터나 에어이터 : 공기량 측정기

(5) Washington Meter	Air Meter라고도 하며 Concrete속에 함유된 공기량을 측정 ※ 공기량 측정법: 압력법(워싱턴형, 멘젤형), 중력법, 용적법이 있고 압력법, 워싱턴형을 많이 사용
(6) Batching Plant	물,시멘트, 골재의 자동중량계량장치. 수동식, 반자동식이 있고 계량장치, 공급장치, 배출장치, 저장조, 집합Hopper등 5가지의 구조와 기능으로 구성됨.

※ Batcher Plant = Batching Plant + Mixing Plant로 구성됨

학습 POINT

2 콘크리트의 운반 및 타설

▶ 90-④

• 엘리베이터타워 콘크리트 이행순서

1. 콘크리트의 운반 및 타설방법

(1) Concrete 타워에 의한 타설	㉮ 가설타워를 설치하여 타설 최고 70m 이하, 15m마다 4개의 당김줄로 지지 Chute의 길이는 10m이내, 경사는 4/10~7/10 정도이다. ㉯ 타설순서 : 믹서 → 버켓 → 엘리베이터 → 타워호퍼 → 슈트 → 풀로어호퍼 → 손차(Cart)타설순이다.
(2) Bucket에 의한 운반 타설	Bucket에 Concrete를 담아 Crane으로 운반하여 직접 타설하는 방법
(3) Chute를 이용한 타설법	콘크리트 타설용 철제관(반원모양), 수직슈트, 플랙시블 슈트 등을 이용 높은 곳에서 중력 타설, 경사슈트 각도는 30° 이상
(4) Cart이용	손수레를 이용한 소운반 타설(인력운반, 타설)
(5) Pump공법	Concrete 수송용 pump를 이용하여 타설 ※ 펌프카를 이용하거나 압송관을 설치하여 타설
(6) Press공법 압입공법 (압입채움공법)	좁은 장소 운반에 사용, pump공법과 유사. ※ 압입공법 : P,C제품이나 내진보강벽 등 폐쇄공간의 콘크리트를 타설하기 위해 콘크리트 펌프등의 압송기계에 연결된 배관을 구조체 하부의 거푸집에 설치된 압입부에 직접 연결해서 유동성 있는 콘크리트를 타설하는 공법

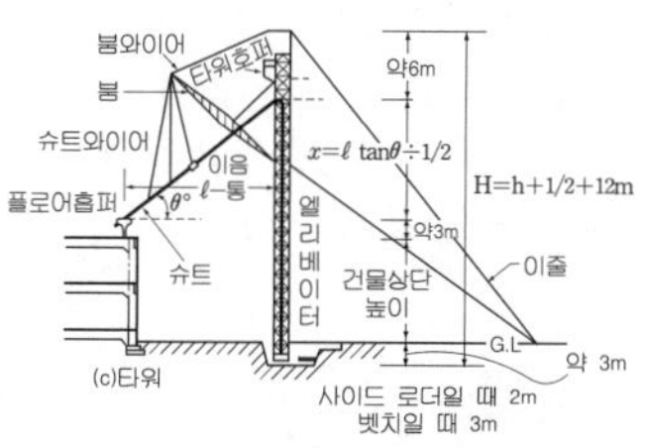

그림. 믹서 및 콘크리트 타워

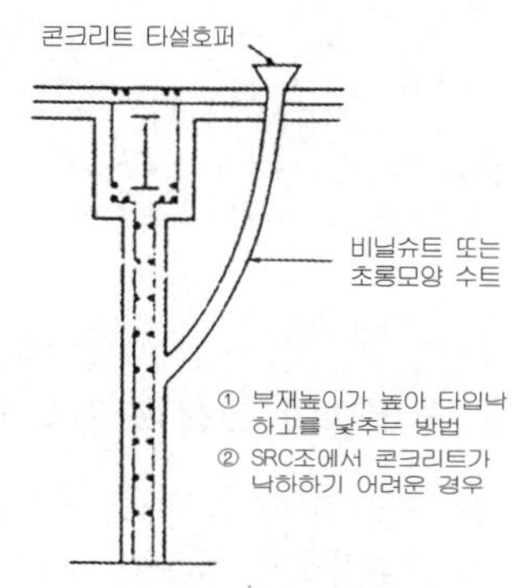

그림. Pocket 타설방법

2. 기타 타설방법

(1) Tremie Pipe에 의한 방법	Concrete타설시 Tremie Pipe를 통해 Concrete의 중력으로 안정액을 치환하면서 타설하거나 수중 콘크리트를 타설할 때 사용한다.
(2) Pocket 타설방법	높은 교각, 기둥, 벽체 등에서 수직 거푸집 측면에 투입구(pocket)를 만들어서 세트등을 이용하여 타설하는 방법
(3) V.H. 분리타설 방법	수직부재와 수평부재를 분리하여 타설하는 방법. 침하균열을 방지하기 위하여 기둥, 벽 등 수직부재를 먼저 타설하고 수평부재를 나중에 타설. 주로 Half P.C. slab공법에 적용

▶ 05-②

• V.H.공법을 기술하시오.

3. 콘크리트 펌프(슈트크리트)의 종류(압송방식)

※ 정치식(定置式)과 트럭 탑재식(concrete pump car)이 있다.

(1) 압축공기식	압축공기 압력으로 압송 ＊Concrete Placer등	
(2) 피스톤 압송식	피스톤으로 압송. 유압, 수압 피스톤식이 있다.	
(3) 스퀴즈식	짜내는 방식의 Squeeze Type Pump를 이용	
(4) 굵은골재의 최대 치수에 따른 압송관의 최소치수	① 20, 25mm골재 사용시	100mm이상
	② 40mm 골재사용시	125mm이상

> 학습 POINT
>
> ▶ 02-②
> • 펌프압송방식, 종류

4. Pump공법의 장 · 단점

(1) 장점	(2) 단점
① 기계화 시공, 에너지 절약 ② 타설작업의 간략화 ③ 작업의 연속화, 공기 단축 ④ 노무비, 가설 설비의 절약 ⑤ 운반성능의 향상	① 압송거리, 높이의 제한 ② 타입구획의 제약 ③ 압송관의 폐색(막힘)현상 ④ 품질의 열화, 변화발생 ⑤ 작업 중 slab철근의 변형

> ▶ 99-②
> • 펌프공법의 장 · 단점 각각 3가지

▶ 정치식 Concrete Placer에 의한 Concrete 타설 장면

▶ 이동식 펌프카의 모습

▶ 펌프카에 의한 콘크리트 타설장면

5. 부어넣기(타설)작업시 일반적 주의 사항

① 타설 전 배근, 배관, 거푸집 상태 점검 후 청소, 물축이기 한다.

② 비빔장소나 플로어 호퍼(Floor Hopper)에서 먼 곳부터 가까운 곳으로 부어 넣으며 될 수 있으면 가까이에서 수직으로 붓는다.

③ 타설순서(낮은 곳에서 높은 곳으로) 기초 → 기둥 → 벽 → 계단 → 보 → 바닥판의 순서로 부어넣는다.

④ 부어넣기전에 미리 계획된 구역내에서는 연속적인 붓기를 하며, 한 구획내에서는 콘크리트 표면이 수평이 되도록 넣는다.

⑤ 이 경우 슈트, 펌프배관, 버킷, 호퍼 등의 배출구와 타설 면까지의 높이는 1.5m 이하를 원칙으로 한다.

⑥ 기둥은 한번에 넣지 말고 다지면서 보통 1시간에 2m이하로 천천히 부어 넣는다. (하부에 묽은 비빔, 상부에 올라갈수록 된 비빔)

> ▶ 90-①, 94-②, 96-②, 97-②
> • 콘크리트 일반적 타설순서

⑦ 벽은 양단에서 중앙으로 수평으로 부어 넣는다. (1.5~1.8m 내외간격)
⑧ 보는 양단에서 중앙으로 부어 넣는다.
⑨ 계단은 하부단부터 상단으로 올라가며 콘크리트를 친다.
⑩ 부어넣기를 계속할 때의 이어치기 시간 간격을 준수

이어치기 시간간격		비빔에서 부어넣기 종료까지	
외기온이 25℃ 이상	2시간 이내	외기온이 25℃ 이상	1.5시간 이내
외기온이 25℃ 미만	2.5시간 이내	외기온이 25℃ 미만	2시간 이내

⑪ 콘크리트 침하, 굵은골재 분리, 블리딩에 의한 결함은 콘크리트 응결전 처리하며, 수축이나 침하 균열 우려부위는 표면을 탬핑처리한다.

학습 POINT

▶ 19-③, 22-③, 23-①
• 이어치기 시간 간격 쓰기

6. Concrete의 다짐

(1) 다짐목적	① 공극을 제거하여 밀실하게 충전시킴 ② 소요강도 확보 ③ 수밀한 콘크리트 확보 ④ 재료분리 및 곰보(honey comb) 방지
(2) 다짐법	① 손다짐 ② 진동다짐 ③ 거푸집 두드림 ④ 가압다짐법 ⑤ 원심력다짐법 ⑥ 진공다짐법
(3) 일반사항	① Slump 15cm이하의 된비빔 콘크리트에 사용함을 원칙 ② 콘크리트 붓기(진동다짐 1회)높이는 30~60cm를 표준 ③ 20㎥마다 1대 표준(3대 사용할 때 예비 진동기 1대)
(4) 진동기의 종류	① 거푸집 진동기 ② 표면진동기 ③ 봉상(꽂이식)진동기
(5) 진동기 사용 주의점	① 수직으로 사용한다. ② 철근 및 거푸집에 직접 닿지 않도록 한다. ③ 간격은 진동이 중복되지 않게 500mm 이하로 한다. ④ 1개소당 진동시간 : 5~15초로 한다 ⑤ 콘크리트에 구멍이 남지 않게 서서히 뺀다. ⑥ 굳기 시작한 Concrete에는 사용하지 않는다.
(6) 진동기 효과가 큰 콘크리트	① 빈배합 된비빔 → ② 빈배합 묽은비빔 → ③ 부배합 묽은비빔

▶ 01-②, 01-③, 04-① / 98-③, 06-③ / 99-⑤ / 97-⑤, 99-④ / 05-②, 08-②, 12-①
• 다짐방법 3가지 /
• 진동기 종류 3가지 /
• 진동다짐시 주의점 4가지 /
• 진동기 사용효과가 큰 콘크리트 순서
• 진동기 과다 사용시 특징

■ 진동기 과다 사용시 특징
① 재료분리 발생
② AE 콘크리트의 공기량 감소

▶ 콘크리트를 타설하면서 표면진동기를 사용하여 마감하는 모습

▶ 진동식 표면다짐기의 모습
(용도에 따라 여러가지 모양과 진동형식 등이 있다.

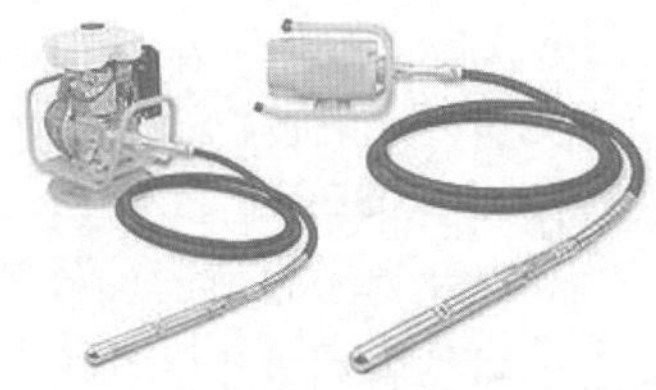
▶ 꽂이식(막대, 봉상) 진동기의 모양, 종류

▶ 콘크리트 타설과 봉상진동기 사용

3 죠인트 처리

1. 이어치기의 구획방법

(1) 이음은 짧게 되게 하고, 전단력이 적은 곳에서 이어치기 한다.
(2) 이음위치는 단면이 적은 곳에 두고 응력에 직각 방향, 수직, 수평으로 한다.
(3) 불가피하게 이어칠 때는 Bleeding 수에 의한 Laitance를 제거하며 Cold Joint 처리에 주의한다.
(4) 부득이 전단이 큰 위치에 시공이음을 설치할 경우에는 시공이음에 장부 또는 홈을 만들거나 적절한 강재를 배치하여 보강해야 한다.

2. 콘크리트 타설시 시공 Joint처리방법

(1) 이음면은	원칙적으로 구조물 강도에 영향이 없고 응력방향에 직각으로 한다.
(2) 수평부재	골재 불량부분을 제거하고 부배합 Mortar를 바른다.
(3) 수직부재	재진동 다짐하여 모인 물을 제거, 수평이음과 동일 시공. ※ 수밀을 요하는 부분은 지수판 설치, 물막이 한다.
(4) 이음부 처리	거칠게 마감하고 콘크리트 치기 전 청소, 물축임, 촉이나 홈, 철근 등을 배근하며 수밀, 밀실하게 처리해야 한다.

3. 시방서상 시공이음부 처리 방법

(1) 시공이음부를 철근으로 보강하는 경우에 정착길이는 철근지름의 20배 이상으로 하고, 원형철근의 경우에는 갈고리를 붙여야 한다.(전단력 보강)
(2) 시공이음을 계획할 때에는 온도변화, 건조수축 등에 의한 균열의 발생에 대해서도 고려해야 한다.(필요시 신축줄눈 고려)
(3) 시공이음면은 거푸집철거후 쇠솔(Wire Brush)이나 쪼아내기(chipping)등으로 거칠게 한다.(요철부위로 마감)
(4) 시공이음부에 다음 콘크리트를 치기전에 고압분사(Water Jet)로 청소한 후 물로 충분히 흡수시킨 후 시멘트풀, 부배합의 모르터, 양질의 접착제 등을 바른후 이어치기 한다.
(5) 시공이음면의 거푸집 철거는 콘크리트가 굳은 후 되도록 빠른 시기에 한다. 다만, 거푸집의 제거 시기는 너무 빨리하면 콘크리트에 유해한 영향을 주기 때문에 주의하여야 한다. 일반적으로 연직시공이음면의 거푸집 제거 시기는 콘크리트를 타설하고 난 후 여름에는 4~6시간 정도, 겨울에는 10~15시간 정도로 한다.
(6) 해양 및 항만 콘크리트는 시공이음부를 되도록 두지 않고, 설치시는 만조 및 간조 위치에서 0.6m 사이는 피한다.

학습 POINT

▶ 94-①, 96-③, 99-② / 90-④
- 콘크리트 타설시 Joint 처리방법 /
- 이어붓기 주의사항 4가지

4. 이어붓기시 발생결함, 전단력 보강법

(1) 이어치기시 발생할 수 있는 결함	(2) 이음새의 전단력 보강방법
① 수밀성저하(누수우려) 우려 ② 부착력 저하 우려 ③ 강도(전단력)저하 우려 ④ 균열발생증가	① 이어붓기 이음새에 촉 또는 홈 (Keyed Joint)을 둔다. ② 석재나 자갈 등을 삽입 보강 ③ 철근을 삽입, 보강

5. 이어붓기 위치

개 소	이 음 위 치, 방 법
(1) 기둥	보, 바닥판 또는 기초의 윗면에서 수평
(2) 보, Slab	SPAN의 1/2 부근에서 수직(작은 보있는 바닥판 : 나비의 2배 떨어진 위치, 전단력이 가장 적은 곳에 수직으로)
(3) 아치	아치축에 직각
(4) 벽	문틀, 끊기 좋고 이음자리 막이를 떼어내기 쉬운 곳에서 수직, 수평
(5) 캔틸레버	이어붓지 않음을 원칙으로 한다.

▶ 콘크리트 끊어치기는 바닥판의 중앙에서 시공줄눈을 만든다. 기둥 같은 수직 부재는 바닥에서 수평 줄눈(Joint)이 발생한다.

▶ 시공줄눈 처리 : 메탈라스를 이용하여 콘크리트 타설 후 거친면이 될 수 있도록 하며, 필요시 철근에 Sleeve를 연결한다.

6. 각종 줄눈(Joint)의 종류, 처리법

<table>
<tr><td rowspan="2">(1) 콜드 조인트
(Cold Joint)
※ 계획 안된 줄눈</td><td colspan="2">시공과정 중 휴식시간 등으로 응결하기 시작한 콘크리트에 새로운 콘크리트를 이어칠 때 일체화가 저해되어 생기는 줄눈.</td></tr>
<tr><td>악영향</td><td>① 강도저하 우려 ② 누수에 의한 철근부식
③ 균열발생 ④ 부착력 저하 우려
※ 일체화 시공에 유의해야 함</td></tr>
<tr><td>(2) Constructon Joint
(施工줄눈)</td><td colspan="2">콘크리트를 한번에 계속하여 부어 나가지 못할 곳에 생기게 되는 줄눈 ※ 타설능력, 작업상황을 고려하여 미리 계획한 줄눈</td></tr>
<tr><td>(3) Expansion Joint
(신축줄눈)
(응력해제줄눈)</td><td colspan="2">건축물의 온도에 의한 신축팽창, 부동침하 등에 의하여 발생하는 건축의 전체적인 불규칙균열을 한 곳에 집중시키도록 설계 및 시공시 고려되는 줄눈
※ 응력해제, 변형흡수가 목적이다.</td></tr>
</table>

학습 POINT

▶ 94-③ / 98-③
- 이어붓기 자리의 발생 결함 3가지 /
- 이어붓기 위치의 전단력 보강법 3가지

▶ 88-③, 91-②, 95-④, 03-②, 08-①
- 이어붓기 위치, 수직, 수평 표시문제

▶ 00-② / 88-①, 99-④, 20-①, 07-①, 10-②, 12-③, 14-① 17-③, 18-②, 22-③
- Cold Joint 영향, 방지대책 /
- Cold Joint 용어설명

▶ 95-③ / 95-④, 20-① / 91-②, 95-④, 02-① / 06-① / 11-②, 15-②, 17-③, 18-②, 19-①, 23-②
- 줄눈(Joint)의정의 시공, 신축 줄눈 /
- 줄눈설명 4가지 /
- 각종 줄눈(Joint) 종류
- 그림을 보고 줄눈 이름쓰기
- 조절줄눈(Control Joint)

(3) Expansion Joint (신축줄눈) (응력해제줄눈)	**설치 위치** ① 구조물의 수평단면이 급변하는 곳, 보강된 곳 ② 증축부위, 저층 고층건물의 접합부 ③ 건물끝 날개형 건물, 50~60m초과 건물 ④ ㄴ자, ㄷ자, T자형 건물의 교차부 **설치 간격** ① RC조벽체 : 13m 내외, 무근 콘크리트 벽 : 8m 내외. ② 무근콘크리트바닥 : 3~4.5m 간격이 일반적. ③ 얇은벽 : 6~9m, 두꺼운 벽 : 15~18m 간격 **줄눈 설치형식의 종류** ① 막힌줄눈(Closed Joint) ② 트인줄눈(Clearance Joint) ③ 맞댄줄눈(Butt Joint) ④ 침하줄눈(Settlement Joint)
(4) Control Joint Contraction Joint (조절줄눈)	지반 등 안정된 위치에 있는 바닥판이 수축에 의하여 표면에 균열이 생길 수 있는데 이것을 막기 위하여 설치하는 줄눈 ※ 바닥, 벽 등에 설치 수축균열이 일정한 곳에서만 일어나도록 하는 균열 유도 줄눈이다.
(5) Delay Joint (지연줄눈)	100m를 초과하는 장 span 구조물에서 Expansion Joint를 설치하지 않고 건조수축을 감소하기 위하여 설치하는 임시줄눈 ※ span중간에 미타설구간(수축대)을 설치한 후 나중에 타설, 타설시 조절줄눈을 양단에 설치 ① 줄눈의 폭은 바닥판 1m, 벽과 보는 20cm 정도 ② Joint 부분은 6주 정도 지난후 보통이나 무수축 콘크리트 타설
(6) Slip Joint	RC조 slab와 조적벽체 상부에 설치하는 줄눈 ※ 내력벽 균열예방, 온도변화에 대처
(7) Sliding Joint	보와 slab 사이에 설치하는 활동면이음, 구속응력 해제 목적

예 제 **다음 그림을 보고 줄눈 이름을 쓰시오. (4점)** [06 ①, 13 ③, 18 ①]

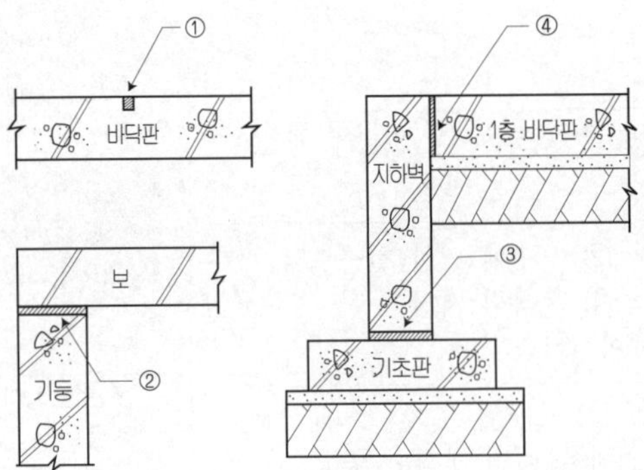

학습 POINT

▶ 지붕에 설치된 조절줄눈(Control Joint) 모습

▶ 철골구조와 콘크리트가 만나는 부분의 Sliding Joint 상세

16-②
• Delay Joint의 정의(지연줄눈)

정답
① 조절줄눈(Control Joint)
② 미끄럼줄눈(Sliding Joint)
③ 시공줄눈
④ 신축줄눈(Expansion Joint)

관련문제

1 **다음 측정기별 용도를 쓰시오. (4점)** 〔99 ④, 04 ②, 05 ①, 08 ②, 09 ①, 11 ②, 14 ①, 17 ②〕

(가) Washington Meter : ______________________

(나) Earth Pressure Meter : ______________________

(다) Piezo Meter : ______________________

(라) Dispenser : ______________________

2 **콘크리트 공사에서 다음 설명에 알맞는 용어를 보기에서 골라 번호로 쓰시오. (4점)** 〔92 ③, 97 ①, 07 ③〕

(가) 물 시멘트비를 일정하게 유지 시키면서 골재를 계량하는 장치
(나) 모래의 용적계량 장치
(다) 모르타르를 압축공기로 분사하여 바르는 콘크리트 시공방법
(라) 콘크리트를 부어넣은 후 블리딩 수의 증발에 따라 그 표면에 나오는 미세한 물질

〔보기〕

(1) 디스펜서	(2) 이넌 데이트	(3) 쇼트 크리트
(4) 컨시스턴시	(5) 워세 크리터	(6) 레이턴스

(가) ________ (나) ________ (다) ________ (라) ________

3 **다음 철근 철근콘크리트 시공에 있어 콘크리트의 이행순서를 보기에서 골라 기호로 쓰시오. (4점)** 〔90 ④〕

〔보기〕

(가) 버켓	(나) 믹서	(다) 타워호퍼
(라) 경사슈우트	(마) 플로어호퍼	(바) 두바퀴 손차

____

4 **콘크리트 펌프의 압송방식 종류를 2가지 쓰시오. (2점)** 〔02 ②〕

① ______________ ② ______________

해설 및 정답

정답 1
(가) 콘크리트내의 공기량 측정기구
(나) 토압측정기구
(다) 간극수압 측정기구
(라) AE제의 계량장치

정답 2
(가) (5)
(나) (2)
(다) (3)
(라) (6)

정답 3
(나)
(가)
(다)
(라)
(마)
(바)

정답 4
① 피스톤방식
② 스퀴즈식(짜내기 방식)

관련문제

5 콘크리트 펌프공법의 장 · 단점을 각각 3가지씩 기록하시오. (4점) 〔99 ②〕

(가) 장 점

① ______ ② ______

③ ______

(나) 단 점

① ______ ② ______

③ ______

6 콘크리트 구조체공사의 VH(Vertical horizontal) 공법에 관하여 기술하시오. (4점) 〔05 ②, 11 ②〕

______

7 건축공사의 콘크리트 타설 순서를 보기에서 골라 번호로 쓰시오. (5점) 〔90 ①, 94 ②, 96 ②, 97 ②〕

〔보기〕

(1) 기초 (2) 보 (3) 기둥 (4) 파라펫
(5) 바닥판 (6) 계단 (7) 벽

______

8 굳지 않는 콘크리트의 다지기방법 3가지를 쓰시오. (3점) 〔01 ②, 01 ③,04 ①〕

① ______ ② ______ ③ ______

9 콘크리트 타설시 다짐에 사용되는 진동기 종류 3가지를 적으시오. (3점) 〔98 ③〕

① ______ ② ______

③ ______

해설 및 정답

정답 **5**

(가) 장점
- ① 기계화 시공, 에너지절약
- ② 공정의 간략화로 공기단축 가능
- ③ 노무비, 가설설비의 절약

(나) 단점
- ① 압송거리, 높이의 제한
- ② 품질의 열화, 변화발생우려
- ③ 압송관의 폐색(막힘현상) 우려

정답 **6**

침하균열을 방지하기 위하여 기둥, 벽등 수직부재를 먼저 타설하고 수평부재를 나중에 분리하여 타설하는 방법으로 보통 Precast Half Slab공법과 병행하여 적용한다.

정답 **7**

(1)
(3)
(7)
(6)
(2)
(5)
(4)

정답 **8**

① 손다짐 방법(Rodding)
② 진동다짐 방법 (Vibrating compaction)
③ 거푸집 두드림 방법
※ 기타 : 加壓法, 원심력법, 진공 처리법 등

정답 **9**

① 막대식(봉상) 진동기
② 거푸집 진동기
③ 표면 진동기

관련문제

10 건축 신축현장에 콘크리트를 타설할 때 진동다짐기 사용에 있어서 주의할 점을 4가지 쓰시오. (4점) 〔99 ⑤〕

① ______ ② ______

③ ______ ④ ______

11 다음 보기중 진동기 사용 효과가 큰 콘크리트 부터 번호로 나열하시오. (3점) 〔97 ⑤, 99 ④〕

〔보기〕
(가) 빈배합 묽은 비빔 콘크리트 (나) 빈배합 된 비빔 콘크리트
(다) 부배합 묽은 비빔 콘크리트

______

12 다음은 진동기를 과도 사용할 경우이다. ( ) 안에 알맞은 용어를 쓰시오. (2점) 〔05 ②, 08 ②, 12 ①〕

진동기를 과도 사용할 경우에는 (①) 현상을 일으키고, AE콘크리트에서는 (②)이 많이 감소된다.

① ______ ② ______

13 콘크리트 타설시 시공 Joint 처리방법이다. 공란에 알맞은 말을 쓰시오. (4점) 〔94 ①, 96 ③, 99 ②〕

(가) 이음면은 ______

(나) 수평부재에서는 ______

(다) 수직부재에서는 ______

(라) 이음부처리는 ______

14 콘크리트 이어붓기시 주의사항을 4가지만 쓰시오. (4점) 〔90 ④〕

① ______ ② ______

③ ______ ④ ______

해설 및 정답

정답 **10**
① 수직으로 사용해야 한다
② 삽입간격은 500mm 이하
③ 1개소당 진동시간은 5~15초 정도한다.
④ 공극이 남지않도록 서서히 뺀다.

정답 **11**
(나) → (가) → (다)

정답 **12**
① 재료분리
② 공기량

정답 **13**
(가) : 구조물의 강도에 영향이 없는 곳에 두고, 응력방향에 직각으로 한다.
(나) : 골재 불량부분을 제거하고 부배합 Mortar를 바른다.
(다) : 재진동 다짐하여 모인 물을 제거, 수평이음과 동일 시공.
※ 수밀을 요하는 부분은 지수판 설치, 물막이 한다.
(라) : 거칠게 마감하고 콘크리트 치기 전 청소, 물축임, 촉이나 홈, 철근 등을 배근하며 수밀, 밀실하게 처리해야 한다.

정답 **14**
① 전단력이 적은곳에서 이어 붓는다.
② 이음길이는 되도록 짧게 한다.
③ 이음 위치는 단면이 적은곳에 둔다.
④ 이음위치는 응력 방향에 직각으로 수직, 수평으로 둔다.
⑤ 블리딩, 레이턴스등을 제거한다.
⑥ Cold Joint 처리에 유의한다.

관련문제

15 **콘크리트 이어붓기시 이어부은 자리에서 발생할 수 있는 결함사항에 대하여 3가지만 쓰시오. (3점)** 〔94 ③〕

① ________ ② ________

③ ________

16 **무근 콘크리트의 붓기 이음새에 전단력을 보강하기 위한 방법을 3가지만 쓰시오. (3점)** 〔98 ③, 02 ①〕

① ________ ② ________

③ ________

17 **다음 ( )안에 적당한 말을 보기에서 골라 쓰시오. (4점)** 〔88 ③〕

"콘크리트의 이어붓기에 있어 보 및 바닥판의 이음은 스팬(SPAN)의 (①)에서 (②)으로 하며, 기둥은 슬래브(바닥판) 또는 기초의 윗면에 (③)으로 하되, 이어붓기 자리(면)를 될 수 있는 대로 적게하고, 수평의 이어붓기는 (④)의 모임을 막기 위하여 표면의 고인물을 제거한다."

〔보기〕
(중앙, 단부, 수평, 수직, 레이턴스, 시멘트, 골재)

18 **다음 철근콘크리트 구조부재에서 이어붓기할 때, 이어붓기의 위치 및 수직, 수평등 방향을 쓰시오. (4점)** 〔91 ②, 93 ③〕

(1) R.C 조의 일반적인 보 (2) 중앙부에 작은보가 있는 바닥판
(3) R.C 조의 일반층 기둥 (4) 아치

(1) ________ (2) ________

(3) ________ (4) ________

19 **철근콘크리트 부재의 이어치기는 수직, 수평, 직각의 형태로 구분된다. 주어진 부재의 이어치기를 이들 3형태에 맞게 번호로 답하시오. (3점)** 〔03 ②〕

〔보기〕
① 보 ② 기둥 ③ 슬래브 ④ 벽 ⑤ 아치

가. 수직 ( ) 나. 수평 ( ) 다. 축에 직각 ( )

해설 및 정답

정답 **15**
① 누수우려
② 부착력 저하
③ 강도저하(전단력 저하)
※ 균열발생 증가

정답 **16**
① 이어붓기 이음새에 촉 또는 홈(keyed Joint)을 둔다.
② 석재를 삽입하여 보강한다.
③ 철근을 보강한다.

정답 **17**
① 중앙
② 수직
③ 수평
④ 레이턴스

정답 **18**
(1) 중앙, 수직
(2) 작은보 나비의 2배 떨어진 위치, 수직
(3) 기초판이나 바닥판에서, 수평
(4) 아치는 축에 직각으로

정답 **19**
가. ①, ③ ④
나. ②, ④
다. ⑤

관련문제

20 **다음 (　　　) 안에 적당한 말을 써 넣으시오. (3점)** 〔08 ①〕

콘크리트 타설이음부의 위치는 구조부재의 내력에의 영향이 가장 작은 곳에 정하도록 하며 다음을 표준으로 한다.

(가) 보, 바닥슬래브 및 지붕슬래브의 수직 타설이음부는 스팬의 (①) 부근에 주근과 직각방향으로 설치한다.

(나) 기둥 및 벽의 수평 타설이음부는 바닥슬래브(지붕슬래브), 보의 (②)에 설치하거나 바닥슬래브, 보, 기초부의 (③)에 설치한다.

21 **콜드 조인트(Cold Joint)가 구조물(건물)에 미치는 영향을 간단히 쓰고 방지대책을 쓰시오. (5점)** 〔00 ②〕

(가) 영향 : ______________________

____

(나) 방지대책 : ① ______________________

② ______________________

③ ______________________

22 **다음 설명에 해당하는 건축물의 각종 줄눈(Joint) 명을 보기에서 골라 쓰시오. (4점)** 〔91 ②, 95 ④, 02 ①, 14 ①〕

(1) 콘크리트를 한번에 계속하여 부어 나가지 못할 곳에 생기게 되는 줄눈
(2) 콘크리트 시공과정 중 휴식시간 등으로 응결하기 시작한 콘크리트에 새로운 콘크리트를 이어칠 때 일체화가 저해되어 생기게 되는 줄눈 〔07 ①, 14 ①, 22 ③〕
(3) 지반 등 안정된 위치에 있는 바닥판이 수축에 의하여 표면에 균열이 생길 수 있는데 이것을 막기 위하여 설치하는 줄눈 〔11 ②, 15 ②, 17 ③, 18 ②, 19 ①, 23 ②〕
(4) 건축물의 온도에 의한 신축팽창, 부동침하 등에 의하여 발생하는 건축의 전체적인 불규칙균열을 한 곳에 집중시키도록 설계 및 시공시 고려되는 줄눈

〔보기〕

① expansion joint	② construction joint
③ control joint	④ cold joint

(1) ______________ (2) ______________

(3) ______________ (4) ______________

해설 및 정답

정답 **20**
① 중앙
② 하단(하부)
③ 상단(상부)

정답 **21**
(가) 일체화 저하로 강도저하, Crack발생증가, 누수발생, 부착력 저하, 전단력 저하의 우려가 있다.
(나) ① 야간을 이용한 타설, 연속타설을 계획한다.
② 시방서에 표시된 타설시간과 이어붓기시간 간격을 준수한다.
③ 타설이음면의 레이턴스제거, 철근보강, 지수판시공 등 일체화에 유의한다.

정답 **22**
(1) ② 시공줄눈
(2) ④ cold joint
(3) ③ 조절 줄눈
(4) ① 신축 줄눈

23 콘크리트의 각종 Joint에 대하여 설명하시오. (4점)

〔95 ④, 07 ③〕

(1) Cold Joint : 〔10 ②, 12 ③, 14 ①, 17 ③, 18 ②〕

(2) Construction Joint : 〔95 ③, 20 ①〕

(3) Control Joint : 〔17 ③, 18 ②〕

(4) Expansion Joint : 〔95 ③, 18 ②, 20 ①〕

24 다음 콘크리트의 줄눈을 간단히 쓰시오. (4점)

〔95 ③, 20 ①〕

(가) 시공줄눈(Construction Joint)

(나) 신축줄눈(Expansion Joint)

25 다음 콘크리트 줄눈의 종류를 쓰시오. (4점)

〔02 ①〕

(가) 콘크리트 작업관계로 경화된 콘크리트에 새로 콘크리트를 타설할 경우 발생하는 Joint : 〔07 ①, 14 ①, 22 ③〕

(나) 온도변화에 따른 팽창·수축 혹은 부동침하·진동 등에 의해 균열이 예상되는 위치에 설치하는 Joint :

(다) 균열을 전체 벽면 중의 일정한 곳에만 일어나도록 유도하는 Joint :

(라) 장 Span의 구조물(100m가 넘는)에 Expansion Joint를 설치하지 않고, 건조수축을 감소시킬 목적으로 설치하는 Joint :

해설 및 정답

정답 23

(1) 콘크리트 시공과정 중 휴식시간 등으로 응결하기 시작한 콘크리트에 새로운 콘크리트를 이어칠 때 일체화가 저해되어 생기게 되는 줄눈.(불연속면이 생기는 줄눈으로 계획되지 않은 줄눈이다.)

(2) 콘크리트를 한번에 계속하여 부어나가지 못할 곳에 생기게 되는 줄눈으로 계획된 줄눈이다.

(3) 벽, 바닥판의 수축에 의한 표면균열을 방지하기 위해 설치하는 균열유도 줄눈이다.

(4) 건축물의 온도에 의한 신축팽창, 부동침하 등에 의하여 발생하는 건축의 전체적인 불규칙 균열을 한 곳에 집중시키도록 설계 및 시공시 고려되는 줄눈으로 응력해제 줄눈이다.

정답 24

(가) 콘크리트를 한번에 붓지 못할 때 생기는 줄눈으로 계획된 줄눈이다.

(나) 건축물의 온도에 의한 신축팽창, 부동침하 등에 의하여 발생하는 건축의 전체적인 불규칙 균열을 한 곳에 집중시키도록 설계 및 시공시 고려되는 줄눈이다.(응력해제 줄눈이다.)

정답 25

(가) 콜드 조인트(cold joint)
(나) 신축줄눈(expansion joint)
(다) 조절줄눈(control joint)
(라) Delay joint(수축대 설치)

핵심 20 콘크리트 양생, 균열, 열화, 보강법

학습 POINT

1 Concrete 양생

1. 양생(Curing), 보호(Protecting)의 의미

> 06-②
> 보호(protecting)의 정의

(1) 양생 (Curing)	아직 굳지 않은 콘크리트에서 원래물로 채워져 있던 공간이 시멘트의 수화생성물로 소요의 정도로 채워지기까지 콘크리트를 포수상태나 혹은 거기에 가깝게 유지하는 것
(2) 보호 (Protecting)	콘크리트 타설후 수화작용을 충분히 발휘시킴과 동시에 건조 및 외력에 의한 균열 발생을 예방하고 오손, 변형, 파손 등으로부터 콘크리트를 보호하는 것

2. 양생시 주의사항

> 89-③, 96-③ / 96-③
> • 양생시 주의사항 4가지 /
> • 보양(curing and protecting)시 주의사항 4가지

① 일광의 직사, 풍우, 상설(霜雪)에 대해 노출면 보호
② 콘크리트가 충분히 경화될 때까지 해로운 충격이나 하중을 가하지 말 것.
※ 부어넣은 후 3일간 보행금지(부득이한 경우 1일간), 중량물 적재금지
③ 충분한 온도(5℃)를 유지하고 급격한 건조를 방지한다.
④ 수화작용이 충분히 되도록 습윤상태를 유지하도록 보호
※ 5일이상 습윤양생(조강 포틀랜드 시멘트는 3일 이상)
⑤ 콘크리트를 부어 넣은후 초기 동해를 받을 염려가 있을 때는 한중 Concrete에 준해 양생
⑥ 콘크리트를 부어 넣은 후 시멘트의 수화열로 인해 부재단면의 중심부 온도가 외부 기온보다 25℃이상 높아질 염려가 있을 경우 : 거푸집을 장기간 존치해서 중심부와 표면부의 온도차를 줄여준다.

3. 양생방법

> 96-④, 98-③, 02-③
> • 콘크리트 양생 방법 4가지

(1) 습윤양생 (Moist Curing)	수중(담수)양생, 살수양생 등 가장 대중적인 방법이다. 충분하게 살수하고 방수지를 덮어서 봉합 양생한다.
(2) 증기양생 (Steam Curing)	단기간에 강도를 얻기 위해 고온, 고압 증기 양생한다. 한중기 Concrete, PC, PS부재에 적합. 알루미나 시멘트는 금지
(3) 전기양생 (Electric Curing)	저압 교류에 의해 전기저항의 발열유발, 철근부식 우려. 부착강도 저하(전기유출) 우려. 한중 Concrete에 이용

(4) 피막양생 (Membrane Curing)	피막양생제를 살포. 방수막을 형성하여 수분증발방지. 포장 Concrete, 대규모 Span Slab에 적당. 표면 1~3m²당 0.4~0.6 l 의 비닐유제나 1 l 정도의 Asphalt 유제를 살포한다
(5) 고주파 양생	거푸집과 Concrete 윗면에 철판을 놓고 고주파를 흘려 양생
(6) 고압증기 양생 (High Pressure Steam Curing) 오토크레이브 양생	대기압이 넘는 압력용기 Autoclave 가마에서 양생 ㉮ 24시간에 28일 압축강도 달성(높은 고강도화) ㉯ 내구성 향상. 동결 융해 저항성, 백화현상 방지 ㉰ 건조수축, Creep 현상 감소, 수축율도 1/6~1/3로 감소 ㉱ Silica 시멘트도 적용가능, 수축율도 1/2 정도

4. 시멘트종류별 습윤양생기간의 표준(콘크리트 표준시방서 규정)

일평균기온	보통포틀랜드시멘트	고로슬래그시멘트 플라이애쉬시멘트 2종	조강포틀랜드시멘트
15℃ 이상	5일	7일	3일
10℃ 이상	7일	9일	4일
5℃ 이상	9일	12일	5일

2 콘크리트의 균열원인과 내구성 저하요인

1. 경화전 균열(초기균열)

초기 타설에서 경화 시작전 약 2~3시간 정도에서 발생하는 균열이다. 배합, 타설, 기상조건 등에 좌우된다.

(1) 소성수축균열	표면에 급격한 건조시 발생
(2) 소성침하균열	비중 차이로 발생 블리딩이 주된 원인
(3) 온도 균열	수화열에 의한 콘크리트 내부 온도상승으로 팽창 수축의 반복으로 발생
(4) 시공중 균열	거푸집 변형, 동바리침하, 경화전 진동, 충격 등이 원인

2. 기타 균열원인

(1) 하중작용	국부하중, 지진, 과적(Over Load), 철근량부족, 부동침하 등
(2) 외적요인	① 온도 : 화재, 동결융해, 온도변화(온습도차이) ② 기계적작용 : 마모, Cavitation, 진동, 충격 ③ 화학적작용 : 중성화, 염해, 산성비, 황산염침식, 전류작용에 의한 전식(電蝕)피해 등

학습 POINT

▶ 22-②

• 소성수축 균열의 정의, 원인 2가지

■ 소성수축균열

굳지 않은 콘크리트에서 발생되는 초기균열로서 콘크리트 타설 후 블리딩의 속도보다 표면의 증발속도가 빠른 경우 표면 수축에 의해 발생되는 불규칙 균열

※ 주로 노출면적이 넓은 바닥판에서 표면의 급격한 건조로 발생됨.

▶ 96-③, 99-①, 99-④ / 91-① / 99-④ / 97-② / 14-②

• 균열원인과 철근부식 원인 5가지 /
• 재료상, 시공상 균열원인 /
• 재료에 의한 균열원인 3가지 /
• 레미콘과 침하균열
• 소성수축균열 설명

▶ POP-out에 의한 콘크리트 표면 떨어져 나감

(3) 콘크리트의 재료상 원인	① 시멘트의 이상응결과 팽창 ② Bleeding에 의한 콘크리트의 침하 ③ 강재부식에 의한 팽창(해사, 피복부족, 산・염류 침식) ④ 시멘트의 수화열에 의한 초기균열 ⑤ 건조수축(시멘트, 골재, 배합수, 혼화제 등) ⑥ 알카리골재 반응(반응성 골재 사용) ⑦ 콘크리트의 중성화
(4) 시공상 원인	① 혼화재료의 불균질한 분산(비빔원인) ② 장기간 비빔 ③ 펌프압송시의 품질열화 ④ 급속한 타설, 불균질한 타설(곰보, 재료분리) ⑤ Cold Joint로 처리 불량 ⑥ 급속한 초기건조 ⑦ 거푸집 이동, 변형 ⑧ 거푸집 조기 제거, 동바리 침하 ⑨ 경화전, 진동, 재하, 충격 ⑩ 초기동해피해 (양생불량) ⑪ 철근배근 이동에 따른 피복두께 부족

3. 온도균열과 온도균열제어 양생법

콘크리트 내・외부의 온도차에 의해 발생되는 균열로써 급격한 건조수축이 되면 내・외부 건조수축 차이에 따라 콘크리트 표면에 인장응력에 의해 내부구속, 외부구속에 의한 균열이 생긴다. 적당한 수축줄눈 설치와 냉각공법에 의해 방지한다.

(1) 내부구속균열 : 인장응력이 인장강도 초과시 균열발생

(2) 외부구속 균열 : 콘크리트 타설후 온도상승으로 팽창, 온도하강시 수축할 때 지 반이나 기타설 콘크리트에 의해 구속되어 발생하는 균열

(3) 온도균열 방지(제어) 양생법

① Pre Cooling 방법	콘크리트 재료의 일부나 전부. 냉각수 등을 사용하여 온도를 낮추는 방법
② Pipe Cooling 방법	콘크리트 타설전 pipe를 배관하고 냉각수나 찬공기를 순환시켜서 콘크리트 온도를 낮추는 방법

4. 중성화(Carbonation : 中性化 : 탄산화)

(1) 정의	대기중의 탄산가스의 작용으로 콘크리트 내 수산화칼슘이 탄산칼슘으로 변하면서 알카리성을 상실하는 현상(철근부식, 균열발생, 내구성 저하) * $Ca(OH)_2+CO_2 \rightarrow CaCO_3+H_2O\uparrow$

학습 POINT

▶ 09-③, 19-②

• pre cooling, pipe cooling 방법설명

▶ 00-①, 00-④, 01-① / 03-①, 05-③, 07-②, 11-① / 00-③ / 00-②

• 염해, 중성화 기술 /
중성화 용어해설, 중성화 반응식
• 탄산가스의 건축물에 대한 영향 3가지 /
• 중성화 저감대책 4가지 /

(2) 문 제 점	(3) 방 지 대 책
① 강도 저하 ② 철근 부식(녹이 슨다) ③ 2.5배까지 철근 체적 팽창 ④ 균열발생후 부식촉진, 누수 ⑤ Concrete 내구성 저하	① 단기 재령시 탄산가스 접촉금지 ② 피복두께 증가, 부재단면 증가 ③ 습도는 높고, 온도 낮게 유지 ④ AE제, 감수제, 유동화제 사용 ⑤ W/C비를 낮출 것. 다짐. 양생철저 ⑥ 경량골재, 혼합시멘트 사용금지

(4) 중성화 판정	페놀프탈레인 1%의 에타놀용액(알콜용액)을 스프레이로 뿌려 색깔의 변화로 판명, 중성화안된 부분은 적자색으로 나타낸다.

학습 POINT

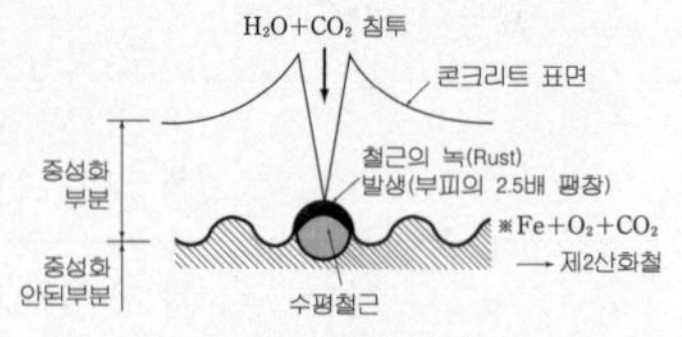

그림. 중성화에 의한 철근의 녹 발생

5. 알카리 골재반응(Alkali Aggregate Reaction : AAR)

(1) 반응의 정의, 종류

① 알카리-Silica 반응 (대부분의 반응이다.)	시멘트 중의 알카리성분과 골재 등의 실리카 광물질이 화학반응하여 팽창 균열을 유발하는 반응 (※ 실리카 Gel이 형성되어 수분을 계속 흡수, 팽창)
② 알카리-탄산염 반응	점토질의 Dolomite 석회석과 시멘트 알카리와의 유해한 반응. Silica Gel 형성없고, 점토질이 수분을 흡수, 팽창한다.
③ 알카리 시리케이트 반응	Vermiculite(운모)를 함유하는 암석과 알카리가 수분과 결합 팽창한다. Gel 생성이 적다.

▶ 99-④, 04-③ / 92-④, 94-④, 95-①

• 알카리 골재반응 기술 /
• 용어설명

(2) 알카리 골재반응의 문제점과 방지대책

1) 문제점	① 균열, 이동 등 성능저하. 철근부식 후 내구성 저하. ② 무근 콘크리트는 거북이등 모양의 균열(Map Crack)발생, 철근 콘크리트는 주근방향의 균열발생 ③ 동결융해, 화학적 침식의 저항성 약화
2) 방지대책	※ 반응성골재, 알카리성분, 수분 중 한가지만 배제하면 발생 안함. ① 비반응성골재 사용(무해 판정 골재 사용) ② 저알카리 시멘트 사용(Na_2O량 0.6% 이하) (고로slag, Fly ash 등 사용) ③ 알카리 공급원인 염분 사용, 침투 억제 ④ 방수제를 사용하여 수분침투 억제 ⑤ 콘크리트 내부의 알카리 함량의 총량규제 ※ $1m^3$당 알카리 총량 Na_2O량으로 3.0kg 이하 ⑥ 방청제사용(아황산소다, 인산염 등) ※ 염분함유량을 10배 정도 늘리는 효과

▶ 00-①, 01-② / 97-②, 99-④, 00-②. 06-②, 10-③, 12-③, 13-②, 19-②, 21-③ / 10-①, 15-③

• 알칼리 골재반응과 중성화 설명 /
• 알칼리 골재반응 방지법 3가지
• 알카리 골재반응의 정의와 대책 3가지

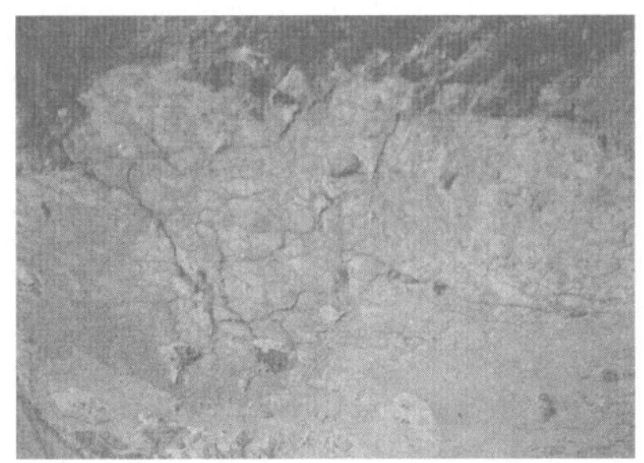
▶ 알카리골재 반응에 의한 콘크리트의 균열과 침식

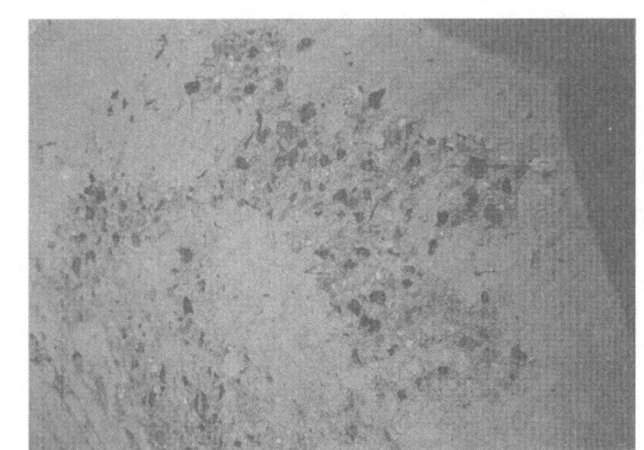
▶ 콘크리트의 마모에 의한 피복 파괴

학습 POINT

6. 염해, 전식의 피해

(1) 염해(鹽害)	콘크리트 중의 염화물이나 염화물이온의 침입으로 철근을 부식시켜 구조체에 손상을 주는 것이다.
	※ 구조체의 균열, 누수를 발생시켜 강도저하, 콘크리트의 성능저하(열화), 백화현상, 내구성 저하의 원인 제공
(2) 전식(電蝕)(전기적 부식)	습윤상태의 철근콘크리트 구조물에 직류에 의해 콘크리트 속의 철근이 부식되어 손상을 일으키는 현상
	① 전식은 지하구조물이나 터널 등 습윤상태의 콘크리트에서 발생되며 염화물 함유량이 많을수록 증가 ② 철근에서 콘크리트 쪽으로 전류가 흐르면 철근이 산화되어 부식. 균열. 내구성 저하 ③ 콘크리트에서 철근으로 흐르면 철근에 가까운 콘크리트의 부착강도 저하, 열화 촉진

▶ 00-④
• 염해 기술

3 콘크리트의 보수(Repair) · 보강(Strengthening)법

보수	열화된 부재나 구조물의 재료적 성능과 기능을 원상 혹은 사용상 지장이 없는 상태까지 회복시키는 것으로 당초의 성능으로 복원시키는 것을 말한다.
보강	부재나 구조물의 내하력, 강성 등의 역학적 성능저하를 회복 또는 증진시키고자 하는 것을 말한다.

▶ 03-①, 10-①, 16-③, 22-③
• 균열보수법 설명(표면처리법, 주입법)

1. 균열보수법

(1) 표면처리법	보통 진행정지된 0.2mm 이하의 미세 균열에 사용 구조적 강도 회복이 불필요한 부위에 사용 ① 균열정지인 경우 : 폴리머시멘트나 Mortar로 보수 ② 균열진행인 경우 : 테이프 부착 후 시일재도포

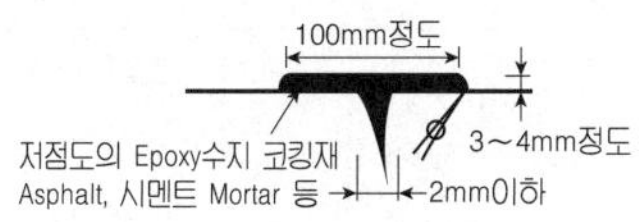

그림. 표면처리법

(2) 주입공법	주입구멍 천공후 주입파이프를 설치한 후 밀봉재를 주입 주로 저점도 epoxy 이용 5~30cm 간격, 20mm 정도로 주입 ※ 대표적인 공법으로 0.2mm 이상의 균열에 적용 (0.2mm 미만 균열 : 침투성도포 방수제 사용)
(3) 충전공법	비교적 균열폭이 큰 0.5mm 이상 균열보수에 적당 V.U형으로 콘크리트를 절단한 후(폭 10mm 정도) 실링재, 에폭시수지, 폴리머 Mortar 등을 충전

※ 충전이나 주입공법은 균열폭이 0.2~5mm 범위로 균열이 관통 되었을 때 사용하여 구조적 강도 회복, 내구성, 방수성 회복에도 이용된다. 충전공법은 주입공법이 용이하지 않을 때 사용하며, 철근이 부식된 경우는 녹을 제거하고 녹방지 처리 후 행한다.

▶ 바닥주입, 충전공법

▶ 천장 균열 보수장면

학습 POINT

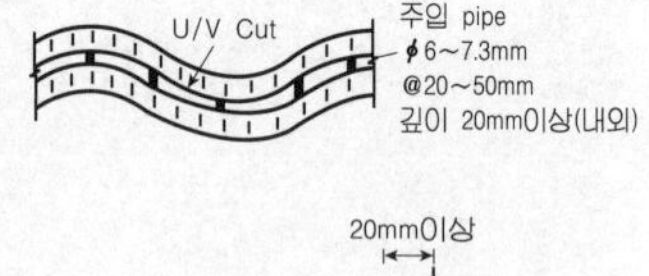

그림. 주입 및 충전공법

■ 균열보수재료의 요구성능
1. 보수대상 구조물 표면에 대한 부착력(접착력) 우수
2. 적합한 점도, 완전주입가능한 충전성
3. 경화시 수축 없을 것
※ 성능 저하 없을 것, 내후성이 우수할 것

2. 균열보강법

(1) 강판접착공법	콘크리트 인장측에 강판을 접착하여 기존콘크리트와 강판을 일체화하여 내력 증강시킴. 접착부위는 에폭시수지로 채우며, Bolt를 사용하는 방법도 있다.
(2) 앵커접합공법 (강재앵커공법)	형강이나 강판 보강시 기존 콘크리트에 설치된 앵커용 볼트에 강판을 끼워 너트를 조여서 강판을 콘크리트에 밀착시키는 방법이나 꺽쇠형 앵커체를 이용하여 보강하는 방법
(3) 탄소섬유판 접착공법	탄소섬유판을 에폭시수지 등을 이용 콘크리트면에 부착하여 콘크리트의 인장강도를 증강시킴 0.1~0.5mm 정도로 시공성, 마감성이 우수
(4) 단면증가공법	가설부재에 콘크리트를 다짐하여 단면을 증가시켜 내력증강을 도모하는 방법
(5) Prestress법	구조체가 절단될 염려가 있을 때 균열의 직각방향으로 강봉이나 PC 강선을 배근하여 보강, Boring후 지름의 10배 이상의 길이 확보

▶ 02-① 06-①, 12-①, 17-①, 20-③ / 06-②

• 균열보강법 3가지
• 균열보수재료 성능 요구조건 3가지

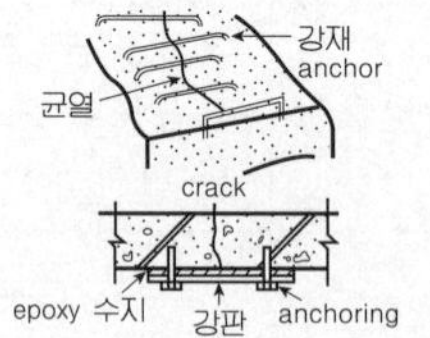

그림. 앵커 및 강판접착공법

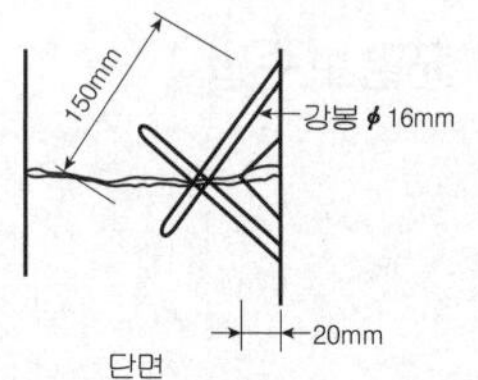

그림. prestress 공법

▶ 탄소섬유 보강장면

▶ 강판접착 보강공법

학습 POINT

3. 콘크리트의 종류별 파괴양상

▶ 99-①, 04-②, 06-①
• 콘크리트 종류별 파괴양상

(1) 고강도 콘크리트	취성파괴 (Brittle Failure), 압축 파괴 ※ 최대강도 이후 급격한 변형, 철근항복전 콘크리트 파괴
(2) 저강도 콘크리트	연성파괴(Ductile Failure), 인장파괴 ※ 최대강도 후 완만한 변형, 철근이 먼저 항복
(3) 보통 콘크리트	탄성파괴 ※ 연성, 취성 파괴의 중간형태

4. 철근콘크리트 구조물의 허용균열폭(시방서 규정)

건조 환경	습윤 환경	부식성 환경	고부식성 환경
0.4mm와 $0.006C_c$ 중 큰 값	0.3mm와 $0.005C_c$ 중 큰 값	0.3mm와 $0.004C_c$ 중 큰 값	0.3mm와 $0.0035C_c$ 중 큰 값
(주) C_c 는 최외단 주철근의 표면과 콘크리트 표면 사이의 콘크리트 최소 피복두께(mm)			

관련문제

1 (1) 콘크리트 보양(양생)시 주의사항 4가지를 쓰시오. (4점) 〔89 ③, 96 ③〕
(2) 콘크리트 보양(Curing and Protecting)시 주의사항 4가지를 쓰시오. (4점) 〔96 ③〕

① ______ ② ______

③ ______ ④ ______

2 콘크리트 타설후 양생방법 4가지를 쓰시오. (4점) 〔96 ④, 02 ③〕

① ______ ② ______

③ ______ ④ ______

3 콘크리트 공사의 일정계획에 영향을 주는 요소를 4가지 쓰시오. (4점) 〔94 ③, 95 ③〕

① ______ ② ______

③ ______ ④ ______

4 철근콘크리트 구조물의 균열이 발생하고 철근이 녹스는 원인을 5가지만 쓰시오. (5점) 〔96 ③, 99 ①〕

① ______ ② ______

③ ______ ④ ______

⑤ ______

5 콘크리트의 균열발생요인 중에서 콘크리트 타설후 재료에 의한 균열발생원인을 3가지 쓰시오. (3점) 〔99 ④〕

① ______ ② ______

③ ______

해설 및 정답

정답 1
① 일광의 직사, 풍우, 상설에 대해 노출면 보호
② 경화중에 있는 콘크리트에 충격을 주지 않도록 한다.
③ 한기에 대한 양생을 하며, 2℃이상 유지한다.
④ 부어 넣은 후 7일간 이상 살수 등으로 습윤상태를 유지한다.

정답 2
① 습윤양생
② 증기양생
③ 전기양생
④ 피막양생

정답 3
① 콘크리트 제조 : 재료의 입수, 저장, 운반조달계획
② 콘크리트 운반 : 운반설비, 물량 공급여부
③ 콘크리트 타설 : 타설장비, 가설계획
④ 콘크리트 양생 : 양생계획, 천후

정답 4
균열이 발생되면 누수가 되고 철근이 녹는다.
① 과다하중
② 소요단면부족
③ 불량시공
④ 양생불량
⑤ 콘크리트 건조수축
⑥ 알카리 골재반응
⑦ Cold Joint 처리미숙

정답 5
① 알카리골재 반응에 의한 균열
② 물의 과다 사용 : 블리딩현상에 의한 침강균열
③ 시멘트의 과다 사용 : 수화열에 의한 균열
※ 팽창제, 염분 등 혼화제의 과다 사용

관련문제

6 **콘크리트 균열의 원인을 재료상, 시공상의 결함을 3가지씩 기술하시오. (6점)**

〔91 ①, 99 ④〕

재료상의 원인 : ① ________ ② ________

③ ________

시공상의 원인 : ① ________ ② ________

③ ________

7 **다음 콘크리트의 균열의 원인을 쓰시오. (5점)** 〔97 ②, 03 ①〕

(가) 침하균열 :

____

(나) 레미콘에 의해 생길 수 있는 균열원인

____

8 **다음 콘크리트에 대한 용어에 대해 기술하시오. (4점)** 〔00 ①, 00 ④, 01 ①〕

(가) 염해 : ________

(나) 중성화 : ________

9 **경화한 콘크리트는 시멘트의 수화생성물질로서 수산화석회를 유리하여 강알칼리성을 나타내고 수산화석회는 시간의 경과와 함께 콘크리트의 표면으로부터 공기중의 탄산가스 영향을 받아서 서서히 탄산석회로 변화하여 알칼리성을 소실하는 현상을 무엇이라 하는가? (2점)**

〔03 ①, 05 ③〕

____

10 **중성화의 정의와 반응식에 대하여 다음 물음에 답하시오. (4점)** 〔07 ②, 11 ①〕

가. 중성화의 정의

대기중의 탄산가스의 작용으로 콘크리트내의 (①)이 (②)으로 변하면서 알카리성을 소실하는 현상을 말한다.

나. 중성화 반응식

____

해설 및 정답

정답 **6**

- 재료상의 원인
① 시멘트 과다사용(시멘트 수화열에 의한 균열)
② 강재부식에 의한 팽창
③ 알칼리 골재반응성 골재사용
- 시공상의 원인
① 비빔불량, 급속타설
② 경화전 진동, 충격, 재하
③ 양생불량(급격한 건조수축균열)
※ Cold Joint 처리 불량

정답 **7**

(가) 침하균열 : 타설 후 블리딩 현상에 의해 콘크리트가 침하할 때 주로 철근을 따라서 표면에 발생하는 초기균열.(침강균열이라고도 함)

(나) 레미콘에 의해 생길 수 있는 균열원인

① 시공연도 증가를 위해 사용된 물의 과다사용(현장가수)
② 장시간 운반에 따른 재료 분리
③ 혼화제 과다 사용에 의한 균열

정답 **8**

(가) 염해 : concrete속의 염분이나 대기중 염화물이온(염소이온)의 침입으로 철근이 부식되어 콘크리트 구조체에 손상을 주는 현상으로 내구성이 저하된다.

(나) 중성화 : 13번 답 참조

정답 **9**

중성화(탄산화)현상

정답 **10**

가. ① 수산화칼슘
② 탄산칼슘

나. $Ca(OH)_2 + CO_2 \rightarrow CaCO_3 + H_2O$

관련문제

11 우리나라에 유입되고 있는 중국에서 발생한 다량의 탄산가스(CO_2)가 철근 콘크리트 구조물에 미치는 영향을 3가지 쓰시오. (3점) 〔00 ③〕

① ________ ② ________

③ ________

12 콘크리트의 중성화에 대한 저감대책 4가지를 쓰시오. (4점) 〔00 ②〕

① ________ ② ________

③ ________ ④ ________

13 철근 콘크리트의 알칼리 골재 반응에 대해 기술하시오. (2점) 〔99 ④, 04 ③〕

____

14 철근콘크리트의 알칼리 골재반응과 중성화에 대해 간략히 서술하시오. (4점) 〔00 ①, 01 ②〕

① 알칼리 골재 반응 : ________

② 중성화 : ________

15 (가) 콘크리트의 알칼리 골재반응을 방지하기 위한 대책을 3가지만 쓰시오. (3점) 〔97 ②, 99 ④, 06 ②, 10 ③, 12 ③, 13 ②, 19 ②, 21 ③〕

(나) 알카리 골재반응의 정의를 설명하고 방지대책을 3가지 적으시오. (5점) 〔10 ①, 15 ③〕

① ________ ② ________

③ ________

해설 및 정답

정답 **11**

① 강도저하
② 내구성저하
③ 철근부식
(균열발생후 철근부식촉진)

정답 **12**

① 물시멘트 비를 낮춘다.
② AE제, AE감수제, 유동화제 등 중성화 억제 혼화제를 사용한다.
③ 경량골재 사용을 금하고, 피복두께를 증가시킨다.
④ 중용열 시멘트와 혼합시멘트 사용을 금지한다.

정답 **13**

시멘트의 알칼리금속이온(Na^+, K^+)과 수산화이온(OH^-)이 실리카 사이에서 Silica Gel이 형성되어 수분을 계속 흡수 팽창하는 현상으로 균열발생, 조직 붕괴현상을 일으킨다.

정답 **14**

① 알칼리 골재반응 : 12번 답 참조
② 중성화 : 콘크리트내의 수산화칼슘이 공기중 탄산가스의 영향을 받아 탄살칼슘으로 변하여 알카리성을 상실하는 현상

정답 **15**

① 저알카리시멘트 사용(알카리함량 0.6% 이하)
② Fly Ash 사용(양질의 포졸란이 반응억제)
③ 방수제를 사용, 수분을 억제한다.

관련문제

16 콘크리트의 온도균열을 제어하는 방법으로 널리 사용되는 Pre-cooling 방법과 Pipe-cooling 방법을 설명하시오. (4점) 〔09 ③, 19 ②〕

(가) Pre-cooling : ____________________

(나) Pipe-cooling : ____________________

17 콘크리트를 타설 후 수화작용을 충분히 발휘시킴과 동시에 건조 및 외력에 의한 균열 발생을 예방하고 오손, 변형, 파손 등으로부터 콘크리트를 보호하는 것 (2점) 〔06 ②〕

____

18 콘크리트 구조물의 균열 발생시 보강방법을 3가지 쓰시오. (3점)
〔02 ①, 06 ①, 12 ①, 17 ①, 20 ③〕

① ____________ ② ____________

③ ____________

19 다음 콘크리트의 균열보수법에 대하여 설명하시오. (4점) 〔03 ①, 10 ①, 16 ③, 22 ③〕

가. 표면처리법
____

나. 주입공법
____

20 콘크리트 압축강도 시험에서 파괴양상에 대해 쓰시오. (3점) 〔99 ①, 04 ②, 06 ①〕

① 고강도 콘크리트 : ____________________

② 저강도 콘크리트 : ____________________

③ 일반 콘크리트 : ____________________

21 건축물의 유지관리를 위한 정기적인 검사방법을 3가지 쓰시오. (3점) 〔06 ②〕

① ____________ ② ____________ ③ ____________

해설 및 정답

정답 **16**

(가) 콘크리트 재료의 일부 또는 전부를 냉각시키거나, 냉각수 등을 사용하여 콘크리트의 온도를 낮추는 방법

(나) 콘크리트 타설전에 파이프를 배관하고 파이프 내로 냉각수나 찬공기를 순환시켜 콘크리트의 온도를 낮추는 방법

정답 **17**

보호(Protecting) 혹은
양생(Curing)

정답 **18**

① 강판접착(접합)공법
② 앵카접착(접합)공법
③ 탄소섬유판 접착(접합)공법

정답 **19**

가. 표면처리법 : 보통 진행정지된 0.2mm 이하의 미세 균열에 폴리머시멘트나 Mortar로 보수하는 방법(균열진행인 경우는 테이프 부착후 시일재를 도포하는 경우도 있음)

나. 주입공법 : 주입구멍을 천공하고 주입 파이프를 5~30cm 간격으로 설치하여 깊이 20mm 정도로 저점도의 에폭시 수지를 밀봉재로 주입하는 공법이다.

정답 **20**

① 취성파괴
※ 최대강도 이후의 급격한 변형
② 연성파괴
※ 최대강도 이후의 완만한 변형
③ 탄성파괴
※ 연성과, 취성 파괴의 중간형태

정답 **21**

① 초기점검
② 정기점검
③ 정밀점검
※ 기타 : 정밀안전진단, 긴급점검

핵심 21

각종 Concrete(Ⅰ)

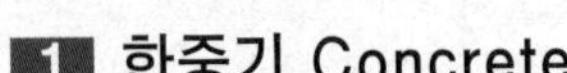

1 한중기 Concrete

정 의	일평균기온 4℃ 이하의 동결위험 기간내에 시공하는 콘크리트를 말한다.

1. 배합일반사항

① 물결합재비 : 60% 이하
② 재료가열온도 : 60℃ 이하 (시멘트는 절대 가열안함)
③ 믹서내온도 : 40℃ 이하 (시멘트는 맨나중 투입)
④ 재료 가열 순서, 믹서 투입 순서

재료가열순서	물 → 모래 → 자갈
믹서투입순서	골재 → 물 → 시멘트

※ 일반적인 재료투입순서는 모래 → 시멘트 → 물 → 자갈이다.

⑤ 부어넣기 온도 : 표준시방서 : 5℃ ~20℃
⑥ AE제, AE감수제, 고성능 AE감수제 중 하나는 반드시 사용
⑦ -3℃ 이하인 경우는 본격적인 한중기에 대비(물 · 골재가열, 한중기양생)

2. 양생시 주의사항, 일반사항

① 단열보온양생, 급열보온양생, 피복보온양생 중 한가지 이상의 방법을 선택
② 초기강도 5 MPa까지는 보양(기타 10~15 MPa까지)
③ 5℃이상 유지하여 초기양생 (최소 2일 이상 0℃ 이상 유지)
※ 콘크리트 표준시방서의 온도에 따른 표준 양생일수 준수
④ 평균기온이 연속 2일 이상 5℃ 미만인 경우는 가열보온 양생을 고려

▶ 한중기 콘크리트 타설시 Sheet로 덮어서 가열보양 양생하는 장면

▶ 레미콘을 제조하는 공장의 Batcher Plant 설비전경
(※Batcher Plant = Batching Plant + Mixing Plant)

학습 POINT

▶ 95-① / 95-③ / 05-③

- 한중기 콘크리트 기술 /
- 극한기, 한냉기 설명
- 한중기콘크리트 고르기(정의)

▶ 89-③ / 85-① / 04-②, 08-②, 14-① / 04-③ / 11-②, 16-② / 19-② / 21-①

- 극한기 가열 재료순서 /
- 가열재료 믹서 투입순서 /
- 한중 콘크리트의 문제점과 대책
- 한중 콘크리트의 보온양생 방법 3가지
- 한중기 초기양생 강도 / 물시멘트비
- 한중기 콘크리트의 초기 동해 방지대책
- 초기 양생시 주의점 3가지

2 서중(署中) Concrete

일평균기온이 25℃를 초과시 타설하는 콘크리트

※ 기온 10℃ 상승에 단위수량 2~5% 증가

① 단위수량증가로 수밀성저하, 슬럼프저하로 충전성불량, 초기발열증대로 온도균열 발생, 콜드죠인트 발생, 초기 건조수축 균열 등을 주의
② 고온시멘트 사용금지 : 중용열, 고로, Fly ash등 수화열 적은 시멘트 사용
③ Slump치 : 18cm 이하, 비빔온도 30℃이하, 타설시 온도 35℃ 이하
④ AE감수제, AE제, 지연형등을 사용한다.
⑤ 콘크리트는 비빈 후 즉시 타설하여야 하며, 1.5시간 이내에 타설하여야 한다.
⑥ 타설 후 즉시 양생시작, 최소 24시간 습윤양생, 최소 5일 이상은 습윤양생이 바람직하다.

학습 POINT

▶ 05-②, 02-③ / 04 ③, 06-①, 08-①, 10-③ / 08-①, 12-② / 21-②

- 서중콘크리트의 시방서 정의
- 서중콘크리트의 특징
- 하절기 콘크리트 문제점 5가지 (품질 시공에 미치는 영향)
- 서중관련 (　　) 넣기

3 매스(Mass) Concrete

Concrete 단면이 80cm 이상, 하부가 구속된 50cm이상의 벽체 등과 Concrete 내부 최고 온도와 외부 기온차가 25℃이상으로 예상되는 Concrete를 말한다.

① 단위 시멘트량 : 소요강도 및 워커빌리티를 얻을 수 있는 한 작게 한다.
② 시멘트 선정 : 수화열이 낮은 중용열 시멘트를 사용한다.
※ 내부 온도상승은 단위 시멘트량 10kg/m^{3}당 1℃비율로 증가
③ 굵은 골재의 최대칫수를 크게 하고 잔골재율을 작게 한다. (내부온도 감소)
④ 가능한한 Slump를 작게 하고 AE제 및 AE감수제 표준형을 사용한다.
⑤ 시방서에 의한 온도균열 제어방법의 조치를 취해야 한다.
⑥ Slump치는 적게 한다. (된비빔) 시방서 기준 : 15cm 이하
⑦ 부어넣는 Concrete온도 : 35℃ 이하로 한다.
⑧ 이어붓기 시간 간격 : 가능한 빨리 이어붓기한다.

▶ 00-③, 02-③, 03-①, 05-①, 08-② / 02-③, 05-③, 08-③ / 09-③, 13-①, 18-② / 12-①, 14-③, 19-①, 20-①, 21-②

- 매스콘크리트 정의, 특징 /
- 서중, 한중, 유동화, 매스 콘크리트의 문제점
- 매스콘크리트 온도균열 방지대책
- 수화열 저감대책(온도균열 방지대책) 3가지

4 경량 골재 Concrete

천연, 인공경량골재를 일부 혹은 전부 사용하고 설계기준 강도가 15 MPa 이상, 기건단위 질량이 2,100 kg/m^3 이하의 범위에 속하는 Concrete 이다.

▶ 93-④ / 01-②

- 경량 콘크리트 장점 3가지 /
- 경량 콘크리트 재료

1. 일반사항

슬럼프치	단위시멘트량	물결합재비	인공굵은골재	공기량
80~210mm	최소 300 kg/m^3	최대 60%	최대 20mm	5.5 ± 1.5%

① 골재사용시 배합전에 살수, 표건 내포상태에 가까운 상태로 사용함이 원칙.
② 경량골재의 부립률(물에 뜨는 정도)의 한도는 10% 이하이다.
③ AE 콘크리트를 원칙으로 하여 공기량은 1% 증가시킨다.

2. 경량골재 콘크리트의 종류(표준시방서)

사용한 골재에 의한 콘크리트의 종류	사용골재	기건 단위질량 (kg/m³)	레디믹스트 콘크리트로 발주시 호칭강도[1] (MPa)
경량골재 콘크리트 1종	굵은골재를 경량골재로 사용하여 제조	1,800~2,100	18, 21, 24, 27, 30, 35, 40
경량골재 콘크리트 2종	굵은골재와 잔골재를 주로 경량골재로 사용하여 제조	1,400~1,800	18, 21, 24, 27

주 1) 레디믹스트 경량골재 콘크리트의 굵은골재 최대치수는 15mm 또는 20mm로 지정

3. 기타 경량 콘크리트의 종류

① 경량기포 콘크리트(ALC)
② 서모콘(Thermo Concrete)
③ 다공질 콘크리트(식생, 환경 콘크리트)
④ 신더 콘크리트(Cinder : 석탄재원료)
⑤톱밥 콘크리트

5 ALC(Autoclaved Light Weight Concrete) : 경량기포 Concrete

규사, 생석회, 시멘트등에 발포제인 알루미늄 분말과 기포안정제 등을 넣어 고온, 고압증기양생(Autoclave 양생)을 거쳐 건물의 내외벽체, 지붕 및 바닥재 등에 사용되며 건축물의 대형화, 고층화, 경량화, 공업화 추세에 따라 그 사용이 늘어나고 있다.

① 가볍다(경량성)	중량이 보통 콘크리트의 1/4이다.
② 단열성능이 우수	보통 콘크리트의 10배 정도의 단열성
③ 내화성, 흡음, 방음성 우수	열전도율이 작고, 다공질
④ 칫수 정밀도 우수	제품변형이 없다.
⑤ 우수한 가공성	대패, 못, 드릴 사용 가능
⑥ 중성화가 빠르다	80% 정도가 기포로 구성되어 다공질, 철근코팅 필요
⑦ 흡수성이 크다	외벽 판넬 사용시 방수코팅 필요

※ 10기압(180℃) 포화증기에서 16~20시간 양생직후 28일 강도를 얻는다.

학습 POINT

▶ 02-①, 10-①, 17-①

• 서모콘 정의

■ Thermo Concrete(서모콘)

모래, 자갈 사용 안하고 시멘트, 물, 발포제를 배합하여 제작.

① 비중 : 0.8~0.9 중량 : 1.2t~1.6t/m³ 정도
② w/c비 : 43%, 건조수축 : 보통 Concrete의 5배 정도

▶ 98-④, 00-③ / 20-① / 20-③, 23-①

• ALC의 건축재료로써의 특징 4가지
• ALC의 재료 2가지 쓰기
• ALC 재료 쓰고, 기포제작방법 설명

6 순환골재(재생골재) 콘크리트(표준시방서)

학습 POINT

1. 순환골재의 품질, 기타

구 분	순환굵은골재	순환잔골재	관련시험규정
절대 건조 밀도(g/cm³)	2.5 이상	2.3 이상	KS F 2503
흡수율(%)	3.0 이하	4.0 이하	KS F 2503
마모감량(%)	40 이하	-	KS F 2508
입자모양 판정실적률(%)	55 이상	53 이상	KS F 2527

① 순환굵은골재의 최대 치수는 25mm 이하로 하되, 가능하면 20mm 이하의 것을 사용하는 것이 좋다.
② 순환골재를 계량할 경우, 1회 계량 분량에 대한 계량오차는 ±4%로 한다.
③ 순환골재 콘크리트의 공기량은 보통골재를 사용한 콘크리트보다 1% 크게 하여야 한다.

2. 순환골재 사용방법 및 적용가능 부위

설계기준압축강도(MPa)	사용골재		적용가능부위
	굵은 골재	잔 골재	
27 이하	굵은골재 용적의 60% 이하	잔골재 용적의 30% 이하	기둥, 보, 슬래브, 내력벽, 교량 하부공, 옹벽, 교각, 교대, 터널 라이닝공 등
	혼합사용 시 총 골재 용적의 30% 이하		콘크리트 블록, 도로 구조물 기초, 측구, 집수받이 기초, 중력식 옹벽, 중력식 교대, 강도가 요구되지 않는 채움재 콘크리트, 건축물의 비구조체 콘크리트 등

7 고강도 Concrete(표준시방서)

▶ 03-①, 05-①, 08-②

• 고강도 콘크리트의 정의, 특징

구 분	설계기준강도	W/C 비	단위수량	Slump 값	
일반 Concrete	40MPa 이상	50% 이하	180kg/m³ 이하	보통	15cm이하
경량 Concrete	27MPa 이상	50% 이하	180kg/m³ 이하	유동화	
				40MPa ~ 60MPa 500, 600, 700mm	

▶ 14-①, 17-③, 18-①, 20-②, 23-① / 19-①, 21-②

• 고강도 콘크리트의 폭렬현상 설명

• 고강도 콘크리트의 폭렬방지 대책

① 단위수량, 단위 시멘트량, 잔골재율은 가능한 작게 한다.
※ 굵은 골재실적율 : 59% 이상
② 소요 공기량 : 공기 연행제를 사용 안하는 것이 원칙이다.
(기상변화가 심하거나 융해 대책 필요시는 예외)
③ Concrete에 함유된 염화물량은 염소이온양으로 0.3 kg/m³ 이하
④ 고강도 콘크리트 품질검사는 1일 1회 또는 구조물의 중요도와 공사의 규모에 따라서 120m³ 마다 1회 압축강도 시험

학습 POINT

■ 고강도 콘크리트의 폭렬현상
내·외부의 조직이 치밀한 고강도 콘크리트에서 화재발생시 고압의 수증기가 외부로 분출되지 못하여 콘크리트가 폭파되듯이 터지는 현상

8 고내구성 Concrete(표준시방서)

구 분	설계기준강도	w/c 비	단위시멘트량	단위수량	Slump값	
일반 Concrete	21MPa 이상 ~40MPa	60% 이하	300 kg/m³ 이상	175 kg/m³ 이하	보통	12cm이하
경량골재 Concrete	21MPa 이상 ~27MPa	55% 이하	330 kg/m³ 이상	175 kg/m³ 이하	유동화	21cm이하

① Concrete에 함유된 염화물량은 염소이온량으로 0.2 kg/m³ 이하
② 타설시 콘크리트 온도는 3℃이상 30℃이하
③ 비빔에서 타설 종료시간은 25℃미만에서 90분, 25℃이상에서 60분
④ 철골, 철근, 거푸집 온도가 50℃ 초과시 타설 전 살수, 냉각
⑤ 한층 부어넣기는 60cm내외, 각 층은 충분히 다짐
⑥ 기타, 단면칫수 허용오차와 피복두께는 시방서 규정 준수

▶ 99-③, 02-③
• 고성능 콘크리트 종류 3가지

암기하기

■ 고성능 콘크리트의 종류
① 고강도 콘크리트
② 고내구성 콘크리트
③ 고유동성 콘크리트

9 프리스트레스트(Prestressed) Concrete : PS콘크리트 : PSC

외력에 대한 응력을 소정한도까지 상쇄할 수 있도록 PC강재에 의해 미리 내력을 가한(프리스트레스를 가한)콘크리트

1. 공법의 종류, 시공순서

(1) pre-tension 공법	① PC강재 긴장, 정착 → ② 콘크리트 타설 → ③ PC강재와 콘크리트 접합 → ④ 콘크리트에 프리스트레스 도입
(2) post-tension공법	① PC강재 도관(sheath설치) → ② 콘크리트 타설 → ③ PC강재 긴장, 정착 → ④ PC강재와 콘크리트 접합 → ⑤ 콘크리트에 프리스트레스 도입
	① 거푸집설치 → ② sheath설치 → ③ 콘크리트 타설 → ④ 콘크리트 경화 → ⑤ 쉬드내 강현재 삽입 → ⑥ 강현재 긴장 → ⑦ 강현재 고정 → ⑧ 쉬드내 그라우팅

▶ 95-①, 00-①, 04-③, 05-①, 09-②, 12-②, 14-③, 17-② / 91-①, 95-②, 00-⑤ / 89-① / 90-④, 92-③, 96-⑤, 98-③, 05-②, 07-③ / 96-③, 05-① / 06-①, 09-①, 13-③, 05-①, 17-③, 18-③, 20-②

• Pre-Tension, Post-Tension 차이점 기술 /
• 프리텐션과 포스트텐션 공법 시공순서 /
• 용어설명, 프리텐션공법 /
• 포스트텐션 공법 시공순서 /
• 프리텐션, 포스트텐션, 그라우팅 용어 설명
• 프리스트레스트 콘크리트의 정의
• 프리텐션과 포스트텐션 설명

▶ 철근사이에 쉬드가 매립된 프리스트레스보의 모습

▶ 프리스트레스를 가하는 강선(Strand)이 교각 상판에 정착된 모습

2. 정착구(Anchorage)의 정착 공법

① 쐐기식(Wedge System)	Freysinet방식, Magnel방식이 대표적
② 버튼헤드식(Button head System)	BBRV공법이 대표적 방식
③ 나사식(Screw System)	디비닥(Dywidag)방식이 대표적
④ 루프식(Loop System)	레오버(Leoba)방식이 대표적
⑤ 용융합금식(Alloy Welding System)	PC강선고정방식

3. 긴장재(강재)의 종류

① PC강선 및 PC강연선 : KSD 7002. 규격적합품

② PC 경강선 : KSD 7009. 규격적합품

③ PC 강봉 : KSD 3505. 규격적합품

※ 긴장재의 긴장방법 : 기계적 방법(Jack사용), 화학적 방법(팽창시멘트 사용), 전기적 방법, 프리플랙스(preflex)방법 등이 있다.

4. 일반사항정리

구 분	Pre-tension
① Pre-Stress 도입시 Concrete 압축강도	30 MPa 이상
	최대 압축 응력도의 1.7배 이상
② 충전재의 염화물량	염화물 이온량으로 0.30 kg/cm³ 이하
③ 충전재의 W/C비	45% 이하

※ 충전재 압축강도 : 팽창성 20 MPa이상, 비팽창성 : 30 MPa이상

※ 충전재 품질검사 사항 : 유동성, 블리딩율, 팽창율, 강도, 염화물량

※ 그라우트 시공은 프리스트레싱이 끝난 후 8시간이 경과한 다음 가능한 빨리 하여 반드시 7일 이내에 실시하여야 한다.

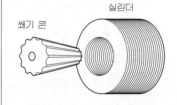

학습 POINT

▶ 교각에 설치된 쉬드 부분상세

▶ Post-tension용 강재거푸집의 모습

▶ 97-④, 00-⑤, 04-③ / 97-⑤, 05-①, 10-②, 16-① / 08-③

• 프리스트레스 정착방법 3가지 /

• 긴장재 종류 3가지

• 긴장재, 시이드

실린더

쐐기 콘

▶ 프레시네공법. 쐐기식 정착방식 (12개 다발을 한번에 정착)

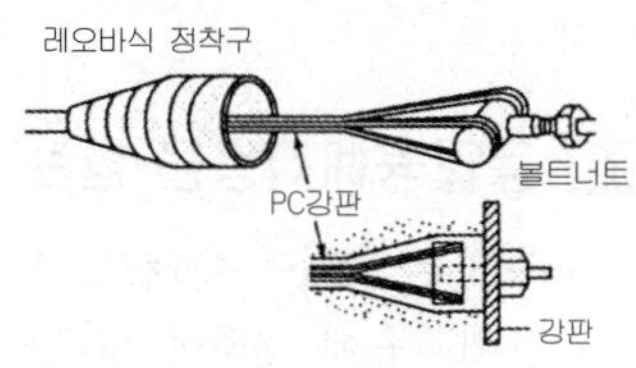

▶ 루푸식. 레오바 공법

5. 강재배치방법

① Pre-tension	PC 강재 간격 : 공칭지름의 3배이상 골재 최대지름의 1.25배 이상
② Post-tension	쉬드 상호간격 : 3cm이상. 굵은 골재 최대 지름의 1.25배 이상

6. 특징

① 장 Span 구조가 가능. 균열발생이 없다.
② 구조물의 자중 경감, 부재단면 축소 가능.
③ 내구성, 복원성이 크고 공기단축이 가능.
④ 항복점 이상에서 진동, 충격에 약하다.
⑤ 화재에 약함. 내화피복(5cm이상)이 필요.
⑥ 공정이 복잡, 고도의 품질관리가 요구.

7. 공법의 종류

① 연속식(Long-Line Method)	지지대와 긴장재를 이용 한번에 여러개의 부재를 제작하는 방식(100~200m정도의 긴장대 이용)
② 단독식(Individual Mold Method)	긴장대 길이가 20~30m정도로 주로 철재, 거푸집을 사용 1개씩 부재를 제작하는 방식. 전주나 psc pile제작에 이용된다.
③ 부착된 포스트텐션 공법	쉬드속을 시멘트 mortar로 그라우팅하여 일체식으로 접착하는 방식. 강재부식 없음.
④ 비부착 포스트텐션 공법	쉬드속을 그라우팅하지 않는 방법으로 강재 부식의 염려가 있으나 재긴장이 가능하다.

8. 프리스트레스 손실의 원인

즉시 손실(도입시 손실)	시간적 손실(도입 후 손실)
① 콘크리트의 탄성 수축 ② 강재와 쉬드 마찰 ③ 정착단의 활동	① 콘크리트의 건조 수축 ② 콘크리트의 크리프(Creep) 변형 ③ 강재의 이완(Relaxation)

10 동결융해작용을 받는 콘크리트(표준시방서)

우수에 노출되는 슬래브, 파라펫, 계단 및 지면과 접하는 외벽 부분 등으로서 동결융해작용에 대하여 내구성을 필요로 하는 콘크리트
① 설계기준강도는 30MPa 이상으로 한다.
② 골재 흡수율은 잔골재 3.0% 이하 굵은 골재 2.0% 이하인 것을 사용
③ 물 결합재비는 45% 이하로 단위수량은 가능한 작게 한다.

학습 POINT

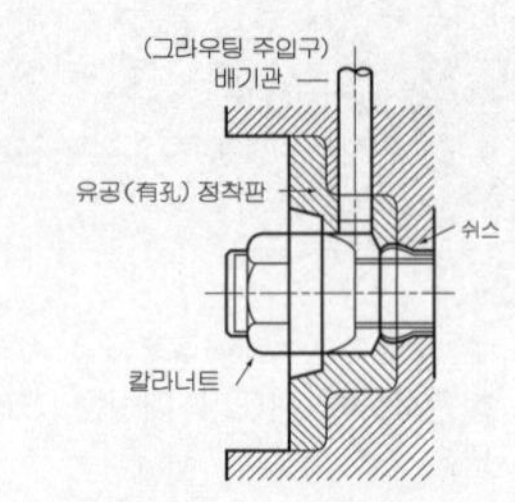

▶ 나사식 접합. 디비닥공법 (coupler 접속장치를 사용)

관련문제

1 **한중기 콘크리트에 관한 내용 중 (　　　)을 적당히 채우시오. (4점)** 〔11 ②, 16 ②〕

(1) 한중콘크리트는 초기강도 (　　　)MPa까지는 보양을 실시한다.

(2) 한중콘크리트 물시멘트비(W/C)는 (　　　)% 이하로 한다.

2 **한중기 콘크리트에 대해 기술하시오. (4점)** 〔95 ①〕

---

3 **극한기 콘크리트의 경우 가열재료를 믹서에 투입하는 재료순서를 쓰시오. (5점) (단, 모래와 자갈을 골재라 하고, 혼화제는 사용치 않음)** 〔85 ①〕

---

4 **한중 콘크리트의 문제점에 대한 대책을 보기에서 골라 기호 쓰시오. (3점)** 〔04 ②, 08 ②, 14 ①〕

〔보기〕

가. AE제 사용	나. 응결지연제 사용
다. 보온양생	라. 물시멘트비를 60%이하로 유지
마. 중용열 시멘트 사용	바. Pre-cooling방법 사용

---

5 **다음은 한중콘크리트에 대한 사항이다. 다음 (　)안의 사항을 완성하시오. (3점)** 〔07 ②〕

한중콘크리트는 일평균 기온이 (　　) 이하의 동결위험이 있는 기간에 타설하는 콘크리트를 말하고 물시멘트비(W/C)는 (　　) 이하로 하여, 동결위험을 방지하기 위하여 (　　) 콘크리트를 사용해야 한다.

가. ________ 나. ________ 다. ________

6 **한중콘크리트의 보온양생방법을 3가지 쓰시오. (3점)** 〔04 ③〕

① ________ ② ________ ③ ________

해설 및 정답

정답 **1**
(1) 5
(2) 60

정답 **2**
한중기콘크리트란 동결의 위험이 있는 기간내에 시공하는 Concrete이다. 극한기에서는 재료를 가열해서 사용하고, 초기강도 5MPa 이상까지는 반드시 양생하고 물시멘트비는 60%, 동결융해 피해 보호를 위해 AE제를 사용하며, 조강시멘트를 사용한다.

정답 **3**
골재 - 물 - 시멘트 순이다.
*투입직전의 믹서내의 온도는 40℃ 이하로 하고, 부어넣은 콘크리트의 온도는 10~20℃ 정도로 한다.

정답 **4**
가. 다. 라

정답 **5**
가. 4℃
나. 60%
다. AE제 혹은 초속경

정답 **6**
① 단열보온양생
② 가열(급열)보온양생
③ 피복(피막)보온양생

관련문제

해설 및 정답

7 다음 ( )안에 공통으로 들어가는 알맞은 용어를 쓰시오. (2점) 〔10 ③〕

〔보기〕

- 한중콘크리트에서는 초기강도발현이 늦어지므로 ( )를 이용하여 거푸집의 해체시기, 콘크리트 양생기간 등을 검토한다.
- 양생온도가 달라져도 그 ( )가 같으면 콘크리트의 강도는 비슷하다고 본다.

정답 7
적산온도

8 서중 콘크리트로서 시공해야 할 시기를 일률적으로 정하기는 곤란하나, 하루 기온을 중심으로 건축공사표준시방서에서 정하고 있는 일반적인 기준에 대하여 설명하시오. (4점) 〔05 ②〕

정답 8
일평균기온이 25℃를 초과하는 경우 적용한다.

9 하절기콘크리트 시공시 발생하는 문제점으로써 콘크리트 품질 및 시공면에 미치는 영향에 대해 5가지를 쓰시오. (5점) 〔04 ③, 06 ①, 08 ①, 10 ③〕

① ②

③ ④

⑤

정답 9
① 단위수량의 증가로 인한 내수성, 수밀성 저하
② 슬럼프 저하 발생으로 충전성 불량, 표면마감불량발생
③ 초기발열증대에 따른 온도균열 발생
④ 초기에 급격한 수화반응으로 콜드죠인트가 쉽게 발생될 수 있다.
⑤ 초기의 급격한 수분증발로 플라스틱균열(초기건조수축균열)발생, 장기강도저하

10 하절기 콘크리트에서 발생할 수 있는 문제점에 대한 대책 중 관계되는 것을 보기에서 모두 골라 기호로 쓰시오. (3점) 〔08 ①, 12 ②〕

〔보기〕

가. AE제 감수제의 사용	나. 사용재료의 온도 상승방지
다. 중용열 시멘트의 사용	라. 운반 · 타설시간의 단축방안 강구
마. 응결촉진제의 사용	바. 단위시멘트량의 증가

정답 10
가, 나, 다, 라

11 경량 콘크리트의 장점을 3가지만 쓰시오. (3점) 〔93 ④〕

① ②

③

정답 11
① 내화성이 크다.
② 열전도율이 작고 단열성능이 크다.
③ 가볍다.(건물중량경감)

관련문제

12 경량 콘크리트를 제조하기 위한 재료에 대하여 쓰시오. (2점)

〔01 ②〕

(가) 주재료 : ______

(나) 혼화재료 : ______

13 ALC(Autoclaved Lightweight Concrete)의 건축재료로서의 특징을 4가지 쓰시오. (4점)

〔98 ④, 00 ③〕

① ______ ② ______

③ ______ ④ ______

14 고성능 콘크리트(High-Performance Concrete)는 물리적 특성으로 구분하여 3가지 종류로서 고성능 콘크리트를 대별할 수 있다. 고성능 콘크리트의 특성에 따른 3가지로 구분된 콘크리트 명칭을 쓰시오. (3점)

〔99 ③, 02 ③〕

① ______ ② ______

③ ______

15 Pre-Stressed Concrete에서 Pre-Tension 공법과 Post-Tension 공법의 차이점을 시공순서를 바탕으로 쓰시오. (4점)

〔95 ①, 00 ①, 04 ③, 09 ②, 12 ②, 14 ③〕

______

16 PS콘크리트 공법에는 프리텐션과 포스트텐션 공법이 있다. 각 공법별 순서를 보기에서 골라 기호로 쓰시오. (4점)

〔91 ①, 95 ②, 00 ⑤〕

〔보기〕

Ⓐ PC 강재 도관 설치　　Ⓑ 콘크리트 타설

Ⓒ PC 강재 긴장　　Ⓓ 콘크리트에 프리스트레스를 도입

Ⓔ PC 강재와 콘크리트를접합

(1) 프리텐션공법 : ______

(2) 포스트텐션공법 : ______

해설 및 정답

정답 12

(가) 화산자갈, 응회암, 부석등의 천연경량골재와 팽창점토, 고로광재(slag), 질석 등의 인공경량골재

(나) 알미늄 분말 등의 기포제 혹은 발포제

정답 13

① 중량이 보통 Concrete의 1/4정도이다.

② 내화성이 우수하다.

③ 단열, 방음성능이 우수하다.

④ 흡수성이 크다.

정답 14

① 고강도 콘크리트

② 고내구성 콘크리트

③ 고유동성 콘크리트

정답 15

문제 16, 20번 답 참조

정답 16

(1) 프리텐션공법 시공순서 : Ⓒ - Ⓑ - Ⓔ - Ⓓ

(2) 포스트텐션공법 시공순서 : Ⓐ - Ⓑ - Ⓒ - Ⓔ - Ⓓ

관련문제

해설 및 정답

17 Pre-Stressed Concrete 중 Post-tension 공법의 시공순서를 보기에서 골라 번호로 쓰시오. (5점) 〔90 ④, 92 ③, 96 ⑤, 98 ③, 07 ③〕

〔보기〕

(가) 강현재삽입	(나) 그라우팅	(다) 콘크리트 타설
(라) 강현재 긴장	(마) 시이드(sheath) 설치	
(바) 강현재 고정	(사) 콘크리트 경화	

정답 17
(마)
(다)
(사)
(가)
(라)
(바)
(나)

18 프리스트레스트(prestressed) 콘크리트의 작업명을 공정순으로 보기의 번호로 나열하시오. (4점) 〔05 ②〕

〔보기〕

(1) 쉬이스(sheath)설치	(2) 강현재 고정	(3) 강현재 삽입
(4) 강현재 긴장	(5) 콘크리트 타설	(6) 그라우팅
(7) 콘크리트 경화	(8) 거푸집 조립	

정답 18
(8) → (1) → (5) → (7) → (3) → (4) → (2) → (6)

19 다음 용어를 간단히 설명하시오. (3점) 〔89 ①〕

*PS 콘크리트중 프리텐숀(pre-tension) 공법

정답 19
PC 강재에 인장력을 가한 상태에서 콘크리트를 쳐서 경화한 후에 긴장을 풀어 주는 방법으로 프리스트레스를 가하는 공법이다.

20 프리스트레스트 콘크리트(Prestressed Concrete)에서 다음 항에 대해서 간단하게 기술하시오. (6점, 4점) 〔96 ③, 05 ①〕

(가) 프리텐션(Pre-Tension) 방식 : 〔05 ①, 17 ②, 18 ③, 20 ②〕

(나) 포스트텐션(Post-Tension) 방식 : 〔05 ①, 17 ②, 18 ③, 20 ②〕

(다) 그라우팅(Grouting) :

정답 20
(가) 강현재에 인장력을 가한 상태로 콘크리트를 부어 넣고 경화후 단부에서 인장력을 풀어주어 콘크리트에 압축력을 가한다.
(나) 쉬드를 설치하고 콘크리트를 경화시킨 뒤 쉬드 구멍에 강현재를 삽입, 긴장시키고, 시멘트 페이스트로 그라우팅 한 후 인장력을 풀어준다.
(다) 포스트텐션 방식에 있어서 PC강재와 콘크리트 사이에 부착력을 주기 위하여 관내에 Mortar를 충전하는 것을 말한다.

관련문제

21 **프리스트레스트 콘크리트의 정착구(anchorage)의 대표적인 정착공법에 대하여 3가지만 쓰시오. (3점)** 〔97 ④, 00 ⑤, 04 ③〕

① ______________ ② ______________

③ ______________

22 **프리스트레스트 콘크리트에 이용되는 긴장재의 종류를 3가지 쓰시오. (3점)** 〔97 ⑤, 05 ①, 10 ②, 16 ①〕

(1) ______________ (2) ______________

(3) ______________

23 **가. (　　　) 안에 알맞는 용어를 쓰시오. (4점)** 〔08 ③〕

(1) 프리스트레스트 콘크리트에 사용되는 강재(강선, 강연선, 강봉)를 (　　　) 라고 한다.

(2) 포스트텐션공법은 (　　　) 설치후 - 콘크리트 타설 - 콘크리트 경화후 강재를 삽입하여 긴장, 정착후 그라우팅하여 완성시키는 방법이다.

나. 프리스트레스트 콘크리트 방식과 관련된 내용의 (　) 안에 알맞는 용어를 기입하시오. (2점) 〔13 ③〕

프리스트레스트 콘크리트에 사용되는 강재(강선, 강연선, 강봉)를 긴장재라고 총칭하며, (①) 방식에서 PC강재의 삽입공간을 확보하기 위해서 콘크리트 타설전 미리 매립하는 관(튜브)을 (②)라고 한다.

24 **다음 보기 중 매스콘크리트의 온도균열을 방지할 수 있는 기본적인 대책을 모두 골라 적으시오. (3점)** 〔09 ③, 13 ①, 18 ②〕

〔보기〕

㉮ 응결촉진제 사용 ㉯ 중용열시멘트 사용 ㉰ pre-cooling방법 사용
㉱ 단위시멘트량 감소 ㉲ 잔골재율 증가 ㉳ 물시멘트비 증가

____

해설 및 정답

정답 21

① 쐐기식(wedge System)정착방식
② 나사식(screw System)정착방식
③ 루프식(Loop System:환상형) 정착방식

정답 22

(1) PC 강선(PC 鋼線) (high strength steel wire, prestressing steel wire)
(2) PC 강봉 (PC 鋼奉) (high strength steel Bar)
(3) PC 강연선(PC 꼬은선) (high strength steel strand, prestressing wire strand)

정답 23

가. (1) 긴장재
(2) PC강재도관 (Sheath, 쉬드, 시이드)

나. ① 포스트텐션(Post-tension)
② 시이드, 쉬드(Sheath)

정답 24

㉯, ㉰, ㉱

관련문제

25 **(1) 매스콘크리트의 수화열 저감을 위한 대책 3가지만 쓰기 (3점)** 〔12 ①, 14 ③, 20 ①〕

(2) 콘크리트 응결 경화시 콘크리트 온도 상승 후 냉각하면서 발생하는 온도균열방지 대책 3가지를 쓰시오. (3점) 〔19 ①, 21 ②〕

① ______________ ② ______________

③ ______________

26 **다음은 콘크리트의 문제점을 설명한 것이다. 해당 콘크리트를 보기에서 골라 기호로 쓰시오. (4점, 3점)** 〔02 ③, 05 ③, 08 ③〕

〔보기〕

가. 서중 콘크리트	나. 한중 콘크리트
다. 유동화 콘크리트	라. 매스(Mass) 콘크리트
마. 진공 콘크리트	바. 프리팩트(Prepacked) 콘크리트

① 수화반응이 지연되어 콘크리트의 응결 및 강도발현이 늦어진다. : 〔05 ③〕

____

② 슬럼프 로스가 증대하고, 슬럼프가 저하하고 동일 슬럼프를 얻기 위해 단위수량이 증가한다. : 〔05 ③〕

____

③ 슬럼프의 경시변화가 보통 콘크리트보다 커서 여름에는 30분, 겨울에는 1시간 정도에서 베이스 콘크리트의 슬럼프로 되돌아 오는 경우도 있다. :

____

④ 수화열이 내부에 축적되어 콘크리트 온도가 상승하고 균열이 발생하기 쉽다. : 〔05 ③〕

____

해설 및 정답

정답 **25**

(1), (2) 공통

① 단위시멘트 사용량을 가능한 작게 한다.
② 수화열이 낮은 시멘트를 사용
③ 프리쿨링, 파이프 쿨링 등에 의해 온도제어
④ 골재나 물을 냉각시켜 사용한다.
⑤ 콘크리트 타설온도를 낮출 것

정답 **26**

① 나
② 가
③ 다
④ 라

핵심 22 각종 Concrete(Ⅱ)

학습 POINT

1 레미콘(Ready Mixed Concrete)

콘크리트 제조설비를 갖춘 전문공장으로부터 구입자가 배달지점의 품질을 지시하여 구입할 수 있는 굳지 않은 Concrete

1. 종류

Central Mixed	Mixer 비빔완료 → 트럭교반 → 현장운반
Shrink Mixed	Mixer에서 반비빔 → 운반도중 반비빔
Transit Mixed	Truck Mixer에 재료 공급 → 운반중 완전비빔

▶ 07-② / 90-③, 95-②, 08-① / 89-②
- 레미콘의 정의
- 레미콘 운반방식에 따른 종류 설명 /
- 슈링크믹스트콘크리트 설명

2. 레미콘의 장 · 단점

장 점	단 점
① 현장에서 Concrete 비빔장소가 불필요 ② 품질이 균일하고 우수하다. ③ 공사추진을 정확히 할 수 있다. ④ 원가가 확실하고 구입자가 배달지점의 품질을 지시하여 구입 가능하다.	① Concrete 의 자체단가는 비싸다. ② 운반중 재료분리, 시간경과 우려 ③ 제조업자와 현장과의 긴밀한 협조관계 유지필요, 이것이 안되면 공기연장 품질저하 등 여러 단점을 야기.

▶ 93-②, 95-④, 07-②
- 레미콘의 장점 3가지

3. 레미콘의 현장 검사사항, 품질관리

① 굳지않은 콘크리트의 상태(외관 검사), 슬럼프, 공기량시험, 온도측정, 단위용적질량, 염화물 이온량 등을 검사

② 압축강도시험은 450m^{3}를 1 Lot(시험단위)로 3개의 공시체 평균값으로 한다.

③ 1회시험 결과 호칭강도의 85% 이상, 3회시험 결과 평균치가 지정 호칭강도 이상이어야 한다.

④ 공기량은 보통 콘크리트는 4.5%, 경량골재콘크리트는 5.5%, 고강도는 3.5%, 허용오차는 각각 ±1.5%로 한다.

▶ 01-③ / 04-②, 04-③, 10-③, 14-②, 22-①, 23-① / 05-② / 08-③
- 레미콘 현장 검사사항 3가지
- 현장 콘크리트 타설 중 재료시험 항목 3가지
- 레미콘의 공기량
- KSF 4009 레미콘 강도시험 규정

4. 레미콘 규격

Remicon (20 - 30 - 150) ① ② ③	① : 굵은 골재 최대 칫수(20mm) ② : 콘크리트의 호칭강도(30Mpa) ③ : Slump값(150mm)

▶ 97-①, 08-②, 15-③, 19-③, 22-③, 23-①
- 레미콘 규격수치

2 중량 Concrete(차폐용 콘크리트 : Shielding Concrete)

주로 생물체의 방호를 위해 X선 γ선 및 중성자선을 차폐 등 방사선을 차폐할 목적으로 쓰이는 중량 2.5 t/m³(비중 2.5~6.9)이상의 원자로 관련시설, 의료용 조사실에 사용되는 콘크리트를 말한다.

1. 일반사항

Slump	물결합재비	사용골재
15cm 이하	50% 이하	중정석(Barite : 비중 4.0~4.7), 갈철광, 자철광(Magnetite : 비중 3.5~5.0)

※ Barite Mortar : 중원소 바륨($BaSO_4$)분말 + 모래 + 시멘트 : 방사선 차단재

2. 시공 유의사항

① 시멘트는 보통 포틀랜드, 중용열, Fly Ash 등을 사용한다.
② 재료의 비중차가 크므로 chute 등에 흘려 내리지 말 것.(재료분리 방지)
③ 조골재 사용량을 가급적 늘린다. 1회 타설 높이 : 30cm 이하
④ 방사선 조사부분 타설시 이음방지, 세퍼레이터나 긴결 철선을 사용 금지

3 수밀 Concrete

Concrete 자체 밀도를 높여 특히 수밀성이 높고 투수성이 작은 콘크리트를 말한다.

1. 일반사항

물결합재비	Slump 값	공기량	진동기	비빔시간
50% 이하	18cm 이하	4% 이하	원칙적으로 사용	3분이상 충분히

※ 타설이 용이한 경우 slump값은 12cm이하로 한다. 공기량은 4% 이하

2. 유의사항

① 배합시 단위수량, 시멘트량은 최소화하고 굵은 골재량을 늘린다.
② 공기연행제, 감수제, 고성능감수제, 포졸란 등을 사용하는 것을 원칙으로 한다.
③ 이어치기 하지 말고, 이어붓기시 방수처리(지수판 : Water Stop) 설치.
④ 부어넣기 Concrete 온도 : 30℃ 이하. 연속 부어넣기 시간 간격 : 25℃ 이하 기온에서 2시간 이내, 25℃ 초과시 1.5시간 이내

학습 POINT

▶ 89-②, 90-①, 10-① / 95-② / 01-②, 10-②, 13-①

- 차폐용 콘크리트 간단히 설명 /
- 중량 콘크리트 기술 /
- 중량 콘크리트 용도, 골재

4 해수작용을 받는 Concrete(해양콘크리트 : Offshore Concrete)

학습 POINT

항만, 해안 또는 해양에 위치하여 해수 또는 바닷바람의 작용을 받는 구조물에 사용되는 콘크리트

1. w/c비와 피복두께

해수작용 구 분	적 용 장 소	물결합재비 최대값	보통철근 피복두께	방청철근피복두께
A	물보라지역	40%	90mm	보통피복 + 20mm
B	해중	50%	80mm	보통피복 + 10mm
C	해상 대기중	45%	70mm	보통피복 두께 적용

2. 일반, 주의사항

① 해수작용의 내구성에 유의하여 고로시멘트, 플라이애쉬를 혼합한 중용열 시멘트를 사용한다.(단위 시멘트량 : 300 kg/m^3 이상)
② 화학적 침식에 유의하여 폴리머 시멘트 콘크리트, 수지 콘크리트, 폴리머 함침 콘크리트 등을 적절히 혼합사용한다.
③ 해수작용 구분 A, B의 Concrete는 원칙적으로 이어붓지 않는다.
④ 최고 조위에서 위로 60cm와 최저 조위에서 아래로 60cm 부분은 원칙적으로 연속작업으로 부어넣는다.(줄눈설치 금지)
⑤ 재령 5일까지는 해수에 직접 접하지 않도록 한다.

5 고유동 콘크리트(High Fluidity Concrete : 표준시방서)

굳지 않은 상태에서 재료 분리 없이 높은 유동성을 가지면서 다짐작업 없이 자기 충전성이 가능한 콘크리트를 말한다.

(1) 고유동 콘크리트의 자기 충전성의 현장 품질관리

자기 충전성 등급	시험 및 검사 방법	시기 및 횟수	판정기준
등급 1	충전장치를 이용한 간극 통과성 시험	50m^{3}당 1회 이상	충전높이 300mm 이상일 것
등급 2 및 등급 3	충전장치를 이용한 간극 통과성 시험	50m^{3}당 1회 이상	충전높이 300mm 이상일 것
	간극 통과 장치를 갖는 전량시험 및 품질관리 담당자의 관찰	전량 대상	전량 시험장치를 전 콘크리트가 통과할 것, 또는 관찰에 이해 재료분리가 확인되지 않을 것

(주)
① 1등급 : 최소 철근 순간격 35~60mm 정도의 복잡한 단면 형상, 단면 치수가 작은 부재 또는 부위에서 자기 충전성을 가지는 성능
② 2등급 : 최소 철근 순간격 60~200mm 정도의 철근 콘크리트 구조물 또는 부재에서 자기 충전성을 가지는 성능
③ 3등급 : 최소 철근 순간격 200mm 정도 이상으로 단면 치수가 크고 철근량이 적은 부재 또는 부위, 무근콘크리트 구조물에서 자기 충전성을 가지는 성능

(2) 굳지 않은 콘크리트의 유동성은 슬럼프 플로 600mm 이상으로 한다.
(3) 슬럼프 플로 500mm 도달시간 3~20초 범위를 만족하여야 한다.

학습 POINT

6 프리플레이스트 콘크리트(Preplaced Concrete) = Prepacked Concrete

▶ 02-①, 06-①, 10-①
• 프리팩트콘크리트 정의

골재를 먼저 다져넣고 파이프를 통하여 그 속에 시멘트 페이스를 적당한 압력으로 주입하여 만드는 콘크리트로 재료분리, 수축이 적다.(보통 Concrete의 1/2)

■ 일반사항(특징)

① 수밀성 높고, 내구성도 크다. 염류에 대한 저항성도 크다.
② 부착력이 크다.(수리, 개조에 유리), 시공용이, 설비비, 공비절약.
③ 지수벽, 보수공사, 기초파일(PIP, CIP파일), 수중 Concrete 등에 이용된다.
④ 굵은 골재 : 15mm 이상을 사용. 잔골재 : 1.2mm 이하 사용.
⑤ 재료투입순서 : 물 → 혼화재(주입보조재) → 플라이애쉬 → 시멘트 → 모래
※ Flyash : 유동성 증진, 혼화재: 알미늄 분말(팽창 수축방지와 충전성 추구)
⑥ 주입관 설치간격
㉮ 수직방향 설치시 : 수평간격은 2m 이하가 표준.
㉯ 수평 설치시 : 수평간격 2m 이하 상하(연직)간격 1.5m 이하.

7 제물치장 콘크리트(외장용 노출콘크리트)

▶ 92-③, 94-③, 02-① 05-② / 00-③, 03-①, 05-①, 08-②
• 제물치장 콘크리트 시공목적 4가지 /
• 제물치장콘크리트 정의

외장을 하지 않고 노출면 Concrete 자체가 마감면이 되는 Concrete 이다.

1. 목적

① 모양의 간소함을 탐미한다.
② 고강도의 Concrete 추구한다. (내구성, 수밀성을 포함)
③ 외장재료의 절약과 마감의 다양성 부여
④ 외장부분의 건물중량 경감
⑤ 공사내용 단일화로 안전, 경제성 추구

2. 부어넣기 및 기타사항

① 색상의 변화가 없어야 하므로 동일한 회사의 제품을 사용.(물량확보)
② 부배합, 된비빔을 한다. 20MPa 이상 강도 때 마무리가 좋다.
③ 자갈은 20mm 이하 사용하고 가능하면 잔 것을 사용한다.
④ 표면 마무리 시공 철저(혼화제, 거푸집 진동기 사용)
⑤ 철근과 Concrete와의 피복두께는 1cm 이상 증가시킨다.
⑥ 부어넣기시 슈트나 손차로 안하고 비빔판에 받아 각삽으로 떠 넣는다.
⑦ 벽, 기둥은 한꺼번에 꼭대기까지 넣는다.
⑧ 거푸집은 Metal Form이나 Euro Form 등을 사용한다.

학습 POINT

▶ 제물치장 콘크리트 벽체상세

8 진공 콘크리트(Vaccum Concrete, 진공탈수콘크리트)

콘크리트 경화전에 진공매트로 수분과 공기를 흡수하고 6~8 t/m² 정도의 압력으로 Concrete를 다짐하여 초기강도와 내구성을 증진시킨 콘크리트

※ 진공매트 : 콘크리트 타설직후 표면에 씌워 과잉수제거와 다짐작업을 하여 초기강도를 증진하는데 사용되는 기구

00-③, 02-①, 10-① / 90-②, 90-③, 95-③

• 진공콘크리트 정의 /
• 진공매트 용어설명

■ 일반사항, 특징

① 조기강도, 내구성, 내마모성, 동결융해의 저항성이 커지며 건조수축이 감소.
② 기성재 제조공장등에서 사용하며, 양생기간 단축, 표면경도 증진.
③ 진공처리로 인하여 W/C비가 적게 되고 표면공극이 줄어든다.
(토공사에서는 Sand Drain Vaccum 공법이 쓰인다.)

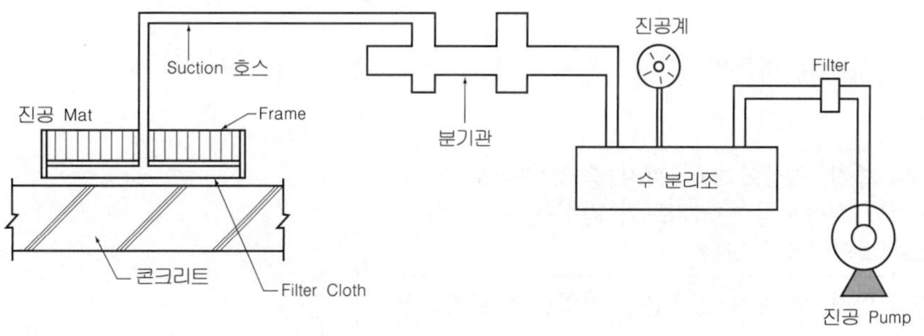

그림. 진공 콘크리트의 과정

9 ShotCrete(숏 크리트 : Sprayed Concrete)

모르타르를 압축공기로 분사하여 바르는 것으로 건나이트(Gunite)라고도 한다.

※ 컴플셔 혹은 펌프를 이용하여 노즐 위치까지 호스 속으로 운반한 콘크리트를 압축공기에 의해 시공면에 뿜어서 만든 콘크리트를 말함.(표준시방서)

90-②, 90-③, 95-③ / 01-①, 04-① / 09-①, 11-③, 14-②, 19-①

• 숏 크리트 용어설명 /
• 숏크리트 정의, 종류
• 숏 크리트 설명, 장 · 단점 쓰기

1. 종류

시멘트건, 본닥터, 제트 크리트 등

2. 특성, 일반사항

① 재료의 표면에 시공하여 수밀성, 강도, 내구성을 증진시킴.
② 표면, 벽바름, 속바름 등에 사용. 다공질, 외관 거칠고 균열 우려
③ 일반적인 장기 강도 : 21MPa 이상, 영구보강재는 35MPa 이상(표준시방서)
④ 건식공법은 배치 후 45분내 실시, 습식공법은 60분 이내에 실시하며 재료의 온도가 10℃~32℃ 범위에서 실시한다.(표준시방서)

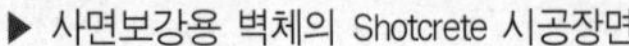
▶ 사면보강용 벽체의 Shotcrete 시공장면

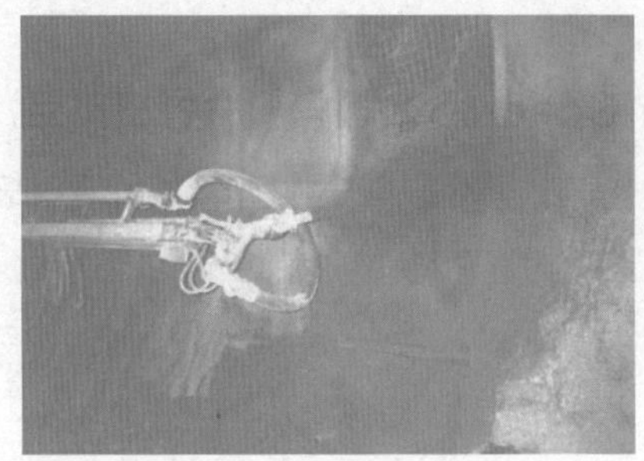
▶ 터널 벽체 보강용 Shotcrete 분사장면

10 섬유보강 콘크리트(Fiber Reinforced Concrete)

보강용 섬유를 혼입하여 주로 인성, 균열억제, 내충격성 및 내마모성 등을 높인 콘크리트

학습 POINT

▶ 02-③ / 03-③, 18-②, 20-④
• 섬유보강 콘크리트 정의, 종류 /
• 보강 섬유의 종류 3가지

■ 종류, 특징, 일반사항

(1) 재료, 비빔, 품질관리 등은 시방서 규정에 따른다.
(2) 섬유보강 콘크리트의 종류

종류	특징
① SFRC 강섬유보강	인장, 휨:1.5~1.8배 증진. 인성이 200배까지 증가, 부피로 2%정도 혼입 ※ 초고성능 섬유보강 콘크리트의 강섬유 인장강도는 2000MPa 이상으로 한다.
② GFRC 유리섬유보강	5~6%정도 혼입시 인장, 휨 증가, 압축은 변화없음, 내알카리성이 취약
③ CFRC 탄소섬유보강	인장 : 1.5~2.4배 증가. 휨 : 2.6~3.0배 증가. 압축 약간 감소(공기량 증대). 내충격성, 동결저항성 증가. 고강도, 고탄성, 내고열성
④ AFRC 아라미드섬유보강	고강도, 인성, 내충격성 우수. 탄성계수가 작다. 경량화, 내구성 우수. 미세균열 분산효과 우수
⑤ VFRC 비닐론섬유보강	고장력, 고탄성, 내충격성 우수. 내수, 내후, 내알칼리성 우수. 휨, 인성, 동결저항성 증가
⑥ PFRC	폴리프로필렌 섬유보강콘크리트. 인장강도, 내동해성, 내충격성. 균열억제 효과

(3) GFRC, SFRC: 불연재, 우수한 기계적 강도, 온도철근 불필요. 성형성 우수, 박판성형가능. 외장, 내장 등으로 사용

(4) 재료혼입방법 : Premix법, Spray법, Hatcheck법(초조법: 박판성형), 압출성형(얇은 중공판 성형법) 등

학습 POINT

11 Polymer Concrete 혹은 폴리머 시멘트 콘크리트

콘크리트재료 중 물,시멘트의 일부나 전부를 polymer(유기고분자 재료 중합체)로 대체하여 경화시킨 복합재료

※ 폴리머 시멘트 콘크리트 (PMC, Polymer-Modified Concrete) : 결합재로 시멘트와 시멘트 혼화용 폴리머(또는 폴리머 혼화제)를 사용한 콘크리트

1. Plastic Concrete의 종류

PRC	Polymer Resin Concrete, 골재 + 합성수지로 만든 것
PIC	Polymer 함침 Concrete(Polymer Impregnated Concrete) 콘크리트의 공극, 표면에 함침용 Mortar를 중압시켜 일체화
PCC	Polymer Cement Concrete, 결합재료 Polymer + 시멘트 사용

레진 (합성 수지)
골 재

① 레진콘크리트

주입 폴리머 / 빈틈
시멘트 풀
골 재

② 폴리머 함침 콘크리트

폴리머 시멘트 풀 / 빈틈
골 재

③ 폴리머 시멘트 콘크리트

그림. Polymer Concrete의 종류

2. Plastic Concrete의 특징

(1) 장점	① 내수, 내식, 내마모성 우수(공통) ② 고강도, 경량화, 속경성(PRC) ③ 접착력 우수, 워커빌리티 우수(PCC) ④ 휨, 인장강도, 신장능력 증대(PCC) ⑤ 내충격성, 동결융해 저항성 우수(PCC)
(2) 단점	① 내화성이 작다(공통) ② 가열양생시 수축이 크다(PRC) ③ 현장시공이 어렵고 철근콘크리트는 침투효과가 작다.(PIC) ④ 경화속도가 다소 느리다(PCC)

▶ 04-②, 09-②, 16-②

• 폴리머시멘트 콘크리트의 특징 4가지 기술

관련문제

1 레디믹스트 콘크리트(Ready Mixed Concrete)에 대하여 기술하시오. (3점) 〔07 ②〕

____

____

2 다음은 레미콘 비비기와 운반방식에 따른 종류의 설명으로 보기에서 명칭을 골라 번호로 쓰시오. (3점) 〔90 ③, 95 ②, 08 ①〕

〔보기〕
(1) 센트럴 믹스트 콘크리트 (2) 트랜시트 믹스트 콘크리트
(3) 슈링크 믹스트 콘크리트

(가) 트럭믹서에 모든 재료가 공급되어 운반 도중에 비벼지는 것
(나) 믹싱 플랜트 고정믹서에서 어느 정도 비빈 것을 트럭 믹서에 실어 운반 도중 완전히 비비는 것
(다) 믹싱 플랜트 고정믹서로 비빔이 완료된 것을 에지테이터 트럭으로 운반하는 것

(가)__________ (나)__________ (다)__________

3 레디 믹스트 콘크리트(레미콘)의 장점을 3가지 쓰시오. (3점) 〔93 ②, 95 ④, 07 ②〕

① __________ ② __________

③ __________

4 (가) 레디믹스트 콘크리트가 현장에 도착했을 때 검사사항을 3가지만 쓰시오. (3점) 〔01 ③〕

(나) 현장에서 콘크리트 타설 중 가능한 콘크리트 재료시험을 3가지 쓰시오. (3점) 〔04 ②〕

(다) 현장에 도착한 굳지않은 콘크리트의 품질을 확인하는 시험의 종류를 3가지 적으시오. (3점) 〔04 ③, 23 ①〕

① __________ ② __________

③ __________

해설 및 정답

정답 1
콘크리트 제조설비를 갖춘 전문공장으로부터 구입자가 배달지점의 품질을 지시하여 구입할 수 있는 굳지 않은 Concrete를 말한다.

정답 2
(가) (2)
(나) (3)
(다) (1)

정답 3
① 현장에서 Concrete 비빔장소가 불필요하다.
② 공사추진이 정확하다.
③ 품질이 균일하고, 우수하다.

정답 4
콘크리트 표준시방서에 따른 레디믹스트 콘크리트의 시험 항목
① 슬럼프 시험
② 공기량 시험
③ 염분함유량 시험
④ 강도시험용 공시체 채취
⑤ 단위용적중량 시험
⑥ 용적 시험

관련문제

5 **Ready Mixed Concrete가 현장에 도착하여 타설될 때 시공자가 현장에서 일반적으로 행하여야 하는 품질관리 항목을 〔보기〕에서 모두 골라 기호로 쓰시오. (3점)**

〔10 ③, 14 ②, 22 ①〕

〔보기〕

㉮ Slump 시험	㉯ 물의 염소이온량 측정
㉰ 골재의 반응성	㉱ 공기량 시험
㉲ 압축강도 측정용 공시체 제작	㉳ 시멘트의 알칼리량

6 **Remicon(20-30-150)은 Ready Mixed Concrete의 규격에 대한 수치이다. 3가지의 수치가 뜻하는 바를 간단히 쓰시오. (3점)** 〔97 ①, 08 ②, 15 ③, 19 ③, 22 ③, 23 ①〕

(가) 20 : ________ (나) 30 : ________ (다) 150 : ________

7 **KS F 4009 규정에 의하면 레디믹스트 콘크리트의 공기량은 보통 콘크리트의 경우 (①)%이며, 경량 콘크리트의 경우 (②)%로 하되 공기량의 허용오차는 ± (③)%로 한다. 보기에서 정답을 고르시오. (3점)** 〔05 ②〕

〔보기〕

0.5, 1.0, 1.5, 2.0, 2.5, 3.0, 3.5, 4.0, 4.5, 5.0, 5.5, 6.0, 6.5, 7.0

① ________ ② ________ ③ ________

8 **다음 설명을 읽고 ( ) 안에 들어갈 알맞는 말을 쓰시오. (3점)** 〔08 ③〕

KSF 4009 규정에 의한 레디믹스트 콘크리트의 강도는 (①) 시험결과에 의하여 검사 로트(lot)의 합격여부가 결정되며, 시험횟수는 (②)m^3마다 1회로 규정되어 있으며, 보통 1검사 로트는 (③)m^3 정도이다.

① ________ ② ________ ③ ________

9 **(가) 차폐용 콘크리트에 관하여 간단히 설명하시오. (3점)** 〔90 ①〕

(나) 중량(重量) 콘크리트에 대하여 기술하시오. (4점) 〔95 ②〕

해설 및 정답

정답 **5**

㉮, ㉱, ㉲

정답 **6**

(가) 굵은골재 최대 크기(20mm)
(나) 콘크리트의 호칭강도(30Mpa)
(다) 슬럼프 값(150mm)

정답 **7**

① 4.5
② 5.5
③ 1.5

정답 **8**

① 1회 또는 3회
② 150
③ 450

정답 **9**

방사선차폐용으로 중량 2.5t/m^3(비중 2.5~6.9) 이상의 콘크리트로써, 원자로 관련시설이나 의료용 조사실에 쓰인다. 골재는 중정석, 자철광 등 비중이 큰 골재를 사용하며 물시멘트비 60% 이하 Slump값 15cm 이하, 단위시멘트량 300~350kg/cm^3로 하며 시멘트는 주로 중용열 시멘트를 사용하고 1회 타설 높이를 30cm 이하로 제한하고 있다.

관련문제

10 중량콘크리트의 용도를 쓰고, 대표적으로 사용되는 골재 2가지를 쓰시오. (3점)
〔01 ②, 10 ②, 13 ①〕

(가) 용도 :

(나) 사용골재 :

11 다음 용어를 설명하시오. (4점) 〔10 ①, 19 ③〕

(1) 코너비드(Corner Bead) 〔20 ①〕

(2) 차폐용 콘크리트

12 다음 용어를 쓰시오. (6점) 〔89 ②〕

(1) 프리팩트 콘크리트 :

(2) 쉬링크 믹스트 콘크리트 :

13 제물치장 콘크리트(exposed concrete)의 시공목적을 간략하게 4가지를 쓰시오. (4점)
〔92 ③, 94 ③, 02 ①, 05 ②〕

① ②

③ ④

14 다음에 설명된 공법의 명칭을 기록하시오. (4점) 〔00 ③〕

(가) 콘크리트 타설직후에 매트, 진공펌프 등을 이용해 콘크리트 내부의 수분 중 수화 작용에 필요한 최소량을 제외한 수분을 제거하여 밀실한 콘크리트를 시공하는 방법

(나) P.C. 제품이나 내진보강벽 등 폐쇄공간의 콘크리트를 타설하기 위해 콘크리트 펌프등의 압송기계에 연결된 배관을 구조체 하부의 거푸집에 설치된 압입부에 직접연결해서 유동성 있는 콘크리트를 타설하는 공법

해설 및 정답

정답 10
(가) 용도 : 방사선 차단
(나) 사용골재 : 중정석(Barite), 철광석(자철광 : Magnetite)

정답 11
(1) 기둥, 벽 등의 모서리에 대어 미장 바름을 보호하는 철물
(2) 문제 9번 정답 참조

정답 12
(1) 거푸집안에 굵은 골재를 채운 후, 그 공극에 특수 몰탈을 주입하여 만드는 콘크리트 지수벽, 수중콘크리트, 보수공사, 기초파일 등에 사용된다.
(2) 믹싱 플랜트의 고정믹서에서 어느 정도 비빈 것을 트럭믹서에 실어, 운반도중에 완전히 비벼서 현장에 반입하는 레미콘의 일종

정답 13
① 모양의 간소함을 탐미한다.
② 고강도 Concrete추구
③ 외장재의 절약과 마감의 다양성 추구
④ 공사내용을 단일화하여 경제성 추구

정답 14
(가) 진공콘크리트 (Vaccum concrete)
(나) 압입공법(압입 채움공법)

관련문제

15 **다음에 설명하는 콘크리트 종류를 쓰시오. (4점)** 〔00 ③〕

(가) 콘크리트 면을 노출시켜 마무리한 콘크리트 ____________

(나) 콘크리트를 타설한 직후 매트를 씌운 다음 진공장치로 잉여수를 제거 하면서 다짐하여 초기강도를 크게한 콘크리트 ____________

(다) 부재 단면치수가 80cm 이상이고, 콘크리트 내외부 온도차이가 25℃ 이상인 콘크리트 ____________

16 **쇼트크리트(Shotcrete)에 대하여 간단히 기술하고, 종류 3가지를 쓰시오. (4점)** 〔01 ①, 04 ①〕

(가) 쇼트크리트 :

(나) 종류 :

① ____________ ② ____________ ③ ____________

17 **숏 크리트(Shot Crete)를 설명하고, 장 · 단점을 1가지씩, 2가지씩 쓰시오. (4점, 6점)** 〔09 ①, 11 ③, 14 ②, 19 ①〕

(가) 숏 크리트 :

(나) 장점 :

(다) 단점 :

18 **다음 (　)안에 알맞은 말을 쓰시오. (3점)** 〔02 ③〕

콘크리트의 휨강도, 전단강도, 인장강도, 균열저항성, 인성 등을 개선하기 위하여 단섬유상 재료를 균등히 분산시켜 제조한 콘크리트를 (㉮) 콘크리트라 하며, 사용되는 섬유질 재료는 합성섬유, (㉯)섬유, (㉰)섬유 등이 있다.

㉮ ____________ ㉯ ____________ ㉰ ____________

19 **섬유보강 콘크리트에 사용도는 섬유의 종류를 3가지 쓰시오. (3점)** 〔03 ③, 18 ②, 20 ④〕

① ____________ ② ____________ ③ ____________

해설 및 정답

정답 **15**

(가) 제물치장 콘크리트 (Exposed Concrete)
(나) 진공콘크리트 (Vaccum Concrete)
(다) 매스콘크리트(Mass Concrete)

▶ Mortar를 현장에서 분사하는 장면

정답 **16**

(가) 모르터를 압축공기로 분사하여 바르는 것
(나) ① 시멘트 건
② 본 닥터
③ 제트 크리트
※ 건 나이트(Gunite)

정답 **17**

(가) 모르타르를 압축공기로 분사하여 바르는 것으로 Sprayed Concrete라고도 한다.
(나) 재료 표면의 강도, 수밀성, 내구성 증진
※ 밀폐된 좁은 공간에 시공성 (충전성) 우수
(다) 다공질이고 외관이 거칠고 균열발생 우려
※ 건식공법은 분진발생과 재료낭비가 심함.

정답 **18**

㉮ 섬유보강
㉯ 강
㉰ 유리
※ 기타 : 탄소섬유, 천연섬유 등

정답 **19**

(1) 강섬유
(2) 유리섬유
(3) 탄소섬유

관련문제

20 **다음 설명한 콘크리트의 종류를 쓰시오. (3점)** 〔02 ①, 10 ①, 17 ①〕

(가) 콘크리트 제작시 골재는 전혀 사용하지 않고 물, 시멘트, 발포제만으로 만든 경량 콘크리트 : ________________

(나) 콘크리트 타설 후 mat, Vaccum pump 등을 이용하여 콘크리트 속에 잔류해 있는 잉여수 및 기포등을 제거함을 목적으로 하는 콘크리트 : ________

(다) 거푸집 안에 미리 굵은 골재를 채워 넣은 후 그 공극 속으로 특수한 모르타르를 주입하여 만든 콘크리트 : ________________

21 **다음 설명이 뜻하는 콘크리트의 명칭을 써 넣으시오. (3점)**
〔03 ①, 05 ①, 08 ②, 15 ③〕

1) 콘크리트면에 미장등을 하지 않고, 직접 노출시켜 마무리한 콘크리트 ? ____

2) 부재 단면치수 80cm이상, 콘크리트 내외부 온도차가 25℃이상으로 예상되는 콘크리트 ? ________________

3) 건축구조물이 20층 이상이면서 기둥크기를 적게 하도록 콘크리트 강도를 높게 하는 구조물에 사용되는 콘크리트로서 보통 설계기준 강도가 보통 400 kgf/cm^{2}이상인 콘크리트 ? ________________
※ (콘크리트 설계 기준 강도가 일반 40Mpa 이상, 경량콘크리트는 27Mpa 이상인 콘크리트?) ________________

22 **폴리머시멘트콘크리트의 특성을 보통시멘트콘크리트와 비교하여 4가지 서술하시오. (4점)** 〔04 ②, 09 ②, 16 ②〕

① ____________ ② ____________

③ ____________ ④ ____________

해설 및 정답

정답 **20**
(가) : 서모콘(Thermo-con)
(나) : 진공 콘크리트 혹은 Vaccum Dewatering Concrete(진공탈수콘크리트)
(다) 프리팩트 콘크리트

정답 **21**
1) 제물치장콘크리트 (Exposed Concrete)
2) 매스콘크리트(Mass Concrete)
3) 고강도콘크리트(High Strength Concrete)

정답 **22**
① 워커빌리티가 우수하다.
② 다른 재료와의 접착력이 우수하다.
③ 휨강도, 인장강도 및 신장성능이 증대된다.(우수하다)
④ 내 충격성이 우수하고 동결융해에 대한 저항성이 크다.
※ 기타 - ① 내식성, 내수성 내마모성이 우수하다.
② 내화성능이 저하된다.

용어정의 • 해설

01 빌레트(Billet) : 압연 강재를 만들 때 원철을 사용한 것 :
인고트(Ingot) : 고철을 재생한 것

02 이형철근 : 표면에 리브와 마디 등의 돌기가 있는 봉강

※ KS D 3504 규정의 이형철근

03 피복두께

철근을 Concrete로 감싼두께로 콘크리트 표면에서 가장 가까운 철근까지의 최단거리(순간격이다)

04 온도조절 철근(Temperature Bar)

온도변화에 따른 콘크리트의 수축으로 생긴 균열을 최소화하기 위한 철근으로 하중지지와는 관계없이 주로 1방향 slab의 장변방향에 배근된다.

▶ 94-①, 04-②, 09-①, 11-③ / 18-①

- 온도조절 철근 용어설명
- 이형철근, 배력근 설명

05 나선철근(Spiral Hoop)

기둥에서 좌굴이나 전단력을 받아 주는 hoop 대신 철근을 이음없이 나선상으로 감아 시공하는 철근을 말하며 전단보강, 좌굴방지, 내진에 유리하다.

▶ 97-④ / 03-②

- Slip Bar 용어설명 /
- Slip Bar 끝처리 방법

06 슬립 바아

콘크리트 바닥이나 바닥과 접하는 벽체 등의 줄눈에서 두 슬래브의 수평유지 목적으로 슬래브 중심선 방향으로 이동할 수 있도록 삽입한 철근

※ Slip Bar의 한면은 고정으로 하고 한면은 아스팔트나 유제(Grease) 칠을 한 후 Cap을 씌워 이동이 되도록 처리한다.

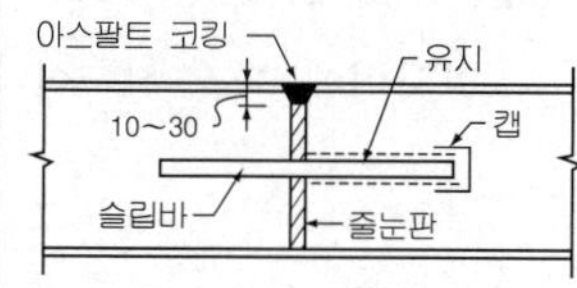

그림. Slip Bar 형상

07 철근 X형 배근법

철근 콘크리트 구조물의 기둥이나 보의 전단력 향상을 위한 배근법으로 특히 내진 구조물에 효과적이다.

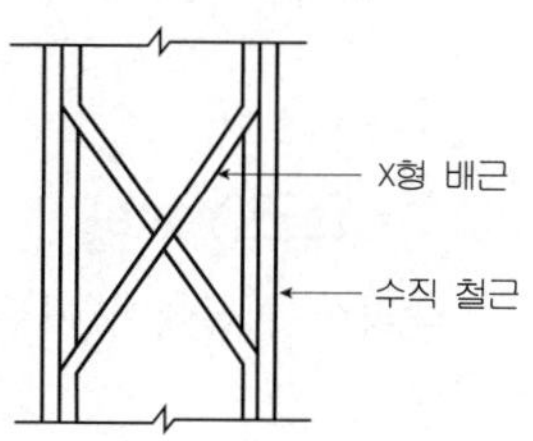

08 Haunch(헌치)

보응력은 기둥접합부에서 커져 단부응력의 보 설계는 비경제적이므로 단부에만 단면적을 크게 보강한 부분

※ 수직, 수평 부재의 접합부 보강을 위해 단면을 크게 한 부분

> 02-①
> • 헌치용어

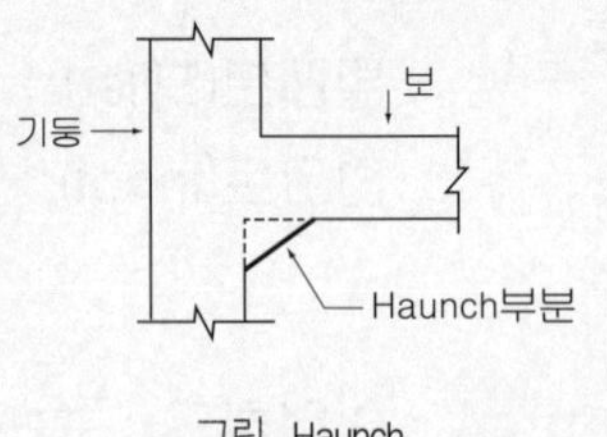

그림. Haunch

09 비킴먹

기둥중심에서 1m정도 떨어져 치는 먹줄

10 박리재(Form Oil)

콘크리트 표면에서 거푸집널을 떼내기를 쉽게 하기 위하여 미리 거푸집널에 바르는 물질

11 서포트(Support)

장선받이, 멍에등을 받아 그 하중을 지반 또는 밑층의 바닥판에 전달하는 지주로 동바리라고도 한다.

12 보우 빔(Bow Beam)

강재의 장력을 이용하여 만든 조립보로서 무지주공법에 이용되는 수평지지보이다.

13 페코 빔(Pecco Beam)

간사이에 따라 신축이 가능한 무지주공법의 수평지지보이다.

14 캠버(Camber)

① 높이 조절용 쐐기(솟음)

② 처짐을 고려하여 미리 보, 슬래브의 중앙부를 치켜 올림한 부분

> 22-①
> • 캠버, Suppot(동바리)

15 요크(Yoke)

슬라이딩 폼에서 거푸집을 수직으로 끌어 올리는 기구

16 절건상태

일정 중량이 될 때까지 110℃ 이하의 온도로 가열건조한 상태, 노건조상태라고도 한다.

17 포졸란

물속에서 용해하여 수산화 칼슘과 화합하여 불용성의 화합물을 만드는 실리카 물질을 함유하는 미세분의 재료

▶ 96-③ / 93-④, 95-②
- 포졸란, 고로 slag, Flyash 용어 설명 /
- 포졸란 반응

18 플라이애쉬

분탄이 보일러내에서 연소할 때 부유하는 회분을 전기 집진기로 채집한 표면이 매끄로운 구형의 미세립 분말

19 고로슬래그

선철을 제조하는 과정에서 발생되는 부유물질인 슬래그를 냉각시켜 분말화한 것

20 수화열

시멘트가 물과 수화작용을 하면서 발생되는 열

21 헛응결(False Set)

위응결이라고도 하며 가수후 발열하지 않고 10~20분 정도 퍽 굳어졌다가 이후 순조롭게 경화가 진행되는 이상응결현상으로 석고에 기인한다.

▶ 03-①, 11-③, 17-①
- 헛응결 용어설명

22 애지 데이터 트럭(Truck Agitator)

믹싱 플랜트로부터 콘크리트를 받아 수송 도중 애지데이터(회전드럼)로 교반하여 운반하는 레미콘 중 central mixed concrete를 운반하는 트럭이다.

23 Truck Mixer

레미콘 중 Shrink mixed concrete 및 Transit mixed concrete에 사용되는 트럭으로 약간 혼합됐거나 재료계량된 concrete를 운반중 비빔할 수 있는 설비이다.

▶ 09-②, 16-①
- AE 감수제
- 쉬링크믹스트 콘크리트

24 Dry Mixing (건비빔)

Mortar 또는 concrete에 물을 가하지 않고 시멘트와 골재만 비빔한 것을 말하며, 마감공사나 건식 레미콘에서 사용된다.

25 인트레인드 에어(Entrained Air) (07 ①)

연행공기. AE사용에 의한 독립된 미세기포로써 볼베어링 역할을 한다. 3~6% 정도 들어있는 균일한 분포의 공기기포이다.

> 96-①, 98-⑤, 01-③, 06-②, 17-②, 17-③ / 04-②
>
> • 인트랩트, 인트레인드에어, 모세관 공극 용어 기술
> • 콘크리트 내부 공극 크기 순서

26 인트렙트 에어(Entrapped Air) (07 ①)

갇힌 공기. 일반 콘크리트에 자연적으로 1~2% 정도 함유된 상호연속된 부정형의 기포

27 배처 플랜트(Batcher Plant)

물, 시멘트, 골재 등의 콘크리트 각 재료를 정확하게 중량으로 계량하는 Batching plant와 1회분 concrete를 생산하는 Mixing plant로 구성되어 있다. 자동 중량 계량하여, 혼합해 주는 콘크리트 생산기계설비

> 92-④, 94-④, 95-①, 08-③, 17-③
>
> • 알칼리 골재 반응, 인트랩트에어, 배쳐 플랜트 용어 간단히 설명

28 물 · 시멘트비(W/C비)

모르타르 또는 콘크리트에 포함된 시멘트 풀속에 시멘트에 대한 물의 중량 백분율을 말한다.

> 88-①, 99-④, 10-②
>
> • 물시멘트비, 블리이딩, cold joint

29 공기량

부어넣기 직후의 콘크리트의 시멘트 풀속에 포함된 공기의 콘크리트에 대한 용적 백분율

> 97-③
>
> • 에어미터

30 아바티즈

프리텐션 방식에서 강선을 긴장시켜 정착하는 지주

31 다시 비빔(Remixing)

아직 엉기지 않은(경화되지 않은) 콘크리트를 시간 경과 또는 재료가 분리된 경우에 다시 비벼 쓰는 것

> 91-③, 95-②, 99-②, 03-③, 09-①, 10-③
>
> • 다시비빔, 되비빔 용어설명

32 되비빔(Retempering)

콘크리트가 응결하기 시작한 것을 다시 비비는 것

33 워커빌리티, 시공연도, Workability

비빔, 타설, 다짐 및 마감과 같은 일에서 작업의 난이도와 재료의 균질 정도를 나타내는 굳지 않은 콘크리트 및 모르터의 성질

34 슬럼프 콘, Slump Test cone

콘크리트의 슬럼프 시험을 할 때 사용되는 높이 30cm, 하단 안지름 20cm, 상단 안지름 10cm의 원추형의 철제통

> 97-③
> • 슬럼프 콘

35 슬럼프 손실(損失), Slump Loss

시간이 경과함에 따라 콘크리트의 반죽질기가 감소하는 현상(슬럼프저하)으로서, 콘크리트 혼합물에서 수화작용, 증발 등으로 자유수가 감소함에 따라 발생함

> 97-①, 02-② / 18-②
> • 슬럼프 손실에 대해 설명
> • 슬럼프 손실 원인 2가지

36 소요 Slump

콘크리트를 부어넣을 때 요구되는 슬럼프값

37 지정 Slump

레디믹스트 콘크리트를 받는 지점에서의 슬럼프 값

38 콘크리트 플레이서(Concrete Placer)

콘크리트 수송기의 한종류로 수송관 안의 콘크리트를 압축공기로 압송하는 것

39 크리프(Creep) 현상

콘크리트에 일정한 하중이 계속 작용하면 하중의 증가없이도 시간과 더불어 변형이 증가하는 현상

※ Creep 변형은 탄성변형보다 크며 지속응력의 크기가 적정강도의 80% 이상이 되면 파괴현상이 일어나는데 이것을 Creep파괴라 한다.

> 93-④, 94-②, 98-③, 09-②, 10-②, 11-②, 15-③ 20-①, 22-① / 11-①
> • 크리프 현상 설명
> • 크리프 증가요인 (○), (×) 문제

보충설명 **Creep의 증가원인**

① 초기재령시	⑤ 부재의 건조 정도가 높을수록
② 하중이 클수록	⑥ 온도가 높을수록
③ W/C가 클수록	⑦ 양생, 보양이 나쁠수록
④ 부재의 단면칫수가 작을수록	⑧ 단위 시멘트량이 많을수록

40 트레미관(Tremie Pipe)

안정액을 시공하거나 수중 콘크리트 타설시 쓰이는 안지름 25~30cm정도의 철관으로써 재료분리를 방지하고, 콘크리트 중량에 의해 안정액을 치환하는 역할도 한다.

※ 종류 : 밑 뚜껑식, plunger식, 개폐문식

▶ 97-③
• 트레미관 용어설명

41 V.H 타설공법

침하균열을 방지하기 위하여 수직부분(기둥, 벽)에 먼저 콘크리트를 타설하고 수평부분(보, 슬래브)을 나중에 타설하는 공법. 주로 Half P.C. slab 공법에 적용한다.

▶ 05-②, 11-②
• VH공법을 기술하시오.

42 프리팩트 콘크리트

굵은 골재를 거푸집에 넣고 그 사이에 특수모르타르를 적당한 압력으로 주입하는 콘크리트로, 주로 수중콘크리트에 이용된다.

▶ 89-②, 94-④, 97-①
• 프리팩트 콘크리트 용어설명

43 실베스터법

모르타르 또는 콘크리트에 명반과 비누물의 뜨거운 용액을 여러번 시간 간격을 두고 바르는 방법으로 주로 수밀콘크리트에 사용하는 방수공법이다.

44 슈미트 해머(Schumidt Hammer)

콘크리트의 압축강도 측정용 비파괴시험기로써 콘크리트 표면에서 눌러 그 반발치에 의하여 강도를 측정한다.

45 진공콘크리트(Vaccum Concrete)

콘크리트가 경화하기 전에 진공매트(Vaccum mat)로 수분과 공기를 흡수하고, 대기의 압력으로 다진 콘크리트

▶ 90-② / 90-③, 95-③
• 용어설명 숏크리트, 진공매트, 기타 /
• 쇼트크리트, 진공매트 용어설명

46 내화 콘크리트

화재와 같이 극히 단시간에 800~1,000℃의 고온에 견딜 수 있는 콘크리트를 말한다.

47 내열 콘크리트

공업용 용광로 등 1000℃가 넘는 온도에 장기간 반복 사용되는 콘크리트를 말한다.

48 녹화 콘크리트 (porous concrete)

콘크리트 내부에 연속 공극을 가져 투수성, 투기성을 갖는 콘크리트로써 환경문제에 대응하기 위한 콘크리트이다.

49 적산온도

(1) 정의 : 콘크리트의 강도를 재령과 온도와의 함수 즉 강도는 Σ(시간×온도)의 함수로 표시하는데 이 총합을 적산온도라 한다.
※ 콘크리트는 동일 적산온도에서 거의 동일 강도를 갖는다.

(2) 한중기는 초기강도가 늦어지므로 이 적산온도를 이용하여 거푸집의 해체시기, 양생기간등을 검토한다.

(3) 적산온도(M) 산정식

$$M = \sum_{0}^{t}(\theta + A)\Delta t$$

여기서 M :적산온도(°D · D(일), 또는 °C · D)
θ : 시간 중의 콘크리트의 평균 양생 온도
A : 정수로서 일반적으로 10°C가 사용된다.
Δt : 시간(일)

다만, θ는 가열보온양생 혹은 단열보온양생을 하는 기간에서는 콘크리트의 예상 일평균 양생 온도로 하며, 위의 보온양생을 하지 않는 때에는 예상 일평균기온으로 한다.

▶ 10-③
• 적산온도

50 콘크리트 채움 강관(Concrete filled tube)

원형, 사각형 강관 기둥내부에 고강도, 고유동화 콘크리트를 충진하여 만든기둥으로 좌굴방지, 내진성 향상, 단면축소, 휨 강성증진 등의 효과가 있어 초고층 건물등에 쓰인다.

※ 강관을 기둥 거푸집으로 이용하고 내부를 콘크리트로 채운 합성구조이다.

관련문제

1 (가) 온도조절 철근이란 무엇을 말하는가 간단히 쓰시오. (3점) 〔94 ①, 04 ②〕

(나) 온도조절 철근(Temperature Bar)의 배근목적에 대하여 간단히 설명하시오 (2점) 〔09 ①, 11 ③, 15 ②〕

2 다음 콘크리트 공사에 관한 용어에 대하여 간략하게 기술하시오. (4점, 6점) 〔87 ①, 88 ①, 99 ④〕

(1) 물시멘트비 :

(2) 블리이딩 : 〔12 ③, 14 ③〕

(3) Cold Joint : 〔10 ②, 12 ③, 14 ①〕

3 다음 용어에 대해 기술하시오. (6점) 〔96 ①, 98 ⑤, 01 ③, 06 ②〕

(가) 인트랩트 에어 (Entraped Air) : 〔06 ②, 07 ①, 17 ②, 17 ③〕

(나) 인트레인드 에어 (Entrained Air) : 〔06 ②, 07 ①, 17 ②〕

(다) 모세관 공극(Capillary Cavity) :

4 다음 경화 콘크리트 내부의 공극의 종류를 나타낸 것이다. 크기가 작은 것부터 큰 것의 순서를 번호로 나열하시오. (4점) 〔04 ②〕

〔보기〕

가. 엔트랩트에어	나. 모세관공극
다. 겔공극	라. 엔트레인드에어

참고사항

■ 공극의 크기

① 겔공극(C-S-H라고 약칭하는 칼슘실리케이트 수화물 : 규산칼슘 수화물의 고체와의 간격으로써 최근에는 층간 공극이라 부른다.) : 1 nano meter

② 모세관공극 ; 100 nano meter

③ 인트레인드 에어(AE제 함유시 발생공기) : 100~200 nano meter

④ 인트랩트 에어(비빔시 함유되는 공기) : 3mm까지 발생가능

해설 및 정답

정답 **1**

온도변화에 따라 콘크리트의 수축으로 생기는 균열을 방지하기 위하여 배근하는 철근

정답 **2**

(1) w/c비 : 부어넣기 직후의 몰탈 또는 콘크리트에 포함된 시멘트풀속의 시멘트에 대한 물의 중량 백분율

(2) 블리이딩 : 아직 굳지 않은 시멘트풀, 몰탈 및 콘크리트에서 물이 윗면에 스며오르는 현상. (일종의 재료분리 현상)

(3) 콘크리트중 Joint 부분참조

정답 **3**

(가) 일반 콘크리트에 자연적으로 형성되는 부정형의 상호연속된 기포로 1~2%정도 함유하게된다.

(나) AE제에 의하여 발생하는 독립된 균질한 미세 기포로 볼베어링 역할을 하여 시공연도를 증진시킨다 .(적당한 공기량은 3~5%)

(다) 수화된 시멘트풀(paste) 가운데서 고체성분으로 채워져있지 않은 빈부분을 말한다.

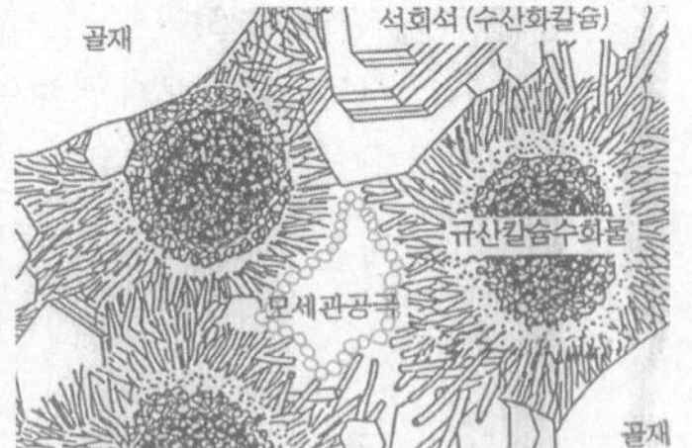

그림. 콘크리트내 조직형태

정답 **4**

다 - 나 - 라 - 가

관련문제

5 **다음의 콘크리트 용어에 대해 간단히 설명하시오. (6점)** 〔92 ④, 95 ①, 08 ③, 17 ③〕

(가) 알카리골재반응 : ______

(나) 인트랩트 에어(entraped air) : ______

(다) 배쳐플랜트(batcher plant) : ______

6 **다음 용어를 구분지어 설명하시오. (4점)** 〔91 ③, 95 ②, 99 ②, 03 ③, 09 ①〕

(가) 다시비빔(remixing) : ______

(나) 되비빔(retempering) : ______

7 **(가) 콘크리트 슬럼프 손실(損失, Slump Loss)에 대해 설명하시오. (4점)** 〔97 ①, 02 ②〕

______

(나) 슬럼프 손실(Slump loss)의 원인을 2가지 쓰시오.

______

8 **콘크리트의 크리프(Creep) 현상에 대하여 쓰시오. (3점)**
〔93 ④, 94 ②, 09 ②, 11 ②, 15 ③, 20 ①, 22 ①〕

______

9 **다음 용어를 설명하시오. (4점)** 〔10 ②〕

(1) 레이턴스(laitance): 〔14 ③, 20 ①〕

______

(2) 콜드조인트(cold joint):

______

(3) 모세관공극(capillary cavity):

______

(4) 크리프(creep):

______

해설 및 정답

정답 **5**

(가) 알카리 골재반응: 포틀랜드 시멘트중의 알카리 성분과 골재등의 실리카질 광물이 화학반응을 일으켜 팽창을 유발시키는 반응.
(나) 3번의 (가)참조
(다) 배쳐플랜트 : 물, 시멘트, 골재 등을 정확하고 능률적으로 자동 중량 계량하여 혼합하여주는 콘크리트 생산, 기계설비

정답 **6**

(가) 다시비빔 : 아직 엉기지 않은 콘크리트를 시간경과 또는 재료분리된 경우에 다시 비벼 쓰는 것.
(나) 되비빔 : 콘크리트가 응결하기 시작한 것을 다시 비비는 것

정답 **7**

시간이 경과함에 따라 콘크리트의 반죽질기가 감소하는 현상으로 콘크리트 혼합물에서 수화작용, 증발 등으로 자유수(혼합수)가 감소함에 따라 발생한다.

정답 **8**

Creep 현상 : Concrete에 일정하중을 계속주면 하중의 증가없이도 시간의 경과에 따라 변형이 증가하는 소성변형 현상

정답 **9**

(1) 콘크리트를 부어 넣은 후 블리딩수의 증발에 따라 그 표면에 나오는 백색의 미세한 물질
(2) 콘크리트중 Joint 부분 참조
(3) 3번의 (다) 정답 참조
(4) 8번 정답 참조

관련문제

10 다음 명칭 용어를 간단히 설명하시오. (6점) 〔97 ③〕

(가) 트레미관(Tremie pipe) : ______

(나) 슬럼프콘(Slump Cone) : ______

(다) 에어미터(Air meter) : ______

11 다음 설명이 뜻하는 용어를 쓰시오. (2점) 〔97 ③, 01 ②〕

(1) 니수액 또는 콘크리트를 타설하는 끝이 항상 닫혀 있는 25cm관
(2) 타일붙임 몰탈의 기본 접착강도를 얻을 수 있는 한계의 시간

(가) ______ (나) ______

12 다음 용어를 설명하시오. (12점) 〔90 ②〕

(1) 쇼트크리트(shotcrete) : ______

(2) 바라이트(barite) 모르타르 : ______

(3) 진공매트(vaccum mat) : ______

(4) 리그노이드스톤(lignoid stone) : ______

(5) 스팻터(spatter) : ______

(6) 캐스트스톤(cast stone) : ______

13 다음 용어를 쓰시오. (4점) 〔90 ③, 95 ③〕

(가) 쇼트크리트(Shotcrete) : ______

(나) 진공 매트(Vacccum mat) : ______

해설 및 정답

정답 **10**

(가) 트레미관 : 수중 콘크리트 타설시 많이 쓰이는 안지름 25~30cm 정도의 콘크리트 타설용 철관으로 재료분리를 방지한다.
(나) 슬럼프콘 : 콘크리트의 슬럼프 시험을 할 때 사용되는 높이 30cm, 하단 안지름 20cm, 상단안지름 10cm의 원추형의 철제통
(다) 에어 미터 : 콘크리트 시공중 공기량 측정기구(측정방법에는 압력법, 중력법, 용적법의 세가지가 있으나 많이 이용되는 것은 압력법이다.)

정답 **11**

(1) 트레미관(Tremie Pipe)
(2) 오픈타임(Open Time)

정답 **12**

(1) Mortar를 압축공기로 분사하여 바르는 것을 말한다.
(2) 방사선 차폐용 Mortar를 말한다. 바라이트 분말에 시멘트와 모래를 혼합하여 만든다.
(3) 문제 12번답 참조
(4) 마그네시아 시멘트에 콜크, 안료등을 가하여 혼합한 바닥 미장재료이다.
(5) 가스절단이나 용접시 비산하는 물질이 금속표면에 경화된 것
(6) 인조석 잔다듬 이라고도 하며, 인조석을 바름후 경화시켜 정으로 잔다듬하여 마무리한 것을 말한다.

정답 **13**

(가) 쇼트크리트 : 모르타르를 압축공기로 분사하여 바르는 것으로 건나이트라고도 한다.
(나) 진공 매트 : 진공콘크리트에서 타설직후의 콘크리트 표면에 씌워 과잉수 제거 및 표면을 동시에 다짐으로써 초기강도를 증가시킬 때 사용되는 기구
(진공매트에 작용하는 대기압은 보통 6~8t/m^2)

관련문제

14 철근콘크리트 공사에서의 헛응결(false set)에 대하여 기술하시오. (3점)

〔03 ①, 11 ③, 17 ①〕

____

15 다음에서 설명하는 건축관련용어를 (　　)안에 쓰시오. (4점)

〔03 ③〕

(가) 지하연속벽 (slurry wall)시공시 굴착작업에 앞서 굴착구 양측에 설치하는 것으로 굴착구 인접지반의 붕락을 방지하고 굴착기계의 진입을 유도하는 가설벽은? (　　　　　　)

(나) 수중콘크리트 타설에 이용되는 상단부의 머리부분에 구멍을 가진 수밀성이 있는 관은? (　　　　　　)

(다) 철근의 단면을 산소-아세틸렌 불꽃 등을 사용하여 가열하고, 기계적 압력을 가하여 맞댄이음 하는 것은? (　　　　　　)

(라) 불투수성 피막을 형성하여 방수하는 공사를 총칭하며, 아스팔트방수층, 시트 방수 및 도막방수가 여기에 해당된다. 이를 나타내는 용어는? (　　　　　　)

16 AE감수제와 쉬링크믹스트 콘크리트에 대해 설명하시오. (4점)

〔09 ②, 16 ①〕

(1) AE감수제 : ______________________________

(2) 쉬링크믹스트 콘크리트 : ______________________________

해설 및 정답

정답 **14**

가수한 시멘트풀이 10~20분내에 발열하지 않고 퍽 굳어졌다가 이후 순조롭게 경화가 진행되는 현상을 말한다.(위응결, 이중응결 이라고도 하며, 시멘트 성분중 석고에 기인하여 이런현상이 생긴다.)

정답 **15**

(가) 가이드 월(Guide Wall)
(나) 트레미관 (Tremie pipe)
(다) 가스압접
(라) 맴브레인 (Membrane)방수 공법

정답 **16**

(1) 단위수량을 감소시키는 동시에 미세기포를 연행하여 콘크리트의 워커빌리티 및 내구성을 향상시키기 위하여 사용하는 혼화제 (표준형, 지연형 및 촉진형의 3종류가 있음.)
(2) 공장고정믹서에서 반 비빔한 것을 트럭믹서에 실어, 운반중에 완전히 비벼서 공급하는 레미콘

출제예상문제

1 **철근콘크리트 구조에서 보철근의 배근순서를 보기에서 골라 번호로 나열하시오.**

〔보기〕

1. 늑근배근	2. Spacer(스페이서) 설치
3. 상부철근배근	4. 보 하부근 배근

정답 1
3
1
2
4

2 **다음의 (　　) 안에 알맞는 숫자를 넣고 물음에 답하시오.**

가. 철근 이음은 한곳에 집중시키지 말아야 하며 벽 기둥의 이음은 (①)h(높이)하부에서 반을 엇갈리게 한다. 압접이나 용접시에도 압접중심선 간격이 (②)cm 정도는 서로 이격시켜 엇갈리게 한다.

나. 철근콘크리트공사시 주로 사용되는 철근의 종류는 SD400, SD500, SD600 철근이 사용된다. SD400, SD500, SD600 철근을 나타내는 숫자 400, 500, 600은 무엇을 나타내는가? ③ ________

① ________ ② ________ ③ ________

정답 2
① 2/3
② 60
③ 철근의 항복강도(MPa)
Fy＝400, 500, 600MPa

3 **다음 용어를 설명하시오.**

(1) 철근의 기계적이음 : ________

(2) Additional Bar : ________

정답 3
(1) 연결재를 사용한 철근 이음 방법으로 sleeve를 이용한 것과 coupler를 이용한 방법 등이 있다.
(2) 가외철근을 말하며 개구부, 모서리 매립철물 등의 주변에 배근되는 보강근을 말한다.
※ 건조수축, 온도변화, 기타 원인으로 콘크리트에 일어나는 인장응력에 대비하여 가외로 더 넣는 보조철근 (시방서 용어설명)

4 **철근콘크리트공사시 적용하는 철근은 원가절감을 위해 고강도 철근을 사용하여 설계하게 된다. 초고강도 철근인 SD600 철근을 적용하여 설계 시공할 경우 시공상 장점에 대하여 4가지를 기술하라.**

① ________ ② ________

③ ________ ④ ________

정답 4
① 과밀배근 억제
② 작업능률 향상
③ 공기단축
④ 시공품질 향상

출제예상문제

5 다음 용어를 설명하시오.

(가) 표준양생 : ______

(나) 콘크리트의 적산온도 : ______

6 표준시방서에 기재된 철근공사 가스압접부의 검사방법 3가지를 쓰고 간단히 설명하시오.

① ______

② ______

③ ______

7 거푸집 공법 중 슬라이딩 폼(Sliding Form)공법의 장점을 3가지만 쓰시오.

① ______ ② ______

③ ______

8 다음 (   ) 안에 알맞는 말을 쓰시오.

콘크리트 공사시 거푸집과 동바리가 받는 하중은 연직하중, 수평하중, 콘크리트 측압 및 특수하중이 있다. 이중 동바리에 작용하는 수평하중은 ① (   ) 이상 또는 동바리 상단의 수평방향 단위길이당 ② (   ) 이상 중에서 큰 하중이 동바리 머리 부분에 수평으로 작용하는 것으로 가정하여 구조 설계한다.

① ______ ② ______

9 다음에 해당하는 대표적 혼화제(재)를 한가지씩 쓰시오.

(가) 분산제 (나) 증량재 (다) 방동제
(라) 착색재 (마) 방청제

(가) ______ (나) ______ (다) ______

(라) ______ (마) ______

해설 및 정답

정답 **5**

(가) 20±2℃의 수중 또는 상대습도 95% 이상의 습윤상태에서 행하는 양생(시방서 용어설명)
(나) 콘크리트의 강도를 재령과 온도의 함수로 표시하고 양생기간×온도를 총 합산한 값을 콘크리트의 적산온도라고 한다.

정답 **6**

① 외관검사 : 작업완료 후 전부 한다.
② 초음파 탐사법 : 하루 시공분 중 30개소 이상 시험불합격 2개소이면 하루 시공분 전체 불합격
③ 인장 시험법 : 하루 시공분 중 3개이상 시험불합격 2개소이면 하루 시공분 전체 불합격

정답 **7**

① 연속타설로 콘크리트의 일체성 확보
② 내외부 비계, 발판 불필요
③ 공기단축 효과가 있다.

정답 **8**

① 고정하중의 2%
② 1.5 kN/m

정답 **9**

(가) AE제
(나) Fly ash
(다) 염화칼슘
(라) 카본블랙
(마) 인산염

출제예상문제

10 분말도가 큰 시멘트를 사용하는 경우 콘크리트에 미치는 영향을 3가지만 간단히 적으시오.

① ______ ② ______

③ ______

정답 10
① 수화작용이 빠르고 응결이 촉진된다.
② 발열량이 커지고 초기강도가 증대된다.
③ 시공연도가 향상된다.
※ 조기경화에 따른 균열발생이 일어나기 쉽다.

11 콘크리트를 거푸집에 타설한 후부터 응결이 종료될 때까지 발생하는 균열을 일반적으로 초기균열이라고 한다. 그 원인에 의해 크게 나눌 수 있는데 3가지만 쓰시오.

① ______ ② ______ ③ ______

정답 11
① 소성수축 균열
② 침하균열
③ 온도균열
※ 기타 : 시공중 균열(진동, 충격, 거푸집변형, 동바리 침하 등)

12 콘크리트 반죽질기(시공연도)의 측정방법 종류를 3가지를 쓰시오. 〔17 ③, 19 ①〕

① ______ ② ______

③ ______

정답 12
① Slump 시험
② flow 시험
③ Vee-Bee 시험
④ 구관입시험
⑤ 리몰딩 시험

13 콘크리트 배합설계시 물결합재비를 결정할 때 반드시 고려해야 하는 기본 항목 3가지를 쓰시오.

① ______ ② ______

③ ______

정답 13
※ 건축공사 표준시방서 규정
① 압축강도
② 내구성
③ 수밀성
※ 균열저항성 고려

14 레미콘을 운반하는 기구 중 Truck Agitator와 Truck Mixer를 대표적인 특징을 들어서 간단히 비교설명하시오.

(1) Truck Mixer : ______

(2) Truck Agitator : ______

정답 14
(1) Truck Mixer : 레미콘 중 Shrink Mixed Concrete나 transit Mixed Concrete에 사용되는 운반용 트럭을 말한다.
(2) Truck Agitator : 레미콘중 Centural Mixed Concrete에 사용되는 운반용 트럭으로 반죽 완료된 콘크리트를 휘저으며 현장까지 운반한다.

출제예상문제 | **해설 및 정답**

15 콘크리트의 신축이음을 두는 가장 큰 이유는 무엇인지 적으시오.

______

16 신축줄눈을 설치하는 형식의 종류를 4가지 적으시오.

가. ______ 나. ______

다. ______ 라. ______

17 건축공사 표준시방서에 명시된 이어치기시간 한도와 비빔에서 타설시까지의 시간한도 중 ( )안에 알맞는 시간을 써 넣으시오. (4점) 〔19 ③, 22 ③, 23 ①〕

(가) 이어치기시간 한도는 외부기온이 25℃ 이상에서 (①)시간이내, 25℃ 미만에서 (②)시간 이내로 하여야 시공불량을 막을 수 있다.

(나) 비빔에서 타설까지의 시간한계는 외부기온 25℃ 이상에서 (③)시간이내 25℃ 미만에서 (④)시간 이내로 하여야 한다.

① ______ ② ______

③ ______ ④ ______

18 다음의 용어를 간단히 설명하시오.

(1) Settlement Joint : ______

(2) Slip Joint : ______

(3) Sliding Joint : ______

19 콘크리트 타설에 콘크리트 펌프를 많이 사용하고 있다. 사용도중에 파이프가 막히는 plugging 현상이 생기는데 그 이유를 4가지만 쓰시오.

① ______ ② ______

③ ______ ④ ______

정답 **15**

온도변화, 건조수축, 기초의 부동침하 등으로 인한 균열방지

정답 **16**

가. 막힌줄눈
나. 트인줄눈
다. 맞댄줄눈
라. 침하줄눈

정답 **17**

① 2 ② 2.5
③ 1.5 ④ 2

정답 **18**

(1) 신축줄눈의 일종으로 부동침하 등의 각종 침하가 예상되는 곳에 설치하여 구조체의 단면을 완전 분리하여 설치하는 침하줄눈이다.
(2) 조적벽체와 콘크리트 slab가 접합되는 부분에서 접합을 방지하고 자유로운 움직임을 가능하게 하도록 설치된다.
(3) 활동면이음 이라고도 하며 slab와 보가 단순지지일 경우 설치하는 수평방향의 미끄럼줄눈이다.

정답 **19**

① 골재칫수가 너무 크거나 입도 입형불량의 재료분리 현상일때
② Slump 값이 너무 작을 때
③ 관경이 너무 작거나 관로가 너무 길 때
④ 대기시간 과다로 Concrete가 경화되었을 때

출제예상문제

20 레미콘 제조공장에 레미콘을 주문할 때, 반드시 알려주어야 하는 사항을 4가지만 적으시오.

① ______ ② ______

③ ______ ④ ______

21 다음 콘크리트 구조물의 내구성 저하요인 2가지씩만 적으시오.

(가) 외적요인

① ______ ② ______

(나) 내적요인

① ______ ② ______

22 다음 설명이 뜻하는 용어를 적으시오.

(1) 블리딩과 재료분리에 대한 저항성을 뜻하는 굳지않은 콘크리트의 성질을 나타내는 용어는?
(2) 굳지않은 콘크리트에서 변형능력의 총칭을 나타내는 용어는?
(3) 극히 단기간에 800~1000℃ 정도의 고온에 견디는 콘크리트
(4) 콘크리트를 부어 넣은 후 침강으로 인한 균열을 방지하기 위하여 콘크리트의 표면을 다지는 것은?

(1) ______ (2) ______

(3) ______ (4) ______

23 콘크리트 타설 작업시 콘크리트를 운반하는 방식의 종류를 4가지만 적으시오.

(1) ______ (2) ______

(3) ______ (4) ______

해설 및 정답

정답 **20**
① 주문수량(m^3)
② 콘크리트의 강도(MPa)
③ 굵은 골재의 최대치수(mm)
④ 슬럼프 값(mm)

정답 **21**
(가) 외적요인
① 부동침하, 과적(over load)
② 동결융해, 마모, Cavitation
(나) 내적요인
① 알카리골재 반응
② 염해(소금피해)

정답 **22**
(1) 안정성(Stability)
(2) 유동성(Flexability, Fluidity, Flowability)
(3) 내화콘크리트
(4) 리탬핑(Retamping)

정답 **23**
(1) Bucket을 이용하여 운반
(2) 슈트에 의한 타설
(3) Pump를 이용한 타설
(4) 콘크리트 타워에 의한 운반
※ 기타 : 컨베이어에 의한 운반, 덤프트럭, 카트에 의한 운반타설 등

출제예상문제

24 **콘크리트의 종류 중 온도보호와 온도제어를 해야 하는 대표적인 콘크리트의 종류와 대표적인 양생방법을 한가지씩만 적으시오. (4점)**

(1) 온도보호양생콘크리트 : ______ 양생방법 : ______

(2) 온도제어 콘크리트 : ______ 양생방법 : ______

25 **콘크리트를 타설할 경우의 slump 값의 표준치를 적으시오.(건축공사 표준시방서 기준)**

(가) 철근 콘크리트(일반적인 경우) : ______ mm

(나) 무근 콘크리트(일반적인 경우) : ______ mm

26 **다음 물음에 답하시오.**

가. 기둥중심에서 1m 정도 떨어져 치는 먹줄은?

나. 콘크리트가 하중을 받기 전에 미리 인장력 또는 압축응력을 주어 놓고, 실제 하중이 작용하여 일어난 인장응력과 균형을 이루도록 한 콘크리트는?

다. 건설현장에서 인부들이 시공이 어려워 레미콘에 물을 타서 시공을 하여 강도 및 내구성에 상당한 영향을 주는 사례가 있는데 이러한 문제의 근본적인 해결을 위해 개발된 콘크리트를 쓰시오.

가. ______ 나. ______ 다. ______

27 **새로운 건축재료의 일종으로 콘크리트를 구성하고 있는 복합재료 중 물과 시멘트의 일부나 전부를 Polymer물질(유기고분자 재료 중합체)로 대체한 Polymer 콘크리트의 일반적인 종류를 3가지 쓰시오.**

① ______ ② ______

③ ______

해설 및 정답

정답 **24**

(1) 한중콘크리트 : 가열, 보온양생

(2) 서중 또는 매스콘크리트 : Pipe Cooling 양생법

정답 **25**

(가) 80~180

(나) 50~180

정답 **26**

가. 비킴먹

나. 프리스트레스트(prestressed) 콘크리트

다. 유동화 콘크리트

정답 **27**

① 레진 콘크리트 (Polymer Resin Concrete)

② Polymer 함침 콘크리트 (Polymer Impregnated Concrete)

③ Polymer 시멘트 콘크리트

28 구체공사는 대량의 노무, 자재, 가설장비가 투입되면서 공사가 진행되므로 이에 대한 계획이 매우 중요하다. 구체공사 계획시 고려하여야할 일반적인 사항을 간략하게 5가지만 적으시오. (5점)

(1) ________________ (2) ________________

(3) ________________ (4) ________________

(5) ________________

해설 구체공사계획시 고려해야 할 사항

(1) 품질 정밀도의 확보: 구체 정밀도, 품질을 보다 향상시킴으로써 후속 마감공사가 순조롭게 진행되고 전체적으로 비용절감 및 공기단축을 가능하게 한다는 것을 염두에 두어야 한다.
(2) 경제성 추구: 구체공사 중에서 경제성에 큰 영향을 주는 요소는 자재의 운반방법, 즉 양중계획, 소운반계획이다. 이 경제적인 운반이라는 것은 장비가동률, 하역비, 운반시간 등이 종합적으로 경제적이어야 한다.
(3) 안전성, 저공해성 추구 : 공사 그 자체가 안전하고 저공해인 공법을 선정한다.
(4) 인력 절감: 필요인원 확보가 어려울 때는 인력절감 대책을 계획 초기부터 세워 구체공사 공기를 지켜야 한다.
(5) 공기 단축: 구체공사는 어느 정도 집중적인 비용을 투입함으로써 공사 기간을 단축시킬수 있다. 특히 지하구체공사시는 흙막이공사와의 관계를 고려하여야 하며, 지하 구조체의 비율이 큰 것은 기계화하여 공정의 지연을 방지해야 한다.

정답 28
(1) 품질 정밀도의 확보
(2) 경제성 추구
(3) 안전성, 저공해성추구
(4) 인력절감
(5) 공기단축

29 콘크리트의 종류중 환경문제의 해결이나 환경부하 저감용 콘크리트 즉 친환경 콘크리트의 종류를 3가지 적으시오.

(1) ________________ (2) ________________

(3) ________________

정답 29
(1) 순환(재생)골재 (Recycle Aggregate) 콘크리트
(2) 포러스 (Porous: 투기, 투수성) 콘크리트
(3) 에코시멘트 콘크리트 (Eco - Cement Concrete)

30 철근 콘크리트 부재 각 단면의 철근에 작용하는 인장력 또는 압축력이 단면의 양측에서 발휘될 수 있도록 하는 콘크리트 구조설계 기준에 의한 철근의 정착방법을 3가지 쓰시오.

(1) ________________ (2) ________________

(3) ________________

정답 30
① 매입길이에 의한 방법 : 이형철근
② 표준갈고리에 의한 방법 : 봉강
③ 기계적 정착 : 용접 및 정착장치

출제예상문제

31 시멘트가 풍화되었을 때 나타나는 현상(성질)을 3가지 쓰시오.

① ____________________ ② ____________________

③ ____________________

32 prestressed concrete에 대한 다음 내용에 답하시오.

(1) prestress의 손실원인 중 프리스트레스 도입 후 손실(시간적 손실)원인 3가지

① ____________________ ② ____________________

③ ____________________

(2) post-tension 공법에서 사용하는 Sheath(쉬드)내의 Grouting 재료는 주로 (①) 시멘트를 사용하며 물시멘트비는 (②) 이하이다.

33 블리딩 현상이 심한 경우 콘크리트에 미치는 영향을 3가지를 쓰시오.

① ____________________ ② ____________________

③ ____________________

34 콘크리트를 타설하고 거푸집을 제거한 후 Honey Comb(곰보)이 나타났다. 이 현상의 정의와 방지대책을 3가지 쓰시오.

(1) Honey Comb의 정의: ____________________

____

____

(2) 방지대책: ① ____________________

② ____________________

③ ____________________

해설 및 정답

정답 31

① 시멘트의 비중이 감소한다.
② 응결시간이 늦어진다.
③ 조기강도가 작아진다.
④ 강열 감량이 커진다.

정답 32

(1) ① 콘크리트의 건조수축
② 콘크리트의 Creep 변형
③ 강재의 이완
(2) ① 팽창 ② 45%

정답 33

① 수밀성이 저하한다.
② 균열이 증가되고 내구성이 저하한다.
③ 콘크리트와 철근의 부착강도가 저하한다.

정답 34

(1) 기둥이나 벽체의 하부, 창문틀 주변에서 나타나는 굵은골재의 몰림현상으로 일종의 재료분리 현상이다.
(2) ① 타설높이를 준수한다(1m이하에서 콘크리트 투입).
② 콘크리트 타설시 거푸집이나 철근에 직접 충돌시키지 않도록 한다.
③ 1회 타설 높이를 작게 하고 진동기를 과다하게 사용금지.

35 콘크리트는 여러 물질의 복합체로써 여러 가지 원인에 의하여 균열이 발생되는데 이 원인을 제공하는 장기적인 콘크리트의 대표적인 수축현상을 3가지 적으시오.

(1) ______________ (2) ______________

(3) ______________

정답 35
(1) 건조수축 (Drying Shrinkage)
(2) 탄산화 수축 (Carbonation Shrinkage)
(3) 크리프 수축 (Creep Shrinkage)

36 다음 글을 읽고 (　　)안을 적당한 수치로 채우시오.

(1) 콘크리트에 사용되는 잔골재와 굵은골재는 체가름시험을 통하여 (①)mm 체를 기준으로 구분한다.

(2) 일반적으로 콘크리트에 사용되는 굵은골재의 최대치수는 (②) 또는 20mm 골재를 쓰며, 단면이 큰 경우에는 (③)mm 골재를 사용할 수 있다.

(3) 콘크리트의 굵은골재의 최대치수는 슬라브두께의 (④), 개별철근, 다발철근 등의 최소 순간격에 (⑤)을 초과하면 안된다.

① ______________ ② ______________ ③ ______________

④ ______________ ⑤ ______________

정답 36
① 5
② 25
③ 40
④ 1/3
⑤ 3/4

37 다음 (　)안에 알맞은 말을 써 넣으시오.

> 1) 일평균 기온이 (①)℃ 이하는 한중 콘크리트 타설준비를 하며, 콘크리트 타설시의 기온이 (②)℃를 넘으면 서중 콘크리트로서의 여러 가지 성상이 현저해지므로 일평균 기온이 (③)℃ 이상일 때는 서중 콘크리트 타설준비를 하는 것이 좋다.
> 2) 콘크리트는 신속하게 운반하여 즉시, 치고 다져야 하는데 비비기로 부터 치기가 끝날 때까지 시간은 원칙적으로 대기온도가 25℃ 이상일 때는 (①) 시간, 25℃ 이하일 때도 (②) 시간을 넘어서는 안된다.

1) ① ______________ ② ______________ ③ ______________

2) ① ______________ ② ______________

정답 37
1) ① 4 ② 30 ③ 25
2) ① 1.5 ② 2

38 콘크리트에서 나타나는 균열 중 화학적 원인으로 구분할 수 있는 균열을 3가지 쓰시오.

(1) ______________ (2) ______________

(3) ______________

정답 38
(1) 중성화에 의한 균열
(2) 알카리 골재반응에 의한 균열
(3) 염해에 의한 균열

출제예상문제

39 **건축공사표준시방서에서 정한 다음 내용에 알맞은 Slump 값(Value)을 쓰시오.**

(1) 철근콘크리트 구조물의 일반적인 경우 Slump값 : ______________ mm

(2) 건축공사에 사용되는 일반적인 Slump값 : ______________

(3) 펌프를 이용한 콘크리트 타설시 Slump값 : ______________

(4) 유동화 콘크리트의 Slump값 : ______________

40 **철근콘크리트 구조물 보강공법 중 탄소섬유보강공법의 장 · 단점을 각각 3가지 쓰시오.**

• 장점:

① ______________ ② ______________ ③ ______________

• 단점:

① ______________ ② ______________ ③ ______________

해설 및 정답

정답 39

(1) 80～180
(2) 180mm이하
(3) 150mm이상
(4) 210mm이하

정답 40

• 장점
① 인장강도가 크다.
② 비중이 철의 1/5로 가볍다.
③ 내식성이 우수하다.

• 단점
① 방향성이 있다.
② 접착제인 에폭시는 열에 약하다.
③ 정밀한 면처리가 필요하다.

제7장

철골공사

핵심 23

철골일반, 공장가공, 리벳, Bolt접합

학습 POINT

1 철골구조의 특징

(1) 재료가 균등하고 자중이 작다	(5) 재료의 인성이 크다
(2) 공법이 자유롭다. 공기단축가능	(6) 비내화적이다.(피복에 유의)
(3) 큰 간사이구조가 가능하다.	(7) 고가이다.
(4) 고층화가 가능하다.	(8) 가공조립에 시공정밀도가 요구된다.

2 사용재료

▶ 철골 I Beam의 모습

1. 종류

형강, 강판, 평강, 봉강(원형관), 각강(4각, 6각, 8각등) 리벳, Bolt, 너트 등이 사용되며 KSD 3503(일반 구조용 압연강재), KSD 3515(용접 구조용 열간 압연강재), KSD 3530(일반구조용 경량강재), KS 1102(열간 성형 리벳)등의 규격 합격품을 사용한다.

2. 일반강재의 종류

▶ 97-③, 99-③

• 철골에 이용되는 형강명칭, 종류

C, H, I, L, T, Z형강

① 등변 ㄱ 형강(Equal Angle :ㄴ 형강)	⑤ ㄷ, C형강(Channel)
② 부등변 ㄱ 형강(Unequal Angle)	⑥ T형강(T Shape Steel)
③ 부등변 부등두께 ㄱ 형강	⑦ H형강(H Shape Steel)
④ I형강(I Beam)	⑧ Z형강

3. 경량형강의종류

ㄷ형강, Z형강(ㄱ_), ㄱ형강, ㄷ(Lip 형강), ㄱ_(Lip 형강), 모자(ᒧᒪ)형강

4. 재료의 시험

① 강재	인장 및 상온 휨 시험	단면이 상이할 때, 중량 20t마다 1개씩 시험
② 리벳	인장 및 상온 휨 시험 종 압축시험(KS 제품 생략)	지름이 다를 때, 중량 2t마다 1개씩 시험

5. Deck plate

(1) 철골·철근콘크리트 구조에서 아연도철판을 절곡해서 만든 하부거푸집판 용도로써 사용되며, 동바리 수량 감소, 별도의 해체작업이 불필요

(2) 데크플레이트를 이용한 바닥슬래브구조방법은 이하의 3개로 분류된다. (표준시방서)

① 데크합성슬래브	데크플레이트와 콘크리트가 일체되어 하중을 부담하는 구조
② 데크복합슬래브	데크플레이트의 홈에 철근을 배치한 철근콘크리트와 데크플레이트가 하중을 부담하는 구조
③ 데크구조슬래브	데크플레이트가 연직하중, 수평가새가 수평하중을 부담하는 구조

(3) 데크플레이트의 용도에 따른 분류

㉮ 거푸집용 데크플레이트(From deck plate) : 골형데크, 평형데크, 철근 트러스형 데크플레이트(Ferro Deck, Super Deck) 등이 있다.

㉯ 구조용(합성) 데크플레이트(Composite deck plate) : 골형, 평형합성 데크플레이트가 있다.

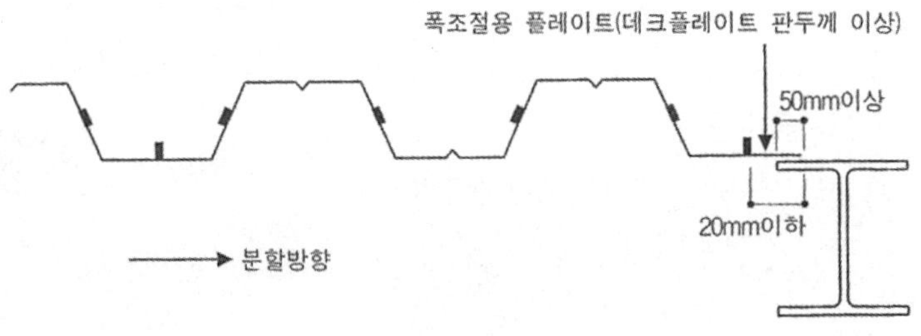

▶ Deck plate 형상 및 배치

학습 POINT

▶ 13-②, 21-①

• Deck plate 용어

3 철골의 공장 가공 순서

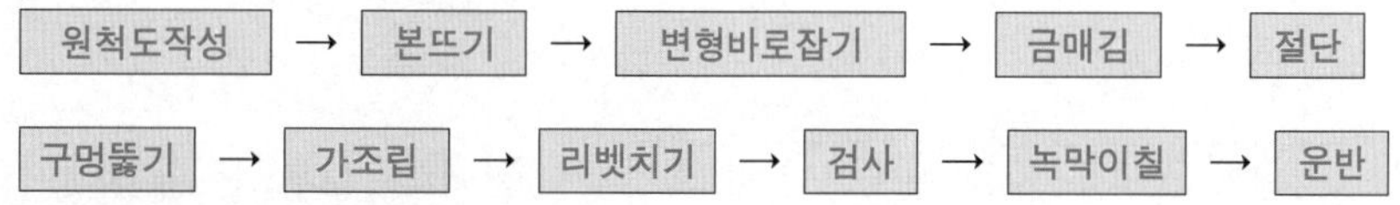

▶ 85-①, 95-③, 97-①, 02-② / 87-①, 04-①

• 철골공사의 공장가공 작업순서

1. 원척도(현치도)제작 및 검사

① 원척도 표시사항 : 높이, 길이, Span, 강재 형상 및 칫수, 리벳간격, 개수, gauge line, clearance, 공장 현장 리벳표시, 지붕물매 등을 표시

② 작도방법 : 손작도(강제자, 직각자, 컴퍼스)와 기계작도(원도작성후 확대 투명 사진법)로 한다.

③ 설계도서대로 공작도를 작성하여 감독자 승인을 받는다.
④ 원척도 검사 : 표시사항을 점검하고 용접유효길이, 녹막이칠부분, 각부분의 접합관계, 치켜올림 등을 검사한다.

2. 본뜨기

후속작업을 위하여 두께 0.3~0.5mm의 철판(함석판)이나 투명 폴리에스테르 피름에 원척도대로 본뜨는 것

3. 부재의 절단 및 가공

(1) 부재의 절단방법

① 전단절단	채움재, 띠철, 형강, 판 두께 13mm 이하의 연결판, 보강재 등은 전단 절단할 수 있다.
② 톱절단	판두께 13mm 초과 형강이나, 정밀절단시
③ 가스절단	주변 3mm 정도 변질, 여유있게 절단 ※ 자동가스절단기 이용

※ 강재의 절단은 강재의 형상, 치수를 고려하여 기계절단, 가스절단, 플라즈마 절단, 레이저절단 등을 적용한다.(표준시방서)

(2) 휨 가공 : 상온 또는 가열가공한다.
① 가열 가공은 800~1,100℃의 적열상태에서 가공한다.
② 청열 취성범위(200℃~400℃)에서는 가공을 금지한다.

▶ 자동가스절단기로 철골부재를 절단하는 장면

▶ 철골보의 고력 Bolt 조임작업 Drift Pin으로 구멍 맞춤을 하며, 현장에서 구멍위치 수정작업을 한다.

4. 구멍뚫기

(1) 펀칭 (Punching)	판두께 13mm 이하 강재에 구멍을 뚫을 때에는 눌러 뚫기(press punching)에 의하여 소정의 지름으로 뚫을 수 있으나 구멍 주변에 생긴 손상부는 깎아서 제거해야 한다.
(2) 송곳뚫기 (Drilling)	• 보통 판두께 13mm 초과시 • 3장 이상 겹칠 때, 주철재 일 때 (펀칭으로 하면 균열발생) • 수밀성 요구시(물탱크, 기름탱크), 기타 정밀가공
(3) 구멍가심 (Reaming)	• 조립시 구멍 위치 다를 때 reamer로 구멍가심한다. • 3장 이상 부재 겹칠 때 송곳으로 구멍지름 보다 1.5mm정도 작게 뚫어 놓고 드릴 또는 리이머로 조정한다.

학습 POINT

암기하기

■ 철골공사의 공장 작업순서
① 공장가공 작업의 원칙을 세운다.
② 원척도
(현치도 : Full size drawing)
③ 본뜨기
④ 금매김(Marking)
⑤ 절단(Cutting)
⑥ 구멍뚫기(Punching)
⑦ 가조립
⑧ 리벳치기(Reveting)
⑨ 검사(Inspection)
⑩ 녹막이칠(Painting)
⑪ 운반(Transportation)

▶ 98-④, 99-⑤, 06-①, 12-②, 15-②, 20-⑤
• 철재 절단법 종류 3가지

▶ 철골구멍뚫기 가공장면

■ 정밀도가 우수한 순서
① 톱절단 〉 ② 전단절단 〉 ③ 가스절단 순으로 우수하다.

▶ 92-③, 94-①, 95-③, 95-⑤, 98-②, 00-③, 01-② / 92-②, 94-③
• 리이머, 드리프트핀 /
• 송곳 구멍뚫기 하는 경우 3가지

(4) 일반사항

① 고력 Bolt 용 구멍뚫기 : 드릴 뚫기 샌드브라스트전 구멍 뚫는다.

② Bolt, 앵카 Bolt, 철근 관통구멍(철근지름 + 10mm) : 드릴 뚫기 원칙

③ 가스 구멍 뚫기 : 거푸집 격리재, 설비 배관용 관통 구멍, Concrete 타설용 부속철물 등의 구멍 지름이 30mm 이상일 때

*절단면 거칠기 : 100S 이하, 구멍지름 허용차 ±2mm 이하

(5) 구멍지름의 허용치

종류		지름(mm)	허용치
리벳		φ20미만	D+1.0mm 이하
		φ20이상	D+1.5mm 이하
Bolt	고력	24mm미만	D+2.0mm 이하
		24mm이상	D+3.0mm 이하
	보통	각종 지름	D+0.5mm 이하
	앵카	각종 지름	D+5.0mm 이하

※ 핀가공 오차는 핀지름 130mm 미만에 대해서는 0.5mm, 핀지름 130mm 이상의 것에 대해서는 1mm를 표준으로 한다. 그리고 핀 접합면의 시공 허용오차에 대한 핀구멍의 크기는 핀직경 +5mm 이하로 한다.

* D : 리벳의 지름, Bolt의 지름

5. 가조립

① 뒤틀림이 생기지 않게 조립. 각 부재는 1~2개의 Bolt나 Pin으로 가조립하고, Drift Pin으로 부재구멍을 맞춘다.

② 가볼트 죄임은 Impact Wrench나 Torque Wrench를 사용한다. 전응력의 80% 정도를 조인다.

6. 녹막이칠

현장 반입전 1회칠, 조립후 칠할 수 없는 부분은 2회칠, 그 외는 현장반입 조립후 1회칠 한다.

(1) 칠작업을 안하는 부분

① 현장 용접을 하는 부위 및 그 곳에 인접하는 양측 100mm 이내, 그리고 초음파 탐상 검사에 지장을 미치는 범위

② 고력볼트 마찰 접합부의 마찰면

③ 콘크리트에 묻히는 부분

④ 핀, 롤러 등 밀착하는 부분과 회전면 등 절삭 가공한 부분

⑤ 조립에 의하여 면맞춤 되는 부분

⑥ 밀폐되는 내면(폐쇄형 단면의 밀폐면 포함)

학습 POINT

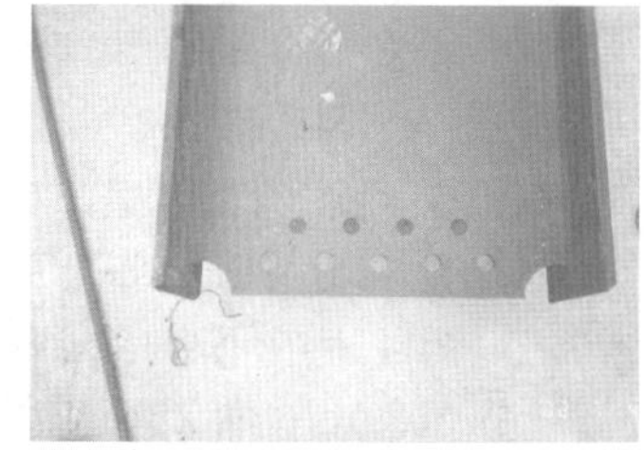

▶ 철골보에 구멍뚫기, 곡선모따기 등 가공된 장면

▶ 고력 Bolt 조임용(공기압 방식의) 임팩트 렌치

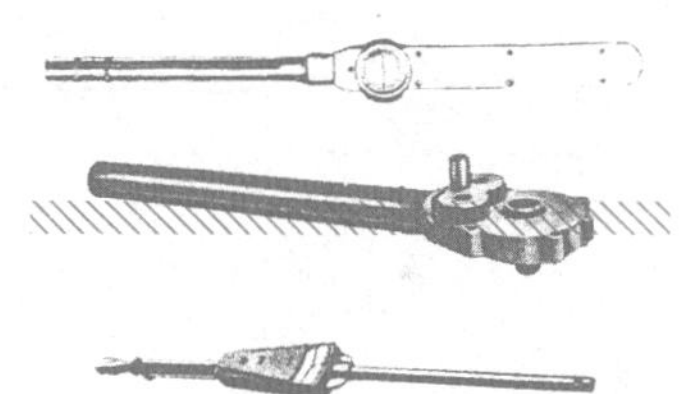

▶ 고력 Bolt 조임용 토크렌치의 종류

▶ 95-③, 95-⑤, 01-② / 92-①, 97-②, 98-①, 98-④, 99-①, 01-③, 03-③, 06-③, 14-①, 18-③, 19-③, 22-①

• 임팩트 렌치 /

• 녹막이칠 안하는 부분 3가지, 4가지, 2가지

⑦ 마감된 금속표면이나 도금된 표면(스테인레스강, 크롬판, 동판)
⑧ 움직이는 운전부품(기계, 전기부품의 밸브, 댐퍼동작기, 감지기 모터 및 송풍기 샤프트) 및 라벨

(2) 칠 작업의 금지조건
① 칠 작업 장소의 온도가 5℃이하, 또는 상대습도가 85% 이상일 때
② 칠 작업시 또는 도막이 마르기 전에 눈, 비, 강풍, 결로 등에 의하여 수분이나 분진 등이 도막에 부착될 우려가 있을 때
③ 기온이 높아 강재 표면온도가 50℃이상이 되어 도막에 기포가 생길 우려가 있을 때

(3) 녹막이칠 하기전 표면처리, 오염부착물제거
철재면에 붙어있는 유지, 녹, 흑피, 기계기름 등은 사전에 제거해야 한다.

① 제거도구	와이어브러쉬, 사포(연마지, 샌드페이퍼, 마대)
② 용제	휘발유, 벤젠, 솔벤트, 나프타

학습 POINT

▶ 99-①, 01-①
• 오염물제거도구, 용제2가지

▶ 98-①
• 철골운반시 조사, 검토사항 4가지

7. 운반

(1) 철골 운반시 조사 및 검토사항

① 운반차량의 용량 점검 ② 운반차량의 길이 제한 ③ 수송중 장애물, 높이 제한	④ 교량, 도로의 중량 제한 ⑤ 위치파악, 교통통제상황 점검

4 리벳접합

1. 리벳치기

① 가열온도 : 800~1,100℃(600℃ 이하는 타격금지)
② 리벳치기 인원 : 3명이 1조(달구기, 받침대기, 해머공)
③ 1일 타정량 : 3인 1조로 500~700개 타정
④ 리벳 치기 기구 : 죠 리벳터(공장) 〉 뉴매틱해머(현장) 〉 쇠메치기 순
⑤ 불량리벳 판정 : 건들거리는 것, 머리모양 틀린 것, 축선이 불일치 하는 것, 머리 갈라짐(Crack), 강재와 밀착 안된 것, 강재에 틈 있는 것
⑥ 검사방법 : 외관관찰, 타격음 검사
⑦ 불량 리벳 처리 : 치핑해머, 리벳카터, 드릴로 따내고 다시 치기한다.
⑧ 리벳 접합 순서 : 접합부 → 가새 → 귀잡이 순으로 타정

▶ 91-①, 93-①, 96-④, 97-③ / 92-②
• 접합종류 3가지와 주의사항 기술 /
• 리벳머리 종류 3가지

▶ 91-②, 94-④ / 85-① / 90-②, 93-③
• 리벳 불량사항 3가지 /
• 현장 리벳치기 작업순서 /
• 리벳치기 사용공구 4가지

2. 리벳접합의 장 · 단점

장 점	단 점
① 접합부 응력이 확실한다. ② 결함부의 발견, 측정이 용이. ③ 전단 접합이다.	① 타정시 소음이 크다. ② 온도 측정이 어렵다. ③ 강재가 많이 소모된다.

▶ 리벳접합된 강교모습

3. 리벳치기 관련 용어 정리

① 피치(Pitch) : 리벳, Bolt의 상호 구멍 중심간 직선거리
② 연단거리 : 리벳구멍, Bolt 구멍 중심에서 부재 끝단까지의 거리
③ Grip : Rivet으로 접합하는 판의 총두께
④ Clearance(CLR) : 리벳과 수직재면과의 거리, 일반적으로 작업 여유 거리
⑤ Gauge Line : 리벳의 중심 축선을 연결하는 선, 리벳을 치는 기준선
⑥ Gauge : Gauge Line 과 Gauge Line 과의 거리
⑦ Pitch, 연단거리, Grip의 정리

최소 피치	표준 피치	최대피치		연단거리		Grip
		인장재	압축재	최소	최대	
2.5d	4.0d	12d, 30t 이하	8d, 15t 이하	2.5d 이상	12t, 15cm 이하	5d 이하

* d : 리벳지름, t : 얇은 판의 두께

학습 POINT

▶ 92-③, 94-①, 95-③, 95-⑤, 00-③, 01-②

• 뉴매틱해머

■ 리벳머리모양 종류 [92②, 04①]
① 둥근 리벳
② 민 리벳
③ 평 리벳

■ 리벳의 배열

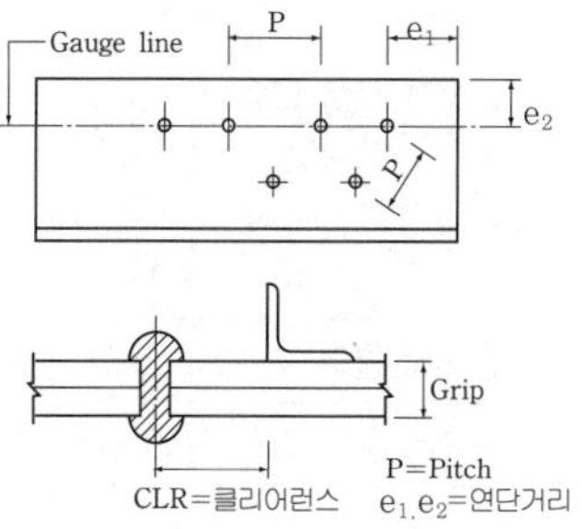

▶ 88-②

• 용어설명 : 게이지

5 Bolt 접합

1. Bolt의 종류

① 흑 Bolt (Unfinished Bolt)	가조임 Bolt 용 나사부분만 가공 그외 부분은 흑피로 되었다.
② 중 Bolt	두부, 간부를 마무리. 진동, 충격없는 내력부에 사용
③ 상 Bolt	표면을 모두 마무리 한 것. 주로 Pin 접합에 사용

2. Bolt 접합의 일반 사항

① Bolt 사용 건물	처마높이 9m 이하, 간사이 13m 이하, 연면적 3,000m² 이하 건물에 사용. 중요내력 부분은 사용금지	
② 풀림 방지법	㉠ 이중너트 사용 ㉡ Spring Washer 사용	㉢ 너트를 용접 ㉣ Concrete에 매립
③ Bolt 길이	조임 종료후 나사산이 Nut 밖으로 3개이상 나올 것	
④ Bolt 구멍 조정	0.5mm 이상 어긋남은 리이머로 수정 안하고 이음판을 교체	

6 고력 Bolt(High Tension Bolt) 접합

1. 고력 Bolt의 종류

(1) 재질에 의한 분류 : F8T, F10T, F13T
(2) 크기에 의한 분류 : M16, M20, M22, M24
(3) 조임 형태에 의한 분류
  1) 보통 고력 Bolt : Torque Control 법
  2) 특수고력 볼트의 종류

① Bolt 축 전단형 (TS Bolt, TC Bolt)	torque control 볼트로서 일정한 조임 토크치에서 볼트축이 절단되도록 고안된 고력 Bolt이다.
② 너트 전단형 (PI Nut식 Bolt)	2겹의 특수너트를 이용한 것으로 일정한 조임. 토크치에서 너트(nut)가 절단되도록 한다.
③ Grip형 고력 볼트 (고장력 핵 Bolt)	일반 고장력볼트를 개량한 것으로 조임이 확실한 방식의 고력 Bolt이다.
④ 지압형 고력 볼트 (고장력 Body Bolt)	직경보다 약간 작은 볼트구멍에 끼워 너트를 강하게 조이는 방식의 고력 Bolt이다.

학습 POINT

■ 와셔(Washer)의 역활
① Bolt 조이는 힘을 균등히 배분
② Bolt 나사부분의 지압을 방지한다.

■ Pin 접합
아아치 지점이나 트러스 단부, 주각 또는 인장재의 접합부에 사용. 회전, 자유절점으로 구성된다. 핀은 최대 휨 Moment, 전단력 및 지압에 안전하게 설계하며, 작은 핀은 전단력을 고려한다.

▶ 97-③, 99-③, 04-①
• 너트 풀림방지 방법 3가지

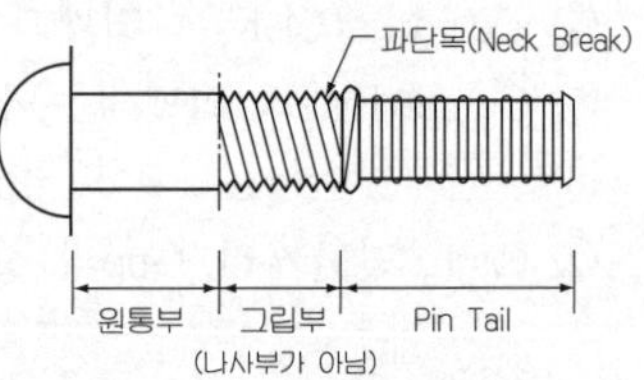

그림. 고장력 Grip Bolt

▶ 02-③ / 04-③, 10-② / 07-② / 12-①, 19-② / 17-① / 19-①, 22-②
• 특수 고력 볼트 종류 4가지
• 특수고력 볼트의 특징
• 고력 볼트 접합방식
• T/S Bolt 시공순서
• T/S Bolt의 부위별 명칭
• T/S Bolt 용어

2. T/S볼트(torque shear type high strength bolt) 조임순서

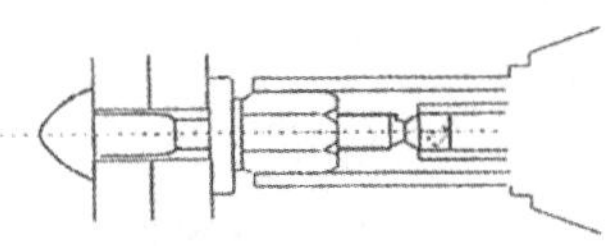	Pin Tail에 내측 소켓을 끼우고 렌치를 살짝 걸어 Nut에 외측 소켓이 맞춰지도록 함.
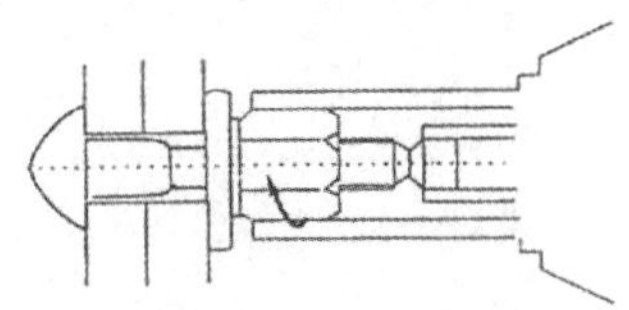	렌치의 스위치를 켠다. 그러면 외측 소켓이 회전하며 핀테일 절단시까지 볼트를 체결
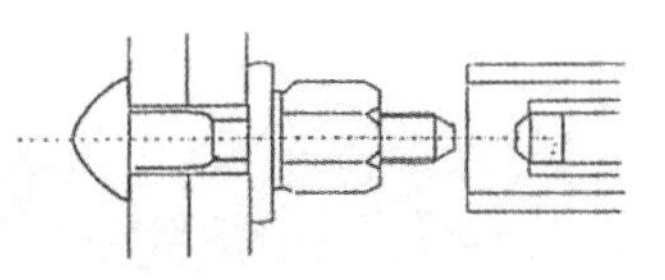	핀테일이 절단되었을 때 스위츠를 끄고 외측 소켓이 너트로부터 분리되도록 렌치를 잡아당김.
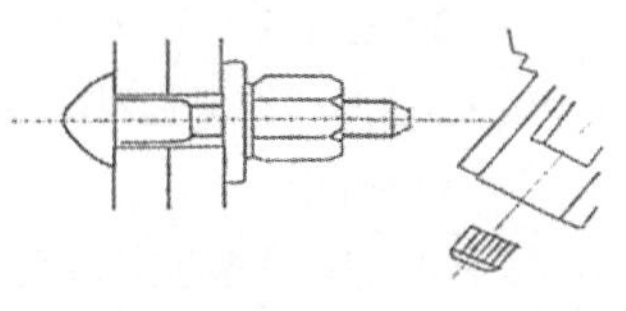	팁 레버를 잡아당겨 네측 소켓에 들어 있는 핀테일을 제거

학습 POINT

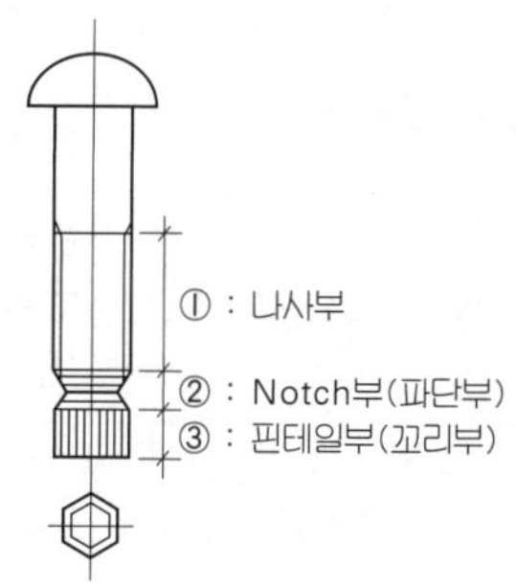

그림. T/S Bolt

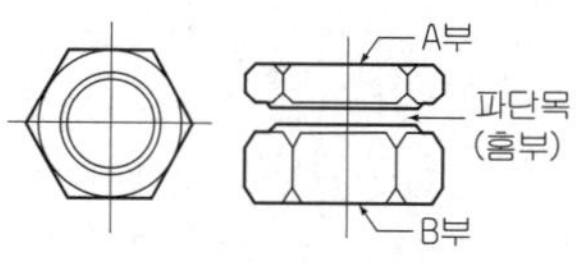

그림. PI Nut 부착 볼트

3. 고력 Bolt 장점

① 접합부의 강성이 높다.	② 노동력 절약, 공기단축
③ 마찰접합, 소음이 없다.	④ 화재, 재해의 위험이 적다.
⑤ 피로강도가 높다.	⑥ 현장시공 설비가 간단
⑦ 불량부분 수정이 쉽다.	⑧ 너트가 풀리지 않는다.

▶ 95-⑤, 99-⑤, 07-③, 09-③

- 고장력 볼트 장점 4가지 또는 5가지

▶ 보의 고력 Bolt접합(가조립된 상태)

▶ 철골보의 고력 Bolt 접합장면

4. 일반사항

① 접합방식	마찰접합(전단력과 지압응력이 아니다.)
② Bolt 조임	원칙적으로 Torque Controller식 임팩트렌치, 토크렌치로 한다. 보통 1차 조임 : 80% 2차 조임에서 Bolt의 표준장력을 얻는다.
③ 조이는 순서	중앙에서 단부로 조인다. 금매김, 본조임. 본조임(너트 회전법)은 1차 조임후 너트를 120° 회전시킨다. (M12는 60°)
④ 조임부 검사	㉮ 토크값이 비슷한 1개 시공 로트 중 5세트의 시험 Bolt를 선정하고 평균값이 규정값을 만족해야 하며 각각의 측정값이 평균값의 ±15%이내이어야 한다. ㉯ ㉮를 만족하지 않으면 10세트를 다시 ㉮와 동일한 요령으로 검사하고 조건을 만족하지 않으면 작업을 중지하고 확인작업을 행한다.
⑤ 조임후 검사	• 너트 회전법 : 1차 조임후 너트 회전량이 120° ±30 (M12는 60° ~90°)를 초과하는 Bolt는 교체한다. • 토크 관리법 : 평균 토크값의 ±10% 이내의 것을 합격 • 조합법 : 토크관리법과 너트회전법의 조합 (F8T, F10T에 적용)
⑥ 마찰면 처리	표면의 흑피, 녹, 유류, 칠 등 마찰력 저해요소 제거 붉은 녹 상태의 거친면으로 한다.(미끄럼계수 0.5이상 확보)
⑦ 경사면 처리	Bolt와 너트 접촉면이 1:20이상 경사시 : 경사와셔 사용 접합부분 두께차로 생긴 1mm 이상 틈새 : 끼움판 끼움
⑧ 구멍수정	2mm 이하의 구멍 어긋남은 리이머로 수정가능

참고사항 건축공사표준시방서에서 규정한 고력볼트 마찰면 준비

가. 접합부 마찰면의 밀착성 유지에 주의하고, 모재접합 부분의 변형, 뒤틀림, 구부러짐, 이음판의 구부러짐 등이 있는 경우에는 마찰면이 손상되지 않도록 교정한다. 볼트구멍 주변은 절삭 남김, 전단 남김 등을 제거한다. 마찰면에는 도료, 기름, 오물 등이 없도록 충분히 청소하여 제거하며, 들뜬 녹은 와이어브러시 등으로 제거한다.

나. 마찰면인 강재의 표면과 고장력볼트구멍 주변을 정리하고, 구멍을 중심으로 지름의 2배 이상 범위의 녹, 흑피 등을 숏 블라스트(shot Blast) 또는 샌드 블라스트(sand blast)로 제거한다.

다. 볼트접합이 이루어지 전 현장에서의 노출로 인한 부식의 우려가 없고, 미끄럼계수 0.5를 적용하여 설계한 경우에는 마찰면에 페인트를 칠하지 않고, 미끄럼계수가 0.5 이상 확보되도록 표면 처리해야 한다.

학습 POINT

▶ Bolt의 축력 Test 장면

93-②, 05-① / 09-②, 10-③, 13-① / 16-③ / 22-②

- 고장력볼트 조임기기 2가지, 조임검사, 볼트의 수
- 표준 Bolt장력과 설계 Bolt장력 비교설명
- 고력볼트 마찰면 처리방법 설명
- 고력볼트 금매김 그림 판정, 합격, 불합격 이유 설명

관련문제

1 다음 보기 중 철골구조에 이용되는 일반적인 형강명을 모두 골라 기호로 쓰시오. (4점)

〔97 ③, 99 ③〕

〔보기〕

(1) B형강	(2) C형강	(3) E형강	(4) H형강	(5) I형강
(6) K형강	(7) L형강	(8) N형강	(9) T형강	(10) Z형강

2 일반적인 철골공사의 공장 가공 제작에 관한 사항이다. 작업순서에 맞게 번호순으로 나열하시오. (5점)

〔85 ①, 95 ③, 97 ①, 02 ②〕

(1) 검사	(2) 리벳치기	(3) 절단	(4) 원척도작성	(5) 가조립
(6) 본뜨기	(7) 금매김	(8) 녹막이칠	(9) 구멍뚫기	(10) 운반

3 철골공사 공장가공순서를 보기에서 골라 쓰시오. (7점)

〔87 ②, 04 ①〕

공작도 작성 - (1) - (2) - (3) - 금긋기 - (4) - (5) - 가조립 - (6) - (7) - 현장반입

〔보기〕

구멍뚫기, 절단, 기초철근, 원척도 작성, 리벳치기, 변형바로잡기, 거푸집 설치, 형판뜨기, 녹막이칠

(1) ______ (2) ______ (3) ______

(4) ______ (5) ______ (6) ______

(7) ______

4 철골공사의 절단가공에서 절단방법의 종류를 3가지 쓰시오. (3점)

〔98 ④, 99 ⑤, 06 ①, 12 ②, 15 ②, 20 ⑤〕

① ______ ② ______ ③ ______

해설 및 정답

정답 1
(2), (4), (5), (7), (9), (10)

정답 2
(4)
(6)
(7)
(3)
(9)
(5)
(2)
(1)
(8)
(10)

정답 3
(1) 원척도 작성 (2) 형판뜨기
(3) 변형바로잡기 (4) 절단
(5) 구멍뚫기 (6) 리벳치기
(7) 녹막이칠

정답 4
① 전단절단
② 톱절단
③ 가스절단

관련문제

5 철골부재의 송곳구멍 뚫기를 실시하는 경우에 대하여 3가지 쓰시오. (3점)

〔92 ②, 94 ③〕

① ____________ ② ____________

③ ____________

6 (1) 철골공사에서 철골에 녹막이칠을 하지 않는 부분 3가지, 4가지만 쓰시오. (4점)

〔92 ①, 97 ②, 98 ①, 99 ①, 01 ③, 06 ③, 14 ①, 18 ③, 19 ③, 22 ①〕

(2) 철골공사중 녹막이칠을 하지 않는 부분을 2가지만 쓰시오. (2점) 〔98 ④, 03 ③〕

① ____________

② ____________

③ ____________

7 철(鐵)재면의 도장공사 시에 금속표면에 붙어 있는 유지(油脂)나 녹, 흑피, 기계유 등 여러 종류의 오염물을 닦아내는 도구 및 용제의 이름을 각각 2가지씩 기입하시오. (4점)

〔99 ①, 01 ①〕

① 도구 : ____________

② 용제 : ____________

8 다음 설명이 뜻하는 용어를 쓰시오. (2점) 〔88 ②〕

철골공사의 리벳접합시 리벳이 박힌 게이지라인(gauge line)과 게이지라인의 거리를 무엇이라 하는가?

____

9 철골 운반시 조사 및 검토 사항을 4가지 쓰시오. (4점) 〔98 ①〕

① ____________ ② ____________

③ ____________ ④ ____________

해설 및 정답

정답 5

① 부재두께가 13mm를 초과할 때
② 주철재인 경우
③ 유조, 수조인 경우
(기밀성을 요할 때)

정답 6

(1), (2)의 답
① 고력Bolt 접합부의 마찰면
② 콘크리트에 매립되는 부분
③ 기계 절삭 마무리면
④ 용접부위 인접 100mm 부분과 초음파 탐상검사에 영향을 미치는 범위

정답 7

① 도구 : 와이어 브러시, 사포(연마지, 샌드페이퍼, 마대)
② 용제 : 휘발유, 벤젠, 솔벤트, 나프타

정답 8

게이지(Gauge)

정답 9

① 운반차의 용량
② 길이제한
③ 수송중 장애물
④ 교량, 도로의 용량과 운반 제한 사항

관련문제

10 철골재 접합의 종류를 3가지만 들고 주의사항을 간단히 기술하시오. (6점)

〔91 ①, 93 ①, 96 ④, 97 ③〕

(1) ______

(2) ______

(3) ______

11 철공공사 중 접합에 이용되는 머리모양에 따른 리벳종류를 3가지를 쓰시오. (3점)

〔92 ②, 04 ①〕

(1) ______ (2) ______ (3) ______

12 리벳치기 검사에서 다시치기 하여야만 하는 불량사항을 3가지만 쓰시오. (3점)

〔91 ②, 94 ④〕

① ______ ② ______

③ ______

13 (가) 리벳치기에 이용되는 공구 및 기구를 4가지만 쓰시오. (2점) 〔90 ②〕

(나) 리벳치기에 사용되는 공구 4가지를 쓰시오. (4점) 〔93 ③〕

(1) ______ (2) ______

(3) ______ (4) ______

해설 및 정답

정답 **10**

(1) 리벳접합 (2) 용접접합
(3) 고장력 볼트 접합

* 1. 리벳접합의 주의사항

① 리벳지름에 따른 구멍 지름크기를 정확하게 뚫는다.
② 리벳치기시 가열온도는 800~1,100℃정도를 유지한다.
③ 리벳배치에 따른 간격, 게이지, 클리어런스, grip 등을 지켜야 한다.

* 2. 용접 접합의 주의사항

① 용접결함이 생기지 않도록 주의한다.
② 용접할 면의 불순물을 제거한다.

* 3. 고장력 볼트접합의 주의사항

① 고력볼트 접합면을 거칠게 해야한다.
② 조임에 의한 장력(토오크치)을 측정하여 표준 볼트장력이 얻어지게 한다.

정답 **11**

(1) 둥근 리벳 (2) 민 리벳
(3) 평 리벳

정답 **12**

① 건들거리는 것
② 머리모양이 틀린 것
③ 축선이 일치하지 않는 것
④ crack(균열)이 있는 것
⑤ 강재간 틈이 발생된 것

정답 **13**

리벳치기에 이용되는 공구 및 기구는 다음과 같다.

(1) 죠 리벳터(공장용), 뉴매틱해머(현장용), 쇠메 : 리벳치기에 사용
(2) 스냅(snap) : 리벳 해머 끝에 끼워 리벳머리 만드는데 쓰이는 공구
(3) 리벳홀더(rivet holder) : 리벳머리를 받쳐주는 공구
(4) 펀치(punch), 드릴(drill) : 리벳구멍 뚫을 때 사용되는 공구

※ 치핑해머(chipping hammer), 리벳카터기 : 불량리벳 머리따내는 공구

관련문제

14 가설공사 등에 쓰이는 일반볼트의 경우, 너트의 풀림을 방지할 수 있는 방법에 대하여 3가지만 쓰시오. (3점) 〔97 ③, 99 ③, 04 ①〕

①

②

③

15 다음 물음에 답하시오. (2점) 〔07 ②〕

철골구조의 여러 접합방식 중에서 부재를 접합할 때 접합부재 상호간의 마찰력에 의하여 응력을 전달시키는 접합방식은?

16 철골공사시 각 부재의 접합을 위해 사용되는 고장력볼트 중 특수형의 볼트종류 4가지를 쓰시오. (4점) 〔02 ③〕

① ②

③ ④

17 철골공사에서 고력볼트 접합의 종류에 대한 설명이다. ( )안에 알맞은 용어를 쓰시오. (4점) 〔04 ③, 10 ②〕

가. torque control 볼트로서 일정한 조임 토크치에서 볼트축이 절단

나. 2겹의 특수너트를 이용한 것으로 일정한 조임 토크치에서 너트(nut)가 절단

다. 일반 고장력볼트를 개량한 것으로 조임이 확실한 방식

라. 직경보다 약간 작은 볼트구멍에 끼워 너트를 강하게 조이는 방식

18 T/S(Torque Shear)형 고력볼트의 시공순서 번호를 나열하기 (3점) 〔12 ①, 19 ②〕

〔보기〕

① 팁 레버를 잡아당겨 내측 소켓에 들어있는 핀테일을 제거
② 렌치의 스위치를 켜 외측 소켓이 회전하며 볼트를 체결
③ 핀테일이 절단되었을 때 외측 소켓이 너트로부터 분리되도록 렌치를 잡아당김
④ 핀테일에 내측 소켓을 끼우고 렌치를 살짝 걸어 너트에 외측 소켓이 맞춰지도록 함

해설 및 정답

정답 14
① 이중너트를 사용
② Spring Washer를 사용한다.
③ 너트를 용접한다.
④ Concrete에 매립한다.

정답 15
고력Bolt접합 혹은 고력Bolt마찰접합

정답 16
① 볼트축전단형(TC Bolt식)
② 너트전단형(Pl 너트식)
③ 고장력 그립볼트(Grip Bolt)식
④ 지압형 볼트식

정답 17
가. TS Bolt(Tension Control Bolt), 볼트 축 전단형 고력 Bolt
나. 너트 전단형 고력 Bolt
다. Grip형 고력 Bolt
라. 지압형 고력 Bolt

정답 18
④ → ② → ③ → ①

관련문제

해설 및 정답

19 **(가) 철골공사에서 고장력 볼트조임의 장점에 대하여 4가지(5가지) 쓰시오. (4점)**

〔95 ⑤, 99 ⑤, 07 ③, 09 ③〕

(나) 고력볼트의 장점과 용접의 장점을 각각 2가지씩 쓰기. (4점) 〔12 ②〕

① ______________ ② ______________

③ ______________ ④ ______________

정답 **19**

① 접합부의 강성이 높다.
② 노동력 절약, 공기단축
③ 마찰접합, 소음이 없다.
④ 화재, 재해의 위험이 적다.
⑤ 피로강도가 높다.
⑥ 현장시공 설비가 간단
⑦ 불량부분 수정이 쉽다.

20 **철골공사에서 고장력 볼트 조임에 쓰는 기기 2가지와 일반적으로 각 볼트군에 대하여 조임검사를 행하는 표준볼트의 수에 대해 쓰시오. (3점)** 〔93 ②, 05 ①〕

(1) 조임기기 : ______________

(2) 조임검사를 행하는 볼트의 수 : ______________

정답 **20**

(1) 임팩트렌치나 토크렌치
(2) 전체 Bolt수의 10%이상
혹은 각 Bolt군에 1개 이상

21 **다음 물음에 답하시오. (2점)** 〔07 ③〕

- 고장력 볼트의 조임은 표준볼트의 장력을 얻을 수 있도록 1차조임, 금매김, 본조임의 순서로 행한다. 표준볼트 장력을 얻을 수 있는 볼트의 등급인 고장력볼트 F10T에서 10이 가르키는 의미는?

____

정답 **21**

10tonf/cm^2 또는 1kN/mm^2

22 **철골공사에서 활용되는 표준볼트장력을 설계볼트장력과 비교하여 설명하시오. (2점)**

〔09 ③, 10 ③, 13 ①, 16 ③〕

____

____

정답 **22**

설계 Bolt 장력이란 고력 Bolt 내력 산정시 허용전단력을 정하기 위한 고려값이고, 표준 Bolt 장력은 설계 Bolt 장력에 10%를 할증한 것으로써 현장시공시 조임 표준 값으로 사용된다.

핵심 24 용접 접합

학습 POINT

1 용접 접합

1. 용접 접합의 장 · 단점

장 점	단 점
① 공해(소음, 진동)가 없다. ② 강재의 양을 절약할 수 있다. (중량감소) ③ 접합부의 강성이 크며, 응력의 전달이 확실하다. ④ 일체성, 수밀성 확보	① 용접의 숙련공이 필요하다. ② 용접부 결함 검사가 어렵고 비용, 장비, 시간이 많이 걸린다. ③ 용접열에 의한 변형 발생이 우려된다. ④ 용접 모재의 재질상태에 따라 응력의 집중현상이 크다.

▶ 96-①, 14-① / 12-②
- 용접의 장점 4가지
- 고력볼트의 장점과 용접의 장점을 각각 2가지씩

▶ 현장 용접장면

2. 용접 접합의 종류

(1) 가스압접 : 2.5 ~ 3kg/mm² 압력, 1,200 ~ 1,300℃로 철근 접합에 이용

(2) 가스용접 : 산소, 공기, 아세틸렌 용접, 구조용으로는 사용 안함.

(3) Flush Butt 용접(전기저항 압접) : 접합면의 전기 저항열로 접촉부가 용융상태로 된 것을 가압하여 접합. Spot 용접, 봉합 용접이 이 원리이다.

(4) Arc 용접 : 용접봉과 모재 사이에 교류 또는 직류전압을 주어 그 사이에서 아크를 발생시켜서 그 열에 의해 모재와 용접봉을 녹여서 융합 접합하는 방식으로 철골 공사에 적합

① 잠호(潛弧) 용접 : 이것은 용접금속의 공급과 용접의 진행을 자동화한 자동 금속 아크 용접법의 일종이다. (상품명으로 Union Melt라고도 한다.)

② 심선(금속봉)에 피복재(Flux)를 도포한 용접봉을 사용하는 방법으로 손작업으로 용접하는데 많이 쓰인다.

(5) 용접기의 종류

① 직류아크용접	작업용이, 공장용접에 사용, 전류 안정적
② 교류아크용접	가격이 저렴, 고장이 작으며, 현장용접에 많이 사용

▶ 아아크 용접기모양

▶ 97-③, 99-③, 01-③, 04-①
- 아크용접 직류와 교류 용접 특징

(6) 용접부위와 Flux의 역할

1) 용접시 융합부(融合部)와 영향 부위	2) 용접봉의 피복제(Flux) 역활
용재부 / 용접금속부 / 용합부 / 용합부 / 용착금속부 / 원질부 / 변질부	① 용접시 Gas가 용접아크 주위를 보호하며 산화, 질화 등 변질을 방지한다. ② 함유원소를 이온화해 아크를 안정시킨다. ③ 용착금속에 합금원소를 가한다. ④ 용융금속의 탈산 정련을 한다. ⑤ 표면의 냉각, 응고 속도를 낮춘다.

학습 POINT

▶ 97-①, 08-② / 91-②, 94-④, 97-①, 99-③, 06-①, 12-③

- 용접부위 명칭 /
- 용접봉 피복재의 역할 3가지, 4가지

(7) 용접자세 표시 기호

F	하향자세(flat position)	H	수평자세(horizontal position)
O	상향자세(over-head position)	V	수직자세(vertical position)

▶ 00-①

- 용접자세 표시기호

3. 맞대용접(Butt Weld)

부재사이에 트이게 홈(개선)을 만들고 그 사이에 용착금속을 채워 두 부재를 결합하는 용접방법

① 최소 보강살 붙임으로 하고 보강살 붙임은 손용접일 때 3mm 서브머어지 자동아크 용접인 경우 4mm 초과 금지

② 양쪽에서 용접하지 않을 때는 뒷받침을 대고 특히 Root 부분의 용입 불량이 되지 않도록 주의한다. (같은 두께의 End Tab을 반드시 사용)

③ 용접하는 재의 두께 차이가 손용접일 때 4mm 서브머어지 자동 아아크 용접인 경우 3mm이상 날 경우는 높은편의 재는 홈부분에서 낮은편과 동일 높이로 하고 1:5의 느린 경사로 깍아 만든다.

■ 필릿(Fillet) 용접

부재에 개선을 두지 않고 두 부재 교차선을 따라 삼각형 모양으로 용접살을 덧붙여 용접

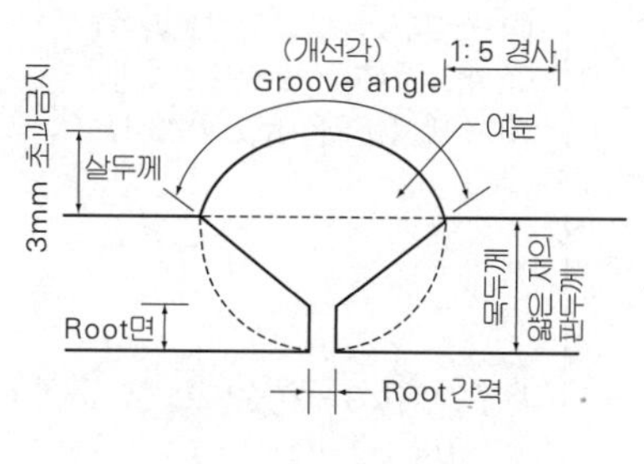

그림. 맞대용접

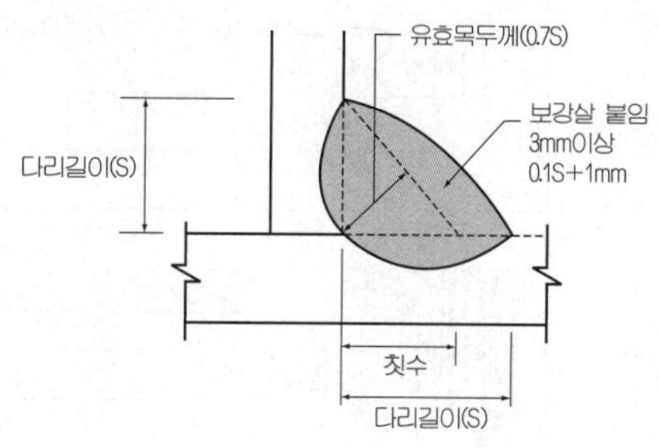

그림. 모살용접의 모양

▶ 89-②

- 모재공작 앞벌림 형태 5개

■ 용접부의 개선모양

H, I, J, K, U, V, X 형

▶ 00-③ / 17-①

- 맞대용접의 각부명칭
- 맞대용접, 필릿용접을 개략적으로 도시하고 설명

4. 필레트(Fillet) 용접

겹침용접이라고 하며 단속용접(Spot Welding)과 연속용접이 있다.

① 맞댄 용접은 단속용접이 없고 모살용접은 등각용접, 부등각 용접이 있다. (보통 45°~90°)

② T형 이음을 이루는 각도가 60° 이하 120° 이상은 맞댄이음. 60° 이상 120° 이하는 모살용접으로 판별한다.

③ 보통 다리 길이는 용접 칫수보다 크게 하고 목두께는 다리길이의 0.7배이다.

④ 부등변 모살용접은 짧은변 길이를 칫수길이(S)로 한다.

⑤ 보상갈 붙임은 0.1S+1mm 또는 3mm 이하로 한다.

⑥ 유효 용접길이는 실제 용접길이에서 유효 목두께의 2배를 감한 것으로 한다.

⑦ 응력을 전달하는 모살용접의 유효길이는 Fillet 크기의 10배이상 또는 40mm 이상한다.

⑧ 용접모양에 따른 명칭

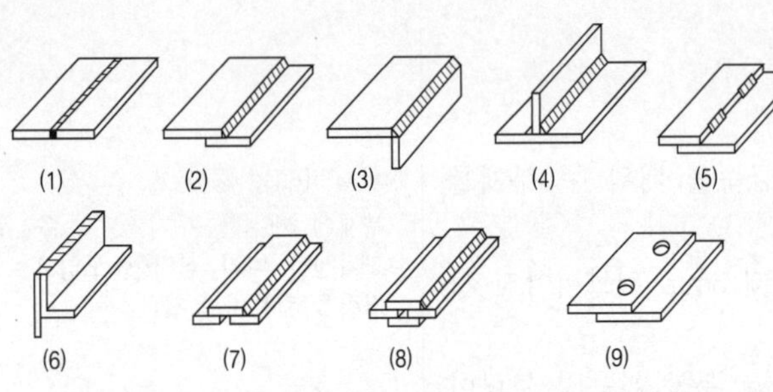

(1) 맞댄용접
(2) 겹친 모살용접
(3) 모서리 모살용접
(4) T형양면 모살용접
(5) 단속 모살용접
(6) 갓용접
(7) 덧판용접
(8) 양편 덧판용접
(9) 산지용접

5. 용접기호 표시 예

용 접 부	실제모양 및 도면표시
X형 홈용접 홈깊이 화살표쪽 16mm, 화살표 반대쪽 9mm 홈각도 화살표쪽 60°, 화살표 반대쪽 90° 루우트간격 3mm의 경우	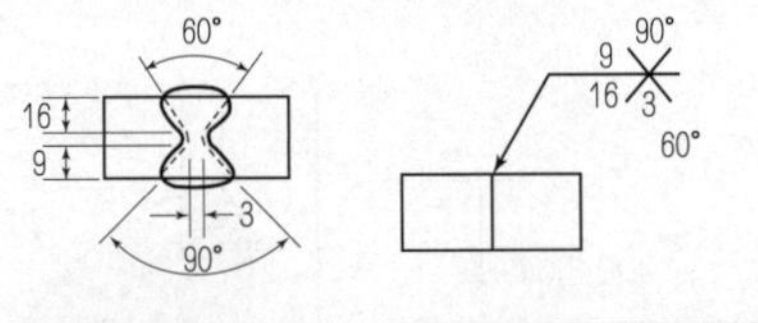
엇모용접 전면다리길이 6mm, 후면다리길이 9mm 용접길이 50mm, 피치 300mm의 경우	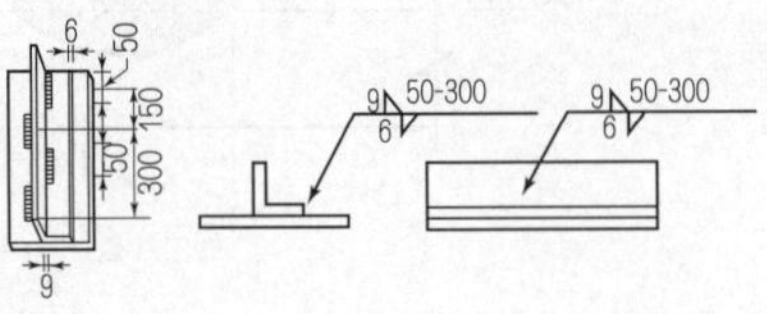
모살용접(다리길이 : 12mm) 병렬용접, 용접길이 : 50mm 피치 : 150mm의 경우	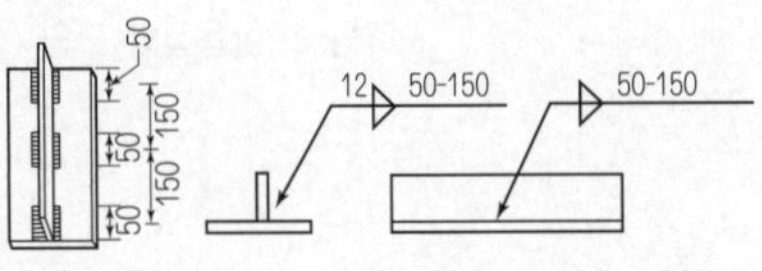

학습 POINT

▶ 08-③

• 맞댄용접의 정의와 모살용접의 유효길이

▶ 98-②, 00-③, 00-④

• 용접모양에 따른 명칭

▶ 02-②, 11-③

• 용접부위 상세 명칭

■ 용접상세부위 명칭

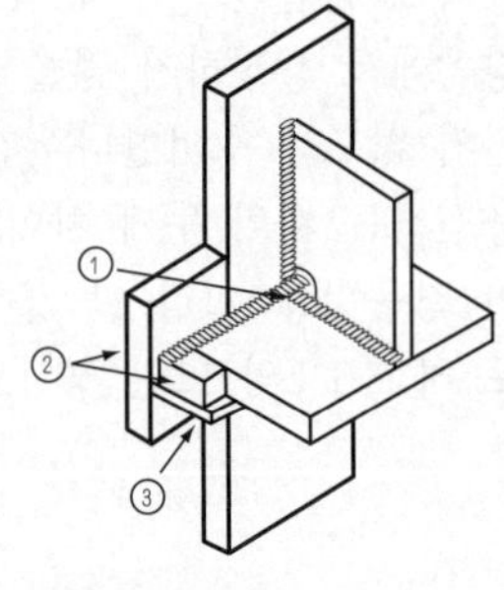

① 스캘럽(scallop, 곡선모따기)
② 엔드탭(End tab, 보조강판)
③ 뒷댐재(back strip, 받침쇠)

▶ 92-④, 94-③, 98-②, 04-③ / 02-①, 14-②

• 모살용접 기호표기사항 /
• V형 맞댄용접 표기사항

▶ 기둥 접합부의 개선가공과 기둥지지 보조강판(일렉션피스) 모습

▶ 기둥접합부 용접완료후 일렉션피스가 제거된 모습

6. 용접결함의 종류

용 접 결 함	용 어 설 명 및 원 인	결과 및 대책
① 슬래그(Slag) 감싸들기	용접봉의 피복제 심선(心線)과 모재(母材)가 변하여 생긴 회분 (灰分:slag)이 용착금속내에 혼입되는 현상	강도약화, 내식성 저하
② 언더컷 (Under Cut)	용접상부(모재 표면과 용접 표면이 교차되는 점)에 따라 모재가 녹아 용착금속(鎔着金屬)이 채워지지 않고 홈으로 남게 된 부분. (용접각도불량, 과대전류, 운봉속도가 빠를 때 발생)	모재손상, 강도에 큰 영향
③ 오우버랩 (Over Lap)	용접금속과 모재가 융합(融合)되지 않고 단순히 겹쳐지는 것. (전류가 낮을 때 발생)	용착물 탈락현상
④ 공기구멍 (Blow Hole 및 선상조직)	용융금속이 응고할 때 방출되어야 할 가스가 남아서 생기는 공처럼 길죽하게 빈자리. (운봉시간 부족, 모재불량, 급냉 원인)	용착물 부식, 탈락현상, 예열해야 함, 청소철저
⑤ Crack	용착금속 급냉시, 과대전류, 과대속도시 Bead가 작을 때 생기는 갈라짐	외관불량, 종균형, 횡균열, 사방균열
⑥ Pit	용접 Bead 표면에 뚫린 구멍, 모재의 화학 성분 불량등으로 생기는 미세한 홈	용착물 부식, 탈락
⑦ 용입부족 (혼입불량)	모재가 녹지 않고 용착금속이 채워지지 않고 홈으로 남음 (운봉속도 과다, 낮은 전류, 홈의 각도가 좁을 때 발생)	용접부 박리 현상
⑧ Crater	Arc 용접시 끝부분 패임.(항아리 모양) 운봉부족, 과다전류	용접부 외관 불량 End Tab 사용
⑨ Fisheye (은정)	Slag 혼입 및 Blow hole 겹침 현상. 생선눈알모양의 은색 반점이 나타남.	응력에 취약하다. Slag 제거철저

학습 POINT

93-③, 97-②, 05-③, 09-①, 19-① / 15-②, 22-②

- 용접결함 중 Slag 감싸들기, 언더컷, 오버랩, Blow hole의 용어설명
- Slag 혼입의 원인과 방지대책 2가지

91-③, 92-③, 96-③, 98-⑤, 08-②, 12-③, 13-③, 14-③, 15-③ / 96-②, 98-④ / 10-②, 17-①

- 용접결함 항목 6가지, 3가지 /
- 용접결함의 원인 4가지
- 과대전류에 의한 용접결함 종류

암기하기

※ 용접결함의 원인
① 전류, 전압의 과대, 과소
② 운봉의 과대, 과소
③ 용접봉의 습기
④ 모재 불량(트임새 각도, 청소불량, 오손 등)
⑤ 부적절한 구속법, 자세
⑥ 급랭(낮은 온도에서 용접작업)

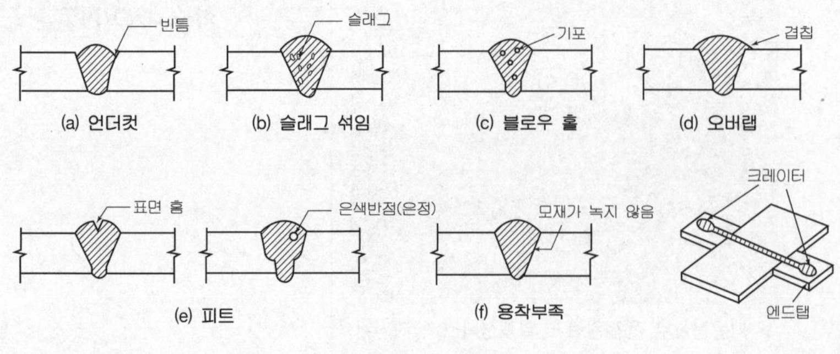

그림. 용접결함의 예

7. 용접의 용어 설명

① 가용접(Tack Weld)	본용접전 위치 유지를 위한 짧은 길이의 용접
② Root	용접이음부 홈아래부분.(맞댄용접의 트임새 간격)
③ 목두께(Throat)	용접부의 최소 유효폭. 구조계산용 용접 이음 두께
④ Bead	용착금속이 열상을 이루어 용접된 용접층
⑤ Weaving	용접방향과 직각으로 용접봉 끝을 움직여 용착나비를 증가시켜 용접층수를 작게하여 능률적으로 행하는 운봉법
⑥ 목적	용착나비증가, 위빙폭은 봉지름의 3배이하. (2배 적당) Blow Hole방지. Slag 발생
⑦ Whipping 혹은 Weeping	Spring 운봉법이라고 하며 용접부 과열로 인한 언더컷을 예방하기 위해 위핑 운봉의 끝에서 위쪽으로 아크를 빼는 운봉법
⑧ Spatter	아아크 용접이나 가스용접에서 용접중 비산하는 Slag 및 금속입자가 경화된 것
⑨ 플럭스(Flux)	자동 용접시 용접봉의 피복재 역할을 하는 분말상의 재료
⑩ Bead Crack	용접 비드에 발생한 균열

8. 용접시 주의사항

① 용접 부분의 표면처리 : 페인트, 유류, 습기, 녹, 기타 불순물은 완전 제거한다.
② 강풍, 눈, 비가 올 때는 야외용접은 하지 않는다. 기온이 0℃ 이하는 용접금지 0℃~-15℃일 때 10cm 이내 36℃ 정도로 예열을 한 후 용접한다.
③ 용접 소재는 칫수에 여유를 둔다. (용접에 의한 변형, 또는 마무리 자리 고려)
④ 현장 용접부재는 그 용접선에서 10cm 이내에는 엷은 보일드유 이외에는 칠을 안한다.
⑤ 용접봉 교환시 또는 완료된 후에 Slag나 Spatter는 제거한다.

학습 POINT

21-②
• 언더컷, 오버랩 그림 도시하기

93-① / 90-② / 93-①
■ 용어설명
• Root / Spatter / Flux

⑥ 용접순서 : 용접에 의한 수축변형과 잔류응력을 감소시키기 위하여 용접순서를 실시 관리한다.
　㉮ 건물중앙에서 외주부로
　㉯ 대칭으로 실시한다.
　㉰ 다스판(Span)인 경우 공구별로 Span 조정
　㉱ 수량이 큰 것 먼저. 작은 것은 나중에 실시한다.(맞댄용접후 → 모살용접)
⑦ 용접변형방지고려 : 횡수축, 종수축, 회전변형, 각변형, 종굽힘 변형 등
⑧ 변형방지 용접법 : 대칭법, 비석법, 후퇴법, 교호법

학습 POINT

9. 용접부 검사

① 용접 착수 전	트임새 모양, 모아 대기법, 구속법, 자세의 적부
② 용접 작업 중	용접봉, 운봉, 전류 (제 1층 용접 완료 후 뒷용접 전)
③ 용접 완료 후	외관 판단, X선 및 γ선 투과 검사, 자기, 초음파, 침투 수압 등의 검사 시험법이 있고, 절단검사는 되도록 피한다.

※ 표준시방서에서 규정된 용접 전 검사는 절단면의 거칠기, 절단면의 직각도, 절단면의 슬래그, 트임새 모양, 메탈 터치(metal touch), 개선각도, 루트간격, 용접사의 기량시험 등이 있다.

▶ 88-③, 93-④, 96-③, 97-①, 97-⑤, 99-④, 11-②, 13-③, 16-③, 20-②, 22-③ / 13-①

• 용접부의 검사항목 공정
• 용접 착수전 검사항목 3가지

10. 용접부의 비파괴 검사법

① 방사선 투과 검사(Radiographic Test) - 100회 이상도 검사가능, 가장 많이 사용, 기록으로 남길 수 있다.
② 초음파 탐상법(Ultrasonic Test) - 기록성이 없다. 5mm 이상 불가능, 검사속도는 빠르다. 복잡한 부위는 불가능
③ 자기분말 탐상법(Magnetic Particle Test) - 15mm 정도까지 가능, 미세부분도 측정가능, 자화력 장치가 크다.
④ 침투 탐상법(Penetration Test) - 자광성 기름 이용, 검사간단, 비용저렴, 넓은 범위 검사가능, 내부결함 검출곤란

▶ 99-④, 03-①, 06-②, 08-①, 11-①, 14-①, 17-③, 20-①

• 용접부의 비파괴 검사 방법

11. 각종접합시 응력 분담관계

Bolt 〈 Rivet = 고력 Bolt 〈 용접

* 용접을 먼저하고 고력 Bolt 체결시 : 용접이 전응력 부담
  고력 Bolt 체결후 용접 접합시 : 각각 허용응력 부담
  Bolt, 리벳, 고력 Bolt, 용접혼용시 : 용접이 전응력 부담

▶ 91-②

• 접합 혼용시 내력 산정방법

관련문제

1 철골의 접합방법 중 용접의 장점을 4가지 쓰시오. (4점) 〔96 ①, 14 ①〕

① ____________ ② ____________

③ ____________ ④ ____________

2 철골재 아크용접에 대한 설명 중 직류와 교류를 사용할 경우의 특징을 보기에서 골라 기호로 쓰시오. (4점) 〔97 ③, 99 ③, 01 ③, 04 ①〕

〔보기〕
(1) 고장이 작다. (2) 일하기 쉽다. (3) 가격이 싸다.
(4) 공장용접에 많이 쓰인다. (5) 현장용접에 많이 쓰인다.

(가) 직류아크 용접 : ____________

(나) 교류아크 용접 : ____________

3 (1) 수동아크용접에서 피복재의 역할에 대하여 3가지, 4가지만 쓰시오. (3점, 4점) 〔91 ②, 94 ④, 97 ①, 06 ①, 12 ③〕

(2) 철골공사의 용접작업에서 아크용접의 경우 용접봉의 피복재는 금속산화물, 탄산염, 셀룰로오스, 탈산제 등을 심선에 도포한 것이다. 피복재의 역할 4가지만 쓰시오. (4점) 〔99 ③〕

① ____________ ② ____________

③ ____________ ④ ____________

4 다음 설명에 해당되는 답을 기재하시오. (4점) 〔08 ③〕

(1) 접하는 두 부재 사이를 트이게 홈(groove)을 만들고 그 사이에 용착금속을 채워 두 부재를 결합하는 용접 접합방식 :

____

(2) 필렛용접에서 유효용접길이는 실제 용접길이에서 유효목두께의 몇 배를 감한 것으로 하는가?

____

해설 및 정답

정답 1
① 소음, 진동(공해)이 없다.
② 중량 감소(강재량 절약)
③ 접합부 강성이 크다.
④ 일체성, 수밀성이 보장된다.

정답 2
가 : (2), (4)
나 : (1), (3), (5)

정답 3
① 산화, 질화등 모재의 변질방지
② 함유원소를 이온화해 아크를 안정시킨다.
③ 용착금속에 합금원소를 가한다.
④ 용융금속의 탈산 정련을 한다.
⑤ 표면의 냉각, 응고 속도 낮춤

정답 4
(1) 맞댄(맞댐)용접접합, Groove 용접접합, Butt용접접합
(2) 2배

관련문제

5 철골용접전 모재공작으로 앞벌림 형태를 지칭하는 것으로 보기에서 5개만 골라 쓰시오. (5점) 〔89 ②〕

〔보기〕
(B, D, F, H, I, J, K, M, P, R, T, U, V, X, Y)

6 다음 맞댄 용접의 각부 모양에 대한 명칭을 쓰시오. (4점) 〔00 ③〕

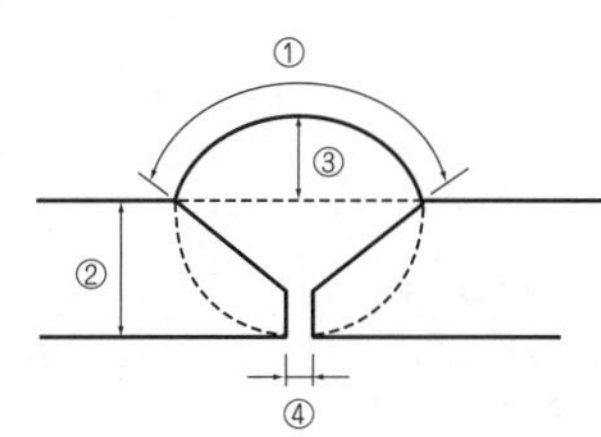

① ____________ ② ____________

③ ____________ ④ ____________

7 다음의 용접기호로써 알 수 있는 모든 사항을 쓰시오. (4점) 〔92 ④, 94 ③, 98 ②, 04 ③〕

① ____________

② ____________

③ ____________

④ ____________

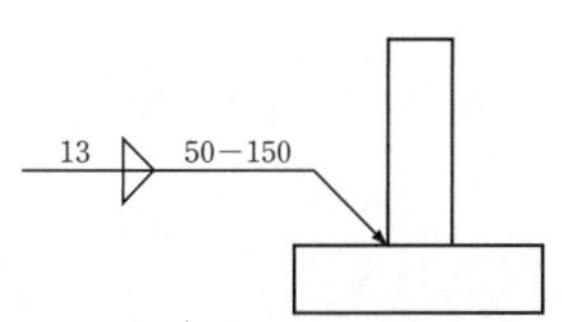

8 그림과 같은 용접부의 기호에 대해 기호의 수치를 모두 표기하여 제작 상세를 도시하시오. (단, 기호의 수치를 모두 표기해야 함) (4점) 〔14 ②, 21 ②〕

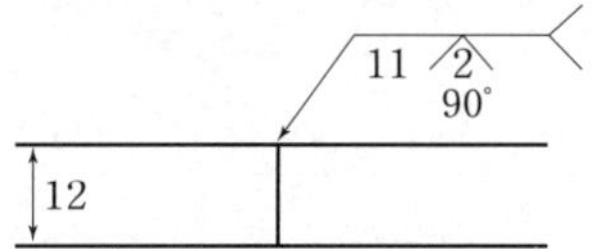

해설 및 정답

정답 5
H, I, J, K, U, V, X 중 5개를 골라서 쓰면된다.

정답 6
① 개선각(Groove Angle)
② 목두께
③ 보강살두께(살올림두께)
④ Root(Root 간격)

정답 7
① 병열 단속 모살용접이다.
② 다리길이는 13mm이다.
③ 용접길이는 50mm이다.
④ 용접 Pitch는 150mm이다.

정답 8

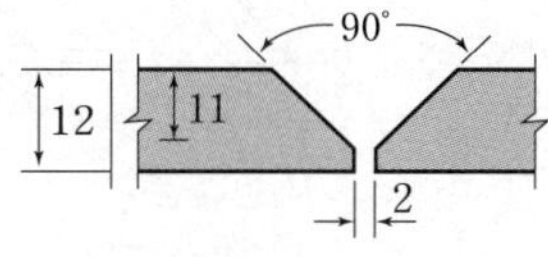

※ 보충설명
① v형 맞댄용접임 (개선각:화살표쪽 90°)
② 목두께 12mm
③ 홈깊이(개선깊이) 11mm
④ Root 간격 2mm

관련문제

9 그림과 같은 철골조 용접부위 상세에서 ①, ②, ③의 명칭을 기술하시오. (3점) [02 ②, 11 ③]

① ______________________

② ______________________

③ ______________________

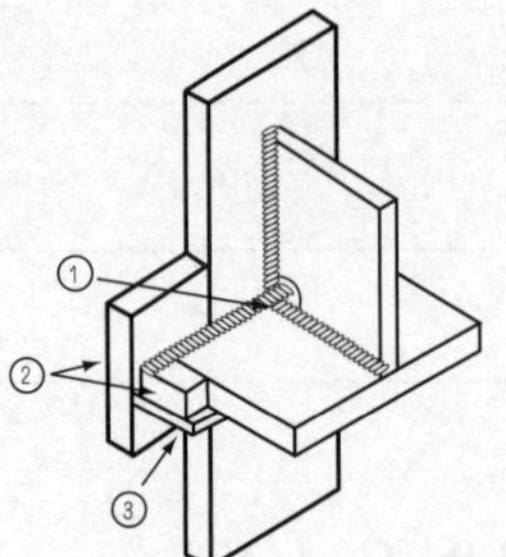

해설 및 정답

정답 **9**

① 스캘럽(scallop, 곡선모따기)
② 엔드탭(End tap, 보조강판)
③ 뒷댐재(back strip, 뒷굄재)

10 다음 철골구조에서 용접모양에 따른 명칭을 쓰시오. (4점) [98 ②, 00 ④]

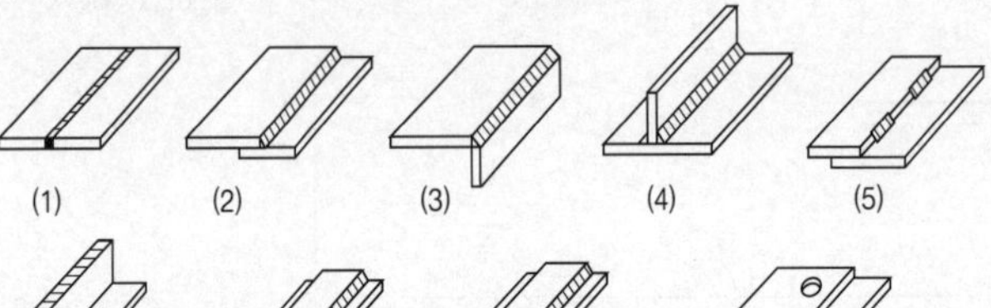

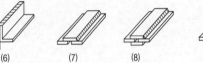

(1) __________ (2) __________ (3) __________

(4) __________ (5) __________ (6) __________

(7) __________ (8) __________ (9) __________

정답 **10**

(1) 맞댄용접
(2) 겹친 모살용접
(3) 모서리 모살용접
(4) T형양면 모살용접
(5) 단속 모살용접
(6) 갓용접
(7) 덧판용접
(8) 양편 덧판용접
(9) 산지용접

11 다음 용접 모양에 따른 용접의 명칭을 쓰시오. (5점) [00 ③]

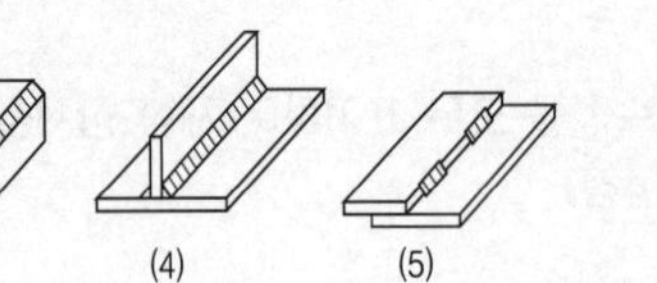

(1) __________ (2) __________ (3) __________

(4) __________ (5) __________

정답 **11**

(1) 맞댄용접
(2) 겹친모살용접
(3) 모서리모살용접
(4) T형양면모살용접
(5) 단속모살용접

관련문제

12 **용접자세 표현기호가 의미하는 방향은 ? (4점)** 〔00 ①〕

F : ______________ H : ______________

V : ______________ O : ______________

13 **다음 설명에 해당되는 용접결함의 용어를 쓰시오. (4점)**

〔93 ③, 97 ②, 05 ③, 09 ①, 19 ①〕

(가) 용접금속과 모재가 융합되지 않고 단순히 겹쳐지는 것
(나) 용접상부에 모재가 녹아 용착금속이 채워지지않고 흠으로 남게 된 부분
(다) 용접봉의 피복재 용해물인 회분이 용착금속내에 혼입된 것
(라) 용융금속이 응고할 때 방출되었어야 할 가스가 남아서 생기는 용접부의 빈 자리

(가) ______________ (나) ______________

(다) ______________ (라) ______________

14 **철골 용접접합에서 발생하는 결함항목을 6가지만, 3가지만 쓰시오. (4점, 3점)**

〔91 ③, 92 ③, 96 ③, 98 ⑤, 08 ②, 12 ③, 13 ③, 14 ③, 15 ③〕

① ______________ ② ______________

③ ______________ ④ ______________

⑤ ______________ ⑥ ______________

15 **철골공사시 용접결함의 원인을 4가지 쓰시오. (4점)** 〔96 ②, 98 ④〕

(1) ______________ (2) ______________

(3) ______________ (4) ______________

해설 및 정답

정답 **12**
F : 하향자세 용접
H : 수평자세 용접
V : 수직자세 용접
O : 상향자세 용접

정답 **13**
(가) Overlap
(나) Under Cut
(다) Slag 감싸들기
(라) Blow hole

정답 **14**
① Slag 감싸들기
② Under Cut
③ Overlap ④ Blow hole
⑤ Crack ⑥ 용입불량
⑦ Crater ⑧ 은정

정답 **15**
(1) 전류의 과대, 과소(전압과도 관계)
(2) 운봉의 과대, 과소 (운봉속도와도 관계)
(3) 젖은 용접봉 사용할 때 (용접봉의 습기)
(4) 낮은 온도에서 용접(급냉)
※ 기타
① 모재불량(트임새 각도불량, 모재의 청소불량, 오손, 오물등)
② 구속법의 부적절한 자세 및 구속법

관련문제

16 보기에 주어진 철골공사에서의 용접결함 종류 중 과대전류에 의한 결함을 보기에서 모두 골라 기호로 적으시오. (3점) 〔10 ②, 17 ①〕

〔보기〕

① 슬래그 감싸들기	② 언더컷	③ 오버랩
④ 블로홀	⑤ 크랙	⑥ 피트
⑦ 용입부족	⑧ 크레이터	⑨ 피시아이

____

17 다음 보기는 용접부의 검사 항목이다. 보기에서 골라 알맞는 공정에 해당번호를 써 넣으시오. (6점, 3점) 〔88 ③, 93 ④, 96 ③, 97 ①, 97 ⑤, 99 ④, 11 ②, 22 ③〕

〔보기〕

(가) 트임새 모양	(나) 전류	(다) 침투수압	(라) 운봉
(마) 모아대기법	(바) 외관판단	(사) 구속	(아) 용접봉
(자) 초음파검사	(차) 절단검사		

(1) 용접 착수전 : ______________________________

(2) 용접 작업중 : ______________________________

(3) 용접 완료후 : ______________________________

18 용접 착수전의 용접부 검사항목 3가지 쓰시오. (3점) 〔13 ①〕

① ______________ ② ______________

③ ______________

해설 및 정답

정답 **16**

②, ⑤, ⑧

정답 **17**

(1) 용접착수전 : (가), (마), (사)
(2) 용접작업중 : (나), (라), (아)
(3) 용접완료후 : (다), (바), (자), (차)

※ 단, 절단검사는 되도록 피한다.

정답 **18**

① 트임새 모양
② 모아대기법
③ 구속법

관련문제

19 다음 보기는 용접부의 검사 항목이다. 보기에서 골라 알맞는 공정에 해당번호를 써 넣으시오. (6점) 〔13 ③, 16 ③, 20 ②〕

〔보기〕

① 아크전압	② 용접속도	③ 청소상태
④ 홈의각도, 간격 및 치수	⑤ 부재의 밀착	⑥ 필렛의 크기
⑦ 균열, 언더컷 유무	⑧ 밑면파내기	

(1) 용접 착수전 : ______

(2) 용접 작업중 : ______

(3) 용접 완료후 : ______

20 (가) 철골용접부위의 품질상태를 검사하는 방법을 2가지, 3가지 쓰시오.(2점)〔99 ④〕

(나) 철골공사에서 용접부의 비파괴 시험방법의 종류를 3가지 쓰시오. (3점)
〔03 ①, 06 ②, 08 ①, 11 ①, 14 ①, 17 ③, 20 ①〕

① ______ ② ______

③ ______

21 철골접합에 보기와 같은 여러 가지 접합방식이 혼용되어 있는 경우 내력계산에서 먼저, 고려해야 할 사항부터 순서대로 번호를 쓰시오. (단, 같은 차원에서 고려하는 것은 =로 표기한다.) (3점) 〔91 ②〕

〔보기〕

(1) 리벳 (2) 용접 (3) 고장력 볼트 (4) 일반볼트

______

해설 및 정답

정답 19

(1) ③, ④, ⑤
(2) ①, ②, ⑧
(3) ⑥, ⑦

정답 20

① 방사선 투과시험
② 초음파 탐상법
③ 자기분말 탐상법

정답 21

(2) 〉 (3) = (1) 〉 (4)

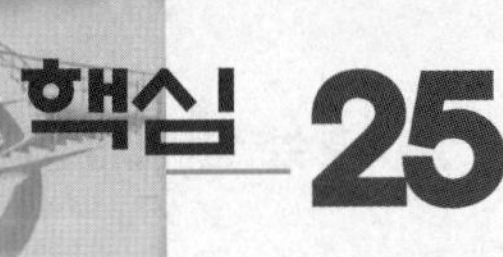

핵심 25 현장세우기, 기계설비, 내화피복공법, 기타

1 현장 철골세우기 작업

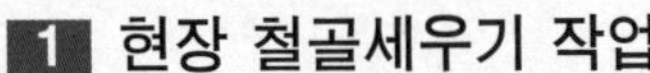

1. 현장 철골세우기 작업순서

현장 시공도 작성 → 주각부 심먹매김(중심내기) → 앵카 볼트 매립(앵카 볼트 설치) → 기초상부고름질(level 조정)

→ 세우기 기계준비 → 부재 반입 → 세우기 → 가조립 →

변형바로잡기 → 정조임(본조립) → 본접합(리벳접합) → 접합부검사

→ 도장 → 완성

2. 주각부의 형식(철골기둥재와 콘크리트와의 접합방식에 따른 분류)

① 노출주각
② 보강주각
③ 매립주각

3. 앵커 볼트 매립법

(1) 고정매립법	Anchor Bolt 위치를 완전 고정후 Concrete 타설. 중요공사, 시공정밀도 요구공사, 앵카 Bolt 지름이 클 때 사용.
(2) 가동매립법	함석 깔대기를 끼워 Concrete 타설. 다소 위치 수정가능. 경미한 공사나 앵카 Bolt 지름이 작을 때 사용.
(3) 나중매립법	구조물의 이동조립이 가능하도록 한다. 공정상 시드나 거푸집을 이용. 앵카 Bolt 자리를 Block-Out 시키고 나중에 고정. 앵카 Bolt 지름과는 관계없다. 시정 정밀도는 높으나 Grouting 소요시간이 필요하다.

학습 POINT

▶ 84-①, 90-④ / 88-②, 95-③, 96-③, 98-⑤, 07-②, 11-①, 13-②, 15-①, 23-② / 97-①, 00-⑤ / 85-③

- 철골현장시공 작업순서 /
- 철골 조립순서 /
- 리벳접합시 작업순서 /
- 철골주각부 시공순서

암기하기

① 기초 주각부 심먹 매김
② 앵카 Bolt 설치, 매립
③ 기초 상부 윗면 Level 고르기
④ 세우기
⑤ 가조립
⑥ 변형 바로잡기
⑦ 정조립
⑧ 본 접합
⑨ 접합부 검사
⑩ 도장(칠)

▶ 97-③, 99-①, 99-③ 02-②, 10-③, 17-②, 21-② / 18-①

- 앵커볼트 매립공법 종류 3가지
- 철골주각부형식 (고정, 핀, 매립형 주각)

▶ 기둥 앵카 Bolt 고정매립 장면(제작된 Plate와 앵카 Bolt를 기초판에 정착)

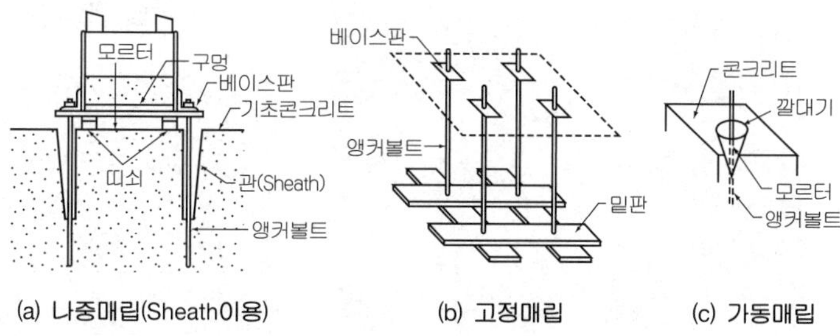

그림. 앵카 Bolt 매립공법

학습 POINT

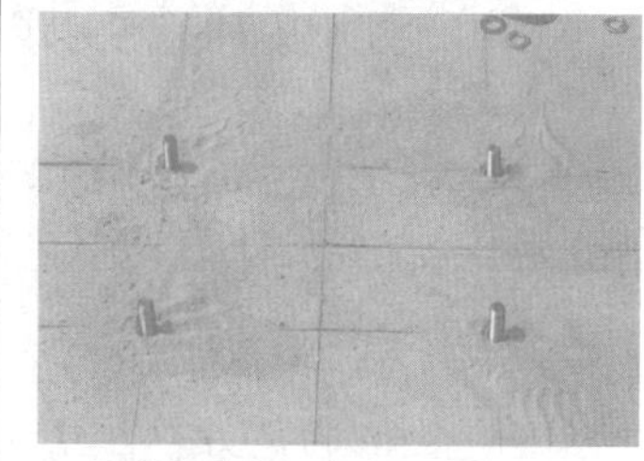

▶ 주각부 먹매김 작업과 앵커 Bolt 위치 점검

4. 현장 시공도 작성시 중요기재사항

① 주심, 벽심과 철골의 주심과의 관계
② 철골과 앵커 Bolt와의 관계
③ 기초와 앵커 Bolt와의 관계
④ 각 부분 부재의 개체 중량

▶ 03-②
• 현장시공도 삽입 중요사항 2가지

5. 기초상부 고름질 방법

(1) 전면 바름 방법	(2) 나중 채워넣기 중심 바름법
(3) 나중 채워넣기 + 자바름법	(4) 완전 나중 채워넣기 방법

(5) 베이스 플레이트지지, 베이스 Mortar
① 베이스 플레이트지지 공법은 별도 규정이 없으면 이동식 매립공법으로 한다.
② 이동식 공법에 사용되는 Mortar는 무수축 Mortar로 한다.
③ Martor 두께는 30mm이상, 50mm이내, 크기는 20cm 각 또는 직경 20cm 이상으로 한다.

▶ 93-③ / 00-③ / 95-①, 95-④, 99-②, 00-⑤, 03-③, 11-② / 05-③, 12-②, 23-①
• 기초판 Mortar 바름법 4가지 설명 /
• Bolt매립법과 Mortar바름법 /
• 기초상부고름질 3, 4가지
• 베이스 충전재 명칭

▶ Base Plate 높이조절
나중 채워넣기 중심바름

▶ Base Plate와 기둥 설치장면

▶ 주각과 Base

▶ 철골기둥 운반작업

▶ 주각부 주변에 거푸집을 대고 Mortar 주입하는 장면

▶ 주각부 Base Plate 하부 레벨조절용 Mortar 완성

2 세우기용 기계의 종류

종 류	특 징
가이데릭 (Guy derrick)	• 가장 일반적으로 사용되는 기중기의 일종 5~10ton 정도의 것이 많다. • Guy의 수 : 6~8개 • 붐(Boom)의 회전범위 : 360° (Bull wheel이 있어 회전가능) • 붐의 길이는 주축으로 Mast보다 3~5m 짧게 한다. • 당김줄은 지면과 45° 이하가 되도록 한다.
스티프레그 데릭 (Stiff leg derrick)	• 3각형 토대위에 철골재 3각을 놓고 이것으로 붐을 조작. • 가이데릭에 비해 수평 이동이 가능하므로 층수가 낮은 긴 평면에 유리. • 당김줄을 마음대로 맬수 없을 때 사용. • 회전범위 : 270°(작업범위 180°) • 붐의 길이는 마스트 보다 길다.
진폴 (Gin pole)	• 1개의 기둥을 세워 철골을 메달아 세우는 가장 간단한 설비 • 소규모 철골 공사에 사용 • 옥탑등의 돌출부에 쓰이고 중량재료를 달아 올리기에 편리
트럭 크레인 (Truck crane)	• 트럭에 설치한 크레인 • 자주, 자립 가능. 기동력이 좋고 대규모 공장건물에 적합하다.
타워 크레인 (Tower crane)	• 타워위에 크레인을 설치한 것이 주로 쓰인다. • 고양정 광범위한 작업에 적합하다. ① 설치방법에 따라 : 고정식, 주행식이 있다. ② Climbing방식에 따라 : Crane Climbing, Mast Climbing방식이 있다. ③ Jib형식에 따라 : 경사 Jib, 수평 Jib 형식이 있다.
이동식 크레인	• 크롤러 크레인 : 셔블을 기본으로 크레인 연결부를 본체에 부착시킴. • 트럭크레인 : 셔블계의 크레인 본체를 트럭에 실는 것. • 유압식 크레인 : 래카차(Wrecker Truck)라고 불리며 50t 까지 양정.
크레인에 부착가능장비	① 디젤해머 ② 파일드라이버 ③ 드래그라인 ④ 기중기 ⑤ 클램쉘

학습 POINT

▶ 철골조립장면

▶ 91-③, 93-③, 94-③, 96-④, 99-①, 18-③ / 92-②, 96-④

• 철골세우기용 기계설비 3, 4가지 /
• 건설공사 수직인양 장비 종류 5가지

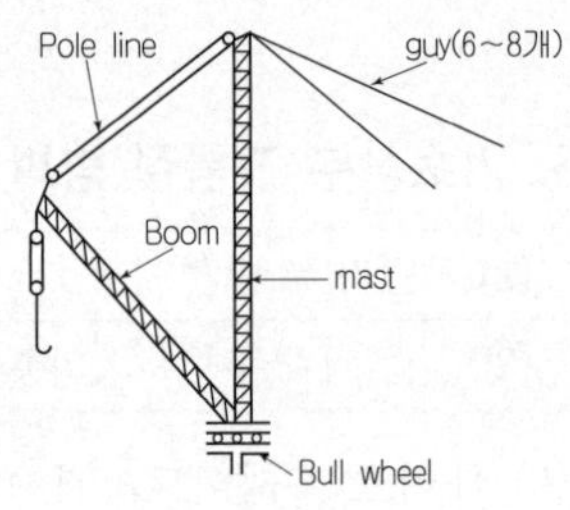

그림. 가이데릭

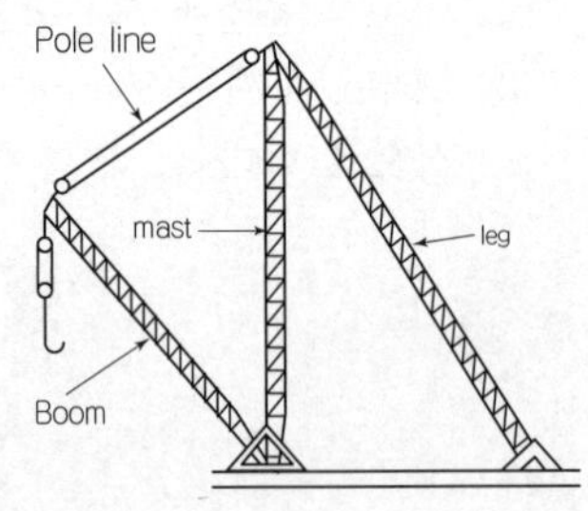

그림. 스티프 레크 데릭

▶ 91-③, 98-④ / 91-①, 95-①, 00-⑤

• 크레인 부착가능 장비 3가지 /
• 철골 주각부 명칭

▶ 여러 Type의 Tower Crane 모습 (※타워크레인 사진참조 : (주)공승기업)

학습 POINT

3 철골의 내화 피복 공법

1. 내화 피복 공법의 종류(건축공사 표준시방서)

구 분	공 법	재 료
(1) 도장공법	내화도료공법	팽창성 내화도료
(2) 습식공법	① 타설공법	콘크리트 경량 콘크리트
	② 조적공법	콘크리트 블록 경량 콘크리트 블록 돌, 벽돌
	③ 미장공법	철망 모르타르 철망 펄라이트 모르타르
	④ 뿜칠공법	뿜칠 암면 습식 뿜칠 암면 뿜칠 모르타르 뿜칠 플라스터 실리카, 알루미나계열 모르타르
(3) 건식공법	① 성형판 붙임공법	무기섬유 혼입 규산칼슘판 ALC판 무기섬유강화 석고보드 석면 시멘트판 조립식 패널 경량콘크리트 패널 프리캐스트 콘크리트판
	② 휘감기공법	
	③ 세라믹울 피복공법	세라믹 섬유 블랭킷
(4) 합성공법		프리캐스트 콘크리트판 ALC판

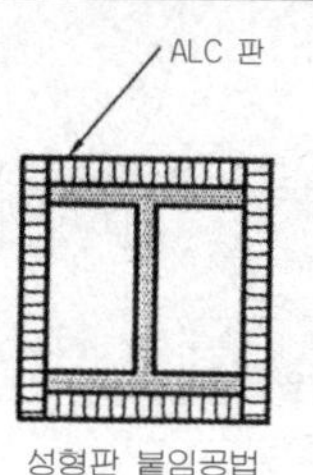

성형판 붙임공법

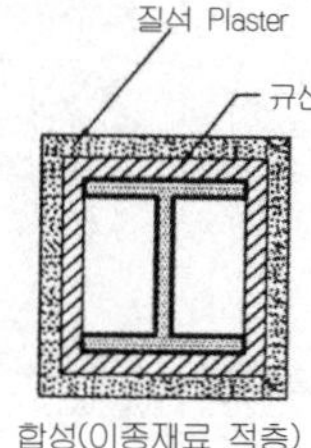

합성(이종재료 적층) 공법

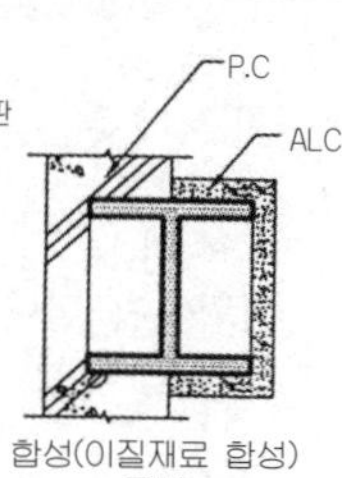

합성(이질재료 합성) 공법

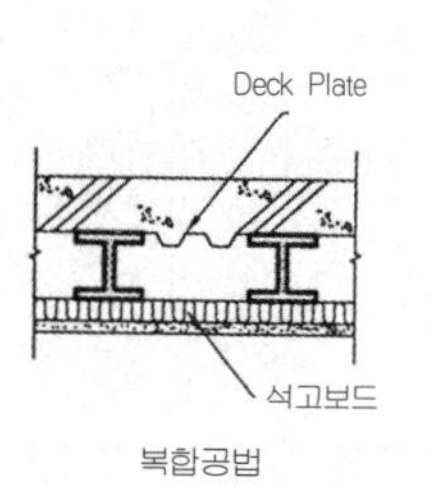

복합공법

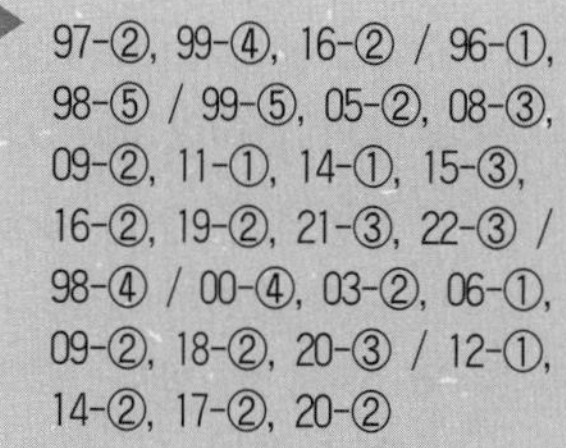

97-②, 99-④, 16-② / 96-①, 98-⑤ / 99-⑤, 05-②, 08-③, 09-②, 11-①, 14-①, 15-③, 16-②, 19-②, 21-③, 22-③ / 98-④ / 00-④, 03-②, 06-①, 09-②, 18-②, 20-③ / 12-①, 14-②, 17-②, 20-②

- 내화피복공법 3가지 /
- 내화피복공법의 일반적 분류 /
- 습식 내화피복공법 3가지, 설명, 재료
- 내화피복공법 종류 6가지와 사용재료 /
- 내화피복 공법 4가지 쓰고, 설명
- 습식공법 설명, 공법, 재료 2가지
- 타설 / 조적 / 미장재료를 2가지씩 적기

암기하기

	공법	재료
1	타설공법	콘크리트
2	조적공법	벽돌
3	미장공법	철망모르터
4	뿜칠공법	석면
5	성형판 붙임공법	ALC판

▶ 철골에 내화피복 뿜칠하는 장면

▶ 철골 위 성형판을 붙이기 위하여 경량철골을 조립한 모습

학습 POINT

2. 건축물 강구조공사 내화피복 공사의 검사 및 보수 (건축공사 표준시방서)

(1) 미장공법, 뿜칠공법

1) 미장공법의 시공 시에는 시공면적 $5m^2$당 1개소 단위로 핀 등을 이용하여 두께를 확인하면서 시공한다.
2) 뿜칠공법의 경우 시공 후 두께나 비중은 코어를 채취하여 측정한다. 측정 빈도는 층마다 또는 바닥면적 $500m^2$마다 부위별 1회를 원칙으로 하고, 1회에 5개소로 한다. 그러나 연면적이 $500m^2$ 미만의 건물에 대해서는 2회 이상으로 한다. 단, 필요시 책임기술자와 협의하여 면적을 늘릴 수 있다.

(2) 조적공법, 붙임공법, 멤브레인공법, 도장공법

1) 재료반입 시, 재료의 두께 및 비중을 확인한다.
2) 빈도는 층마다 또는 바닥면적 $500m^2$마다 부위별 1회로 하며, 1회에 3개소로 한다. 그러나 연면적이 $500m^2$ 미만의 건물에 대해서는 2회 이상으로 한다. 단, 필요시 책임기술자와 협의하여 면적을 늘릴 수 있다.

※ 불합격의 경우, 덧뿜칠 또는 재시공하여 보수한다.

4 기타(강관 Pipe 공사, 경량철골공사)

▶ 97-③, 00-⑤ / 84-② / 94-④, 95-③, 01-②, 04-①, 04-③, 08-①, 15-②

- 파이프 건축물의 장점 4가지 /
- 파이프 구조 가공 조립순서 /
- 파이프 절단면 단부 밀폐방법 3가지

1. 강관 Pipe 구조공사

경량이며 외관이 미려하고 부재형상이 단순하여 대규모 공장, 창고, 체육관, 동·식물원, 각종 Pipe Truss 등 의장적 요소, 구조적 요소로 사용된다.

(1) 장·단점

1) 장 점	2) 단 점
① 폐쇄형 단면으로 강도의 방향성이 없다. ② 휨강성, 비틀림 강성이 크다. ③ 국부좌굴, 가로좌굴에 유리하다. ④ 조립, 세우기가 안전하다. ⑤ 살두께가 적고 경량이다. ⑥ 외관이 경쾌하고 미려하다.	① 접합이음이 복잡하다. ② 이음부 및 관끝의 신속한 절단가공이 어렵다. ③ 리벳접합이 불가능하다. ④ 이음, 맞춤부의 정밀도가 떨어진다. ⑤ 위치오차, 변형방지를 위해 조립틀을 이용해야 한다.

▶ 파이프 구조

(2) 조립순서

가공원척도 → 본뜨기 → 금매김 → 절단 → 조립 → 세우기 순서이다.

(3) 파이프 단면의 녹막이를 고려한 밀폐방법

① 스피닝(spinning)에 의한 방법
② 가열하여 구형으로 가공
③ 원판, 반구형판을 용접
④ 관끝을 압착하여 용접밀폐 시키는 방법
⑤ 관내에 Mortar 채움법

(4) 가공 및 조합

① 절단은 자동강관 절단기, 수동 가스절단이 있다.
② 강관조립은 강관위치의 오차와 용접별 변형 방지를 위해서 조립틀을 쓴다.
③ 이음부 및 관끝의 신속한 절단 가공이 어렵고, 리벳접합이 곤란하고 용접, 보울트 등으로 긴결한다.

2. 경량철골 공사

두께가 얇고 나비가 일정한 강판(Slitter)을 휨에 대한 단면성능이 좋도록 접어서 냉간 성형한 것으로 1.6~4.0mm 두께가 사용된다.

(1) 장 · 단점

1) 장 점	2) 단 점
① 두께가 얇고 강재량이 적은 반면 휨강도, 좌굴강도에 유리하다. ② 단면 계수, 단면 2차 반경등 단면 효율이 좋다. ③ 경량이므로 경제적이다.	① 판두께가 얇아서 국부좌굴이 생기며 비틀림에 약하다. ② 국부 변형, 처짐에 약하다. ③ 부식에 약해 방청도료를 사용 ④ 외부사용이 어렵고 접합이 어렵다.

* 좌굴방지를 위해 Lip를 설치하고 Lip달린 C형강이 가장 많이 쓰인다.
(신율 : 21%, 항복점 강도 : 2.4kgf/cm^2)

(2) 가공과 접합

① 절단은 Cutter, Saw, 마찰톱, 수동가스 절단기를 사용
② 접합은 용접, Bolt, 고력 Bolt, Rivet, Drivit 등으로 결합한다.
③ 용접은 Arc 용접을 쓰고 유효용접 목두께는 판두께 이하 혹은 3.2mm보다 작게 한다. 변형 조정시 600~650℃로 가열 교정한다.
④ Rivet 접합은 드라이 비트 접합시 1장 판두께 4.5mm이하, 두께 합계 13mm 이하로 하며, 구멍은 펀칭, 드릴 등으로 하며 변형에 유의한다.

(3) 가공순서

재료반입 → 절단 → 용접조립재의 가공 → 녹막이칠 순서이다.

학습 POINT

▶ Pipe 구조 접합부

▶ 파이프 단면 밀폐방법

▶ 98-④, 99-⑤

• 경량형 강재의 장 · 단점 각 2가지

관련문제

1 다음은 철골공사의 현장시공에 관한 사항들이다. 작업순서에 맞게 번호순으로 나열하시오. (5점) 〔84 ①, 90 ④〕

〔보기〕

(1) 세우기	(2) 앵커보울트 묻기	(3) 접합부 검사
(4) 변형바로잡기	(5) 정조립	(6) 도장(칠작업)
(7) 접합	(8) 가조립	(9) 기초윗면고르기
(10) 기초에 중심먹치기		

2 철골세우기 공사의 시공순서를 보기에서 골라 쓰시오. (4점, 3점) 〔96 ③, 98 ⑤〕

〔보기〕

(가) 세우기	(나) 현장리벳치기	(다) 리벳검사	(라) 앵커볼트매입
(마) 볼트가조임	(바) 볼트본조임	(사) 변형바로잡기	

3 다음은 철골조 기둥공사의 작업 흐름도이다. 알맞는 번호를 보기에서 골라 ( )를 채우시오. (4점) 〔88 ②, 95 ③, 07 ③, 15 ①〕

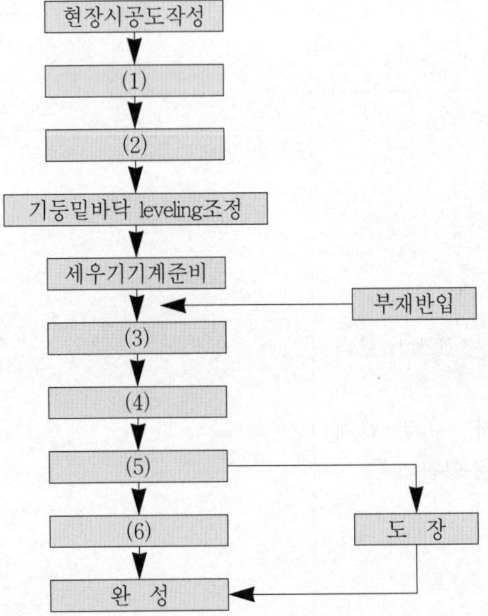

〔보기〕

(가) 본접합
(나) 세우기 검사
(다) 앵커보울트 매립
(라) 세우기
(마) 중심내기
(바) 접합부의 검사

해설 및 정답

정답 1

(10)
(2)
(9)
(1)
(8)
(4)
(5)
(7)
(3)
(6)

정답 2

(라)
(가)
(마)
(사)
(바)
(나)
(다)

정답 3

(1) (마) 중심내기
(2) (다) 앵커보울트 매립
(3) (라) 세우기
(4) (나) 세우기 검사
(5) (가) 본접합
(6) (바) 접합부의 검사

관련문제

4 **다음은 철골공사의 리벳접합의 경우 현장작업 순서이다. (　)에 알맞은 말을 넣으시오. (4점)** 〔97 ①, 00 ⑤〕

기초 주각부 기타 심먹매김 → (　㈎　) → (　㈏　) → 철골세우기 → (　㈐　) → 변형 바로잡기 → (　㈑　) → 접합부 검사 → 도장

(가) ________ (나) ________ (다) ________ (라) ________

5 **철골 주각부 현장 시공 순서에 맞게 번호를 나열하시오. (3점, 2점)** 〔07 ②, 11 ①, 13 ②, 23 ②〕

〔보기〕

① 기초 상부 고름질	② 가조립	③ 변형 바로잡기
④ 앵커볼트 정착	⑤ 철골 세우기	⑥ 기초콘크리트 치기
⑦ 철골 도장		

____

6 **아래의 보기는 철골세우기 공사의 내용이다. 보기의 내용을 시공순서대로 번호를 나열하시오. (4점)** 〔85 ③〕

〔보기〕

(1) 기초보울트 위치 재점검	(2) 기둥중심선 먹메김
(3) 기둥세우기	(4) 주각부 모르타르채움
(5) Base plate의 높이 조정용 liner plate 고정	

____

7 **(가) 철골공사에서 앵커볼트 매입공법의 종류를 3가지 쓰시오. (3점)** 〔97 ③, 99 ①, 99 ③, 10 ③, 21 ②〕

(나) 철골공사의 기초 Anchor bolt는 구조물 전체의 집중하중을 지탱하는 중요한 부분이다. 이 Anchor bolt의 매입공법 3가지를 쓰시오.(3점) 〔02 ②, 17 ②〕

① ________ ② ________ ③ ________

8 **철골공사의 공장제작이 완료된 후에 현장세우기를 하는데 현장시공을 위한 철골시공도에 삽입해야 할 중요한 사항을 2가지 쓰시오. (4점)** 〔03 ②〕

① ________ ② ________

해설 및 정답

정답 4
(가) : 앵카볼트 설치
(나) : 기초상부 고름질
(다) : 가조립
(라) : 정조립

정답 5
⑥→④→①→⑤→②→③→⑦

정답 6
(2) - (1) - (5) - (3) - (4)
※ 주각부 Motar 나중 채워넣기임

정답 7
① 고정 매입법
② 가동 매입법
③ 나중 매입법

정답 8
① 주심, 벽심과 철골 주심과의 관계
② 철골과 앵커 Bolt와의 관계, 기초와 앵커 볼트와의 관계 표시
※ 각 부분 부재의 개체 중량

관련문제

9 철골조 기초상부 베이스플레이트의 모르타르 바름법의 종류를 4가지 쓰고 설명하시오. (4점) 〔93 ③, 05 ②〕

①

②

③

④

10 (1) 철골세우기에서 기초 상부 고름질의 방법을 3가지, 4가지만 쓰시오. 〔95 ①, 99 ②, 03 ③, 07 ③, 11 ②〕

(2) 철골기둥 밑창판 밑 모르터 바르기 방법을 3가지만 쓰시오. (3점) 〔95 ④, 00 ⑤, 05③〕

① ②

③ ④

11 다음 ( )안에 적당한 공법을 쓰시오. (3점) 〔00 ③〕

철골공사에서 앵커보울트를 매입하는 공법은 (①)매입공법과 (②) 매입공법이 있으며, 기초상부의 고름방법은 (③), (④), (⑤), (⑥)이 있다.

① ② ③

④ ⑤ ⑥

12 철골공사를 시공할 때 베이스 플레이트(Base Plate)의 시공시에 사용되는 충전재의 명칭을 쓰시오. (3점, 2점) 〔05 ③, 12 ②, 23 ①〕

13 (1) 철골세우기용 기계설비를 3가지만 쓰시오. (3점) 〔91 ③, 94 ③, 96 ④, 99 ①, 18 ③〕

(2) 현장 철골 세우기용 기계의 종류 4가지를 쓰시오. (4점) 〔93 ③〕

(3) 철골 세우기용 기계설비를 4가지만 쓰시오. (4점) 〔96 ④〕

① ②

③ ④

해설 및 정답

정답 **9**

① 전면바름법 : 1:2정도 된 비빔한 Mortar로 두께 3~5cm정도 지정높이대로 전체적으로 펴바르고 경화후 세우기 하는 방법
② 나중 채워넣기 중심바름 : 기둥 밑면 중심부에만 둥글게 지정높이만큼 1:1 Mortar로 바르고 세우기후 나머지 Mortar를 채워넣는 방법
③ 나중 채워넣기 십자바름 : 기둥에서 기둥대각선 방향(+자형)으로 지정 높이만큼 Mortar를 바르고 세우기후 나머지 Mortar를 채움하는 방법(T자형으로 하는경우도 있다)
④ 완전나중 채워넣기 : Base Plate의 4면에 레벨고정 너트나 라이너 Plate등 철판제 굄을 써서 높이를 맞춘후 Mortar는 완전히 나중에 채워넣는 방법이다.

정답 **10**

(1) 과 (2) 답 동일
① 전면 바름법
② 나중채워넣기 중심바름
③ 나중채워넣기 십자바름
④ 전면 나중채워넣기

정답 **11**

① 고정
② 가동
③ 전면바름방법
④ 나중채워넣기 중심바름방법
⑤ 나중채워넣기 십자바름법
⑥ 전면(완전)나중채워넣기방법

정답 **12**

무수축 Mortar

정답 **13**

(1), (2), (3)번 답 동일
① 가이데릭
② 스티프 레그데릭
③ 트럭 크레인
④ 타워 크레인

관련문제

해설 및 정답

14 건설공사의 여러 운반설비 중 수직인양기구 혹은 장비의 종류를 5가지 쓰시오. (5점) 〔92 ②, 96 ④〕

(1) ______________ (2) ______________

(3) ______________ (4) ______________

(5) ______________

15 크레인에 부착할 수 있는 장비에 대하여 3가지만 쓰시오. (4점) 〔91 ②, 98 ④〕

① ______________ ② ______________ ③ ______________

16 (가) 다음 철골 주각부의 명칭을 보기에서 골라 번호로 쓰시오. (5점) 〔91 ①, 95 ①, 00 ⑤〕

〔보기〕

① Base plate	② Wing plate
③ Clip angle	④ Web plate
⑤ Filler plate	⑥ Gusset plate
⑦ Tie plate	⑧ Spliced plate
⑨ Band plate	⑩ Flange plate
⑪ Anchor bolt	⑫ Cover plate
⑬ Lattice bar	⑭ Side angle

㉮ ㉱ ㉯ ㉲ ㉳ ㉰ ㉴

(나) 철골공사에서 그림과 같은 주각부의 부재별 명칭을 기입하시오. (5점) 〔04 ②〕

____

17 철골의 내화피복 공법을 3가지 쓰시오. (3점) 〔97 ②, 99 ④〕

① ______________ ② ______________ ③ ______________

정답 14

건설공사용 수직인양기구
(1) 이동식 크레인
① 크롤러 크레인
② 트럭 크레인
③ 유압식 크레인
(2) 설치식 크레인 : 타워크레인
① 스카이마스터
② 스카이에스
(3) 엘리베이터
(4) 간이 리프트
(5) 가이데릭, 스티브 레그 데릭, 진폴 등이 있다.

정답 15

① 디젤 해머 ② 파일 드라이버
③ 드래그라인
④ 기중기 ⑤ 크램 쉘

정답 16

㉮ : ⑬ ㉯ : ④
㉰ : ① ㉱ : ②
㉲ : ⑭ ㉳ : ③
㉴ : ⑪

※ anchor bolt, base plate, wing plate, web plate, flange를 기입하는 문제

정답 17

① 습식공법 ② 건식공법
③ 합성공법

관련문제

18 다음 물음에 답하시오. (4점) 〔96 ①, 98 ⑤〕

철골공사에 있어서 내화피복공법을 분류하면 습식공법, ① ________,
② ________이 있으며, 습식내화 공법의 종류로서는 ③ ________,
④ ________, 미장공법 등이 있다.

19 철골구조공사에 있어서 철골 습식 내화피복공법의 종류를 3가지(4가지) 쓰시오. (3점, 4점) 〔99 ⑤, 05 ②, 08 ③, 11 ①, 14 ①, 15 ③, 16 ②, 19 ②, 21 ③, 22 ③〕

① ________ ② ________ ③ ________

20 철골의 내화피복 공법의 종류를 6가지 쓰고 각각에 사용되는 재료를 하나씩 쓰시오. (6점) 〔98 ④〕

	공 법	재 료
1.		
2.		
3.		
4.		
5.		
6.		

21 철골조 내화피복의 시공공법을 4가지 들고 설명하시오. (4점) 〔00 ④, 03 ②, 06 ①〕

①

②

③

④

22 철골의 내화피복 공법 중 습식공법을 설명하고 습식공법의 종류 3가지와 사용되는 재료 3가지를 적으시오. (5점) 〔09 ②, 18 ②, 20 ③〕

(1) 습식공법 :

(2) 공법의 종류 :

(3) 사용재료 :

해설 및 정답

정답 **18**
① 건식공법
② 합성공법
③ 조적공법
④ 현장 Concrete 타설공법

정답 **19**
① 뿜칠공법
② 미장공법
③ 타설공법
④ 조적공법

정답 **20**

	공 법	재 료
1	타설공법	콘크리트
2	조적공법	벽돌
3	미장공법	철망모르터
4	뿜칠공법	석면
5	성형판 붙임공법	ALC판
6	멤브레인 공법	암면판

정답 **21**
① 현장타설공법 : 강재주위에 concrete를 5cm이상 현장에서 타설하는 공법으로 강재와 일체화시공이 가능하다.
② 조적공법 : 돌, 벽돌, concrete 블록, 경량 concrete블록 등을 강재 주변에 쌓는다.
③ 미장공법 : 철골부재에 철망을 부착한 후 Mortar나 퍼얼라이트 Mortar등을 바르는 공법이다.
④ 뿜칠공법 : 암면, 석면, 버미큘라이트 등의 내화 피복재를 뿜칠로 시공하는 공법으로 단면형상에 관계없이 시공이 가능하다.

정답 **22**
(1) 습식공법 : 화재발생시 강재의 온도상승에 따른 강도저하를 방지하기 위하여 강재주위를 물을 혼합 사용하는 내화재료로 피복하는 공법
(2) 종류 : 타설공법, 조적공법, 미장공법, 뿜칠공법
(3) 사용재료 : 콘크리트 또는 경량콘크리트(=타설공법), 돌, 벽돌, 콘크리트블록(=조적공법), 펄라이트모르터(=미장공법), Rock wool, 석면, 암면, 버미큘라이트(=뿜칠공법)

관련문제

해설 및 정답

23 철골 내화피복 공법의 종류에 따른 재료를 각각 2가지 쓰기 (3점)

〔12 ①, 14 ②, 17 ②, 20 ②〕

공 법	재 료	
타설공법		
조적공법		
미장공법		

정답 23

타설공법 : 콘크리트
경량콘크리트
조적공법 : 콘크리트 Block
ALC Block
미장공법 : 철망 Mortar
펄라이트 Mortar

24 파이프 구조를 이용한 건축물의 장점에 대하여 4가지만 쓰시오. (4점) 〔97 ③, 00 ⑤〕

① ______ ② ______

③ ______ ④ ______

정답 24

① 폐쇄형 단면으로 강도의 방향성이 없다.
② 휨강성, 비틀림 강성이 크다.
③ 국부좌굴, 가로좌굴에 유리하다.
④ 살두께가 적고 경량이다.

25 파이프 구조의 가공조립순서를 쓰시오. (5점) 〔84 ②〕

(1) ______ (2) ______ (3) ______

(4) ______ (5) ______ (6) 세우기

정답 25

(1) 가공원척도 작성
(2) 본뜨기 (3) 금매김
(4) 절단 (5) 조립

26 파이프 구조에서 파이프 절단면 단부는 녹막이를 고려하여 밀폐하여야 하는데, 이 때 실시하는 밀폐방법에 대하여 3가지만 쓰시오. (3점)

〔94 ④, 95 ③, 01 ②, 04 ①, 04 ③, 08 ①, 15 ②〕

① ______ ② ______

③ ______

정답 26

① 스피닝(Spinning)에 의한 방법
② 가열하여 구형으로 가공
③ 원판, 반구형판을 용접
④ 관끝을 압착하여 용접밀폐 시키는 방법

27 강재를 이용한 구조물로 가정하여 경량형 강재의 장·단점에 대하여 각 2가지씩 쓰시오. (4점) 〔98 ④, 99 ⑤〕

가. 장 점

① ______ ② ______

나. 단 점

① ______ ② ______

정답 27

가. 장점
① 휨강도, 좌굴강도가 크다
② 단면의 효율(단면 2차 모멘트)이 좋다.
③ 성형가공이 용이하다.

나. 단점
① 국부좌굴, 국부변형, 비틀림이 생기기 쉽다.
② 허용하중이 작다.
③ 방청(녹방지)에 주의해야 한다.

용어정의 • 해설

01 뒤꺽임(Burr)

전단 또는 톱절단 등의 기계절삭 절단시 생기는 강재끝의 꺽임

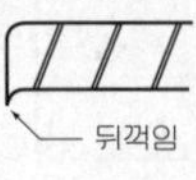

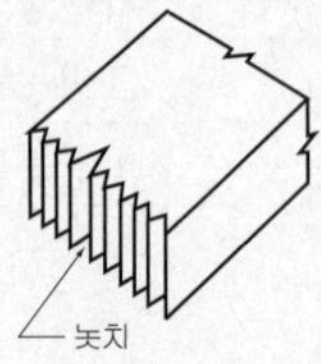

그림. 뒤꺽임과 놋치의 모양

02 놋치(Notch)

개스 절단시 절단선이 곧지 못하여 생기는 잘룩한 거치렁이 부분이나 단면중 다른부분보다 단면이 적게 들어간 부분

03 리머(Reamer)

뚫은 구멍의 지름을 정확하고 보기좋게 가심하는 공구

04 드리프트 핀(Drift Pin)

강재 접합부의 구멍맞추기에 쓰는 끝이 가늘게 된 공구로 강재 접합부의 구멍이 맞지 않을 경우 그 구멍에 쳐박아 당겨맞춤에 쓰이는 것

05 슬랙(Slag)

용접 비이드의 표면을 덮은 비금속 물질. 피복제 중의 가스발생 물질이외의 플럭스나 분해생성물이 슬랙이 됨. 슬랙의 적당한 화학반응에 의해 용접 금속을 제련하거나 보호하는 역할을 한다.

06 Hybrid Beam

Flange와 web의 재질을 다르게 조합시켜 휨 성능을 높인 일종의 조립 보로써 휨을 부담하는 flange는 고강도강 사용. 전단력을 부담하는 web는 연강을 사용하며 체육관, 강당 등 넓은 공간을 기둥없이 보로 지지되어 보가 과도한 집중하중을 받는 경우 사용된다.

※ 보춤이 낮고, 진동, 충격에 강하며 예상외의 하중에 대한 안전성이 높다.

07 Stiffener

철골보의 web부분의 전단보강과 좌굴방지를 위해 사용하는 보강재로써 수직, 수평 stiffener가 있다.

▶ 92-③, 94-①, 98-②, 00-③ / 95-③, 95-⑤, 01-②, 06-② / 90-② / 89-③ / 93-① / 93-①

- 게이지 라인, 드리프트 핀, 리이머, 뉴매틱 해머, 관계연결 /
- 뉴매틱 해머, 스프링워셔, 임팩트 렌치, 리이머 용어설명 /
- 스팻터, 용어설명 /
- 드라이비트, 고력볼트 마찰접합, 용어설명 /
- 각종 철골 사용 기구의 용도 /
- 용어설명 중 틀린 것 모두 고르기

08 Mill Sheet

철강제품의 품질보증을 위해 공인된 시험기관에 의한 제조업체의 품질보증서이다. (강재 납품시 첨부하는 제조업체의 품질보증서)

※ ① 강재의 KS규격(강재의 식별, 규격 확인) 특성
   ② 강재시험(항복강도, 인장강도), 화학성분 등이 기재된다.

▶ 19-① / 19-③, 22-②
- 밀시트 설명
- 밀시트, 뒷댐재
- 밀시트에서 확인할 수 있는 사항 1가지 쓰기

09 임팩트 렌치(Impact Wrench)

볼트를 압축공기를 사용하여 강력하게 조여 붙이는 기계

10 토크렌치(Torque Wrench)

볼트를 조임시 토크 힘이 명시(明示)될 수 있도록 된 렌치. 고력보울트와 같이 일정한 값 이상의 연결력을 요하는 보울트의 연결 또는 검사에 사용함.

11 토크(Torque)값

torque wench로 필요한 Bolt 장력에 대한 torque Moment를 구한 값.
nut를 조이는 회전 Moment(Torque)로 추정한다.

12 쉬어 커넥터(Shear Connector)

합성구조에서 양재간에 발생하는 전단력(剪斷力)의 전달, 보강 및 일체성 확보를 위해 설치하는 연결재료

※ 철근콘크리트 슬래브와 강재보의 전단력을 전달하도록 강재에 용접되고 콘크리트 속에 매립되는 철물로써 스터드볼트(Stud Bolt)형식을 많이 사용한다.

▶ 16-③ / 17-①, 20-③ / 23-②
- Deck plate, Gusset plate Shear Connector 설명
- Shear Connector에 사용되는 Bolt의 명칭
- Shear Connector의 역할 설명

13 치핑해머(Chipping Hammer)

용접할 때 슬랙 및 스패터의 제거, 용착금속의 열간충격, 용접부의 뒷면 손질 등 다목적으로 사용되는 강제 해머

14 엔드 탭(End Tab=Run-off tab)

용접 결함의 발생을 방지하기 위해 용접의 시발부와 종단부에 임시로 붙이는 보조강판. end tab 사용시 유효용접길이는 전체 길이를 인정

▶ 02-①, 08-③, 15-③, 22-③ / 16-②, 19-③, 22-② / 21-③
- 스캘롭, 메탈 덧취, 엔드탭
- 엔드탭, 스캘롭 설명
- 엔드탭 설명

15 비드(Bead)

용착금속이 모재 위에 열상(列狀)을 이루어 이어진 용접층

16 테이퍼 스틸 구조

기붕과 지붕보(경사보)를 기성재로 만들어 조립하는 것으로, 고장력 볼트를 사용하며, 세우기 품도 절약되고, 해체 이설도 용이하다.

17 스페이스 프레임 구조(Space Frame)

절점을 중심으로 여러개의 부재가 입체적으로 결합되어 있는 핀 구조로서 대공간, 장스팬구조가 가능한 입체구조. 경량형강이나 pipe 등을 이용한다.

▶ 12-① / 20-①
- Metal Touch 개념 그림설명
- Metal Touch 설명

18 Metal touch 가공

철골 부위의 부재간을 정밀가공하여 밀착시키는 것을 말한다.

※ 축력의 50%까지 하부기둥에 직접전달가능

19 Scallop

철골부재의 접합 및 이음중 용접 접합시에 H형강 등의 용접부위가 타부재 용접 접합시 재용접 되어서 열영향부의 취약화를 방지하는 목적으로 곡선 모따기를 하는 것을 말한다. 가공은 절삭 가공기나 부속장치가 딸린 수동 가스 절단기를 사용한다. (반지름 30mm 표준)

*목적 : 부채꼴의 Notch 방지, 용접균열, Slag 혼입방지, 용접선교차 방지

▶ Scallop 모양

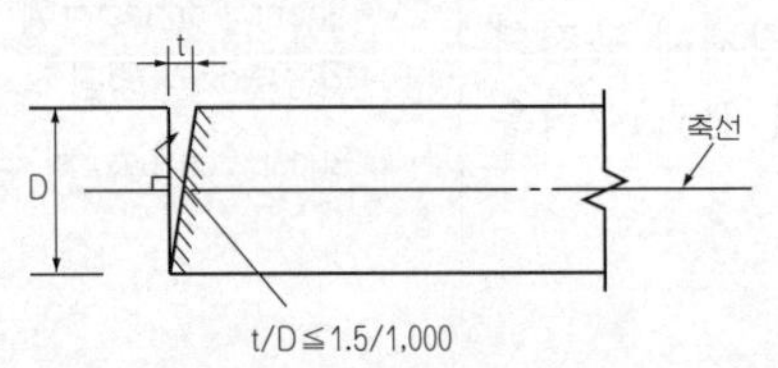

그림. Metal touch 가공면

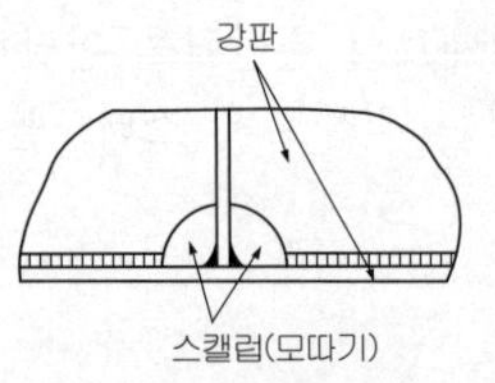

그림. 스캘럽(모따기) 모양

*마감가공면 50S정도

t/D : 마감가공면의 축선에 대한 직각도

D : 마감가공면의 단면폭

▶ 14-①
- 용어설명
  Scallop / 뒷댐재(Back Strip)

20 하니컴 보(Honey Comb Beam)

보의 웨브 부위를 육각형 단면 등으로 잘라 어긋난 재용접을 함으로써 보의 춤을 높인 철골보를 말한다.

21 브래킷형 접합

기둥과 보의 절점 접합을 공장에서 직접 성형하고 현장에서는 보 길이의 1/4 지점에서 보 부재끼리 연결시키는 공법이다.

▶ 철골 · 기둥 · 보의 접합부 상세와 보의 브래킷형 접합장면

22 가우징(Gouging)

금속판 면에 홈을 파는 것. 정을 사용하는 기계적인 방법과 가스나 아크를 이용하는 방법이 있다.

23 Column Shortening(기둥의 축소변위)

① 철골조의 초고층 건물축조시 내 · 외부의 기둥구조가 다를 경우. 또는 철골 재료의 재질, 응력차이로 발생하는 신축에 의한것과 기둥, 벽 등의 수직 부재가 많은 하중을 받아 발생하는 기둥의 축소변위를 말한다.

② 축소변위량을 조절하기 위해 전체층을 몇 구간으로 나누어 가조립상태에서 변위량을 조절한 후 본조립을 완성한다.

※ 기둥 축소 변위로 인하여 슬래브의 처짐, 창호의 개폐불량, 수직배관의 손상, 커튼월의 손상(판넬의 조립 불량) 등이 생길 수 있다.

▶ 05-①, 08-③, 15-①, 20-④, 23-② / 10-③, 19-②

- Column Shortening에 대하여 기술하시오. (3점)
- 기둥축소현상의 원인과 영향 2가지 기술

24 층간변위(Side Sway)

풍압력 · 지진력 등에 의해 생기는 건물 구조체의 서로 인접하는 상하 2층간의 상대변위를 말하며, 상대변위란 어떤 부재를 기준으로써 측정한 다른 부재의 변위를 말한다. 변위의 처리 방법은 자체흡수형과 Slip흡수형 등을 사용한다.

※ 층간 변위 허용치

유연구조(고층철골) : 20mm전후 · 강구조(중 · 고층) = 10mm전후

25 서스펜션구조(Cable Dome구조)

현수 다리, 지붕, 바닥 등과 같이 건축물의 주요부분이 고장력 cable 등의 장력재를 사용하여 기둥, 내민보, 아치구조 등에 매달린 형태의 구조로써 현수구조(Suspension structure)라고도 한다.

26 공기막 구조(Air membrane structure)

내 · 외부의 기압차(공기압차이)에 의해 막면에 인장 혹은 압축력이 가해져서 지지되는 구조물로써 공기지지 방식과 공기팽창방식이 있다.

※ 경량으로 장 Span구조 가능, 높은 투광성 · 내화, 단열성능은 약함.

관련문제

1 다음 용어를 설명하시오. (6점) 〔90 ②〕

*스팻터(spatter)

---

2 다음 용어를 설명하시오. (4점) 〔89 ③〕

(1) 드라이 비트 : ______

(2) 고력볼트 마찰접합 : ______

3 다음과 관계있는 것을 보기에서 골라 번호로 쓰시오. (4점) 〔92 ③, 94 ①, 98 ②, 00③〕

〔보기〕

(1) 현장리벳치기용 공구	(2) 리벳구멍 중심을 맞추는 공구
(3) 구멍주위 가심질 공구	(4) 한열의 리벳 중심을 통하는 선

(가) 게이지 라인(gauge line) : ______

(나) 드리프트 핀(drift pit) : ______

(다) 리이머(reamer) : ______

(라) 뉴매틱 해머(pneumatic hammer) : ______

4 A항과 관계있는 것을 B항에서 골라 쓰시오. (4점) 〔95 ③, 95 ⑤, 06 ②〕

[A항]	[B항]
(1) 뉴우메틱 해머(Pneumatic Hammer)	(가) 고장력 보울트 조이기
(2) 스프링 워셔(Spring Washer)	(나) 현장 리벳치기
(3) 임팩트 렌치(Impact Wrench)	(다) 구멍주위 가심질
(4) 리이머(Reamer)	(라) 대용 보울트 조이기

(1) ______ (2) ______

(3) ______ (4) ______

해설 및 정답

정답 1

아아크 용접이나 가스용접에서 용접 중 비산하는 Slag 및 금속입자가 표면에 경화된 것

정답 2

(1) 큰크리트, 철재 등에 특수못(드라이브핀)을 화약의 폭발력을 이용하여 순간적으로 쳐 박는데 쓰는 기계

(2) 강도가 큰 볼트를 임팩트랜치나 토오크랜치로 강하게 조임으로써 두 접합재 상호간의 마찰력을 통하여 응력을 전달하는 접합

정답 3

(가) 게이지라인 : (4)
(나) 드리프트 핀 : (2)
(다) 리이머 : (3)
(라) 뉴매틱 해머 : (1)

정답 4

(1) - (나) (2) - (라)
(3) - (가) (4) - (다)

*스프링 와셔는 가볼트 조이기에도 사용함

관련문제

5 **다음에서 설명하는 공구 및 기구를 쓰시오. (5점)** [95 ⑤, 01 ②]

(가) 펀치 또는 드릴로 뚫은 구멍의 지름을 정확하고 보기좋게 가다듬는 공구
(나) 리벳치기 공구의 일종으로 불에 달군 리벳을 판금의 구멍에 넣고 그 머리를 누르면서 받쳐주는 공구
(다) AE 제의 계량장치
(라) 거푸집 긴장철선을 콘크리트 경화후 절단하는 절단기
(마) 종방향의 미세한 변형량을 시계형으로 확대시켜 정확한 침하량을 측정하는 기구로써 지내력 시험에 이용되는 기구

(가) ______ (나) ______ (다) ______

(라) ______ (마) ______

6 **철골공사에 관한 용어 설명 중 틀린 것을 골라 기호로 쓰시오. (3점)** [93 ①]

(1) 용접상부에 모재가 녹아 용착금속이 채워지지 않고 홈으로 남게된 부분을 오버랩(over lap)이라 한다.
(2) 맞댄용접에 있어 트임새 끝의 최소간격을 피치(pitch)라 한다.
(3) 용접시 구상(球狀)또는 길죽하게 된 구멍이 용접부에 혼입되어진 결함을 위핑(weeping)이라 한다.
(4) 자동용접시 용접봉의 피복재 역할을 하는 분말상 재료를 플럭스라 한다.

______

7 **철골공사에 사용되는 용어를 설명하였다. 알맞은 용어를 쓰시오. (3점)** [02 ①, 08 ③, 15 ③, 22 ③]

(가) 철골부재 용접시 이음 및 접합부위의 용접선이 교차되어 재용접된 부위가 열영향을 받아 취약해지기 때문에 모재에 부채꼴 모양의 모따기를 한 것 :

______

(나) 철골기둥의 이음부를 가공하여 상하부 기둥 밀착을 좋게 하며 축력의 50%까지 하부 기둥 밀착면에 직접 전달시키는 이음방법 :

______

(다) Blow hole, crater등의 용접결함이 생기기 쉬운 용접 bead의 시작과 끝 지점에 용접을 하기 위해 용접 접합하는 모재의 양단에 부착하는 보조강판 :

______

해설 및 정답

정답 **5**
(가) 리이머
(나) 리벳홀더
(다) 디스펜서
(라) 와이어 크립퍼
(마) 다이알 게이지

정답 **6**
(1), (2), (3)
(1) 언더 컷(Under Cut)
(2) 루우트(Root)
(3) 공기구멍(Blow hole)
(4) 플럭스(Flux)

정답 **7**
(가) 스캘럽(scallop)
(나) Metal touch(메탈텃취가공)
(다) 엔드탭(End Tab=Run off tab)

관련문제

8 철골조에서의 칼럼 쇼트닝(Column Shortening)에 대하여 기술하시오. (3점)

〔05 ①, 08 ②, 15 ①, 20 ④, 23 ②〕

9 기둥 축소(Column shortening)현상에 대한 다음 항목을 기술하시오. (5점)

〔10 ③, 19 ②〕

가. 원인 :

나. 기둥축소에 따른 영향 2가지

10 다음의 철골접합부 그림은 보와 기둥의 모멘트 접합부 상세이다. 기호로 지적된 부분의 명칭을 적으시오. (3점)

〔09 ①, 14 ③〕

(가)

(나)

(다)

상부 플랜지 플레이트
(나)
(가)
보
기둥
(다)

11 다음 용어를 설명하시오. (6점)

〔16 ③〕

(1) 데크 플레이트(Deck plate) :

(2) 가셋 플레이트(Gusset plate) :

(3) 쉬어 커넥터(Shear Connector) : 〔23 ②〕

해설 및 정답

정답 **8**

철골조의 초고층 건물축조시 발생되는 기둥의 축소, 변위현상을 말한다.
발생이유 : 내·외부 기둥 구조의 차이, 재질이나 응력의 차이, 하중의 차이 때문

정답 **9**

가. 구조의 차이, 재료의 재질에 따른 응력차이, Creep 변형 등
나. 슬래브의 처짐, 창호의 개폐불량
※ 수직배관의 손상, 커튼월의 손상

정답 **10**

(가) stiffener(스티프너, 보강스티프너, 수평스티프너)
(나) 전단 플레이트(plate)
(다) 하부 플랜지 플레이트 (flange plate)

정답 **11**

(1) 구조용 강판을 절곡해서 만든 바닥판 하부 거푸집 용도의 골철판
※ 철골·철근콘크리트구조에서 철골보에 걸어서 지주없이 사용
(2) 철골구조의 기둥과 보, 트러스절점 부위 등에 사용되는 부재 접합, 연결용 강판을 말함.
(3) 합성구조에서 양재간에 발생하는 전단력의 전달, 보강 및 일체성 확보를 위해 설치하는 연결재료

출제예상문제

7 CHAPTER 철골 공사

1 **리벳접합에 해당되는 다음 사항 중에서 ( )안에 알맞는 말을 써 넣으시오.**

리벳치기를 하는 기준중심선을 (①) 이라 하고, 리벳을 치는데 필요한 리벳과 수직재면사이의 여유거리를 (②)라 하며, 리벳으로 접합하는 판의총 두께를 (③)이라고 한다.

① ________ ② ________ ③ ________

정답 1
① 게이지라인(Gauge Line)
② 클리어런스(Clearance)
③ 그립(Grip)

2 **다음 ( )안에 알맞는 말을 써 넣으시오.**

가. 가조임 Bolt 수는 전체 리벳수의 (①)% 정도를 하며 볼트를 조일 때는 임팩트렌치나 (②)를 사용한다.
나. 볼트구멍을 뚫을 때 여유 허용치는 일반 Bolt인 경우는 (①)mm 이하. 앵커볼트인 경우는 (②)mm 이하로 규정한다.

가. ① ________ ② ________

나. ① ________ ② ________

정답 2
가. ① 30
② 토크렌치(Torque Wrench)
나. ① 0.5
② 5

3 **리벳치기에 사용되는 공구(기구)중 불량리벳을 제거할 때 사용되는 기구를 3가지 적으시오.**

① ________ ② ________

③ ________

정답 3
① 리벳카터(Rivet Cutter)
② 치핑해머(Chipping hammer)
③ 드릴(Drill)

4 **다음 설명 중 좌항의 내용과 관계되는 것을 우항에서 고르시오.**

가. 층수가 적고 긴평면 유리	① Guy derrick
나. 고층건물의 양중에 적합, 작업범위가 넓다.	② Stiffleg derrick
다. 소규모 철골공사에 적합	③ Pole derrick
라. 가장 많이 사용, 용량은 5~10ton 정도	④ Tower Crane
마. 이동이 용이하고 자주, 자립이 가능하다.	⑤ Truck Crane

정답 4
가. - ② 나. - ④
다. - ③ 라. - ①
마. - ⑤

출제예상문제

5 철골기둥재와 콘크리트와의 접합방식에 따른 주각부 형식의 종류를 3가지만 적으시오.

가. ______________ 나. ______________

다. ______________

6 (가) 콘크리트 충전 강관(CFT) 구조를 설명하고 장 · 단점을 각각 2가지씩 쓰시오. (5점)

〔12 ①, 16 ①, 17 ③〕

(나) 콘크리트 충전강관(Concrete Filled Tube) 구조에 대하여 간단히 설명하시오. (3점)

〔21 ③〕

(1) 설명 ______________

(2) 장점 ______________

(3) 단점 ______________

해설

(2) 장 점	(3) 단 점
① 에너지 흡수 능력이 뛰어나 초고층 구조물의 내진성 유리 ② 기둥 시공시 거푸집 불필요 ③ 인건비절감 및 시공속도 향상	① 강관의 공장, 제작 규격에 의해 선택에 제약 ② 보와 기둥의 연속접합 시공 곤란 ③ 콘크리트의 충전성 품질검사 곤란

7 다음 용어를 설명하시오.

(가) 브라켓형 접합 : ______________

(나) 샌드 브라스트(Sand Blast) : ______________

(다) 융합부(Fusion) : ______________

해설 및 정답

정답 5

가. 노출주각
나. 보강주각
다. 매립주각

정답 6

(1) 원형 또는 각형강관 내부에 콘크리트를 충전함으로써 강관이 콘크리트를 구속하는 특성에 의해 강성, 내력, 변형, 시공 등의 여러 면에서 뛰어난 특성을 발휘하는 공법

정답 7

(가) 기둥과 보의 절점 접합을 공장에서 직접 조립하고 현장에선 보 길이의 1/4 지점에서 보부재끼리 연결시키는 공법이다.
(나) 콤프레샤를 이용 노즐에서 압축공기에 의하여 고속으로 뿜어대는 모래와 연마분을 사용하여 철골표면의 녹이나 Mill Scale 등을 제거하는 방법
(다) 용접접합시 용착금속부와 모재가 완전결합되는 부위를 말한다.

출제예상문제

8 다음 설명이 뜻하는 용어를 적으시오.

(가) 기둥과 지붕틀을 붙여 만들어 간단히 조립할 수 있는 키성 철골부재로 고력 볼트를 이용 접합한다.
(나) 얇은 강판을 골 모양을 내어 만든 철판으로 거푸집 역할을 하는 것으로 철골보에 걸어댄다.
(다) 압연강재가 냉각될 때 표면에 생기는 산화철의 표피
(라) 산소 아세틸렌 불꽃으로 홈을 판후 모재의 홈 뒷부분을 깨끗하게 깍는 것
(마) 용접시 모재가 녹아 용접의 끝부분에 항아리 모양으로 움푹 들어간 용접 흠

(가) ______ (나) ______ (다) ______
(라) ______ (마) ______

9 고력 Bolt조임시 2차조임부의 검사방법 종류를 2가지 쓰시오.

① ______ ② ______

10 ※ 시방서 개정으로 삭제함.

11 철골 공사에서 용접봉을 운행하는 운봉법 중 Weaving(위빙)의 목적을 간단히 3가지 쓰시오.

① ______ ② ______ ③ ______

12 용접접합시 용접결함을 검사하기 위한 육안검사 장비를 3가지 쓰시오.

① ______ ② ______ ③ ______

해설 및 정답

정답 8
(가) 테이퍼스틸 뼈대
(나) 데크 플레이트(Deck Plate)
(다) 밀스케일(Mill Scale)
(라) 가스 가우징
(마) 크레이터(Crater)

정답 9
① 토오크 콘트롤법
② NUT회전법(금매김법)
※ 혼용법

정답 11
Weaving의 목적
① 용착나비의 증가
② 열영향을 방지
③ Blow hole(블로우홀)의 방지
※ Slag를 발생시킴

정답 12
① 확대경
② 반사경
③ 용접게이지
④ 마이크로메타
⑤ 금속제 직각자
⑥ 틈새게이지

출제예상문제

13 다음 설명이 뜻하는 용어를 적으시오.

(가) 보의 웨브 부분을 육각형 단면으로 잘라서 어긋나게 용접하여 보춤을 높인 철골보

(나) 지붕, 바닥 등 건축물의 주요부분이 고장력 cable에 의해 기둥, 내민보, 아치 구조등에 지지된 형태의 구조

(가) ____________ (나) ____________

14 다음 용어를 설명하시오.

(1) Mill sheet : [19 ①] ____________

(2) 층간변위 : ____________

15 강재 중 TMCP 강재에 대하여 설명하시오.

____

____

보충설명

(1) 특성 : ① 용접부 취성 증대 ② 용접 열영향부위 감소
③ 예열 불필요
④ 두께 40mm 이상의 후판에서도 항복강도가 높아 강재사용량 절감

(2) 장점 : ① 조직이 치밀하다 ② 용접성이 우수하다
③ 예열온도가 50℃ 정도면 된다 ④ 용접시 균열발생이 미미하다.

16 그림과 같은 용접 지시에 의해 용접된 부재를 동일한 조건에서 전면다리 길이 6mm, 후면다리 길이 9mm로 하여 엇모용접 하고 싶을 때 용접지시를 기호로 표기하시오.

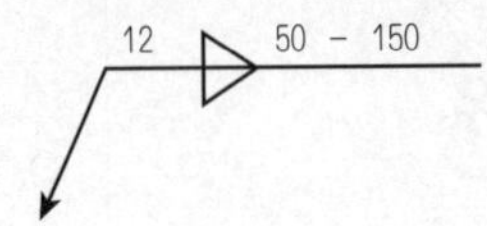

____

해설 및 정답

정답 **13**
(가) Honey Comb Beam(허니 컴 보)
(나) 현수구조(Cable Dome구조)

정답 **14**
(1) 철강제품의 품질보증을 위해 공인된 시험기관에서 인증한 제조업체의 품질보증서를 말한다.
(2) 구조체의 서로 상호 인접하는 상하 2층간의 상대 변위를 말하며, 어떤 부재를 기준으로한 타부재의 변위를 말한다.

정답 **15**
TMCP(Thermo Mechanical Control Process) 강이란 압연가공 과정에서 열처리 공정을 동시에 실행하여 제조된 강재이다. 압연이란 반대방향으로 회전하는 롤러에 가열상태의 강을 끼워 성형해가는 방법이다.

정답 **16**

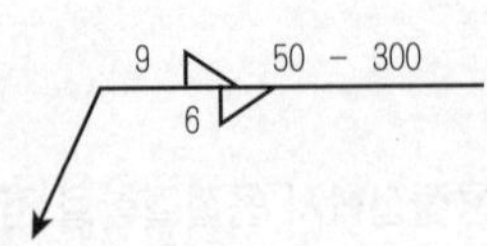

출제예상문제

17 철골공사에서 강재를 절단할 때 사용하는 기구를 3가지만 적으시오.

① ______ ② ______ ③ ______

18 철골공사 계획시 고려할 중요사항을 간략하게 4가지 적으시오. (4점)

(1) ______ (2) ______

(3) ______ (4) ______

해설 철골공사계획시 고려할 사항

(1) 제작공장의 능력 파악: 철골은 공장에서 대부분의 가공이 끝난다. 그러므로 철골제작공장의 선정은 공기, 구조품질 및 가공정밀도와 조립능력상 중요한 사항이므로 시공실적, 공장설비, 관리 등을 사전에 면밀히 조사하여 정밀도, 품질, 납기일을 감안하여 결정한다.

(2) 세우기공법의 선정: 세우기공법의 선정은 입지조건, 공기, 구조형식, 비용, 안전성, 타공사와의 관계 등을 종합적으로 검토하여야 한다.

(3) 세우기용 장비: 장비의 선정은 세우기공법과 연관지어 검토하며 일반적으로 장비의 능력은 입지조건, 최대 중량부재, 작업변경에 의하여 결정된다.

(4) 수송・반입계획: 철골의 세우기 순서가 결정되면 부재의 하역방법, 가설장의 배치계획에 적합하도록 수송반입순서를 결정한다. 수송 도중의 경로를 조사하고 수송 가능 중량, 최대 부재길이의 제약이 있을 경우는 빨리 그 대책을 세워야 한다.

19 철골을 조립(세우기)하는 공법(방법)의 종류를 4가지 적으시오. (4점)

가. ______ 나. ______

다. ______ 라. ______

해설

가. 적층공법(수평적상법): 각각의 층마다 쌓아올라가는 방식으로 고층이나 초고층 빌딩 시공 방식이다.

나. 축세우기공법(병풍세우기): 한쪽으로만 세워나가고 양쪽을 나중에 연결하는 방식이다. 좁고 긴 평면에 높지 않은 건물에 적용된다. 철골공사가 완료될 때까지 후속공사를 진행할 수 없다.

다. Lift - up 공법: 지붕구조를 지상에서 조립후 Jack 등을 이용하여 정해진 높이까지 들어올리는 방식

라. 슬라이드 공법: 조립장소를 건물끝부분으로 한정하고 짜올린 부분을 차례로 정해진 위치까지 슬라이드 시키는 공법이다.

해설 및 정답

정답 17

① 앵글카터(Angle Cutter)
② 해크소(Hack Saw)
③ 프릭션소(Friction Saw)

정답 18

(1) 제작공장의 능력파악
(2) 세우기 공법의 선정
(3) 세우기용 장비
(4) 수송・반입계획

정답 19

(1) 적층공법 (수평적상법)
(2) 축세우기공법 (병풍세우기)
(3) Lift - up 공법
(4) 슬라이드(Slide)공법
※ 기타: 빠져나가기 방식, 윤렬세우기 방식 등이 있다.

제8장

조적공사

핵심 26

벽돌(Brick) 공사

1 벽돌, 벽체의 종류

1. 벽돌의 종류

보통벽돌	붉은 벽돌(소성벽돌), 시멘트 벽돌
특수벽돌	이형벽돌(홍예벽돌, 원형벽돌, 둥근모벽돌 등), 오지벽돌, 검정벽돌(치장용), 보도용 벽돌 등
경량벽돌	공동벽돌(Hollow Brick), 건물경량화 도모, 다공벽돌, 보온, 방음, 방열, 못치기 용도
내화벽돌	산성내화, 염기성내화, 중성내화벽돌 등이 있다.
아스벽돌(cinder brick)	석탄재와 시멘트로 만든 벽돌
광재벽돌(slag brick)	광재를 주원료로 한 벽돌
괄벽돌(과소벽돌)	지나치게 높은 온도로 구워진 벽돌로 강도는 우수하고 흡수율은 적다. 치장재, 기초쌓기용으로 사용한다.

2. 벽돌의 규격

구 분		길 이	너 비	두 께
표준형	치수(mm)	190	90	57
재래형	치수(mm)	210	100	60
내화벽돌	치수(mm)	230	114	65
허용오차(mm)		±3	±3	±4

3. 벽돌의 품질(KSL 4201)

품 질	종 류		기 타
	1종	2종	
흡수율(%)	10 이하	15 이하	* 1종 : 내·외장용 2종 : 내장용
압축강도(MPa)	24.50 이상	14.70 이상	

■ 1종 벽돌의 강도

$250 \times 9.8 = 2450 N/cm^2 = 24.50 N/mm^2 = 24.50 MPa$

학습 POINT

▶ 98-④, 00-②

• 벽돌의 마름질 토막의 명칭

■ 벽돌의 크기와 명칭

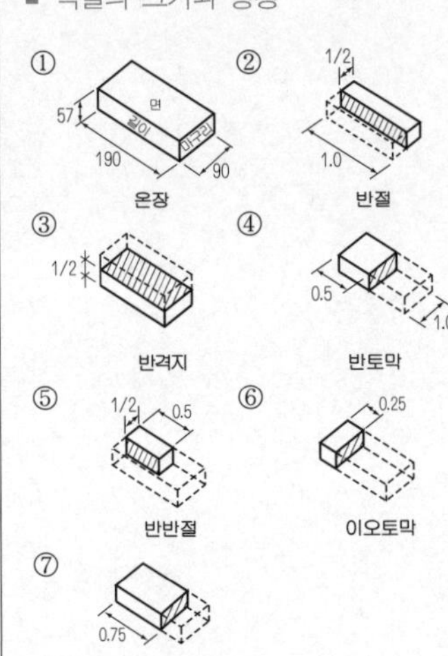

▶ 97-④

• 벽돌벽두께

■ 벽체 쌓기 두께

구 분	0.5B	1.0B	1.5B	2.0B
기존형	100	210	320	430
표준형	90	190	290	390

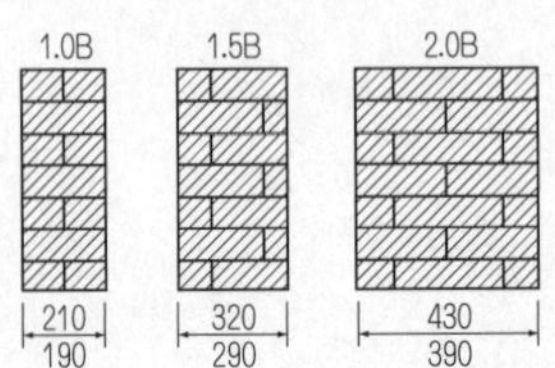

그림. 벽체 단면도

시멘트 벽돌	압축강도 8N/mm²이상. 골재 최대칫수 10mm이하, 진동, 압축을 병용하여 성형한다. 습도 100% 상태 500℃시 이상 보양. 7일이상 보존 후 출하

*붉은 벽돌의 소성온도는 900~1,000℃, 일반조적용 구조재로 사용한다.

4. 내화벽돌의 내화도

등 급	S・K - NO.	내 화 도
저 급	26 ~ 29	1,580℃ ~ 1,650℃
보 통	30 ~ 33	1,670℃ ~ 1,730℃
고 급	34 ~ 42	1,750℃ ~ 2,000℃

*굴뚝, 벽난로, 부뚜막 등에 쓰이는 내화벽돌은 산성내화 벽돌을 사용한다. (S・K - NO. 26~29)

5. 벽체의 종류

① 내력벽(Bearing Wall)	주택등의 하중을 받는 내・외벽체
길이 : 10m 이하, 최상층높이 : 4m 이하 두께 : 15cm 주요지점간 평균거리의 1/50 이상, 바닥면적 : 80m² 이하	
② 장막벽(비내력벽, Curtain Wall)	라멘조등의 하중을 받지 않는 내・외벽체
③ 이중벽 (중공벽, Cavity, Hallow Wall)	주로 외벽에 사용, 보온, 방습, 차음이 목적

※ 벽량 : 조적조에서 내력벽 길이 의합(cm)을 그 층의 바닥면적(m²)으로 나눈값
- 벽량이 클수록 횡력에 저항하는 값이 크다.

※ 대린벽 : 조적조에서 벽체길이를 설정하기 위한 서로 마주보는 벽을 말한다.
(벽돌벽길이는 벽에 교차되는 벽이나 붙임기둥, 부축벽 중심간으로 산정하여 그 교차되는 벽, 붙임기둥, 부축벽을 대린벽이라 한다.)

2 벽돌 쌓기법

1. 각종 벽돌 쌓기

종 류	특 징	비 고
① 영식쌓기 (English Bond)	한켜는 길이, 한켜는 마구리 쌓기, 벽모서리 끝벽, 마구리에 반절이나 이오토막 사용	가장 튼튼한 쌓기. 내력벽에 사용

학습 POINT

▶ 조적조 벽체공간 쌓기

▶ 03-①, 08-③ / 02-① / 10-①, 12-③, 18-③, 21-③
- 이중벽의 주목적 3가지 /
- 헌치, 벽량, 대린벽
- 내력벽길이, 두께, 바닥면적 제한

■ 벽량(cm/㎡)

$$= \frac{\text{내력벽길이의 합계(cm)}}{\text{바닥면적(m}^2)}$$

▶ 87-③, 08-②, 17-① / 88-② / 99-③ / 08-③
- 영식쌓기 특성 간단히 설명 /
- 벽돌쌓기의 종류 6가지 /
- 영식, 불식, 화란식 쌓기 입면표시
- 국가 명칭이 들어간 쌓기방법 4가지

■ 벽돌쌓기 입면모양

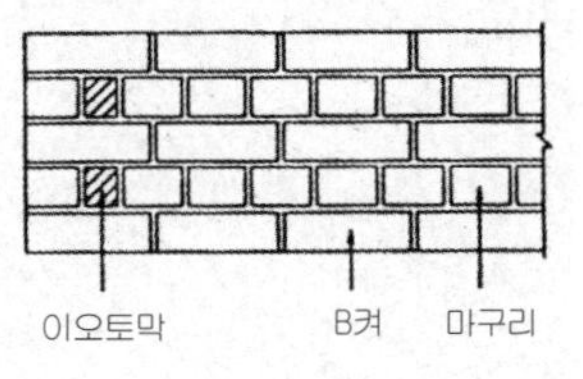

그림. 영식쌓기

② 네덜란드, 화란식 쌓기 (Dutch Bond)	영식쌓기와 거의 같다. 길이켜의 모서리와 끝벽에 칠오토막 사용	일하기 쉽고, 비교적 견고, 가장 많이 쓰인다.
③ 불식쌓기 (Flemish Bond)	입면상 매켜에 길이와 마구리가 번갈아 나온다. 구조적으로 튼튼하지 못하다. 마구리에 이오토막 사용	치장용 이오토막과 반토막 벽돌 많이 사용
④ 미식쌓기 (American Bond)	5켜는 치장벽돌로 길이쌓기, 다음 한 켜는 마구리 쌓기로 본 벽돌에 물리고 뒷면은 영식 쌓기한다.	외부 붉은 벽돌, 내부 cement 벽돌을 쌓는 경우
⑤ 한편불식 쌓기	전면 불식 쌓기, 뒷면 영식쌓기	구조, 치장 겸용

2. 기타 벽돌 쌓기

종 류	특 징	비 고
① 마구리 쌓기	벽두께 1.0B이상 쌓을 때 쓰인다.	원형 굴뚝,사일로 등
② 길이 쌓기	길이 방향으로 쌓는다. (0.5B 두께)	칸막이 벽체 등에 이용
③ 내쌓기(Cobel)	벽면에서 내쌓기 : 한켜 1/8B, 두켜1/4B 내쌓는다. 최대 2.0B 이하	내쌓기는 마구리 쌓기로 한다.
④ 공간 쌓기	통상 바깥쪽을 주벽체로 하고, 공간 너비는 통상 50mm~70mm(단열재 두께+10mm)정도로 한다. 연결재의 배치 및 간격은 수평거리 900mm 이하 수직거리 400mm 이하로 한다.	보온(방한) 방습(방수) 차음(방음)이 목적
⑤ 모서리 교차부 쌓기	통줄눈, 토막벽돌 금지. 교차부 1/4B 씩 켜걸음 들여 쌓기. 사춤 Mortar는 충분히 한다.	
⑥ 장식 쌓기	엇모쌓기, 영롱쌓기, 무늬쌓기, 장식벽으로 이용 (영롱쌓기는 +자나 사각형의 구멍을 내어 쌓는다.)	무늬쌓기는 대각선무늬, 바자무늬 등이 있다.

학습 POINT

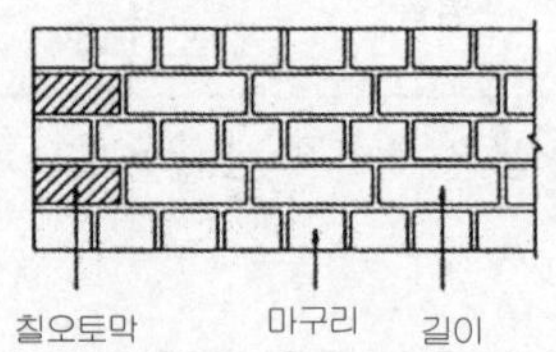

그림. 화란식쌓기

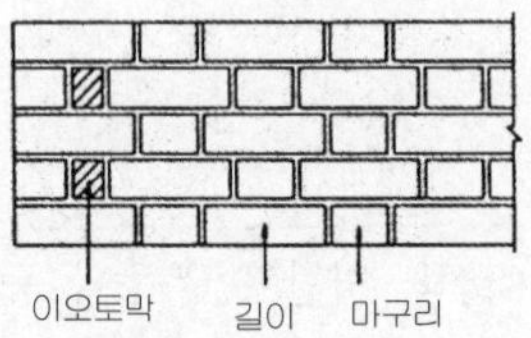

그림. 불식쌓기

▶ 87-① / 89-② / 11-②
- 내쌓기 설명 /
- 벽돌쌓기 일반사항
- 창대쌓기, 영롱쌓기

▶ 내쌓기 모양

▶ 엇모쌓기 모양

▶ 영롱쌓기

▶ 창대 쌓기
15°정도 경사지게 쌓는다.

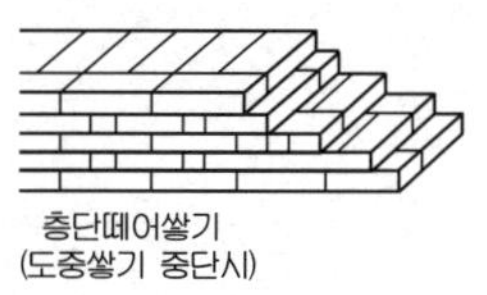

그림. 층단떼어 쌓기

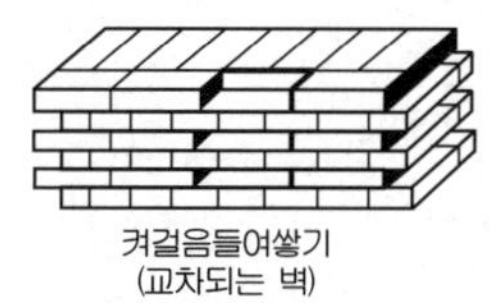

그림. 켜걸음 들여 쌓기

3. 개구부 쌓기

① 창문틀 세우기 : 먼저 세우기를 주로 한다.
  ㉮ 먼저세우기 : 문틀까지 쌓고 1일 경과 후 창문세우고 옆벽을 쌓는다.
  ㉯ 나중세우기 : 조적중 60cm 간격으로 나무벽돌, 연결철물을 묻고, 나중에 끼운다.

② 창대쌓기 : 옆세워 쌓는다. 창대 윗면경사 15°, 문위는 1/8B~1/4B 내쌓거나 벽면에 일치 시킨다. 창대벽은 창대 밑 15mm 정도 물리고 코킹처리. 창문주위는 거멀접기로 완전방수 처리한다.

③ 창문틀 옆쌓기 : 창문상하, 가로틀은 뿔을 내고 옆벽에 물린다. 중간 60cm 간격. 꺽쇠나 팽창 Bolt, 대못중 한가지를 선택고정. 수직, 수평점검. 사춤철저. 고임목 쐐기는 완전제거

4. 아치쌓기 종류

하중이 중심축선을 따라 압축력으로 전달 인장력이 생기지 않는다.

① 본 아치	아치벽돌을 사다리꼴 모양으로 주문 제작하여 쓴 것
② 막만든 아치	보통 벽돌을 쐐기모양으로 다듬어 쓴 것
③ 거친 아치	보통 벽돌을 사용하고 줄눈을 쐐기모양으로 한 것
④ 층두리 아치	아치 나비가 넓을 때 여러 겹으로 겹쳐 쌓은 아치

*나비 1m 정도는 평아치로, 1.8m 이상은 철근 Concrete 인방보 설치
*조적벽은 비록 작은 개구부도 평아치(옆세워 쌓기)나, 둥근아치로 한다.

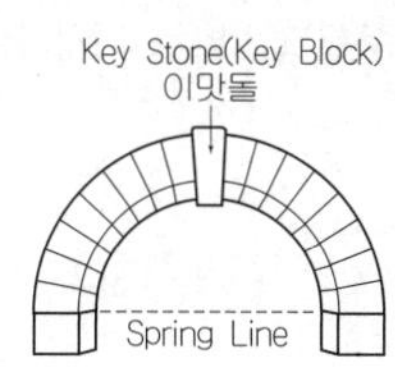

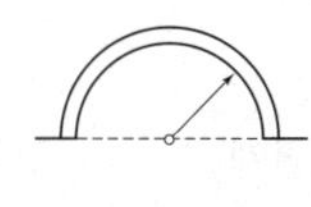

반원아치

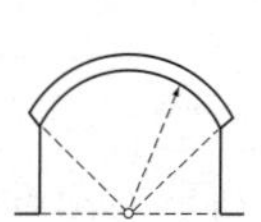

결원아치

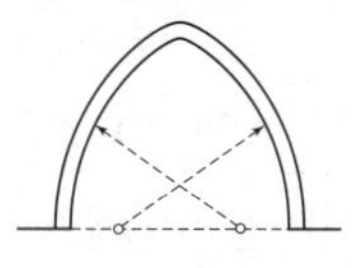

드롭아치

학습 POINT

▶ 조적쌓기시 켜걸음 들여쌓기 장면

▶ 98-③, 02-③
• 목재문틀 이탈방지 보강법 3가지

■ 창문틀이 조적벽체에서 빠지지 않도록 하는 방법
① 창문 상하, 가로틀은 뿔을 내어 옆벽에 물려 쌓는다.
② 중간에 60cm간격으로 꺽쇠, Bolt, 대못으로 고정한다.
③ 긴결철물을 이용하여 옆벽에 물려 쌓기하고 사춤을 철저히 한다.
④ Jamb Block를 이용하여 쌓기한다.

▶ 90-①, 96-② / 97-④, 99-④ / 97-⑤, 00-①, 01-②, 04-①
• 아치구성이론 용어 /
• 아치의 명칭 4가지 /
• 본아치, 막만든아치, 거친아치, 층두리아치

▶ 반원아치

▶ 층두리아치

▶ 결원아치

▶ 평아치

3 벽돌 쌓기 일반사항

(1) 쌓기순서	청소 → 물축이기 → 건비빔 → 세로규준틀설치 → 벽돌나누기 → 규준쌓기 → 수평실치기 → 중간부쌓기 → 줄눈누름 → 줄눈파기 → 치장줄눈 → 보양
(2) 물축이기	붉은 벽돌 : 사전에 축이기, 시멘트 벽돌 : 쌓으면서 쌓기 바로 전 축이기, 내화벽돌 : 물축이기를 하지 않는다.
(3) Mortar 배합	조적용 : 1 : 3, 아치용 : 1 : 2, 치장용 : 1 : 1
(4) Mortar 강도	벽돌강도와 동일 이상. 경화시간 : 1~10시간(1시간 이내 사용) 동기공사 : 내한제를 섞는다. 내화벽돌 : 내화 Mortar 사용
(5) 줄눈	10mm 표준(내화벽돌 : 6mm). 막힌 줄눈 원칙 보강블록조의 치장용 : 통줄눈이 원칙
(6) 치장줄눈	Mortar가 굳기전 쇠손으로 눌러 8~10mm 파기. 치장줄눈은 Mortar 굳은 후 깊이 6mm 표준
(7) 치장면 청소	① 물세척 ② 세제세척 ③ 산세척후 물씻기
(8) 보양	12시간 내 등분포하중 금지. 3일 동안 : 집중하중 금지 벽돌 및 쌓기용 재료의 표면온도 : 영하 7℃ 이하 금지 평균 4℃이하~영하4℃까지 : 최소한 24시간 내후막 설치
(9) 세로규준틀 기입사항	① 쌓기단수 및 줄눈표시 ② 창문틀 위치, 칫수 표시 ③ 앵커볼트 및 매립철물 설치 위치 ④ 인방보, 테두리보 설치 위치 ⑤ 나무벽돌, 보강철물 등의 표시
(10) 세로규준틀 설치위치	① 건물 모서리 ② 교차부 ③ 벽이 긴 경우는 벽중간
(11) 1일 쌓기 단수	1.2~1.5m(18~22켜) 영식, 화란식으로 쌓는다.
(12) 굴뚝 연도 쌓기	구조체에 0.5B 떼어서 공간쌓기 60cm 정도 엇갈리게 구조벽체와 자립할 수 있게 한다.
(13) Mortar 모래	경질, 깨끗한 것 5mm체에 100% 통과한 것. 충전 Concrete 조골재 : 최대칫수는 충전 벽돌 공동부 최소지름의 1/4이하

▶ 85-② / 95-①, 02-②, 04-②, 05-②, 08-① / 03-③
- 치장벽돌쌓기 순서 /
- 벽돌조 건축물의 벽돌쌓기 순서 /
- 일반적인 벽돌 및 블록쌓기 순서

▶ 99-④ / 95-⑤, 90-④ / 00-③
- Mortar용적 배합비 /
- 치장줄눈 일반사항 /
- 벽돌 치장면 청소법 3가지

▶ 03-②
- 조적공사 관리 유의사항

▶ 95-⑤, 97-⑤, 98-①, 16-③ / 98-③ / 15-①, 22-②
- 세로 규준틀 기입할 사항 4가지 /
- 세로 규준틀 설치위치 2가지
- 세로 규준틀 설치위치, 기입사항

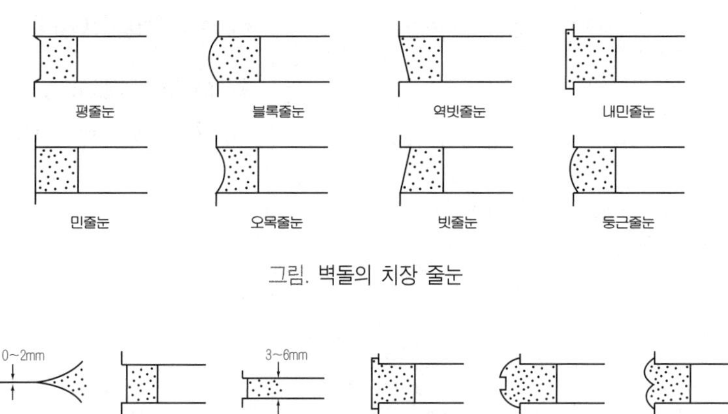

그림. 벽돌의 치장 줄눈

0~2mm 맞댄줄눈
평줄눈
3~6mm 실줄눈
내민줄눈 (면회줄눈)
둥근줄눈 줄째기
내민줄눈 줄째기

그림. 각종 돌 줄눈

학습 POINT

▶ 91-③
- 벽돌치장줄눈 4가지 스케치

4 벽돌벽의 균열원인, 백화현상, 누수원인

1. 벽돌벽의 균열 원인

벽돌조 건물의 계획 설계상 미비	시공상의 결함
① 기초의 부동 침하. ② 건물의 평면, 입면의 불균형 및 벽의 불합리한 배치. ③ 불균형 하중, 큰 집중하중, 횡력 및 충격. ④ 벽돌벽의 길이, 높이에 비해 두께가 부족하거나 벽체강도부족. ⑤ 문꼴 크기의 불합리 및 불균형 배치.(개구부 크기의 불합리)	① 벽돌 및 모르타르의 강도 부족 ② 온도 및 습기에 의한 재료의 신축성. ③ 이질재와의 접합부, 불완전 시공. ④ 콘크리트보 밑의 모르타르 다져 넣기의 부족.(장막벽의 상부) ⑤ 모르타르, 회반죽 바름의 신축 및 들뜨기 ⑥ 온도변화와 신축을 고려한 Control Joint 설치 미흡.(보통 6m마다 설치)

▶ 90-④, 98-① / 96-③ / 96-⑤
- 균열원인 설계상, 시공상 2가지씩 /
- 설계상 균열원인 4가지 /
- 시공상 균열 원인 4가지

2. 백화현상

백화현상이란 백태라고 하며 벽에 침투하는 빗물에 의해서 Mortar 중의 석회분이 공기중의 탄산가스(CO_2)와 결합하여 벽돌이나 조적 벽면에 흰가루가 돋는 현상(벽돌의 황산나트륨과 결합하여서도 생긴다. 백화물질의 96.6% 이상이 $CaCO_3$이다.)

(1) 반응식

① $Ca(OH)_2 + CO_2 = CaCO_3 + H_2O$

② $Na_2SO_4 + CaCO_3 = Na_2CO_3 + CaSO_4$

▶ 89-①, 19-③ / 93-③ / 08-①, 11-②, 13-③, 21-③ / 15-③, 20-③, 21-②
- 백화현상 용어설명 /
- 백화의 발생원인, 대책 각각 2가지
- 백화현상의 정의와 방지대책 3가지
- 백화방지법 3가지, 4가지

백화현상 방지법 및 조치사항	벽돌벽의 습기 침투 원인
① 잘 구워진 벽돌 사용(소성이 잘된 벽돌) ② 줄눈의 방수처리 철저. 예방이 중요하다.(방수제 사용과 충분한 사춤) ③ 조립율이 큰 모래, 분말도가 큰 시멘트 사용 ④ 차양, 루버, 돌림띠 등 비막이 설치 ⑤ 표면에 파라핀 도료나 실리콘 뿜칠 ⑥ 우중시공을 철저히 금지시킨다.	① 줄눈의 시공불량 및 균열 ② 개구부, 창호재 접합부의 시공불량 ③ 재료자체의 방수성 결여 및 보양 불량 ④ 물흘림, 물끊기, 비막이 미설치 ⑤ 외부 돌출철물의 시공불량 ⑥ 방습층, 방습대의 미설치

※ 염산 : 물 = 1 : 5 용액 브러쉬로 닦음

학습 POINT

▶ 94-④, 98-②, 15-②, 20-④

• 조적벽체 누수, 습기침투 원인 4가지

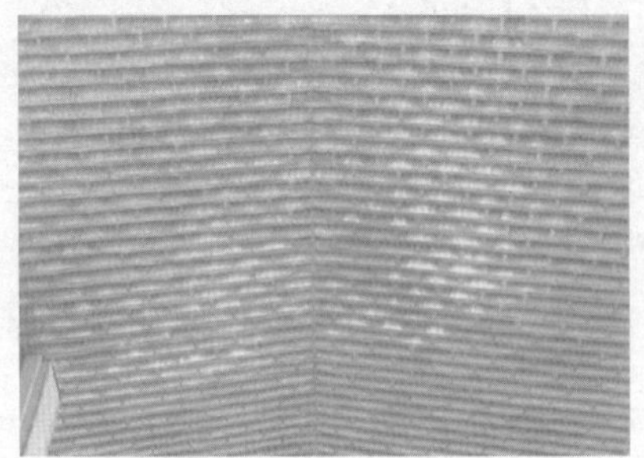

▶ 조적조 표면에 발생한 백화현상

▶ 백화방지를 위한 실리콘 뿜칠장면

▶ 창문틀 상부의 백화현상발생 장면

3. 기타사항

나무벽돌묻기	벽체에 못을 박기 위해 9cm×9cm×5.7cm 규격의 나무벽돌을 방수제 칠을 하여 90cm 이내로 배치한다. 벽돌면에서 2mm정도 내밀어 쌓고 벽돌과 동시 쌓기하고 사춤을 철저히 한다.
앵카 Bolt 묻기	벽돌벽에 세우는 기둥의 앵카 Bolt는 90cm 간격으로 수직배치한다.
배관홈파기	① 부득이한 경우에만 행한다. ② 가로홈 : 홈깊이 1/3 이하. 길이 3m 이하. ③ 세로홈 : 층높이의 3/4 이상 연속될 때는 홈 깊이 1/3 이하. ④ 전기배전반, 소화전 Box 등은 벽돌벽과 동시에 설치한다.

관련문제

1 다음 벽돌구조에서 벽돌의 마름질 토막의 명칭을 쓰시오. (6점) 〔98 ④, 00 ②〕

①
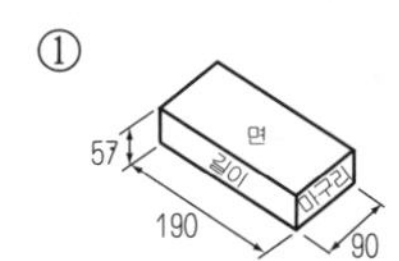

②
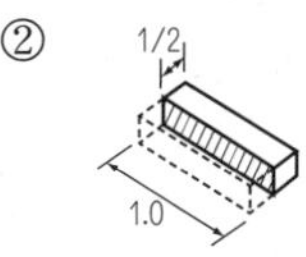

③
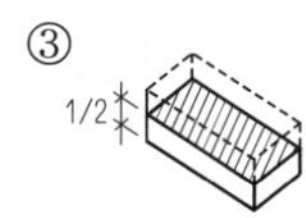

④
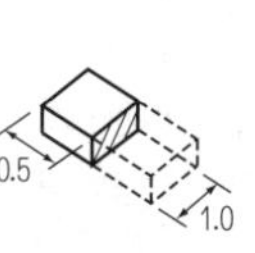

⑤
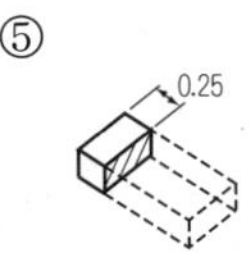

⑥

1/2 0.5

① ________ ② ________ ③ ________

④ ________ ⑤ ________ ⑥ ________

정답 1

① 온장
② 반절
③ 반격지
④ 반토막
⑤ 이오토막
⑥ 반반절

2 다음 벽돌 종류 및 쌓기 두께 규격별 두께를 써 넣으시오. (4점) 〔97 ④〕

구 분	0.5B	1.0B	1.5B	2.0B
기존형 벽돌				
표준형 벽돌				

정답 2

구 분	0.5B	1.0B	1.5B	2.0B
기존형	100	210	320	430
표준형	90	190	290	390

3 벽돌벽을 이중벽으로 하여 공간쌓기로 하는 목적을 3가지 쓰시오. (3점) 〔03 ①, 08 ③〕

① ________ ② ________ ③ ________

정답 3

① 방습(방수)
② 보온(방한)
③ 방음(차음)

4 다음 설명에 해당되는 용어를 쓰시오. (3점) 〔02 ①〕

(가) 보의 응력은 일반적으로 기둥과 접합부 부근에서 크게 되어 단부의 응력에 맞는 단면으로 보 전체를 설계하면 현저하게 비경제적이기 때문에 단부에만 단면적을 크게 하여 보강한 것을 무엇이라 하는가? ________

(나) 조적조 건물에서 내력벽 길이의 합(cm)을 그 층의 바닥면적(m^2)으로 나눈 값을 무엇이라고 하는가? ________

(다) 조적조에서 벽체의 길이를 규제하기 위해 설정한 것으로 서로 마주 보는 벽을 무엇이라고 하는가? ________

정답 4

(가) 헌치(Haunch)
(나) 벽량
※ 벽량(cm/m^2)

$$= \frac{\text{내력벽 길이의 합계(cm)}}{\text{바닥면적}(m^2)}$$

(다) 대린벽

관련문제

5 **조적구조의 안전규정에 대한 다음 문장중 (　　)안에 적당한 내용을 쓰시오. (2점)**

〔10 ①, 12 ③, 18 ③〕

- 조적조 대린벽으로 구획된 벽길이는 (　①　) 이하이어야 하며, 내력벽으로 둘러싸인 바닥면적은 (　②　) 이하이어야 한다.

6 **벽돌쌓기 방식 중 영식쌓기 특성을 간단히 설명하시오. (6점, 4점)** 〔87 ③, 08 ②, 17 ①〕

____

7 **벽돌쌓기의 종류를 6가지 쓰시오. (2점)** 〔88 ②〕

① ________ ② ________ ③ ________

④ ________ ⑤ ________ ⑥ ________

8 **다음과 같이 5단으로 된 벽돌벽이 있다. 비어 있는 란에 주어진 벽돌쌓기 방식에 따라 벽돌표시를 직접 그리고 사용된 벽돌기호를 보기에서 골라 벽돌안에 직접 표시하시오. (3점)** 〔99 ③〕

〔보기〕

길이 A　　칠오토막 B　　마구리 C　　이오토막 D

① 영식쌓기

A	A	A	

② 화란식 쌓기

C	C	C	C	C	C

③ 불식쌓기

A	C	A	C

9 **조적공사 중 벽돌쌓기방법에서 사용되는 국가명칭이 들어간 벽돌쌓기 방법을 4가지 적으시오. (4점)** 〔08 ③〕

(1) ________ (2) ________

(3) ________ (4) ________

해설 및 정답

정답 **5**

① 10m ② $80m^2$

정답 **6**

영식쌓기 : 가장 튼튼한 쌓기 형식으로 내력벽에 이용되며 한켜는 길이, 다음켜는 마구리 쌓기로 하며, 모서리벽 끝에 이오토막 또는 반절을 마구리켜에 사용하여 통줄눈을 방지한다.

정답 **7**

① 영식쌓기 ② 화란식쌓기
③ 불식쌓기 ④ 미식쌓기
⑤ 마구리쌓기 ⑥ 길이쌓기
⑦ 내쌓기 ⑧ 공간쌓기

정답 **8**

① 영식쌓기

C	D	C	C	C	C	C
A	A	A				
C	D	C	C	C	C	C
A	A	A				

② 화란식쌓기

B	A	A			
C	C	C	C	C	C
B	A	A			
C	C	C	C	C	C

③ 불식쌓기

C	D	A	C	A
A	C	A	C	
C	D	A	C	A
A	C	A	C	

정답 **9**

(1) 영식쌓기
(2) 화란식(네덜란드식)쌓기
(3) 불식(프랑스식)쌓기
(4) 미식(미국식)쌓기

관련문제

10 다음은 조적공사에 관한 기술이다. ( )안에 알맞는 말을 써 넣으시오. (6점) [87 ①]

"벽돌 벽면에서 내쌓기 할 때는 두켜씩 ((1))B 내쌓고, 또는 한켜씩((2))B 내쌓기로 하고 맨위는 두켜 내쌓기로 한다.
이때 내쌓기는 모두 ((3))쌓기로 하는 것이 강도상, 시공상 유리하다."

(1) ____________ (2) ____________ (3) ____________

11 다음 괄호안에 알맞는 숫자를 쓰시오. (5점) [89 ②]

창문틀 옆벽은 좌우에서 같이 벽돌을 쌓아 올라가며, 중간((1))cm 내외의 간격으로 꺽쇠, 못 등을 박아가며 쌓고, 창대벽돌은 윗면의 수평과 ((2))도 내외로 경사지게 옆세워 쌓는다.
공간쌓기는 보통 ((3))cm 정도 띄워서 쌓고, 1일 벽돌쌓기 높이는 보통((4))cm 정도로 하고, 최고 ((5))cm 이하로 한다.

(1) ____________ (2) ____________ (3) ____________

(4) ____________ (5) ____________

12 학교, 사무소 건물 등의 목재 문틀이 큰 충격력 등에 의하여 조적조 벽체로부터 빠져 나오지 않게 하기 위한 보강방법의 종류를 3가지 쓰시오. (3점) [98 ③, 02 ③]

① ____________

② ____________

③ ____________

13 아치(Arch)의 구성이론에 대하여 ( )안에 적합한 용어를 써넣으시오. [90 ①, 96 ②]

벽돌의 아치쌓기는 상부에서 오는 하중을 아치 축선을 따라 ((1))으로 작용하도록 하고, 아치 하부에는 ((2))이 작용하지 않도록 하는데, 이때, 아치쌓기의 모든 줄눈은 ((3))에 모이도록 한다.

(1) ____________ (2) ____________ (3) ____________

해설 및 정답

정답 10
(1) 1/4 (2) 1/8 (3) 마구리

정답 11
(1) 60 (2) 15 (3) 5
(4) 120 (5) 150

정답 12
① 창문 상하, 가로틀은 뿔을 내어 옆벽에 물려 쌓는다.
② 중간에 60cm 간격으로 꺽쇠 Bolt, 대못으로 고정한다.
③ 긴결철물을 이용하여 옆벽에 물려 쌓기하고 사춤을 철저히 한다.

정답 13
(1) 직압력(압축력)
(2) 인장력
(3) 원호의 중심

관련문제

14 다음 아아치의 형태에 따른 아아치 명을 쓰시오. (4점) 〔97 ④, 99 ④〕

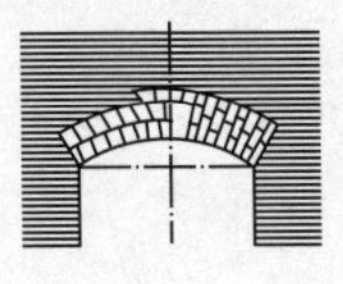
①

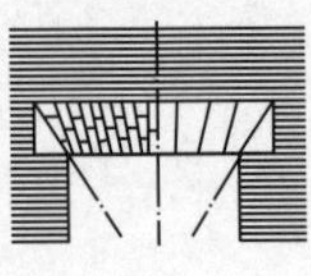
②

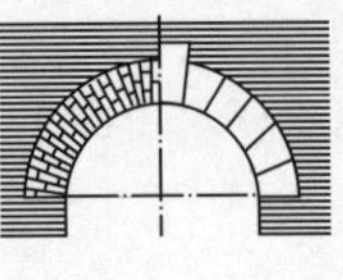
③

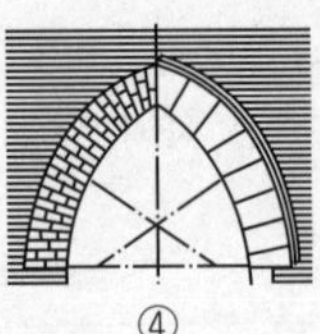
④

① ____________ ② ____________

③ ____________ ④ ____________

15 치장 벽돌쌓기 순서를 쓰시오. (10점) 〔85 ②〕

(1)	(2) 물축이기	(3) 건비빔	(4)
(5)	(6)	(7) 수평실치기	(8)
(9) 줄눈누름	(10)	(11)	(12) 보양

16 세로 규준틀이 설치되어 있는 벽돌조 건축물의 벽돌쌓기 순서를 보기에서 골라 번호로 쓰시오. (4점) 〔95 ①, 02 ②, 04 ②, 05 ②, 08 ①〕

〔보기〕
① 기준쌓기 ② 벽돌 물 축이기 ③ 보양 ④ 벽돌 나누기
⑤ 재료 건비빔 ⑥ 벽돌면 청소 ⑦ 줄눈파기 ⑧ 중간부 쌓기
⑨ 치장 줄눈 ⑩ 줄눈 누름

____

17 일반적인 벽돌 및 블록쌓기 순서를 보기에서 골라 번호로 쓰시오. (4점) 〔03 ③〕

〔보기〕
① 중간부 쌓기 ② 접착면 청소 ③ 보양 ④ 줄눈파기
⑤ 물축이기 ⑥ 규준쌓기 ⑦ 치장줄눈

____

해설 및 정답

정답 **14**
① 결원아치
② 평아치
③ 반원아치
④ 드롭아치

정답 **15**
(1) 청소
(4) 세로규준틀 설치
(5) 벽돌나누기
(6) 규준벽돌 쌓기
(8) 중간부 쌓기
(10) 줄눈파기
(11) 치장줄눈

정답 **16**
⑥
②
⑤
④
①
⑧
⑩
⑦
⑨
③

정답 **17**
②
⑤
⑥
①
④
⑦
③

관련문제

해설 및 정답

18 벽돌공사에서 사용용도와 서로 연관있는 모르타르 용적배합비를 고르시오. (3점)

〔99 ④〕

용 도	모르타르 용적 배합비
㉠ 조적용 ㉡ 아치용 ㉢ 치장용	ⓐ 1 : 3 ~ 1 : 5 ⓑ 1 : 1 ⓒ 1 : 2

㉠ ____________ ㉡ ____________ ㉢ ____________

정답 18
㉠ : ⓐ
㉡ : ⓒ
㉢ : ⓑ

19 다음 괄호안에 알맞는 말을 써넣으시오.

〔90 ⑤, 95 ④〕

1일 벽돌쌓기 작업이 끝나면 치장벽면일 때는 그 벽면에 묻은 모르타르등을 완전히 청소하고, ((1))을(를) 하고, ((2))을(를) 시공한 다음 1:1 모르타르로 ((3))을(를) 시공하는데, 대부분 모양을 ((4))을(를) 가장 많이 시공한다.

(1) ____________ (2) ____________

(3) ____________ (4) ____________

정답 19
(1) 줄눈누름
(2) 줄눈파기
(3) 치장줄눈
(4) 평줄눈

20 다음이 설명하는 용어를 쓰시오. (2점)

〔11 ②〕

(1) 창 밑에 돌 또는 벽돌을 15도 정도 경사지게 옆세워 쌓는 방법 : ________

(2) 벽돌벽 등에 장식적으로 구멍을 내어 쌓는 방법 : ____________

정답 20
(1) 창대쌓기
(2) 영롱쌓기

21 치장벽돌 쌓기 후에 시행하는 치장면의 청소방법을 3가지 쓰시오. (3점)

〔00 ③〕

① ____________ ② ____________

③ ____________

정답 21
① 물 씻기 청소(물 세척)
② 세제 세척
③ 산 세척 후 물씻기(3%이하 묽은 염산사용 후 물 세척 반복)

22 세로 규준틀에 기입해야 할 사항을 4가지 쓰시오. (4점)

〔95 ⑤, 97 ⑤, 98 ①, 16 ③〕

① ____________ ② ____________

③ ____________ ④ ____________

정답 22
(1) 쌓기단수 및 줄눈 표시
(2) 창문틀의 위치, 칫수 표시
(3) 앵카볼트 및 매립철물 위치 표시
(4) 테두리보(인방보) 설치위치 표시

관련문제

23 **조적재 쌓기 시공시 기준이 되는 세로 규준틀의 설치위치에 대하여 2가지만 쓰시오. (2점)** [98 ③]

① ______________ ② ______________

24 **세로규준틀 설치와 관련된 다음 물음에 답하시오. (3점)** [15 ①, 22 ②]

(가) 세로규준틀을 설치하는 위치 1가지 ______________

(나) 세로규준틀에 기입하는 항목 2가지 ______________

25 **조적공사 시공시 유의할 점에 대한 사항중 (   )안을 채워 쓰시오. (4점)** [03 ②]

(1) 한냉기 공사에서 모르타르 온도는 (   ) ~ (   )도 이내가 되도록 유지함.
(2) 벽돌 표면 온도는 영하 (   ) 이하가 되지 않도록 관리함.
(3) 가로, 세로의 줄눈나비는 (   )를 표준으로 한다.
(4) 모르타르용 모래는 (   )mm체를 100% 통과하는 적당한 입도일 것

26 **벽돌의 치장줄눈 종류를 4가지만 들고 스케치를 하시오. (4점)** [91 ③]

① ______________ ② ______________

③ ______________ ④ ______________

27 **벽돌벽 균열 원인 중 계획 설계상의 미비 원인과 시공상의 결함 원인 각각에 대하여 두가지만 쓰시오. (4점)** [90 ④, 98 ①]

(가) 계획 설계상의 미비 :

① ______________ ② ______________

(나) 시공상의 결함 :

① ______________ ② ______________

해설 및 정답

정답 **23**
① 건물의 모서리(구석)등 기준이 되는 곳에 설치
② 벽이 긴 경우는 중앙부, 기타요소에 설치

정답 **24**
※ 문제 22, 23번 정답 참조

정답 **25**
(1) (4) (40)
(2) 7도(건축공사 표준시방서 기준)
(3) 1센티미터(10미리)
(4) 5

정답 **26**
① 평줄눈 ② 볼록줄눈
③ 민줄눈 ④ 오목줄눈

정답 **27**
(가) ① 기초의 부동침하
② 벽의 불균형 배치
(나) ① 벽돌, Mortar의 강도 부족
② 이질재 접합부의 부실시공

해설 및 정답

28 벽돌조 건물의 계획 설계상의 미비로 인한 벽돌벽에 균열이 생기는 원인을 4가지만 쓰시오. (4점)

〔96 ③〕

① ______________ ② ______________

③ ______________ ④ ______________

정답 28

① 기초의 부동 침하.
② 건물의 평면, 입면의 불균형 및 벽의 불합리한 배치.
③ 불균형 하중, 큰 집중하중, 횡력 및 충격.
④ 벽돌벽의 길이, 높이에 비해 두께가 부족하거나 벽체강도부족.
⑤ 문꼴 크기의 불합리 및 불균형 배치.(개구부 크기의 불합리)

29 벽돌벽면에 균열이 발생되는 원인 중 시공상의 결함에 속하는 원인을 4가지만 쓰시오. (4점)

〔96 ⑤〕

① ______________ ② ______________

③ ______________ ④ ______________

정답 29

① 벽돌 및 모르타르의 강도 부족
② 온도 및 습기에 의한 재료의 신축성.
③ 이질재와의 접합부, 불완전 시공.
④ 콘크리트보 밑의 모르타르 다져넣기의 부족.(장막벽의 상부)
⑤ 모르타르, 회반죽 바름의 신축 및 들뜨기
⑥ 온도변화와 신축을 고려한 Control Joint 설치 미흡.(보통 6m마다 설치)

30 다음의 용어를 간단히 설명하시오. (3점)

〔89 ①〕

(1) 백화현상

____

(2) 다음 설명이 뜻하는 용어를 쓰시오. (2점) 〔19 ③〕

> 벽에 침투하는 빗물에 의해서 Mortar 중의 석회분이 공기중의 탄산가스(CO_2)와 결합하여 벽돌이나 조적 벽면에 흰기루가 돋는 현상

정답 30

(1) Mortar 중의 석회분이 공기중 CO_2 가스와 결합하여 탄산석회로 유출되어 조적 벽면에 흰 가루가 돋는 현상
(2) 백화현상

31 벽돌벽의 표면에 생기는 백화의 발생원인과 대책을 각각 2가지씩 쓰시오. (4점)

〔93 ③〕

(1) 발생 원인

① ______________ ② ______________

(2) 대책

① ______________ ② ______________

정답 31

(1) 발생원인
① 벽에 침투하는 빗물이 원인이 된다.
② 단위수량이 많은 Mortar 사용시 발생된다.

(2) 대책
① 우중시공을 철저히 금지시킨다.
② 시공후 벽표면에 실리콘 뿜칠을 한다.
③ 줄눈시공시 방수제 사용, 사춤을 철저히 할 것
④ 소성이 잘된 벽돌을 사용한다.

32 (1) 벽돌벽의 표면에 생기는 백화현상의 정의와 발생방지 대책을 3가지 쓰시오. (4점)

〔08 ①, 11 ②〕

(2) 벽돌벽의 표면에 생기는 백화현상의 정의와 발생방지 대책을 2가지 쓰시오.

〔21 ③〕

(가) 백화현상의 정의 : ______________________

____

(나) 방지대책 : ① ______________________

② ______________________

③ ______________________

(2) 조적후 벽돌벽에 발생되는 백화현상 방지법을 3가지, 4가지만 쓰시오. (3점, 4점)

〔13 ③, 15 ③, 20 ③, 21 ②〕

① ______________ ② ______________

③ ______________

정답 32

(1) (가) 30번 정답 참조

(나) 31번 정답 참조

(2) 31번 정답 참조

33 (가) 조적조 벽체에서 물이새는 원인의 종류를 4가지만 쓰시오. (3점) 〔94 ④, 98 ②〕

① ______________ ② ______________

③ ______________ ④ ______________

(나) 조적 블록벽체의 결함 중 습기, 빗물침투의 원인을 4가지만 적으시오. (4점)

〔15 ②, 20 ④〕

① ______________ ② ______________

③ ______________ ④ ______________

정답 33

① 줄눈의 시공 불량 및 균열
② 재료자체의 방수성 결여 및 보양불량
③ 물흘림, 물끊기, 비막이 미설치
④ 개구부 창호재 접합부의 시공불량

핵심 27 블록 및 돌(석)공사

학습 POINT

1 Block 공사

1. 블록의 제작

① 제작용 Mortar 배합	시멘트 : 골재 = 1 : 7이하(Cement 1 포대당 15매)
② 골재	블록살두께의 1/3이하, 10mm 이하
③ W/C비	40% 이하
④ 습윤보양	실내 100% 습도 500℃시 이상(온도×시간 = 500℃) 통상 4000℃시 이상 다습상태 보양(그 후 7일후 출하)
⑤ 증기보양	5000℃시 이상에서 출하사용(4일정도 보양후 사용)

■ 블록의 치수

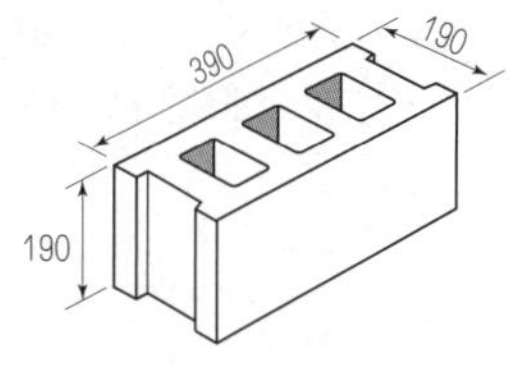

2. 블록의 종류(기본블록)

BI 형, BM형, BS형이 있으나 BI형이 많이 쓰인다.

(1) 시멘드 블록의 치수

형 상	치 수			허 용 값	
	길 이	높 이	두 께	길이·두께	높 이
기본형 블록	390	190	210, 190, 150, 100	±2	
이형블록	길이, 높이, 두께의 최소 치수를 90mm 이상으로 한다.				

■ 압축강도

$$\frac{\text{최대하중}}{\text{가압단면적}} = 7.84\text{N/mm}^2\text{이상}$$

*가압단면적은 공간부분도 포함된다.

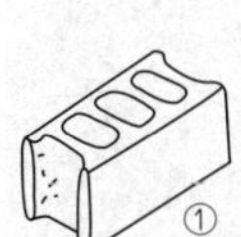

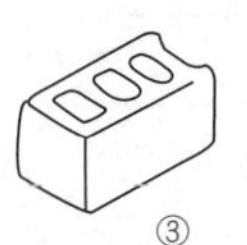
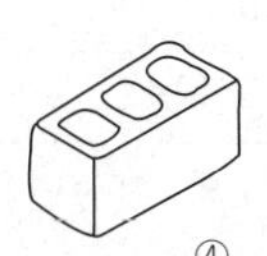
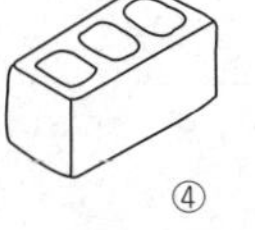
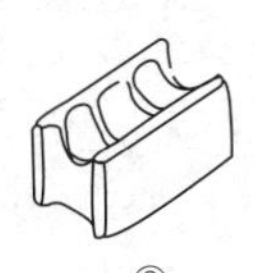
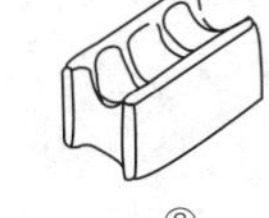

① 기본블록
② 반블록
③ 한마구리 평블록
④ 양마구리 블록
⑤ 창대블록
⑥ 인방블록
⑦ 창쌤블록
⑧ 가로배근용 블록

그림. 블록의 종류 및 명칭

98-③, 02-③, 10-① / 07-①, 10-②, 20-②

- 블록의 명칭 8가지
- KS규격 Block 치수 3가지

3. 이형블록의 종류

① 창대블록	창문틀 밑에 대어 쌓는 창대모양의 블록
② 인방블록	Bond Beam이나 상부 인방보의 역할을 하며 가로근을 배근할 수 있다. Concrete를 보강하는 U형 Block이다.
③ 쌤블록	창문틀 옆에 창문틀이 끼워지도록 만든 블록

4. 인방보(Lintel Beam), 테두리보(Wall Girder)

(1) 인방보, 테두리보	(2) 테두리보의 설치 목적
① 인방보는 보강 블록조의 가로근을 배근하는 것으로 Wall Girder의 역할도 한다. ② 인방블록인 경우는 좌우 벽면에 20cm이상 걸치고 철근 40d 이상 정착. ③ 기성 Concrete 인방보는 양끝 20cm 이상 걸친다. ④ 테두리보의 춤 : 벽두께의 1.5배 이상 30cm이상. 철근정착 : 40d 이상. Concrete사춤 한다.	① 분산된 벽체를 일체화 한다. (수축균열을 최소화 한다.) ② 집중하중을 균등 분산한다. ③ 세로 철근을 정착시킨다. (제자리 Concrete 보 타설시) ④ 지붕 Slab의 하중을 보강한다.

5. 블록쌓기 일반사항

① 시공도 작성	시공자는 설계도서에 따라 축척 1/50의 블록나누기 도면작성
② 사춤 Mortar (보강 Block 중공부 사춤)	시멘트 : 모래 = 1 : 3 시멘트 : 모래 : 콩자갈 = 1 : 2.5 : 3.5 ~ 1 : 3 : 6 (가수후는 1시간 이내것은 다시 비벼서 사용. 굳기 시작한 것은 사용금지)
③ 살두께	두꺼운 쪽이 위로 가게 쌓는다. (전면살두께 : 25mm, 중간살두께 : 20mm)
④ 줄눈	일반블록조 : 막힌줄눈, 보강블록조 : 통줄눈
⑤ 일일 쌓기 단수	1.2m~1.5m 이내(6~7켜) 블록과 Mortar의 접촉면을 물축이고 Mortar는 충분히 깐다.
⑥ 치장 줄눈	줄눈두께 10mm 표준. 2~3켜 쌓고 줄눈파기 후 치장 줄눈
⑦ 모서리, 교차부	모서리, 마구리는 이형블록 사용. 보강철물, 철근삽입보강. 사춤 Mortar 및 Joint로 구성. 와이어 매쉬 3단 마다 보강.

학습 POINT

▶ 00-① / 22-①
- 창대, 인방, 쌤 블록
- 블록과 인방보 관련

▶ 04-② / 04-③, 06-②
- 블록구조에서 인방보를 설치하는 방법 3가지 기술
- 테두리보의 역할 3가지

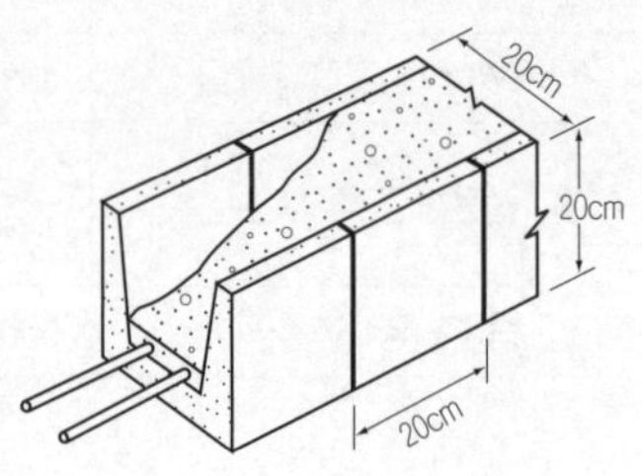

그림. 인방블록(Lintel Block)

▶ 94-③, 96-②, 00-⑤, 05-①
- 블록쌓기 시공도 기입사항 4가지

암기하기

■ Block 시공도 기입사항 (표준시방서 기준)
① Block의 종류, Block 나누기
② Mortar 및 Grout 충진개소
③ 철근종류, 배근도, 매입철물 종류, 위치
④ 철근가공상세, 철근의 이음, 정착방법, 위치
⑤ 인방보, 테두리보 위치, 배근상태
⑥ 창문틀 및 출입문틀 고정 및 접합부 상세

▶ 00-⑤, 03-②
- 와이어 매쉬의 역할

▶ 보강콘크리트 Block 쌓기

▶ 보강 Block조 사춤, 와이어매쉬 보강, 수직철근 연결장면

6. 보강 Concrete 블록조

① 세로근의 배근 (벽끝, 모서리, 교차부, 개구부, 갓둘레, 기타 지시된 곳)	기초보 하단에서 윗층까지 잇지않고 40d 이상 정착. 벽, 모서리 부분 : D13 이상. 기타 : D10 이상 철근사용. 상단부 180° 갈구리. 벽 상부 보강근에 걸침. 피복두께 : 2cm 이상
② 가로근의 배근	단부는 180° 갈고리내어 세로근에 연결. 모서리부분 ϕ9mm 이상 철근을 수직으로 구부려 60cm 간격 배근 40d 이상 정착. 피복두께 : 2cm 이상. *횡근 배근용 블록사용이 바람직하다.(세로근과 긴결한다.)
③ 보강근, 보강철물	굵은 철근 보다는 가는 철근을 많이 넣는다.(철근주장을 증가) 와이어메쉬 : (#8～#10번 철선용접이음) 2～3단 마다 보강
④ 사춤	Concrete 또는 Mortar 사춤은 매단이나, 2단 걸음으로 하고, 이어붓기는 블록 윗면에서 5㎝ 하부에 둔다.

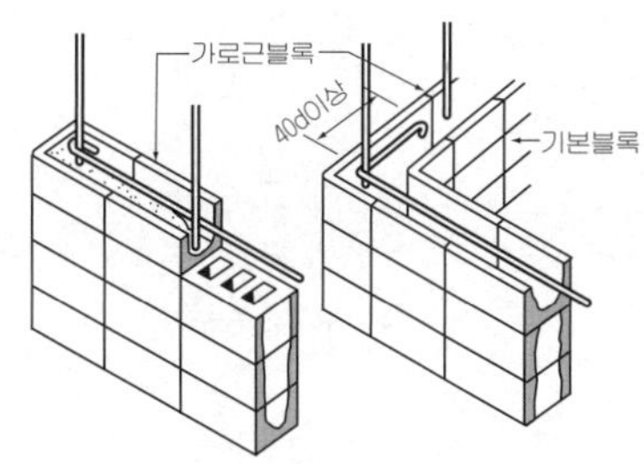

그림. 벽단부 가로근 정착, 모서리부분 가로근 정착

▶ 보강콘크리트조 통줄눈 모습

7. 기타사항

거푸집 블록조	속이 없고 살두께가 얇은 ㄱ자, ㅁ자, T자, ㄷ자 형의 블록을 거푸집 대용으로 사용하여 철근배근, Concrete 타설. 1일 쌓기 높이 : 1m 정도(측압고려) Concrete 1회 부어넣기 : 60cm 이내 혹은 가로철근 높이 이내. 개구부 주위의 Concrete 단면 : 9 × 12cm 이상.

학습 POINT

암기하기

■ 와이어매쉬(wire mesh)의 역할
① 블록벽의 횡력보강(방지)
(횡력, 편심하중의 영향방지)
② 블록벽의 균열방지
③ 교차부보강 및 균열방지

▶ 97-⑤, 07-③ / 93-②, 97-⑤, 03-①, 06-①

• 보강블록조 사춤부위 3가지 /
• 보강블록조 세로근 배치위치 3개소

암기하기

■ 보강 Concrete Block 조의 세로근 배근위치
① 벽끝
② 교차부, 모서리
③ 개구부 주위, 갓둘레

▶ 93-①, 97-③ / 22-①

• 블록공사 사춤 시공법 설명
• 보강 블록조 정착길이, 피복두께

▶ 96-②, 05-①

• 거푸집 블록조와 RC조와의 비교

	거푸집블록조	최소 살 두께(mm)	압축강도(N/mm²)
	제1종 거푸집	25	13.23 이상
기초보 (Footing Beam)	기초의 부동침하 억제, 내력벽체 일체화, 상부하중을 균등 분포시키는 지중보를 말한다. 기초판두께 : 15cm 이상, 두께 : 벽체두께이상 또는 ±3cm 춤 : 건물높이의 1/12이상, 단층 : 45cm 이상, 2~3층 : 60cm 이상.		

학습 POINT

■ 거푸집 Block 조가 RC조와 비교하여 구조, 시공시 불리한 점
① 줄눈이 많아서 강도가 부족하다.
② 블록살두께가 얇아서 충분한 다짐이 곤란하다.
③ 줄눈사이에 시멘트 풀이 흘러 곰보발생이 우려된다.
④ 시공결과의 판단이 불명확하고 철근의 접착피복두께가 불안전하다.

2 돌(석) 공사

1. 암석의 성인에 의한 분류와 종류

① 화성암(火成岩)	화강암(Granite), 안산암(Andesite), 현무암, 감람석(橄欖石), 화산암 등
② 퇴적암(水成岩)	사암(Sand Stone), 이판암(泥板岩), 점판암, 응회암(Tuff), 석회석 등
③ 변성암(變成岩)	대리석, 트래버틴(Travertin), 석면(石綿 : Asbestos), 사문암 등

98-③, 02-①
• 암석의 성인별 종류

암기하기

■ 암석의 성인에 의한 분류와 종류
① 화성암 : 화강암, 현무암, 안산암
② 수성암 : 사암, 점판암, 석회석
③ 변성암 : 대리석, 석면, 사문암

▶ 화강암(단양석)

▶ 점판암(보령오석)

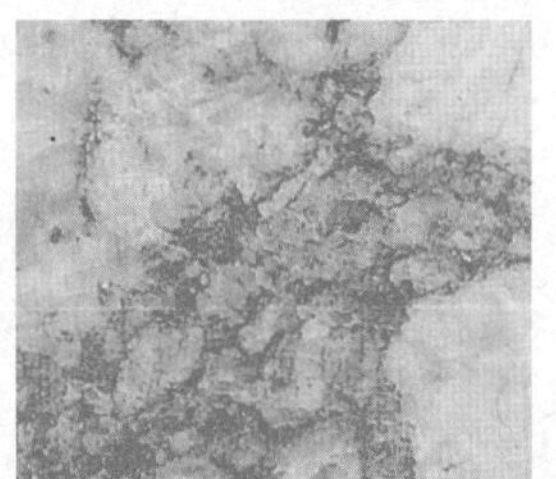
▶ 설화석(규암)

▶ 대리석(충주석)

2. 석재의 강도, 비중, 흡수율

① 압축강도 순서	화강암 〉 대리석 〉 안산암 〉 점판암 〉 사문암 〉 사암 〉 응회암 〉 부석
② 비중크기 순서	사문암 〉 점판암, 대리석 〉 화강암 〉 안산암 〉 사암 〉 응회암
③ 흡수율 순서	응회암 〉 사암 〉 안산암 〉 화강 〉 점판 〉 대리석

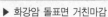

▶ 화강암 돌표면 거친마감

3. 돌공사의 장 · 단점

장　　　점	단　　　점
① 다양한 색조와 광택 외관이 장중 미려하다. ② 내구, 내마모성, 내수, 내약품성이 있다. ③ 방한, 방서적이고 차음성이 있다. ④ 압축강도가 매우 높다.	① 운반, 가공이 어렵고 고가이다. ② 큰재(장대재)를 얻기 어렵다. ③ 인장강도가 작다. ④ 일체식 구조가 어려워서 내진에 문제가 있다.

4. 석재의 시공상 주의사항

① 석재는 균일제품을 사용하므로 공급계획, 물량계획을 잘 세운다.
② 석재는 중량이 크므로 최대치수는 운반상 문제를 고려하여 정한다.
③ 휨, 인장강도가 약하므로 압축응력을 받는 곳에만 사용할 것.
④ 1m^3 이상 석재는 높은 곳에 사용하지 말 것.
⑤ 내화가 필요한 경우는 열에 강한 석재를 사용한다.
⑥ 외장, 바닥사용시에는 내수성과 산에 강한 것 사용.
⑦ 석재는 예각을 피하고 재질에 따른 가공을 할 것.

5. 석재의 표면 마무리 방법

손다듬기	혹두기	쇠메사용	원석의 두드러진 면과 큰 요철만 없앤다.
	정다듬	정사용	평평하게 다듬는다. (정다듬기, 줄정다듬기)
	도드락 다듬	도드락 망치	거친 도드락, 잔 도드락, 날 도드락 망치 사용
	잔다듬	외날, 양날 망치	처음 두번 직교방향, 1번 평행방향
	갈기, 광내기	금강사, 숫돌	카보랜덤, 산화주석(광내기가루)사용
기계 다듬기		Planer, Surfacer, Grinder 등을 이용하여 마감	

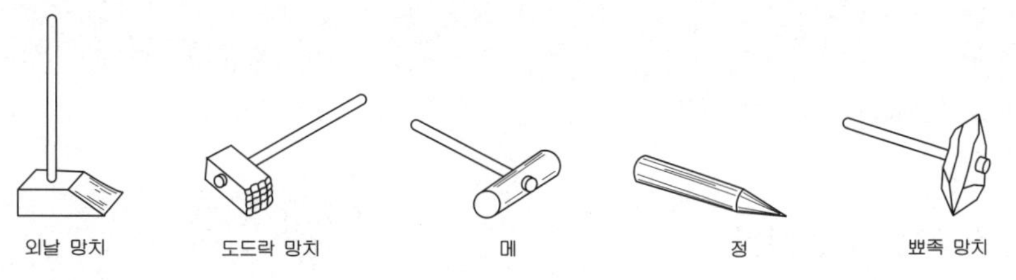

그림. 돌공사 용구

6. 돌공사 특수마무리 방법

① 분사법(Sand Blasting Method)	압축공기압력으로 모래를 분출시켜 면을 곱게 하거나 반듯하게 다듬는 법, 마모가 심하다.

학습 POINT

▶ 90-③
• 석재 사용상 주의점 4가지

▶ 14-②
■ 경질석재의 물갈기 공정 (건축공사표준시방서)
(1) 거친갈기
(2) 물갈기
(3) 본갈기
(4) 정갈기

▶ 86-②, 90-①, 93-③ / 84-①, 86-①
• 석재의 다듬기 순서와 석공구 /
• 석재표면 마무리 5가지 순서

▼ 암기하기

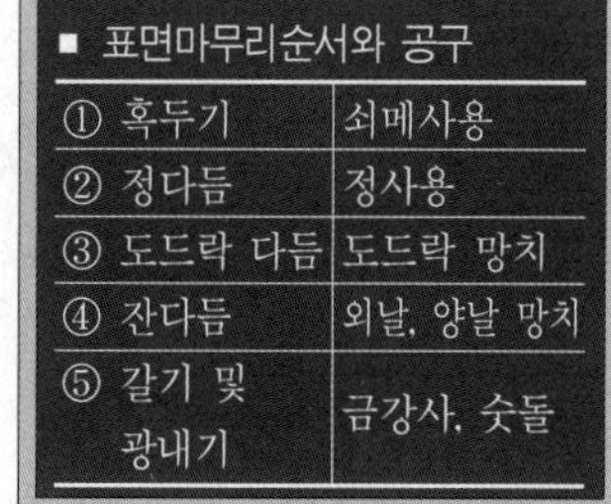
■ 표면마무리순서와 공구

① 혹두기	쇠메사용
② 정다듬	정사용
③ 도드락 다듬	도드락 망치
④ 잔다듬	외날, 양날 망치
⑤ 갈기 및 광내기	금강사, 숫돌

▶ 98-④, 01-③
• 석재 가공완료시 검사요점 4가지

② 화염분사법 (Burner Finish Method)	보통 톱으로 켜낸 돌면을 산소불로 굽고, 물을 끼얹어 돌표면의 엷은 껍질이 벗겨지게 한 다음 비교적 거친면으로 사용하는 마무리법이다.
③ 착색돌(Coloured Stone) 마감법	색소안료를 석재의 침투성을 이용하여 내부까지 책색시키는 방법이다. 짙은색은 불가능하고 퇴색우려가 있다.

학습 POINT

97-③, 02-②
• 특수가공법 2가지 쓰고 설명

암기하기

■ 특수 마무리법
① 화염분사법
② 분사법
③ 착색돌 마감

7. 돌붙이기 공법의 분류

① 습식공법	② 건식공법	③ GPC 공법
㉮ 전체주입공법 ㉯ 부분주입공법 ㉰ 절충주입공법	㉮ 앵글지지 공법 ㉯ 앵글과 Plate 지지공법 ㉰ Truss system	Granite Veneer Precast Concrete

07-②
• 습식돌붙임 시공순서

▶ 습식공법의 줄눈쐐기를 고정한 모습

▶ 벽체의 기둥 건식돌 붙임 장면

▶ 돌 붙임 건식공법

▶ Truss 지지공법을 사용하여 Remolding중인 건물

▶ 조적조 PC공법

8. 판돌 붙이기, 돌쌓기 시공(습식공법) 일반사항

① 바탕면 청소, 맞댄면 물축이기, 규준틀 설치, 돌 나누기도에 따라 줄눈, 개구부, 철물위치등 기입한 후 수평실을 친다.

② 수직, 수평확인 후 인접 돌사이에는 줄눈두께의 쐐기를 끼워 고정하고 Mortar를 다져넣는다. 나무쐐기 사용시 Mortar 경화 후 즉시 제거한다.

③ 사춤 Mortar는 1:2로 하고 높이 1/3 정도 된비빔. 어느 정도 굳은 후 묽은 비빔 Mortar를 부어넣는데, 이때 줄눈에 헝겊을 끼우고 1~2시간후 제거하며 줄눈파기를 하고 청소한다.

▶ 조적조 PC판 상세 줄눈은 Sealing처리한다.

④ 돌두께는 15cm 이내, 바탕면과 돌과의 거리는 25~30mm가 표준이다.
⑤ 1일 시공 단수는 3~4단으로 하고 돌높이 50cm내외는 2단이하로 한다.
⑥ 맞댄면 상하좌우 뒷벽에 사춤 Mortar가 경화되면 은장, 꺽쇠, 촉등 철물로 설치 고정한다.(대리석은 1장당 2~4개소에 시공, 대리석은 황동선을 사용)
⑦ 돌림띠, 인방보 등 바닥에서 2m위 공사시 지름 6mm 철선 2가닥씩 벽면에 묻고 지름 9mm 철근을 가로, 세로 줄눈에 맞추어 연결, 낙하방지를 한다.
⑧ 오염된 곳은 즉시 씻어내고 염산(5%이하)으로 닦는다.(대리석은 염산사용금지 : 산에 약하다.)
⑨ 보양 및 오염방지 필요시는 돌면은 벽지, 창호지 등으로 하고, 모서리 돌출부는 널판을 대어 보양하며 청소는 헝겊으로 닦고 왁스칠 한다.

9. 석재붙임 건식공법의 일반사항

① 외벽사용 돌의두께는 30mm이상을 사용한다.
② 긴결철물은 녹막이처리를 한다.
③ 구조체의 변형 균열의 영향을 받지 않는 곳에 주로 사용
④ 석재의 지지철물은 Double Fastner 방식을 주로사용 한다.
⑤ 연결철물은 석재의 상・하단에 설치하며 하부(1차철물)철물은 지지용, 상부(2차철물)철물은 고정용으로 사용한다.
⑥ Fastener는 구조계산에 의하여 최소 처짐을 1/180 또는 60mm이내로 함
⑦ Fastener의 설계는 돌의 무게, Setting Space에 따라 결정

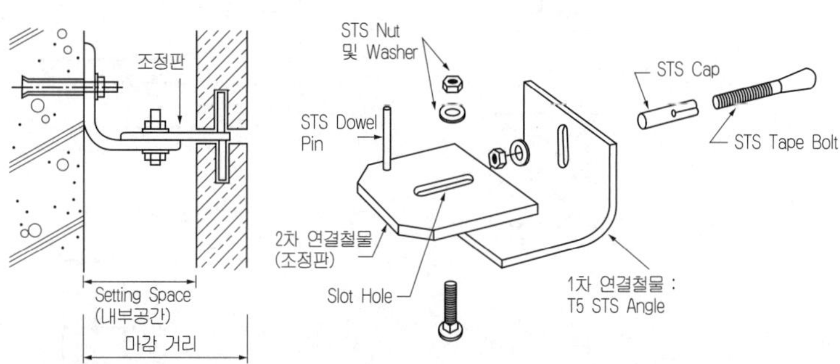

10. 돌쌓기방식

바른층 쌓기	돌쌓기의 1켜의 높이는 모두 동일한 것을 쓰고 수평줄눈이 일직선으로 연결되게 쌓는 것
허튼층 쌓기	면이 네모진 돌을 수평줄눈이 부분적으로만 연속되게 쌓으며, 일부 상하 세로줄눈이 통하게 된 것
층지어 쌓기	막돌・둥근돌 등을 중간켜에서는 돌의 모양대로 수직수평줄눈에 관계없이 흐트려 쌓되 2~3켜마다 수평줄눈이 일직선으로 연속되게 쌓는 것
허튼 쌓기	막돌・잡석・둥근돌・야산석 등을 수평・수직줄눈에 관계없이 돌의 생김새대로 흐트려 놓아 쌓는 것

학습 POINT

▶ 허튼층 쌓기

■ 돌공사 건식공법의 특징
① 사춤없이 긴결철물을 사용하여 고정
② 앵커철물 혹은 합성수지 접착제를 이용하여 정착
③ 구조체의 변형, 균열의 영향을 받지 않는 곳에 주로 사용
④ 동기 시공이 가능하고 시공속도가 빠르다.
⑤ 시공 정밀도가 우수하다.

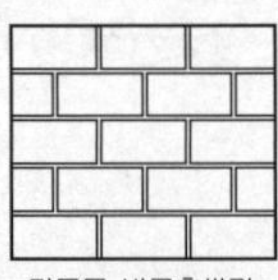
다듬돌 바른층쌓기

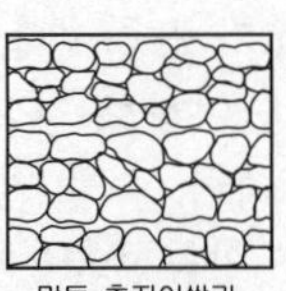
네모막돌 허튼층쌓기

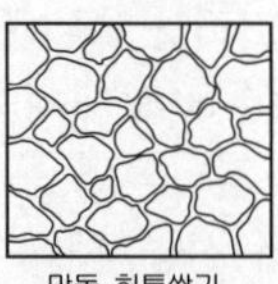
막돌 층지어쌓기

막돌 허튼쌓기

그림. 돌쌓기방식

11. 돌깔기(Paving stone)

얇은 판돌을 지면이나 바닥에 까는 것을 말하며 얇고 평평한 자연석을 깐 것을 자연석 깔기(Flag stone paving)이라 한다.

■ 종류

㉠ 잔돌 원형깔기(Round paving) ㉡ 일자깔기(straight joint) ㉢ 우물마루식깔기 ㉣ 오늬무늬깔기(herringbone paving) ㉤ 바둑판무늬깔기(cheker paving) ㉥ 마름모깔기(diamond pattern paving) ㉦ 바자무늬깔기(basket weave paving) - 삿자리무늬깔기 ㉧ 빗깔기(diagonal paving) ㉨ 화문깔기(mosaic paving) ㉩ 다각형깔기(polygonal paving)

⑥ 화문깔기

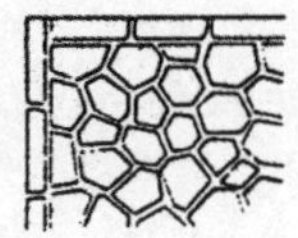

⑦ 우물마루식 깔기

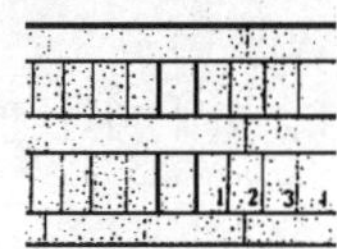

⑧ 마름모깔기

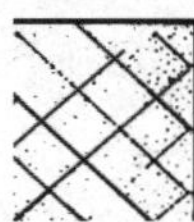

학습 POINT

▶ 97-⑤, 08-③

• 바닥 돌깔기 형식, 문양에 따른 명칭 5가지

① 원형깔기

② 오늬무늬깔기

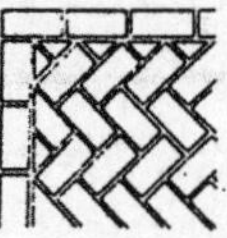

③ 바자무늬깔기

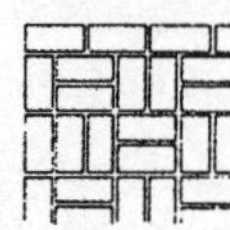

④ 일자깔기

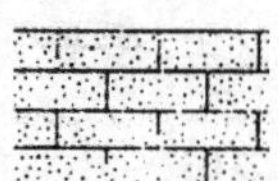

⑤ 바둑판무늬깔기

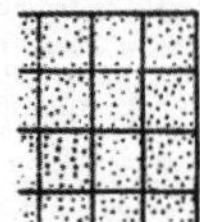

관련문제

1 다음 블록의 명칭을 쓰시오. (4점) 〔98 ③, 02 ③〕

①　②　③　④

⑤　⑥　⑦　⑧

2 다음 설명이 뜻하는 용어를 쓰시오. (3점) 〔00 ①〕

① 창문틀의 밑에 쌓는 블록은 ? ______

② 문꼴위에 쌓아 철근과 콘크리트를 다져 넣어 보강하는 U자형 블록은 ? ______

③ 창문틀의 옆에 쌓는 블록은 ? ______

3 한국산업규격(KS)에 명시된 속빈블록의 치수를 3가지 쓰시오. (3점) 〔07 ①, 10 ②, 20 ②〕

① ______ ② ______

③ ______

4 블록쌓기 시공도에 기입하여야 할 사항에 대하여 4가지만 쓰시오. (4점) 〔94 ③, 96 ②, 00 ⑤, 05 ①〕

(1) ______ (2) ______

(3) ______ (4) ______

5 (가) 보강 블록벽 쌓기시 와이어 매시(wire mesh)의 역할을 3가지 쓰시오. (3점) 〔00 ⑤〕
(나) 콘크리트 블록벽 쌓기에서 수평줄눈에 묻어쌓는 와이어 매쉬(wire mesh)의 사용 목적을 2가지 쓰시오. (2점) 〔03 ②〕

① ______ ② ______ ③ ______

해설 및 정답

정답 **1**
① 기본블록
② 반블록
③ 한마구리 평블록
④ 양마구리 블록
⑤ 창대블록
⑥ 인방블록
⑦ 창쌤블록
⑧ 가로배근용 블록

정답 **2**
① 창대블록(Window Sill Block)
② 인방블록(Lintel Block)
③ 쌤 블록(Window Jamb Block)

정답 **3**
① 390×190×190
② 390×190×150
③ 390×190×100

정답 **4**
(1) Block의 종류, Block 나누기
(2) Mortar 충진개소, 위치
(3) 철근 가공상세, 철근배치, 이음의 위치, 방법
(4) 매입철물의 종류, 위치
※ 인방보, 테두리보의 위치, 배근상태

정답 **5**
① 벽체의 균열방지
② 횡력, 편심하중의 균등분산
(횡력, 편심하중의 영향방지)
③ 벽체의 보강
(모서리, 교차부의 보강)

관련문제

6 보강 블록구조의 시공에서 반드시 물탈 또는 콘크리트로 사춤을 채워 넣는 부위를 3가지만 쓰시오. (3점) 〔97 ⑤, 07 ③〕

(1) ________ (2) ________ (3) ________

7 보강 철근 콘크리트 블록조에서 반드시 세로근을 넣어야 하는 위치 3개소를 쓰시오. (3점) 〔93 ②, 97 ⑤, 03 ①, 06 ①〕

(1) ________ (2) ________ (3) ________

8 블록공사에서 모르타르 및 콘크리트를 사춤하는 시공법을 설명한 다음의 ( )안에 적당한 숫자를 쓰시오. (3점) 〔93 ①, 97 ③〕

(1) 모르타르 또는 콘크리트를 사춤하는 높이는 (①)켜 이내로 하고 이어붓는 위치는 블록의 위면에서 (②)cm 정도 밑에 둔다.
(2) 모르타르 또는 콘크리트를 사춤할때의 보강철근은 정확히 유지하여 이동변형이 없게 하고 피복두께는 (③)cm 이상으로 한다.

① ________ ② ________ ③ ________

9 거푸집 블록조의 콘크리트 부어넣기에 있어서 일반 RC조와 비교할 때 시공 및 구조적으로 불리한 점을 4가지만 쓰시오. (4점) 〔96 ②, 05 ①〕

(1) ________ (2) ________

(3) ________ (4) ________

10 블록구조에서 인방보를 설치하는 방법 3가지 기술하시오. (3점) 〔04 ②〕

① ________

② ________

③ ________

해설 및 정답

정답 **6**
(1) 벽끝
(2) 모서리, 교차부
(3) 문꼴(개구부) 주위

정답 **7**
(1) 벽 끝
(2) 모서리나 교차부
(3) 개구부 주위

정답 **8**
① 3
② 5
③ 2

정답 **9**
(1) 줄눈이 많아서 강도가 부족하다.
(2) 블록살 두께가 얇아서 충분한 다짐이 곤란하다.
(3) 줄눈사이에 시멘트 풀이 흘러 곰보발생이 우려된다.
(4) 시공결과의 판단이 불명확하고 철근의 접착피복두께가 불안전하다.

정답 **10**
① 인방용 블록인 경우는 좌우 벽면에 20cm이상 걸치고 철근을 40d이상 정착시키고, 사춤한다.
② 테두리보와 함께 현장에서 거푸집을 조립 한 후 철근을 배근하고 콘크리트를 타설하여 벽체와 일체로 하는 방법
③ 기성재 콘크리트 인방보인 경우는 양끝을 블록벽체에 20cm이상 걸치고 철근으로 보강한 후 사춤하여 설치한다.

관련문제

11 조적조 벽체의 시공에서 Control joint를 두어야 하는 위치를 보기에서 모두 골라 기호로 쓰시오. (3점) 〔05 ③〕

〔보기〕

가. 최상부 테두리보	나. 벽의 높이가 변하는 곳
다. 창문의 창대틀 하부벽	라. 콘크리트 기둥과 접하는 곳
마. 벽의 두께가 변하는 곳	바. 모든 문 개구부의 인방상부벽의 중앙

____

12 다음 보기의 암석 종류를 성인별로 찾아 기호를 쓰시오. (3점) 〔98 ③, 02 ①〕

〔보기〕

① 점판암	② 화강암	③ 대리석	④ 석면
⑤ 현무암	⑥ 석회암	⑦ 안산암	

(가) 화성암 ________ (나) 수성암 ________ (다) 변성암 ________

13 석재 사용상의 주의점에 대하여 4가지만 쓰시오. (4점) 〔90 ③〕

① ________________ ② ________________

③ ________________ ④ ________________

14 석재의 가공 및 다듬기 순서를 차례로 나열하고 각 공정에 사용되는 대표적인 석공구를 하나씩 제시하시오. (5점) 〔86 ②, 90 ①, 93 ③〕

	다듬기 순서	석공구
①		
②		
③		
④		
⑤		

해설 및 정답

정답 **11**

나, 라, 마

※ 조절줄눈 설치위치

① 벽높이가 변하는 곳
② 벽두께가 변하는 곳
③ 벽체와 기둥 및 붙임기둥의 접합부
④ 벽체와 기둥의 오목한 부분
⑤ 내력벽과 비내력벽의 접합부
⑥ 약한 기초의 상부벽

정답 **12**

(가) ②, ⑤, ⑦
(나) ①, ⑥
(다) ③, ④

정답 **13**

① 석재는 균일제품을 사용하므로 공급계획, 물량계획을 잘 세운다.
② 석재는 중량이 크므로 최대치수는 운반상 문제를 고려하여 정한다.
③ 휨, 인장강도가 약하므로 압축응력을 받는 곳에만 사용할 것
④ $1m^3$이상 석재는 높은 곳에 사용하지 말 것
⑤ 내화가 필요한 경우는 열에 강한 석재를 사용한다.

정답 **14**

다듬기 순서	석공구
① 혹두기	쇠메사용
② 정다듬	정사용
③ 도드락 다듬	도드락 망치
④ 잔다듬	외날, 양날 망치
⑤ 갈기 및 광내기	금강사, 숫돌

관련문제

15 석재표면 마무리 시공순서를 5가지로 나누어 순서대로 열거하시오. (5점)

〔84 ①, 86 ①〕

① ______ ② ______ ③ ______

④ ______ ⑤ ______

16 석재의 가공이 완료되었을 때 가공 검사의 요점에 대하여 4가지만 쓰시오. (4점)

〔98 ④, 01 ③〕

① ______ ② ______

③ ______ ④ ______

17 석재의 표면마감에서 혹두기, 정다듬, 도드락다음, 잔다듬, 갈기의 기존 공법이외에 특수가공 공법의 종류를 2가지만 쓰고 설명하시오. (4점)

〔97 ⑤, 02 ②〕

(1) ______

(2) ______

18 돌붙임시공 순서를 보기에서 골라 번호로 적으시오. (3점)

〔07 ②〕

〔보기〕
㉮ 청소 ㉯ 보양 ㉰ 돌붙이기 ㉱ 돌나누기
㉲ Mortar 사춤 ㉳ 치장줄눈 ㉴ 탕개줄 또는 연결철물설치

______

19 바닥돌 깔기의 경우 형식 및 문양에 따른 명칭을 5가지만 쓰시오. (5점)

〔97 ⑤, 08 ③〕

① ______ ② ______

③ ______ ④ ______

⑤ ______

해설 및 정답

정답 15
① 혹두기
② 정다듬
③ 도드락 다듬기
④ 잔다듬
⑤ 물갈기 및 광내기

정답 16
① 마무리 치수의 정확도
② 모서리의 직선, 직각바르기
③ 면의 평활성
④ 다듬기 솜씨가 일정할 것

정답 17
(1) 분사법(Sand Blasting Method) : 압축공기압력으로 모래를 분출시켜 면을 곱게 하거나 반듯하게 다듬는 법, 마모가 심하다.
(2) 화염분사법(Burner Finish Method) : 보통 톱으로 켜낸 돌면을 산소불로 굽고, 물을 끼얹어 돌표면의 얇은 껍질이 벗겨지게 한 다음 비교적 거친면으로 사용하는 마무리법이다.
※ 착색돌(Coloured Stone) : 색소안료를 석재의 침투성을 이용하여 내부까지 책색시키는 방법이다. 짙은색은 불가능하고 퇴색우려가 있다.

정답 18
㉱ - ㉴ - ㉰ - ㉲ - ㉳ - ㉯ - ㉮

정답 19
① 잔돌원형 깔기
② 일자깔기
③ 우물마루식 깔기
④ 오늬무늬 깔기
⑤ 바둑판무늬 깔기
※ 마름모 깔기, 삿자리 깔기, 빗 깔기 등

용어정의 • 해설

01 제게르추(Seger - keger cone : S. K)

세모뿔형으로 된 것으로 노중의 고온도를 측정하는 온도계로 600~2,000℃까지 측정한다.

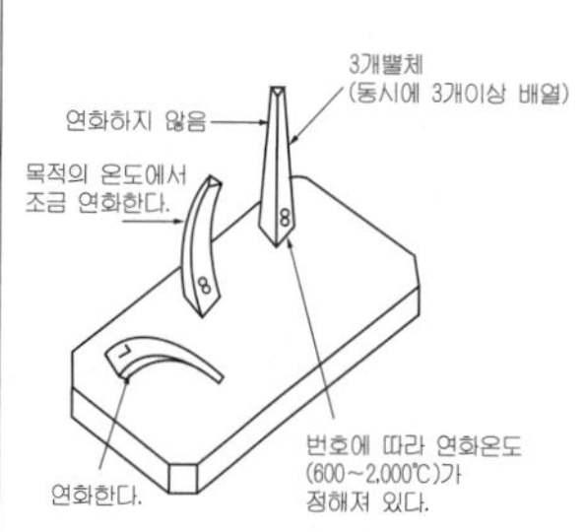

그림. 제겔 추

02 본드 빔(Bond Beam)

보강 콘크리트 블록조에서 가로근을 배근한 횡근층을 말한다. 테두리보의 역할을 겸하며, 블록용적 변화의 영향을 적게 한다.

03 축차충전공법

조적벽체에서 2~3단 쌓기마다 Mortar를 충진하는 사춤공법을 말하며, 줄눈 Mortar 경화전 충진한다.

04 층고충전공법

조적벽체를 1/2까지 쌓고 줄눈 Mortar 경화 후 빈 부분에 Mortar를 사춤하는 방법을 말한다.

05 홍예돌

아아치에 쓰이는 사다리꼴형의 아치용돌.(벽돌인 경우 : 홍예벽돌)

▶ 97-⑤, 00-①, 01-②, 04-① / 98-③, 01-③

- 아치 종류 용어설명 /
- 용어설명, 길이, 마구리, 길이세워, 옆세워쌓기

06 길이 쌓기

벽돌의 길이면을 밖으로 나오게 쌓는 것

07 마구리 쌓기

벽돌의 마구리면이 밖으로 나오게 한 것

08 길이 세워쌓기

벽돌길이면을 세워 쌓는 것

09 엽세워쌓기

벽돌의 마구리면을 세워 쌓는 것

10 모치기

돌의 줄눈부분을 모를 접어 잔다듬하는 것

11 쇠시리(Moulding) : 모접기

나무나 석재의 모나 면을 잔다듬하여서 두드러지게 또는 오목하게 하여 모양지게 하는 것

▶ 돌표면의 여러가지 면접기 가공 예

12 탕개줄

붙임돌의 주위사방 또는 윗면에 2개씩 고정하는 탕개목(탕개쐐기)에 연결하여 돌을 조일 때 사용되는 임시 당김 철선

13 켜걸음들여쌓기

교차벽 등의 벽돌물림 자리를 내어 벽돌 한켜걸음으로 1/4~1/2B를 들여 쌓는 것이다.

14 층단떼어쌓기

긴 벽돌벽 쌓기의 경우 벽일부를 한번에 쌓지 못하게 될 때 벽중간에서 점점 쌓는 길이를 줄여 마무리하는 방법

▶ 97-⑤
- 용어설명, 층단떼어쌓기, 켜걸음 들여쌓기

15 중공벽돌

구멍벽돌이라 하는 경량벽돌로 속이 비게 된 것으로 그 종류는 다공질 재료로 만든 것과 보통벽돌에 구멍이 뚫린 것 등이 있다.

16 트레버틴(Travertin)

다공질의 장식용 대리석의 일종으로 담갈색, 또는 다갈색이고 이태리산이 유명하다.

17 모조석(Imitation Stone)

외관을 자연석과 비슷하게한 시멘트제품의 일종이다. 특히 잔다듬한 모조석을 속칭 케스트 스톤(Cast Stone : 인조석 잔다듬)이라고 한다.

18 버너 피니시(Burner Finish)

보통 톱으로 켜낸 돌면을 산소불로 굽고, 물을 끼얹어 돌표면의 엷은 껍질이 벗겨지게 한 다음 비교적 거친면으로 사용하는 마무리법이다.

19 플래너 피니시(Planer Finish)

기계로 돌면을 대패질하듯 평탄하게 마무리한 방법으로 잔다듬 대신 사용한다.

관련문제

1 다음 아아치에 관계하는 용어명을 쓰시오. (3점, 4점) [97 ⑤, 00 ①, 01 ②, 04 ①]

(가) 아아치 벽돌을 주문제작한 것을 이용한 아치
(나) 보통 벽돌을 쐐기모양으로 다듬어 만든 아치
(다) 보통 벽돌을 쓰고, 줄눈을 쐐기모양으로 하여 만든 아치
(라) 아치나비가 클때에 아치를 겹으로 둘러 튼 아치

(가) ______ (나) ______

(다) ______ (라) ______

2 다음 벽돌쌓기면에서 보이는 모양에 따라 붙여지는 쌓기명을 쓰시오. (4점) [98 ③, 01 ③, 04 ①]

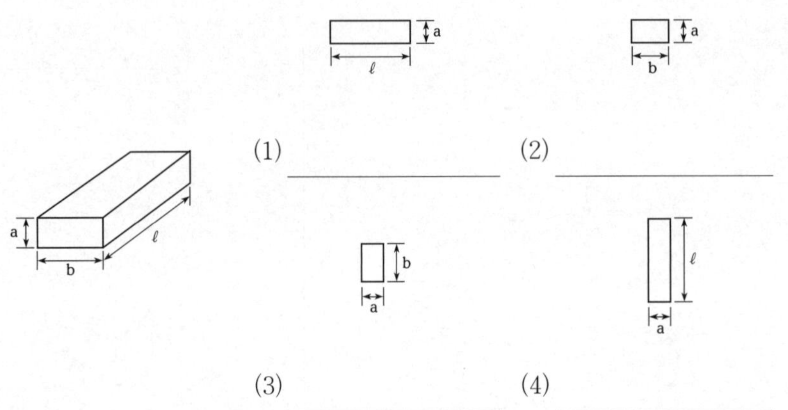

3 다음에 해당하는 벽돌쌓기명을 쓰시오. (2점) [97 ⑤]

(가) 벽돌벽의 교차부에서 벽돌 한켜걸음으로 1/4~2/4B를 들여 쌓는 것.
(나) 긴 벽돌벽 쌓기의 경우 벽중간 일부를 쌓지 못하게 될 때 점점 쌓는 길이를 줄여오는 방법

(1) ______

(2) ______

해설 및 정답

정답 1
(가) 본 아치
(나) 막 만든 아치
(다) 거친 아치
(라) 층두리 아치

정답 2
(1) 길이쌓기 (2) 마구리쌓기
(3) 옆세워쌓기 (4) 길이세워쌓기

▶ 개구부, 창문틀 상부의 길이 세워쌓기

정답 3
(가) 켜걸음 들여쌓기
(나) 층단 떼어쌓기

출제예상문제

8 CHAPTER 조적공사

1 다음 물음에 답하시오.

(가) 매켜마다 길이와 마구리가 번갈아 나오게 쌓는 벽돌쌓기법은 ?
(나) 창대쌓기에서 일반적으로 윗면과 두는 경사각도는 ?
(다) 벽돌면에서 벽돌을 45° 각도로 시공하여 음영효과를 내기위한 치장쌓기 방식은 ?

(가) ______ (나) ______ (다) ______

정답 1
(가) 프랑스식 쌓기
(나) 15°
(다) 엇모쌓기

2 다음 용어를 설명하시오.

(1) 축차충전공법 :
______

(2) 본드빔(Bond Beam) :
______

정답 2
(1) 조적벽체에서 2~3단 쌓기마다 Mortar를 충전하는 사춤공법을 말한다.
(2) 조적벽체에서 벽체를 일체화하고 집중하중, 국부하중에 대한 벽체보강을 목적으로 한 수평근을 배근한 보
※ 보강블록조에서 가로근을 배근한 후 사춤한 수평보를 말함.

3 조적벽체에 테두리보(Wall Grider)의 역할에 대하여 3가지 적으시오. (3점)
〔04 ③, 06 ②, 14 ①〕

① ______ ② ______
③ ______

정답 3
※ 테두리보의 설치 목적(역할)
① 분산된 벽체를 일체화 한다. (수축균열을 최소화, 강도증진)
② 집중하중을 균등 분산한다.
③ 세로 철근을 정착시킨다. (제자리 Concrete보 타설시)
④ 지붕 Slab의 하중을 보강한다.

4 벽돌이나 블록을 쌓기 전에 수행되어야 할 작업을 2가지 쓰시오.

① ______ ② ______

정답 4
① 보강철물 설치
② 설비 배관 설치
③ 앵커볼트 설치 등

출제예상문제

5 테두리보(Wall Girder)와 인방보(Lintel Beam)을 비교 설명하시오.

① 테두리보 : ______

② 인방보 : ______

6 돌공사에서 석재의 표면마무리 방법을 3가지만 적으시오.

① ______ ② ______ ③ ______

7 돌붙임 공법의 종류를 크게 2가지로 분류하여 적으시오.

① ______ ② ______

8 건식돌붙임공법에서 석재를 지지하는 방식을 3가지 적으시오.

① ______ ② ______ ③ ______

9 돌공사 중 끝면을 잔다듬하는 모접기(모치기)의 종류에 대해 3가지만 적으시오.

① ______ ② ______ ③ ______

해설 및 정답

정답 5

① 조적조 벽체를 일체화하고 연직하중 및 집중하중을 수평적으로 전달할 수 있게 한 조적조상부에 설치한 철근콘크리트 보이다.

② 창·문꼴 등의 장기처짐을 방지하고 상부하중을 균등하게 벽체에 전달하기 위한 문틀상부 보강보이다.

정답 6

① 물갈기(광내기 : Polishing)

② 혹두기(Rock face Finish)

③ 버너마감(Burner Finish)

※ 기타 : Planer Finish, 분사법

정답 7

① 습식공법

② 건식공법

정답 8

① 앵글지지법

② 앵글과 Plate 지지법

③ Truss 지지법

정답 9

① 2모치기

② 3모치기

③ 둥근모치기

④ 빗모치기

제9장

목 공 사

핵심 28 목재의 규격, 성질, 방부법, 철물

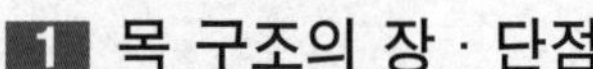

1 목 구조의 장 · 단점

(1) 장 점	(2) 단 점
① 가공용이, 건물 경량화 ② 비중에 비해 강도가 크다. ③ 열전도율이 작다.(방한, 방서적) ④ 내산, 내약품성, 염분에 강함. ⑤ 수종이 다양, 색채, 무늬가 미려	① 고층건물이나 장 Span의 구조가 불가능 ② 착화점이 낮아서 비내화적이다. ③ 비내구적이다.(부패균과 충해) ④ 함수율에 따른 변형이 크다. (흡수성이 크다.)

■ 구조용 목재의 요구조건

① 직대재(直大材)를 얻을 수 있을 것.
② 강도가 크고 건조변형, 수축성이 적을 것.
③ 산출량이 많고, 구득이 용이할 것.
④ 흠이 없고 내구성이 우수할 것.
⑤ 질이 좋고, 공작이 용이할 것.

2 목재의 규격 · 치수

1. 제재목의 종류

널재	두께 60mm 미만, 나비는 두께의 3배 이상
오림목	보통 6cm×6cm의 각재. 나비는 두께의 3배 미만
각재	두께 75mm 미만, 나비는 두께의 4배미만 또는 두께, 나비가 75mm 이상

2. 제재칫수와 마무리 칫수

제 재 치 수	제재소에 톱켜기로 한 치수, 수장재, 구조재 (적산시 : 중심간격으로 산정)
마무리 치수	톱질과 대패질로 마무리한 치수. 창호재, 가구재는 이치수 기준
정 치 수	제재목을 지정 치수대로 한 것

학습 POINT

■ 침엽수 : 松白科 나무. 연한 목질, 가공용이, 경량 구조재, 장식재
■ 활엽수 : 송백과 이외의 목재. 견고한 나무, 종류 다양. 장식재
■ 목재의 연소과정
• 수분증발 : 100℃
• 가소성 가스발생 : 180℃ (변색점)
• 인화점(착화점) : 250~270℃
• 자연발화 : 400~450℃, 발화 후 20~30분내에 1,000~2,000℃의 최고온도

▶ 94-④, 99-① / 02-③
• 구조용 목재의 요구조건 4가지 /
• 구조재료조건 3가지

▶ 88-③, 14-② / 89-①, 96-⑤, 05 ②
• 제재치수와 마무리치수 설명 /
• 목공사의 단면치수 표기법

3. 목재의 정척길이

정 척 물	길이가 1.8m(6자), 2.7m(9자), 3.6m(12자)인 것
장 척 물	길이가 청적물보다 0.9m(3자)씩 길어진 것
단 척 물	길이가 1.8m 미만인 것
난 척 물	6자, 9자, 12자인 정척물이 아닌 것

3 목재의 성질

1. 목재의 함수율

함수율	전건재	기건재	섬유포화점	비 고
	(절대건조) 0%	(공기중) 15%	30%	
수장재 함수율	A종	B종	C종	함수율은 전단면에 대한 평균치
	18% 이하	20% 이하	24% 이하	
구조재	18~24% 내의 것을 사용한다.			

※ 섬유포화점 : 생나무가 건조하여 함수율이 30%가 된 상태로써 세포사이의 유리수(자유수)가 증발하고 세포벽내의 세포수(흡착수, 결합수)만 남아 있는 상태를 말한다.

2. 목재의 수축

전 수 축 율	목재의 방향에 따른 수축율
① 무늬결(널결) 나비방향이 가장 크다. (6~10%) ② 곧은결, 나비방향은 무늬결(널결)의 1/2 (2.5~4.5%) ③ 길이방향은 곧은결의 1/20 (0.1~0.3%)	① 축방향 : 0.35%(小) ② 지름방향 : 8%(中) ③ 촉방향 : 14%(大)

※ 전수축比 : 섬유방향(1) 〈 곧은결 나비방향 (10) 〈 널결방향(20)

※ 목재는 건조에 따라 수축하는데 연륜방향(촉방향)의 수축은 연륜의 직각방향(지름방향)의 약 2배이며, 수피부(변재)는 수심부(심재)보다 수축이 크다.

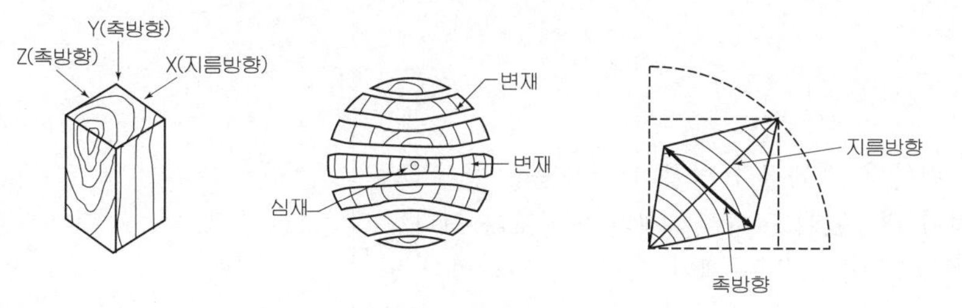

그림. 목재의 방향에 따른 수축

학습 POINT

▶ 97-③, 99-③, 02-③ / 09-②, 16-③, 20-②

• 용어설명, 집성재, 섬유포화점
• 섬유포화점과 함수율증가에 따른 강도 변화 설명.

▶ 00-①

• 목재의 수축 변형

3. 목재의 강도

① 목재의 강도는 일반적으로 비중에 정비례하며 비중이 클수록 강도는 크다.
② 섬유 포화점 이하에서는 함수율이 낮을수록 강도가 크다.
   *생나무의 강도에 비해 기건재는 1.5배, 전건재는 약 3.0배 정도 크다.
③ 섬유포화점 이상에서는 강도의 변화는 없다.
④ 팽창과 수축도 섬유포화점 이상에는 생기지 않으나 섬유포화점 이하에서는 거의 함수율에 비례하여 수축한다.
⑤ 목재의 강도 크기 순서는 섬유방향에 평행한 강도가 그 직각 방향보다 크다.
⑥ 강도크기의 순서 : 인장(200) 〉 휨(150) 〉 압축(100) 〉 전단(18)
   *섬유에 평행한 압축강도를 100으로 보았을 때 수치임.
⑦ 목재의 강도는 불균일하므로 최대강도의 1/7~1/8을 허용강도값으로 한다.

4. 목재의 비중

① 세포자체의 비중은 나무의 종류에 관계없이 1.54이다.(기건비중 : 0.3~1.0)
② 비중이 클수록 건조·수축이 크다.(활엽수가 침엽수보다 비중이 크다.)

5. 목재의 흠

옹이, 썩음(썩정이), 갈라짐(갈램), 껍질박이(入皮), 송진구멍(수지공)

6. 목재의 흠과 강도의 관계

① 목재의 옹이, 갈램, 썩음 등은 강도저하.(특히 옹이, 썩음의 영향이 크다.)
② 섬유방향에서 압축력은 영향이 작으나 인장력인 경우는 영향이 현저하다.

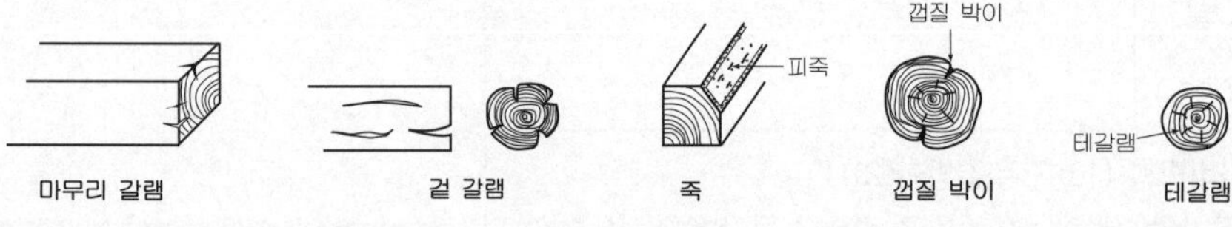

그림. 목재의 흠

7. 목재의 전기저항, 음, 광택

① 전기저항 성질 : 함수율에 따라 변한다. 섬유직각 방향이 섬유평행 방향보다 2.3~8배 정도 크며 비중이 큰 것이 저항값이 크다. (심재가 변재보다 크다)
② 음과 광택 : 음 에너지 감쇠량은 비중이 작은 목재가 크며, 곧은결 면이 널결보다 광택이 크다.

학습 POINT

▶ 02-①

• 목재의 품질검사항목 3가지

■ 목재의 품질검사항목
① 목재의 평균나이테 간격, 함수율 및 비중측정방법(KSF 2002)
② 목재의 수축율 시험방법 (KSF 2003)
③ 목재의 흡수량 측정방법 (KSF 2004)
④ 목재의 압축, 인장강도 시험방법 (KSF 2206, KSF 2207)
※ 기타 : 갈라짐시험, 충격, 휨시험, 경도시험, 내후성시험, 마모시험, 크리프시험

8. 목재의 제재에 따른 명칭

① 널결	연륜에 평행하게 제재한 목재면, 곡선형(물결면)이 거칠고 불규칙하게 나타남. 장식재로 곧은결보다 변형, 마모율이 크다. (흔히 널결을 무늬결이라 함.)
② 곧은결	연륜에 직각방향으로 제재한 목재. 널결에 비해 외관이 좋고 수축, 변형, 마모율도 적고 가격이 비싸다.
③ 무늬결	나뭇결이 여러 원인으로 불규칙하게 아름다운 무늬를 나타낸다.
④ 엇결	나무섬유가 꼬여서 나무결이 어긋나게 나타난 목재면. 나뭇결이 몹시 심하게 경사지고, 쉽게 갈라지는 경향이 있어서 구조재로 쓰면 위험하므로 주의해야 한다.

학습 POINT

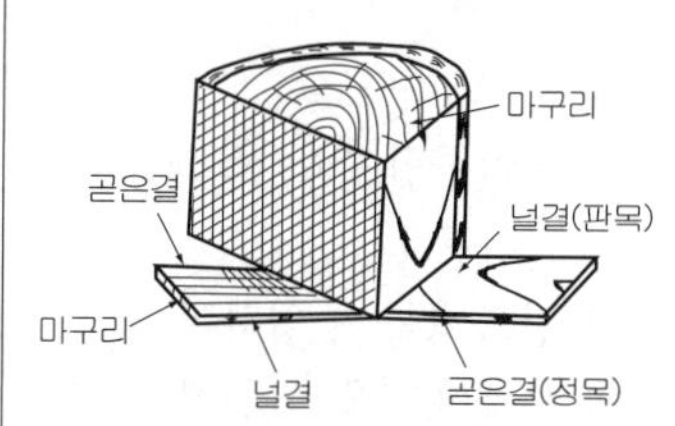

그림. 제재의 따른 명칭

4 목재의 건조법, 방부법

▶ 19-①, 22-②

- 목재의 천연건조(자연건조)시 장점 2가지

■ 자연건조의 장점
① 건조장치, 설비가 필요없다.
② 다량의 목재를 일시에 건조가능
③ 재질의 강도저하가 적게 발생함.

1. 목재의 건조법

① 대기건조법 (자연건조법)	직사광선, 비를 막고, 통풍만으로 건조. 20cm 이상 굄목을 받친다. 정기적으로 바꾸어 쌓는다. 마구리 페인트칠 : 급결건조방지. 오림목 고루괴기 : 뒤틀림 방지
② 건조전처리 (수액제거법)	침수법 : 원목을 1년이상 방치. 뗏목으로 6개월 침수. 해수에 3개월 침수하여 수액 제거. 열탕가열(자비법) 증기법, 훈연법 등을 병용하여 제거 기간을 단축한다.
③ 인공건조법	건조빠르고 변형적으나 시설비, 가공비가 많이 든다. 대류법(증기법), 송풍법, 고주파법(진공법) 등이 있다.

▶ 92-①, 93-②, 94-②, 95-①, 99-②, 11-②, 15-①, 18-①, 21-③ / 05-①, 10-①, 14-②, 16-③, 18-③, 19-③, 21-② / 16-① / 21-①, 23-②

- 목재의 방부제 처리법 3가지, 4가지
- 방부법을 쓰고 설명하기
- 목재의 난연처리법 3가지
- 방부처리된 목재를 사용하는 경우 2가지 쓰기

2. 목재의 일반 방부법

침지법	방부액이나 물에 담가 산소공급차단. (예) 나무말뚝
주입법	방부제(Creosote, PCP)를 주입한다. 상압주입, 가압주입, 생리적 주입법 등이 있다.
표면탄화법	목재표면 3~4mm를 태워 수분제거. 탄화부분의 흡수성은 증가
도포법	방부제칠, 유성 Paint, 니스, Asphalt, 콜타르 칠

*유용성 방부제 PCP(Penta-Chloro Phenol) : 무색이며 방부력이 가장 우수하다. 석유 등의 용제로 녹여 사용하며 그 위에 페인트칠을 할 수 있다.
*개미, 굼벵이의 방충법 : Creosote, 콜타르, 염화아연, 불화나트륨 등을 주입.

3. 목재의 방화법

완전하지는 않지만 연소시간을 지연시킨다.

① 불연성 도료를 도포하여 방화막을 만든다.

*인산암모늄, 황산암모늄, 탄산칼륨, 탄산나트륨, 붕산 등을 단독 또는 혼합 사용.

② 방화제를 주입하여 인화점을 높인다.

③ 목재표면을 단열성이 크고 불연재료인 Mortar나 벽돌 등으로 피복한다.

5 연결철물 및 접착제

1. 연결 및 보강철물

종 류	특 징
못	① 못 길이는 판두께의 2.5배~3배, 마구리에 박는 것은 3.0~3.5배이며, 널두께가 10mm 이하일 때 4배가 표준이다. ② 못의 크기는 설계도서에 따르며 설계도서에서 특별히 정해진 것이 없는 경우에 못의 지름은 두께의 1/6 이하로 하고 못의 길이는 측면 부재 두께의 2배~4배 정도로 한다. ③ 목재의 끝 부분에서와 같이 할렬이 발생할 가능성이 있는 경우를 제외하고 미리 구멍을 뚫지 않고 못을 박는다.
나사못	① 나사못 지름 1/2 정도를 구멍뚫고 최소 나사못 길이 1/3 이상은 틀어서 조인다. 처음부터 돌려박는 것이 원칙이다. ② 큰 응력을 받는 곳에는 네모머리 코오치스쿠류를 쓰고 1/2은 틀어서 조인다.
볼트(Bolt)	① 구조용은 12mm, 경미한 곳은 9mm정도를 쓴다. 인장력을 분담한다.(볼트 상호간 배열 : Bolt지름의 7배 이상) ② 목재의 Bolt 구멍은 지름보다 1.5mm를 초과해서는 안된다.
듀벨	보울트와 같이 사용, 전단력 보강철물이다.

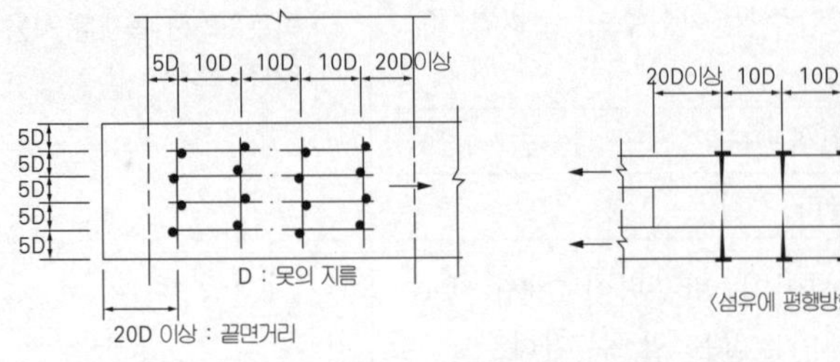

그림. 못배치의 최소 간격(구멍을 뚫지 않은 경우)

학습 POINT

▶ 94-③, 98-⑤ / 97-⑤ / 98-①

- 목재의 연결철물 종류 4가지 /
- 못의 종류 8가지 명칭 /
- 꺾쇠 명칭 종류 3가지

못접합부에 대한 최소 끝면거리, 연단거리 및 간격

구 분	미리 구멍을 뚫지 않는 경우	미리 구멍을 뚫는 경우
끝면거리	20D	10D
연단거리	5D	5D
섬유에 평행한 방향으로 못의 간격	10D	10D
섬유에 직각방향으로 못의 간격	10D	5D

D=못의 지름(mm)

2. 목재의 접착제

① 아교, 카세인, 밥풀 및 합성수지계(요소, 멜라민, 페놀 등)

② 접착력의 크기순서

에폭시 〉 요소 〉 멜라민 〉 페놀(석탄산계)

③ 내수성의 크기

실리콘 〉 에폭시 〉 페놀 〉 멜라민 〉 요소 〉 아교

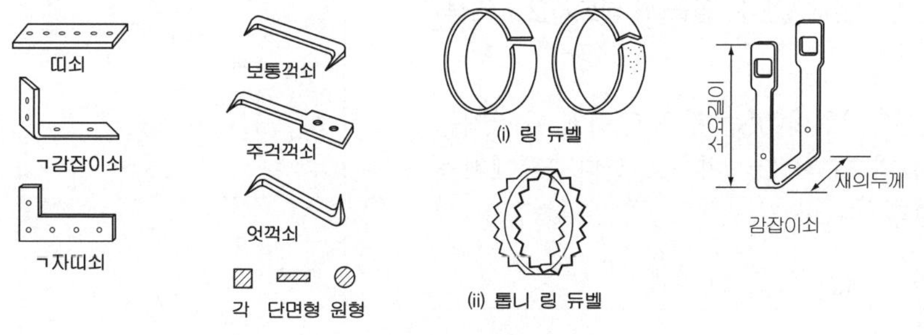

그림. 목재의 각종 철물

학습 POINT

▶ 91-③, 98-②

• 접착제 중 내수성이 큰 순서

관련문제

1 (가) 구조용 목재의 요구조건을 4가지만 쓰시오. (4점) 〔94 ④, 99 ①〕
(나) 건설재료 중 구조재료가 갖추어야 할 조건을 3가지 쓰시오. (3점) 〔02 ③〕

① ______ ② ______

③ ______ ④ ______

2 목공사에서 목재의 제재치수와 마무리 치수를 간단히 설명하시오. (4점) 〔88 ③〕

(1) 제재치수 : ______

(2) 마무리 치수 : ______

3 다음은 목공사의 단면치수 표기법이다. ( )안에 알맞는 말을 써 넣으시오. (3점)
〔89 ①, 96 ⑤, 05 ②〕

목재의 단면을 표시하는 치수는 특별한 지침이 없는 경우 구조재, 수장재는 모두 ((1))치수로 하고 창호재, 가구재의 치수는 ((2))치수로 한다. 또 제재목을 지정치수대로 한 것을 ((3))치수라 한다.

(1) ______ (2) ______

(3) ______

4 목재에 관계되는 용어를 설명하시오. (4점) 〔97 ③, 99 ③, 02 ③〕

(1) 섬유포화점 : ______

(2) 집성재 : ______

5 목재의 섬유포화점을 설명하고 함수율 증가에 따른 목재의 강도 변화에 대하여 설명하시오. (3점) 〔09 ②, 16 ③, 20 ②〕

______

해설 및 정답

정답 **1**

① 강도가 크고, 수축·변형이 작은재료일 것
② 곧고 큰 재료(직대재)를 얻을 수 있을 것
③ 산출량이 많고, 구득이 용이할 것
④ 흠이 없고, 내구성이 우수할 것

정답 **2**

(1) 제재치수 : 제재소에서 톱켜기 한 치수이다. 구조재, 수장재는 이 치수가 쓰인다.
(2) 마무리 치수 : 창호재, 가구재에 쓰이는 대패질 마무리한 치수이다.

※ 도면에 표시된 치수가 마무리된 상태를 의미한다.

정답 **3**

(1) 제재
(2) 마무리
(3) 정

정답 **4**

(1) 생나무가 건조하여 함수율이 30%가 된 상태로서 이 점을 경계로 수축, 팽창, 강도의 변화가 현저해진다.
(2) 두께 1.5~5cm 정도의 나무를 섬유평행 방향으로 몇장, 몇겹 접착하여 한 개로 한 것이다. (기둥, 보에 사용) 곡면재도 가능하다.

정답 **5**

목재의 섬유포화점은 생(生)나무가 건조하여 함수율이 30%가 된 상태로서 이 점을 경계로 수축, 팽창, 강도의 변화가 현저해진다.

※ 섬유포화점 이상의 함수율에서는 목재의 수축, 팽창과 강도는 변함이 없고 그 이하에서는 함수율이 감소함에 따라 목재의 강도는 증가되며, 수축도 증가된다.

관련문제

6 다음 목재의 수축변형에 대한 설명 중 (   )안에 알맞은 말을 써 넣으시오. (3점) 〔00 ①〕

목재는 건조수축하여 변형하고 연륜방향의 수축은 연륜의 (①)에 약 2배가 된다. 또 수피부는 수심부보다 수축이 (②) 다. (③)는 조직이 경화되고, (④)는 조직이 여리고 함수율도 (⑤)고 재질도 무르기 때문이다.

① ________ ② ________ ③ ________

④ ________ ⑤ ________

7 목재의 품질검사는 건축공사시 사용되는 목재의 변형, 균열 등의 발생으로부터 미연에 방지하기 위하여 실시한다. 목재의 품질검사 항목을 3가지 쓰시오. (3점) 〔02 ①〕

① ________ ② ________

③ ________

8 목재에 가능한 방부제 처리법을 3가지, 4가지 쓰시오. (3점, 4점)
〔92 ①, 93 ②, 94 ②, 95 ①, 99 ②, 11 ②, 15 ①, 18 ①, 21 ③〕

① ________ ② ________ ③ ________

9 목재의 방부처리방법을 세가지 쓰고, 그 내용을 설명하시오. (3점)
〔05 ①, 10 ①, 14 ②, 16 ③, 18 ③, 19 ③, 21 ②〕

① ________ ② ________

③ ________

10 목재의 방화성능 향상을 위한 난연처리방법을 3가지 쓰시오. (3점) 〔16 ①〕

① ________ ② ________

③ ________

해설 및 정답

정답 **6**

① 직각방향(90° 방향)
② 크(많)
③ 심재부(중심부)
④ 변재부(수피부)
⑤ 크(많)

정답 **7**

① 목재의 평균나이테 간격, 함수율 및 비중측정방법(KSF 2002)
② 목재의 수축율 시험방법(KSF 2003)
③ 목재의 흡수량 측정방법(KSF 2004)
④ 목재의 압축, 인장강도 시험방법(KSF 2206, KSF 2207)

※ 기타 : 갈라짐시험, 충격, 휨시험, 경도시험, 내후성시험, 마모시험, 크리프시험

정답 **8**

① 도포법(방부제칠)
② 주입법(가압주입법)
③ 침지법

정답 **9**

① 주입법 : 방부제를 상압주입이나 가압하여 나무깊이 주입하는 방법
② 도포법 : 방부제칠이나 유성페인트, 아스팔트재료 등을 칠하는 방법
③ 표면탄화법 : 목재표면 3~4mm 정도를 태워 수분을 제거하는 방법

정답 **10**

① 방화도료를 칠하는 방법(난연도료 도포법)
② 방화재료를 주입하는 방법(난연재료 주입법)
③ 금속판으로 피복하는 방법

관련문제

11 목재 연결철물의 큰 분류상 종류를 4가지만 쓰시오. (4점) 〔94 ③, 98 ⑤〕

① ______ ② ______

③ ______ ④ ______

12 건축공사에 일반적으로 사용되는 못의 명칭을 쓰시오. (3점) 〔97 ⑤〕

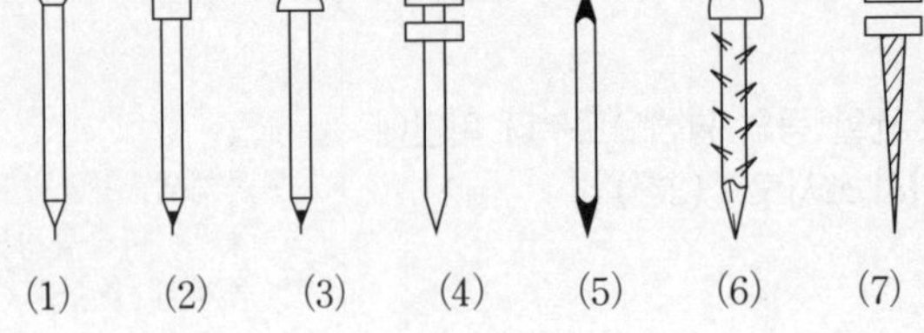

13 다음 그림의 꺾쇠 명칭을 쓰시오. (3점) 〔98 ①〕

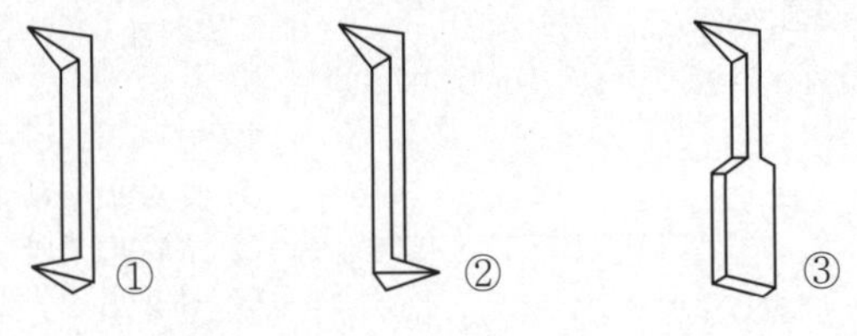

① ______ ② ______ ③ ______

14 목재 접착제 중 내수성이 큰 것부터 순서를 보기에서 골라 기호로 쓰시오. (3점) 〔91 ③, 98 ②〕

〔보기〕
(1) 아교 (2) 페놀수지 (3) 요소수지

______

해설 및 정답

정답 **11**
① 못
② Bolt
③ 듀벨
④ 꺾쇠 혹은 띠쇠

정답 **12**
(1) 보통 못
(2) 플랫 못
(3) 둥근머리 못
(4) 거푸집 못(이중머리못)
(5) 양끝 못
(6) 가시 못
(7) 코오치 스크류

정답 **13**
① 보통꺾쇠
② 엇꺾쇠
③ 주걱꺾쇠

정답 **14**
(2) – (3) – (1)

핵심 29 목재의 가공, 접합, 세우기, 수장공사

학습 POINT

1 목재의 가공

1. 목재의 가공순서

① 먹매김	마름질, 바심질을 하기 위해서 먹매김을 하고 가공형태를 그림
② 마름질	재료를 소요치수로 자른다. 재료가 많을 경우 공작도를 작성
③ 바심질	구멍 뚫기, 홈파기, 대패질(맞춤 장부 깍아내기, Bolt 구멍 뚫기 등)

*목재가공순서 : 목재건조 처리(재료처리) → 먹매김 → 마름질 → 바심질 → 세우기순이다.

보충설명 **먹매김 표시**

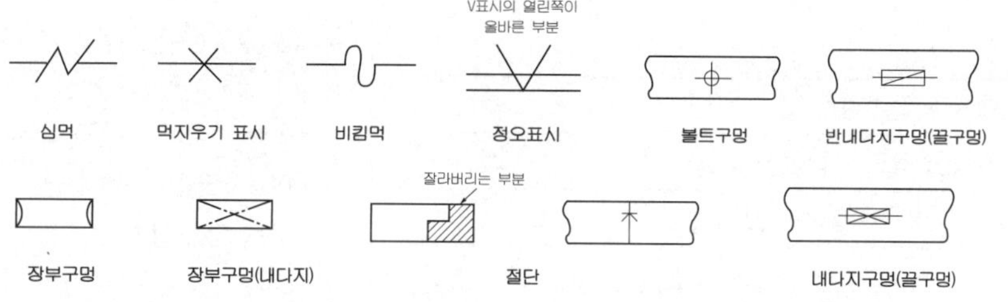

▶ 90-③, 92-③, 94-②
• 먹매김 기호

▶ 현장 먹매김 표시

2. 대패질

① 막대패(거친대패)(하)	제재톱의 자국이 없는 것. 기계대패는 거친 대패로 본다.
② 중대패(중)	대패자국이 거의 없는 것
③ 마무리대패(고운대패)(상)	경사지게 비추어 완전 평활. 대패자국이 없음

▶ 85-②
• 대패 종류 명칭

3. 모접기, 쇠시리(Moulding)

대패질한 재는 모두 모접기(면접기)하고 필요에 따라 개탕(반턱, 홈 또는 턱솔치기), 쇠시리 등을 한다.

보통 실모접기로 하며 원척도에 따라 모양, 치수, 크기 등을 접는다.

*모접기 : 목재나 석재 끝부분을 오목지게 혹은 도드라지게 모양내어 잔다듬하는 것을 말한다.

▶ 95-①, 11-①, 16-③
• 모접기 종류 5가지, 3가지

보충설명 **각종 모접기**

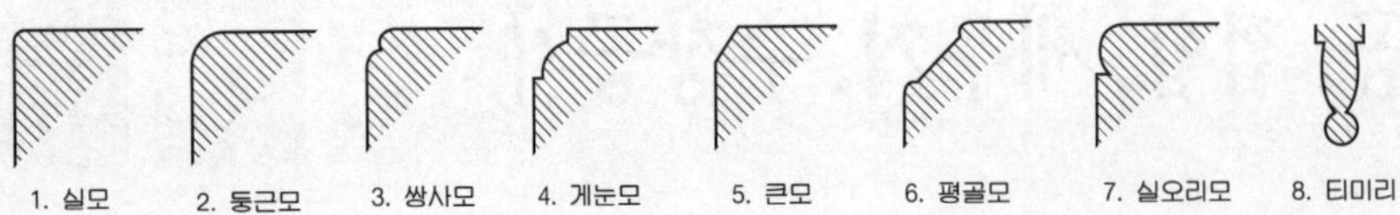

4. 목재 가공시 주의사항

(1) 목재의 결점에서 이음, 맞춤을 피함. (2) 이음, 맞춤은 응력이 작은 곳에서 행함. (3) 심재, 변재등 목재의 건조변형을 고려. (4) 치장 부분은 먹줄이 남지 않게 대패질.	(5) 줄구멍, Bolt 구멍은 깊이를 정확하게 유지. (6) 철물의 구멍위치는 정확히 하며 구멍 크기는 가시못인 경우 1.5mm, 나사못은 0.5mm, Bolt 구멍은 2mm 초과금지

2 목재의 접합

1. 목재의 이음, 맞춤, 쪽매

이 음	두부재를 재의 길이방향으로 접합하는 것
맞 춤	재와 서로 직각 또는 일정한 각도로 접합하는 것
쪽 매	재를 섬유방향과 평행으로 옆대어 붙이는 것

2. 위치에 따른 이음의 분류

① 심이음 : 부재의 중심에서 이음하는 것.
② 베게이음 : 가로받침을 대고 있는 것.
③ 내이음 : 중심에서 벗어난 위치에서 이음
④ 보아지 이음 : 심이음에 보아지를 댄 것.

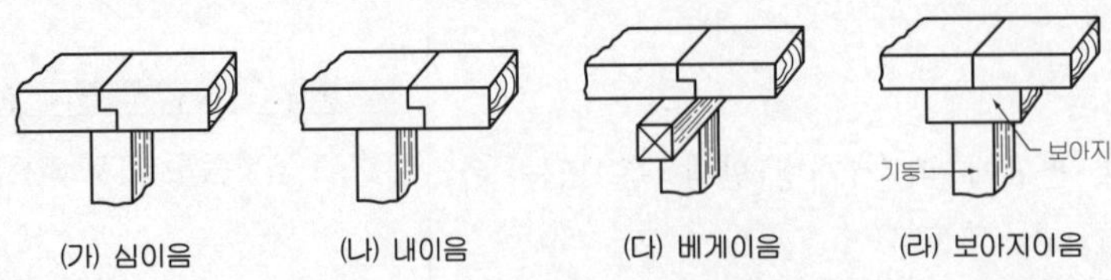

그림. 이음의 위치

학습 POINT

■ 목조가새

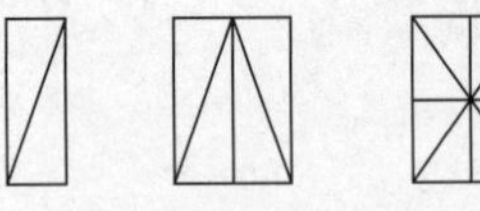

목조 벽체의 가새(Bracing)

① 가새는 수평재와 수직재가 만나는 곳에 접합하게 되어 있으며 대각선으로 설치한다. (45°)
② 횡력에 대해 저항한다.(횡력에 대한 보강재이다.)
③ 압축가새 : 평기둥 치수의 1/3이상(꺽쇠로 긴결한다)
④ 인장가새 : 평기둥 치수의 1/5이상(못, 볼트로 긴결한다.)
⑤ 가새와 샛기둥이 만나는 곳은 샛기둥을 깍아내고 가새를 끼운 후 못을 박는다.

▶ 88-① / 09-③, 12-③, 21-③, 16-③

- 듀벨, 이음, 맞춤 용어설명
- 이음 · 맞춤 · 쪽매 설명
- 이음, 맞춤 설명

3. 큰 부류의 이음의 종류

① 맞댄이음 (Butt Joint)	큰인장력이나 압력을 받는 곳에서 한다. 철판, Bolt, 듀벨, 산지 등을 이용한다.(평보 : 맞댄 덧판이음)
② 겹친이음 (Lap Joint)	Bolt, 못, 산지를 이용. • 단순히 겹쳐댄다. • 큰응력이 작용하는 부위는 쓰지 않는다. Bolt, 듀벨을 병용하면 큰 Truss 구조가능.
③ 따내기이음	목재의 한편을 따내고 철물, 산지 등으로 보강한다.
④ 중복이음	오림목등을 겹쳐 1개의 긴부재로 만들 때 사용. 꺾쇠, Bolt, 접착제 사용.

학습 POINT

4. 쪽매

① 맞댄쪽매	경미한 구조에 이용	⑤ 오니쪽매	흙막이널말뚝에 사용
② 반턱쪽매	거푸집. 15mm미만 널에 사용	⑥ 딴혀쪽매	마루널 깔기에 사용
③ 빗 쪽 매	지붕널에 사용	⑦ 틈막이쪽매	천정, 징두리 판벽에 사용
④ 제혀쪽매	가장 많이 사용한다. 마룻널 깔기에 씀. 못이 안튀어 나온다.		

▶ 90-② / 90-①

• 마루널 쪽매의 명칭 5가지 /

• 마루쪽매의 6가지 종류 도시, 명칭 기입

보충설명

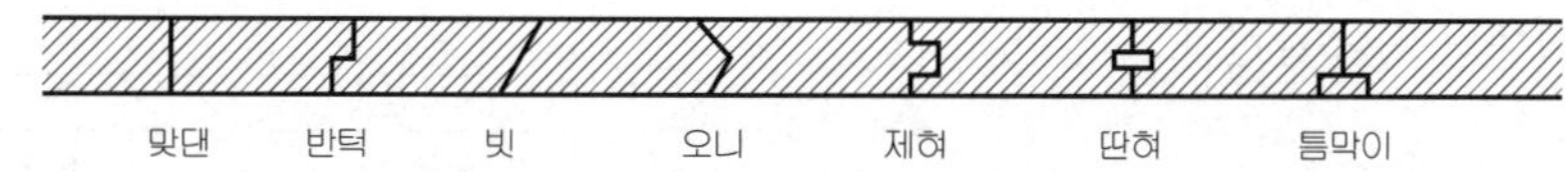

그림. 쪽매의 종류

5. 이음 및 맞춤시 주의사항

(1) 응력이 작은 곳에서 한다. (2) 단면 방향은 응력에 직각되게 (3) 적게 깍아서 약해지지 않게 (4) 모양에 치우지지 말 것	(5) 단순한 모양으로 완전 밀착 (6) 응력이 균등하게 전달되게 한다. (7) 큰 응력부, 약한 부분은 철물 보강 (8) Truss, 평보는 왕대공 가까이서 이음

3 목재의 세우기

(1) 세우기 순서

토대 → 1층 벽체 뼈대 → 2층 마루틀 → 2층 벽체 뼈대 → 지붕틀

(2) 목공사 시공순서

수평규준틀 → 기초 → 주체공사(세우기) → 지붕 →수장 → 미장

(3) 2층 주택의 마루판과 천장판 시공순서

2층바닥 → 2층 천장 → 1층 바닥 → 1층 천장

4 수장공사

1. 마루 설치순서

(1) 1층 마루

① 동바리마루	동바리돌 → 동바리 → 멍에 → 장선 → 마루널
② 납작마루	동바리돌 → 멍에 → 장선 → 마루널

(2) 2층 마루

종 류	시 공 순 서	간 사이(Span)
① 짠마루	큰보 → 작은보 → 장선 → 마루널	6.4m 이상일 때
② 보마루	보 → 장선 → 마루널	2.4m 이상일 때
③ 홑마루	장선 → 마루널	2.4m 이하일 때

2. 반자틀 짜기

① 반자는 지붕밑, 마루밑을 감추어 보기 좋게 하고, 먼지 등을 방지하며, 음·열·기류차단에 효과가 있게 한다.

② 반자종류 : 회반죽반자, 널반자, 살대반자, 우물반자, 구성반자

③ 반자틀 짜는 순서

달대받이 → 반자돌림대 → 반자틀받이 → 반자틀 → 달대 → 반자널

3. 계단시공순서

1층 멍에·계단참·2층 받이보 → 계단옆판·난간어미기둥 → 디딤판·챌판 → 난간동자 → 난간두겁

4. 판벽

(1) 외부판벽

① 영식 비늘판벽 : 널면이 경사지고 반턱쪽매로 한 것.

② 턱솔(독일식) 비늘판벽 : 널면이 수직이고 반턱쪽매로 한 것.

③ 누름대 비늘판벽

(2) 내부판벽

기둥, 샛기둥에 띠장을 30~60cm 간격으로 대고 널을 세워댄 것

(3) 징두리판벽

실내부의 벽하부에서 1~1.5m 정도를 널로 댄 것. 굽도리판벽이라고도 한다.

학습 POINT

▶ 01-① / 88-① / 21-②

- 1층, 2층 마루종류 /
- 1층 납작마루 설치순서
- 동바리 마루 설치순서

▶ 89-③

- 목조 2층 짠마루 시공순서

▶ 89-②, 99-②, 03-③

- 목조 반자 시공순서

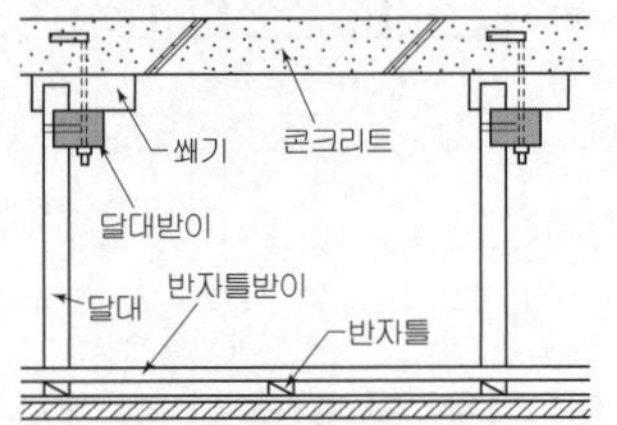

그림. 목조 반자틀 모양

▶ 90-③

- 목조 계단설치 시공순서

관련문제

1 **다음 목재가공 중 먹매김 기호에 해당하는 명칭을 보기에서 골라 번호로 쓰시오. (5점)**

〔90 ③, 92 ③, 94 ②〕

〔보기〕

(1) 절단먹	(2) 비킴먹	(3) 중심먹
(4) 반내다지끌구멍	(5) 내다지끌구멍	(6) 보울트구멍
(7) 세우기의 북쪽	(8) 잘못된 먹줄표시	(9) 촉위치

(가) (나) (다)

(라) (마)

(가) ______ (나) ______ (다) ______

(라) ______ (마) ______

2 **목재의 대패질 마무리에 사용되는 대패종류의 명칭을 시공순서에 따라 쓰시오. (3점)**

〔85 ②〕

______

3 **목공사의 마무리 중 모접기(면접기)의 종류를 5가지, 3가지만 쓰시오. (5점, 3점)** 〔95 ①, 11 ①〕

(1) ______ (2) ______ (3) ______

(4) ______ (5) ______

4 **목공사에 관한 설명 중 ( )안에 알맞는 말을 써 넣으시오. (3점)**

〔88 ①〕

두부재의 접합부에 끼워 볼트와 같이 사용하는 것으로써 전단력에 견디기 위하여 사용되는 보강철물을 ((1))이라 한다. 못의 길이는 널 두께의 2.5배로 하고 목재의 두부재를 서로 경사 또는 직각방향으로 결합하는 것을 ((2)), 부재의 길이 방향으로 길게 접합하는 것을 ((3))이라 한다.

(1) ______ (2) ______ (3) ______

해설 및 정답

정답 1

(가) (3) (나) (6) (다) (5)
(라) (1) (마) (4)

정답 2

(1) 막대패 - (2) 중대패 -
(3) 마무리대패

정답 3

(1) 실모접기 (2) 둥근모접기
(3) 쌍사모접기 (4) 게눈모접기
(5) 큰모접기

정답 4

(1) 듀벨 (2) 맞춤 (3) 이음

관련문제

5 다음 마루널 쪽매의 명칭을 쓰시오. (5점) 〔90 ②〕

(1)  (2) 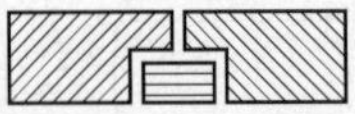 (3)

(4)  (5)

(1) ______ (2) ______ (3) ______

(4) ______ (5) ______

6 마루판쪽매에 대하여 6가지 종류만 도시하고 명칭을 적으시오. (6점) 〔90 ①〕

(1) ______ (2) ______

(3) ______ (4) ______

(5) ______ (6) ______

7 목재 마루틀 설치 순서를 쓰시오. (4점) 〔88 ①〕

(1) 동바리 설치 → (2) ((가)) → (3) ((나)) → (4) 마루널 깔기

(가) ______ (나) ______

8 목조 2층 마루 중 짠마루 시공순서를 쓰시오. (3점) 〔89 ③〕

(1) ______ (2) ______

(3) ______ (4) ______

9 목조 반자 시공순서를 쓰시오. (5점, 4점) 〔89 ②, 99 ②, 03 ③〕

(1) ______ (2) ______ (3) ______

(4) ______ (5) ______

해설 및 정답

정답 **5**
(1) 반턱쪽매 (2) 틈막이쪽매
(3) 딴혀쪽매 (4) 오니쪽매
(5) 제혀쪽매

정답 **6**
(1) 맞댄 (2) 반턱 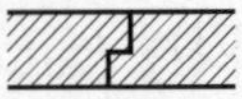
(3) 오니 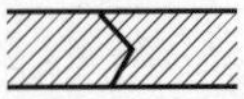 (4) 제혀 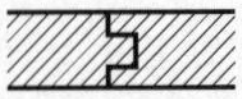
(5) 딴혀 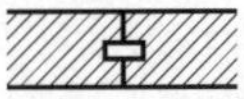 (6) 빗

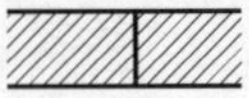

정답 **7**
(가) 멍에 (나) 장선

정답 **8**
(1) 큰보 (2) 작은보
(3) 장선 (4) 마룻널

정답 **9**
(1) 달대받이 (2) 반자돌림대
(3) 반자틀받이 (4) 반자틀
(5) 달대

관련문제

10 목조계단 설치 시공순서를 보기에서 골라 번호로 쓰시오. (4점) 〔90 ③〕

〔보기〕

(1) 난간두겁　(2) 계단옆판, 난간어미기둥　(3) 난간동자
(4) 디딤판, 챌판　(5) 1층 멍에, 계단참, 2층 받이보

---

11 다음은 목공사의 마루에 대한 내용이다. (　　)안에 알맞은 말을 써 넣으시오. (4점) 〔01 ①〕

나무마루에는 바닥마루(1층마루)로서 (①)마루와 (②)마루가 있고 층마루(2층마루)로서 (③)마루, (④)마루, 짠마루틀이 있다.

① ______　② ______

③ ______　④ ______

12 다음 용어를 설명하시오. (6점, 4점) 〔09 ③, 12 ③, 16 ③, 21 ③〕

(1) 이음 : 〔16 ③, 21 ③〕 ______

(2) 맞춤 : 〔16 ③, 21 ③〕 ______

(3) 쪽매 : ______

해설 및 정답

정답 **10**
(5)
(2)
(4)
(3)
(1)

정답 **11**
① 동바리
② 납작
③ 홑(장선)
④ 보

정답 **12**
(1) 두 부재를 재의 길이방향으로 길게 접합하는 것
(2) 두 부재를 서로 직각 또는 일정한 각도로 접합하는 것
(3) 두 부재를 길이 방향과 평행으로 옆대어 붙이는 것

용어정의 • 해설

01 엇결

제재목의 결이 심히 경사진 것으로 쉽게 갈라지는 경향이 있다.(특히 수평구조재로 사용하면 안된다.)

02 널결

나이테와 평행으로 된 나무결(연륜에 평행하게 제재된 목재면)

03 곧은결

나이테와 직각방향의 나무결(연륜에 직각방향으로 제재된 목재면)

> 95-② / 98-② / 08-②, 14-①, 20-①
>
> • 편수, 도편수, 대목, 소목 /
> • 가새, 버팀대, 귀잡이
> • 목구조의 횡력 보강 부재 3가지

04 크레오소오트

목재 방부제로 토대에 많이 사용된다.

05 코오치 스크류(Coach Screw)

머리가 네모너트형으로 된 나사못으로 큰 응력이 걸리는 곳에 사용된다.

06 듀벨

두부재의 접합부에 끼워 보울트와 같이 써서 전단에 대응하도록 하는 일종의 산지로써 촉, 은장과 같은 역할을 한다.

07 연귀맞춤

> 94-④, 97-①, 06-①
>
> • 모접기, 연귀맞춤

모서리구석 등에 나무 마구리가 보이지 않게 45° 각도로 빗잘라대는 맞춤으로 반연귀, 안촉연귀, 사개연귀 등이 있다.

08 평기둥

한층마다 설치하는 기둥. 간격 1.8~2.0m 정도

09 통재기둥

목조 2층 건물의 1층에서 2층까지 하나로 된 기둥으로써 모서리에 배치하며 타부재 설치의 기준이 된다.(길이 : 5~7m 정도이다.)

> 96-⑤, 00-①
> • 통재기둥, 복합기초

10 샛기둥

기둥과 기둥사이에 설치하는 가새의 옆 휨을 막고, 뼈대 역할을하는 기둥. (간격 : 45~50cm 정도로 배치한다.)

11 합판(Veneer)

3장 이상의 박판을 1매마다 섬유방향에 직교하도록 겹쳐 붙인 것. 1매의 박판을 단판이라 하며 3, 5, 7등 홀수로 접합한다. 제조방법에 따라 Rotary, 반 Rotary, Sliced, Sawed Veneer가 있다. 거푸집판, 수장, 가구, 치장재 등 광범위하게 쓰인다.

12 집성목재(集成木材)

두께 1.5~5cm의 단판을 몇장, 몇겹으로 접착한 것.(보, 기둥에 사용가능)
접착제로는 요소수지, 내수용은 페놀수지가 쓰인다. 아치 같은 굽은재(적층곡면재)도 가능

> 97-③, 99-③, 02-③
> • 집성재

13 경화적층재

강화목재라고도 하며 개량목재의 일종. 합판의 단판에 페놀수지등을 침투시켜 150℃에서 14.7~19.6N/mm^2의 압력으로 열압하여 만든다. 섬유방향을 평행으로 겹친다. 보통 목재의 3~4배의 강도로 금속대용품, 기어, 프로펠러등에도 쓰인다.

14 인조목재

원료는 톱밥, 대패밥, 나무 부스러기 등을 사용. 고열압에서 리그닌(단백질) 성분을 이용하여 접착제 없이 목재를 고착시킨다. 천연재보다 강도가 크다.

15 코펜하겐 Rib

두께 3cm, 넓이 10cm의 긴판에 자유곡선형 Rib를 파 만든 것으로 면적이 넓은 강당, 극장의 안벽에 음향조절, 장식효과로 사용

관련문제

1 다음 ( )안에 알맞는 말을 쓰시오. (4점) [95 ②]

목수(木手)는 ((1))라고도 하며, 구조, 수장, 창호, 가구공으로 구분전담하고, 구조수장의 일을 하는 목수를 ((2)), 창호, 가구 등의 일을 하는 목수를 ((3)) 이라고 한다. 목수직(木手織)의 책임자를 ((4))라고 한다.

(1) ____________ (2) ____________

(3) ____________ (4) ____________

2 다음 설명에 맞는 용어를 쓰시오. (4점) [94 ④, 97 ①, 06 ①]

(가) 나무나 석재의 모나 면을 깍아 밀어서 두드러지게 또는 오목하게하여 모양지게 하는 것.
(나) 모서리 구석등에 표면 마구리가 보이지 않게 45° 각도로 빗잘라 대는 맞춤.
(다) 무량판 구조 또는 평판 구조에서 특수상자 모양의 기성재 거푸집.
(라) 굵은 골재를 거푸집에 넣고 그 사이 공극에 특수 모르타르를 적당한 압력으로 주입하여 만드는 콘크리트.

(가) ____________ (나) ____________

(다) ____________ (라) ____________

3 다음 설명에 해당되는 용어를 쓰시오. (2점) [96 ⑤, 00 ①]

(가) 목구조에서 밑층에서 윗층까지 1개의 부재로 된 기둥으로 5~7m정도의 길이로 타 부재의 설치기준이 되는 기둥.
(나) 기초의 종류 중 2개 이상의 기둥을 하나의 기초에 연결 지지시키는 기초방식.

(가) ____________ (나) ____________

4 (1) 다음 용어에 대해 기술하시오. (3점) [98 ②]

(가) 가새 ____________
(나) 버팀대 ____________
(다) 귀잡이 ____________

(2) 목구조의 횡력 보강부재를 3가지 적으시오. [08 ②, 14 ①, 20 ①]

____

해설 및 정답

정답 1
(1) 편수
(2) 대목(大木)
(3) 소목(小木)
(4) 도편수

정답 2
(가) 모접기(면접기)
(나) 연귀맞춤
(다) 워플(Waffle)폼
(라) 프리팩트콘크리트

정답 3
(가) 통재기둥
(나) 복합기초

정답 4
(가) 4변형으로 짜여진 뼈대의 변형 방지를 위한 대각방향 보강재로 수평력에 의한 변형 방지가 목적이다.
(나) 가로재와 세로재가 만나는 안귀에 대는 보강재로 목구조에서 보와 기둥의 접합부분과의 변형을 적게한다.
(다) 수평직교재의 각도변형을 막기 위하여 대어주는 짧은 수평사재

출제예상문제

CHAPTER 9 목공사

1 다음 보기의 숫자 중 목재의 정척물을 골라 번호로 쓰시오.

〔보기〕
① 1.8m ② 0.9m ③ 1.2m ④ 2.7m ⑤ 4.5m ⑥ 3.6m

정답 1
①, ④, ⑥
※ 정척물은 6자(1.8m), 9자(2.7m), 12자(3.6m) 길이를 말한다.

2 목재의 신축변형은 방향에 따라 다르다. 목재의 방향에 따른 수축율을 큰 것에서 작은 순으로 나열하시오.

정답 2
① 촉방향(14%)
② 지름방향(8%)
③ 축방향, 섬유방향(0.34%)

3 다음 (　　)안에 알맞는 말을 써 넣으시오.

(가) 목재는 침엽수보다는 활엽수가 강도가 (①).
(나) 목재의 건조법에는 자연건조법, (②), 인공건조법이 있으며 인공건조법에는 대류법, (③), (④) 등이 있다.
(다) 목재는 변재보다는 (⑤)가 강도가 크다.
(라) 목재의 방부제 주입법에는 상압주입법, (⑥), (⑦) 등이 있다.

① ② ③
④ ⑤ ⑥
⑦

정답 3
① 크다(좋다) ② 수액제거법
③ 송풍법 ④ 고주파법
⑤ 심재 ⑥ 가압주입법
⑦ 생리적주입법

4 목재의 흠의 종류를 5가지 나열하고 특히 강도에 영향을 많이 주는 목재의 흠 3가지를 구별하여 적으시오.

가) 목재의 흠

나) 강도에 영향을 많이 미치는 흠

정답 4
가) ① 옹이 ② 썩음(썩정이)
③ 갈램 ④ 죽
⑤ 입피(껍질박이)
나) ① 옹이 ② 썩음 ③ 갈램

출제예상문제

5 목재를 이음, 맞춤할 때 주의할 사항을 5가지만 적으시오.

①

②

③

④

⑤

6 목재의 이음법 중 큰 부류의 종류 4가지를 적으시오.

① ②

③ ④

7 목재의 위치에 따른 이음의 종류를 4가지 적으시오.

① ②

③ ④

8 다음 설명이 뜻하는 말을 답안지에 쓰시오.

가) 제재목을 6cm×6cm 각재로 제재한 목재
나) 목재의 볼트접합시 접합부의 강성을 보강해주는 철물로써 주로 전단력에 저항하는 철물
다) 목재의 길이에 관한 용어 중 목재의 길이가 1.8m 미만인 것.
라) 곧은결 목재 중 4면이 곧은결로 된 목재로써 장식용으로 이용된다.
마) 목재를 소요치수로 자르는 것을 말한다.

가) 나) 다)

라) 마)

해설 및 정답

정답 5
① 재는 가급적 적게 깍아내어 부재가 약하게 되지 않도록 할 것.
② 될 수 있는대로 응력이 적은곳에서 접합하도록 한다.
③ 복잡한 형태를 피하고 되도록 간단한 방법을 쓴다.
④ 접합되는 부재의 접촉면 및 따낸 면은 잘 밀착시켜 응력이 균등하게 전달되게 한다.
⑤ 이음 및 맞춤의 단면은 응력의 방향에 직각되게 하여야 한다.
⑥ 적당한 철물을 써서 충분히 보강한다.

정답 6
① 맞댄이음 ② 겹친이음
③ 중복이음 ④ 따내기이음

정답 7
① 심이음 ② 내이음
③ 베게이음 ④ 보아지이음

정답 8
가) 오림목
나) 듀벨 혹은 산지
다) 단척물
라) 사정목(絲柾木)
마) 마름질

출제예상문제

9 **다음 설명이 뜻하는 말을 답안지에 적으시오.**

(1) 네모머리로 된 나사못으로 큰 응력이 걸리는 곳에 사용된다.
(2) 건물실내 벽면의 마무리와 구조가 다를 때 그 하부 벽면을 말하며 벽하부 1~1.5m 정도에 널을 댄 부분을 지칭하기도 한다.
(3) 유용성 방부제로써 무색이며 방부력이 가장 우수하다.
(4) 면적이 넓은 강당, 극장의 안벽에 음향조절이나 장식용으로 쓰기위해 자유곡선형 리브(Rib)를 파 만든 것이다.
(5) 강화목재라고도 하며 합판의 단판에 페놀수지등을 침투시켜서 고온, 고압으로 열압하여 만든다. 보통 목재의 3~4배 강도로 금속대용으로 사용되기도 한다.

(1) ________ (2) ________ (3) ________

(4) ________ (5) ________

10 **창호공사와 천장공사 시 기준이 되는 수평 먹을 무엇이라고 하는가?**

• ________________

해설 및 정답

정답 9

(1) 코오치 스크류(Coach Screw)
(2) 징두리
(3) PCP
(4) 코펜하겐 Rib(리브)
(5) 경화적층재

정답 10

허리 먹

제10장

지붕 및 방수공사

핵심 30

지붕 및 홈통공사

학습 POINT

1 지붕공사

1. 지붕재료에 요구되는 사항

> 89-①
> • 지붕재료 요구사항 5가지

① 수밀하고 내수적일 것. ② 경량이고 내구성이 클 것. ③ 방화적이고 열차단성이 클 것. ④ 내한적, 내풍적일 것.	⑤ 외관이 미려하고 건물과 조화될 것. ⑥ 시공이 용이하고 부분수리가 가능할 것. ⑦ 가격이 저렴할 것.

2. 지붕의 경사(물매) : 시방서 기준

지붕의 경사는 설계도면에 지정한 바에 따르되 별도로 지정한 바가 없으면 1/50 이상으로 한다.

지붕재	지붕 구배
① 기와지붕 및 아스팔트 싱글(강풍지역이 아닐 때)	1/3 이상
② 기와지붕 및 아스팔트 싱글(강풍지역일 때)	1/3 미만
③ 금속기와	1/4 이상
④ 금속판 지붕(일반적인 금속판 및 금속패널 지붕)	1/4 이상
⑤ 금속절판	1/4 이상
⑥ 금속절판(금속 지붕 제조업자가 보증하는 경우)	1/50 이상
⑦ 평잇기 금속지붕	1/2 이상
⑧ 합성고분자시트 지붕	1/50 이상
⑨ 아스팔트 지붕	1/50 이상
⑩ 폼 스프레이 단열지붕의 경사	1/50 이상

3. 한식기와 잇기

> 12-①
> • 알매흙, 아귀토 용어

(1) 기와 관련용어

① 알매흙 : 한식기와 잇기에서 산자 위에 펴까는 흙.
② 홍두깨흙 : 숫기와 밑에 홍두깨 모양으로 둥글게 뭉쳐 까는 흙.
③ 아귀토 : 숫기와 처마 끝에 막새 대신에 회진흙 반죽으로 둥글게 바른 것.
④ 너새 : 박공옆에 직각으로 대는 암기와.

⑤ 단골막이 : 착고막이로 숫기와 반토막을 간단히 댄 것.
(추녀마루의 기와 잇기에서 착고 역할을 한다.)
⑥ 내림새 : 비흘림판이 달린 처마끝의 암기와.
⑦ 막새 : 비흘림판이 달린 처마 끝에 덮는 숫기와.
⑧ 머거블 : 용마루 끝에 마구리에 옆세워 댄 숫기와.
⑨ 착고 : 지붕마루에 특수 제작한 숫기와 모양의 기와를 옆세워 댄 것.
⑩ 부고 : 착고위에 숫기와를 옆세워 쌓은 것.
⑪ 보습장 : 추녀마루 처마 끝에 암기와를 삼각형으로 다듬어 댄 것.

학습 POINT

▶ 90-③
• 한식기와 명칭

보충설명

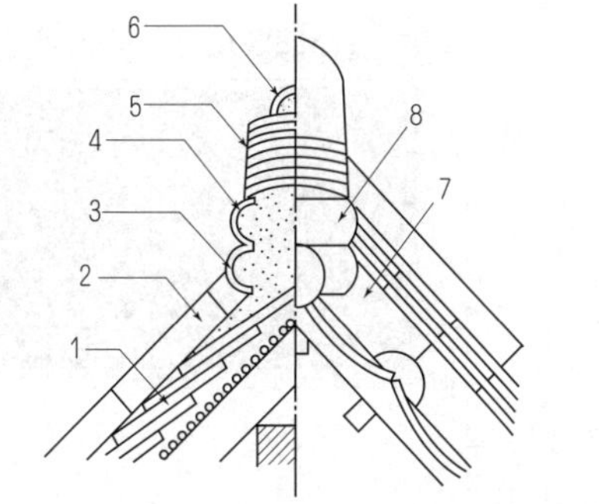

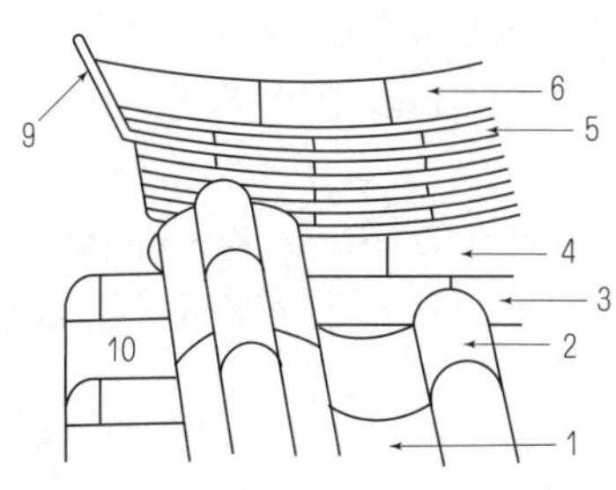

그림. 한식기와 잇기

(1) 암기와	(2) 숫기와	(3) 착고(착고막이)	(4) 부고	(5) 암마루장
(6) 숫마루장	(7) 단골막이	(8) 머거블	(9) 용머리	(10) 너새

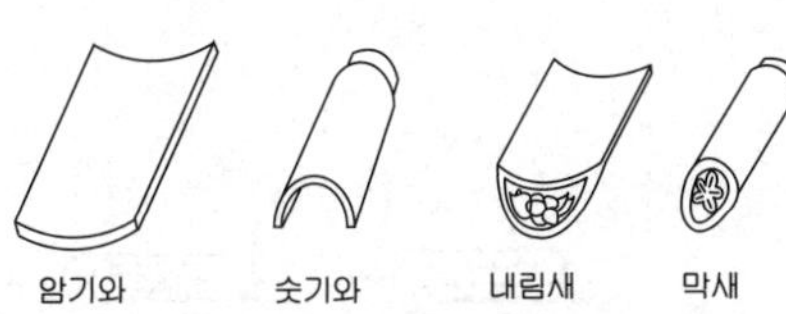

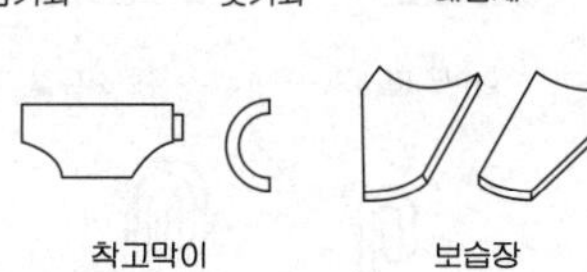

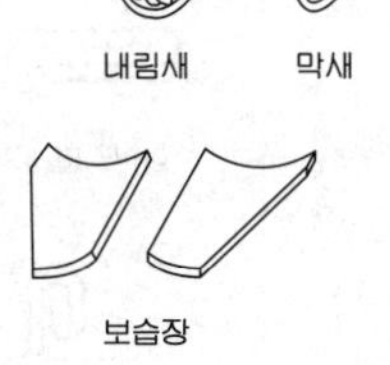

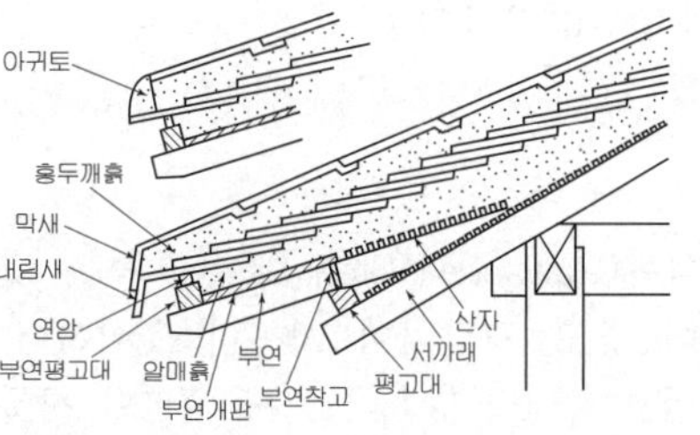

(2) 시공순서

① 한식기와	② 알매흙	③ 암기와	④ 홍두께흙	⑤ 숫기와
⑥ 착고막이	⑦ 부고	⑧ 암마루장	⑨ 숫마루장	⑩ 용머리

▶ 87-③ / 12-①, 19-②
• 한식기와 잇기 시공순서
• 금속판 지붕, 금속기와 설치순서

(3) 걸침기와 잇기
(시멘트기와 : 일식, 양식기와) 가장 널리 쓰인다.
구운토기 기와와 시멘트 기와가 있다. 알매흙은 사용하지 않고 기와살을 물매 방향에 직각되게 펠트를 깔고 중간 45cm이내마다 못박아 댄다.
(못길이 : 36~50mm) 기와칫수 : 345×300×15mm이다.

4. 슬레이트 잇기

(1) 천연 슬레이트 잇기

천연 슬레이트는 점토질의 수성암(점판암, 이판암)을 가공한 것으로 흡수량이 적고 길이 36cm, 나비 18cm, 두께 6~9mm정도를 쓴다.(360×180×6mm)

(2) 석면 슬레이트 잇기

작은 골판, 큰 골판, 작은 평판 등이 지붕에 쓰인다.

1) 작은 평판 잇기

① 일자이음과 마름모 이음이 주로 쓰인다.

② 바탕은 지붕널 18mm 이상에 루핑이나 펠트를 깐다.

2) 골판잇기

① 중도리에 직접 설치하는 경우와 지붕널에 까는 경우가 있다.

② 골판 고무못은 중도리일 때 직경 5~6mm, 길이 75mm, 아연도금 못이나 나무못 사용.

③ 강재 중도리일 때는 직경 6mm 내외의 아연도금 갈고리 Bolt를 쓴다.

④ 세로겹침 보통 15cm, 가로겹침은 큰골판 0.5골, 작은골판은 1.5골 이상.

보충설명

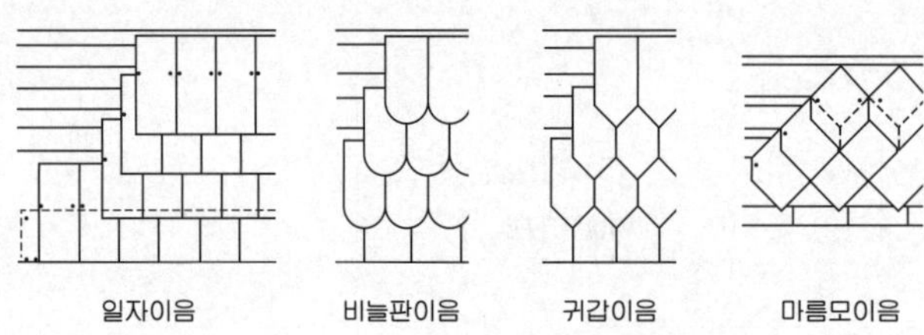

그림. 슬레이트 잇기 방법

5. 금속판 잇기

지붕잇기에 쓰이는 금속판은 함석판(Galvanized Steel Sheet), 동판 및 알미늄판 등이 주로 쓰이고 빗물 아물림이 좋고 경량이며 시공이 용이하다. 지붕물매 2.5cm이상이면 비가 스밀우려가 없으나, 열전도율이 커서 재료의 신축성이 있는 것이 결함이며 그래서 판이음을 거멀접기(걸어감기와 감쳐감기)로 한다.

(1) 재료에 따른 분류

① 함석 : 무연탄개스에 약하다.

② 동판(구리판) : 암모니아 개스에 약하다.

③ 알루미늄판 : 해풍에 약하다.

④ 연판 : 목재나 회반죽에 닿으면 썩기 쉽다.

⑤ 아연판 : 산과 알카리, 매연에 약하다.

*금속중에는 이온화 경향이 큰 것이 용해되어 부식된다.

(2) 이온화 경향이 큰 순서

Mg 〉 Al 〉 Zn 〉 Fe 〉 Ni 〉 Sn 〉 Pb 〉 Cu 〉 Ag 〉 Pt 〉 Au

학습 POINT

95-④, 97-⑤

• 골판잇기 겹침 요령

암기하기

■ 석면 Slate 골판잇기

① 세로 겹침 : 10~15cm

② 가로 겹침

㉮ 큰골 - 0.5골 이상

㉯ 작은골 - 1.5골 이상

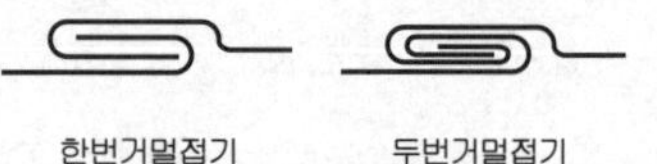

그림. 함석이음

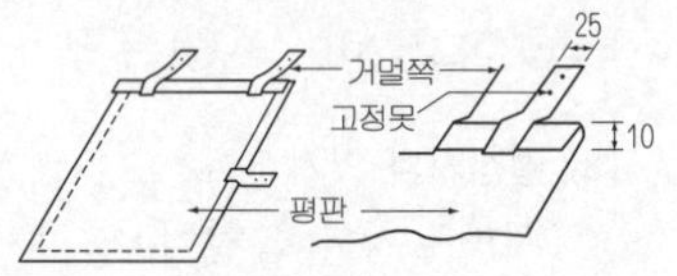

그림. 평판잇기

6. 함석판 잇기

① 평판잇기 : 일자이음, 마름모 이음 60×90cm판을 거멀쪽, 고정못으로 고정함.
② 기와가락 잇기 : 서까래위에 지붕널을 대고 다시 서까래와 같은 방향으로 기와가락을 대고 함석판을 이은 것으로 3~6cm 각 정도의 기와가락을 서까래에 고정 시킨다.
③ 골함석 잇기 : 세로겹침은 15cm 정도, 가로겹침은 대골 1.5골 이상, 소골 2.5골 이상이다.

2 홈통공사

1. 재료

동판(0.3~0.5mm), 함석판(#25~#29), 플라스틱 제품(PVC : 에스론 pipe : 염화비닐수지)등이 쓰인다.

2. 홈통의 종류

① 처마홈통	• 물매 : 1/200~1/50 처마 끝에 설치한 홈통으로 안, 밖 홈통이 있다. • 홈걸이 간격은 90cm • 보통 바깥홈통으로 하고 원형, 상자형, 쇠시리형 등이 있음.
② 깔대기홈통 (끝홈통)	• 처마홈통에서 선홈통까지 연결, 기울기 15° 정도
③ 장식홈통	• 선홈통 상부에 설치하여 우수방향을 돌리고 넘쳐 흐름을 방지. • 선홈통에 6cm 이상 꽂아 넣음.
④ 선홈통	• 처마길이 10m 이내마다 설치 • 홈걸이 간격은 90~120cm • 선홈통 하부 1.5m는 철관으로 보호관을 댐.
⑤ 누인홈통	2층에서 1층 처마홈통까지 연결한 홈통(1층 지붕면 따라 설치)
⑥ 지붕골 홈통	지붕면과 다른 지붕면, 벽이 만나는 부분에 설치(Valley Gutter)

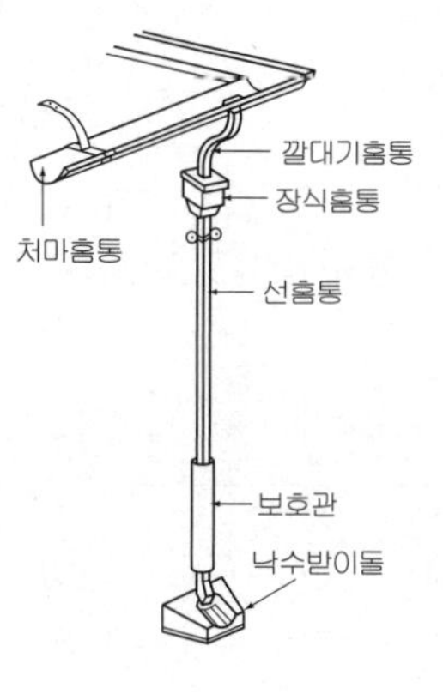

3. 우수(雨水)처리 순서

처마홈통 → 깔대기홈통 → 장식홈통 → 선홈통 → 보호관 → 낙수받이돌

학습 POINT

■ 장식통의 역활
① 우수의 넘쳐흐름 방지
② 우수의 방향전환
③ 장식역활
④ 깔대기와 선홈통의 연결역활

▶ 91-③, 92-②
• 지붕에서 지상까지의 배수처리순서

관련문제

1 지붕이음재료에 요구되는 사항을 5가지만 쓰시오. (5점) 〔89 ①〕

① ______ ② ______

③ ______ ④ ______

⑤ ______

2 한식기와 잇기공사에서 기와잇기 시공순서를 골라 그 번호를 쓰시오. (5점) 〔87 ③〕

(1) 알매흙 (2) 숫기와 (3) 암기와 (4) 홍두께흙 (5) 착고막이
(6) 숫마루장 (7) 부고 (8) 산자엮어대기 (9) 암마루장

______

3 다음 한식 지붕공사에 이용되는 각종 기와 명칭을 번호에 맞게 맞추어 쓰시오. (5점) 〔90 ③〕

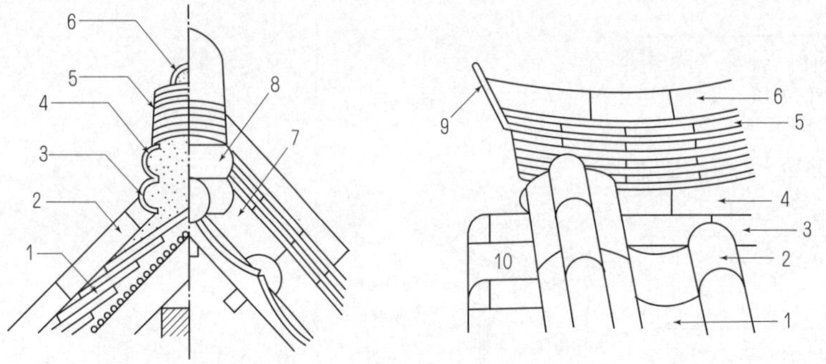

(1) ______ (2) ______ (3) ______

(4) ______ (5) ______ (6) ______

(7) ______ (8) ______ (9) ______

(10) ______

4 다음은 한식기와 잇기에 관한 설명이다. ( )안에 해당하는 용어를 써넣으시오. (2점) 〔12 ①〕

〔보기〕

한식기와 잇기에서 산자위에서 펴 까는 진흙을 (①)(이)라 하며, 수키와 처마 끝에 막새 대신에 회백토로 둥글게 바른 것을 (②)(이)라 한다.

① ______ ② ______

해설 및 정답

정답 1
① 수밀하고 내수적일 것
② 경량이고 내구성이 클 것
③ 방화적이고 열차단성이 클 것
④ 내한적, 내풍적일 것
⑤ 외관이 미려하고 건물과 조화될 것
⑥ 시공이 용이하고 부분수리가 가능할 것

정답 2
(8)
(1)
(3)
(4)
(2)
(5)
(7)
(9)
(6)

정답 3
(1) 암기와 (2) 숫기와
(3) 착고(착고막이) (4) 부고
(5) 암마루장 (6) 숫마루장
(7) 단골막이 (8) 머거블
(9) 용머리 (10) 너새

정답 4
① 알매흙
② 아귀토

관련문제

5 **(1) 골판잇기의 세로겹침은 보통 (가)cm 정도로 하고, 가로 겹침은 큰 골판일 때 (나)골 이상, 작은 골판일 때 (다)골 이상으로 하고 (라) 못박아댄다. (4점)** 〔92 ①〕

(2) 석면 슬레이트 골판잇기에 대한 설명으로 ( )안에 알맞는 숫자를 써 넣으시오. (3점) 〔95 ④, 97 ⑤〕

골판잇기의 세로겹침은 지붕물매가 3/10~5/10일 때 (가) ~ (나)cm 정도로 하고, 가로겹침은 큰 골판일 때 (다)골, 작은 골판일 때에는 (라)골 이상 겹치기로 한다.

(1) (가) ________ (나) ________

(다) ________ (라) ________

(2) (가) ________ (나) ________

(다) ________ (라) ________

6 **금속판지붕공사에서 금속기와의 설치 순서를 번호로 나열하기 (4점)** 〔12 ①, 19 ②〕

〔보기〕
① 서까래 설치(방부처리를 할 것)
② 금속기와 size에 맞는 간격으로 기와걸이 미송각재를 설치
③ 경량철골설치
④ Purlin설치(지붕레벨고려)
⑤ 부식방지를 위한 철골용접부위의 방청도장 실시
⑥ 금속기와 설치

____

7 **다음 보기의 관계 용어 중 지붕면에서 지상으로 배수되는 일련의 과정을 기호로 순서를 쓰시오. (4점)** 〔91 ③, 92 ②〕

〔보기〕

(1) 보호관	(2) 처마홈통	(3) 장식통
(4) 낙수받이돌	(5) 선홈통	(6) 깔대기홈통

____

해설 및 정답

정답 5
(1) (가) 15 (나) 0.5
(다) 1.5 (라) 중도리에
(2) (가) 15 (나) 10
(다) 0.5 (라) 1.5

정답 6
③→④→⑤→①→②→⑥

정답 7
(2)
(6)
(3)
(5)
(1)
(4)

핵심 31 방수공사

학습 POINT

1 방수공법의 분류, 종류

1. 재료, 공법, 장소별 분류

(1) 재료상 분류	(2) 공법상 분류	(3) 시공장소별 분류
① 아스팔트 방수 ② 합성고분자 방수 (合成高分子 防水) ③ 시멘트 액체 방수 (Cement 液體 防水) ※ 기타, 금속판 방수, 침투성 방수, 수밀재 붙임법 (Bentonite Sheet 등)	① 피막 방수 (皮膜 防水) ② 도막 방수 (塗膜 防水, 塗布 防水) ③ Mortar 방수 ④ 방습층, 방습대 (防濕層 : Vapor barrier) (防濕帶 : damp course) ※ 기타 : 자체방수법	① 외벽 방수 ② 옥상 방수 ③ 실내 방수 ④ 지하실 방수 (안 방수, 바깥 방수) ※ 기타 : 줄눈 방수 (Seal재 등)

▶ 95-①, 00-①, 09-③ / 05-①, 09-③, 10-①, 16-②

- 도막 방수, 시이트 방수 기술
- 시방서상 방수 영문기호설명

2. 피막 방수(membrane waterproofing)와 합성고분자 방수(synthetic high polymer water proofing)의 종류

(1) 피막 방수의 종류	(2) 합성고분자 방수의 종류
① 아스팔트 방수 ② 개량 아스팔트 방수 ③ 합성고분자 시트 방수 ④ 도막 방수	① 도막 방수 (코팅공법, 라이닝공법) ② 합성고분자 시트 방수 ③ 시일재(Seal) 방수

※ 합성고분자 시트 방수와 도막 방수는 공통 적용

▶ 99-①, 02-③, 04-③ / 99-②, 01-③ / 96-①, 97-⑤

- 멤브레인 방수법 종류 3가지 /
- 합성고분자 방수법 3가지 /
- 아스팔트, 시멘트, 시이트 방수 비교

▶ 바닥 Slab의 Sheet에 의한 바깥방수 시공장면

▶ 내부바닥 안방수 시공장면

2 각방수법의 비교, 시공순서

1. 아스팔트 방수와 시멘트 방수의 비교

비 교 내 용	Asphalt 방수	Mortar 방수
① 바탕처리	바탕 Mortar 바름. 완전건조 상태에서 시공한다.	다소 습윤상태 바탕 Mortar 불필요
② 외기의 영향	작다.	크다.
③ 방수층 신축성	크다.	거의 없다.
④ 균열발생 정도	잔균열, 비교적 안생기고 안전하다.	잘 생긴다. 비교적 굵은 균열
⑤ 방수층 중량	자체는 적으나 보호누름으로 커진다.	비교적 적다.
⑥ 시공난이도 (시공기일)	복잡하다. (시공기간이 길다.)	용이하다. (시공기간이 비교적 짧다.)
⑦ 보호누름	보호누름 절대 필요하고, 서열층 시공	보호누름 필요없고 서열층 시공
⑧ 공사비(경제성)	비싸다.	다소 싸다.
⑨ 방수 성능	신뢰할 수 있다.	약하다.
⑩ 재료 취급 성능	복잡하지만 명확하다.	간단하나 신뢰성이 적다.
⑪ 결합부 발견	어렵다.	쉽다.
⑫ 보수범위(가격)	광범위하고(비싸다)	국부적이고(싸다)
⑬ 방수층 마무리	불확실하고 난점이 있다.	확실하고 간단하다.
⑭ 내구성	일반적으로 크다.	일반적으로 작다.

2. 안방수와 바깥방수의 비교

비 교 내 용	안 방 수	바 깥 방 수
① 적용개소	수압이 적고 얕은 지하실	수압이 크고 깊은 지하실
② 바탕처리	따로 만들 필요가 없다.	따로 만들어야 한다.
③ 공사시기	자유롭다.	본 공사에 선행한다.
④ 공사용이성	간단하다.	상당히 난점이 있다.
⑤ 경제성(공사비)	비교적 싸다.	비교적 고가이다.
⑥ 보호누름	필요하다.	없어도 무방하다.(외벽은 필요)

학습 POINT

▶ 91-①, 99-③

- Asphalt와 시멘트 액체방수 특징 비교

■ Asphalt 방수와 시멘트 액체방수의 특징 비교사항 정리

내 용	Asphalt	액체방수
1. 바탕처리	해야한다	불필요
2. 외기영향	적다	크다
3. 신축성	크다	작다
4. 균열발생	안생김	잘생김
5. 시공용이성	번잡	간단
6. 시공기일	길다	짧다
7. 보호누름	해야한다	불필요
8. 공사비	비싸다	싸다
9. 결함발견	어렵다	쉽다
10. 보수범위	전면적	국부적

▶ 95-⑤, 98-④, 03-③ / 06-① / 09-③, 12-②, 19-③

- 안방수와 바깥방수 장 · 단점 비교설명
- 안방수와 바깥방수의 장 · 단점을 쓰시오.
- 안방수, 바깥방수 특성비교

암기하기

■ 안방수의 대표적 특징
① 공사비가 저렴, 시공이 간단
② 수압이 작고, 얕은 지하실 시공
③ 보호누름필요, 바탕시공 불필요
※ 바깥방수는 반대

3. 지하실 바깥방수의 시공순서

① 잡석다짐 → ② 밑창(버림)콘크리트 → ③ 바닥 방수층 시공 → ④ 바닥 콘크리트 타설 → ⑤ 외벽 콘크리트 타설 → ⑥ 외벽 방수층 시공 → ⑦ 보호누름 벽돌 쌓기 → ⑧ 되메우기

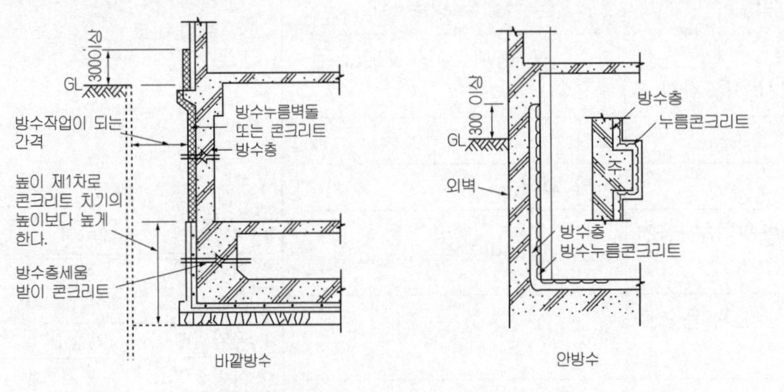

그림. 지하실의 바깥방수와 안방수의 비교

학습 POINT

86-②, 94-④, 95-③, 99-④, 00-⑤, 02-③, 07-①, 17-①

• 바깥방수 시공순서

암기하기

■ 바깥방수 시공순서
① 잡석다짐
② 밑창(버림)콘크리트
③ 바닥방수층 시공
④ 바닥콘크리트
⑤ 외벽콘크리트
⑥ 외벽방수
⑦ 보호누름 벽돌쌓기
⑧ 되메우기

3 아스팔트(Asphalt) 방수

1. 천연 아스팔트

① 레이크 아스팔트(lake asphalt) : 도로포장, 내산공사에 사용.
② 로크 아스팔트(rock asphalt) : 역청분이 모래, 사암에 침투되어 있는 것.
③ 아스팔트 타이트(asphalt tight) : 방수, 포장, 절연재료의 원료로 사용.

2. 석유계 Asphalt 재료

① Straight Asphalt	신장, 접착, 방수성 양호, 연화점 낮고, 내후성이 적어 지하실에 사용. Asphalt나 루핑 제조에 사용.(침투용 아스팔트로 사용)
② Blown Asphalt	휘발성분적고 연성이 적으나 연화점 높고, 온도 변화에 따른 변동이 적다. 옥상, 지붕 방수에 사용. 아스팔트 콤파운드나 프라이머 제조에 사용
③ Asphalt Compound	브로운 아스팔트에 광물성, 동식물섬유, 광물질가루, 섬유등을 혼입한 것으로 아스팔트 방수재료중 최우량품(브로운 아스팔트의 결점 보완)
④ Asphalt Primer	브로운 아스팔트를 휘발성 용제로 녹인 것. 방수층에 침투시켜 모재와 방수층의 부착을 위해 쓰인다.
⑤ 코올타르 (Coal Tar)	비중 1.1~1.3 인화점 : 아스팔트보다 낮다. 120℃이상 가열시 인화. 방수포장, 방수도료, 방부제로 사용
⑥ 피치 (Pitch)	코올타르를 증류시킨 나머지 부분. 하급품이다. 지하방수제로 코우크스의 원료. 비휘발성. 가열하면 쉽게 유동체가 된다.

▶ 외부바닥, 벽체의 아스팔트 바깥방수 처리 장면

91-③ / 90-③, 92-③, 93-④, 94-②, 96-②, 09-③, 17-③ / 98-④

• Asphalt 방수재료 종류 3가지 /
• 아스팔트 콤파운드 /
• S·A와 B·A의 재료 특성비교

■ S·A와 B·A의 특성비교

비교항목	S·A	B·A
침입도	크다	작다
상온신장도	크다	작다
부착력	크다	작다
탄력성	작다	크다

3. Asphalt 제품

① Asphalt 펠트 : 유기성 섬유(양모, 페지)를 Felt상으로 만든 원지에 스트레이트 아스팔트를 가열용해해서 흡수시켜 만든다.
② Asphalt Roofing : 원지에 아스팔트를 침투시키고 양면에 컴파운드를 피복하고 광물질 분말을 살포시킨다. 내산, 내염성이 있다.
③ 특수루핑 : 석면 아스팔트, 모래붙임, 망상, 알루미늄 루우핑 등이 있다.
④ 아스팔트 유제 : 스트레이트 아스팔트를 가열하여 액상으로 만들고 유화제 혼합한 것. 침투용, 혼합용, Concrete 양생용 등이 있고 대부분 도로포장에 사용되고 Spray Gun으로 뿌려서 도포한다.
⑤ 기타 : Asphalt 코킹재, Asphalt 코팅재, Asphalt 성형바닥재 등

4. Asphalt 재료의 품질 시험항목

성질 \ 종류	아스팔트 컴파운드	1급 블로운 아스팔트		2급 블로운 아스팔트	
침입도(針入度) (25℃, 100g, 5Sec)	15~25	10~20	20~30	10~20	20~30
연화점(軟化點) (구환식 25℃)	100℃이상	85℃이상	75℃이상	65℃이상	60℃이상
이황화탄소(CS_2) 가용분	98%이상	98%이상	98%이상	98%이상	98%이상
감온비(感溫比)	3이하	4이하	5이하	6이하	7이하
신도(伸度) (다우스미스식 25℃)	2이하	1이상	2이상	1이상	2이상
비중	1.01~1.04	1.01~1.04	1.01~1.04	1.01~1.03	1.01~1.03
가열감량(加熱減量) (163℃, 50g, 5hrs)	0.5%이하	0.5%이하	0.5%이하	0.5%이하	0.5%이하
인화점(引火點)	210℃이하	210℃이하	210℃이하	210℃이하	210℃이하
고정탄소(固定炭素)	22%이하	22%이하	22%이하	22%이하	22%이하

5. 방수층 시공순서(표준공정 : 8층 방수)

① Felt와 Roofing을 구분 안하는 경우	A.P → A → A.F → A → A.F → A → A.F → A
② Felt와 Roofing을 구분한 경우	A.P → A → A.F(지하) → A → A.R → A → A.R → A *지붕인 경우 3층에 A.F나 A.R을 사용
③ 방수층을 세분하지 않은 경우	바탕처리 → 방수층시공 → 방수층 누름 → 보호 Mortar → 신축줄눈

학습 POINT

99-②, 09-①, 15-①
• 침입도 용어설명

① 침입도란 Asphalt 양·부를 판별하는데 가장 중요한 Asphalt의 경도를 나타내는 것으로써 25℃에서 100g 추를 5초 동안 바늘을 누를 때 0.1mm 들어가는 것을 침입도 1이라 한다.
② 감온비란 0℃, 200g, 1min의 침입도에 대한 46℃, 50g, 5sec의 침입도의 비를 말한다.
③ 연화점이란 아스팔트를 가열하여 액상의 점도에 도달했을 때의 온도를 나타낸다.
④ 인화점 : 아스팔트를 가열하여 불을 대는 순간 불이 붙을 때의 온도
⑤ 연소점 : 다시 가열하여 계속 인화한 불꽃이 5초 동안 계속될 때의 온도. 연소점은 인화점보다 높고 차이는 25~60℃ 정도이다.

84-②, 87-③, 91-②, 10-① / 02-②, 15-② / 84-①, 00-②, 05-①
• Felt, Roofing을 구분 안한 3겹방수(8층 방수) 시공순서 /
• Felt와 Roofing을 구분한 경우 시공순서 /
• 방수층을 세분하지 않은 경우 순서

암기하기

■ 아스팔트 8층 방수 순서

⑧ ⑦ ⑥ ⑤ ④ ③ ② ①

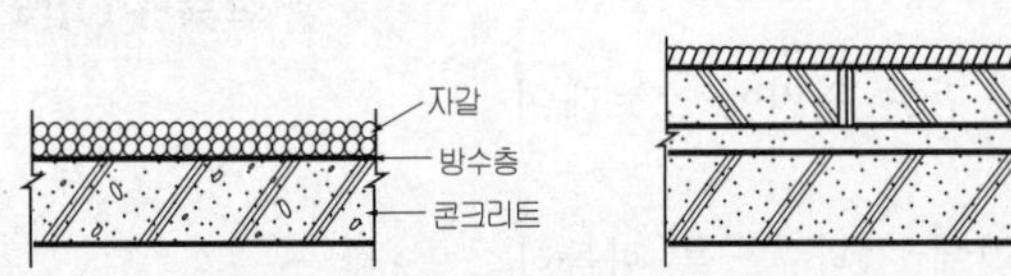

그림. 아스팔트 방수의 보호

6. 아스팔트 방수층의 시공 유의사항

① 시공바탕의 결함부분은 보수하고 청소한 뒤 몰탈배합 1:3으로 1.5cm정도 바르고, 완전 건조시킨다. (함수율 8% 이하)

② 배수구 주위를 1/100정도 물흘림경사를 주고 구석, 모서리 치켜올림 부분은 부착이 잘되게 둥글게 3~10cm면접어 둔다.

③ Asphalt 프라이머 도포시 PC조인트 양쪽 10cm는 도포안한다.
프라이머는 0.4 l/m² 비율로 칠하고 건조시간 : 20±3℃로 3시간 이내.

④ 아스팔트는 각층은 1.0~2.0kg/m², 최상층은 2.0kg/m²이상 사용한다.

⑤ 아스팔트의 가열온도는 180~210℃정도 또는 연화점에서 +140℃이내, 인화점 +14℃를 초과하지 않도록 한다.(180℃이하는 부착력 불량)

⑥ 펠트의 겹침은 엇갈리게 하고 가로, 세로 90mm이상.
귀, 모서리는 300mm이상 망상루우핑으로 덧붙임한다.

⑦ 파라펫 난간벽의 방수층 치켜올림은 30cm이상 20cm이하 금지.

⑧ 수평방수층 보호누름은 Mortar, 신더 Concrete 포도블럭, 클링커타일, 자갈등으로 한다. (자갈량 : m²당 25kg이 표준)

⑨ 수직부 보호누름은 방수층에서 20mm이상 띄워 벽돌쌓고 높이 3켜 이내마다 벽돌과 방수층 사이에 1:3 Mortar를 빈틈없이 채우고 흙되메우기가 필요한 곳은 방수층 손상이 없게 거푸집을 짜고 1:2:4 콘크리트 치기로 한다.

⑩ 신축줄눈은 3~5m마다(Mortar얇은 줄눈일 때는 1m 마다)나비 1.5cm 깊이로 방수층까지 자르고 마무리 3cm밑까지 모래충전. 그 위 줄눈은 Asphalt 콤파운드나 Blown 아스팔트로 충진한다.

⑪ 옥상방수에는 연화점이 높은 재료를 사용한다.

⑫ 기온이 0℃ 이하가 되면 작업을 중지한다.

4 시멘트액체 방수

1. 방수층 시공순서

1공정 : ① 방수액 침투 → ② 시멘트풀 → ③ 방수액 침투 → ④ 시멘트 몰탈
이와 같은 공정을 2~3회 반복한 후 표면을 보호방수 Mortar로 마무리한다.
※ 제2공정은 제1공정 반복

학습 POINT

■ 옥상 치켜올림부 시공
(아스팔트 혹은 시이트 방수시)

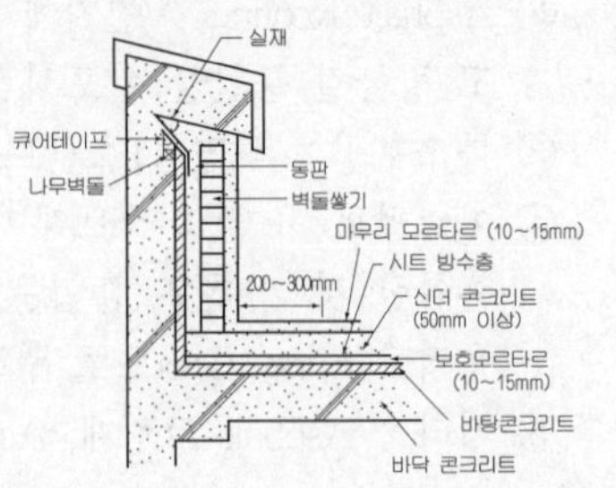

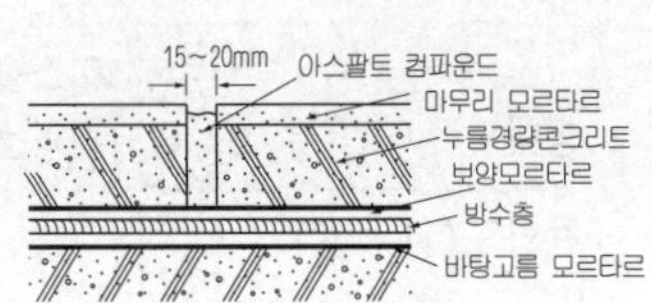

그림. 일반의 줄눈

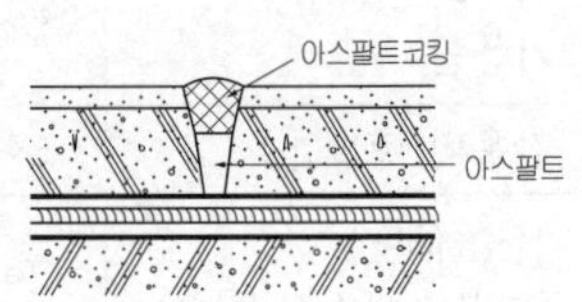

그림. 얇은 누름콘크리트의 경우의 일례

▶ 84-①, 88-①, 94-②
• 시멘트 액체방수 시공순서

암기하기

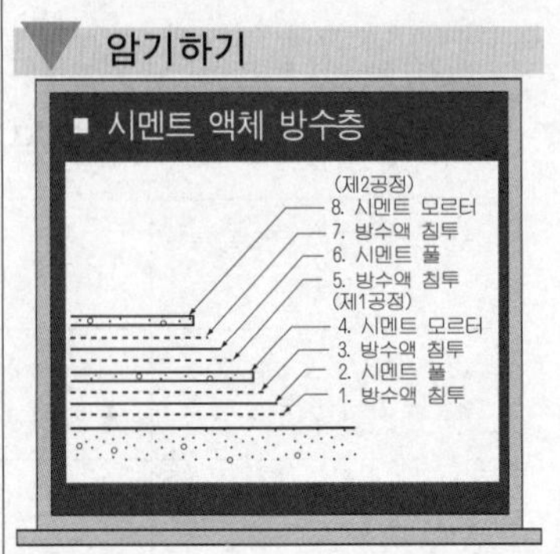

2. 시방서 규정상 방수층 시공순서

(1) 바닥용

1층 : 바탕면 정리 및 물청소　　2층 : 방수시멘트 페이스트 1차
3층 : 방수액 침투　　4층 : 방수시멘트 페이스트 2차
5층 : 방수 모르타르

(2) 벽체 / 천장용

1층 : 바탕면 정리 및 물청소　　2층 : 바탕 접착제 도포
3층 : 방수시멘트 페이스트　　4층 : 방수 모르타르

3. 시공 일반사항

① 바탕처리는 수밀하고 견고, 평탄하게 한다. 물매 : 1/200 정도
② 배수구로 물매 1/100정도, 깊이 6mm, 나비 9mm, 간격 1m 내외의 줄눈을 설치.
③ 원액을 5~10배 희석한 것을 모체에 1~3회 침투시킨다.
④ 방수 Mortar 배합비 1 : 2 ~ 1 : 3정도, 매회 바름두께 : 6~9mm, 전체 두께 1.2~2.5cm 정도로 한다.
⑤ 방수 Mortar는 강도에 관계없이 방수능력이 큰 것으로 하고 바름바탕은 거칠게 한다.

5 침투성 방수공사

유기질, 무기질 침투성 방수제를 모체에 발라서 방수효과를 기대하는 방법

유기질 침투성 방수제	흡수성을 갖는 모체에 도포하여 물침투 방지의 발수목적 실리콘계(실콘에이트계, 실란트계), 비실리콘계(아크릴수지계, 기타)로 나눈다. 분사기구로 바탕 건조후 분사
무기질 침투성 방수제	흡수성을 갖는 모체의 조직을 치밀하게 변화시켜 수밀성을 향상시키는 시멘트 규산질계 미분말, 입도조정 모래 등으로 혼합된 분말형 방수재료이다. 솔, 흙손 등으로 균일하게 도포하며 도포후 48시간 이상 적절히 양생한다.

6 도막 방수

1. 재료의 분류

① 유제형 도막 방수 (Emulsion형)	수지, 유지를 여러번 발라서 0.5~1mm의 피막 형성 • 바탕 1/50의 물흘림경사. 구석, 모서리 5cm 이상 면접는다. • 다소 습기가 있어도 시공가능, 보호층을 둔다. • 우천시 동기시공(2℃ 이하)은 피한다.
② 용제형 도막 방수 (Solvent형)	• 합성고무를 Solvent에 녹여 0.5~0.8mm의 방수피막 형성. • Sheet와 같은 피막형성. 고가품, 최상층 마무리에 사용. • 시공간단, 착색이 용이, 충격에 약함으로 보호층이 필요.

학습 POINT

■ 침투성 방수공사의 특징

① 보호 Mortar가 필요없다.
② 모체방수로 방수층 분리가 없다.
③ 높은 수압에도 견딘다.
④ 내후성 양호, 노화, 풍화, 동해, 오염으로부터 보호된다.
⑤ 고가이며 시공실적이 적어 신뢰성이 떨어진다. 모체방수이므로 진동, 자체균열에는 취약하다.

▶ 내부벽체의 시멘트 액체방수 시공장면

※ 초기에는 초산비닐계, 염화비닐계, 에폭시수지 등이 쓰였으나, 근래에는 우레탄계, 아크릴계, 클로로프렌계 및 고무 아스팔트계 등이 사용된다.

2. 시공법

① 코팅공법 : 도막방수제를 단순히 도포만 하는 것
② 라이닝공법(Lining Method) : 유리섬유, 합성섬유 등의 망상포를 적층하여 도포하는 방법

3. 시공상 문제점

① 단열을 요하는 옥상층에는 불리하다.
② 핀홀이 생길 우려가 있고, 신뢰도에 문제가 있다.
③ 균질한 방수층 시공이 어렵다. 모재균열에 불리하다.

학습 POINT

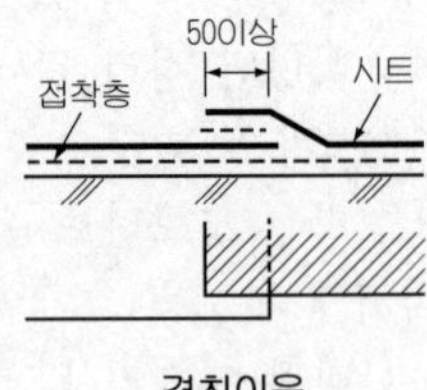

겹친이음

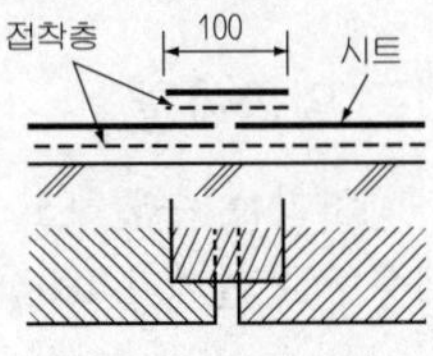

맞댄이음(덧쪽)

그림. Sheet재의 이음법

7 Sheet 방수(합성고분자 루핑방수)

(1) 재료의 종류	※ 합성수지계, 합성고무계 등이 있다. ① 클로로프렌 고무시트 ② 부틸시트 ③ 염화비닐시트 ④ 폴리에틸렌시트 ⑤ 아스팔트 폴리에틸렌 합성시트 ⑥ 동섬유시트 ⑦ EPDM시트 ⑧ 접착제
(2) 시공순서 Type (1)	① 바탕처리(마무리) → ② 프라이머 칠 → ③ 접착제 칠 → ④ Sheet 붙임 → ⑤ 보호층 설치
Type (2)	① 바탕처리 → ② 단열재 깔기 → ③ 접착제 도포 → ④ 시트 붙이기 → ⑤ 보강 붙이기 → ⑥ 조인트 실(Seal) → ⑦ 물 채우기 시험 ※ ④ → ⑥ → ⑤도 가능함.
(3) 접착방법의 종류	온통 부착법(전면 부착법), 줄접착, 점접착, 갓접착(들뜬접착)

96-③, 99-③, 00-⑤, 08-③, 11-②, 15-①, 17-② / 00-④, 05-①, 13-② / 91-②, 97-② / 96-②, 98-⑤ / 04-② / 12-①, 19-① / 19-②, 21-③

- 시이트 방수 시공법 /
- 시이트 방수 시공순서 /
- 시이트 재료 붙임법 3가지 /
- 시이트 붙임법과 시공순서
- 시이트 붙임법과 이음방법
- 장 · 단점 2가지씩(단점 2가지)
- 시트방수 단점 2가지

■ 시공 일반사항 및 특징

① 방수능력이 우수하고 시공이 간단 공기단축이 가능하다.
② 보행용 방수(Concrete, 블록, Mortar, 타일로 보호누름)와 비보행방수(도장마무리)로 구분한다.
③ Sheet 상호접착 : 겹침이음 5cm이상, 맞댄이음은 10cm이상 한다.
④ 방수층 치켜 올림부는 3~5cm 둥글게 면접어 붙이고, 접합부 및 붙임마감부는 테이프로 보강하고 시일재로 충진 수밀하게 한다.
⑤ 방수누름층의 신축줄눈 간격 : 4m안팎, 또한 파라펫 및 옥탑 등 모서리와 치켜 올림면에서 0.6~1m 높이의 위치에 설치.
⑥ 현장에서 5cm 깊이로 24시간 동안 침수시키는 누수시험을 행한다.

8 시일(Seal)재 방수와 그 종류

건축물의 부재와 부재간의 접착부에 사용된다. 창호 주위, 균열부 보수, 조립건축, 커튼월공법에 주로 쓰인다.

(1) Seal재 (Sealing 재)	퍼티, 코킹, 실링재의 총칭이다. 충전재로 가장 적당하다. *종류 : 2액형 : Poly Sulphide계, Silicon 실링재가 있다.	
(2) 코킹재 (Caulking 재)	유성코킹재와 Asphalt 코킹재가 있다.	
	특 징	① 공기에 접하는 부분은 유연한 피막을 형성하여 점성을 유지. ② 수축율이 작고 내후성우수, 각종재료에 접착성이 우수하다. ③ 내수, 발수성 피막으로 내산, 내알카리성, 모재를 변질시키지 않는다.
(3) 탄성실런트 (Elastic Sealant)	고점성 Paste가 시간 경과후 고무형체가 되는 특성이 있다. 1액형과 2액형이 있으며 우수한 접착력 급경화에 따르는 변형이 없고 내후, 내수, 내약품성이 크고 시공이 용이하다. 고층 건물, 커튼월 공법의 창호 방수제로 사용된다.	
종 류	2액형(2성분형)	경화제의 첨가에 따라 굳어진다.
	1액형(1성분형)	공기중의 수분에 의해 경화된다.
(4) 성형실링재 (정형실링재)	단면 형상이 일정한 줄퍼티, 가스켓(gasket)이 있다. ① 지퍼 가스켓 : H, Y, HC형, HF형 등이 있다. H : 금속용 Y : PC 콘크리트판용 HC, HF : 연속창문형 ② 그레이징 가스켓 : 염화비닐계, 클로로프렌고무계 등 유리고정용이다. ③ 줄눈 가스켓(성형 줄눈재) : PC판, 새시 금속패널, 기타 기성부재에 사용된다.	

■ 실링(Sealing)재의 열화원인

① 실링재 자신의 파단(破斷) : 응집 파괴
② 부재의 피착면에서 벗겨져버리는 접착 파괴
③ 도장의 변질, 접착부, 줄눈 부위의 오염
④ 워킹 조인트와 논워킹 조인트

㉮ Working Joint	온도변화에 의한 부재의 신축, 지진에 의한 층간 변위 바람에 의한 부재의 휨, 부재의 성분변화에 따른 변형
㉯ Non Working Joint	이동, 변동이 미소하거나 거의 생기지 않는 콘크리트벽, RC조 새쉬주위줄눈, RC조 수축줄눈 등

학습 POINT

▶ 커튼월의 실링재처리된 줄눈 모습

▶ 03-② / 05-②, 10-①
• 실링방수재의 주요하자요인 3가지
• 실링재의 요구품질성능 3가지

■ 실링재의 중요하자요인
① 실링재 자신의 파단(응집파괴)
② 접착면과의 박리(접착파괴)
③ 접합부나 줄눈 주위의 오염, 오손

■ 실링재의 요구품질성능
① 접착성능
② 내구성능
③ 비오염성능

9 Bentonite 방수

1. 방수재의 구조

① 바탕층 : Sheet · Panel · Mat
② 벤토나이트 층 : 압밀 벤토나이트
③ 보호층 : 그물망사

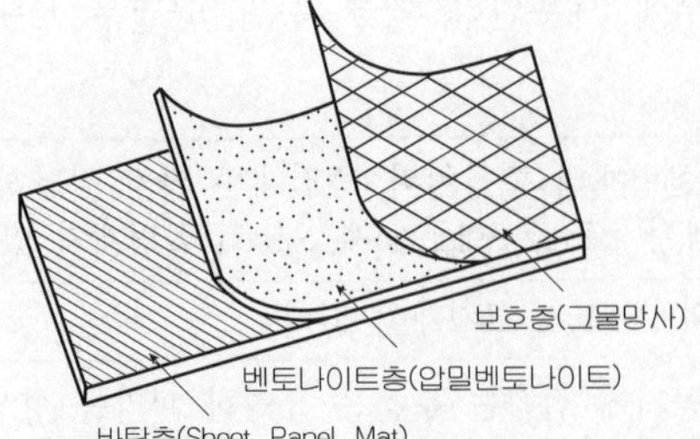

2. 개요 및 특징

① 벤토나이트가 물을 많이 흡수하면 팽창하고, 건조하면 극도로 수축하는 성질을 이용한 방수공법으로써 시공이 간편하고 신속하다.
② 벤토나이트 방수재료는 Panel · Sheet 또는 Mat 바탕위에 벤토나이트를 부착시킨 것으로, 시공법은 sheet 방수공법과 유사하며 방수층 신뢰도가 높다.
③ 자동보수기능(Self-Sealing)을 겸비할 수 있고 뿜칠시공이 가능하다.
④ 외방수 공법에 적당하며 지중에 시공될 경우 보호층이 필요하다.
⑤ 시공후 보수가 어렵고, 작업공정이 끝날 때마다 비닐필름이나 긴결재로 보호하며 적절한 보호층의 시공이 필요하다.

10 기타사항

구분	내용
(1) 금속판 방수공사	납판, 동판, 스테인레스 강판 등을 이용
(2) 방습층, 방습대 (Vapor Barrier, Dampproof Course)	지면에 접하는 콘크리트, 블록, 벽돌 및 유사재료의 벽체, 바닥에 습기를 흡수하거나 투과방지의 불투습성의 층을 일괄하여 방습층이라 한다. ① 방습층 재료 : 아스팔트 루핑, 알미늄판등 금속판, 플라스틱비닐, 방수 Mortar 등 ② 접지된 벽돌, 블록, 석조 등의 벽체에 습기가 상승하는 것을 방지할 목적으로 수평으로 설치한 방습층을 방습대.(Dampproof Course)라 한다. ③ 방습층 재료 종류 : 아스팔트 방습층, 박판시트 방습층, 신축성 시트 방습층
(3) 방습층 고려요건	충분한 투수, 투습저항성, 멤브레인의 연속성, 내기계적 손상성, 내화학적 열화성 고려
(4) 방수층, 평가시험 방법	① 방수성(투수 저항성) ② 내피로성 시험 ③ 내외상성(충격시험, 패임)시험 ④ 내풍 시험 ⑤ 부품(들뜸)시험 ⑥ 방수층 안전 시험 ⑦ 내화학적 열화성 시험 ⑧ 방습층 시험(투습 저항 시험) 등

학습 POINT

▶ 03-② / 05-②, 08-②, 14-③, 18-③, 22-③

- 블록공사 외벽의 직접 방수처리 방법 3가지
- 조적조 외부벽면 방수방법의 내용을 3가지 쓰시오.

■ 블록 외벽 직접 방수 처리방법
① 시멘트 액체 방수
② 수밀재 붙임공법
③ 도막방수 공법
④ 침투성방수 공법
⑤ 방습층, 방습대 설치

관련문제

1 방수공사에 사용되는 재질에 의한 분류 중 멤브레인 방수공사의 종류를 3가지 쓰시오. (3점) 〔99 ①, 02 ③〕

① ________ ② ________ ③ ________

2 합성고분자 방수공법의 종류에 대하여 3가지 쓰시오. (3점) 〔99 ②〕

① ________ ② ________ ③ ________

3 다음 설명과 같은 방수공법을 보기에서 골라 쓰시오. (3점) 〔96 ①, 97 ⑤〕

〔보기〕
① 아스팔트 방수 ② 시멘트 방수 ③ 시이트 방수

(가) 시공시 인건비가 많이 들며 방수효과는 보통이고 보호누름이 필요하다.
(나) 시공이 간단하며 비교적 저렴하게 시공할 수 있고 결함부의 발견이 용이하다.
(다) 신장성과 내후성이 우수하고 보호누름이 필요하며, 결함부의 발견이 매우 어렵다.

(가) ________ (나) ________ (다) ________

4 아스팔트방수와 시멘트 액체방수의 특징을 우측 보기에서 골라 번호로 쓰시오. (5점) 〔91 ①〕

내 용	아스팔트 방수공사	시멘트액체 방수공사	보 기	
(1) 바탕처리			① 몰탈바름	② 불필요
(2) 외기영향			① 직감적이다	② 적다
(3) 방수층 신축성			① 크다	② 적다
(4) 균열발생			① 잘생김	② 안생김
(5) 시공 용이도			① 용이	② 번잡
(6) 시공시일			① 길다	② 짧다
(7) 보호 누름			① 필요	② 안해도 무방
(8) 공사비			① 비싸다	② 싸다
(9) 결함부 발견			① 용이	② 용이하지 않음
(10) 보수범위			① 광범위	② 국부적

해설 및 정답

정답 1
① 아스팔트 방수공사
② 시이트(sheet)방수공사
③ 도막방수공사

정답 2
① 도막방수
② 시트방수
③ 시일재방수

정답 3
(가) ③ (나) ② (다) ①

정답 4

내 용	아스팔트 방수공사	시멘트액체 방수공사
바탕처리	①	②
외기영향	②	①
방수층 신축성	①	②
균열발생	②	①
시공용이도	②	①
시공기일	①	②
보호누름	①	②
공사비	①	②
결함부발견	②	①
보수범위	①	②

관련문제

5 **아스팔트 방수와 시멘트 액체방수를 다음의 관점에서 각각 비교하시오. (5점)** 〔99 ③〕

구 분	아스팔트 방수	시멘트 액체방수
(1) 바탕처리		
(2) 방수층의 신축성		
(3) 시공용이도		
(4) 방수성능		
(5) 보수범위		

6 **(1) 지하실 방수공법으로서 바깥방수와 안방수의 장 · 단점을 비교하여 설명하시오. (4점)** 〔95 ⑤, 98 ④〕

(2) 방수공법으로써 안방수와 바깥방수의 장 · 단점을 쓰시오. (4점) 〔03 ③, 06 ①〕

(3) 안방수와 바깥방수의 차이점을 4가지 쓰시오. (4점) 〔12 ②〕

(가) 안방수 : 장점 :

단점 :

(나) 바깥방수 : 장점 :

단점 :

7 **지하실 바깥방수 시공순서를 보기에서 골라 번호를 쓰시오. (5점)**
〔86 ②, 94 ④, 95 ③, 99 ④, 00 ⑤, 07 ①, 17 ①〕

〔보기〕
(1) 밑창(버림)콘크리트 (2) 잡석다짐 (3) 바닥콘크리트
(4) 보호누름 벽돌쌓기 (5) 외벽콘크리트 (6) 외벽방수
(7) 되메우기 (8) 바닥방수층 시공

8 **지하실 바깥 방수법의 시공공정순서를 쓰시오. (3점)** 〔02 ③〕

밑창콘크리트 - (①) - 바닥콘크리트타설 - 벽콘크리트 - (②) - (③) - 되메우기

① ② ③

해설 및 정답

정답 **5**
(1) 몰탈바름, 불필요
(2) 크다, 작다
(3) 번잡하다, 용이하다.
(4) 신뢰할 수 있다. 신뢰성이 약하다.
(5) 광범위, 국부적

정답 **6**
(가) 장점: 시공 및 보수가 간단(용이)하고 공사비가 저렴하다. 바탕을 따로 만들 필요가 없다.
단점: 수압처리에 불리하여 깊은 기초에 사용할 수 없고, 보호누름이 필요하다.
(나) 장점: 수압처리에 유리하여 수압이 크고 깊은 지하실에 사용된다.
단점: 시공이 복잡하고 보수가 어려우며, 공사비가 많이 든다.

정답 **7**
(2)
(1)
(8)
(3)
(5)
(6)
(4)
(7)

정답 **8**
① 바닥방수층 시공
② 외벽(바깥벽)방수 시공
③ 보호누름 벽돌쌓기(시공)

관련문제

9 **안방수공법과 바깥방수 공법의 특징을 우측보기에서 골라 번호로 표기하시오. (6점, 4점)** 〔09 ③, 19 ③〕

비교항목	안방수	바깥방수	보 기	
(1) 사용환경			① 수압적은 얕은지하	② 수압이큰 깊은지하.
(2) 바탕만들기			① 만들필요 없음	② 따로 만들어야함
(3) 공사용이성			① 간단하다	② 상당한 난점이 있다.
(4) 본공사추진			① 자유롭다.	② 본공사에 선행
(5) 경제성			① 비교적 싸다	② 비교적 고가이다.
(6) 보호누름			① 필요하다.	② 없어도 무방하다.

10 **아스팔트방수 재료의 종류를 3가지만 쓰시오. (3점)** 〔91 ③〕

① __________ ② __________ ③ __________

11 **스트레이트 아스팔트와 블로운 아스팔트의 항목별 대소를 표시하시오. (4점)** 〔98 ④〕

(가) 침입도 : 스트레이트 아스팔트 (　　) 블로운 아스팔트
(나) 상온신장도 : 스트레이트 아스팔트 (　　) 블로운 아스팔트
(다) 부착력 : 스트레이트 아스팔트 (　　) 블로운 아스팔트
(라) 탄력성 : 스트레이트 아스팔트 (　　) 블로운 아스팔트

12 **(1) 다음 보기의 재료만을 이용하여 아스팔트 3겹 방수의 전공정 시공순서를 번호로 쓰시오. (3점)** 〔91 ②〕

〔보기〕
(1) 아스팔트펠트　(2) 아스팔트프라이머　(3) 아스팔트

____

(2) 옥상 8층 아스팔트 방수공사의 표준 시공순서를 쓰시오. (단, 아스팔트 종류는 구분하지 않고 아스팔트로 하며, 펠트와 루핑도 구분하지 않고 아스팔트 펠트로 표기한다.) (8점) 〔84 ②, 87 ③〕

(1) 1층 : ______ (2) 2층 : ______ (3) 3층 : ______
(4) 4층 : ______ (5) 5층 : ______ (6) 6층 : ______
(7) 7층 : ______ (8) 8층 : ______

해설 및 정답

정답 **9**

비교항목	안방수	바깥방수
(1)	①	②
(2)	①	②
(3)	①	②
(4)	①	②
(5)	①	②
(6)	①	②

정답 **10**

① 아스팔트 펠트
② 아스팔트 루핑
③ 브로운 아스팔트

정답 **11**

(가) 침입도 : 〉
(나) 상온신장도 : 〉
(다) 부착력 : 〉
(라) 탄력성 : 〈

정답 **12**

(1) (2) - (3) - (1) - (3) - (1) - (3) - (1) - (3)
(2) 1층 : 아스팔트 프라이머 -
2층 : 아스팔트 -
3층 : 아스팔트 펠트 -
4층 : 아스팔트 -
5층 : 아스팔트 펠트 -
6층 : 아스팔트 -
7층 : 아스팔트 펠트 -
8층 : 아스팔트

관련문제 | **해설 및 정답**

13 다음은 아스팔트 8층 방수공사의 방수층을 하층에서부터 상층으로 사용하는 재료를 기입한 것이다. 빈칸에 알맞는 재료를 기입하시오. (4점) 〔02 ②〕

(가) 1층 : ① ____________ (나) 2층 : 아스팔트

(다) 3층 : ② ____________ (라) 4층 : ③ ____________

(마) 5층 : ④ ____________ (바) 6층 : 아스팔트

(사) 7층 : 아스팔트 루핑 (아) 8층 : ⑤ ____________

정답 13
① 아스팔트 프라이머
② 아스팔트 펠트 또는 루핑
③ 아스팔트
④ 아스팔트 루핑
⑤ 아스팔트

14 다음은 옥상에 아스팔트 방수공사를 한 그림이다. 콘크리트 바탕으로부터 최상부 마무리 까지의 시공순서를 번호에 맞추어 쓰시오. (단, 아스팔트 방수층 시공순서는 세분하지 않는다.) (4점) 〔00 ②, 05 ①〕

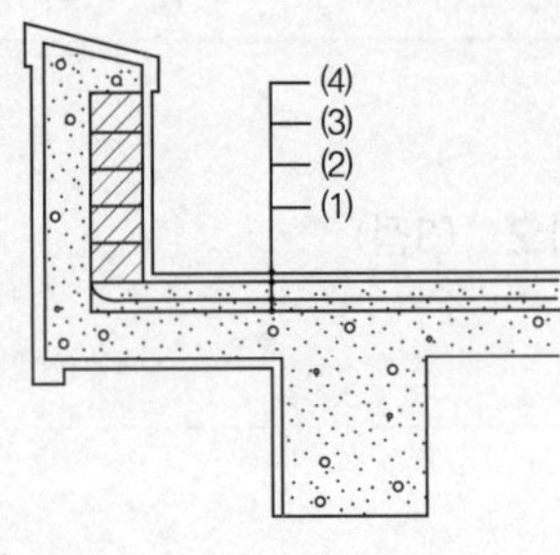

(1) ____________ (2) ____________

(3) ____________ (4) ____________

정답 14
(1) 바탕 Mortar 바름시공
(2) Asphalt 방수층 시공
(3) 보호누름시공
(4) 보호 Mortar 시공

15 사람이 다닐 수 있는 옥상에 아스팔트 방수를 시공하고자 할 때 콘크리트 바탕으로부터 최상부 마무리까지의 시공순서를 항목별로 열거하시오. 단, 방수층 시공순서는 세분하지 않는다. (5점, 4점) 〔84 ①〕

____

정답 15
(1) 바탕몰탈바름
(2) 아스팔트 방수층 시공
(3) 보호누름
(4) 보호 몰탈

16 다음은 시멘트 액체 방수층의 단면도이다. 각 공정(번호)의 명칭을 쓰시오. (6점) 〔84 ①, 88 ①, 94 ②〕

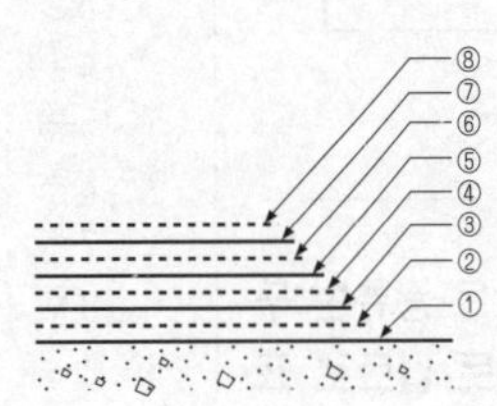

① ____________ ② ____________ ③ ____________

④ ____________ ⑤ ____________ ⑥ ____________

⑦ ____________ ⑧ ____________

정답 16
① 방수액 침투 ② 시멘트풀
③ 방수액 침투 ④ 시멘트 몰탈
⑤ 방수액 침투 ⑥ 시멘트풀
⑦ 방수액 침투 ⑧ 시멘트 몰탈

관련문제

17 다음은 시이트 방수(Sheet Water Proof) 공법에 대한 설명이다. ( )안에 알맞는 말을 쓰시오. (4점) 〔96 ②, 98 ⑤〕

(가) 일반적으로 시이트재의 상호간의 이음은 (①) 또는 (②)으로 하고, 각기 겹친 나비는 5cm이상, 10cm이상이 필요하고 충분히 압착해야 한다.
(나) 시공순서는 바탕처리 - (③) - 접착제칠 - (④) - 마무리

① ________ ② ________

③ ________ ④ ________

18 시이트(Sheet) 방수공법의 시공순서를 쓰시오. (3점, 4점)
〔96 ⑤, 99 ③, 00 ⑤, 08 ③, 11 ②, 15 ①, 17 ①〕

바탕처리 → (㈎) → 접착제칠 → (㈏) → (㈐)

(가)________ (나)________ (다)________

19 다음은 시트 방수공사의 항목들이다. 시공순서대로 기호를 나열하시오. (4점)
〔00 ④, 05 ①, 13 ②〕

㉮ 단열재 깔기	㉯ 접착제 도포	㉰ 조인트 실(Seal)
㉱ 물채우기시험	㉲ 보강붙이기	㉳ 바탕처리
㉴ 시트붙이기		

____

20 시트 방수재료를 붙이는 방법 종류명을 3가지만 쓰시오. (4점) 〔91 ②, 97 ②〕

① ________ ② ________

③ ________

해설 및 정답

정답 17
(가) ① 겹친이음
② 맞댄이음
(나) ③ 프라이머칠
④ 시이트붙임

정답 18
(가) 프라이머칠
(나) 시이트붙임
(다) 마무리(보호층 설치)

정답 19
㉳ - ㉮ - ㉯ - ㉴ - ㉲ - ㉰ - ㉱

정답 20
① 온통 접착
② 줄접착
③ 점접착
④ 들뜬접착(갓접착)

관련문제

21 시트방수 공사에서 시트방수재를 붙이는 방법 3가지를 쓰고, 시트이음방법을 설명하시오. (4점) 〔04 ②〕

① 붙이는 방법

② 시트이음방법

22 (가) 블록공사에서 외부 벽체에 실시하는 직접방수처리 방법 3가지를 적으시오.(3점) 〔03 ②〕

(나) 조적조를 바탕으로 하는 지상부 건축물의 외부벽면 방수방법의 내용을 3가지 쓰시오. (3점) 〔05 ②, 08 ②, 14 ③, 18 ③, 22 ③〕

① ②

③

23 실링 방수재의 주요 하자요인을 크게 3가지로 분류하시오. (3점) 〔03 ②〕

가. 나.

다.

24 실링 방수제가 수밀성과 기밀성을 확보하면서 방수재로서 기능을 만족하고, 미를 장기적으로 유지시키기 위해서 요구되는 실링방수제의 품질성능 요소를 3가지 쓰시오. (3점) 〔05 ②, 10 ①〕

① ②

③

25 건축공사표준시방서에서의 방수공사 표기방법 중 각 공법에서 최후의 문자는 각 방수층에 대하여 공통으로 고정상태, 단열재의 유무 및 적용부위를 의미한다. 이에 사용되는 영문기호 F, M, S, U, T, W 중 4개를 선택하여 그 의미를 설명하시오. (4점) 〔05 ①, 09 ③〕

①

②

③

④

해설 및 정답

정답 **21**

① 온통접착, 줄접착, 점접착, 갓접착
② 시트 상호간 이음의 겹침길이는 겹친이음은 5cm이상, 맞댄이음은 10cm이상으로 하고 접착 후 테이프로 보강 하거나 seal재 등으로 충전하여 수밀하게 시공한다.

정답 **22**

① 시멘트 액체 방수
② 수밀재 붙임 방법
③ 도막 방수 공법

정답 **23**

가. 실링재 자신의 파단(응집 파괴)
나. 접착면과의 박리(접착 파괴)
다. 접합부나 줄눈 주위의 오염

정답 **24**

① 접착성능
② 내구성능
③ 비오염 성능(오염방지성능)

정답 **25**

① F : 바탕에 전면 밀착시키는 공법 : Fully bonded
② M : 바탕과 기계적으로 고정시키는 방수층 : Mechanical Fastened
③ S : 바닥에 부분적으로 밀착시키는 공법 : Spot bonded
④ T : 바탕과의 사이에 단열재를 삽입한 방수층 : Thermal insulated
※ U : 지하에 적용하는 방수층 : Underground
W : 외벽에 적용하는 방수층 : Wall

관련문제

참고사항 건축공사 표준시방서에서 사용되는 방수층 영문기호

1. 최초의 문자는 방수층의 종류에 따라서 달라지며
   A : 아스팔트 방수층(Asphalt)
   M : 개량 아스팔트 방수층(Modified Asphalt)
   S : 합성고분자 시트 방수층(Sheet)
   L : 도막 방수층(Liquid)
2. : -로 이어진 중간 문자는
   ① 아스팔트 방수층에서는
   Pr : 보행 등에 견딜 수 있는 보호층이 필요한 방수층 : Protected
   Mi : 최상층에 모래 붙은 루핑을 사용한 방수층 : Mineral surfaced
   Al : 바탕이 ALC패널용의 방수층 : Alc
   Th : 방수층 사이에 단열재를 삽입한 방수층 : Thermal Insulated
   In : 실내용 방수층 : Indoor
   ② 개량 아스팔트 시트 방수층에서는 아스팔트 방수층에 준거하여
   Pr : 보행 등에 견딜 수 있는 보호층이 필요한 방수층 : Protected
   Mi : 최상층에 노출용의 개량 아스팔트 루핑 시트를 사용한 방수층 : Mineral surfaced
   ③ 합성고분자 시트 방수층에서는 사용재료의 계통을 나타내어
   Ru : 합성고무계의 방수층 : Rubber
   Pl : 합성수지계의 방수층 : Plastic
   ④ 도막 방수층에서는 사용 재료명을 나타내어
   Ur : 우레탄고무 : Urethane rubber
   Ac : 아크릴고무 : Acrylic ruubber
   Gu : 고무 아스팔트 : Gum
3. 각 공법에서 최후의 문자는 각 방수층에 대하여 공통으로 바탕과의 고정상태, 단열재의 유무 및 적용부위를 나타낸다.
   F : 바탕에 전면 밀착시키는 방법 : Fully bonded
   S : 바탕에 부분적으로 밀착시키는 방법 : Spot bonded
   T : 바탕과의 사이에 단열재를 삽입한 방수층 : Thermal insulated
   M : 바탕과 기계적으로 고정시키는 방수층 : Mechanical fastened
   U : 지하에 적용하는 방수층 : Underground
   W : 외벽에 적용하는 방수층 : Wall

26 **건축공사 표준시방서에서 표기한 방수층의 영문기호 중 아스팔트 방수층에 적용되는 Pr, Mi, Al, Th, In의 영문기호의 의미를 설명하시오. (5점)** 〔10 ①〕

(1) Pr :

(2) Mi :

(3) Al :

(4) Th :

(5) In :

해설 및 정답

▶ 16-②

• 건축공사표준시방서에서 정한 방수층 표기 최초문자 A, M, S, L의 의미를 쓰시오.

정답 26

(1) Pr : Protected - 보행 등에 견딜 수 있는 보호층이 필요한 방수층
(2) Mi : Mineral surfaced - 최상층에 모래 붙은 루핑을 사용한 방수층
(3) Al : Alc - 바탕이 ALC패널용의 방수층
(4) Th : Thermal insulated - 방수층 사이에 단열재를 삽입한 방수층
(5) In : Indoor - 실내용 방수층

관련문제

27 (1) Sheet 방수공법의 장 · 단점을 각각 2가지 쓰기 (4점) 〔12 ①〕

(2) 멤브레인 방수공법의 하나인 시트방수의 장 · 단점을 각각 2가지씩 기재하시오. (4점) 〔19 ①〕

(3) 시트방수의 단점을 2가지 쓰시오. (4점) 〔19 ②, 21 ③〕

가. 장점

① ____________________ ② ____________________

나. 단점

① ____________________ ② ____________________

해설 및 정답

정답 27

가. 장점
① 제품의 규격화로 방수층 두께가 균일하다.
② 상온에서 시공하므로 시공이 빠르고, 공기가 단축된다.
※ 운반이 용이하고 재료의 신축성이 있다.

나. 단점
① 온도에 민감하여, 동절기나 하절기에 작업이 제한된다.
② 복잡한 시공부위에 작업이 곤란한다.
※ ① 누수시 국부적인 보수가 곤란하다.
② Sheet 상호간 이음부의 결함우려, 외상에 의한 파손우려

용어정의 • 해설

01 발비

한식 기와잇기에서 서까래 위에 산자를 엮고 알매흙이 빠져 나가지 않도록 덧대어 까는 볏짚, 대팻밥, 헌거적 또는 나무조각등으로 알매흙을 깔 때 쓰인다.

02 적심

지붕경사가 잘 맞지 않는 곳에 죽더기, 통나무 등을 채워서 물매를 잡는 것

03 에스론 파이프(S-lone pipe)

경질염화비닐(PVC)을 압착 성형한 파이프로 홈통 등에 쓰인다.

04 기와이음발

기와가 겹치지 않는 부분의 길이(기와길이의 1/3~1/2 : 9~14cm)

05 밀착공법

바탕과 방수층을 밀착하는 공법(방수공사 및 미장공사 등에 쓰인다.)

06 절연공법

바탕과 방수층을 절연하는 공법. 예) 구멍이 뚫린 펠트의 구멍부분을 점점이 붙이는 공법

07 도막방수

도료상의 방수재를 바탕면에 여러번 칠하여 상당한 살두께를 가진 방수막을 만드는 공법으로 유제형, 용제형, 에폭시계통 등이 있다.

95-①, 97-③, 00-① / 90-③, 92-③, 94-② / 99-②

- 도막방수, 시이트 방수 기술 /
- 용어설명, 아스팔트 콤파운드 /
- 침입도 설명

08 에폭시계 도막방수

에폭시 수지를 발라 도막을 형성하는 것으로 내약품성·내마모성이 우수하기 때문에 화학공장의 방수층을 겸한 바닥마무리재로서 적합하다.

09 시이트 방수

시이트 1층으로 방수효과를 기대하는 공법으로 합성고무계, 플라스틱계의 열가소성수지가 이용된다. 합성고분자 루핑방수라고도 한다.

10 침투성 방수

노출부위나 실내외 콘크리트, 조적조, 석재, 미장 표면에 방수제를 침투시켜 방수효과를 기대하는 공법, 시공성이 좋고 공기가 빠르다.

※ 사용재료 : 유기질계(실리콘계, 비실리콘계, 혼합계), 무기질계 등이 있으며 실베스터법 등의 방법이 있다.

11 개량 Asphalt sheet 방수공법(Torching on System)

폴리머 개량 Asphalt 루핑을 고능률의 토치버너를 사용하여 가열시공하는 sheet 방수와 비슷한 공법이다. (재래식 아스팔트 열공법의 단점 개선목적으로 개발)

① 시공법 : 용융아스팔트로 루핑을 부착하는 법, 접착제 붙임법, 점착제층을 두어 자착력으로 붙이는 공법 등이 있고 모두 도치 화염에 의한 밀착을 요한다.

② 1층공법, 2층공법이 있으며 접착방법에 따라 전면밀착공법, 부분절연공법, 전면절연공법 등이 있다.

12 피막(Membrane)방수

각종바탕에 얇은 피막상의 방수층을 전면에 덮는 방법으로 아스팔트, 방수, 개량 아스팔트 시트방수, 합성 고분자 시트방수, 도막 방수 등의 종류가 있다.

13 방수층 누름

아스팔트 방수층이나 시이트 방수층을 노출시키면 온열에 대한 신축성, 자연 또는 인위적 파손 등이 생길 우려가 있으므로 그 표면을 피복하여 보호하기 위한 것.

14 줄퍼티

일정한 압력을 받는 샷쉬의 접합부 쿠션 겸 시일재로 쓰이고 탄성시일재와 병용될 때도 있다.

15 가스켓(Gasket)

공업용으로는 기계기구, 압력용기 등의 고정결합면에 끼워 여러방법으로 조임을 하여서 내부유체의 누출을 막는 작용을 하는 것이다. 새시등의 유리설치시 틈을 막아 유리고정 및 방수효과를 갖게 하는 성형 시일 재료를 말한다.

16 본드 브레이커(Bond Breaker)

U자형 줄눈에 충전하는 Sealing 재를 줄눈 뒷면에 접착시키지 않게 붙이는 Tape로써 3면 접착을 방지하고 2면접착을 하기 위해 사용된다. Back-up재는 Bond Breaker를 겸용한다.

17 Flashing(비아물림, 철판비막이판)

① 철판으로된 비박이판으로 벽체의 이음줄속에 설치한다.
② 용마루나, 처마 이음새 등에도 쓰이며 외장에 따라 경사, 계단, 외장 비막이 등이 있다.
③ Flashing 처리된 부분은 Caulking으로 처리하여 누수를 방지한다.

관련문제

1 **(가) 다음 공법에 대하여 기술하시오. (4점)** 〔95 ①, 00 ①〕

(나) 방수공법중 도막방수와 시트방수의 방수층 형성 원리에 대하여 기술하시오. (4점) 〔09 ③, 11 ③〕

(1) 도막 방수 : ______________________________

(2) 시이트 방수 : ______________________________

2 **블로운 아스팔트에 광물성, 동식물섬유, 광물질가루, 섬유 등을 혼입한 것으로 아스팔트 방수재료 중 최우량품인 것은 ? (1점)** 〔90 ③, 92 ③, 94 ②, 09 ③, 17 ③〕

____

3 **다음은 방수공사에 대한 설명으로 ( ) 안으로 알맞은 용어를 쓰시오. (4점)** 〔04 ③〕

가. 멤브레인 방수층이란 불투수성 피막을 형성하여 방수하는 공사를 총칭하며, (①), (②), (③)이 여기에 해당된다.

나. 방수를 도막재와 병용하여 방수층을 보강하는 재료로써 일반적으로 유리 섬유제품이나 합성섬유 제품을 사용한다. 이것은 (④)(이)라 한다.

① ______________ ② ______________

③ ______________ ④ ______________

해설 및 정답

정답 **1**

(1) 도료상의 방수제를 바탕에 여러번 도포하여 방수막을 형성하는 공법으로 유제형, 용제형, 에폭시 계통 등이 있다.

(2) 합성고무계와 열가소성수지인 염화 비닐 등을 1개 Sheet로 하여 방수효과를 기대하는 공법으로 합성 고분자 루핑 방수라고도 한다.

정답 **2**

아스팔트 콤파운트

정답 **3**

① 아스팔트 방수법
② 시이트 방수법
③ 도막방수법
④ 라이닝 공법

출제예상문제

10 CHAPTER 지붕 및 방수공사

1 다음 용어를 비교하여 설명하시오.

(1) Bond Breaker : ______________________

(2) Back up재료 : ______________________

정답 1
(1) U자형 부위에 시일재 충전시 3면접착을 방지할 목적으로 붙이는 Tape
(2) 시일재 충전시 시일재를 절약하고, Bond Breaker 역할을 할 목적으로 삽입하는 재료

2 다음 보기의 사항은 시일링(Sealing) 재료의 각 시공단계를 적은 것이다. 올바른 시공순서를 보기에서 골라 번호를 적으시오.

〔보기〕

Ⓐ 피복면의 청소	Ⓑ 주걱누름	Ⓒ 줄눈주위청소
Ⓓ 마스킹테이프 붙임	Ⓔ 프라이머 도포	Ⓕ 실링재의 충전
Ⓖ 백업재 또는 본드브레이커 부착		

____

정답 2
Ⓐ - Ⓖ - Ⓓ - Ⓔ - Ⓕ - Ⓑ - Ⓒ

▶ 마스킹테잎 부착후 코킹처리하는 장면

3 방수층 시공을 세분하지 않았을 때 지하실 안방수 공법의 시공순서를 보기에서 골라 써넣으시오.

〔보기〕

(가) 방수층설치　(나) 보호몰탈　(다) 구조체완성　(라) 보호누름

(가) ________ (나) ________ (다) ________ (라) ________

정답 3
(1) 구조체완성　(2) 방수층설치
(3) 보호누름　(4) 보호몰탈

4 실링방수 공사에 관한 내용이다. (　　) 부분을 적절하게 채우시오.

(1) 프라이머 도포시 바탕면의 함수율은 (　　)% 이하로 하고 이물질이 없도록 한다.

(2) 실링재의 양생온도는 (　　) 이상 (　　) 이하로 한다.

(3) 매스킹 테이프를 제거하는 적정 각도는 (　　)도~(　　)도 각도로 한다.

정답 4
(1) 7
(2) 5℃, 30℃
(3) 40, 60

5 아스팔트 방수공법을 시공시 가열 여부에 따라, 방수층수에 따라 모체와의 접착정도에 따라 분류하는데 아스팔트 방수공법의 종류를 3가지 적으시오.

____

정답 5
아스팔트 방수공법
시공시 가열여부에 따라 열공법과 냉공법으로 분류, 방수층의 수에 따라 적층공법, 단층공법이 있고 모체와 방수층과의 접착정도에 따라 접착공법, 절연공법이 있다.

출제예상문제

6 도막방수공법의 방수층 두께에 따른 시공법의 종류를 2가지 쓰고 간단히 설명하시오.

(가) ______________________

(나) ______________________

7 도막방수 재료를 큰 부류로 나누어 2가지 적으시오.

① ______________ ② ______________

8 도막방수 공사시 필요한 장비 및 도구를 3가지 쓰시오.

① ______________ ② ______________

③ ______________

9 다음 용어를 설명하시오.

(1) 아귀토 (2) 와당(瓦當) (3) 거멀접기

(1) ______________________

(2) ______________________

(3) ______________________

10 방수공사에 사용되는 아스팔트의 품질판정시 행하는 시험 방법을 5가지만 적으시오.

① ____________ ② ____________ ③ ____________

④ ____________ ⑤ ____________

해설 및 정답

정답 **6**

(가) 코팅공법 : 도막방수제를 단순히 도포만 하는 것.

(나) 라이닝 공법(Lining Method) : 유리섬유, 합성섬유 등의 망상포를 적층하여 도포하는 방법

정답 **7**

① 유제형(에멀젼형) 도막방수

② 용제형(솔벤트형) 도막방수

정답 **8**

① 고무주걱, 골밀대

② 로울러

③ 뿜칠기계

④ 산소마스크

⑤ 액상재료 배합기계

정답 **9**

(1) 숫기와 처마 끝에 막새 대신 회반죽이나 진흙으로 둥글게 바른 흙을 말한다.

(2) 내림새나 막새 끝에 새긴 무늬를 와당이라고 한다.

(3) 알미늄판, 함석판 등 지붕잇기 금속판에서 온도에 의한 신축의 결함을 없애기 위해 판 이음을 꺾어 접는 것을 말하며 한번 또는 두 번 거멀접기(감접기)를 주로 사용한다.

정답 **10**

Asphalt의 품질 판정시 고려할 요소

① 침입도(針入度) : 25℃, 100g, 5sec

② 이황화탄소(CS_2) 가용분

③ 연화점 ④ 감온비

⑤ 신도(伸度) : (다우스미스식25℃)

⑥ 비중 ⑦ 가열감량

⑧ 인화점 ⑨ 고정탄소함유량

• 감온비란 0℃, 200g, 1min의 침입도에 대한 46℃, 50g, 5sec의 침입도의 비를 말한다.

출제예상문제

11 지붕재료에 따른 지붕의 경사(물매 : 시방서 기준)를 보기에서 골라 번호를 써 넣으시오.

〔보기〕

① 1/3 미만　② 1/4 이상　③ 1/50 이상　④ 1/2 이상

(가) 한식기와(지붕)(강풍지역임)　(나) 금속판(지붕)

(다) 합성고분자 시트 지붕　(라) 아스팔트 지붕

12 다음 (　) 안에 적당한 말을 써 넣으시오.

(가) 아스팔트 콤파운드의 침입도는 약 (①)도 정도이다.

(나) 아스팔트의 침입도와 연화점은 (②)의 관계가 있다. 한냉지에서는 침입도가 (③) 것을 사용하고 온난지방에 서는 연화점이 (④)것을 일반적으로 사용한다.

(다) 처마홈통의 물매는 (⑤)이상이며 홈걸이 간격은 (⑥)cm 내외로 하며 선홈통은 윗통을 밑통에 (⑦)cm 이상 꽂아 넣는다.

① ________ ② ________ ③ ________ ④ ________

⑤ ________ ⑥ ________ ⑦ ________

13 홈통공사 중 장식통의 사용 이유를 간단히 3가지만 적으시오.

① ________ ② ________ ③ ________

14 지붕공사에 일반적으로 사용되는 재료의 접합방법을 3가지 쓰시오.

① ________ ② ________ ③ ________

15 지붕공사 과정에서 설치하는 빗물받이 자재의 종류를 3가지 쓰시오.

① ________ ② ________ ③ ________

해설 및 정답

정답 11

(가) ①　(나) ②

(다) ③　(라) ③

※ 평잇기 금속지붕 : 1/2 이상

정답 12

① 15　② 반비례　③ 큰

④ 큰　⑤ 1/200　⑥ 90　⑦ 5

정답 13

① 우수의 방향전환

② 우수의 넘쳐흐름을 방지

③ 장식역할

④ 깔대기홈통과 선홈통의 연결

정답 14

① 못접합　② 핀접합

③ 용접접합　④ 볼트체결

⑤ 리벳팅　⑥ 열융착 등

정답 15

① 물받이

② 걸이쇠

③ 앨보(elbow)

④ 물홈통

⑤ 물모임통

⑥ 선홈통 고정걸이 등

제11장

미장 및 타일공사

핵심 32

미장공사

1 미장재료 및 일반사항

1. 미장재료의 구분 및 특성

구분		종류	구성재료 및 특징
기경성 수축성	진흙질	진흙	[진흙+모래+짚여물+물] 외역기의 바탕 흙벽 재료로 초벽, 재벽바름용
		새벽흙	[새벽흙+모래+여물+해초풀] 흙벽의 재벌, 정벌 바름에 쓰인다.
	석회질	회반죽 (Lime Plaster)	[소석회+모래+여물+해초풀] 물은 사용안함. (해초풀 : 접착력 증대, 여물 : 균열방지)
		회사벽	[석회죽+모래(시멘트, 여물 등도 섞는다.)] 흙벽의 정벌바름, 회반죽 고름, 재벌바름(회사물)
		Dolomite Plaster (마그네샤 석회)	[Dolomite 석회+모래+여물] 해초풀 안쓴다. 건조수축이 커서 균열발생, 지하실 사용안함.
수경성 팽창성	석고질	순석고 플라스터 (Gypsum plaster)	[순석고+모래+물(석회죽이나 Dolmite 등도 배합] 경화속도가 빠르다. 중성이다.
		혼합석고 Plaster (배합석고)	[배합석고+모래+여물+물] 약알카리성으로 경화속도는 보통이다.
		경석고 Plaster (Keen's Cement)	[무수석고+모래+여물+물] 강도가 크고 수축, 균열이 거의 없다. 다른 소석고와 혼합금지. 철을 녹슬게 한다.
용액성 간수 ($MgCl_2$)	고토질	마그네시아 Cement	착색이 용이하고 물(H_2O)을 가해도 경화되지 않는다. $MgCl_2$(염화마그네슘)을 물대신 사용하고 철재를 녹슬게 하며, 리그노이드의 원료가 된다.

*리그노이드(Lignoid) : 마그네시아 시멘트 Mortar에 탄성재료인 콜크분말, 안료등을 혼합한 미장재료로써 바닥 포장재에 주로 쓰인다.

학습 POINT

90-③, 96-②, 99-①, 99-③, 00-①, 05-① / 12-②, 13-③, 20-⑤, 23-②

- 기경성, 수경성 재료분류
- 기경성, 수경성재료 각 2가지, 3가지 쓰기

암기하기

■ 기경성, 수경성 미장재료의 비교

기경성 재료	수경성 재료
① 진흙질 ② 회반죽 ③ 돌로마이트 ④ 아스팔트 Mortar ⑤ 마그네시아 시멘트	① 순석고 ② 혼합석고 ③ 경석고 ④ 시멘트 Mortar

90-④, 91-②

- 알카리성 미장재료 종류

■ 알카리성 미장재료

① 회반죽
② 돌로마이트 석회
③ 시멘트 Mortar

92-①

- 팽창성, 수축성 분류

■ 팽창성 재료

① 마그네시아 시멘트
② 석고 Plaster

2. 용어정리

① 바탕처리 : 요철 또는 변형이 심한 개소를 고르게 덧바르거나 깍아내어 마감두께가 균등하게 되도록 조정하는 것. 또는 바탕면이 지나치게 평활할 때 거칠게 하여 미장바름의 부착이 양호하도록 표면을 처리하는 것.

② 덧먹임 : 바르기의 접합부 또는 균열의 틈새, 구멍 등에 반죽된 재료를 밀어 넣어 때우는 것.

③ 고름질 : 바름두께 또는 마감두께가 고르지 않거나 요철이 심할 때 초벌바름위에 발라서 면을 고르는 것.

3. Mortar 바름두께

① 1회의 바름두께는 바닥을 제외하고 6mm를 표준으로 한다.

② 외벽, 바닥두께 : 24mm, 안벽 : 18mm, 천장 · 차양 : 15mm 이하

③ 바닥은 1회 바름으로 마감하고 벽, 기타는 2~3회 바른다.

④ 얇게 여러번 바르는 것이 두껍게 바르는 것보다 좋다.

4. Mortar 바름시공

① 시멘트 Mortar 벽체 3회바름 시공순서

㉮ 바탕처리	㉯ 바탕청소	㉰ 재료비빔	㉱ 초벌바름 및 라스먹임
㉲ 고름질	㉳ 재벌바름	㉴ 정벌바름	㉵ 마무리	㉶ 보양

② 바름순서는 위에서 아래로 하고 실내는 천장 → 벽 → 바닥의 순으로 한다.

③ 외벽은 옥상 난간에서 지하층으로 하고 처마밑면, 반자, 차양부를 먼저 바른다. 바탕이 미끈하여 미장 탈락 우려시 합성수지 에멀젼을 먼저 도포. 합성수지계, 혼화제를 주입한 Paste를 먼저 바른 후 초벌작업 시작.

④ 천정돌림, 벽모서리 등 기준이 되고 중요한 것부터 먼저 바르고 수직과 수평이 만나는 부분은 수평부터 바르고 수직면을 바른다.

⑤ 초벌바름후 1~2주일 방치하여 충분한 경화, 균열 발생후 고름질, 덧먹임을 하고 재벌 바른다. (바람, 직사광선 급격한 건조는 피한다.)

⑥ 기온이 2℃이하일 때는 공사를 중단하거나 5℃이상 난방하여 시공한다.

⑦ 표면마무리 방법

㉮ 뿜칠 마무리 (Cement Spray) *압송뿜칠에 사용되는 재료의 비빔은 기계비빔 원칙	20mm 두께 초과시 초벌, 재벌, 정벌 3회 뿜칠 바름. 20mm이하 : 재벌 생략. 10mm정도 : 정벌만 한다. 백시멘트, 보통시멘트에 석고, Plaster, Dolomite,모래, 방수제, 안료 등을 혼합 사용한다. 초벌 뿜칠후 재벌을 하고 3시간 이내에 5℃이하로 기온이 떨어지면 시공을 중지한다.
㉯ 긁어내기(Scratch)	마감바르기를 두껍게 한 후(6mm 이상)쇠주걱 등으로 시공

학습 POINT

▶ 87-②, 06-③, 08-①, 12-② / 90-② / 14-②

• 바탕처리, 덧먹임 /
• 리그노이드 스톤
• 손질바름 / 실러바름

▶ 99-④, 03-② 05-②

• 미장공사 바름두께

▶ 92-①, 93-①, 97-③ / 84-②, 89-①

• 벽체미장 3회 바름 시공순서 /
• 미장바름순서

▶ 라스바탕위에 초벌 먹임후 거친 마감을 한 모습

▶ 조적 벽체 미장 장면

㉰ 리신(규산석회) 마무리	백시멘트, 돌가루, 안료 등을 혼합하여 Mortar는 6mm정도를 바르고, 12시간 경과후 쇠빗으로 긁어 마무리 한다.
㉱ 흙손 마무리	흙손으로 표면을 평활하게 마무리하고, 물솔질 마무리로 흙손 자국을 없앤다.
㉲ 색 Mortar	백시멘트에 무기안료를 섞어서 정벌바름 두께 6mm정도 바른다.

학습 POINT

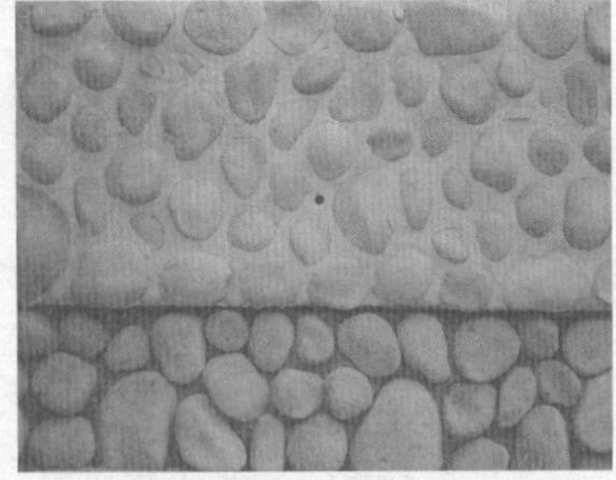
▶ 미장공사중 씻어내기 마감

5. 미장재료

① 결합재 : 시멘트 플라스터, 소석회, 합성수지 등 다른 미장재료를 결합하여 경화시키는 재료.

② 혼화제 : 결합재의 결점 즉 수축, 균열, 점성, 보수성 부족, 강도 등을 보완하고 응결 경화시간을 조절하기 위한 재료이다.
(작업성 증대, 방수, 방동의 저항성 증대)
㉮ 해초풀의 역할 : 점성, 부착성증진, 보수성유지, 바탕흡수 방지
㉯ 외벽용 풀재료 : 청각채, 듬북, 음행초 등
㉰ 기타 재료 : 방수제, 방동제, 착색제, 안료, 지연제, 촉진제 등

③ 골재
㉮ 모래 : 입자가 작으면 Mortar 강도저하, 부착력 저하.
• 초벌, 재벌 : 거친모래 • 정벌바름 : 고운모래 사용
• 회반죽에 모래사용은 강도증진, 점성을 줄이고, 균열발생 억제.
㉯ 기타 : 색모래, 아스팔트용 쇄석, 석분 등이 있다.

④ 보강재료 : 백모, 짚, 수염, 종려잎 등이 있다.

▶ 95-②, 99-④
• 여물과 해초풀의 역할기술

① 여물의 역할
• 강도보강 • 수축, 균열방지
② 해초풀의 역할
• 점성, 부착성 증진
• 보수성 유지
• 바탕의 흡수 방지

6. 미장공사시 주의사항

① 양질의 재료를 사용하여 배합을 정확하게, 혼합은 충분하게 한다.
② 바탕면의 적당한 물축임과 면을 거칠게 해둔다.
③ 1회 바름두께는 바닥을 제외하고 6mm를 표준으로 한다.
④ 급격한 건조를 피하고, 시공중이나 경화중에는 진동을 피한다.
⑤ 미장용 모래는 지나치게 가는 것은 금지한다.

2 시멘트 Mortar 바름

1. 재료배합

① 시멘트 : 보통 포틀랜드 시멘트, 고로, 실리카, 백시멘트 등을 사용한다.
② 모래 : 유해물이 없는 보통 5mm이하를 쓰고 0.15mm이하는 사용 안한다.
초벌, 재벌용 : 5mm체 100% 통과분, 정벌용 : 2.5mm체 100% 통과분

▶ 91-①
• 미장공사, 바닥바름 시공순서

■ 시멘트 Mortar 바닥바름 시공순서
① 바탕청소 및 물씻기
② 순 시멘트풀 도포
③ Mortar 바름
④ 규준대 밀기
⑤ 나무흙손 고름질
⑥ 쇠흙손 마감

＊시멘트는 분말도가 작은 것이 유리하고 모래는 입자가 굵은 것이 강도상, 균열방지상 유리하다.

③ 소석회 : 정벌용에 소석회 혼합은 시공성 향상을 위해 섞는다.

④ 몰탈에 물을 부은 후 1시간 이내 사용한다.

⑤ 진한 배합시 : 모래(1 : 2), 보통배합시(1 : 3), 약한 배합시 (1 : 4 이하)

⑥ 재료배합원칙 : 바탕에 가까울수록 부배합, 정벌에 가까울수록 : 빈배합이 원칙.

2. Mortar 바름의 종류와 용도

보통 Mortar	보통 시멘트 Mortar	구조용, 수장용
	백 시멘트 Mortar	치장용, 줄눈용
방수 Mortar	액체방수 Mortar	발수성 Mortar
특수 Mortar	바라이트 Mortar	방사선 차단용도
	질석 Mortar	경량구조용
	석면 Mortar	균열방지, 보온용
	합성수지 Mortar	특수치장용
	아스팔트 Mortar	내산바닥용

3. 회반죽 미장바름 시공순서

바탕처리 → 재료조정 및 반죽 → 수염붙이기(졸대바탕일 경우) → 초벌바름 → 고름질 및 덧먹임 → 재벌바름 → 정벌바름 → 마무리 및 보양

3 인조석 테라죠 바름

1. 사용재료

① 종석(화강석, 한수석), 백색포틀랜드시멘트, 안료, 돌가루를 배합 반죽한다. (※ 돌가루는 균열방지용으로 혼입)

② 종석은 화강석, 백회석(백색 한수석), 대리석, 기타 자연석을 부수어 잔 알로 만든 것으로 테라죠용은 최대 18mm, 보통 9~12mm나 6~5.7mm가 쓰인다.

※ 종석의 크기는 백색 석회석인 경우 5.0mm체에 100% 통과하고 2.5mm체에 50% 정도 통과한 것으로 하고 테라죠용 대리석은 15mm체에 100% 통과 5mm체에 50% 통과된 것으로 한다.

학습 POINT

▶ 바닥 Concrete 타설후 규준대 밀기작업

▶ 93-④, 96-②, 98-⑤, 01-①, 07-② / 04-②

• 아스팔트, 질석, 바라이트, 활석면 몰탈의 주용도

암기하기

■ Mortar 종류와 용도
① Barite Mortar : 차폐용
② 질석 Mortar : 경량, 단열용
③ 활석면 Mortar : 보온, 불연용
④ Asphalt Mortar : 내산 바닥용

▶ 90-③, 95-①, 02-③

• 회반죽 미장 시공순서

2. 인조석 바름

① 인조석 정벌바름 : 시멘트 : 종석 = 1 : 1.5 비율, 두께 7.5mm 바름
② 바닥 테라죠바름 : 시멘트 : 종석 = 1 : 3정도 비율, 접착공법은 35mm, 유리공법은 60mm정도 바름
③ 바르기 : 벽의 재벌까지는 몰탈바름과 같고, 재벌이 굳은후 시멘트풀 또는 몰탈(1:1)을 바르고 정벌을 바른다. 바닥은 1:3 몰탈로 초벌을 바르고(두께 : 15mm)정벌을 바른다.
④ 마무리 : 인조석 갈기, 씻어내기, 잔다듬의 3가지가 있다. 정벌바름하여 경화한 후 석재 다듬용 공구로 잔다듬하여 마무리한 것을 인조석 잔다듬(Cast stone)이라 한다.

학습 POINT

■ 인조석 바름
인조석바름 = 종석 + 안료 + 줄눈대 + 돌가루 + 백시멘트

▶ 90-②
• Cast stone 용어설명

3. 테라죠 현장갈기

① 바르기 : 접착공법(밀착공법)과 절연공법(유리공법)이 있다.
② 줄눈나누기는 1.2m이내, 줄눈 최대간격은 2m이하로 한다.
③ 초벌의 굳기정도를 보고 정벌바르고 바닥과 벽의 경계에 미리 펠트로 절연한다.
④ 갈기시 손갈기는 1일이상, 기계갈기는 여름 3일, 기타 7일이상 경과 후 한다.(표준시방서)
⑤ 초벌갈기는 돌알이 균등하게 나타나게 하고, 잔구멍을 Cement Paste로 메운 후 굳은 다음 중갈기하고, 중갈기 완료후 시멘트 Paste를 2~3회 먹인후 정벌한다.

▶ 84-②, 87-②, 94-②, 95-②
• 인조석 물갈기 시공순서

4. 시공순서

(1) Type ①	(2) Type ② 〔95-②〕
① 황동줄눈대 설치 → ② 테라죠 종석 바름 → ③ 양생 및 경화 → ④ 초벌갈기 → ⑤ 시멘트풀먹임 → ⑥ 정벌갈기 → ⑦ 왁스먹임	① 바탕처리 → ② 줄눈대 대기 → ③ 바름 → ④ 양생 → ⑤ 갈기 → ⑥ 광내기

▶ 테라죠 현장갈기의 황동줄눈대 설치 모습

■ 황동줄눈대설치 목적
① 바닥바름구획 구분, 조정
② 균열 방지
③ 부분보수를 용이하게 함

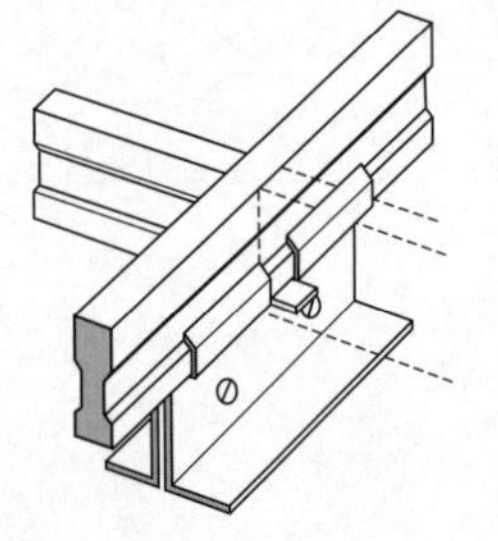

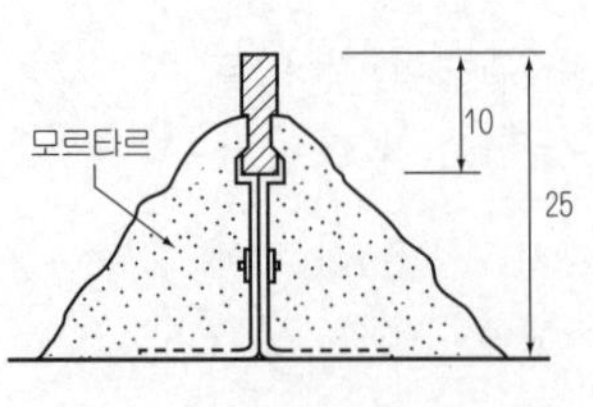

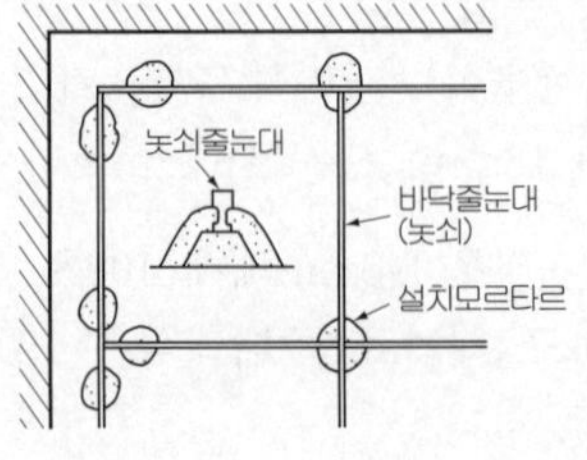

그림. 바닥줄눈대의 고정

4 바닥 강화재 바름공법

1. 재료

금강사, 규사 및 철분, 마그네슘 등 광물성골재, 시멘트 사용

2. 개요

콘크리트 등의 시멘트계 바닥 바탕의 내마모성, 내화학성, 탄력성, 분진방지 성능 증진을 목적으로 중량물 출입이 잦은 건물 등에 사용된다.

3. 종류, 시공법

① 분말형 강화재	Concrete 타설 후 초기응결 시작 때 살포 균열방지용 줄눈을 4~5m 간격으로 설치. 작업후 24시간 지난후 7일간 습윤양생
② 액상 강화재	적당량의 물로 희석후 2회 이상 나누어 도포. 1차 도포후 완전흡수 건조후 2차 도포함.
③ 합성고분자 강화재	에폭시, 폴리에스테르, 폴리우레탄계 등의 재료에 잔모래, 부순돌, 안료 등을 혼합해서 사용하며 경화된 Concrete나 Mortar면에 시공.

학습 POINT

▶ 00-④, 01-③

• 바닥 강화재 분류, 사용목적

■ 바닥강화재분류, 사용목적

재료분류	사용목적
① 분말형 ② 액상형 ③ 합성수지	① 내마모성 증진 ② 내화학성 증진 ③ 분진방지 성능

▶ 11-①, 22-②

• 액상강화제 시공시 유의사항

① 시공시나 완료시 기온이 5℃ 이하인 경우는 작업중지

② 타설면은 비, 눈의 피해가 없도록 보양, 조치

관련문제

1 **(1) 다음 분류에 해당하는 미장재료명을 보기에서 골라 번호로 쓰시오. (4점)**

〔90 ③, 96 ②, 99 ①, 99 ③, 00 ①, 05 ①〕

〔보기〕

(1) 진흙질 (2) 순석고 플라스터 (3) 회반죽 (4) 돌로마이트
(5) 킨즈시멘트 (6) 아스팔트 모르타르 (7) 시멘트 모르타르

(2) 기경성, 수경성 미장재료를 각각 2가지, 3가지씩 쓰기. (4점, 6점)

〔12 ②, 13 ③, 20 ⑤, 23 ②〕

(가) 기경성 미장재료 : ______

(나) 수경성 미장재료 : ______

2 **다음 미장재료 중 알카리성을 띠는 재료를 모두 골라 번호로 쓰시오. (3점)**

〔90 ④, 91 ②〕

〔보기〕

(1) 회반죽 (2) 돌로마이트 플라스터
(3) 순석고 플라스터 (4) 킨즈시멘트(경석고 플라스터)
(5) 시멘트 모르타르 (6) 마그네샤 시멘트

______

3 **경화에 따른 팽창성, 수축성을 분류하시오. (4점)** 〔92 ①〕

〔보기〕

(가) 마그네샤 시멘트 (나) 시멘트 모르타르 (다) 진흙
(라) 석고 플라스터 (마) 돌로마이트 플라스터 (바) 회반죽

(1) 팽창성 : ______

(2) 수축성 : ______

4 **미장공사에 관한 설명이다. ( )을 채우시오. (4점)** 〔99 ④, 03 ②, 05 ②〕

미장공사시 1회의 바름두께는 바닥을 제외하고 (①)를 표준으로 한다. 바닥층 두께는 보통 (②)로 하고 안벽은 (③), 천장 · 채양을 (④)로 한다.

① ______ ② ______ ③ ______ ④ ______

해설 및 정답

정답 1
(가) (1), (3), (4), (6)
(나) (2), (5), (7)

정답 2
(1), (2), (5)

정답 3
(1) 팽창성 : (가), (라)
(2) 수축성 : (나), (다), (마), (바)

정답 4
① 6mm
② 24mm
③ 18mm
④ 15mm

관련문제

5 **벽체에 시멘트 모르타르 3회 바름하는 미장공사의 시공순서를 쓰시오. (4점)** 〔92 ①, 93 ①〕

"바탕처리 - ((1)) - 재료비빔 - ((2)) - 초벌바름 방치기간 - ((3)) - ((4)) - 정벌바름 - ((5)) - ((6))"

(1) ________ (2) ________ (3) ________

(4) ________ (5) ________ (6) ________

6 **(가) 다음 괄호안에 알맞는 말을 쓰시오. (6점)** 〔89 ①〕

"미장 바르기 순서는 (①)에서부터 (②)의 순으로 한다. 즉 실내는 (③), (④), (⑤)의 순으로 하고 외벽은 옥상난간에서부터 (⑥)의 순으로 한다"

① ________ ② ________ ③ ________

④ ________ ⑤ ________ ⑥ ________

(나) 건축물의 실내를 온통 미장시공하려고 한다. 실내 3면의 시공순서를 쓰시오. (3점) 〔84 ②〕

____

7 **미장공사에서 여물과 해초풀의 역할에 대하여 기술하시오. (4점)** 〔95 ②, 99 ④〕

(1) 여물 : ________

(2) 해초풀 : ________

8 **시멘트 모르타르 미장공사 중 바닥바름의 시공순서를 보기에서 골라 기호로 쓰시오. (3점)** 〔91 ①〕

〔보기〕

(가) 모르타르 바름	(나) 규준대 밀기	(다) 순시멘트풀 도포
(라) 청소 및 물씻기	(마) 나무흙손 고름질	(바) 쇠흙손 마감

____

해설 및 정답

정답 **5**

(1) 바탕청소
(2) 초벌바름 및 라스먹임
(3) 고름질 (4) 재벌바름
(5) 마무리 (6) 보양

정답 **6**

(가) ① 위 ② 아래 ③ 천장
④ 벽 ⑤ 바닥 ⑥ 지층
(나) 미장시공순서
실내 : 천장 - 벽 - 바닥

정답 **7**

(1) 여물의 역할
① 상도의 보상
② 균열, 수축 방지가 목적이다.
(2) 해초풀 역할
① 점성증진 ② 부착성개선
③ 보수성유지
④ 바탕의 흡수방지가 목적이다.

정답 **8**

시멘트 몰탈 바닥바름 시공순서는 다음과 같다.
(1) 바탕표면의 레이턴스, 오물, 부착물을 제거하고 청소 및 물씻기를 한다.
(2) 순시멘트풀을 칠하고 몰탈을 바른다. (이때 바탕에 물이 고인상태에서 바르면 안된다.)
(3) 된비빔 몰탈을 바르고 규준대로 밀기하여 고른다.
(4) 나무흙손으로 고름질하고 물매에 주의하면서 쇠흙손으로 마무리한다. 그러므로, 문제의 순서는 (라) - (다) - (가) - (나) - (마) - (바) 이다.

9 다음의 각종 몰탈에 해당하는 주요용도를 보기에서 골라 쓰시오. (4점)

〔93 ④, 96 ②, 98 ⑤, 01 ①, 07 ②〕

〔보기〕
① 경량, 단열용 ② 내산 바닥용 ③ 보온, 불연용 ④ 방사선 차단용

(가) 아스팔트 모르타르 : ________ (나) 질석 모르타르 : ________

(다) 바라이트 모르타르 : ________ (라) 활석면 모르타르 : ________

정답 9
(가) ② (나) ① (다) ④ (라) ③

10 각종 모르타르의 용도에 대한 설명이다. ( ) 안에 알맞은 용어를 쓰시오. (4점)

〔04 ②〕

경량구조용은 (①) 모르타르, 방사성 차단용은 (②) 모르타르, 보온불연용은 (③) 모르타르, 내산바닥용은 (④) 모르타르 등이 사용된다.

① ________ ② ________

③ ________ ④ ________

정답 10
① 질석
② 바라이트
③ 활석면
④ 아스팔트

11 회반죽 미장의 시공순서를 보기에서 골라 번호로 쓰시오. (4점, 5점)

〔90 ③, 95 ①, 02 ③〕

〔보기〕
(1) 재료조정 및 반죽 (2) 초벌바름 (3) 재벌바름
(4) 마무리 및 보양 (5) 바탕처리 (6) 수염붙이기
(7) 고름질 및 덧먹임 (8) 정벌바름

____

정답 11
(5)
(1)
(6)
(2)
(7)
(3)
(8)
(4)

12 테라죠 현장갈기(인조석물갈기)시공순서를 보기에서 골라 쓰시오. (7점)

〔84 ②, 87 ②, 94 ②〕

〔보기〕
(가) 왁스먹임 (나) 시멘트 풀먹임 (다) 초벌갈기
(라) 테라죠 종석바름 (마) 정벌갈기 (바) 황동 줄눈대설치
(사) 양생 및 경화

① ________ ② ________ ③ ________ ④ ________

⑤ ________ ⑥ ________ ⑦ ________

정답 12
① 황동줄눈대 설치 (바)
② 테라죠 종석 바름 (라)
③ 양생 및 경화 (사)
④ 초벌갈기 (다)
⑤ 시멘트풀먹임 (나)
⑥ 정벌갈기 (마)
⑦ 왁스먹임 (가)

관련문제

해설 및 정답

13 테라죠 현장갈기의 시공 공정순서를 번호로 쓰시오. (4점) 〔95 ②〕

〔보기〕

(1) 줄눈대 대기	(2) 바름	(3) 바탕처리
(4) 갈기	(5) 양생	(6) 광내기

• 공정순서 :

정답 13
(3)
(1)
(2)
(5)
(4)
(6)

14 바닥 강화재 바름공사에 사용하는 강화재의 형태에 따른 분류를 쓰고, 콘크리트와 시멘트계 바닥의 어떤 성능을 증진시키기 위해 사용하는가를 쓰시오. (4점) 〔00 ④, 01 ③〕

(가) 분류 :

(나) 증진성능 :

정답 14
(가) 분말형, 액상형 바닥강화재
(나) 내마모성 증진, 내화학성증진, 분지방지성 증진

15 미장공사와 관련된 다음 용어 설명. (4점) 〔14 ②, 20 ⑤〕

손질 바름 :

실러 바름 :

정답 15
• 손질 바름 : 콘크리트, 콘크리트 블록 바탕에서 초벌바름 전에 마감두께를 균등하게 할 목적으로 모르타르 등으로 미리 요철을 조정하는 것
• 실러 바름 : 바탕의 흡수 조정, 바름재와 바탕과의 접착력 증진 등을 위하여 합성수지 에멀션 희석액 등을 바탕에 바르는 것

핵심 33

타일공사

학습 POINT

1 점토제품 및 타일의 분류

1. 점토제품의 분류, 특징

내용 \ 종류		토기(土器) (Terra Ware)	도기(陶器) (Earthen Ware)	석기(石器) (Stone Ware)	자기(磁器) (Porcelain)
흡수성		크다	적다	있다	없다
색 조		유색, 백색	유색, 백색	유색	백색
시 약		무유	유약사용(시유)	무유, 식염유	유약사용(시유)
소 성 온 도	1회	500~800℃	1,200~1,300℃	900~1,100℃	900~1,200℃
	2회	600~800℃	1,000~1,100℃	1,300~1,400℃	1,300~1,400℃
主 용 도		벽돌, 기와, 토관	내장타일, 위생도기(Terra -cotta Tile)	바닥타일(無油), 클링커 타일	외장타일, 바닥타일, 모자이크타일
특 성		최저급원료 취약하다.	다공질. 두드리면 탁음, 유약사용.	시유약 안쓰고 식염수 사용한다.	양질도토사용. 금속성청음이 난다.

2. 용도 및 재질(소지 : 素地)에 따른 분류

분 류	용 도	재 질
외장타일	건물의 외부(대형, 중형), 내동해성 고려	자기질, 석기질
내장타일	건물의 내부용(5.4㎝ 각 이상의 대형, 중형)	반도기질, 도기질
바닥타일	바닥용(5.4㎝ 각 이상의 중형, 논슬립 타일)	도기질, 유약경질
Clinker	바닥, 옥상용(시약 : 식염수 사용)	석기질
모자이크타일	내·외벽용, 바닥용(5.4㎝ 각 이하의 소형, 30㎝×30㎝ 종이붙임을 사용)	자기질

▶ 00-⑤, 03-③, 08-①

• 소지 및 용도에 따른 타일분류

■ 소지 및 용도에 따른 분류

소지분류	용도분류
① 자기질타일	① 외장타일
② 석기질타일	② 바닥타일
③ 도기질타일	③ 내장타일

3. 면처리한 타일과 특수형 타일

① 면처리한 타일	Scratch Tile, Tapestry Tile, 천무늬타일, 홈줄넣은 Clinker Tile
② 특수형 Tile	Border Tile(걸레받이, 징두리에 사용), Mosaic Tile, 모서리형, 둥근형, 반원형, 볼록형, 면접기용, 창인방용, 논슬립 타일등이 있다.

※ 기타 : 제조방법에 따라 건식타일(프레스성형법), 습식타일(압출성형법) 등이 있고, 유약처리에 따라 시유타일, 무유타일로 구분하며, 형상과 크기에 따라서도 분류한다.

학습 POINT

▶ 94-③, 95-④

• 면처리 타일 종류 3가지

▶ 여러형태의 벽, 바닥용 장식타일 모습

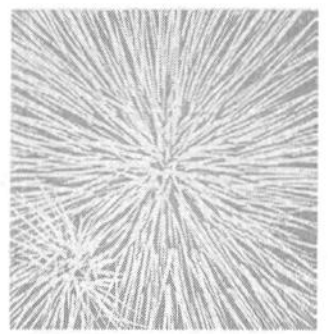
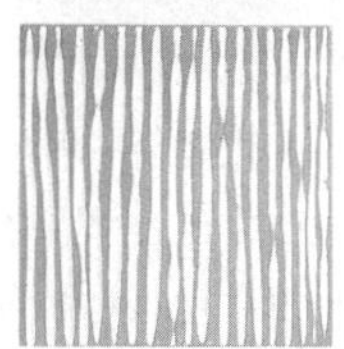
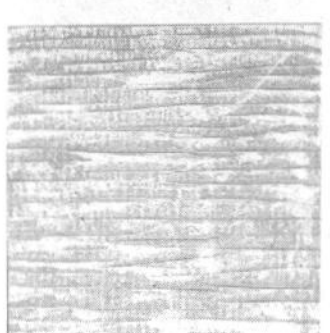
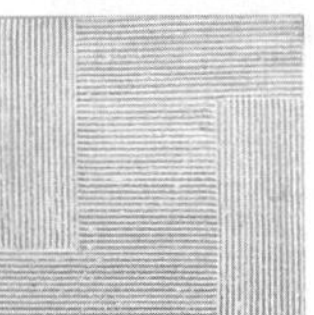

▶ 스크래치(Scratch Tile) 모양

2 타일시공 일반사항

1. Tile 붙임재료

① 시멘트	보통, 백색 포틀랜드 시멘트 사용
② 모래	No.8(2.5mm)체에 100% 통과한 것. 모자이크타일 붙이기는 No.16(1.2mm)체에 100% 통과한 모래사용.
③ Mortar	건비빔후 3시간 이내에 사용. 물반죽후 1시간 이내 사용.

2. Mortar 표준배합

① 벽체 : ㉮ 떠붙임공법시 : 1 : 3　　㉯ 기타공법시 : 1 : 2

② 바닥 : ㉮ 크링커타일 : 1 : 3　　㉯ 판형붙임, 일반타일 : 1 : 2

③ 일반적으로 경질 : 1 : 2 연질타일은 1 : 3 정도 한다.

④ 치장줄눈 배합비는 1 : (0.5~1.5)정도로 한다.

3. 줄눈나비의 표준

타일 구분	대형벽돌형(외부)	대형(내부일반)	소 형	모자이크
줄눈나비	9mm	5~6mm	3mm	2mm

*창문선(개구부주위), 설비 기구류의 마무리 줄눈나비 : 10mm정도

4. 치장줄눈

① 붙임후 3시간 경과후 줄눈파기하여 24시간 경과 후 치장줄눈하되 줄눈 바탕에 작업직전 물을 뿌려 습윤하게 한다.
② 치장 줄눈나비가 5mm 이상때는 고무흙손을 사용하여 빈틈없이 누르고 2회로 나누어 줄눈을 채운다.(가로치장줄눈 마무리는 위에서 아래로)
③ 개구부나 바탕 Mortar에 신축줄눈 시공시 실링(Sealing)재로 완전채움

5. 타일선별 및 Tile 나누기

① 칫수, 형태, 색조가 같은 것을 사용하고 유약이 일부라도 안묻은 것은 흡수, 동결, 균열의 피해가 우려되므로 쓰지말고 칫수오차가 심한 것은 제외시킴.
② 타일과 줄눈칫수를 합해서 한 장 칫수로 하며 온장을 쓰도록 한다.
부분면적, 전체면적에 대한 타일나누기 실시 후 실수요장수를 산정한다.
③ 시공면 높이, 문꼴주위, 교차벽 좌우등의 타일이 정수배로 나뉘어 지도록 하며 매설물 위치를 확인한다.

6. 바탕처리

① 바탕면의 평활도는 3m당 ±3mm로 한다.(떠붙이기는 ±5mm)
② 바탕고르기 Mortar 바름을 1회 10mm 이하로 하며 2회에 나누어 한다.
③ 들뜸, 균열등을 보수, 불순물제거, 청소하고 타일부착이 잘되게 거친면으로 한다. 바탕처리 후 1주일 이상 경과후 Tile붙임이 원칙.
④ 흡수성있는 타일은 미리 물을 뿌리고 바탕면도 적당한 물축임한다.

7. 타일의 보양, 기타사항

① 기온이 2℃이하일때는 작업장내 온도가 10℃이상이 되도록 임시난방, 보온등으로 시공부분을 보양한다.
② 바닥타일은 톱밥으로 보양하고 3일간은 진동이나 보행을 금한다.
③ 시유타일(유약타일)은 염산사용을 금하고 부득이한 경우 30배 용액을 쓴다. 산분은 완전히 물로 제거한다.
④ 신축줄눈 : 이질재 접합부, 수평이어붓기 부분 등 수축균열 우려부분에서 3m 이내에 신축줄눈 설치한다.
⑤ Mortar는 건비빔 후 3시간 이내 사용 가수하여 반죽한 것은 1시간 이내에 사용.

학습 POINT

▶ 92-④
• 타일 줄눈 나비 표준

▶ 98-③
• 외장타일의 발생결함 3가지

■ 타일선별시 외장타일에서 발생할 수 있는 결함(흠집)의 종류
① 칫수, 형태의 오차
② 색조(빛깔)의 차이
③ 공기구멍(기포) 혼입
④ 유약처리 미숙

8. 타일의 검사

① 두드림검사 : 붙임 Mortar경화후 검사봉으로 두들겨 보아서 들뜸, 균열 발생시 다시 붙인다.
② 타일의 접착력 시험은 일반건축물의 경우 타일면적 200m²당, 공동주택은 10호당 1호(1세대)에 한 장씩 시험한다.
③ 시험은 타일시공후 4주 이상일 때하고, 접착강도가 0.39N/mm²이상이어야 한다.
④ 시험타일은 부속장치 크기로 하고, 그 이상은 180mm×60mm크기로 Concrete 면까지 절단하고 40mm미만 타일은 4매를 1개조로 부속장치를 붙여 시험.

9. 타일의 탈락(박락) 원인

① 붙임 Mortar의 접착강도 부족, 기능도 부족, 바탕재와 Tile의 신축 팽창도 차이, 급속한 건조, 충전불충분 등
② 붙임시간(Open Time)의 불이행(내장 : 10분, 외장 : 20분이내)

3 각종 벽 Tile시공법

(1) 떠 붙이기 (적재 붙임) (발라 붙이기)	• 타일 뒷면에 Mortar를 얹어서 1장씩 붙인다. • Mortar 배합비 : 1:3 정도, 붙임 Mortar 두께 : 12~24mm 표준 • 1일 붙임높이 : 대형 : 0.7~0.9m, 소형 : 1.2~1.5m
(2) 개량 떠붙임	• 떠붙임 방법의 개선책, 접착력 높이고, 액화방지 효과가 있다. • Mortar를 떠붙이기보다 연하게 바르고 평탄하게 고른 다음 붙임
(3) 압착공법	• 미장 재벌바름위 Mortar를 전면에 바르고 충분히 타격한다. • 붙임 Mortar두께: 5~7mm (원칙적으로 타일 두께의 1/2이상) • 1회 붙임 높이 : 1.2m, 붙임시간 : 15분이내, 붙임면적 : 1.2m² • 줄눈부위 Mortar가 타일 두께의 1/3이상 올라오게 한다.
(4) 개량 압착 공법	• 붙임 Mortar두께 : 4~6mm, 타일뒷면 Mortar : 3~4mm • 바탕 붙임 Mortar 1회 바름 면적 : 1.5m²이하, 붙임시간 : 30분이내 • 나무망치로 두들겨 줄눈부위 Mortar가 타일두께의 1/2이상 올라오게 한다. 압착 공법의 접착력 불량을 개선한 공법
(5) 판형붙이기 (Mosaic 타일 및 Unit Tile 붙임)	• 낱장 붙이기와 같다. 줄눈고치기 : 붙임후 15분 이내 • Mortar가 줄눈에 스며나오도록 표본 누름판을 사용하여 압착
(6) 접착공법 (접착제 이용)	• 내장 마무리 Tile만 적용, 접착제의 1회 바름 면적 : 2m²이하. 바탕면을 충분히 건조한 후 시공 (붙임 바탕면은 여름 1주이상, 기타 2주이상 건조시킴)

학습 POINT

▶ 95-⑤, 97-③, 01-② / 16-③, 17-②
• Open Time 용어설명
• 타일의 탈락원인 4가지, 2가지

암기하기
■ Open Time
타일 붙임 Mortar의 접착력 확보를 위한 한계시간으로 1회 Mortar를 바르고 타일을 붙일 때까지 소요되는 붙임 시간

▶ 85-②, 10-①, 14-③
• 벽타일 붙임 시공순서

■ 벽타일 붙임 시공순서
① 바탕처리
② 타일 나누기
③ 벽타일 붙임
④ 치장줄눈
⑤ 보양

▶ 99-②, 99-③, 00-③, 07-②, 08-①, 10-②, 16-①
• 벽타일 시공법 종류 4가지, 3가지

암기하기
■ 벽 Tile 붙임공법의 종류
① 떠붙임공법
② 압착붙임공법
③ 접착제붙임법
④ 밀착공법(동시줄눈공법)

▶ 00-④, 01-①, 02-③, 06-① / 15-①
• 벽타일 공법 명칭
• 개량압착공법

(7) 밀착공법 (동시줄눈공법)	• 1회 붙임 면적 : 1.5m². 붙임시간 : 20분 이내 • Mortar 두께 : 5~8mm, 타일은 1장씩 붙이고 좌, 우 중앙 3점에 충격을 가한다. • 줄눈수정은 15분 이내, 30분 경과는 다시 붙임. • 압착공법의 개량방법. Tile 붙임시 Vibrator로 충격하여 타일두께의 2/3이상 붙임 Mortar를 올라오게 한다. • 접착력이 우수하고 접착편차가 적으며 타일의 입체감을 100% 발휘할 수 있고 공기단축과 공비 절감 효과가 있다.
(8) 거푸집면 타일먼저 붙이기	콘크리트 기둥, 외벽에 타일 부착시 거푸집 조립에 우선하여 타일을 가설치하고 콘크리트 타설하는 법 • 특징 : 접착력 우수, 백화발생 적고, 숙련공 불필요, 종합적으로 공기단축 가능 • 종류 : 타일시트법, 줄눈틀법, 줄눈대법
(9) PC판 타일먼저 붙이기	PC판의 거푸집에 미리 타일을 배열하고, 콘크리트 타설하여 탈형과 동시에 타일 마무리하는 방법 • 종류 : 유니트 타일 붙이기, 줄눈틀에 의한 방법

4 바닥 Tile붙임 시공법

종 류	시 공 내 용 및 특 징
(1) 바닥용 Tile 붙임	① 징두리나 걸레받이 마무리후 착수. Mortar배합 : 1 : 2 ② 마감면에서 2mm정도 높게 10mm 정도 Mortar를 깐다. ③ 붙임 Mortar깔기 면적은 6~8m² 표준, 붙임면적이 크면 3~4m 내외의 규준타일을 먼저 깐다. ④ 신축줄눈 : 옥상난간벽 주위나 기타부분에 방수누름 콘크리트면에서 타일 붙임면까지 완전 절연된 신축 줄눈을 둔다.
(2) 판형붙임 (바닥 Mosic 타일붙임)	① Mortar 배합 : 1 : 2, 붙임. 즉시 종이 제거. 줄눈 교정. ② 붙임 3시간 후 갓둘레 부분의 Mortar를 제거하고 청소.
(3) 크링커타일 붙이기	① Mortar배합 : 1:3이나 1:4, Mortar 까는 면적 : 6~8m² 표준, 타일에 3mm정도의 시멘트풀을 발라 붙인다. 신축줄눈 : 바닥 Tile과 동일
(4) 접착제 붙이기	① 붙임 바탕면 충분히 건조(여름 : 1주이상, 기타 : 2주이상) ② 접착제 1회 바름면적 : 3m² 이하, 붙임시간에 유의.

5 테라코타 공사

1. 제품

장식용 점토제품으로 고급점토와 도토를 소성한 것이다. 단순한 것은 기계로 가압성형 혹은 압출성형 하지만 복잡한 형상의 주문품은 석고형틀로 주조한다.

학습 POINT

▶ 실내타일 붙임(떠붙임방법) 아래에서 위로 붙인다.(외부는 위에서 아래로 붙인다.)

▶ 타일 프리캐스트 판을 이용하여 외벽 마감한 건물

▶ 외부바닥 타일붙임

▶ 내부바닥타일 시공후 줄눈처리

구 조 용	칸막이 벽 등에 사용되는 공동벽돌
장 식 용	대개 장식용으로 쓰이며 난간벽, 주두, 돌림띠, 창대 등에 사용한다.

학습 POINT

2. 특징 및 기타사항

① 석재보다 가볍고, 색상이 다양하다, 미술품, 회화 등에 이용된다.
② 압축강도는 78.4~88.2 N/mm^{2}으로써 화강암의 1/2 이다.
③ 화강암보다 내화력이 강하고 대리석보다 풍화에 강하므로 외장에 적당하다.
④ 현장절단, 구멍뚫기가 불가능하므로 미리 연결구멍을 뚫어서 제작한다.
⑤ 테라코타는 형상이 너무 크면 제작이 곤란하므로 0.5m^2(평물), 0.1m^2(형물)를 한도로, 설계시에는 이 크기의 반 정도로 한다.
⑥ 제작기간이 많이 소요되므로 제품의 발주시기에 주의한다.

관련문제

1 타일의 종류를 소지 및 용도에 따라 분류하시오. (2점) 〔00 ⑤, 03 ③, 08 ①〕

(가) 소지 : ______________________

(나) 용도 : ______________________

2 타일 종류중에서 면을 처리한 타일의 종류를 3가지만 쓰시오. (3점) 〔94 ③, 95 ④〕

(1) ____________ (2) ____________ (3) ____________

3 도면 또는 특기시방에서 정한바가 없을 경우, 타일붙이기의 줄눈나비에 대해 아래 구분에 따라 쓰시오. (4점) 〔92 ④〕

(1) 대형 벽돌형(외부) ________ (2) 대형(내부일반) ________

(3) 소형 ________ (4) 모자이크 ________

4 점토소성 제품인 타일의 선정에서 외장타일에 발생할 수 있는 결점(흠집)의 종류를 3가지 쓰시오. (3점) 〔98 ③〕

① ____________ ② ____________

③ ____________

5 타일공사에서의 Open Time을 설명하시오. (3점) 〔95 ⑤, 97 ③, 01 ②〕

____

6 벽타일 붙이기 시공순서를 쓰시오. (4점, 2점) 〔85 ③, 10 ①, 14 ③〕

(1) 바탕처리 (2) ______ (3) ______ (4) ______ (5) ______

해설 및 정답

정답 1

(가) 소지 : 도기질, 석기질, 자기질 타일

(나) 용도 : 내장타일, 바닥타일, 외장타일

정답 2

(1) 스크래치 타일

(2) 태피스트리 타일

(3) 천무늬 타일

정답 3

(1) 9mm (2) 6mm

(3) 3mm (4) 2mm

정답 4

① 칫수, 형태 오차

② 색조(빛깔)의 차이

③ 공기구멍(기포) 혼입

정답 5

타일의 접착력을 확보하기 위해 Mortar를 바르고 타일을 붙일 때까지 소요되는 붙임시간으로 보통 내장 타일은 10분, 외장 타일은 20분 정도의 Open Time을 갖는다.(Open Time 불이행시 타일의 탈락현상이 촉진된다.)

정답 6

(1) 바탕처리 (2) 타일나누기

(3) 벽타일붙임 (4) 치장줄눈

(5) 보양

관련문제

해설 및 정답

7 **벽타일 붙이기공법의 종류를 4가지, 3가지를 적으시오. (4점, 3점)**

〔99 ②, 99 ③, 00 ③, 08 ①, 10 ②, 16 ①〕

① ______ ② ______

③ ______ ④ ______

정답 **7**
① 떠붙임공법
② 압착공법
③ 개량압착공법
④ 밀착공법(동시줄눈공법)

8 **다음에 설명된 타일 붙임 공법의 명칭을 쓰시오. (3점)** 〔00 ④, 02 ③, 06 ①〕

(가) 가장 오래된 타일 붙이기 방법으로 타일 뒷면에 붙임 모르타르를 얹어 바탕 모르타르에 누르듯이 하여 1매씩 붙이는 방법 ______

(나) 평평하게 만든 바탕 모르타르 위에 붙임 모르타르를 바르고 그위에 타일을 두드려 누르거나 비벼넣으면서 붙이는 방법 ______

(다) 평평하게 만든 바탕 모르타르 위에 붙임 모르타르를 바르고 타일 뒷면에 붙임 모르타르를 얇게 발라 두드려 누르거나 비벼 넣으면서 붙이는 방법

______

정답 **8**
(가) 떠붙임 공법
(나) 압착 공법
(다) 개량압착 공법

9 **다음은 타일붙임 공법에 대한 설명이다. ( )안에 알맞은 공법을 보기에서 골라 기호로 쓰시오. (3점)**

〔01 ①〕

〔보기〕
① 개량압착공법 ② 압착공법 ③ 떠붙임공법
④ 개량떠붙임공법 ⑤ 밀착(동시줄눈)공법

(가) 타일 뒷면에 붙임용 모르타르를 바르고 벽면의 아래에서 위로 붙여 가는 종래의 일반적인 공법은 ( )이다.

(나) 바탕면에 먼저 붙임 모르타르를 고르게 바르고 그곳에 타일을 눌러 붙이는 공법은 ( )이다.

(다) 바탕면에 붙임 모르타르를 발라 타일을 눌러 붙인 다음 충격공구(손진동기)로 타일면에 충격을 가하는 공법은 ( )이다.

정답 **9**
(가) ③
(나) ②
(다) ⑤

관련문제

10 **다음은 타일붙임 공법에 대한 설명이다. (　)안에 알맞은 공법을 보기에서 고라 기호로 쓰시오. (3점)** 〔07 ②〕

〔보기〕
① 개량압착 공법　② 압착 공법　③ 떠붙임 공법
④ 개량떠붙임 공법　⑤ 밀착(동시줄눈)공법

(가) 타일 뒷면에 붙임용 모르타르를 바르고 바탕에 누르듯이 하여 1매씩 붙이는 방법으로, 벽면의 아래에서 위로 붙여 가는 종래의 일반적인 공법은 (　　　)이다.

(나) 원칙적으로 타일두께의 1/2이상으로 붙임모르타르를 5~7mm 바르고 그위에 타일을 수평막대 등으로 타일을 눌러 붙이는 공법은 (　　　)이다.

(다) 바탕면에 붙임 모르타르를 5~8mm 발라 타일을 눌러 붙인 다음 충격공구(Vibrator)로 충격하여 붙이는 공법은 (　　　)이다.

11 **타일시공법 중 붙임재 사용법에 따른 공법을 1가지씩 쓰시오. (4점)** 〔10 ③〕

가. 타일측에 붙임재를 바르는 공법

나. 바탕측에 붙임재를 바르는 공법

12 **타일공사에서 압착붙임공법의 단점인 오픈타임(Open Time) 문제를 해결하기 위해 개발된 공법으로, 압착붙임공법과는 달리 타일에도 붙임모르타르를 바르므로 편차가 작은 양호한 접착력을 얻을 수 있고 백화도 거의 발생하지 않는 타일붙임공법은? (2점)** 〔15 ①〕

해설 및 정답

정답 **10**
(가) ③
(나) ②
(다) ⑤

정답 **11**
가. 떠붙임 공법
나. 압착공법 혹은 밀착공법(동시줄눈공법)

정답 **12**
개량압착공법

용어정의 • 해설

01 킨즈시멘트(Keen's Cement)

무수석고를 주원료로 명반, 붕산, 규소 등을 가하여 소성시킨 수경성 미장재료 로서 경석고 플라스터라고도 한다. 철을 녹슬게 하는 성질이 있으므로 못은 아연 도금못, 흙손은 스테인레스제를 사용해야 한다.

▶ 87-②, 06-③, 08-①, 12-①

• 바탕처리, 덧먹임 /

02 스터코(Stucco)

다량의 가용성 규산과 알루미나를 함유하는 소성물을 만들고 여기에 석회 기타광물질을 적당히 배합하여 만든 시멘트계 플라스터

03 라프코트(Rough coat)

시멘트와 모래, 자갈, 안료 등을 섞어서 뿌려 붙이거나 바르는 것으로 표면을 거칠게 마감한 것

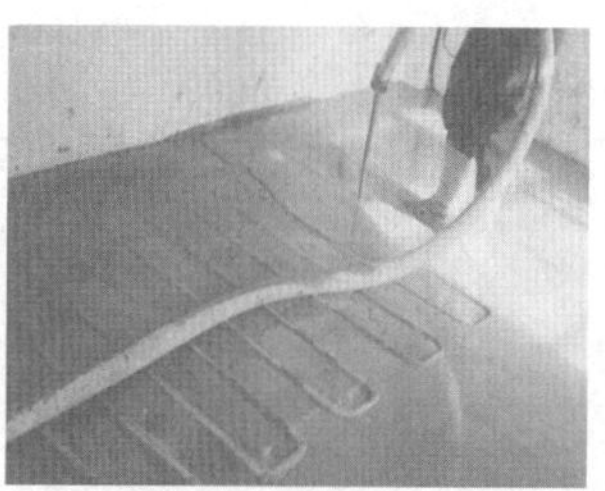

▶ Self Leveling재에 의한 바닥판시공

04 S.L(Self Leveling)재

고르지 못한 건물 바닥면에 물로 반죽하여 흘러부음으로써 자체 유동성에 의해서 수평으로 바닥면을 형성하는 바탕처리재로써 석고계와 시멘트계통이 있다. (석고계는 주로 실내에만 사용)

▶ Self Leveling재에 의한 주각부 Mortar 나중채워넣기

05 단열 Mortar

경량 골재를 주원료로 하여 만든 Mortar로써 바닥, 벽, 지붕 등의 열손실 방지를 목적으로 사용된다. 방음성, 내동해성, 시공연도가 우수하다.

06 내식(耐蝕) Mortar

대기중 수분, 온도영향, 부식, 침식 등에 대해 안전하도록 만든 Mortar로써 화학적 저항 시멘트, 녹방지 시멘트 등이 있고 Mortar에 내식제를 혼입한 것등이 있다.

07 Dry packed Mortar

강도, 수밀성, 내구성 증진을 위해 재료 중 물을 적게 넣은 된비빔의 Mortar를 말하며 된비빔 Mortar를 채워넣는 것을 Dry pack이라 한다. 균열부위, 구멍의 채움재, 결합부위의 보수보강용 등에 사용된다.

08 종 석

인조석, 테라죠에 쓰이는 잘게 부순 돌로 화강석, 백회석(한수석), 대리석, 기타 자연석을 부수어 만든다.

09 인조석 씻어내기

인조석 정벌 바른 직후에 물솔질을 2회 이상하고, 물걷히기를 보아 분무기로 시멘트풀을 씻어낸 것으로 돌알이 일매지게 나타난다.

10 캐스트 스톤(Cast Stone)

인조석 잔다듬이라고 하며, 인조석 바름 후 경화시켜 석공구로 잔다듬하여 마무리한 것

▶ 90-②, 04-②
- 리그노이드 스톤, 캐스트 스톤 용어 설명

11 아트 모자이크 타일

극히 작은 타일로 각종무늬, 회화 등에 쓰이는 타일로 주로 주문제작된다.

12 전도성 Tile(Conductive Tile)

전기전도체를 Tile에 내장시켜 만든 Tile로써 병원 수술실이나 가연성 공장에서 정전기 방전을 방지하기 위해 사용되는 Tile이다.

관련문제

1 **다음은 미장공사에 대한 용어이다. 간략히 설명하시오. (4점)**

〔87 ②, 06 ③, 08 ①, 12 ②〕

(1) 바탕처리 : ______________________

____

(2) 덧먹임 : ______________________

____

2 **다음 용어를 간단히 설명하시오. (6점)** 〔90 ②, 04 ②〕

(1) 바라이트(barite) 모르타르

____

(2) 리그노이드스톤(lignoid stone)

____

(3) 캐스트스톤(cast stone)

____

해설 및 정답

정답 **1**

(1) 바탕처리 : 요철 또는 변형이 심한 개소를 고르게 덧바르거나 깍아내어 마감두께가 균등하게 되도록 조정하는 것. 또는 바탕면이 지나치게 평활할 때 거칠게 하여 미장바름의 부착이 양호하도록 표면을 처리하는 것

(2) 덧먹임 : 바르기의 접합부 또는 균열의 틈새, 구멍등에 반죽된 재료를밀어 넣어 때우는 것

정답 **2**

(1) 바라이트 몰탈 : 방사선 차단용으로 바라이트 분말($BaSO_4$)에 시멘트, 모래를 혼합 하여 만든 것.

(2) 리그노이드 : 마그네시아 시멘트에 콜크 분말, 안료 등을 혼합한 것으로 바닥 포장재에 쓰인다.

(3) 캐스트 스톤 : 인조석 잔다듬이라고 하며, 인조석 바름 후 경화시켜 석공구로 잔다듬하여 마무리한 것.

출제예상문제

1 회반죽에 사용되는 재료 4가지를 적으시오.

① ________ ② ________ ③ ________ ④ ________

정답 1
① 소석회 ② 모래
③ 여물 ④ 해초풀

2 다음 미장공사 용어를 간단히 설명하시오.

(1) 결합재
(2) 혼화재

(1) ________
(2) ________

정답 2
(1) 소석회, 시멘트 플라스터등 다른 미장재료를 결합하여 경화시키는 재료.
(2) 결합재의 결점 즉 수축, 균열, 점성 부족 등을 보완하기 위해 사용되는 재료.

3 시멘트 Mortar 바름에서 표면을 마무리하는 수법에 대해 4가지를 적으시오.

① ________ ② ________
③ ________ ④ ________

정답 3
① 뿜칠마무리
② 긁어내기
③ 흙손 마무리
④ 색 Mortar 입히기

4 테라죠(인조석)를 만드는 마무리 방법을 3가지 쓰시오.

① ________ ② ________ ③ ________

정답 4
① 물갈기 ② 씻어내기
③ 잔다듬

5 타일의 탈락(박락) 원인에 대해 4가지, 2가지를 적으시오. (4점, 2점) 〔16 ③, 17 ②〕

① ________ ② ________
③ ________ ④ ________

정답 5
① 붙임 Mortar의 접착강도부족
② 붙임시간(Open Time)의 불이행
③ 바탕재와 Tile의 신축, 변형도 차이
④ 붙임후 양생, 경화 불량 (진동, 충격등)
※ Mortar 충전 불충분 등

출제예상문제

6 다음 물음에 답하시오.

(가) 시멘트 Mortar 바름두께는 바닥을 제외하고 (①)mm를 표준으로 하며 모르타르는 건비빔후 (②)시간 이내에 사용하고 물반죽후 (③)이내에 사용한다.

(나) 바닥타일 붙임 Mortar 깔기 면적은 (①) ~ (②)m^2를 표준으로 하며 하루 타일붙임 높이는 소형인 경우 (③) ~ (④)m 대형타일인 경우 (⑤) ~ (⑥)m로 한다.

(다) 타일의 치장줄눈 시공시 줄눈파기는 붙임후 (①)시간 경과후 하며 (②) 시간 경과후 치장줄눈한다.

(가) ______________________________

(나) ______________________________

(다) ______________________________

7 다음 설명에 답하시오.

(가) 공장에서 대형 타일 패널을 만들어 현장 타설 콘크리트와 일체화 시키기 위한 공법.

(나) 압착공법의 개선 방법으로써 타일의 입체감을 100% 발휘하며 접착력과 접착 편차가 적은 타일붙임 시공법.

(다) 석기질 타일로써 바닥재로 쓰이는 타일.

(라) 장식용 구조용 점토제품으로 고온에서 소성한 것이다. 압축강도가 화강암의 1/2 정도로 강하다.

(가) ______________ (나) ______________

(다) ______________ (라) ______________

8 거푸집조립전 타일을 먼저 가설치하고 콘크리트를 부어 타일 마무리를 콘크리트와 일체로하는 공법인 거푸집면 타일 선붙임 공법의 종류를 3가지 적으시오. (3점)

(1) ______________ (2) ______________

(3) ______________

해설 및 정답

정답 6

(가) ① 6 ② 3 ③ 1

(나) ① 6 ② 8 ③ 1.2m ④ 1.5 ⑤ 0.7m ⑥ 0.9

(다) ① 3 ② 24

정답 7

(가) 타일거푸집 선붙임공법

(나) 밀착공법(동시줄눈공법)

(다) 크링커(Clinker)타일

(라) 테라코다

정답 8

① 타일시트법 (Tile Sheet Method)

② 줄눈틀법(Joint Grille Frame Method)

③ 줄눈대법(Joint Strip Method)

관련문제

해설 및 정답

9 타일공사에 관한 다음 설명 중 빈칸에 적절한 숫자를 채워 넣으시오.

타일공사의 줄눈 시공의 시간 기준은 내부타일의 경우 시공 후 (　　)시간 경과한 후이며, 외부타일은 시공 후 (　　)시간 경과 후이다.

정답 9
24, 48

10 건축마감재에서 일반적으로 나타날 수 있는 하자의 유형을 3가지 쓰시오.

① ______________ ② ______________

③ ______________

정답 10
① 들뜸
② 박락
③ 손상
④ 변색
⑤ 부풀음
⑥ 균열 등

11 미장 면이 넓어 균열이 예상되는 부분에 사용되는 비드를 무엇이라고 하는가?

____

정답 11
익스팬션 조인트 비드
(Expansion Joint Bead)

12 다음 보기와 같은 단열 모르타르 바름 과정에 대한 내용을 순서대로 기호로 나열하시오.

〔보기〕
① 프라이머 도포 및 접착 모르타르 바름　② 보강재 설치
③ 보강 모르타르 바름　④ 바탕처리
⑤ 정벌바름　⑥ 초벌바름
⑦ 보양

____

정답 12
④-①-②-⑥-⑤-③-⑦

제12장

창호 및 유리공사

핵심 34

창호 및 유리공사

학습 POINT

1 창호공사

1. 목재창호공사

① 재료	홍송, 삼송, 적송, 가문비나무, 나왕, 느티나무, 티크등의 재료로 함수율 13~15%인 곧은결, 거심재를 사용하며, 접착제는 페놀, 요소, 멜라민 수지 등을 사용한다.
② 주문치수	설계도의 창호재 치수는 마무리 치수이므로 3mm정도 크게 주문(중대패 마무리) *선대는 3cm, 막이대는 5~10cm 크게 자름
③ 장 부	외장부 두께는 울거미 두께의 1/3, 쌍장부는 각각 1/5정도, 중요한 장부는 내다지 장부로 하고, 벌림쐐기 아교풀칠을 한다. (울거미재의 맞춤은 장부맞춤)
④ 유리홈 깊이	유리두께이상, 6~9mm 보통 7.5mm 유리문의 홈깊이 : · 위홈 : 9mm · 밑홈 : 3mm · 홈대나비 : 30mm
⑤ 널합판문	널문, 양판문(한장, 두장, 4장, 6장, 프랑스식, 징두리 양판문 등) 합판문, 플러쉬문 (양면 합판 부착 : 보통 Flush Coneycomb Core)
⑥ 창호제작 순서	창호 평면도(공작도작성) → 창문틀의 실측 → 재료주문 → 마름질 및 바심질 → 창호조립 → 마무리

*고무 사이런스(Silence) : 문여닫음에 의한 충격방지용으로 부착사용

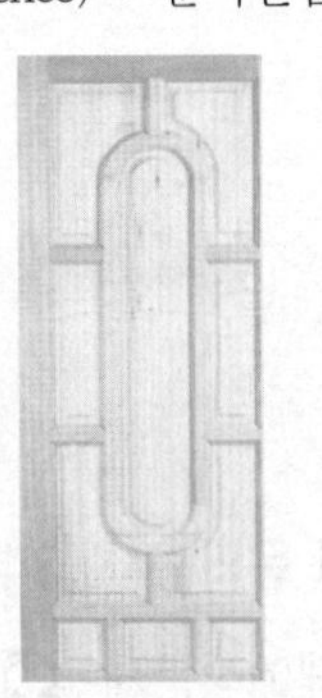

▶ 양판문

▶ 징두리 양판문

▶ 00-⑤

• 창호의 종류 : 양판문, 징두리양판문, 플러쉬문, 주름문

■ 양판문

울거미 중심에 넓은 널을 댄 문

■ 징두리 양판문

상부에 유리, 높이 1m 정도 하부에만 양판을 댄 문

■ 플러쉬문

울거미를 짜고 중간 살간격을 25cm 정도 배치하여 양면에 합판을 교착한 문

2. 용어설명

① 박배 : 창문을 창문틀에 다는 일.

② 마중대 : 미닫이, 여닫이 문짝이 서로 맞닿는 선대.

▶ 94-③, 05-③

• 용어설명, 박배, 마중대, 여밈대, 풍소란

③ 여밈대 : 미서기, 오르내리기창이 서로 여며지는 선대.

④ 풍소란 : 마중대, 여밈대가 서로 접하는 부분의 틈새에 댄 바람막이.

　*풍소란의 틈처리 : 반턱, 둥근혀, 민둥혀, T자형, I자형 등으로 댄다.

⑤ 비막이소란 : 창문틀에 빗물이 들어치지 못하게 윗틀이나 밑막이대에 물끊기 역할을 위하여 덧대는 부재.

⑥ 멀리온(Mullion) : 창면적이 클 때 기존의 창문틀(Frame)을 보강해주는 중간 선대를 말하며 커튼월구조에서는 버팀대, 수직지지대라고 한다.

3. 강재창호공사

① 제작순서	원척도 작성 → 신장녹떨기 → 변형바로잡기 → 금긋기 → 절단 → 구부리기 → 조립 → 용접 → 마무리→ 설치
② 현장설치순서 (나중세우기)	현장반입 → 변형바로잡기 → 녹막이칠 → 먹매김 → 구멍파기, 따내기 → 가설치 및 검사 → 묻음발고정 → 창문틀 주의 사춤 Mortar → 보양

4. 창호의 종류, 용도

종　류	창호철물 및 특징	용　도
① 양판 Steel Door	문틀 울거미는 강판을 압착성형 한다. 양판문, 플러쉬문, 강판재 형식이 있다.	갑종 방화문 을종 방화문
② 행거 도어	대형호차를 레위 위와 문 양옆에 부착	창고, 격납고, 차고 등 대형문
③ 접문 (Folding Door)	문짝끼리는 정첩으로 연결, 상부에 도어행거 사용	대형개구부, 정문, 반침, 주차장용
④ 주름문 (Holding Door)	세로살, 마름모살로 구성, 상하 가드레일을 설치한다.	방도용, 현관용
⑤ 무테문	강화유리(12mm),아크릴판(20mm), 울거미 없이 설치한다.	현관문(자동개폐장치)
⑥ 아코디온 도어	상부 행거 로울러, 하부는 중앙 지도리가 쓰인다.	칸막이, 여닫이문, 회의실
⑦ 회전문	회전지도리 사용	방풍(온도조절)용, 방도용

학습 POINT

▶ 85-②, 90-②, 07-① / 91-①, 04-②

• 강제창호 제작순서 /
• 강제창호 설치순서

▶ 91-③, 93-②

• 샤터, 주름문, 회전문, 무테문, 아코디온 도어의 용도

▼ 암기하기

■ 문의 종류와 용도

문의 종류	용　도
① 샤터	방화용, 방도용
② 주름문	방도용
③ 회전문	현관 방풍용
④ 아코디온 도어	칸막이용
⑤ 무테문	현관용일반

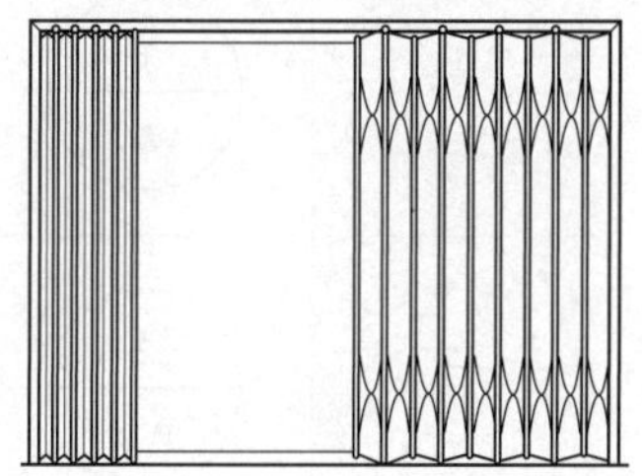

그림. 주름문

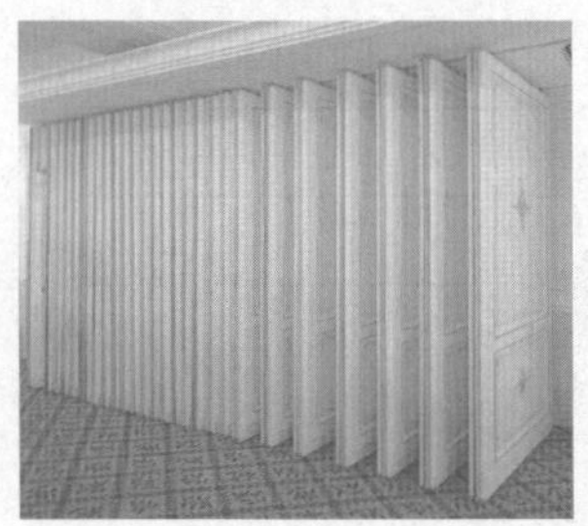
▶ 아코디온 도어의 접은 모습

▶ 아코디온 도어의 펼친 모습

▶ 현관 접이식문

▶ 강화유리로 된 회전문

5. 창호의 성능 표시항목

① 강 도	② 내 풍 압 성	③ 내 충 격 성	④ 기 밀 성	⑤ 수 밀 성
⑥ 차 음 성	⑦ 단 열 성	⑧ 방 로 성	⑨ 방 화 성	⑩ 개 폐 성

*기타 성능 : 특기시방서에 따른다.

▶ 03-③
• 성능에 따른 창호분류 3가지

암기하기
• 방화 창호
• 방음 창호
• 단열 창호
• 보통 창호

6. 창호의 재료, 기호표시방법

① 울거미재료의 종류별 기호

기 호	재료의 종류
A	알루미늄
G	유리
P	플라스틱
S	강철
SS	스테인레스
W	목재

② 창호별 기호

기 호		창문구별
한글	영문	
ㅁ	D	문
ㅊ	W	창
ㅅ	S	셔터

③ 창호기호 표시방법 예시(1)

구 분	목재	철재	알루미늄재	플라스틱재
창	1 / WW	1 / SW	1 / AW	1 / PW
문	2 / WD	2 / SD	2 / AD	2 / PD

④ 창호기호 표시방법 예시(2)

창호표시 기호(KS F 1502)

※ 창호번호는 같은 규격일 경우에는 모두 같은 번호로 기입한다.

① 창 : W
② 문 : D
③ 샤터 : S

※ 개폐방법에 따른 표시

▶ 13-①, 22-①
• 창호기호 표시

7. 미서기, 미닫이, 오르내리창의 창호철물

① 미서기, 미닫이창	레일, 호차(문바퀴), 오목손걸이, 꽂이쇠, 도아행거, 크레센트
② 오르내리창	달끈(로우프), 도르래(고패), 크레센트, 추, 손걸이

▶ 92-② / 90-②
• 미서기창의 창호철물 종류 3가지 /
• 창호에 사용되는 대표적 철물 종류

8. 알미늄 창호

(1) 알미늄 창호의 장・단점

장 점	단 점
① 비중이 철의 약 1/3정도다. (2.77) ② 녹슬지 않고 사용 연한이 길다. ③ 공작이 자유롭고 기밀, 수밀성이 좋다. ④ 내식성이 강하고 착색이 가능하다. ⑤ 개폐조작이 경쾌하다.	① 철재에 비해 강도가 약하다. ② Mortar, 회반죽, Concrete등 알카리에 약하다. ③ 내화성이 약하다. 염분에 약하다. ④ 이질금속과 접하면 부식된다. ⑤ 강성이 적고 열팽창 수축이 철의 2배이다.

▶ 92-①, 14-① / 98-② / 17-③
• 알미늄창호 장점 /
• 알미늄창호 설치시 주의점
• 알미늄재료의 장점 2가지

(2) 알미늄 창호의 성능 구분항목

① 내풍압성 ② 기밀성 ③ 수밀성
④ 방음성 ⑤ 단열성 ⑥ 개폐성

(3) 창호 설치시 주의사항

① 알미늄 표면에 부식을 일으키는 다른 금속과 접촉 금지.
② 알카리와 접촉부는 초벌녹막이칠 : Zincromate 도료, 내알카리성 도장.
③ 강재의 골조, 보강재, 앵카등은 아연도금 처리한 것 사용.
④ 충진 Mortar에 해사 사용할 때 Nacl량으로 0.02% 이하로 염분을 제거.

■ 알미늄 창호 설치시 주의점
① 몰탈, 회반죽등 알카리에 약하므로 직접 접촉을 피한다.
② 철재보다 강도가 약하므로 공작, 설치, 운반시, 취급손상에 주의한다.
③ 이질재 접촉시 부식되므로 동일재료의 창호철물을 사용하거나 녹막이 칠한다.

9. 샤터의 종류

① 샤터 커튼 구성에 의한 종류	일반샤터, 그릴샤터, 커넥션 샤터
② 일반샤터의 슬랫구조에 의한 분류	접어끼우기형, 리벳조임형, 정첩설치형, 네트형, 격자형(파이프) 샤터
③ 개폐형식에 의한 분류	상부감아넣기, 오버슬라이드, 수평샤터
④ 개폐구동방식에 의한 분류	수동식, 전동식, 수압열림식 샤터, 퓨즈장치식(방화샤타)
⑤ 사용목적에 의한 분류	방화용, 방연용, 내풍용, 차음용, 방범용, 방폭용

10. 샤터의 설치부품

① 홈대(Guide Rail) ② 샤터 케이스(Shutter case) ③ 로프홈통
④ 핸들 박스 ⑤ 슬랫

11. 창호철물의 정리

① 자유정첩	Spring Hinge, 안팎으로 개폐할 수 있는 정첩, 자재문에 사용
② Lavatory Hinge	공중전화 Box, 공중화장실에 사용, 15cm 정도 열려진 것
③ Floor Hinge	정첩으로 지탱할 수 없는 무거운 자재 여닫이 문에 사용(현관문에 사용)
④ Pivot Hinge	용수철을 쓰지 않고 문장부식으로 된 Hinge. 가장 중량문에 사용 (방화문)
⑤ Door Closer Door Check	문 윗틀과 문짝에 설치하여 자동으로 문을 닫는 장치
⑥ 함자물쇠	래치 Bolt(손잡이를 돌리면 열리는 자물통)와 열쇠로 회전시켜 잠그는 데드 Bolt 가 함께 있다.
⑦ 실리더 자물쇠	Cylinder Lock, Pin Tumbler Lock.(자물통이 실린더로 된 것으로, 텀블러대신 핀을 넣은 실린더 록으로 고정)
⑧ Night Latch	밖에서는 열쇠, 안에서는 손잡이로 여는 실린더 장치
⑨ Elbow Latch	팔꿈치 조작식 문 개폐장치. 병원 수술실, 현관등에 사용
⑩ 창개폐 조절기	창 수위조절기라고도 한다. 여닫이창, 젖힘창의 개폐 조절
⑪ 도어홀더(Door stay)	도어스톱에 고리쇠나 꽃이쇠가 달려서 문열림이나 닫힘 방지
⑫ Door stop	문이 벽에 충돌하여 파손되는 것을 방지하는 것으로 바닥 매립형과 벽 매립형이 있다.
⑬ 오르내리 꽂이쇠	쌍여닫이문(주로 현관문)에 상하고정용으로 달아서 개폐방지
⑭ 크레센트	오르내리창이나 미서기창의 잠금장치(자물쇠)

학습 POINT

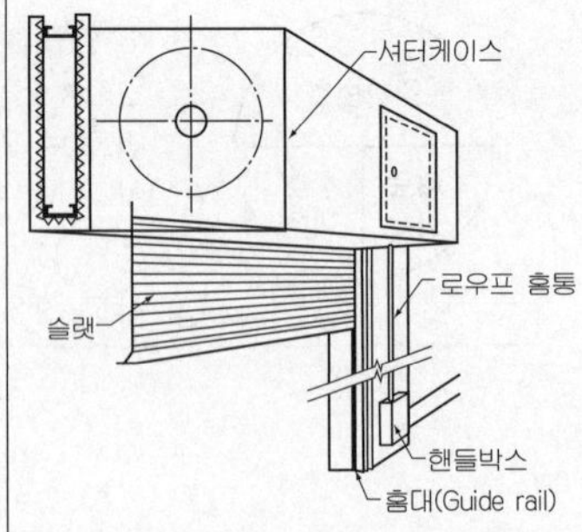

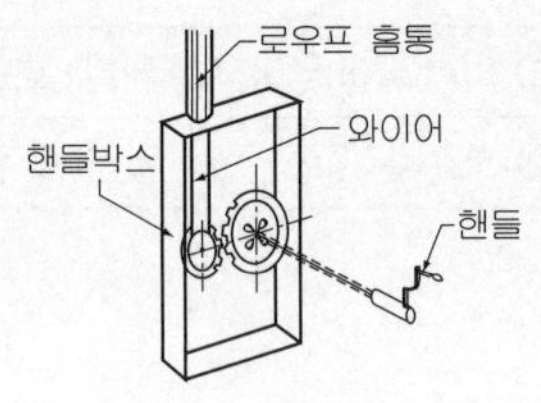

그림. 셔터의 모양

▶ 91-③, 92-②

- 셔터시공시 설치부품 3가지

▶ 97-③, 99-③, 04-③

- 각종 Hinge의 용도, Door closer

암기하기

■ 창호철물 중 힌지의 종류
① Floor Hinge : 현관문
② Lavatory Hinge : 화장실문
③ Pivot Hinge : 방화문

▶ Door Closer 모습

보충설명

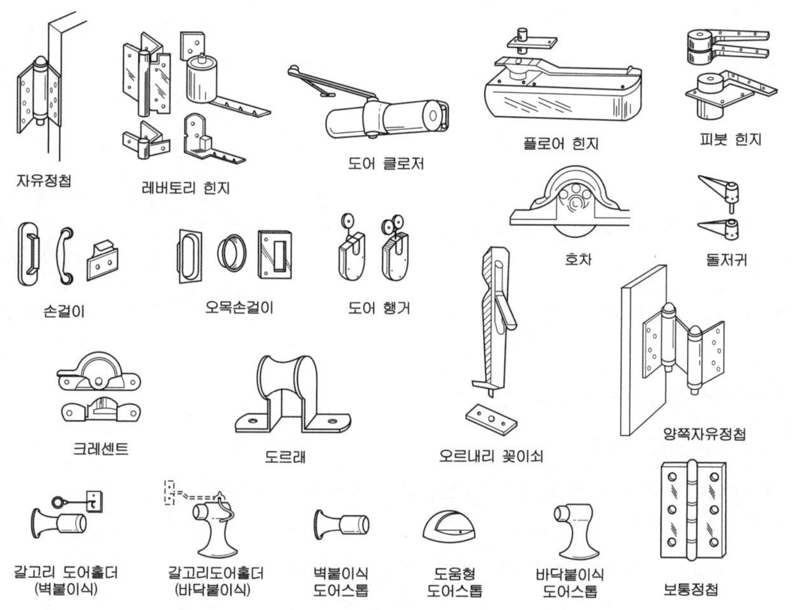

그림. 각종 창호 철물의 종류

2 유리공사

1. 보통 판유리의 종류

종 류	특 징
① 보통 판유리	• 정일품유리 : 3mm, 9.29m²(100ft²) 한 상자단위로 판매함. • 강도 : 압축 686N/mm², 인장 49N/mm², 휨 68.6N/mm²
② Float Glass (플로트 유리)	Float방식에 의해 생산되는 맑은 유리, 거울, 강화유리 접합유리, 복층유리등에 사용. 폭 3m, 길이 10m의 대형 제작 가능
③ 무늬유리 (형판유리)	롤 아웃방식으로 제조되는 판유리, 투명한 유리, 한면에 여러 가지 무늬를 넣은 것. (완자, 플로라, 미스트라이트 등)
④ U형 유리	U형 단면을 가진 좁고 긴 판유리, 큰 채광창, 채광지붕에 쓰인다.
⑤ 내열유리	규산분이 많은 유리로 성분은 석영유리에 가깝다. 금고실, 난로앞 가리개, 방화용 창에 이용
⑥ 색유리 (Coloured Glass)	판유리에 착색제를 넣어 만든 유리이다. 투명, 불투명 상품이 있다. Stained Glass창, 벽, 천장의 장식용으로 쓰인다.

학습 POINT

▶ 바닥에 설치된 도어스톱 모습

▶ 93-④

• 건축 창호용 유리 종류 5가지

■ 창호공사에 쓰는 대표적 유리종류

① 보통판 유리(소다석회유리)
② 무늬유리(형판유리)
③ 복층유리
④ 강화유리
⑤ 갈은유리(마판유리)

▶ 형판(무늬)유리

2. 판유리 가공품의 종류

종 류	특 징
① 갈은 유리 (마판유리)	후판유리의 한면, 양면을 갈은 것. 쇼윈도우나 고급 건축물에 쓰이고 거울에 사용된다.
② 흐린유리 (Sand Blast Glass)	금강사, 모래 등을 분사기로 뿜거나 거칠게 가공, 장식용창, Screen 등에 사용
③ 부식, 엣칭유리 (Tapestry 가공)	5mm이상 유리에 파라핀을 바르고 철필로 무늬새기고 그 부분을 부식시킴, 조각유리, 실내 장식용
④ 골판유리	유리한면에 골지게 무늬를 돋힌 것. 천창, 공장 지붕깔기 등에 쓰임. 파형유리
⑤ 결상유리	제라틴 용액을 이용해 결상(結霜)형 무늬를 돋힌 것
⑥ Cut Glass	표면에 광택이 있는 홈줄을 새겨 넣은 것
⑦ Stained Glass	색유리나 색칠한 판유리를 도안에 맞게 H자형 납제끈으로 맞추어서 모양을 낸 것. 장식창에 사용
⑧ 매직유리 (반사유리)	밝은 쪽에서는 거울로 보이고 어두운 곳에서는 밝은 쪽을 투시할 수 있다.

3. 화학성분에 의한 유리의 분류

유리종류	성분에 의한 명칭	특징·용도
① Crown Glass (보통유리)	소다유리 소다석회유리	건축, 일반창유리. 산에 강하고 알카리에 약함
② 보헤미안 유리 (경질유리)	칼리유리 칼륨유리	프리즘, 이화학기구. 용융 어렵고 투명도가 크다.
③ 프린트유리 크리스탈 유리	칼리연유리 납유리	빛굴절율이 크다. 광학기기, 모조보석, 고급식기
④ 물유리	규산소다유리	방수, 보색, 접착제, 방화도금, 내산도료, 물에 용해

4. 안전유리

종 류	특 징
① 접합유리, 접합안전유리	2장 이상의 판유리 사이에 폴리 비닐을 넣고 150℃ 고열로 강하게 접합하여 파손시 파편이 안떨어지게 한 것. 종류는 평면, 곡면 유리가 있다.
② 강화유리 (강화안전유리)	평면 및 곡면, 판유리를 600℃가열하여 급냉 시킨 안전유리, 내충격,하중강도가 보통 판유리의 3~5배, 휨강도는 6배정도 크다. 200℃이상 고온에도 견딘다.
③ 망입유리 (그물 유리)	유리내부에 금속망(철, 알미늄망)을 삽입, 압착성형, 도난방지 유류창고, 방화문에 사용

학습 POINT

▶ 형판(무늬)유리

▶ 93-②, 96-②, 98-①, 00-③

• 안전유리 종류 3가지

▶ 93-①

• 창호철물과 유리의 용어설명

암기하기

■ 안전유리 종류
① 접합유리
② 강화유리
③ 망입유리

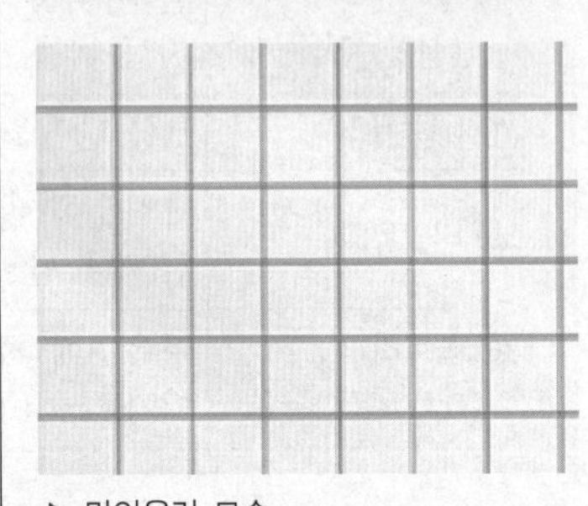

▶ 망입유리 모습

5. 특수유리

종　　류	특　　징
① 복층유리 (Pair Glass)	2개의 판유리 중간에 건조공기를 봉입한 것. 단열, 방음, 결로 방지용으로 우수하다. 12mm, 16mm, 18mm, 22~24mm가 있다.
② 열선흡수(차단)유리 (단열유리) (적외선 차단유리)	철,니켈,크롬,셀레늄 등을 가한다. 열선흡수를 크게하여 착색이 되도록 함. 실내 냉방효과 증대. 파장이 긴 열선을 흡수한다. (적외선흡수)
③ 열선반사유리	표면에 반사막을 입혔다. 단열효과 우수하다.
④ 자외선 투과유리	자외선을 50~90%이상 투과. 병원의 Sun Room, 온실, 요양소 등에 사용. 석영 및 코렉스유리, 비타, 헬리오유리 등
⑤ 자외선 흡수유리 (자외선 차단유리)	세륨, 티탄늄, 바나듐을 함유시킨 담청색의 투명유리로 의류의 진열장, 박물관 진열장, 약품창고, 창유리 등에 쓰인다.
⑥ X선차단유리 (방사선 차단유리)	의료용 X선이나 원자력 관계 방사선을 차단한다. 산화연(PbO)을 함유한 유리, 방사선실 등에 사용

6. Low-E 유리(Low-Emissivity Grass)

일반유리의 표면에 장파장 적외선 반사율이 높은 금속(일반적으로는 은)을 코팅시킨 것으로 어느 계절이나 실내・외 열의 이동을 극소화 시켜주는 에너지 절약형 유리이다. (일종의 열선 반사유리)

① 냉방효과 : 여름에는 태양 복사열 중의 적외선 및 지표면으로부터 방사되는 장파장 적외선을 실외로 반사시켜 실내로 유입되는 열기를 차단
② 난방효과 : 겨울에는 실내의 난방기구에서 나오는 적외선을 다시 실내측으로 재반사시켜 실내의 온기가 빠져 나가지 않도록 차단
③ 열선차단, 자외선차단효과 및 낮은 열관류율이 특징
④ Soft Low-E유리는 기재단된 판유리에 금속다중막을 코팅하여 여러색상 가능
⑤ 투과율, 반사율 조절이 가능

7. 유리의 절단

① 두꺼운 유리 : 유리칼로 금긋고 고무망치로 뒷면을 두드려 절단
② 접합유리 : 양면을 유리칼로 자르고 면도날로 중간에 끼운 필름 절단
③ 망입유리 : 유리칼로 자르고 철망꺾기를 반복하여 절단
④ 절단불능유리 : 강화유리, 복층유리, 스테인드그라스, 유리블록 등은 절단이 불가능하며 합성유리도 원칙적으로 재절단하지는 않는다.

학습 POINT

02-② / 13-①, 17-②, 22-② / 15-②, 19-①, 22-③ / 17-③
- 유리용도 : 복층, 자외선투과, 차단유리, 접합유리
- 복층유리, 배강도 유리 용어설명
- 접합유리, Low-E 유리 설명
- 복층유리, 강화유리 용어설명
- Low-E 유리(3중유리) 정의 및 특징 설명

20-④, 21-①
- 유리의 열파(열파손) 현상 설명

01-①, 18-③
- 절단불능유리 3가지

8. 유리의 고정방법

① 부정형 Seal재 끼움법	유리를 Setting Block으로 고인후 고정철물(목제 : 나사못, 철제 : 철사클립)을 설치하고 퍼티나, 탄성 실런트로 고정하는 법
② 가스켓 시공법	㉮ 그레이징 챤넬 고정법 ㉯ 그레이징 비드 고정법 ㉰ 구조가스켓 시공법 등이 있다. PC콘크리트는 Y형, 금속 Frame에는 H형 가스켓등을 사용한다.
③ 장부 고정법	나사 고정법, 철물 고정법, 접착제 고정법 등을 사용한다.

※ 세팅 블록 : 새시주위 유리끼움 부자재로 유리하중을 지지하는 고임재이다. 유리보다 3mm정도 큰 폭 유지, 새시폭보다 1.6mm~3mm도 작게 한다.

9. 대형 판유리 시공법

① 서스펜션(suspension)공법(현수공법)	대형판유리를 멀리온 없이 유리만으로 세우는 공법으로 유리 상단에 특수 고정철물을 장치하여 달아 맨 공법으로써 유리의 접합부에 리브유리(stiffener)를 사용하여 연결된 개구부 형성이 가능하게 하고, 유리사이 줄눈은 고성능 실런트로 마감한다.

※ 종류 : ㉮ 리브보강 그레이징 System ㉯ 현수 및 리브보강 그레이징 System ㉰ 현수 그레이징 System

② SGS(Structural Sealant Glazing System) 공법	건물의 창과 외벽을 구성하는 유리와 패널류를 구조 실런트(Structural Sealant)를 사용하여 실내측의 멀리온이나 Frame 등에 접착고정하는 방법

※ 검토사항 : 풍압력, 온도 무브먼트(온도변화에 따른 부재의 팽창, 수축), 지진에 대한 검토, 유리중량 검토

보충설명 기타 유리공법

① 프로필렛(pro-fillet)공법 : 262mm폭이 되도록 유리 양끝을 수직으로 굽혀 올린 단면을 가진 기다란 반투명유리 제품을 조립하는 공법. 접합은 매스틱 퍼티 사용

② DPG(Dot Point Glazing System)공법 : 4점지지 유리시공법으로써 기존의 알미늄 Frame을 사용 안하고 강화유리판에 구멍을 뚫어 특수가공 Bolt를 사용하여 유리를 고정하는 법. 자연미, 개방감 채광효과가 우수

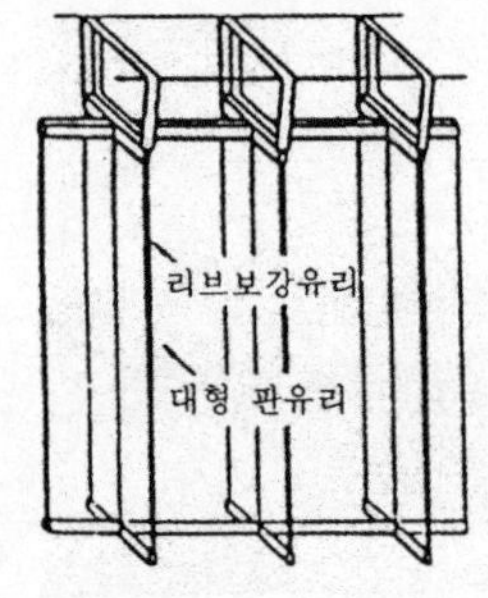

리브보강 그레이징 시스템

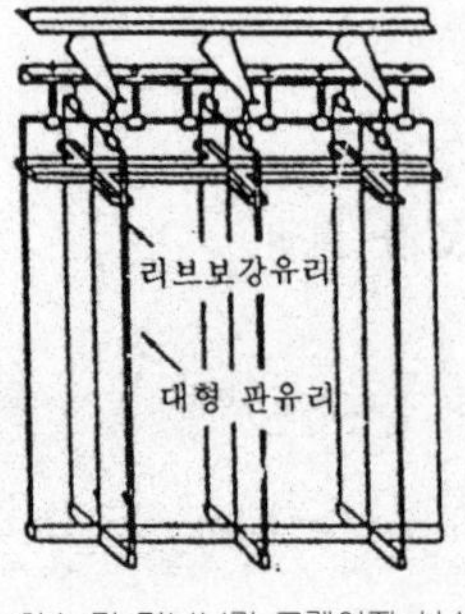

현수 및 리브보강 그레이징 시스템

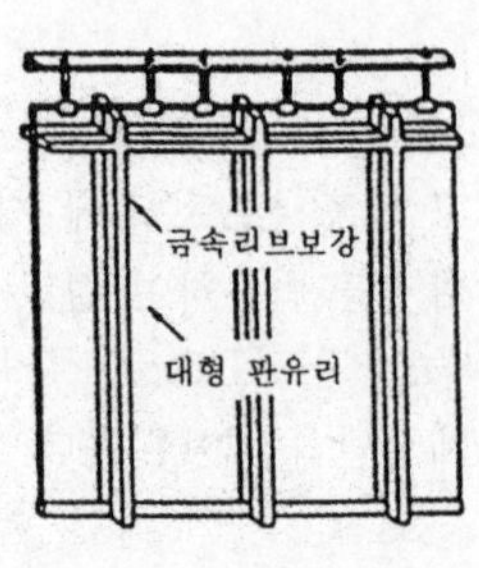

현수 그레이징 시스템

학습 POINT

■ 여러가지 유리 시공법

▶ SGS, DPG공법과 장선, TRUSS를 이용한 유리고정법

07-②
• SGS 공법과 검토사항

▶ DPG공법과 Rib 보강유리접합 장면

▶ DPG, SGS공법을 적용한 예

▶ DPG, SGS공법의 Corner적용 예

학습 POINT

▶ Frame과 철선을 이용한 유리고정예

10. 유리의 2차제품

종 류	창호철물 및 특징
유리블록 (Glass Block)	사각형, 원형 모양을 잘 맞추어 600℃에서 용착시켜서 일체로 한다. 의장용, 방음, 단열용, 열전도율이 벽돌의 1/4 정도이고 실내 냉·난방효과가 있다. 접착제는 물유리를 사용한다.
유리벽돌 (Glass Brick)	벽돌모양의 유리 성형품으로 형상, 치수, 색체가 다양 채광용이 아니라 장식용으로 쓰인다.
유리타일 (Glass Tile)	색유리를 작은 조각으로 잘라 타일 형으로 만든 것으로 색체가 다양하고 불흡수성이며 절단, 가공이 자유롭다. 외부 장식용이다. (모자이크 글라스)
프리즘타일 (Prism Tile)	지하실, 지붕 등의 채광용이다. 투과광선의 방향을 변화시키거나 집중확산시킬 목적으로 프리즘 이론을 응용해서 만든 각형, 원형, 특수형의 유리이다. 3~15mm두께, Deck Glass, Top Light, 포도유리라고도 한다.
발포유리 (Foam Glass)	유리를 가는 분말로 하여 카본, 발포제를 섞어서 제조, Foam Glass라고도 하며 단열, 보온, 방음재료로 벽, 반자 등에 붙인다.
유리섬유 (Glass Wool)	암면과 같은 단열, 흡음재로 사용되며 불연성 직물로도 사용된다. 흡음율은 광물섬유 중 최고인 약 85%이다.

▶ 유리 Block 쌓는 장면

▶ 건물외벽의 유리 Block 시공 장면

■ 벽체용 유리
① 유리 블록
② 유리 벽돌

■ 바닥용 유리
① 프리즘 유리(덱크유리)
② 유리 타일

▶ Color 유리벽돌로 시공된 벽면

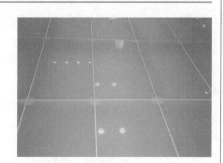

▶ 건물바닥 Deck 유리시공 예

관련문제

1 **다음 설명이 의미하는 문의 명칭을 쓰시오. (3점)** 〔00 ⑤〕

(가) 문을 닫았을 때 창살처럼 되는 문으로 방범용으로 쓰임
(나) 울거미를 짜고 중간 살간격 25cm 정도 배치하여 양면에 합판을 교착한 문
(다) 상부에 유리, 높이 1m 정도 하부에만 양판을 댄 문
(라) 울거미 중심에 넓은 널을 댄 문

(가) ______ (나) ______

(다) ______ (라) ______

2 **다음은 창호 공사에 관한 용어설명이다. 설명이 의미하는 용어명을 쓰시오. (4점)** 〔94 ③, 05 ③, 08 ③〕

① 창문을 창문틀에 다는 일
② 미닫이 또는 여닫이 문짝이 서로 맞닿는 선대
③ 미서기 또는 오르내리창이 서로 여며지는 선대
④ 창호가 닫아졌을 때 각종 선대 등 접하는 부분에 틈새가 나지 않도록 대어주는 것.

① ______ ② ______ ③ ______ ④ ______

3 **강제 창호의 제작순서를 보기에서 골라 번호로 쓰시오. (4점)** 〔85 ②, 90 ②, 07 ①〕

〔보기〕

(1) 원척도	(2) 구부리기	(3) 용접
(4) 녹떨기	(5) 접합부검사	(6) 절단
(7) 변형바로잡기	(8) 금매김	(9) 조립

*07년 ①회 문제는 ( ) 넣기로 출제됨.

______

4 **강재창호 설치 시공순서를 쓰시오. (4점)** 〔91 ①, 04 ②〕

(1) 현장반입	(2) (가)	(3) (나)
(4) (다)	(5) 구멍파기, 따내기	(6) (라)
(7) (마)	(8) 창문틀 주위 사춤	(9) (바)

(가) ______ (나) ______ (다) ______

(라) ______ (마) ______ (바) ______

해설 및 정답

정답 1
(가) 주름문
(나) 플러쉬문(Flush door)
(다) 징두리 양판문
(라) 양판문(Panel door)

정답 2
① 박배
② 마중대
③ 여밈대
④ 풍소란

정답 3
(1)
(4)
(7)
(8)
(6)
(2)
(9)
(3)
(5)

정답 4
(가) 변형바로잡기
(나) 녹막이칠
(다) 먹메김
(라) 가설치 및 검사
(마) 묻음발 고정
(바) 보양

관련문제

5 다음 용도에 가장 적합한 창호명 1가지만 골라 번호로 쓰시오. (5점) 〔91 ③, 93 ②〕

(1) 방도용 (2) 칸막이용 (3) 현관 방풍용
(4) 방화용 (5) 현관용 일반

〔보기〕
(가) 셔터 (나) 주름문 (다) 회전문 (라) 아코디온 도어 (마) 무테문

(1) ______ (2) ______ (3) ______

(4) ______ (5) ______

6 창호를 분류하면 기능에 의한 분류, 재질에 의한 분류, 개폐방식에 의한 분류, 성능에 의한 분류로 구분할 수 있다. 이중에서 성능에 따라 분류할 때의 종류를 3가지 쓰시오. (3점) 〔03 ③〕

가. ______ 나. ______

다. ______

7 다음 표에 제시된 창호재료의 종류 및 기호를 참고하여, 아래의 창호기호표를 표시하시오. (3점) 〔13 ①, 22 ①〕

기 호	재료종류
A	알루미늄
P	플라스틱
S	강철
W	목재

영문기호	창호구별
D	문
W	창
S	셔터

구 분	창	문
철제	3	4
목재	1	2
알루미늄제	5	6

해설 및 정답

정답 5
(1) (나) (2) (라) (3) (다)
(4) (가) (5) (마)

정답 6
가. 방화창호
나. 방음창호
다. 단열창호
※ 보통창호

관련문제

정답 7

구 분	창	문
철제	3 / SW	4 / SD
목재	1 / WW	2 / WD
알루미늄제	5 / AW	6 / AD

8 미서기창의 창호철물 종류를 3가지 쓰시오. (4점) 〔92 ②〕

① ______ ② ______ ③ ______

9 다음 창호에 사용되는 창호철물로 가장 대표적인 것 하나씩을 보기에서 골라 번호로 쓰시오. (2점) 〔90 ②〕

(가) 미서기창 (나) 여닫이창 (다) 자재여닫이 중량문
(라) 회전문 (마) 오르내리창

〔보기〕
(1) 플로어 힌지 (2) 도르래 (3) 정첩 (4) 지도리 (5) 레일

10 알루미늄 창호를 철제창호와 비교한 장점을 2가지, 3가지 쓰시오. (2점, 3점) 〔92 ①, 14 ①〕

①

②

③

11 알루미늄 창호 공사시 주의할 사항에 대하여 3가지만 쓰시오. (3점) 〔98 ②〕

(1)

(2)

(3)

해설 및 정답

정답 8
① 레일 ② 호차(문바퀴)
③ 오목손걸이 ④ 꽂이쇠
⑤ 도아행거 ⑥ 크레센트

정답 9
(가) (5) (나) (3) (다) (1)
(라) (4) (마) (2)

정답 10
① 비중이 철의 1/3정도로 가볍다.
② 녹슬지 않고, 사용연한이 길다.
③ 내식성이 강하고 착색이 가능하다.
④ 공작이 자유롭다.

정답 11
(1) 몰탈, 회반죽 등 알카리에 약하므로 직접 접촉을 피한다.
(2) 철재보다 강도가 약하므로 공작, 설치, 운반시 취급손상 주의
(3) 이질재 접촉시 부식되므로 동일재료로 창호철물을 사용하거나 녹막이칠을 한다.

관련문제

12 셔터시공시 설치부품명을 3가지만 쓰시오. (3점) 〔91 ③, 92 ②〕

(1) ________ (2) ________ (3) ________

13 다음 창호철물과 관계가 깊은 것을 선으로 연결하시오. (3점) 〔97 ③, 99 ③〕

(1) Floor hinge • 화장실문
(2) Pivot Hinge • 일반방화문
(3) Lavatory hinge • 현관문

14 건축 창호용에 쓰이는 유리 종류를 5가지만 쓰시오. (5점) 〔93 ④〕

(1) ________ (2) ________ (3) ________

(4) ________ (5) ________

15 다음 유리 및 창호철물에 관한 설명 중 틀린 것을 골라 기호로 쓰시오. (4점) 〔93 ①〕

(1) 두장 이상의 유리를 합성수지로 겹붙여 댄 것을 복층유리라 한다.

(2) 방도용 또는 화재 기타 파손시에 산란을 방지하기 위해 철망을 삽입한 유리를 형판유리라 한다.

(3) 문지도리로써 용수철을 쓰지 않고 문장부식으로 된 것을 플로어 힌지라 한다.

(4) 스프링 힌지의 일종으로 공중변소, 전화실출입문에 쓰이며 저절로 닫혀 지지만 15cm정도 열려 있게 된 것을 레버토리 힌지라 한다.

16 일반적으로 넓은 의미의 안전유리(Safety Glass)로 분류할 수 있는 성질을 가진 유리의 명칭을 3가지만 쓰시오. (3점) 〔93 ② 96 ②, 98 ①, 00 ③〕

① ________ ② ________ ③ ________

해설 및 정답

정답 **12**
(1) 홈대(guide rail)
(2) 셔터 케이스
(3) 로우프 홈통 및 핸들상자

정답 **13**
(1) 현관문
(2) 일반방화문
(3) 화장실문

정답 **14**
(1) 보통판유리
(소다석회유리: 크라운 유리)
(2) 갈은유리 (3) 형판유리
(4) 골판유리 (5) 복층유리

정답 **15**
(1), (2), (3)
(1) 접합유리 (2) 망입유리
(3) 피봇힌지

정답 **16**
① 강화유리
② 접합유리
③ 망입유리

관련문제

17 **다음은 유리의 종류에 관한 내용이다. 설명이 의미하는 유리를 보기에서 골라 기호를 쓰시오. (4점)** 〔02 ②〕

〔보기〕

㉮ 접합유리(Laminated glass)	㉯ 자외선 투과유리
㉰ 복층유리(Pair glass)	㉱ 열선반사유리
㉲ 자외선차단유리	㉳ 강화유리
㉴ 망입유리	㉵ 프리즘(prism)유리

① 건조공기층을 사이에 두고 판유리를 이중으로 접합하여 테두리를 둘러서 밀봉한 유리 :

② 일광욕실, 병원, 요양소 등에 사용 :

③ 두 장 이상의 판 사이에 합성수지를 겹붙여 댄 것으로서 일명 합판유리라 함 :

④ 진열창, 약품창고 등에서 노화와 퇴색방지에 사용 :

18 **공사 현장에서 절단이 불가능하여 사용치수로 주문 제작해야 하는 유리의 명칭 3가지를 쓰시오. (3점)** 〔01 ①, 18 ③〕

① ______ ② ______ ③ ______

19 **건물의 창과 외벽을 구성하는 유리와 패널류를 구조 실런트(Structural Sealant)를 사용하여 실내측의 멀리온이나 Frame 등에 접착고정하는 공법의 명칭과 검토사항을 쓰시오. (4점)** 〔07 ②〕

가. 공법의 명칭 :

나. 검토 사항 :

20 **다음 용어를 설명하시오. (6점)** 〔13 ①, 17 ②, 22 ②〕

(1) 복층 유리 : 〔17 ③〕

(2) 배강도 유리 :

해설 및 정답

정답 17
① 다
② 나
③ 가
④ 마

정답 18
① 강화유리
② 복층유리(Pair Glass)
③ 스테인드 글라스
④ 유리블록(Glass Block)

참고사항
■ 망입유리, 접합유리는 현장절단 가능

정답 19
가. SGS(Structural Sealant Glazing System) 공법
나. 풍압력, 온도 무브먼트(온도변화에 따른 부재의 팽창, 수축), 지진에 대한 검토, 유리중량 검토

정답 20
(1) 복층 유리 : 2개의 판유리 중간에 건조공기를 봉입한 것(단열, 방음, 결로방지 우수)
(2) 배강도 유리 : 유리를 연화점 이하로 가열 후 찬공기를 약하게 불어주어 냉각시켜 만든 건축용 유리(반강화유리)

출제예상문제

CHAPTER 12 창호 및 유리공사

1 오르내리창의 창호철물 종류를 4가지 적으시오

① ________ ② ________ ③ ________ ④ ________

정답 1

① 달끈(로우프) ② 도르래(고패)
③ 크레센트 ④ 추

2 판유리 가공품의 종류를 5가지만 적으시오.

① ________ ② ________ ③ ________

④ ________ ⑤ ________

정답 2

① 갈은유리(마판유리)
② 흐린유리
③ 부식유리(엣칭유리)
④ 골판유리
⑤ 무늬유리(형판유리)

3 좌항에 관계되는 것을 우항에서 골라 짝지으시오.

(1) 망입유리 (가) 방범용
(2) 복층유리 (나) 방화문
(3) 자외선투과유리 (다) 병원의 Sun Room
(4) 강화유리 (라) 현관 무테문
(5) 매직유리 (마) 고층 사무실 외부창

____

정답 3

(1) (나) (2) (마) (3) (다)
(4) (라) (5) (가)

4 유리 설치후 유리보양을 위한 방법을 2가지만 적으시오.

____

정답 4

① 종이붙임
② 판 붙임 방법

5 개폐방식에 따른 창호의 종류를 4가지 쓰시오.

① ________ ② ________

③ ________ ④ ________

정답 5

① 여닫이 창호
② 미닫이 창호
③ 미서기 창호
④ 회전 창호
⑤ 오르내리기 창호

출제예상문제

6 유리를 창문틀에 고정하는 방법을 2가지만 적으시오.

가. ____________ 나. ____________

7 대형판유리를 시공하는 방법 중 철물을 이용하여 달아매는 현수공법의 대표적인 시공방법의 종류를 2가지만 적으시오.

(1) ____________ (2) ____________

8 창호 시공상세도에 명기할 내용을 3가지 쓰시오.

① ____________ ② ____________

③ ____________

9 다음 용어를 설명하시오. (4점) 〔15 ②, 19 ①〕

(1) 유리시공법 중 DPG (Dot point Glazing System)공법 : ____________

(2) 접합 유리(Laminated Glass) : 〔15 ②, 19 ①〕 ____________

(3) Low-E(로이) 유리 : 〔15 ②, 19 ①, 22 ③〕 ____________

해설 및 정답

정답 **6**

가. 탄성실런트로 고정하는 법
나. 성형시일재로 고정하는 방법

정답 **7**

(1) 리브보강 그레이징 시스템
(2) 현수 및 리브보강 그레이징 시스템
(3) 현수 그레이징 시스템

정답 **8**

① (프레임내의) 유리 물림 치수
② (프레임내의) 실런트(sealant) 폭
③ 가스켓 크기(Gasket Size)
④ 셋팅 블록(Setting Block) 위치 등

정답 **9**

(1) 기존의 창틀을 사용 안하고 강화유리판에 구멍을 뚫고 특수가공 볼트를 사용하여 유리를 고정하는 방법
※ 자연미, 개방감, 채광효과가 우수하다.
(2) 합판유리, 합유리라고도 하며, 두 장 이상의 판유리 사이에 합성수지를 겹붙여 댄 것
(3) Low - Emissivity Glass의 약칭으로 유리의 한쪽 표면에 얇은 은막(Ag)을 입힌 일종의 열선반사유리를 말한다. 가시광선 투과율이 높고 열선의 투과율은 낮은 에너지절약형 유리이다.

제13장

금속, PC, 커튼월공사

핵심 35 금속, PC, 커튼월공사

1 금속공사

1. 기성재철물

종 류	용 어 설 명
① 미끄럼 막이 (Non-Slip)	계단, 디딤판 끝에 대어 미끄러지지 않게 하는 철물, 황동제, 타일제품, 석재, 접착 Sheet 등 다양하다.
② 계단 난간	황동제, 철제, 스텐레스 등을 용접 또는 접합한다.
③ 코너, 앵글비드	기둥, 벽, 등의 모서리에 대어 미장 바름을 보호하는 철물
④ Plaster Stop	미장바름과 다른 마감재와의 접촉부에 넣는 줄눈대
⑤ 바닥용 줄눈대 (황동줄눈대)	인조석 테라죠갈기에 쓰이는 황동압출재로 I자형이다. 두께 4~5mm, 높이 12mm, 길이 90cm가 표준
*사용목적 : Crack 방지, 보수용이, 바닥 바름 구획의 조정용으로 사용	
⑥ 벽, 천장, 바닥용 줄눈대(Joiner)	아연도금 철판제, 경금속재, 황동제의 얇은 판을 프레스한 길이 1.8m 정도의 줄눈가림재로, 이질재와의 접촉부에 사용
⑦ 철망(Wire Lath)	원형, 마름모, 갑형 등 3종류가 있다. 철선을 꼬아서 만든 것으로 벽, 천정의 미장 공사에 쓰인다.
⑧ Metel Lath (익스펜디드 메탈)	얇은 철판(#28)에 자름금을 내어서 당겨 만든 것으로 벽, 천정의 미장 바름에 사용 된다.
⑨ 와이어 메쉬 (Wire Mesh)	연강 철선을 전기용접하여 정방형, 장방형으로 만든 것. Concrete 바닥판, Concrete 포장 등에 쓰인다.
⑩ Block Mesh	블록 보강용 와이어 메쉬로, 15cm 간격으로 전기용접한 것

2. 고정철물

종 류	용 어 설 명
① 인서어트(Insert)	달대를 매달기 위한 수장철물로 Concrete 바닥판에 미리 묻어 놓는다. (철근, 철물, Pin, Bolt 등도 사용)
② 익스팬션 Bolt	삽입된 연결 Plug에 나사못을 채운 것. (인발력 : 270~500kg)
③ 스크류 앵카	익스펜션 Bolt와 같은 원리이다.
④ Drive-It (Drive Pin)	소량의 화약의 폭발력을 이용하여 Concrete, 벽돌벽, 강재 등에 Drive Pin(특수가공한 못)을 순간적으로 쳐박는 기계이다.

학습 POINT

▶ 90-①, 97-②, 05-③, 10-①, 20-① / 90-②, 90-③, 12-③, 15-① / 94-④

- 용어설명, 코너비드 /
- 와이어라스, 메탈라스, 와이어 매쉬, 펀칭메탈 용어 설명 /
- 인조석 줄눈대 설치이유

▶ 황동줄눈대와 Non-Slip의 모습

▶ 달대에 의한 덕트고정

3. 수장 · 장식용 철물

종 류	용 어 설 명
① 펀칭 Metal	판두께 1.2mm 이하의 얇은 판에 각종 무늬의 구멍을 천공한 것. 장식용, 라지에타 카바 등에 쓰인다.
② 메탈 시일링	박강판의 천장판으로 여러무늬가 박혀지거나 펀칭된 것
③ 법랑 철판	0.6~2.0mm두께의 저탄소강판에 법랑(유기질 유약)을 소성한 것으로 주방용품, 욕조 등에 쓰인다.
④ 타일가공철판	타일면의 감각을 나타낸 철판

보충설명

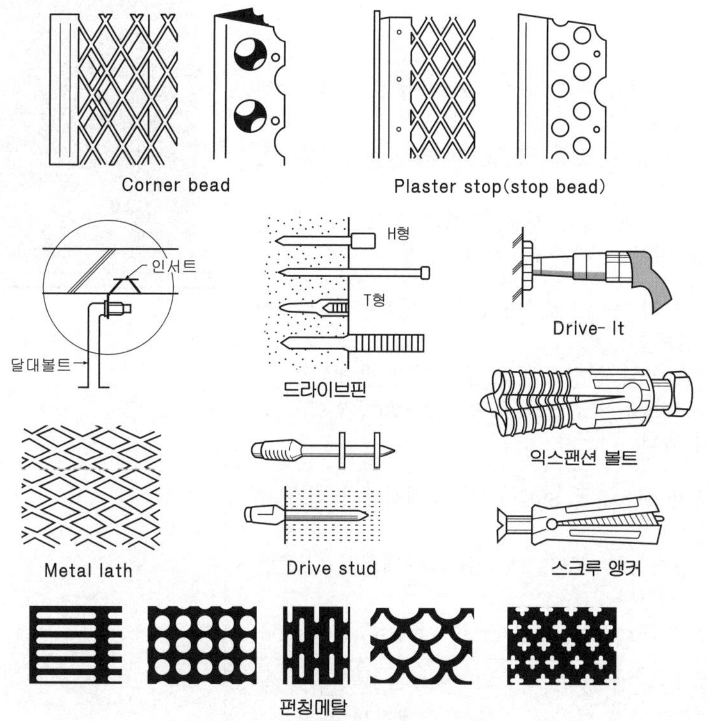

그림. 각종 철물의 모양

2 Precast공사(공업화 건축)

1. 정의

건축생산의 다양화, 활성화, 합리화, 경제성 추구를 목적으로 골조의 전부 혹은 대부분을 공장작업화하여 현장에서 조립 접합하는 시공방식이며, 건축생산을 위한 계획, 설계, 부재생산, 시공 유지관리에 이르는 공업화 생산을 위한 일괄된 System을 말한다.

학습 POINT

08-②, 18-①, 20-③ / 11-③, 18-①, 20-②, 23-①

- Metal Lath와 펀칭 Metal 용어설명
- Drive Pin

2. PC(공업화)건축의 장 · 단점

장　점	단　점
① 품질수준의 향상 ② 원가절감 ③ 건식공법화 ④ 기계화 시공 가능 ⑤ 건설공해 감소 ⑥ 현장작업 감소	① 다양성 부족 ② 접합부의 강도부족 ③ 운반거리의 제약 ④ 이중운반에 따른 파손 ⑤ 양중작업시 주의 ⑥ 수요자의 선호도 낮음

3. 각종 공법 소개

공법	내용
① SPH(Standard Public Housing) 공법 : PC대형 패널공법 (Large Panel : LP)	㉮ 벽식, RC조의 벽, 바닥 등을 Room Size로 제작. 현장에서 조립접합. ㉯ 건식, 습식공법이 있고, 벽판은 3×6m, 바닥지붕판은 10~20m² 정도. ㉰ 중, 고층 APT에 많이 사용. 부재가 크므로 방수 결함이 작고 창문틀, 배관 pipe를 미리 설치.
② HPC공법(H형강 +PC판) 내화피복을 겸한 현장 Concrete타설 공법	㉮ 기둥은 H형강 사용, 보, 바닥, 내력벽은 PC 부재화해서 현장조립. ㉯ 기둥은 SRC조로 현장타설, 조립과 현장 병행작업. ㉰ 접합은 고력Bolt, 용접으로 하며 Dry Joint방법이고 공업화율이 높다.
③ RPC공법(Rahman PC공법) : 응력이 큰기둥, 보의 접합부는 공장 PC로 생산	㉮ 라멘구조의 주요부를 SRC나 PC 부재화해서 현장 조립하는 방법. ㉯ 신뢰도, 안전성이 크다. PC 부재의 대형화로 운반, 양중에 유의한다. ㉰ 철근은 강판 Sleeve이음, 철골은 고력 Bolt접합으로 한다.
④ 적층공법 (TSA 공법)	Pre-Fab화된 구조체 및 외벽 등을 한층씩 조립함과 동시에 설비를 포함한 마감도 각층씩 끝내면서 세워가는 공법.(고층건물에 적당)
⑤ 입체 Unit 방식 (Space Unit공법)	욕실, 주방 등을 공장에서 입체 유니트로 제작하여 조립. 경량 철골, Concrete의 Room Unit도 있고, 입체형 단위부품이 완결된 단위 구조가 보통이다.
⑥ V.H 분리타설 공법	건물의 수직 부재와 수평부재를 나누어 시공하는 방법
⑦ Half Slab 공법	얇은 PC판, 반PC판 공법이라고도 하며 하부를 PC화 상부를 현장 Concrete타설 (Topping Concrete)하는 방법, PC의 장점과 결점을 보완한 공법이다.

학습 POINT

90-①, 96-⑤, 98-④, 01-①

• 공장제작 PC제품 제작순서

암기하기

■ 공장 PC 제품 제작순서
① 거푸집 청소
② 거푸집 조립
③ 창문틀 설치
④ 철근조립
⑤ 설비재설치
⑥ 중간검사
⑦ Concrete 타설
⑧ 표면 마무리
⑨ 양생
⑩ 거푸집 탈형
⑪ 적재(보관)
⑫ 현장 운반

4. 기타 조립식 공법의 설명

① 내력벽식공법 (대형 판넬공법)	창호 등이 설치된 건축물의 대형판 벽체를 아파트 등의 구조체에 이용하는 방법
② BOX식 공법 박스플레임 공법	건축물의 1실 혹은 2실 등의 구조체를 박스형으로 지상에서 제작한 후 이를 인양 조립하는 방법
③ 틸트 업(Tilt up) 공법	지상의 평면에서 벽판 및 구조체를 제작한 후 이를 일으켜서 건축물을 구축하는 방법
④ 리프트 슬래브 (Lift Slab) 공법	지상에서 여러층의 슬래브를 제작한 후 이를 순차적으로 들어올려 구조체를 축조하는 공법
⑤ 커튼월 공법	창문틀 등을 건축물의 벽판에 설치한 후 구조체에 붙여대어 이용하는 방법

학습 POINT

91-①, 96-④, 00-④, 03-③, 07-②

- 내력벽식공법, BOX식, tilt-up공법, Lift Slab, 커튼월공법 용어설명

■ Lift-Slab 공법은 Lift-up 공법의 일종이다.
Lift-up 공법의 종류
① Lift-Slab 공법
② Full-up 공법
③ 큰지붕 Lift 공법

5. PC공사의 접합부 처리법

① 접합부의 요구성능
㉮ 응력전달 ㉯ 방수성 ㉰ 기밀성 ㉱ 내구성

② 접합부 누수원인
㉮ 재료불량 ㉯ 바탕처리 미흡
㉰ 시공불량 ㉱ 구조체의 변형

③ PC판과 Curtain wall의 우수침입 원인과 대책

우 수 침 입 유 형			대 책	
중력에 의한 침투	이음새가 하부로 되어 중력으로 침투	틈새가 하부로	이음새 방향을 상향으로 조정하거나 물턱을 만든다.	상향구배 물턱
표면장력	표면을 타고 들어온다		물끊기 설치	물끊기
모세관 현상	0.5mm이하의 틈새	0.5㎜ 이하	이음부 내부를 넓게, 틈새를 크게	Air Pocket
운동에너지에 의해 침투	바람에 의해 운동 에너지를 받음		내부를 미로로 만들어 운동 에너지를 소멸시킨다.	미로
기압차	내외부 기압차로 물이 이동		등압원리 이용하여 내부 기압차를 제거한다. $P_A = P_B$	(외) P_B (내) P_A seal P_C

3 커튼월(Curtain wall) 공법

1. 재료에 의한 커튼월의 분류

커튼월공사는 건축물의 외주벽을 구성하는 비내력벽으로 건축골조에 고정철물(Fastener)을 사용 부착하는 공법이다.

① 금속제 커튼월(Metal Curtain wall)
② PC 커튼월(Precast Concrete Curtain wall)
③ ALC, PLAC(Precastable Autoclaved Lightweight Concrete) 커튼월
④ GPC(석재+콘크리트 일체화), TPC(Tile precast concrete)판 공법 등
⑤ 성형판(FRP 성형판 사용) 공법
⑥ 복합 커튼월 : 2종이상 재료 복합화

2. ALC 패널의 설치공법(건축공사 표준시방서 규정)

① 수직철근보강 공법	패널간의 접합부에 접합철물을 통해 수직보강 철근을 배근하고 모르터를 충전하므로서 패널의 상·하부를 고정시키는 수직벽 패널 설치 방법
② 슬라이드 공법	패널간의 수직줄눈 공동부에 패널하부는 보강철근을 배근하고 모르터를 충전하여 고정시키고, 상부는 접합철물을 설치하여 패널상단이 면내 수평방향으로 슬라이드 되도록 하는 수직벽 패널 설치 방법
③ 볼트조임 공법	패널 장변방향의 양단에 구멍을 뚫고, 이를 관통하는 볼트로 설치하는 수직 또는 수평벽 패널의 설치 방법
④ 타이플레이트 공법	패널의 측면을 타이플레이트로 구조체에 설치하는 수직 또는 수평벽 패널 설치 방법
⑤ 커버플레이트 공법	패널의 양단부를 커버플레이트와 볼트를 이용하여 설치하는 수평벽 패널 설치 방법
⑥ 부설근 공법	패널간의 장변 줄눈부에 접합 철물을 설치하고 철근으로 보강한 후 모르터로 충전하여 설치하는 지붕 및 바닥패널의 설치 방법

※ 수직벽(세로벽) : 패널의 장변을 수직방향으로 설치한 벽
수평벽(가로벽) : 패널의 장변을 수평방향으로 설치한 벽

참고사항

① ALC의 설치공법이 주로 벽체 시공법인 이유는 ALC가 주로 외벽에 사용되기 때문이다.
② 실무적으로는 건물높이가 20m 이상이고 패널의 길이가 3m를 넘는 경우에는 수직철근 보강공법(일명 : 삽입근공법)과 Bolt 조임공법(일명 : Bolt 고정공법)을 병행한다.

학습 POINT

▶ 05-①
• 주프레임 재료를 기준으로 커튼월 종류 3가지

▶ 01-②, 02-①, 05-③, 11-③
• ALC 설치공법 3가지, 4가지 쓰기

암기하기

■ 커튼월 설치공법
① 수직 철근 보강 공법
② 슬라이드 공법
③ 볼트 조임 공법
④ 타이 플레이트 공법
⑤ 커버 플레이트 공법

③ 슬라이드공법은 층간변위가 20mm 이하, 높이가 31m 이하인 경우 적용된다.
④ 가로벽(수평벽) 커버플레이트(Cover Plate) 공법은 변위에 대한 추종성이 크므로 층간변위가 20mm를 넘는 건물에 적용될 수 있다.

3. 커튼월 구조의 요구 성능

① 내구, 내화성	② 내진, 내풍압성	③ 방화, 방연성
④ 방수, 수밀성	⑤ 차음, 기밀성	⑥ 외관, 시공용이성
⑦ 부재의 운반 및 양중의 난이성	⑧ 색체 및 유리의 내파손 성능	

4. 커튼월 방식의 분류

(1) 외관 및 형태 Design별 분류

① 선대(샛기둥) 방식 (Mullion Type)	수직선강조, 수직지지대 사이에 판넬을 끼워 수직지지대가 노출되는 방식
② Spandrel Type	수평선강조, 창과 spandrel의 조합구성
③ 격자(Gride) Type	수직, 수평의 격자형 외관 표현방식
④ 피복(은폐)방식 (Sheath Type)	구조체를 판넬로 은폐, Sash가 판넬안으로 은폐되는 형식이다.

▶ 선대(Mullion)방식 : 수직선 강조

▶ Spandrel방식 : 수평선 강조

(2) 조립방식에 의한 분류

① Unit Wall 방식	① 건축 모듈을 기준으로 하여 취급이 가능한 크기로 구분하며, 구성 부재 모두가 공장에서 조립된 프리패브(Pre-fab)형식 ② 시공 속도나 품질관리에 업체 의존도가 높아 현장상황에 융통성을 발휘하기가 어려움 ③ 창호+유리+패널의 일괄발주방식 ④ 양중 용이성은 불리, 비용은 고가임.

학습 POINT

▶ 02-① / 08-②, 17-② / 11-① / 13-②
• 격자, 샛기둥, 피복, 스팬드럴방식, 용어
• 스팬드럴방식 설명
• 외관형태 Type 4가지

▶ 격자(Gride)방식

▶ 은폐(Sheath)방식

▶ 09-③, 12-②, 16-① / 11-①, 13-③, 17-①, 20-①
• 구조방식별, 조립방식별 분류, 종류쓰기
• 조립방식별 분류 구분

② Stick Wall 방식	① 구성 부재를 현장에서 조립·연결하여 창틀이 구성되는 형식으로, 유리끼움 작업은 보통 현장에서 실시 ② 현장 적응력이 우수하여 공기조절이 가능한 방식 ③ 창호+유리/패널의 분리발주방식 ④ 양중 용이성은 유리, 비용은 중가임.
③ Window Wall 방식	① Stick Wall 형식과 유사하지만, 창호 주변이 패널로 구성됨으로써 창호의 구조가 패널 트러스에 연결되는 점이 Stick Wall과 구분되는 차이임. ② 재료의 사용 효율이 높아 비교적 경제적인 시스템 구성이 가능 ③ 창호와 유리, 패널의 개별발주방식 ④ 양중 용이성은 유리, 비용은 저가임.

학습 POINT

(3) 구조방식에 따른 분류

1) Mullion (샛기둥) 방식

① Mullion 방식은 금속 커튼월에 주로 사용한다.

② 수직선을 강조한 큰 요철이 없는 평면적인 의장에 적용한다.

③ Mullion 방식은 통상 고정방식 Fastener를 사용한다.

2) Panel 방식

① Panel 방식은 외관 및 Pre-fabrication 측면이 강조되는 경우에 사용된다.

② 여러가지 형태의 다양한 Design이 가능하다.

③ 커튼월 부재를 공장에서 제작, Unit화하여 현장반입 후 설치하는 방법이다.

④ 풍압력 및 지진력에 대한 변위는 Fastener 형식에 따라 Panel의 거동에 따라 흡수된다.

⑤ Panel 방식은 Fastener를 수평이동, 회전, 고정방식으로 나누어 Panel 변위에 따라 선정하여 사용한다.

5. 커튼월의 부착순서

▶ 04-①, 04-②, 09-①, 11-①, 14-③, 23-①

• Fastener의 부착방식 3가지

Fastener설치 → 멀리온 부착 → 횡재의 부착 → 판넬끼우기 → 유리끼우기 → Sealing재처리(Sealant시공) → 청소(보양)

(1) Fastener의 기능

① 응력전달	자중지지, 횡력 (풍력, 지진력)에 대한 충분한 강도
② 내구성 및 오차흡수	시공허용오차 흡수
③ 변형흡수	내화성능과 열팽창 흡수, 층간 변위 흡수에 대한 추종성
④ 시공성	조립이 단순하고 시공이 용이해야 한다.

보충설명

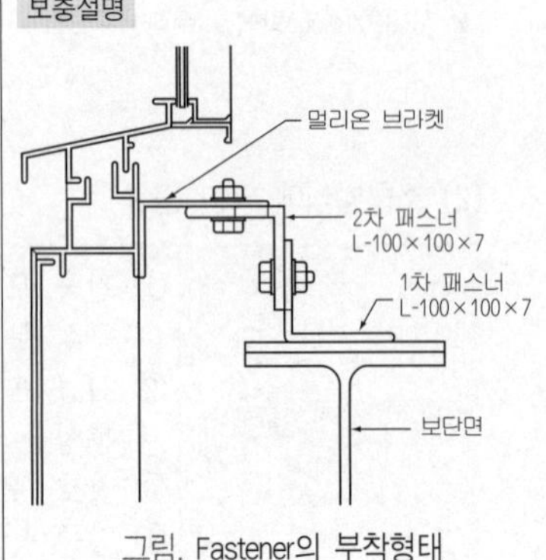

그림. Fastener의 부착형태

(2) Fastener의 부착방식

① 회전방식

㉮ 핀지지방식　　㉯ 브라켓 이용방식

② 슬라이드 방식

③ 고정 방식

6. 커튼월의 누수처리 대책

Close Joint System	이음새(Joint)를 완전 밀폐시켜 홈을 없애는 방식으로 고층건물에 주로 사용된다.
Open Joint System	등압이론에 의해 외부면과 내부면사이에 공기층을 만들어서 배수하는 방식으로 초고층 건물에 주로 사용된다.

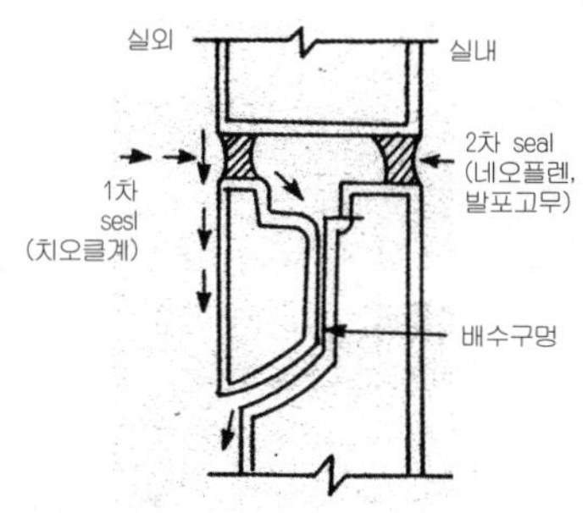

그림. Closed Joint System(2중 Seal 방식)

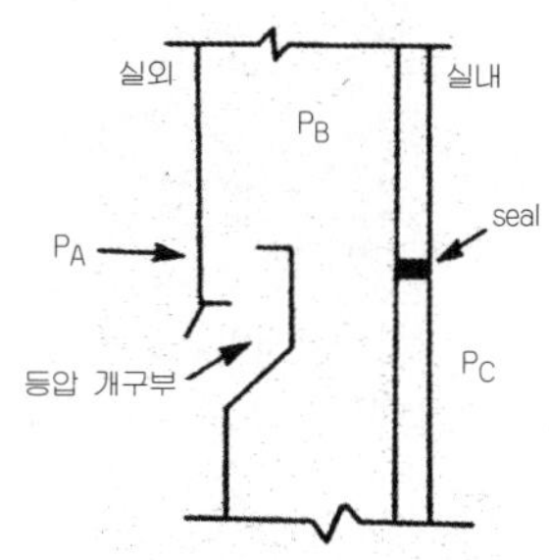

그림. Open Joint System

7. 풍동시험과 Mock-up Test

① Wind tunnel test (풍동시험) (풍압영향시험)	건물준공 후 문제점을 사전에 파악하고 설계에 반영하기 위해 건물 주변 600m 반경내 실물축적 모형을 만들어 10~50년간(혹은 100년간)의 최대풍속을 가하여 실시하는 시험으로 풍압영향시험이다. ※ 이 시험으로 외벽풍압, 구조하중, 고주파응력, 보행자에 대한 풍압영향, 건물풍 등을 측정할 수 있다.
② Mock-up test (실물대 모형시험) (외벽성능시험)	풍동시험을 근거로 3개의 실물모형을 만들어 건축예정지의 최악조건으로 시험하여 재료품질, 구조계산치 등을 수정할 목적으로 행하는 실물대 모형시험이다. ※ 시험항목 : 예비시험, 기밀시험, 정압수밀시험, 동압수밀시험, 구조시험 등을 행한다.

8. Mock-up Test의 시험항목 (표준시방서)

① 예비시험	설계풍압력의 50%를 일정기간(10초) 동안 가압하여 시료의 상태를 일시적으로 점검 시험실시 가능여부 판단
② 기밀시험	지정된 압력차에서 유속측정 뒤 공기누출량 측정
③ 정압수밀시험	설계풍압력의 20%에서 3.4 $l/m^2 \cdot min$의 유량을 15분간 살수 (Water Spray)
④ 동압수밀시험	정압수밀시험과 유사, 가압방식의 차이가 있슴. 설계풍압의 20%나 30.4kg/m^2 중 큰 값 적용 살수는 3.4 $l/m^2 \cdot min$ 분량으로 15분간 실시

학습 POINT

▶ 13-②, 19-②
• Close Joint, Open Joint 설명

▶ 99-②, 99-④ / 02-①
• Mock-up Test 설명 /
• 풍동시험, Mock-up Test

▶ 04-①, 07-②, 08-①, 13-③, 16-②, 18-③, 19-①, 21-①
• 커튼월의 성능시험항목 3가지, 4가지

⑤ 구조시험	설계풍압력 100%, ±100%에서 설계기준 만족. 설계풍압 150%에서 변위가 2L/1000 이하이어야 한다. ※ 내풍압성능시험, 층간변위추종성시험

▶ Mock-up Test를 위한 판넬설치작업

▶ 풍압저항시험 및 기밀시험 실시장면

▶ 정압수밀시험과 누수시험장면

▶ Mock-up Test 중 동압, 정압수밀시험

학습 POINT

관련문제

1 **(가) 다음 용어를 설명하시오. (3점)** 〔90 ①, 97 ②, 10 ①〕

*코너비드

___

(나) 벽, 기둥 등의 모서리는 손상되기 쉬우므로 별도의 마감재를 감아 대거나 미장면의 모서리를 보호하면서 벽, 기둥을 마무림 하는 보호용 재료를 무엇이라고 하는가? (2점) 〔05 ③, 20 ①〕

___

2 **다음 설명이 의미하는 철물명을 쓰시오.** 〔90 ②〕

(1) 철선을 꼬아 만든 철망 ________

(2) 얇은 철판에 각종 모양을 도려낸 것 〔08 ②〕 ________

(3) 얇은 철판에 자름금을 내어 당겨 늘린 것〔08 ②〕 ________

(4) 연강선을 서로 직교시켜 전기 용접한 철선망 ________

3 **다음 금속공사에 이용되는 철물이 뜻하는 용어설명을 보기에서 골라 번호로 쓰시오. (4점)** 〔90 ③, 12 ③, 15 ①〕

〔보기〕

(1) 철선을 꼬아 만든 철망.
(2) 얇은 철판에 각종 모양을 도려낸 것.
(3) 벽, 기둥의 모서리에 대어 미장바름을 보호하는 철물.
(4) 테라죠 현장갈기의 줄눈에 쓰이는 것.
(5) 얇은 철판에 자름금을 내어 당겨 늘린 것.
(6) 연강 철선을 직교시켜 전기 용접한 것.
(7) 천정, 벽 등의 이음새를 감추고 누르는 것.

(가) 와이어라스 : ________ (나) 메탈라스 : ________

(다) 와이어메쉬 : ________ (라) 펀칭메탈 : ________

4 **다음에서 설명하는 용어쓰기. (2점)** 〔11 ③, 18 ①, 20 ②, 23 ①〕

〔보기〕

드라이비트라는 일종의 못박기총을 사용하여 콘크리트나 강재 등에 박는 특수못 머리가 달린 것을 H형, 나사로 된 것을 T형이라고 한다.

___

해설 및 정답

정답 **1**

(가) 기둥, 벽 등의 모서리에 대어 미장 바름을 보호하는 철물

(나) 코너비드(Corner Bead) : 모서리쇠

정답 **2**

(1) 와이어 라스
(2) 펀칭 메탈
(3) 메탈라스
(4) 와이어 메쉬

정답 **3**

(가) - (1) (나) - (5)
(다) - (6) (라) - (2)

정답 **4**

드라이브 핀(Drive Pin)

관련문제

5 다음 금속공사에서 사용되는 철물이 뜻하는 용어를 설명하시오. (2점, 4점)
〔08 ②, 18 ①, 20 ③〕

(가) Metal Lath : ____________________

(나) Punching Metal : ____________________

6 인조석 바름 또는 테라죠 현장갈기 시공시 줄눈대를 설치하는 이유에 대하여 3가지만 쓰시오. (3점)
〔94 ④〕

(가) __________ (나) __________ (다) __________

7 공장제작 P. C 제품 제작순서를 보기에서 골라 기호로 쓰시오. (6점)
〔90 ①〕

〔보기〕

① 거푸집 청소	② 콘크리트 타설	③ 표면 마무리
④ 거푸집 탈형	⑤ 양생	⑥ 중간 검사
⑦ 창문틀 설치	⑧ 철근 조립	⑨ 설비재 설치
⑩ 거푸집 조립		

____

8 프리패브 콘크리트 공사 작업 순서를 보기에서 골라 선택하시오. (4점)
〔96 ⑤, 98 ④, 01 ①〕

〔보기〕

① 양생 후 탈형	② 개구부 FRAME 설치	③ 표면마감
④ 철근, 철물류 삽입	⑤ 중간검사	⑥ 거푸집 조립

베드거푸집청소 - (　　) - (　　) - (　　) - 설비, 전기배관 -
(　　)- 콘크리트타설 - (　　) - (　　) - 보수와 검사 - 야적

해설 및 정답

정답 **5**

(가) 얇은 철판에 자름금을 내어서 당겨 만든 것으로 벽, 천장의 미장 바름에 사용되는 철물

(나) 판두께 1.2mm 이하의 얇은 판에 각종 무늬의 구멍을 천공한 것으로 장식용, 라지에이터 커버 등에 사용되는 철물

정답 **6**

(가) 바닥바름 구획의 조정
(나) 균열방지(신축줄눈역할)
(다) 부분보수용이

정답 **7**

①
⑩
⑦
⑧
⑨
⑥
②
③
⑤
④

정답 **8**

베드거푸집청소 - (⑥) - (②) - (④) - 설비, 전기배관 - (⑤) - 콘크리트타설 - (③) - (①) - 보수와 검사 - 야적

관련문제

9 다음은 조립식 공법에 대한 설명이다. 설명에 해당하는 용어를 쓰시오. (5점)

〔91 ①, 96 ④, 00④, 07 ②〕

(1) 창호등이 설치된 건축물의 대형판을 아파트 등의 구조체에 이용하는 방법.
(2) 건축물의 1실 혹은 2실등의 구조체를 박스형으로 지상에서 제작한 후 이를 인양조립하는 방법.
(3) 지상의 평면에서 벽판 및 구조체를 제작한 후 이를 일으켜서 건축물을 구축하는 공법.
(4) 지상에서 여러 층의 슬래브를 제작한 후 이를 순차적으로 들어 올려 구조체를 축조하는 공법.
(5) 창문틀 등을 건축물의 벽판에 설치한 후 구조체에 붙여대어 이용하는 공법.

(1) ________________ (2) ________________ (3) ________________

(4) ________________ (5) ________________

10 다음은 콘크리트의 조립식 공법을 설명한 것으로 보기에서 골라 설명에 해당하는 번호를 쓰시오. (5점)

〔03 ③〕

〔보기〕
① 커튼월공법 ② 틸트업(tilt-up)공법 ③ BOX식
④ 리프트 슬래브식(lift slab) ⑤내력벽식

가. 창호 등이 설치된 건축물의 벽체를 아파트 등의 구조체로 이용하는 방법 (　　　　)
나. 건축물의 1실 혹은 2실 등의 구조체를 박스형으로 지상에서 제작한 후 이를 인양 조립하는 방법 (　　　　)
다. 지상의 평면에서 벽판 및 구조체를 제작한 후 이를 일으켜서 건축물을 구축하는 방법 (　　　　)
라. 지상에서 여러 층의 슬래브를 제작한 후 이를 순차적으로 들어 올려 구조체를 축조하는 방법 (　　　　)
마. 창문틀 등을 건축물의 벽판에 설치한 후 구조체에 붙여대어 사용하는 공법 (　　　　)

11 건축구조물의 신축공사를 하기전에 실시하는 각종 시험중에서 Mock-up Test 또는 실물대 모형실험(Full Size Model Test)에 관한 정의를 쓰시오.(설명하시오) (3점, 2점)

〔99 ②, 99 ④〕

____

해설 및 정답

정답 9
(1) 내력벽식공법 (대형판넬공법)
(2) 박스식공법(박스플레임공법)
(3) 틸트업(Tilt up)공법
(4) 리프트 슬래브(Lift Slab)공법
(5) 커튼월 공법

정답 10
가. ⑤
나. ③
다. ②
라. ④
마. ①

정답 11
Mock-up test(외벽성능시험) : 풍동시험을 근거로 3개의 실물모형을 만들어 건축예정지의 최악조건으로 시험하며 재료품질,구조계산치 등을 수정할 목적으로 행하는 실물대모형시험

관련문제

12 **Wind tunnel test(풍동시험)과 Mock-up test(외벽성능시험)에 관하여 기술하시오. (4점)** 〔02 ①〕

(가) Wind tunnel test(풍동시험) : ______

(나) Mock-up test(외벽성능시험) : ______

13 **(1) 커튼월공사의 성능 시험 항목을 3가지, 4가지 쓰시오. (3점, 4점)** 〔04 ①, 07 ②, 08 ①, 13 ③〕

(2) 건축공사표준시방서(KCS 규정)에 따른 금속재 커튼월과 관련된 Mock-up Test(실물대 모형시험)의 시험 항목을 4가지 쓰시오. (4점) 〔16 ②, 18 ③, 19 ①, 21 ①〕

① ______ ② ______

③ ______

(3) Mock-up Test의 정의와 시험항목을 3가지만 쓰시오. (5점) 〔11 ②〕

- 정의 ______
- 시험항목 ______

14 **(1) 다음은 커튼월 공법의 외관형태별 분류방식에 대한 설명이다. 보기에서 그 명칭을 골라 번호를 쓰시오. (4점)** 〔02 ①〕

〔보기〕

① 격자방식	② 샛기둥 방식
③ 피복방식	④ 스팬드럴 방식

(가) 수평선을 강조하는 창과 스팬드럴 조합으로 이루어지는 방식 ( )
(나) 수직기둥을 노출시키고, 그 사이에 유리창이나, 스팬드럴 패널을 끼우는 방식 ( )
(다) 수직, 수평의 격자형 외관을 보여주는 방식 ( )
(라) 구조체를 외부에 노출시키지 않고 패널로 은폐시키고 새시는 패널 안에서 끼워지는 방식 ( )

해설 및 정답

정답 **12**

(가) 건물준공 후 문제점을 사전에 파악하고 설계에 반영하기 위해 건물주변 600m 반경 내 실물축적 모형을 만들어 10~50년간의 최대풍속을 가하여 실시하는 시험

※ 이 시험으로 외벽풍압, 구조하중, 고주파응력, 보행자에 대한 풍압 영향, 건물풍 등을 측정할 수 있다.

(나) 11번정답 참조

정답 **13**

① 예비시험
② 기밀시험
③ 정압수밀시험
④ 동압수밀시험
※ 구조시험

정답 **14**

(가) ④
(나) ②
(다) ①
(라) ③

▶ 금속재에 의해 수직선이 강조되는 Mullion(선대)방식의 커튼월 건물

(2) 스팬드럴방식을 설명하시오. 〔08 ②, 17 ②〕

______

(3) 커튼월의 외관형태에 따른 타입을 4가지 쓰시오. (4점) 〔11 ①〕

______

15 (1) ALC(Autoclaved Lightweight Concrete) 패널의 설치공법을 3가지 쓰시오. (3점) 〔01 ②, 05 ③〕

(2) ALC(Autoclaved Lightweight Concrete) 패널의 설치공법을 4가지 기술하시오. (4점) 〔02 ①, 11 ③〕

① ______ ② ______

③ ______ ④ ______

정답 15

① 수직철근 보강 공법
② 슬라이드(Slide) 공법
③ 볼트 조임 공법
※ 기타 : 타이플레이트공법, 커버플레이트공법, 부설근공법

16 커튼월공사를 주프레임 재료를 기준으로 크게 3가지로 분류할 수 있는데 그 3가지의 커튼월을 쓰시오. (3점) 〔05 ①〕

① ______ ② ______

③ ______

정답 16

① 금속제 커튼월 (Metal Curtain Wall)
② PC 커튼월 (Precast Concrete Curtain wall)
③ 복합 커튼월

17 대표적인 고층건물의 비내력벽 구조로써 사용이 증가되고 있는 커튼월공법은 재료에 의한 분류, 구조형식, 조립방식별 분류 등 다양한 분류방식이 존재한다. 이중 구조형식과 조립방식에 의한 커튼월공법을 각각 2가지씩 쓰시오. (4점) 〔09 ③, 12 ②, 16 ①〕

(1) 구조형식에 따른 분류 2가지 : ______

(2) 조립방식에 의한 분류 2가지 : ______

정답 17

(1) 패널방식, 샛기둥방식
(2) Unit-Wall 방식, Stick-Wall 방식

관련문제

18 **커튼월 조립방식에 의한 분류에서 각 설명에 해당하는 방식을 번호로 쓰시오. (3점)**

〔11 ①, 13 ③, 17 ①, 20 ①〕

〔보기〕

① Stick Wall 방식　　② Window Wall 방식　　③ Unit Wall 방식

(1) 구성 부재 모두가 공장에서 조립된 프리패브(Pre-fab)형식으로 창호와 유리, 패널의 일괄발주 방식임. 이 방식은 업체의 의존도가 높아서 현장상황에 융통성을 발휘하기가 어려움 : ____________

(2) 구성 부재를 현장에서 조립·연결하여 창틀이 구성되는 형식으로 유리는 현장에서 주로 끼운다. 현장 적응력이 우수하여 공기조절이 가능 : ____________

(3) 창호와 유리, 패널의 개별발주 방식으로 창호 주변이 패널로 구성됨으로써 창호의 구조가 패널 트러스에 연결할 수 있어서 재료의 사용 효율이 높아 비교적 경제적인 시스템 구성이 가능한 방식 : ____________

19 **(가) 커튼월 공사에서 구조체의 층간변위, 커튼월의 열팽창, 변위 등을 해결하는 긴결방법 3가지를 쓰시오. (3점)** 〔04 ①, 09 ①, 11 ①, 14 ③, 23 ①〕

(나) Fastener는 Curtain Wall의 구조체에 긴결시키는 부품을 말하며, 외력에 대응할 수 있는 강도를 가져야 하며, 설치가 용이하고 내구성, 내화성 및 층간변위에 대한 추종성이 있어야 한다. Fastener의 설치방법을 3가지 쓰시오. (3점) 〔04 ②〕

① ____________　② ____________

③ ____________

해설 및 정답

정답 **18**

(1) ③

(2) ①

(3) ②

정답 **19**

① 회전방식(Locking Type)

② 슬라이드방식(Slide Type)

③ 고정방식(Fixed Type)

출제예상문제

CHAPTER 13 금속, PC, 커튼월공사

1 **공업화 건축의 장점과 단점을 각각 3가지 적으시오.**

(1) 장점

① ________ ② ________ ③ ________

(2) 단점

① ________ ② ________ ③ ________

정답 1

(1) ① 양산화에 따른 원가절감
② 현장작업 감소로 인한 공기 단축
③ 품질의 균일화와 동기시공 가능

(2) ① 접합부 강도의 취약성
② 양중에 따른 파손, 안전성 문제
③ 부품생산의 다양성 결여

2 **커튼월의 부착순서를 보기에서 골라 기호로 적으시오.**

〔보기〕

㉮ 멀리온부착 ㉯ Fastener 설치 ㉰ 유리끼우기 ㉱ 청소(보양)
㉲ 횡재의 부착 ㉳ 패널끼우기 ㉴ Sealing 재처리

____

정답 2

㉯
㉮
㉲
㉳
㉰
㉴
㉱

3 **공업화 건축의 생산방식 중 다음 물음에 답하시오.**

• 건축물의 형태가 결정된 후 이를 구성하는 콘크리트 대형구조물들이 주문 제작되어 건설되는 프리캐스트(pre-cast) 생산방식을 쓰시오. (2점) 〔16 ①〕

____

정답 3

클로즈시스템(Close System)

해설 pc 생산방식

(1) Open System : 공업화 건축에서 부품생산을 불특정다수의 건물에 사용할 수 있도록 생산하는 방식.

(2) Close System : 특정건물성격에 맞추어 부재를 생산하는 방식.

4 **커튼월 공사 시 누수방지대책과 관련된 다음 용어에 대해 설명하시오. (4점)** 〔13 ②, 19 ②〕

① Closed Joint : ________

② Open Joint : ________

정답 4

① 이음부(Joint)를 완전 밀폐시켜 홈을 밀봉시키는 방식으로 고층건물에 사용

② 등압이론에 따라 내·외부면사이에 공기층을 만들어서 배수하는 방식. 주로 초고층 건물에 적용

해설 및 정답

5 다음 설명이 뜻하는 공법을 보기에서 골라 번호로 적으시오.

(가) 벽식, RC조의 벽, 바닥을 방크기로 제작하여 현장에서 조립하는 방법으로 중, 고층 아파트에 많이 사용한다.
(나) 기둥은 H형강을 사용하고 보·바닥·내력벽은 PC부재로 현장 조립하는 공법이다.
(다) 라멘구조의 주요부를 SRC나 RC 부재로 PC 부재화하여 현장 조립하는 방법이다.
(라) 욕실, 주방 등을 일체화하여 완결된 단위구조를 설치하는 방법이다.
(마) 바닥, 벽, 지붕 등을 지상에서 축조하여 소정의 위치까지 인양하여서 접합, 고정, 완성하는 공법이다.

〔보기〕
① Lift up 공법 ② 입체 Unit 방식 ③ RPC 공법
④ SPH 공법 ⑤ HPC 공법

(가)__________ (나)__________ (다)__________ (라)__________ (마)__________

정답 5
(가) ④
(나) ⑤
(다) ③
(라) ②
(마) ①

6 금속공사에 관한 다음 설명 중 빈칸을 적절히 채워 넣으시오.

경량 천장공사용 인서트는 거푸집 조립 시 배치하여 콘크리트 내에 매설하고, 인서트에 연결시키는 (______)는 보통 (______) 길이로 설치한다.

정답 6
행거볼트(hanger bolt, 달 볼트), 90cm

제14장

기타공사

핵심 36

칠(도장)공사, 합성수지공사

학습 POINT

1 칠(도장)공사

1. 칠의 목적

칠의 목적은 크게 ① 건물의 보호 ② 미적효과증진 ③ 성분의 부여 등으로 크게 나눌 수 있으며, 도장을 하면 내수성(방수, 방습), 방부성(살균, 살충), 내후성, 내화, 내열, 내구성, 내화학성을 향상시키고 내마모성을 높이고 또 발광효과, (교통표지), 전기절연 등의 목적도 있다.

2. 칠의 종류와 특징

▶ 93-②
• 유성 Paint 구성요소 3가지

▶ 20-③
• 유성 Vanish 재료쓰기

칠의 종류		도료의 성분	성질 및 특징
유성 Paint		[안료+건성유+건조제+희석제] *건성유(boiled 油) : 광택과 내구성 증가	내후성, 내마모성우수, 알카리에 약함. (내, 외부용)
에나멜 Paint		안료+유바니쉬+건조제 (유성 Paint와 유성 바니쉬의중간)	내후성, 내수, 내열, 내약품성 우수, 외부용은 경도가 크다.
수용성	수성 Paint	[안료+교착제+물] (교착제 : 아교, 전분, 카세인)	내알카리성, 비내수성, 내구성이 떨어진다.
	에멀젼 Paint	[수성 P+유화제+합성수지] (유성과 수성의 중간)	수성 Paint의 일종, 발수성이 있다. 내·외부 도장에 널리 이용
Vanish (니스)	유성 Vanish	[유용성수지+건성유+희석제] *유성 색올림(착색제, Stain)을 첨가한 것이 니스 스테인이다.	건조가 더디다. 유성 Paint 보다 내후성이 적다. 목재, 내부용이다.
	휘발성 Vanish	수지류+휘발성 용제, 에칠알콜을 사용하므로 주정도료, 주정 바니쉬라고 한다.	Lake : (천연수지가 주체) : 목재, 내부용, 가구용 락카 (합성수지가 주체) : 목재, 금속면등 외부용으로 쓰인다. 내후성이 우수하다.

보충설명 **• 유성 Vanish(니스)의 종류**

① Spa Vanish : 내수, 내마모성 우수. 목부외부용. 보디 Vanish라고도 한다. 배의 마스트(Spa)에서 붙여진 이름

② Copal Vanish : 담색으로 목부 내부용

③ 골드사이즈 : Copal 바니쉬의 초벌용이다. 건조 빠르고 도막이 견고, 연마성이 좋다.

④ 흑 바니쉬 : [Coaltar + 건성유] 건조가 가장 빠르다. 미관을 고려하지 않은 곳에 사용한다. 방청, 내수, 내약품성이 좋고 가격이 싸다.

학습 POINT

3. 기타 칠의 종류와 특징

칠의 종류		도료의 성분	성질 및 특징
락카 (Lacquer)	투명 락카	[소화섬유소+수지+휘발성용제]	내수성이 적어서 보통 내부(목재면)에 사용한다.
	락카 에나멜	[투명락카+안료]	연마성이 좋고 외부용은 자동차 외장용으로 사용. (내후성 보강)
합성수지도료		• 용제형과 무용제형 [합성수지+용액+안료] • 에멀젼형 [합성수지+중화제+안료]	① 내산, 내알카리성이고 건조가 빠르다. ② 투광성이 우수, 색이 선명 콘크리트, 회반죽면에 도장 가능.
Asphalt Paint		[아스팔트+휘발성 용제]	내수, 내산, 내알카리성, 전기절연성, 방수, 방청, 전기 절연용
알미늄 Paint		[알미늄 분말+Spa Vanish]	은색 에나멜과 거의 같다. 열을 발산시킨다.

보충설명

- High Solid Lacquer : 락카 에나멜과 합성수지 에나멜의 장점을 살린 자동차의 의장용 도료이다.
- Hot Lacquer : 하이솔리드 락카의 일종으로 70~80℃으로 가열하여 Spray 도장한다.

4. 칠의 원료

① 용제	도막구성 요소를 녹여서 유동성을 갖게 만드는 물질이다.
	㉮ 건성유 : 아마인유, 동유, 임유, 마실유 등 ㉯ 반건성유 : 대두유, 채종유, 어유
② 건조제	㉮ 연・망간, 코발트의 수지산, 지방산 염류 (가열하여 기름에 용해)
	㉯ 연단, 초산염, 이산화망간, 수산화망간 (상온에서 기름에 용해)
③ 희석제 (신전제)	도료자체를 희석, 솔질이 잘되게 하고 적당한 휘발, 건조속도 유지
	휘발유, 석유, 테레핀유, 벤졸, 알콜, 아세톤 등을 사용
④ 수지(樹脂)	천연수지(Resin, Shellac, Copal 등)와 합성수지가 사용
⑤ 안료	착색목적 : 유채안료. • 피복에 은폐력 부여 : 체질안료

⑥ 착색제	바니스 스테인, 수성스테인 : 작업성 우수, 색상 선명, 건조가 늦다. 알코올 스테인 : 퍼짐 우수, 건조 빠르고, 색상선명(왁스스테인) 유성 스테인 : 작업성 우수, 건조 빠르고, 얼룩이 생길 우려
⑦ 가소제	도료의 영구적 탄성. 교착성, 가소성 부여, 프탈산, 에스테르 등이 있다.

학습 POINT

5. 방청도료(녹막이칠)의 종류

▶ 09-②, 12-③, 16-③
• 녹막이칠 재료 2가지

① 광명단칠 : 보일드유를 유성 paint에 녹인 것. 철재에 사용
② 방청 · 산화철도료 : 오일스테인이나 합성수지+산화철, 아연분말 널리 사용, 내구성 우수, 정벌칠에도 사용
③ 알미늄도료 : 방청효과, 열반사효과, 알미늄 분말이 안료
④ 역청질도료 : 역청질원료+건성유, 수지유첨가, 일시적 방청효과기대
⑤ 징크로메이트 칠 : 크롬산 아연+알키드수지, 알미늄, 아연철판 녹막이칠
⑥ 규산염 도료 : 규산염+아마인유, 내화도료로 사용
⑦ 연시아나이드 도료 : 녹막이 효과, 주철제품의 녹막이 칠에 사용.
⑧ 이온 교환 수지 : 전자제품, 철제면 녹막이 도료.
⑨ 그라파이트 칠 : 녹막이칠의 정벌칠에 쓰인다.

6. 칠 공법의 종류와 요령

① 달굼칠(인두법) : 가열건조도료에 이용. ② 롤러칠 ③ 문지름칠 ④ 솔칠
⑤ 침지법 ⑥ 뿜칠 *칠의 바름두께 : 0.3mm정도

▶ 09-③
• 뿜칠 시공 요령

뿜칠요령 (Spray Gun)	1/3정도 겹쳐 칠한다. 칠면과의 뿜칠거리 : 30cm 운행방향은 1회, 2회는 직각으로 하고 폭은 30cm정도 유지. Gun은 연속적으로 운행한다. 뿜칠압력 : 0.2~0.4N/mm² 이상 유지. Gun의 운행속도 : 30 m/min 정도, 압력이 높으면 칠손실이 많다. 칠이 너무 묽으면 칠오름이 나빠진다.
도장요령과 도장 주의사항	솔질은 위에서 밑으로, 왼편에서 오른편으로, 재의 길이방향으로 한다. 칠 횟수(정벌, 재벌)를 구분하기 위해 색을 다르게 칠한다. 바람이 강하면 칠작업 중지. 칠막은 얇게 여러번 도포 충분히 건조. 온도 5℃이하, 35℃이상, 습도가 85% 이상시 작업 중단. (칠의 건조, 칠막 형성조건 : 온도 20℃, 습도 약 75%)

7. 각종 바탕만들기 및 주의사항

▶ 92-④, 94-③
• 도장공사 목부바탕 만들기 공정순서

1) 목부바탕 처리방법	① 오염, 부착물 제거 ② 송진처리(긁어내기, 인두지짐, 휘발유 닦기) ③ 연마지 닦기(대팻자국 엇거스름 제거 등) ④ 옹이땜(셀락니스칠) ⑤ 구멍땜(퍼티먹임) 및 눈메움

2) Plaster 회반죽, 몰탈, Concrete 면처리	바탕은 3개월 이상 건조(비닐계, 에나멜계, 합성수지 Paint는 3주간 이상) ① 건조 ② 오염부착물제거 ③ 구멍땜(석고) ④ 연마지닦기
3) 철부바탕 처리방법	① 오염부착물 제거 : 스크레이퍼, 와이어브러쉬 ② 유류제거 : 휘발유, 비눗물 닦기 ③ 녹제거(샌드브라스트, 산담그기) ④ 화학처리(인산염처리) ⑤ 피막마무리(스틸울, 와이어버프, 연마지, 천) *아연도금은 1개월 이상 옥외방치하거나 금속 바탕처리용 프라이머 도포
4) 인산염 피막법 (파커라이징법)	철에 인산염피막을 만들어 녹막이를 목적으로 쓰이는 방법이다.
5) 워쉬 프라이머법 (엣칭 프라이머)	인산염과 크롬산염을 활성제로 하여 폴리비닐부틸산수지, 알콜합성액체, 물, 징크로메이트 안료 등을 배합하여 금속면에 칠하여 도료의 부착성을 증진하고, 바탕방식성을 증가시킨다.

8. 유성 Paint 칠하기 순서

바탕	1	2	3	4	5	6	7	8	9	10	11
목부	바탕처리	연마지닦기	초벌	퍼티먹임	연마지닦기	재벌 1회	연마지닦기	재벌 2회	연마지	정벌	
철부	바탕손질	녹막이칠 (초벌 1회)	연마지닦기	녹막이칠 (초벌 2회)	구멍땜 퍼티먹임	연마지닦기	재벌칠 1회	연마지닦기	재벌칠 2회	연마지닦기	정벌
콘크리트 몰탈 회반죽 플라스터	바탕손질	초벌칠 (진물막이)	퍼티먹임	연마지닦기	재벌칠 1회	연마지닦기	재벌칠 2회	연마지닦기	정벌		

9. 수성 Paint 칠하기 순서

① 바탕만들기
② 바탕 누름(1회 솔칠 또는 뿜칠)
③ 초벌
④ 연마
⑤ 정벌

학습 POINT

▶ 11-①, 16-②

• 금속재 바탕처리법 중 화학적공법
① 용제에 의한 방법
② 인산피막법
(파커라이징법, 본더라이징법)
③ 워시프라이머법(에칭프라이머법)
※ 산처리법, 알카리처리법

▶ 85-③, 91-①, 98-⑤

• 목부 유성 Paint 공정순서

▶ 93-①

• 수성 Paint 공정 3가지

■ 수성 Paint칠 3가지 공정
① 바탕만들기
② 초벌
③ 정벌

10. 바니쉬(니스)칠

① 일반적인 순서(왁스닦기 마무리 순서)

바탕처리 → 눈먹임 → 색올림 → 왁스문지름

② 목재면의 내 · 외부 공정순서

구 분	1	2	3	4	5	6	7
내 부	바탕처리	초벌칠	연마	재벌칠	연마	정벌칠	—
외 부	바탕처리	색올림(착색)	초벌칠	연마	재벌칠	연마	정벌칠

학습 POINT

▶ 92-③, 99-③, 06-③, 16-②

• 목부 바니쉬칠 공정 작업순서

11. 도장의 결함 종류와 방지대책

결함종류	발생원인	방지대책
白化 (브러싱)	• 습도가 높을 때는 도면이 식어 물이 응집 • 도장시 기온이 낮아지는 경우 공기 중의 수분이 도면에 응집	• 기온이 5℃ 이하이거나 습도 85%이상, 환기가 불충분할 경우 작업 중지
번짐 (브리트)	• 초벌바름에 염료가 들어 있을 때 • 바탕재 기름이 묻어 있을 때 • 역청질 도료를 초벌바름한 위에 도장시	• 바탕청소, 건조철저 • 유류 기름은 휘발유로 제거 • 초발도막을 얇게 바름
리프팅	• 재벌도료의 용제가 초벌도료에 침투되어 도막수축, 박리	• 초벌 완전 건조후 재벌 바름
흘러내림 (흐름)	• 너무 두터운 도장 • 희석제의 과다사용	• 얇고 여러 번 도장 • 희석제 배합량을 조정
주름	• 유성도료 너무 두터운 도장시 • 건조시 온도 급상승 • 초벌바름의 건조 불충분	• 얇게 여러 번 도장 • 바탕 건조 철저 • 건조시 균일 온도 유지
거품 (핀홀)	• 용제의 증발속도가 너무 빠른 경우 • 솔질을 너무 빨리한 경우	• 바탕재의 온도를 낮춘다. • 균일 속도로 시공
들뜸	• 바탕에 기름 성분이 있을 때 • 초벌 연마불량	• 바탕을 충분히 청소, 건조 • 바탕의 연마를 평활하게 유지
균열	• 초벌건조불량 • 도료의 질이 서로 다른 경우 • 기온차이가 심한 경우	• 초벌 후 충분한 건조 • 초벌에서 마감까지 동일제품 사용

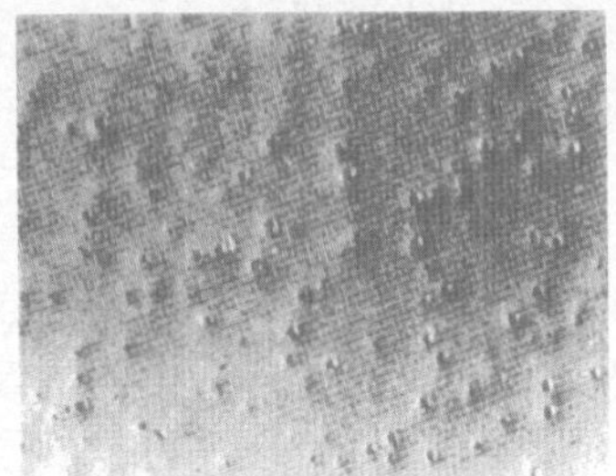

▶ 핀 홀

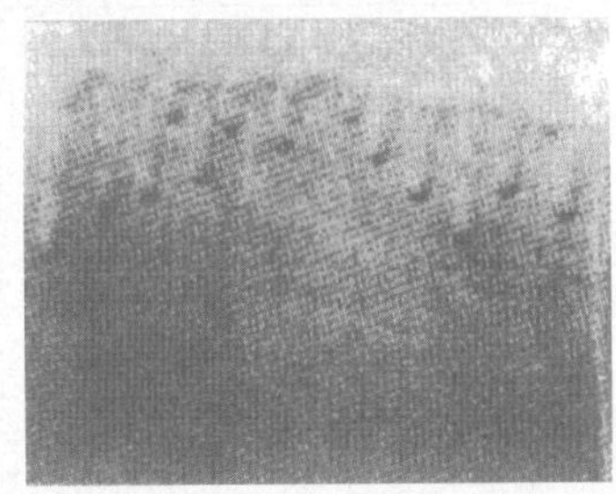

▶ 흐 름

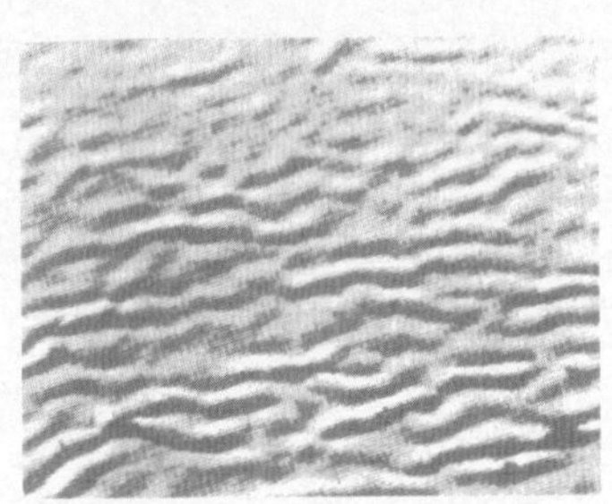

▶ 주 름

※ 기타도장 결함(하자유형)

① 붓자국 ② Gun자국 ③ 색분리(색얼룩)
④ 광택불량 ⑤ 건조불량 ⑥ 되뭉침(끈적거림)
⑦ 부풀어오름 ⑧ 오그라듬 ⑨ 방울맺힘
⑩ 오염, 오손

2 합성수지(Plastics) 공사

학습 POINT

1. Plastics의 정의

Plastics이란 어떤 온도 범위에서는 가소성(Plasticity)을 유지하는 물질이라는 뜻으로 쓰이며 가소성을 가진 고분자 화합물을 총칭(보통 분자량 10000이상 물질)한다. 합성수지(Synthetic Resins)는 석탄, 석유, 천연가스 등의 원료를 인공적으로 합성시켜 얻는 물질로 가소성이 풍부하여 Plastics과 같은 뜻으로 쓰인다.

2. 플라스틱의 장 · 단점

장 점	단 점
① 우수한 가공성으로 성형이 쉽다. ② 경량, 착색용이, 비강도 값이 크다. ③ 내구, 내수, 내식, 내충격성이 강하다. ④ 접착성이 강하고 전기 절연성이 있다.	① 내마모성, 표면강도가 약하다. ② 열에 의한 신장(팽창, 수축)이 크다. ③ 내열성, 내후성은 약하다. ④ 압축강도 이외의 강도, 탄성계수가 작다.

*FRP(Fiber-Glass Reinforced Plastics) : 유리섬유보강 플라스틱

> 99-⑤ / 20-③, 23-①
> • 합성수지재료의 장 · 단점 2가지
> • 깨진 석재 접착제

3. 열경화성 수지와 열가소성 수지의 종류

열경화성 수지		열가소성 수지	
① 페놀수지	② 요소수지	① 염화비닐수지	② 초산비닐수지
③ 멜라민수지	④ 알키드수지	③ 폴리비닐수지	④ 메탈아크릴수지
⑤ 폴리에스테르수지	⑥ 우레탄수지	⑤ 폴리아미드수지	⑥ 폴리카보네이트수지
⑦ 에폭시수지	⑧ 실리콘수지	⑦ 불소수지	⑧ 폴리스틸렌수지
⑨ 프란수지		⑨ 폴리에틸렌수지	

> 91-②, 91-③, 94-①, 00-②, 02-① / 18-①, 20-②
> • 열 경화성, 열 가소성 수지의 분류
> • 열 경화성, 열가소성 수지를 2가지씩 쓰기

4. 열경화성 수지와 열가소성 수지의 특징 비교

열가소성 수지	열경화성 수지
① 중합반응 ② 2차성형 가능 ③ 강도, 연화점이 낮음 ④ 수장재, 마감재 사용	① 축합반응 ② 2차성형 불가능 ③ 강도, 연화점이 높다 ④ 보강시 구조재료로 사용가능, 내후성 우수

관련문제

1 유성페인트의 구성요소 3가지를 쓰시오. 〔93 ②〕

(1) ________ (2) ________ (3) ________

2 도장공사를 위한 목부바탕만들기 공정순서를 보기에서 골라 쓰시오. (4점) 〔92 ④, 94 ③〕

〔보기〕
(1) 송진처리 (2) 구멍땜 (3) 옹이땜
(4) 오염, 부착물제거 (5) 연마지 닦기

____

3 목부유성 페인트 시공을 하고자 한다. 공정의 순서를 아래 보기에서 찾아 그 번호를 쓰시오. (4점) 〔85 ③, 91 ① , 98 ⑤〕

(가) - (연마) - (나) - (다) - (라) - (마) - (연마) - (바) - (사) - (아)

〔보기〕
(1) 정벌칠 (2) 초벌칠 (3) 재벌칠 1회 (4) 연마
(5) 바탕만들기 (6) 퍼티작업 (7) 재벌칠 2회

(가) ________ (나) ________ (다) ________ (라) ________
(마) ________ (바) ________ (사) ________ (아) ________

4 수성페인트칠의 공정을 3가지로 나누어 순서대로 쓰시오. (3점) 〔93 ①〕

____

5 목재면 바니쉬칠 공정의 작업순서를 보기에서 골라 기호로 쓰시오. (4점) 〔92 ②, 99 ③, 06 ③, 16 ②〕

〔보기〕
(1) 색올림 (2) 왁스문지름 (3) 바탕처리 (4) 눈먹임

____

6 금속재료의 녹을 방지하는 방청도장 재료의 종류를 2가지만 적으시오. (2점) 〔09 ②, 12 ③, 16 ③〕

• ________ • ________

해설 및 정답

정답 **1**
(1) 건성유 (2) 건조제 (3) 희석제

정답 **2**
(4)
(1)
(5)
(3)
(2)

정답 **3**
(가) (5)
(나) (2)
(다) (6)
(라) (4)
(마) (3)
(바) (7)
(사) (4)
(아) (1)

정답 **4**
바탕만들기-초벌-정벌

정답 **5**
(3)
(4)
(1)
(2)

정답 **6**
① 광명단
② 방청 산화철 도료
③ 알루미늄 도료
④ 이온교환 수지 등

관련문제

7 도장(칠)공사의 시공요령과 주의사항을 적은 다음 글에서(　) 안에 들어갈 알맞는 내용을 써넣으시오. (3점) 〔91 ③, 09 ③〕

> 뿜칠 시공시 뿜칠의 노즐 끝에서 도장면까지의 거리는 (①)mm를 유지해야 하며, 시공각도는 (②)° 로 하고 (③)℃ 이하에서는 도장 작업을 중단해야 한다.

① ________ ② ________ ③ ________

8 최근 건축공사에서 사용되고 있는 합성수지재료의 물성에 관한 장 · 단점을 각각 2가지 쓰시오. (4점) 〔99 ⑤〕

(가) 장점

① ________ ② ________

(나) 단점

① ________ ② ________

9 (가) 다음 보기의 합성수지를 열경화성 및 열가소성으로 분류하여 번호로 쓰시오.
〔91 ②, 91 ③, 94 ①, 00 ②, 02 ①〕

〔보기〕

(가) 염화비닐수지	(나) 폴리에틸렌수지	(다) 페놀수지
(라) 멜라민수지	(마) 에폭시수지	(바) 아크릴수지

(나) 열가소성 수지와 열경화성 수지의 종류를 각각 2가지씩 쓰시오. (4점) 〔18 ①, 20 ②〕

(1) 열경화성수지 : ________ (2) 열가소성수지 : ________

10 다음 보기의 합성수지를 열경화성 및 열가소성수지로 분류하시오. (4점) 〔00 ②〕

〔보기〕

(1) 페놀수지	(2) 아크릴수지	(3) 폴리에틸렌수지
(4) 폴리에스테르수지	(5) 멜라민수지	(6) 염화비닐수지
(7) 프란수지		

(1) 열경화성수지 : ________ (2) 열가소성수지 : ________

해설 및 정답

정답 7
① 300
② 90
③ 5

정답 8
(가) 장점
① 우수한 가공성으로 성형이 자유롭다.
② 착색이 용이하고 가볍다.
(나) 단점
① 열에 약하다.
② 내마모성과 인장강도가 약하다.

정답 9
(1) 열경화성 : (다), (라), (마)
(2) 열가소성 : (가), (나), (바)

정답 10
(가) 열경화성수지 : (1), (4), (5), (7)
(나) 열가소성수지 : (2), (3), (6)

핵심 37

단열, 수장, 기타공사

1 단열공사

1. 단열공법의 종류

벽단열공법	① 외벽단열법	단열재를 구조체 외측 외벽에 시공 설치하는 공법. 단열효과 우수. 시공이 어렵고 복잡하나 한냉지에 시공
	② 내벽단열법	단열재를 구조체 내부에 설치, 시공 결로 발생 우려 구체동시 시공가능
	③ 중공벽단열	단열재를 구조체 중간에 설치. (조적벽공간쌓기 사이) PC판의 단열 공사용. 단열효과는 우수. 공사비는 많이 든다.
시공법의 종류	① 성형 단열재 붙임공법	구조체 동시 타설가능. 접합부의 수가 적으므로 습기투과 방지가능. 구체로부터의 탈락방지용 철물을 장치한다.
	② 현장발포 공법	발포수지(우레아폼)가 대표적이다. 복잡한 형상의 공간에도 골고루 압입주입이 가능. 표면마무리, 유동성 개선. 시공후 공극발생 염려가 없다.
	③ 뿜칠공법	어떤 복잡한 형상의 단면에도 고루 시공이 가능하다. 아스베스토스가 대표적이다. 방화측면에서도 우수하다.

▶ 외벽단열재 시공장면

▶ 벽체 단열재 부착후 초벌 시멘트 paste 바름

2. 단열재의 요구조건

① 열전도율이 작을 것.
② 흡수성, 투수성이 작을 것.
③ 내화성이 있을 것.
④ 비중이 작고, 상온에서 가공성이 좋을 것.
⑤ 내후성, 내산성, 내알카리성 재료로 부패되지 않을 것.

학습 POINT

▶ 99-③, 02-③, 06-③, 16-②
• 벽단열 공법의 종류 3가지

암기하기
■ 벽 단열공법의 종류
① 외벽단열공법
② 내벽단열공법

▶ 내부 단열재 시공장면과 달철물 시공장면

▶ 07-②
• 단열재의 요구조건 4가지

⑥ 균질한 품질, 가격이 저렴할 것.
⑦ 유독가스 발생이 적고 인체에 유해하지 않을 것.
*단열재는 절연, 단열, 보온, 보냉재가 되며 대부분 흡음성도 우수하여 흡음재료로도 이용된다.

2 수장 및 기타공사

1. 도배공사

(1) 벽도배 시공순서
바탕처리 → 초배지바름 → 재배지바름 → 정배지바름

(2) 풀칠방법

① 온통바름(온통 풀칠)	종이에 온통 풀칠하여 바르는 것
② 봉투바름(갓둘레풀칠)	종이 주위에 풀칠하여 바르는 것
③ 비늘바름(한쪽풀칠)	종이의 한쪽면만 풀칠하여 바르는 것

2. 바닥공사

(1) 나무널 시공
① 쪽매널깔기 : 작은 널쪽을 제혀쪽매로 이어댄 널마루로 이중 바닥깔기를 원칙으로 한다.
② 쪽매판깔기 : 정사각형 블록(Flooring block)으로 쪽매널 블록이라 한다.

보충설명

Flooring Board	두께 : 9mm, 나비 : 60mm, 길이 600mm 정도. 제혀쪽매로 연결
Flooring Block	정사각형 블록으로 쪽매널 블록이라고도 한다.
마루의 보행 소음방지처리	① 이중 마루널을 깔고 마룻널사이에 코르크판, 텍스, 펠트, 암면, 유리면, 톱밥 등을 넣는다. ② 바닥에 코르크판이나 리놀륨, 비닐타일 등을 시공.

(2) 리놀륨 바닥깔기
① 시트류의 신축이 끝날 때까지 충분한 기간동안 임시로 펴놓은 다음 접착제를 바탕면에 발라 들뜸이 없이 펴 붙인다.
② 시공순서
바탕처리 → 깔기계획 → 임시깔기 → 정깔기 → 마무리

(3) 아스팔트타일 및 비닐타일 붙임
1) 바탕은 평평하게 하고 충분한 건조후 다음 프라이머를 바르고 건조시킨다.
2) 다음 접착제를 바르고 실내 중심선에 따라 먼저 十字形으로 붙이고, 그 곳을 기준으로 하여 붙여 나간다.

학습 POINT

▶ 86-③ / 88-②, 94-①
• 일반적 벽도배의 시공순서 /
• 용어설명 도배공사 중 봉투바름

▶ 86-①, 00-③
• 리놀륨 바닥깔기 시공순서

3) 시공순서

① Concrete 바탕 마무리 ② 바탕건조 ③ 프라이머도포 ④ 먹줄치기
⑤ 접착제 도포 ⑥ 타일붙이기 ⑦ 타일면청소 ⑧ 왁스먹임

(4) Access 바닥(Free Access Floor)

일정한 공간을 두고 떠 있게 한 이중바닥 System을 free access floor라 하며, 공조, 배관, 전기, 전자, Computer 설치와 유지관리, 보수의 편리성, 용량조정의 편리성 등으로 사용된다. 주로 장방형의 Floor panel을 받침대로 지지시켜 만들며 Intelligent Building, EDPS실(전산정보처리실), 전화교환실, Computer실 등에 사용된다.

학습 POINT

86-③
- 플라스틱 바닥타일 시공순서

00-③, 09-①, 19-③ / 10-②
- Access Floor(바닥) 설명
- Access Floor 바닥의 지지방식 4가지

▶ Access Floor 모습

참고사항 Access Floor의 지지방식

지지방식		
지지각 분리방식	패널 공통 조정형	
지지각 일체방식	패널 개별 조정형	
	베이스 일체형	
	베이스 분할형	
조정지지각 방식		
트렌치 구성 방식		

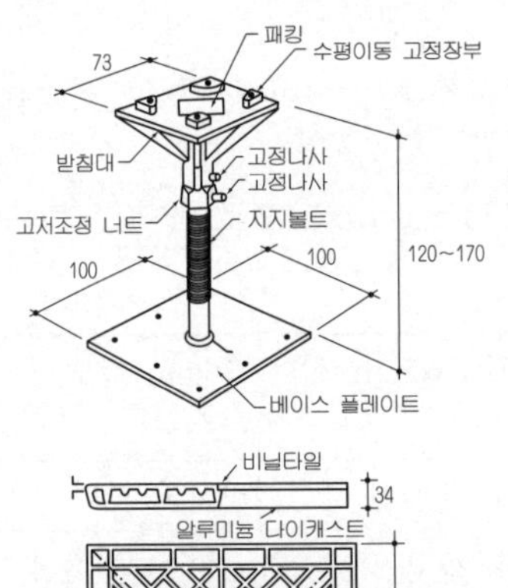

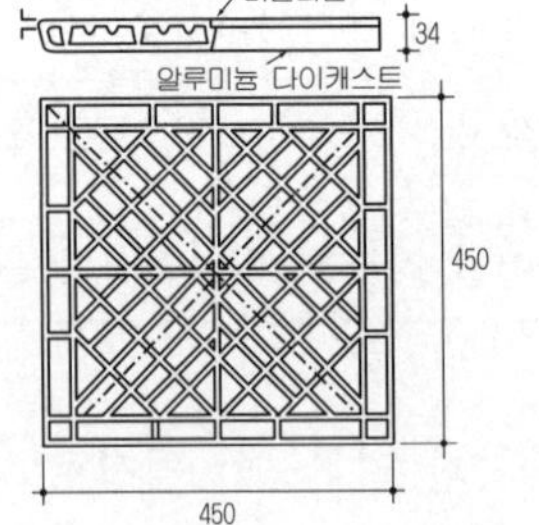

87-① /
94-②, 95-④, 97-⑤, 02-②
- 경량철골 천장틀 설치순서 /
- 경량철골 반자틀 시공순서

암기하기

■ 경량철골 반자틀 시공순서
① 인서트매입
② 행거 Bolt 및 행거설치(달대설치)
③ 벽 반자돌림대설치
④ 찬넬설치(천장틀받이)
⑤ M Bar 설치(천장틀)
⑥ 마감재 부착(천장판 붙임)

5. 경량철골 천장시공 순서

① 경량철골 천정틀 설치순서	앵커설치 → 달대설치 → 천장틀설치 → 텍스붙이기
② 경량철골반자틀 시공순서	인서트매입 → 행거Bolt 및 행거설치(달대설치) → 벽 반자돌림대 설치 → 찬넬설치(케링찬넬과 마이너찬넬설치 : 천장틀받이) → M Bar 혹은 T Bar설치(천장틀설치) → 마감재부착(천장판 붙임)

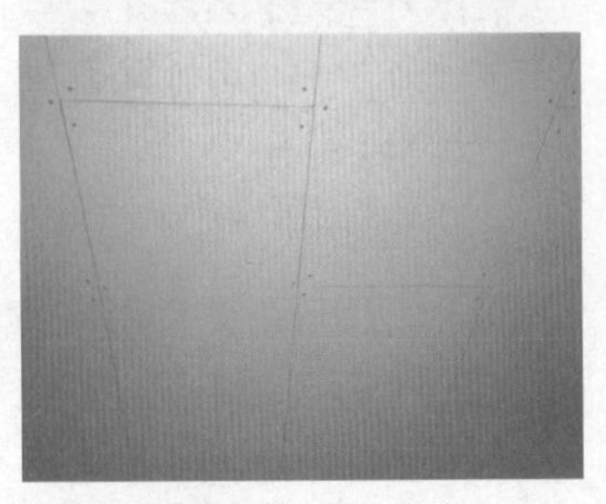

▶ 경량천장틀 마감(M Bar Type)

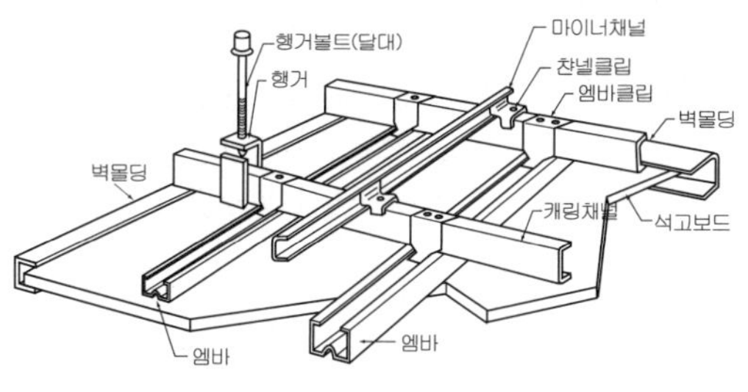

그림. 경량천장틀 설치도

▶ 달천장 마감공사장면(T Bar Type)

학습 POINT

▶ 92-③
• 온돌, 온수 난방 시공순서

6. 정화조의 오수정화 순서

부패조 → 여과조 → 산화조 → 소독조

▶ 85-②, 95-⑤ / 90-②, 95-③, 06-① / 93-①
• 마감공사 위, 아래 시공순서 /
• 내부마감공사 시공순서 /
• 계단논슬립 나중 설치순서

7. 온수난방 온돌공사 시공순서

① 바닥콘크리트 → ② 방습층 설치 → ③ 단열재 깔기 → ④ 자갈채움 → ⑤ 버림 콘크리트 → ⑥ 파이프 배관 → ⑦ 미장 모르타르 → ⑧ 장판지 마감

▶ 온수난방 온돌설치작업

8. 마감공정 시공순서

(1) 마감시공순서	위 → 아래	외벽미장, 외벽타일, 실내(실외)도장
	아래 → 위	실내타일, 수직부 용접
(2) 내부마감순서	① 창, 출입구(섀시) → ② 벽, 천장(회반죽바름) → ③ 징두리(인조대리석판) → ④ 걸레받이(인조대리석판) → ⑤ 마루(비닐타일)	
(3) 계단 Non Slip 나중설치순서	① 가설나무 벽돌설치 → ② 콘크리트 타설 → ③ 가설 나무 벽돌 제거 및 청소 → ④ 다리철물설치 → ⑤ 사춤 Mortar 구멍메우기 → ⑥ 논슬립고정 → ⑦ 보양	

▶ 18-②, 21-②
• 용어 : 징두리벽

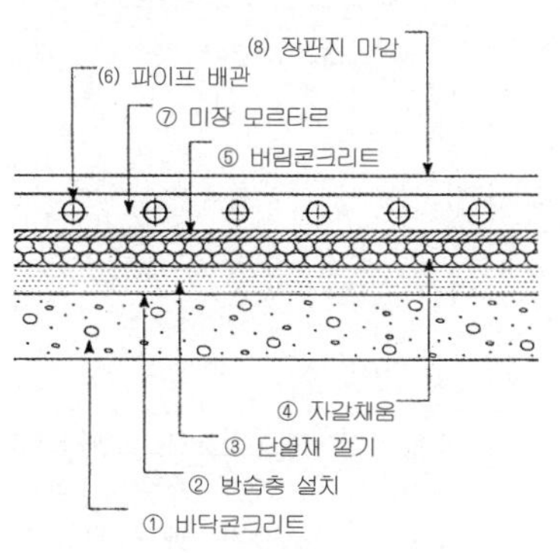

그림. 온수난방 온돌공사 시공순서

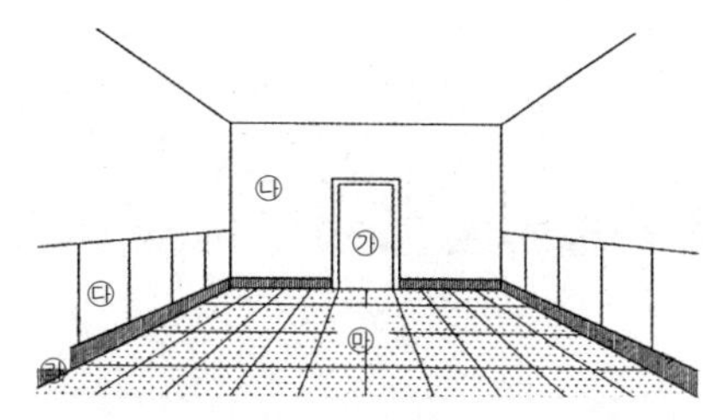

그림. 내부마감순서

관련문제

1 건축공사의 단열공법에서 단열부위의 위치에 따른 벽단열공법의 종류를 쓰시오. (3점)
〔99 ③, 02 ③, 06 ③, 16 ②〕

① ________ ② ________ ③ ________

2 일반적인 벽도배의 시공순서를 쓰시오. (5점) 〔86 ③〕

(1) ________ (2) ________

(3) ________ (4) ________

3 다음 용어를 설명하시오. (2점) 〔88 ②, 94 ①〕

*도배 공사중 봉투바름

____

4 리놀리움 바닥깔기의 시공순서를 쓰시오. (5점) 〔86 ①, 00 ③〕

(1) 바탕고르기 (2) ________ (3) ________

(4) ________ (5) 마무리

5 바닥 플라스틱제 타일 붙이기의 시공순서를 보기에서 골라 번호를 쓰시오. (5점)
〔86 ③〕

〔보기〕

(1) 타일붙이기 (2) 접착제도포 (3) 타일면청소
(4) 타일면 왁스먹임 (5) 콘크리트 바탕건조 (6) 콘크리트 바탕마무리
(7) 프라이머도포 (8) 먹줄치기

____

6 인텔리전트 빌딩의 access 바닥에 관하여 서술하시오. (4점) 〔00 ③, 09 ①, 19 ③〕

____

해설 및 정답

정답 **1**
① 외벽(외부) 단열공법
② 내벽(내부) 단열공법
③ 중공벽 단열공법

정답 **2**
(1) 바탕처리 (2) 초배지바름
(3) 재배지바름 (4) 정배지바름

정답 **3**
종이주위에 풀칠하여 바르는 것이 봉투바름이며, 찢어지지 않게 하는 효과가 있다.

정답 **4**
(1) 바탕고르기 : 바닥몰탈은 충분히 건조시키고, 매끈하게 마무리한다.
(2) 깔기계획 : 실의 크기, 모양에 따라 여유있게 마름질한다.
(3) 임시깔기 : 1~2주간 신축이 자유롭게 임시 깐다.
(4) 정깔기 : 2주 정도 후 정확히 자르고 접착제를 칠하여 깔아 붙인다.
(5) 마무리 : 바탕에 완전히 교착된 후에 임시누름 졸대 등을 제거하고 청소한 후 오일 또는 왁스로 닦는다.

정답 **5**
(6) - (5) - (7) - (8) - (2) - (1) - (3) - (4)

정답 **6**
정방형의 Floor panel을 Pedestal(받침대)로 지지시켜 만든 2중바닥 구조로써 공조설비, 배관설비, 전기, 전자, computer설비 등의 설치와 유지관리, 보수의 편리성과 용량 조정 등을 위하여 사용된다.

관련문제

7 2중바닥 구조인 Acess Floor의 지지방식을 4가지 쓰시오. (4점) 〔10 ②〕

① ____________ ② ____________

③ ____________ ④ ____________

8 경량 철골 천정틀 설치순서를 보기에서 골라 번호를 쓰시오. (3점) 〔87 ①〕

〔보기〕
(1) 천정틀 설치 (2) 텍스 붙이기 (3) 달대 설치 (4) 앵커 설치

____

9 경량철골 반자틀 시공순서를 천장판 시공까지 쓰시오. (4점)
〔94 ②, 95 ④, 97 ⑤, 02 ②〕

인서트 매입 - ((가)) - ((나)) - ((다)) - ((라)) - ((마))

(가) ____________ (나) ____________

(다) ____________ (라) ____________

(마) ____________

10 온수난방 온돌공사의 시공순서를 보기에서 골라 번호를 쓰시오. 〔92 ③〕

〔보기〕
(1) 파이프배관 (2) 방습층 설치 (3) 자갈채움 (4) 장판지마감
(5) 버림 콘크리트 (6) 단열재 깔기 (7) 바닥 콘크리트 (8) 미장 모르타르

____

11 다음 공사의 시공순서가 위에서부터 아래인지 혹은 아래에서부터 위인지 적으시오. (5점) 〔85 ②, 95 ⑤〕

(1) 외벽미장 : ________ 에서부터 ________
(2) 실내타일붙이기 : ________ 에서부터 ________
(3) 수직부용접 : ________ 에서부터 ________
(4) 외벽타일붙이기(고층압착공법) : ________ 에서부터 ________
(5) 실외도장 : ________ 에서부터 ________

해설 및 정답

정답 **7**
① 지지각 분리방식
② 지지각 일체방식
③ 조정 지지각 방식
④ 트렌치 구성방식

정답 **8**
(4)
(3)
(1)
(2)

정답 **9**
(가) 행거 Bolt 및 행거설치 (달대설치)
(나) 벽 반자돌림대(Moulding) 설치
(다) 찬넬설치(천장틀받이 설치)
(라) M Bar 설치(천장틀 설치)
(마) 마감재 부착(천장판 붙임)

정답 **10**
(7)
(2)
(6)
(3)
(5)
(1)
(8)
(4)

정답 **11**
(1) 위, 아래 (2) 아래, 위
(3) 아래, 위 (4) 위, 아래
(5) 위, 아래

관련문제

12 다음 보기에서 마감공사 항목을 시공순서에 따라 번호를 쓰시오. (4점, 5점) 〔90 ②, 95 ③, 06 ①〕

〔보기〕

(1) 벽미장(회반죽)마감 (2) 바닥깔기(비닐타일)
(3) 징두리설치(인조 대리석판) (4) 창 및 출입문(새시)
(5) 걸레받이설치(인조 대리석판)

13 계단 논슬립(Non slip)설치에서 나중설치 순서를 쓰시오. (3점) 〔93 ①〕

(①) - 콘크리트 타설 - (②) - (③) - 사춤모르타르 구멍메우기 - (④) - (⑤)

① ②

③ ④

⑤

14 일반적인 단열재의 요구조건을 4가지만 적으시오. (4점) 〔07 ②〕

①

②

③

④

15 천장이나 벽체에 주로 사용되는 일반 석고보드의 장 · 단점을 각각 2가지씩 나열하시오. (4점) 〔10 ③, 16 ③〕

가. 장점 :

나. 단점 :

해설 및 정답

정답 **12**

(4) - (1) - (3) - (5) - (2)

※ 마감공사에 앞서 창문과 출입문을 설치하고 이어서 벽 - 징두리 - 걸레받이 - 바닥순으로 마감한다.

정답 **13**

① 가설 나무벽돌 설치
② 나무벽돌 제거 및 청소
③ 다리철물 설치
④ 논스립 고정
⑤ 보양

정답 **14**

① 열전도율이 작을 것.
② 비중이 작고 가공성이 좋을것.
③ 흡수율이 작고, 투수성이 작을것.
④ 부패되지 않고 내산, 내알카리성일 것.

※ 내화성이 있을 것.

정답 **15**

가. 장점
- 방화성능, 단열성능 우수
- 시공이 용이함, 공기단축이 가능

나. 단점
- 습기에 취약, 지하공사나 덕트주위에 사용금지
- 접착제 시공시 온도, 습도변화에 민감하여 동절기 사용이 어려움

※ 기타 : 못사용시 녹막이 필요, 충격강도에 취약 등

참고사항 석고보드

(1) 석고보드 : 일반석고보드, 방수석고보드, 방화(불연)석고보드, 방전석고보드, 석고라스보드(미장석고보드), 단열석고보드 등이 있다.
(2) 재료에 따른 보드 부착법
  ① 못시공법
  ② 나사못시공법
  ③ 접착제시공법

용어정의 • 해설

01 캐슈칠

캐슈나무의 진을 원료로 하여 옻칠과 거의 비슷하고 솔칠 또는 뿜칠도 할 수있다.

02 플라스틱(Plastic)칠

수성페인트를 칠하고 무늬를 돋힌후 유성이나 수성을 덧바르는 칠

03 스티플(Stipple)칠

도료의 묽기를 이용하여 각종 기구를 써서 바른면에 요철무늬를 돋히고 입체감을 내는 특수 마무리법

04 콤비네이션(Combination)칠

색체의 콤비네이션을 도모한 마무리로서 단색 정벌칠한 후에 솔 또는 문지름 등으로 빛깔이 다른 무늬를 돋혀 마무리 한 것

05 풀귀얄

풀칠하는 솔. 보통 빳빳한 돼지털이 쓰인다.

06 스카이 돔(Sky dome)

지붕에서 채광하는 톱라이트 형식으로 반구형 또는 상자형이 있다.

07 내화도료

철골 주요부를 화재로부터 보호하기 위한 내화피복 공사에 적용되며 1~6mm 도포하여 화재시 발포에 의한 단열층이 형성되도록 하는 발포형 고기능 내화피복재를 말한다.

08 기능성도장

건축재료의 표면에 도포하여 미관향상, 부식등으로 부터의 보호, 내구성능 향상 등을 목적으로 행하는 도장을 말한다.

※ 방청, 방화, 발광, 방균(항균), 다채무늬(미장효과), 내산·내알카리, 전기절연, 내열도료등이 있다.

09 유제(乳劑) : Emulsion

물에 용해되지 않는 유성 Paint나 아스팔트 등을 물속에 분산시킬 목적으로 유화제를 넣어 수성과 유성의 특징을 겸비하도록 만든 유탁액(乳濁液)을 말한다. 물을 첨가할 수 있다.

※ 종류 : 에멀젼도료, 에멀젼 Asphalt, 에멀젼 락카 등이 있다.

10 축열벽(Trombe wall)

일사열(태양에너지)을 벽돌벽이나 물벽에 집열시켜 주간에 모았다가 야간에 이용하는 간접 획득식 난방방식으로 전도, 복사, 대류 같은 자연현상에 의해 실내 난방효과를 얻는 것을 말한다.

11 흡음률(Noise Rating Criteria)

입사에너지에 대하여 재료에 흡수되거나 투과된 음의 합과의비를 말한다.

$$\left(\frac{\text{입사에너지}}{\text{흡수에너지 + 투과에너지}} \right)$$

12 뜬바닥구조(Floating Floor)

바닥충격음 방지를 목적으로 고체전달음이 구조체에 전달되지 않도록 바닥자체를 완충재를 넣어 분리시킨 바닥방식을 말한다.

출제예상문제

CHAPTER 14 기타공사

1 칠하는 방법(칠공법)의 종류에 대해 4가지만 적으시오.

① ______ ② ______ ③ ______ ④ ______

정답 1
① 뿜칠 ② 롤러칠
③ 솔칠 ④ 문지름칠

2 뿜칠과 도장시 주의사항에 대한 다음 설명 중 틀린 것을 모두 고르시오.

(가) 뿜칠할 때는 겹치지 않게 한다.
(나) 뿜칠시 칠면과의 거리는 60cm 정도 유지한다.
(다) 솔칠을 할 때는 밑에서 위로 행한다.
(라) 칠막형성은 얇게 여러번 도포하는 것이 좋다.
(마) 칠한 회수를 구분하기 위해 색깔을 바꾸는 것이 좋다.

정답 2
(가), (나), (다)
(가) 1/3정도 겹쳐 칠한다.
(나) 30cm 정도 유지한다.
(다) 위에서 밑으로 좌에서 우로 행한다.

3 도장공사를 위한 철부 바탕만들기 순서를 보기에서 골라 번호로 쓰시오.

〔보기〕

(1) 녹제거	(2) 유류제거	(3) 오염, 부착물제거
(4) 인산염처리	(5) 피막마무리	

정답 3
(3)
(2)
(1)
(4)
(5)

4 다음을 읽고 (A)항에 관계있는 것을 (B)항과 연결하시오.

A항	B항
① 목재의 옹이막이	㈎ 광명단칠
② 철재의 녹막이칠	㈏ 아연분말도료
③ 알미늄초벌칠	㈐ 알미늄 페인트
④ 라디에터칠	㈑ Asphalt Paint
⑤ 토대등 목재방부용	㈒ 셀락 바니쉬

정답 4
① (마) ② (가) ③ (나)
④ (다) ⑤ (라)

출제예상문제

5 **보기 (가), (나)가 요구하는 공법의 종류를 각각 2가지씩 적으시오.**

(가) 벽단열 공법 종류 〔99 ③, 02 ③, 06 ③, 16 ②〕

① ______________ ② ______________

(나) 단열재 시공법

① ______________ ② ______________

6 **도배공사에서 도배지에 풀칠하는 방법을 3가지 적으시오.**

① ______________ ② ______________ ③ ______________

7 **칠작업을 수행함으로써 미관향상 이외에 달성되는 성능이 있는데 도장공사 중 기능성 도장의 종류를 4가지 적으시오.**

① ______________ ② ______________

③ ______________ ④ ______________

8 **도장공사의 결함원인을 4가지만 적으시오.**

(1) ______________ (2) ______________

(3) ______________ (4) ______________

보충설명 ※ 기타 도장결함의 종류

① 색분리 : 혼입불충분, 용제과다첨가
② 광택불량 : 바탕재 흡수가 크거나 두꺼운 경우, 백화발생, 시너용량 부적절
③ 리프팅 : 도막의 수축, 박리(재벌도료 용제가 초벌에 침투)
④ 번짐(브리트) : 초벌바탕에 염료, 기름, 역청재칠등 원인
⑤ 건조불량 : 기온 낮고, 습도 높은 경우(바탕재 수분, 기름, 수지 등이 묻은 경우)

해설 및 정답

정답 5

(가) ① 외벽 단열공법
② 내벽 단열공법
③ 중공벽 단열공법

(나) ① 성형판 붙입법
② 현장발포 시공법
③ 뿜칠시공법

정답 6

① 온통바름(온통풀칠)
② 봉투바름(갓둘레풀칠)
③ 비늘바름(한쪽풀칠)

정답 7

① 방청도료
② 방화(내화도료)
③ 발광도료
④ 방부도료(방균도료)
※ 기타 : 내산, 내열, 전기절연도료 등

정답 8

(1) 자국(붓자국, 건자국)
(2) 흘러내림(느슨해짐) : 두껍게 바르거나, 시너과다 사용시
(3) 주름 : 급격한 건조, 유성도료를 두껍게 한 경우
(4) 백화(브러싱) : 도장 기온이 떨어져 공기중 수분이 도면에 응집

출제예상문제

9 다음 용어에 대해 간단히 설명하시오.

(가) 축열벽 : ______________________

(나) 내화도료 : ______________________

10 도장공사에 관한 다음 사항 중 빈칸을 적절히 채워 넣으시오.

도장할 바탕면의 평활도나 바탕면의 들뜸이나 오염 여부 등은 (　　)이나 (　　)으로 확인할 수 있다.

11 도장공사에서 스크레이퍼(쇠 주걱) 등으로 도장면의 갈라진 틈이나 구멍을 메꾸는데 사용되는 재료를 무엇이라고 하는지 쓰시오.

____

12 해체공사 진행시 공해요인을 미리 방지하는 환경대책을 수립하여야 하는데, 그 대표적인 요인을 4가지만 간단히 쓰시오.

① ____________ ② ____________

③ ____________ ④ ____________

13 구조물해체 시 환경대책 중 소음방지대책 수립 및 조치 시 조사 및 고려해야 할 내용을 3가지 쓰시오.

① ____________ ② ____________

③ ____________

해설 및 정답

정답 **9**

(가) 주간에 태양열을 집열시켜 저장하였다가 야간에 이용하는 간접획득식 난방방식으로 벽돌벽, 물벽 등의 구조를 이용한다.

(나) 화재시 팽창하여 단열층을 형성하여 화재로부터 철골주요부를 보호하기 위한 내화피복 공사에 적용되는 고기능성 도료를 말한다.

정답 **10**

육안, 촉감

정답 **11**

퍼티(putty) 또는 수성 퍼티

정답 **12**

① 소음 및 진동발생
② 분진발생
③ 지반침하발생
④ 폐기물발생

정답 **13**

① 소음관련 민원 사례
② 소음관련 법규
③ 장비사양 및 사용시 소음발생 정도
④ 저소음 공법

NCS(국가직무능력표준)에 따른 출제기준 변경에 대비한 시공 보충 예상문제

답안 작성시 유의사항

- ○ 시험문제지의 이상유무(문제지 총면수, 문제번호순서, 인쇄상태 등)을 확인한 후 답안을 작성하여야 한다.
- ○ 인적사항(수검번호, 성명 등)은 매 장마다 반드시 흑색 싸인펜으로 기재하여야 한다.
- ○ 답안은 연필류를 제외한 흑색필기구로 작성하여야 하며, 기타의 필기구를 사용한 답항은 0점처리된다.
- ○ 답안을 정정할 때에는 반드시 정정부분을 두 줄로 긋고, 감독위원의 정정날인을 받아야 한다.
- ○ 계산기를 사용할 때 커버를 제거하고, 특정 공식이나 수식이 입력되는 계산기는 사전에 반드시 감독위원의 검사(입력소멸)를 받고 사용하여야 한다.
- ○ 답안 내용은 간단, 명료하게 작성하여야 하며, 문제 및 답안지에 불필요한 낙서나 특이한 기록사항 등 부정의 목적이 있었다고 판단될 경우에는 모든 득점이 0점으로 처리된다.
- ○ 계산문제는 답란에 반드시 계산과정과 답을 기재하여야 하며, 계산식이 없는 답은 0점처리 된다.
- ○ 계산과정에서 소수가 발생되면 문제의 요구사항을 따르고, 명시가 없으면 이하 셋째 자리에서 반올림하여 둘째 자리까지만 구하여 답하여야 한다.
- ○ 문제의 요구사항에서 단위가 주어졌을 경우에는 계산식 및 답에서 생략되어도 되나, 기타의 경우 계산식 및 답란에 단위를 기재하지 않을 경우에는 틀린 답으로 처리된다.
- ○ 문제에서 요구한 가지수(항수) 이상을 답란에 표기한 경우에는 답란 기재순으로 요구한 가지수(항수)만 채점한다.

건축기사실기 시공 보충예상문제

※ 다음 물음의 답을 해당 답란에 답하시오.

1. NCS(국가직무능력표준)에서는 관리자가 각 공종별 시공계획을 수립 시행할 수 있어야 한다고 직무능력에서 규정하고 있는데 방수 시공계획을 수립할 때 단계별로 가장 일반적인 계획수립 순서를 보기에서 골라 순서대로 번호로 표시하시오.

득 점	배 점
	4

[보기]
(1) 가설 및 공정관리 계획수립 (2) 설계도서 및 내역서 검토
(3) 외관 및 누수검사 (4) 보수, 보강
(5) 작업인원, 자재, 장비 투입계획 (6) 품질, 안전, 환경관리계획

정답 (2)-(1)-(5)-(6)-(3)-(4)

보충설명
NCS규정에서 정하는 각 공종별 일반적인 시공계획 수립순서
① 설계도서 및 내역서 검토
② 가설계획, 공정관리계획
③ 작업인원 투입계획, 자재, 장비 투입계획
④ 품질, 안전, 환경 관리계획수립
⑤ 각 공정별, 부위별 검사
⑥ 보수, 보강 계획 수립 및 실시

2. NCS(국가직무능력표준)에서 공사관리자는 공사 중 각종 품질관리계획의 계획, 지침서 등을 작성할 수 있도록 규정하고 있는바 건설기술진흥법상 품질관리계획을 수립하여야 하는 대상 공사를 3가지 적으시오.

득 점	배 점
	3

(1) ______
(2) ______
(3) ______

정답 품질관리계획 수립 대상공사 (건설기술진흥법 55조, 동시행령 89조 내용)
(1) 건설사업관리 대상인 건설공사로써 총 공사비가 500억 이상인 건설공사
(2) 건축법상 다중이용건축물의 건설공사로써 연면적 3만m^2 이상인 건축물의 건설공사
(3) 해당 건설공사의 계약에 품질관리 계획을 수립하도록 되어 있는 건설공사

3. 건설기술진흥법상 품질관리계획 수립대상인 건설공사 이외에도 원칙적으로 품질시험계획을 수립하여야 하는 대상공사 항목을 3가지 적으시오.

득 점	배 점
	3

(가)

(나)

(다)

정답 (가) 총 공사비가 5억원 이상의 토목공사
(나) 연면적이 $660m^2$ 이상인 건축물의 건축공사
(다) 총 공사비가 2억원 이상의 전문공사

4. 일반적인 건축생산관리에서 품질관리를 시행하는 목적을 4가지만 쓰시오.

득 점	배 점
	4

① ②

③ ④

정답 ① 시공능률의 향상
② 품질 및 신뢰성 향상
③ 설계의 합리화
④ 작업의 표준화

5. NCS(국가직무능력표준) 규정에서 공사관리자는 공사의 계약-착공-공사실시-준공의 전과정에서 발생하는 대관업무를 처리하여야 하는데 다음 보기 중 착공단계에서 제출해야 하는 서류를 모두 골라 답을 적으시오.

득 점	배 점
	4

[보기]
① 건축허가신청 ② 도로점용허가신청 ③ 건축물 착공신고
④ 품질관리계획서 ⑤ 안전관리계획서 ⑥ 중간감리보고서
⑦ 사용승인신청 ⑧ 가설건축물 축조신고 및 사용승인

정답 ②, ③, ④, ⑤, ⑧
※ ① : 계약단계의 업무
⑥ : 공사실시단계의 업무
⑦ : 준공단계의 업무

6. 공사시공시 공사 착공단계에서 도로점용허가를 받기 위하여 제출해야 하는 구비서류를 3가지 적으시오.

득 점	배 점
	3

(1) ____________________

(2) ____________________

(3) ____________________

정답 (1) 도로점용허가 신청서
(2) 지적도(구적도 및 안내도 포함)
(3) 토지대장 등본
※ 기타 : 건축허가서 사본, 도로임대부위 전경사진(필요시)

7. NCS(국가직무능력표준) 규정에서 공사관리자는 환경관리계획서와 환경관리계획을 수립, 시행하여야 하는 직무능력을 이행하여야 하는데 건설기술진흥법에서 규정하고 있는 환경관리비의 정의를 두가지 쓰시오.

득 점	배 점
	4

(1) ____________________

(2) ____________________

정답 건설기술진흥법 66조와 시행규칙 61조에 정하는 환경관리비의 정의
(1) 건설공사현장에 설치하는 한경오염방지시설의 설치 및 운영에 소요되는 비용
(2) 건설공사현장에서 발생하는 폐기물의 처리 및 재활용에 소요되는 비용
※ 환경관리비는 (1)과 (2)를 합산하여 적용하며 환경관리비의 계상 및 관리는 국토교통부장관의 고시에 따른다.

8. 환경관리와 실내공기질 관리의 중요성은 대단히 중요하다. NCS(국가직무능력표준)에서도 여러 항목에 걸쳐 그 내용을 적시하고 있는데 새집 증후군(Sick house syndrome), 건물병 증후군(Sick building syndrome) 등의 원인 물질인 VOC(Volatile Organic Compounds)의 정의를 쓰시오.

득 점	배 점
	3

• ____________________

____

정답 대기중으로 쉽게 증발되고, 대기중에서 질소산화물과 공존시 태양광의 작용을 받아 광화학반응을 일으켜 오존 등 광화학 산화성 물질을 생성시켜 광화학 스모그를 유발하는 물질의 총칭이다.
※ 국내에서는 31종의 VOC물질을 관리하고 있음.
(벤젠, 톨루엔, 아세틸렌, 포름알데히드, 메탄올 등)

9. NCS(국가직무능력표준)에서 관리자가 수행하는 노무, 자재, 장비 등의 현장관리에서 사용되고 있는 RFID(Radio Frequency IDentification) 시스템을 설명하시오.

득 점	배 점
	3

정답 RFID System : 근거리 자동 무선인식 기술 System으로써 상품이나 동물, 사물에 마이크로 칩을 내장한 태그, 카드, 라벨 등을 부착하고 여기에 저장된 Data를 무선주파수를 이용하여 근거리에서 비접촉으로 정보를 읽고 전달하는 System

※ 태그반도체 칩과 안터네 리더(인식기)로 구성된 System이며, 바코드와는 달리 전파이기 때문에 어느 방향에서도 Data 판독이 가능. 노무, 자재, 장비 관리 등에 사용

10. NCS(국가직무능력표준)에서 정의하고 있는 BIM(Building Information Modeling)을 설명하시오.

득 점	배 점
	3

•

정답 3차원형상정보모델로써 건축, 토목, 플랜트를 포함한 건설 전 분야에서 시설물 객체의 물리적 혹은 기능적 특성에 의하여 시설물 수명주기 동안 의사결정을 하는데 신뢰할 수 있는 근거를 제공하는 디지털 모델과 그의 작성을 위한 업무절차를 말함.

11. NCS(국가직무능력표준)에서 관리자는 위험도 관리요인과 대책을 수립 시행할 수 있는 능력을 요구받고 있다. 건설생산관리에서 위험도 관리(Risk Management)란 위험과 불확실성에 대한 대책, 관리라 정의할 수 있는데 건설생산 주체들이 채택할 수 있는 큰 부류의 위험도 대응 방안(위험도 관리전략)을 4가지 적으시오.

득 점	배 점
	4

①

②

③

④

정답 ① 위험도 회피 전략

② 손실감소와 위험도방지 전략

③ 리스크 전이 전략

④ 리스크 보유 전략

보충설명

(1) 위험도 회피 : 위험도 노출을 피하므로 잠재적 손실을 줄일 수 있다.
※ 공사 입찰 포기 등으로 잠재적 이익을 잃을 수 있다.

(2) 위험도 방지 손실감소 : 위험도 손실 확률을 줄임.
위험발생시 피해를 줄임.
예) 도난방지시설이나 화재, 재난방지시설 설치시 손실을 최소화하며 보험요율도 삭감된다.

(3) 리스크 전이
: ※ 위험도 관리 중 자주 사용되는 대응전략이다.
예) 보험, 보증 등이 있다.

(4) 리스크 보유 : 전략적, 투기적으로 리스크를 보유한채 계획을 진행하는 것을 말한다.

12. NCS(국가직무능력표준) 규정에서는 관리자에게 설계의 적정성을 검토하고, 설계 도서의 불일치 사항을 검토하여 적절히 조치하는 능력을 요구하고 있는데 다음 보기의 항목 중 내용이 서로 상이한 경우 국토부고시에서 정한 설계도서 해석의 우선순위를 순서대로 보기에서 골라 번호로 쓰시오. 〔23 ②〕

득 점	배 점
	4

[보기]
① 감리자 지시사항　② 공사시방서　③ 설계도면
④ 표준시방서　⑤ 전문시방서

•

정답 ②-③-⑤-④-①

참고사항 건축물의 설계도서 작성기준
(국토부 고시 : 설계도서 해석의 우선순위)

① 공사시방서
② 설계도면
③ 전문시방서
④ 표준시방서
⑤ 산출내역서
⑥ 승인된 시공 상세도면
⑦ 관계법령의 유권해석
⑧ 감리자의 지시사항

13. 다음 용어를 간단히 설명하시오.

득 점	배 점
	4

(1) 라인조직 :

(2) Fast Track 진행방식 : 〔23 ①〕 3점

정답 (1) 대규모 복합공사에서는 부적절한 건설사업에서 가장 많이 사용 되었던 조직이다. 책임과 권한이 명확하고, 소수능력에 따라 사업의 성패가 좌우된다.
(2) 설계가 일부 완성된 후 설계와 시공을 병행하는 방식으로 공기단축, 공사비 절감이 가능한 방식이다.

14. 다음 용어를 설명하시오.

득 점	배 점
	4

(1) 입찰보증금 :

(2) 예정가격 :

정답 (1) 낙찰되어도 계약을 체결할 의사가 없는 자의 입찰참가를 방지하기 위한 제도로 낙찰 안 된자는 개찰 후 반환하고, 낙찰자에게는 계약체결 후 변환하는 보증금
(2) 당해공사에 내정된 최고가격으로 예산 책정된 금액을 의미하며 입찰시 기준이 되는 금액을 말한다.

15. 다음 용어를 간단히 설명하시오.

득 점	배 점
	4

(1) 장수명 건축물 :

(2) 준공가격(준공원가) :

정답 (1) 구조체 뼈대는 고내구성 구조로 설계하고 설비교체, 가변, 갱신 부분은 교체 용이하도록 분리 · 설계한 건물
(2) 예정가격이나 실행가격에 설계변경, 물가상승, 추가공사, 하자보수 등으로 변경된 원가를 말한다.

16. NCS(국가직무능력표준)에서 관리자는 계약 및 클레임 관리를 수행하여야 하는데, 그에 관한 다음 물음에 답하시오.

득 점	배 점
	3

(1) 계약당사자간의 분쟁(Claim)은 상호 ( )에 의해서 해결하는 것이 국가 계약법에서 정한 원칙이다.

(2) 다음 설명에 적합한 클레임 해결방안을 쓰시오.

① 2차적 해결 방법 중 법적구속력이 있는 방법 :

② 최종적인 클레임 해결방법으로 법정판결로 해결하는 방법 :

정답 (1) 합의
(2) ① 중재 ② 소송

17. NCS(국가직무능력표준)에서 현장관리자는 가설 및 안전시설이 시방서 및 산업안전보건법에서 정한 규격대로 설치되었는지 여부를 검토할 수 있는 능력을 요구하고 있는데 산업안전보건공단 규정에서 정하고 있는 가설비계 경사로 설치기준 중 ( ) 안에 알맞는 수치를 쓰시오.

득 점	배 점
	3

(1) 경사로의 나비는 ( )cm 이상으로 설치한다.

(2) 지지기둥간격은 ( )m 이하, 장선간격은 1.8m 이하로 한다.

(3) 계단참은 ( )m 이내마다 길이 1.8m 이상의 계단참을 설치하여야 한다.

정답 (1) 90 (2) 3 (3) 7

참고사항 가설비계의 경사로 설치기준(산업안전보건공단 : KOSHA Code)
① 나비 : 90cm 이상(통로의 폭)
② 경사 : 30° 이하(물매 4/10를 표준으로 한다.)
③ 지지기둥간격 : 3.0m 이하, 장선간격 : 1.8m 이하
④ 미끄럼 막이대 : 1.5cm×3.0cm 각재를 30cm 간격으로 고정시킨다.
⑤ 계단참 : 높이 7m 이내마다 길이 1.8m 이상의 계단참 설치
계단참과 경사로 연결 부위는 단차이가 없도록 설치
⑥ 설치소요량 : 건물면적 1,600m^2 당 1개소
⑦ 난간 : 90cm 이상 120cm 이하, 90cm 이상시 중간대를 설치한다.
⑧ 계단으로 설치시 : 챌판 24cm 이하, 디딤판나비 : 22cm 이상

18. 다음 보기에 주어진 항목을 기준으로 현장에서의 강관비계 설치순서를 기호로 순서대로 쓰시오.

득 점	배 점
	4

[보기]
(가) Base plate 설치　(나) 띠장 설치　(다) 가새설치
(라) 벽체와 긴결　(마) 작업발판 설치　(바) 깔판설치
(사) 장선설치　(아) 기둥설치

정답 (바), (가), (아), (나), (사), (다), (라), (마)

19. 현장에서 비계외측에 설치하는 낙하물방지망 설치 기준 중 (　) 안에 알맞은 수치를 써넣으시오.

득 점	배 점
	5

(1) 낙하물방지망은 구조물의 높이가 (①)m 이하인 경우는 1단 이상 설치하며 그 이상인 경우는 (②)m 이내 (③)개층마다 1단씩 설치한다.

① ______ ② ______ ③ ______

(2) 내민길이는 비계나 구조체의 외측에서 (①)m 이상 설치하고 최하단은 지상에서 10m 이내에 설치하여 설치각도는 수평에서 (②)° 정도의 각도로 설치한다.

① ______ ② ______

정답 (1) ① 20　② 10　③ 3
(2) ① 2　② 30

20. 공사시공 현장에서 공사 중 환경관리와 민원예방을 위하여 설치하여 운영하는 가설시설 중 대표적인 항목을 4가지만 간단히 쓰시오.

득 점	배 점
	4

(가) ______ (나) ______
(다) ______ (라) ______

정답 (가) 살수시설　(나) 가설세륜시설
(다) 먼지, 분진집진시설　(라) 소음, 방지시설 (방음판설치)
※ 기타. 가설쓰레기투하시설, 방진막설치, 폐기물처리시설 등

21. NCS(국가직무능력표준) 규정에서 현장관리자는 타워크레인 등 양중계획과 관련 시설의 점검을 해야 하는데 타워크레인의 기초를 구축하는 일반적인 방법을 3가지만 쓰시오.

득 점	배 점
	3

(1) ______________________ (2) ______________________

(3) ______________________

정답 (1) 강말뚝방식
(2) 독립기초방식
(3) 영구구조체 이용방식

보충설명
(1)번은 Top down 공법 적용시 채택. 조기사용 가능
(2)번은 대지여유가 있을 때 채택 연약지반은 말뚝으로 보강
(3)번은 대지여유 없는 도심지에서 채택 필요시 추가보강

22. 시공현장에서 자재의 양중, 하역장비로 많이 사용되는 Tower Crane의 분류(구분) 방식을 다음 물음에 따라 답하시오.

득 점	배 점
	4

(가) Tower Crane은 수평이동 방식에 따라서 (   )과 (   )으로 구분한다.

(나) Tower Crane은 수직이동방식(Climbing)에 따라 (   )과 (   )으로 구분한다.

정답 (가) : 고정식, 주행식 (Rail형)
(나) : Mast Climbing Type (마스트상승방식, 베이스고정방식),
Floor Climbing Type (크레인상승방식, 베이스상승방식)

보충설명
(1) Tower Crane은 집 (Jib) 형상에 따라서, 경사 Jib형식 (Luffing Jib Type : Luffing Crane)과 수평 Jib형식 (Trolly Jib Type : Hammer Head Crane)으로 분류한다.
(2) 건물 높이에 따라 자주식은 Mast Climbing 방식을 주로 사용하며, 초고층인 경우는 Floor Climbing방식 (크레인상승방식)을 주로 사용한다.

23. 보기에 주어진 지반조사 방법을 단계별로 연결하여 기호로 적으시오.

득 점	배 점
	2

[보기]
① 특정조사 ② 예비조사
③ 본조사 ④ 보완조사

____

정답 ② → ③ → ④ → ①

24. 지반천공(Boring)을 수행하는 목적을 3가지 쓰시오. (18 ①)

득 점	배 점
	3

① ______________ ② ______________

③ ______________

정답 ① 토질의 주상도 작성
② 토질시험용 Sample 채취(시료채취)
③ 공내에 원위치시험
※ 기타 : ① 지하수위 측정(확인)
② 지내력 추정

25. 시추주상도(Boring Log)를 설명하고 주상도에 기입할 사항을 3가지만 쓰시오.

득 점	배 점
	5

(1) 주상도 :

____

(2) 주상도 기입사항 :

① ______________ ② ______________

③ ______________

정답 (1) 지반천공을 통해 지층경연, 지층 상태, 지하수위 등을 조사하여 지층의 단면 상태를 축척으로 표시한 도면(예측도)
(2) ① 지하수위 위치 표시
② 표준관입 시험의 N 값 표시
③ 지층의 두께, 종류, 색조 표시
※ 기타 : ① Boring의 종류
② Sampling 방법

26. 다음이 설명하는 지반조사 방법의 명칭을 쓰시오.

득 점	배 점
	3

(가) 낙하추를 이용하거나 폭발을 일으켜서 지하 구성층을 개략적으로 탐사하는 방법

(나) 스크류포인트를 장착하고 5~100kg의 추의 무게와 회전력을 이용하여 관입저항을 측정하는 시험

(다) 연약점토에 주로 사용하며 건설기계의 주행성을 측정하기 위해 사용되는 콘 지수를 구하는 시험

정답 (가) 탄성파식 물리적 지하탐사법
(나) 스웨덴식 관입시험(Swedish penetration test)
(다) 휴대용 원추 관입시험(Portable cone penetration test)

27. 표준관입시험(Standard penetration Test)에서 얻은 N값(N Value)은 여러 원인에 따라 그 값을 보정하여 사용하게 되는데 N값의 보정 방법을 3가지만 쓰시오.

득 점	배 점
	3

① ______

② ______

③ ______

정답 ① 토질에 따른 보정방법
② Rod 길이에 따른 보정방법
③ 상재압에 따른 보정방법
※ 기타 : 해머의 낙하방법에 의한 에너지 보정방법

28. 시공현장에서 건물축조시 흙막이를 위한 터파기시나 기존건축물 철거시 안전성확보와 인접주민 피해가 발생되지 않도록 수행해야 하는 조치사항을 3가지만 쓰시오.

득 점	배 점
	3

① ______

② ______

③ ______

정답 (1) 기존건물 자료, 지하매설물, 공공매설물의 사전파악, 사전조사, 수행
(2) 흙막이 설치부위는 1m 정도 시험 굴착하여 장애물 여부확인
(3) 매설물 예상부위는 인력 터파기하여 파손방지
기타 ① 기존건물의 빈부분 (공동부)은 되메우기나 Grouting으로 부강
② 구조물 철거시 저소음, 저진동공법 사용 등

29. 토공사 현장에서 되메우기(Back Filling) 할 때의 규정을 (　　)안에 알맞게 쓰시오.

득 점	배 점
	3

(1) 모래로 되메우기 할 경우에는 (①)다짐을 실시한다.

(2) 흙되메우기시 일반흙으로 되메우기 할 경우는 (②)cm 마다 적절한 기구로 다짐하며 다짐밀도 (③)% 이상으로 다진다. 〔17 ①〕

① ______ ② ______ ③ ______

정답 ① 물
② 30, ③ 95
※ 밀도시험 빈도
1) 넓은 수평구역 : 메우기 또는 되메우기 $100m^2$ 마다 1회
2) 한정된 구역 : 메우기, 되메우기의 각 층마다 1회

30. 공사현장에서 흔히 사용되는 H-Pile+토류판 흙막이 공법의 순서를 보기에서 차례대로 골라 기호로 표기하시오.

득 점	배 점
	4

[보기]

① 지중장애물제거	② Guide Beam 설치
③ 굴착	④ 벽체지보공 설치
⑤ H-Pile 타입	⑥ 굴착완료
⑦ 뒤채움 흙 충전	⑧ 토류판 삽입

정답 ①, ②, ⑤, ③, ⑧, ⑦, ④, ⑥

31. 흙막이공법 중 철재 널말뚝(Steel Sheet Pile)의 사용이 요구되는 이유를 3가지만 적으시오.

득 점	배 점
	3

① ______________________

② ______________________

③ ______________________

정답 ① 지하수가 많고 수압이 커서 차수막이 필요한 경우
② 기초파기가 깊어 토압이 커서 강성이 큰 흙막이가 필요한 경우
③ 경질지층 타입으로 강성이 큰 재료가 요구되는 경우

32. Slurry Wall의 콘크리트 타설시 지켜야 되는 다음의 건축공사 표준시방서 기준에 답하시오.

득 점	배 점
	5

(가) 철근망의 최소 피복 두께는 (　　　) 이상을 유지해야 한다.

(나) 콘크리트 배합시 단위시멘트량은 (　)kg/cm^3 이상으로 하고 물시멘트비는 (　)% 이하로 한다.

(다) 콘크리트 배합은 설계기준강도의 (　)% 이상으로 하여 굴착시 최대허용오차는 (　)% 이하로 한다.

정답 (가) 80mm
(나) 350, 50
(다) 125, 1

보충설명

지하연속벽(Slurry Wall)의 표준시방서 기준

① 벽최소두께 : 0.6~1.5m 이상
② 판넬의 길이는 9m 초과 금지
③ 골재치수 : 13~25mm 이하
④ 공기함유율 : 4.5±1.5%
⑤ 설계기준강도 : 20.6~29.4N/mm²
⑥ 단위시멘트량 : 350kg/m³
⑦ 물시멘트비 : 50% 이하
⑧ Slump 치 : 180~210
⑨ 배합설계 : 설계기준 강도의 125% 이상
⑩ 철망 피복두께 : 80mm 이상 유지
⑪ 주철근은 반드시 이형철근을 사용한다.
⑫ 굴착은 수직으로 하며, 최대하용오차는 1.0% 이하로 한다.
⑬ 지중콘크리트 타설시는 트레미관을 사용하여 선단은 항상 콘크리트에 1m 이상 묻혀있게 한다.
⑭ interlocking pipe 인발은 콘크리트 타설 후 3~4시간 경과시 실시

33. 최근 현장에서 수평버팀대공법에 대체공법으로 사용되고 있는 IPS(Innovative Prestressed Support)공법의 특징을 4가지 쓰시오.

득 점	배 점
	4

① ______________ ② ______________

③ ______________ ④ ______________

정답 ① 버팀굴착시 버팀보의 사용이 없어지므로 작업공간의 확보 용이
② 가시설 및 본 구조물의 공사기간 단축
③ 선행 하중 효과로 주변 시설물의 지하침하 방지
④ 굴착 작업, 토사 반출 및 건설 자재의 유 출입 용이
※ 기타특징
• 본 구조물 시공시 철근 배근과 거푸집 작업 매우 용이
• 사용 강재의 회수율이 높아 경제성 향상
• 강재량 및 작업 조인트 수 절감

보충설명

※ IPS 공사 적용범위
• 굴착 폭이 넓은 굴착 지반을 버팀보로 지지하기 곤란한 경우
• 지중 매설물의 손상이나 사유지 침범이 불가능한 굴착 작업 수행시 적용
• 지반 굴착으로 인한 지반 변형으로 인하여 인근 구조물의 피해가 예상되는 도심지 굴착시 적용
• 앵커 시공이 필요한 굴착 현장에서 지하수의 영향으로 앵커 시공이 곤란한 경우

34. 흙막이 공사 중 Soil Nailing 공법의 특징을 4가지 적으시오.

득 점	배 점
	4

① ______

② ______

③ ______

④ ______

정답 ① 지반자체를 벽체로 이용하여 안전성이 높은 옹벽 구축 가능
② 장비가 소형으로 좁은 장소나 험준한 지형에도 가능
③ 지반조건의 변화에도 시공 패턴 변경으로 대응 가능
④ 시공법이 간편하고 소음, 진동이 적어 거주지 근접 시공 가능
※ 기타 : 지진 등 주변 지반 움직임에 대한 저항력이 커서 안전

35. 지하수의 배수공법 중 중력배수공법과 강제배수공법을 두가지씩 쓰시오.

득 점	배 점
	4

(1) 중력배수공법 :

______

(2) 강제배수공법 :

______

정답 (1) 집수정공법(Sump 공법), 깊은우물공정(Deep Well 공법)
(2) Well point 공법, 진공식 Siemens Well 공법, 전기삼투공법

보충설명

- 중력배수 : 지하수를 중력에 의해 집수하여 펌프를 사용, 지상으로 배수 자갈·왕모래 등 투수계수가 큰 지반에서 사용
- 강제배수 : 지반에 진공이나 전기 에너지를 가함으로써 강제적으로 지하수를 집수하여 배수

36. 터파기시나 흙막이 설치시 강우기 (여름철)에 비탈면 (경사면)의 물침투방지 방법과 사면보호 방법을 3가지만 기술하시오.

득 점	배 점
	3

(가) ______

(나) ______

(다) ______

정답 (가) 사면은 5m마다 단을 설치하고, 점검용 턱을 둔다 (만든다.)
(나) 비탈면 맨하부는 영구배수 시설을 하고, 상부는 배수구나 도랑을 만들어 둔다.
(다) 비탈면은 Sheet로 보양하거나, 철망과 Mortar 뿜칠을 하여 보양한다.

37. 어스앵커(Earth Anchor) 공법은 흙막이 배면 (뒷면)을 앵커드릴로 굴착하여 흙막이를 시공하는 공법이다. 앵커 천공전에 사전 검토사항을 3가지만 적으시오.

득 점	배 점
	3

① ______________ ② ______________

③ ______________

정답 ① 지중장애물, 지하매설물 여부 사전조사
② 투수계수를 확인 : 투수계수가 높으면 순환수가 유출됨.
③ 지하수위 확인 : 수압이 크면 Boiling, piping 대책 필요
※ 기타 : 충분한 작업공간 확보

38. 어스앵커 (Earth Anchor) 시공시 다음 물음에 답하시오.

득 점	배 점
	4

(1) 어스앵커 시공에서 강선을 정착부에 고정하는 방식은 대표적으로 ( )과 ( )이 사용된다.

(2) 어스앵커 pc강재 삽입 설치 후 Mortar 주입순서는 ① 저압주입 – ② ( ) – ③ ( ) 순서로 시행한다.

정답 (1) 쐐기방식 (쐐기식 정착방식), 나사방식 (나사식정착방식)
(2) ② Packer부 주입 (Packer주입), ③ 정착부 주입

보충설명

Mortar 주입순서
① 저압주입 : 천공부 공벽 내외 Slime 제거를 위한 저압 주입
② Packer주입 : 정착부 상단의 Packer에 고압으로 Mortar주입
③ 정착부 주입 : 주압압력 0.5~1.0N/mm^2 정도로 한다.

39. ( ) 안에 적당한 수치를 적으시오.

득 점	배 점
	4

어스앵커 시공후 앵커의 인장시험은 흙막이 안전성 확보의 핵심자료로써 모든 시공앵커에 대해 실시하는 것이 원칙이다. 또한 인장시험전에 굴착이 진행되지 않도록 한다. 인장시험시 계획하는 최대 시험하중은 인장재 항복하중의 (①)배를 초과하면 안되며, 가설앵커인 경우는 설계인장력의 (②)배 이상, 상시 영구앵커인 경우는 설계인장력의 (③)배 이상으로 실시한다.

① ______________ ② ______________ ③ ______________

정답 ① 0.9
② 1.1
③ 1.2

40. 역타공법 (Top Down Method)에서 Slab를 타설하는 방법을 3가지만 적으시오.

득 점	배 점
	3

① ______________ ② ______________

③ ______________

정답 ① SOG (Slab On Grade) 방식 ② BOG (Beam On Grade) 방식
③ SOS (Slab On Support) 방식 ④ Hanging Type (달아매기 방식)

해설 ① SOG방식은 골조 Level로 굴착후 바닥에 합판+각목이나 Lean Concrete + PE Film을 설치후 철근배근하고 콘크리트를 타설하는 방법으로 Flat Slab에 적합한 방법
② BOG 방식은 일반 Beam 및 Slab구조에 적용
③ SOS방식은 골조바닥보다 2m 정도 깊게 굴착한 후 재래식 공법과 동일하게 철제 support를 세우고 거푸집을 조립하는 방법
④ 거푸집 지지를 상부 구조물에 정착시키는 방법을 달아매기 방식이라고 함. 가설재 소요량이 적고, 시공 생산성이 양호함.

41. 대구경 말뚝 공법 중 베노토(Benoto)공법의 특징을 4가지만 쓰시오.

득 점	배 점
	4

① ______________ ② ______________

③ ______________ ④ ______________

정답 ① All Casing 공법으로 굴착면의 붕괴가 없는 안정적인 공법
② 암반제외한 모든 지층에 적용 가능
③ 기계, 설비가 대형, 작업속도가 느리다.
④ 깊은 말뚝 가능, 공사비가 고가이다.
※ 기타 : ① 전석층, 자갈층 casing 압입과 인발 곤란
② casing 인발시 철근 피복 파괴 현상 우려

42. 보기에 주어진 항목을 이용하여 기성 말뚝의 알맞은 시공순서를 기호로 완성하시오.

득 점	배 점
	5

[보기]

① 말뚝박기	⑥ 말뚝 두부정리
② 말뚝의 관입량 기록 및 검사	⑦ 지지력 판정
③ 지반조사	⑧ 말뚝 이음
④ 말뚝 중심 측량	⑨ 표토제거
⑤ 시험말뚝박기	⑩ 자재 운반 검사

____

정답 ③ → ⑨ → ④ → ⑤ → ⑩ → ① → ⑧ → ② → ⑦ → ⑥

보충설명 ※ 기성말뚝 시공순서
① 지반조사 → ② 표토제거 → ③ 말뚝중심측량 → ④ 시험말뚝박기 → ⑤ 자재운반검사 → ⑥ 말뚝박기 → ⑦ 말뚝이음 → ⑧ 관입량 기록 및 검사 → ⑨ 지지력 판정 → ⑩ 말뚝 두부정리

43. 지반내력 증강을 목적으로 하는 차수공법 중 다음을 설명하시오.

득 점	배 점
	4

(1) SGR공법 (Soil Grouting Rocket 공법) :

____

____

(2) JSP (Jumbo Special Pile 공법) :

____

____

정답 (1) 이중관 (외관+내관) Rod에 특수 선단장치 (Rocket)를 부착시켜 대상 지반에 형성시킨 유도공간을 통해 급결성과 완결성의 주입재를 저압으로 복합주입하는 공법이다.
(2) 이중관 Rod 선단에 Jetting Nozzle (3mm)을 장착하여 압축공기와 함께 Cement Milk를 초고압으로 분사하여 지반을 절삭, 파쇄함과 동시에 공극에 그라우팅 주입재를 충전하는 고압분사 주입공법이다.

해설

(1) SGR : 주입압 : 0.4~0.8N/mm²	(2) JSP : 주입압 : 20~40N/mm²
- 유동공간을 형성하므로 균일한 작업효과 및 차수효과 기대 - 주입압력이 적어 지반교란이 적고 간극수만 치환 가능 - 주입시간이 비교적 많이 소요 - 장비가 비교적 복잡 - 장기간의 차수 및 지반보강용으로는 불리	- 지반개량 효과 우수 - 차수효과 확실 (투수계수 10^{-5}~10^{-6}cm/sec) - 지반강화 : 지지력, 히빙 / 언더피닝 / 사면붕괴 방지 - 시공 개량 범위가 확실 - 경사 시공 및 협소한 장소 작업 가능 - 공사비 고가

44. 다음 물음에 말맞는 수치를 (   ) 안에 적으시오.

득 점	배 점
	4

(1) 말뚝박기시 시공정밀도는 기성콘크리트 말뚝인 경우는 편심량이 X-Y 방향으로 (①)mm 이하이고, 경사도는 (②) 이하이어야 한다.

(2) 강관말뚝인 경우 위치오차는 말뚝지름의 (③) 또는 (④)mm 이하이어야 하며, 경사도가 1/100 이하이어야 한다.

① ______________ ② ______________

③ ______________ ④ ______________

정답 ① 70, ② 1/100, ③ 1/10, ④ 100

45. 말뚝공법에서 타격공법시 사용되는 대표적인 기구명칭을 3가지만 적으시오.

득 점	배 점
	3

(1) ______________________

(2) ______________________

(3) ______________________

정답 (1) Drop Hammer (드롭해머)
(2) Diesel Hammer (디젤해머)
(3) 유압 Hammer (유압해머)

46. 말뚝항타시 두부파손은 말뚝의 지지력을 과대평가 할 수 있어서 방지해야 하는데, 항타시 발생되는 대표적인 문제점인 두부파손의 원인과 대책을 각각 3가지씩 적으시오.

득 점	배 점
	6

(가) 두부파손의 원인 :

____

(나) 두부파손의 대책 :

____

정답 (가) ① Hammer 용량의 과다 ② 과잉항타
③ 편타에 의한 파손 ④ 말뚝의 강도부족
⑤ 지반내 장애물
(나) ① 말뚝 두부 보강 (철판 Cap 사용, Cusion Head 사용)
② 말뚝과 항타기 간의 경사 수정
③ 말뚝의 강도 증가, 말뚝의 형상 변경
④ Hammer의 용량 및 낙차 조정

47. 일반적으로 현장타설 콘크리트 말뚝시공시 나타날 수 있는 대표적인 시공상 문제점을 4가지만 기술하시오.

득 점	배 점
	4

① ______________ ② ______________

③ ______________ ④ ______________

정답 (1) 말뚝체의 형상불량 및 콘크리트 타설 불량
(2) 공벽붕괴 발생
(3) 굴착불능 / 굴착능력저하
(4) 철근 Cage (철근조립망)의 부상
(5) Casing (외관), Bucket의 인발 불능 발생
※ 기타 : 지지력 부족 / 지지력 이완, 말뚝경사, 편심 발생

48. 현장에서는 원형봉강과 이형봉강의 기계적 물성에 따라 종류의 구별을 용이하게 하기 위하여, 양단면을 색칠하여 구분하는데 다음에 제시한 철근 단면의 색깔을 적으시오.

득 점	배 점
	3

(1) 원형봉강 SR240 : ______________________________

(2) 이형봉강 SD300 : ______________________________

(3) 이형봉강 SD400 : ______________________________

정답 (1) 청색 (파란색), (2) 녹색 (그린색), (3) 황색 (노란색)

보충설명

※ 철근의 색 구분

종 류	기 호	구분방법	용 도
원형봉강	SR240	청색	일반용
	SR300	녹색	
이형봉강	SD300	녹색	일반용
	SD400	황색	
	SD500	흑색	
	SD400W	백색	용접용
	SD500W	분홍색	

49. 다음에 제시한 철근 이음방법을 설명하시오.

득 점	배 점
	4

(1) Cad Welding 이음 :

____

(2) Sleeve 충전식 이음 :

____

정답 (1) 철근에 Sleeve (연결철물)를 끼워 연결한 후 Sleeve 사이 공간에 화약의 순간폭발로 Cad Weld alloy (합금)을 녹여 흐려 보내 철근을 이음하는 방법이다.

(2) 철근에 Sleeve를 끼운 후 팽창시멘트 Mortar를 충전하거나 금속합금재를 충전하여 이음하는 방법

50. 시스템 거푸집 중 Climbing에 대하여 다음 항목을 설명하시오.

득 점	배 점
	4

(1) Self (Auto) Climbing System

(2) Rail Climbing System

정답 (1) 타워크레인의 사용 없이 자체유압기를 이용하여 인양, 상승되는 벽체 거푸집 System으로 공기가 단축되며, 안전성이 우수하다.
(2) 타워크레인에 의해 Rail을 타고 인양되는 방식의 벽체거푸집이다. Self System에 비하여 경제적이고, 풍압에 의한 영향이 없다.

51. 포졸란반응을 통하여 콘크리트의 장기강도를 증가시키는 시멘트의 종류를 3가지 쓰시오.

득 점	배 점
	3

① ②

③ ④

정답 ① 포졸란 (실리카) 시멘트
② 고로 Slag 시멘트
③ Fly ash (플라이 애쉬) 시멘트

52. 다음 설명이 뜻하는 특수시멘트의 종류를 쓰시오.

득 점	배 점
	4

(1) 1981년 영국에서 개발되었고 콘크리트에 큰 기공이나 결함을 제거하기 위해 시멘트에 수용성 플리머를 혼합하여 시멘트 경화체의 공극을 채운 고강도, 고수밀성 구조체에 사용되는 시멘트

(2) 주로 벨라이트($\beta-C_2S$)를 주원료로 수화발열량이 작고, 고유동성 콘크리트제조에 사용되는 시멘트

(3) 초조강 시멘트보다 큰 단기강도를 얻기 위해 긴급공사, shotcrete등의 콘크리트에 사용되도록 고안된 일명 One hour 시멘트

(4) 수축보상시멘트라고 하며, 건조수축균열을 감소시킬 목적으로 주로 Grouting 재료로 쓰이는 시멘트

정답 (1) MDF (Macro Defect Free) 시멘트
(2) 저열포틀랜드시멘트 혹은 저열시멘트
(3) 초속경시멘트 혹은 Jet Cement
(4) 팽창시멘트

53. 다음 설명이 뜻하는 알맞는 용어를 쓰시오.

득 점	배 점
	3

(가) 콘크리트를 부어 넣은 후 침강으로 인한 균열을 방지하기 위하여 콘크리트의 표면을 다지는 것 : ____________________

(나) 건설현장에서 레미콘에 가수하여 강도 및 내구성에 상당한 영향을 주는 문제의 근본적인 해결을 위해 개발된 콘크리트를 쓰시오. : ____________________

(다) 응결, 경화 시간을 임의로 바꿀 수 있는 시멘트를 말하며, 일명 제트 시멘트 (Jet Cemet)라고도 불린다. 이 시멘트는 강도발현이 빠르기 때문에 긴급을 요하는 공사, 동절기 공사, Shotcrete, 그라우팅용 등으로 사용된다. : ____________________

정답 (가) 리탬핑 (Retemping)
(나) 유동화 콘크리트
(다) 초속경 시멘트

54. 건축공사표준시방서에서 정한 다음 내용에 알맞은 Slump 값(Value)을 쓰시오.

득 점	배 점
	3

(1) 건축공사에 사용되는 일반적인 Slump 값 :

____

(2) 펌프를 이용한 콘크리트 타설시 Slump 값 :

____

(3) 유동화 콘크리트의 Slump 값 :

____

정답 (1) 180mm 이하
(2) 150mm 이상
(3) 210mm 이하

55. Slump와 관련된 다음 내용의 (   ) 안을 적절히 채우시오.

득 점	배 점
	3

(1) 운반시간이 긴 경우는 (①)를 고려하여 배합을 결정해야 한다.

(2) Slump의 증가량은 10cm 이하를 원칙으로 하며 (②)cm를 표준으로 한다.

(3) 레미콘 Slump값의 허용오차는 슬럼프값이 80mm 이상인 경우 (③)mm 이하로 한다.

정답 ① 슬럼프저하 (Slump loss)
② 5~8
③ ±25

56. 다음 설명이 뜻하는 혼화제(재)를 한가지만 쓰시오.

득 점	배 점
	3

(가) 한중기에서 사용하는 방동제 :

(나) 염화물에 의한 철근부식 억제 효과제 :

(다) 밀집배근된 곳의 콘크리트 타설을 용이하게 하는 혼화제 :

정답 (가) : 염화칼슘(응결 경화 촉진제)
(나) : 방청제
(다) : 유동화제

57. 잔골재율의 정의와 잔골재율이 큰 경우의 배합시 일반적인 경향을 3가지 쓰시오.

득 점	배 점
	5

(1) 정의 :

(2) 잔골재율이 큰 경우 배합시 일반적인 경향 :

정답 (1) 콘크리트에 포함된 전골재용적에 대한 잔골재용적의 백분율이다.

※ $\frac{\text{잔골재 체적(용적)}}{\text{전골재 체적(용적)}} \times 100(\%)$

(2) ① 단위수량이 증가된다.
② 단위시멘트량이 증가된다.
③ 공기량이 증가된다.

58. 콘크리트 배합설계시 물결합재비를 결정할 때 반드시 고려해야 하는 기본 항목 3 가지를 쓰시오.

득 점	배 점
	3

① ②

③

정답 ① 압축강도
② 내구성
③ 수밀성
④ 균열저항성

59. 콘크리트 타설에 펌프를 사용도중에 파이프가 막히는 Plugging 현상이 생기는데 그 원인을 3가지만 쓰시오.

득 점	배 점
	3

① ______________________

② ______________________

③ ______________________

정답 ① 골재칫수가 너무 크거나 입도 입형이 나빠 재료분리 현상이 있는 경우
② Slump값이 너무 작을 때
③ 관경이 너무 작거나 관로가 너무 길 때
※ • 대기시간 과다로 Concerte가 경화되었을 때
• 배관내에 이물질, 얼음발생의 등

60. 건축공사표준시방서에서 규정된 다음 물음에 답하시오.

득 점	배 점
	2

(1) 콘크리트 타설 작업시 콘크리트의 낙하높이는 (①) 이하로 하며, 수직타설을 원칙으로 한다.

(2) 지하연속벽타설시 타설철관(Tremie pipe)은 Concrete 내부에 (②) 이상 묻혀있도록 해야 한다.

정답 ① 1m 혹은 2m
② 2m

61. 콘크리트를 거푸집에 타설한 후부터 응결이 종료될 때까지 발생하는 균열을 일반적으로 초기균열이라고 한다. 초기균열은 그 원인에 의해 크게 나눌 수 있는데 3가지만 쓰시오.

득 점	배 점
	3

① ______________ ② ______________

③ ______________

정답 ① 소성수축 균열
② 침하균열
③ 온도균열
※ 기타 : 시공중 균열 (진동, 충격, 거푸집변형, 동바리 침하 등)

62. 콘크리트에서 발생되는 장기적인 수축에 따른 균열의 종류를 3가지만 쓰시오.

득 점	배 점
	3

① ______________ ② ______________

③ ______________

정답 ① 건조수축 균열
② Creep수축 균열
③ 자기수축 균열

63. 건축공사 표준시방서에서 정한 해수작용을 받는 Concrete (해양콘크리트 : Offshore Concrete)의 물시멘트비와 피복두께를 표에 기입하시오.

득 점	배 점
	4

해수작용 구분	적용장소	물시멘트비의 최대값	보통철근 피복두께
A	물보라지역	40%	90mm
B	해중	①	②
C	해상 대기중	③	④

① ______________ ② ______________

③ ______________ ④ ______________

정답 ① 50%
② 80mm
③ 45%
④ 70mm

64. 한중기 콘크리트의 정의를 기술하고, 건축공사 표준시방서에서 기술된 온도에 따른 조치사항을 간단히 적으시오.

득 점	배 점
	5

(1) 한중기 콘크리트의 정의 : ______________

____

(2) 한중기 콘크리트에서 4℃에서 0℃가 되면 (   )을 해야 하며, 0℃에서 −3℃까지는 (   ) 조치를 해야 하고, −3℃ 이하에서는 (   ) 조치를 행하여야 한다.

정답 (1) 일 편균기온이 4℃ 이하로써 동결의 위험이 있는 기간내에 시공하는 콘크리트를 말한다.
(2) 간단한 주의와 보온,
견실한 보온과 물 · 골재 등 재료의 가열,
가열양생 등 본격적 한중 콘크리트로 시공하는

65. 콘크리트 표준시방서에서 정한 고강도 콘크리트에 대한 다음 물음에 답하시오.

득 점	배 점
	5

(1) 고강도 콘크리트란 설계기준 강도가 일반 콘크리트에서 (①) N/mm^2 이상 경량 콘크리트의 경우는 (②) N/mm^2 이상의 콘크리트를 말한다.

(2) 고강도 콘크리트의 배합에서 물시멘트비는 (③)% 이하로 시방서에 규정되어 있으며 단위수량의 최대치는 $180kg/m^3$ 이하로 하고 Slump값은 (④)mm 이하로 하며, 굵은골재의 실적율은 (⑤)% 이상으로 정해져 있다.

① ________________ ② ________________ ③ ________________

④ ________________ ⑤ ________________

정답 ① 40, ② 27, ③ 50, ④ 150, ⑤ 59

66. 프리스트레스트(Prestressed) 콘크리트의 정의와 Prestress 공법 중 Long-Line 공법을 설명하시오.

득 점	배 점
	4

(1) Prestressed Concrete : ________________________________

(2) Prestressed 공법 중 Long-Line 공법 : ________________________________

정답 (1) 외력에 대한 응력을 소정한도까지 상쇄할 수 있도록 강재의 인장력을 이용하여 미리 압축응력을 부여한 콘크리트를 말함.
(2) 프리스트레스공법 중 Pretension공법으로 상새를 설치, 긴장, 정착후 그 사이에 다수의 형틀을 조립하여 Concrete 경화 후 강재를 절단하여 동시에 다수의 PC부재를 제작 방법이다.

67. 다음 보기에서 제시한 프리스트레스트 콘크리트부재를 제작하는 방식(공법)을 pre-tension공법과 post-tension공법으로 구분하여 모두 골라 기호로 적으시오.

득 점	배 점
	4

[보기]
① 롱라인(Long-Line Method) ② 단독형틀(Individual Mold Method)
③ 매그널 방식(Magnel-Blaton System) ④ 프레시네(Freysinet) 방식
⑤ 디위대그(Dywidag) 방식 ⑥ 레오버(Leoba) 방식

(1) 프리텐션방식에 의한 부재제작방법 : ________________________________

(2) 포스트텐션 방식에 의한 방법 : ________________________________

정답 (1) ①, ②
(2) ③, ④, ⑤, ⑥

68. 다음 압축강도에 의한 콘크리트 품질검사에 대한 설명 중 (　　) 안에 들어갈 내용을 쓰시오.

득 점	배 점
	3

> 건축공사표준시방서에서 콘크리트 시험은 1일 1회, 배합이 변경될 때마다 또한 타설량 (①)m^3마다 1회로 하고, 1회 시험은 (②)개의 공시체의 평균값으로 한다. 강도 시험 결과치는 레미콘인 경우 KSF 4009 규정에 의하면 1회 시험 기준으로 호칭강도의 (③)% 이상이면 합격으로 간주한다.

① ________________ ② ________________ ③ ________________

정답 ① 120 ② 3 ③ 85

※ 현장에서 타설하는 콘크리트의 품질검사는 1일 1회, 배합 변경시, 또한 타설량 120m^3 마다 1회 시험하며, 레미콘의 경우는 KSF 4009 규정에 따라 실시한다.

69. 건축공사 표준시방서에 따른 콘크리트 피복두께의 변화요인을 4가지만 간단히 쓰시오.

득 점	배 점
	4

① ________________ ② ________________

③ ________________ ④ ________________

정답 (1) 흙과의 접촉 유무

(2) 실내외의 구분

(3) 마감의 유무

(4) 구조체 종류별

※ 기타 : • 콘크리트의 종류

• 철근의 직경

70. 진공탈수 (Vaccum Dewatering) 콘크리트의 특징을 3가지만 쓰시오.

득 점	배 점
	3

(1) ________________

(2) ________________

(3) ________________

정답 (1) 콘크리트의 초기강도 증진

(2) 건조수축의 감소

(3) 표면경도 증가로 내마모성 증진

※ 기타 : 수밀성 증진, 동결융해에 대한 저항성 증진

71. 다음 용어를 설명하시오.

득 점	배 점
	4

(가) Preplaced Aggregate Concrete : ______________________________

____

(나) 고인성 콘크리트 : ______________________________

____

정답 (가) Prepacked Concrete라고도 하며 특정입도를 가진 굵은골재를 거푸집속에 채우고 그 사이 공극에 특수 Mortar를 주입하여 완성하는 콘크리트를 말한다.
(나) 섬유보강 콘크리트에 개량된 섬유와 혼합비율로 콘크리트의 인성과 연성을 더욱 개선시킨 콘크리트를 말한다.

72. 건축공사표준시방서에서 규정된 다음 물음에 답하시오.

득 점	배 점
	4

(1) 수밀 콘크리트의 물결합재비는 몇 % 이하인가? ______________

(2) 해양 콘크리트의 해수 중 콘크리트의 피복두께는? ______________

(3) 고강도 콘크리트 중 경량콘크리트의 설계기준강도? ______________

(4) 한중기 콘크리트의 부어넣기 온도값? ______________

정답 (1) 50% 이하
(2) 80mm이상
(3) 27MPa 이상
(4) 5℃ 이상 20℃ 미만

73. 철골공사 중 가볼트조임에 대하여 다음 물음에 (　　) 안에 알맞는 수치를 적어 넣으시오.

득 점	배 점
	4

(1) 가볼트 조임은 풍하중, 지진하중, 공사중 하중에 대하여 안전성을 검토하여 시행한다. 특기시방에 안나와 있는 경우에는 일반적으로 다음 규정을 적용한다. 고력 Bolt 접합시는 1개의 Bolt군 (群)에 대하여 (①) 또는 (②)개 이상 배치한다.

(2) 혼합용접 및 병용접합인 경우는 (③) 또는 (④)개 이상 배치한다.

① ______________ ② ______________

③ ______________ ④ ______________

정답 ① 1/3, ② 2
③ 1/2, ④ 2

득 점	배 점
	4

74. 다음 용어를 설명하시오.

(1) Lamellar Tearing 현상 : 〔22 ③〕 3점

(2) Ferro-Stair :

정답 (1) 철골부재 용접시 용접금속의 국부적인 수축으로 인하여 압연강판의 층 사이에서 계단모양의 박리균열이 생기는 현상.T형 이음이나 구석이음시 많이 발생한다.

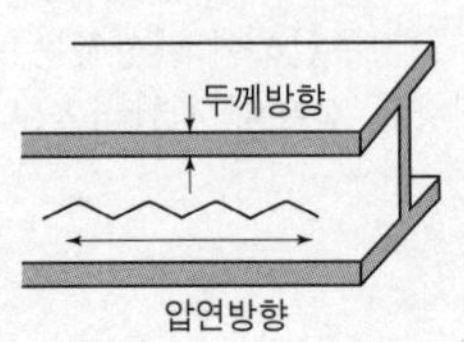

(2) 시스템 철골계단으로써 철근콘크리트조의 계단부를 공장생산된 철골계단으로 대체하고, 슬라브와 계단참 거푸집에 가조립한 후 콘크리트를 타설하고, 거푸집 해체후 철골계단을 이동/고정하는 공법이다.

득 점	배 점
	3

75. 고력볼트 조임과 관련된 다음 (　　　　) 안에 알맞는 말을 써 넣으시오.

(1) 고력 Bolt 조임은 일반적으로 1차조임 – (　　　　) – 본조임의 순서로 행한다.

(2) 각 Bolt 군마다 조임은 (　　　　)에서 단부쪽으로 조임해간다.

(3) 본조임은 토크관리법, (　　　　), 조합법의 방법으로 한다.

정답 (1) 금매김
(2) 중앙부
(3) 너트회전법

득 점	배 점
	2

76. 철골구조와 콘크리트의 합성구조에서 많이 사용되는 Stud Bolt의 필렛용접 규정과 검사규정에 대한 (　　) 안에 들어갈 수치를 기재하시오. (단 : 건축공사 표준시방서 기준)

(1) 스터트 필렛용접부는 균열 및 슬래그의 혼입이 없어야 하며 스터드 기울기는 (　　) 도 이내이어야 한다.

(2) 스터드 용접부 검사에서 구부림 각도 (　　)도에서 용접부의 균열, 기타 결함이 없으면 그 검사단위는 합격으로 하고, 그대로 콘크리트를 타설할 수 있다.

정답 (1) 5
(2) 15

77. 빙수공사에 대한 다음 물음에 답하시오.

득 점	배 점
	4

(1) 방수공사 후 담수시험은 배수구를 밀봉한 후 (   )mm 이상 물을 채운 후 (   ) 시간 방치하여 누수발생 여부를 확인한다.

(2) Sheet방수 시공 후 마감방법을 간단히 설명하시오.

① 노출공법 (비보행용)은 (   )하여 마감

② 비노출공법 (보행용)은 (   )하여 마감

정답 (1) 50, 24 (표준시방서는 48시간임)
(2) ① 착색도료 도포나 알루미늄판을 부착
② Sheet 시공 후 Mortar나 Concrete로 누름층을 형성

78. 건축공사표준시방서에서 정의하는 자착형 방수시트를 설명하시오.

득 점	배 점
	2

• ______________________________

____

정답 방수층 시공시 별도의 가열기나 접착제를 사용하지 않고 방수재 자체의 접착력으로 바탕체와 부착이 가능한 시트재

79. 건축공사 표준시방서에서 정한 방수층 영문기호에 따라 다음 영문기호 표시를 해석하시오.

득 점	배 점
	4

(1) S-RuF : ______________________________

(2) A-PrU : ______________________________

정답 (1) 합성고무계 sheet방수로써 전면밀착공법
(2) 보호층이 필요한 지하 아스팔트 방수공법

80. 건축공사표준시방서에서 설명하는 경질형 Primer와 연결형 혹은 절연형 Primer를 설명하시오.

득 점	배 점
	4

(1) 경질형 Primer : ______________________________

(2) 연질형 혹은 절연형 Primer : ______________________________

정답 (1) 방수층과 바탕을 견고하게 접착시키는 에폭시계 또는 아스팔트계 재료
(2) 구조체 거동에 방수층 파손을 방지하고자 바탕층과 유연하게 말착시킬 목적으로 바탕면에 도포하는 액상 또는 유연형의 재료

81. 석재를 가공한 후 발생될 수 있는 결함을 4가지만 쓰시오.

득 점	배 점
	4

① ________________

② ________________

③ ________________

④ ________________

정답 ① 각도 칫수오차 배부름 두께 불일치
② 얼룩, 녹, 황변 발생
③ 판재의 휨
④ 철분 녹 발생, 백화현상 발생

82. 시멘트 모르타르 바름에서 시공상의 균열방지대책을 4가지만 쓰시오.

득 점	배 점
	4

① ________________

② ________________

③ ________________

④ ________________

정답 ① 사용모래는 가능한 거친 입자를 사용
② 바름 후 직사광선을 피하고 비를 피해 양생
③ 바름 두께는 각층을 얇게 충분히 건조시킴
④ 바름전 물축임 후 1일 건조양생 후 시공
※ 기타 : ① 바탕처리 철저, 오염물질 제거
② 바름시간 준수, Mortar open Time 준수

83. 다음 물음에 답하시오.

득 점	배 점
	4

(가) 시멘트 Mortar 바름두께는 바닥을 제외하고 (①)mm를 표준으로 하며 모르타르는 건비빔 후 (②)시간 이내에 사용하고 물반죽 후 (③)이내에 사용한다.

(나) 바닥타일 붙임 Mortar 깔기 면적은 (①)~(②)m^2를 표준으로 하며 하루 타일붙임 높이는 소형인 경우 (③)~(④)m 대형타일인 경우 (⑤)~(⑥)m로 한다.

정답 (가) ① 6 ② 3 ③ 1
(나) ① 6 ② 8 ③ 1.2m ④ 1.5 ⑤ 0.7m ⑥ 0.9

84. 다음 물음에 답하시오.

득 점	배 점
	5

(1) 테라죠 (인조석)을 만드는데 사용되는 마무리방법을 3가지 쓰시오.

① ____________ ② ____________ ③ ____________

(2) 석재의 건식공법의 일종인 Steel Back Frame System을 설명하시오.

____

정답 (1) ① 인조석 물갈기
② 인조석 씻어내기
③ 인조석 잔다듬 (Cast Stone)
(2) 방청페인트 또는 아연도금한 각 파이프를 구조체에 긴결시킨 후 여기에 석재를 Fastener (패스너)로 긴결시키는 공법
※ 커튼월의 Mullion Type과 같은 개념으로 Steel Frame의 열에 의한 신축을 고려하여 각층연결시 Expansion Joint를 설치한다.

85. 미장공사에서 사용되는 Self Leveling재를 설명하시오.

득 점	배 점
	2

• ______________________________

____

정답 자체 유동성을 갖고 있는 석고계 및 시멘트 재료를 이용하여 평탄한 수평 바닥면을 형성하는 바탕처리 재료

86. 다음 설명이 뜻하는 타일 공법을 쓰시오.

득 점	배 점
	4

(가) 공장에서 대형 타일 패널을 만들어 현장 타설 콘크리트와 일체화 시키기 위한 공법

____

(나) 압착공법의 개선 방법으로써 타일의 입체감을 100% 발휘하며 접착력과 접착편차가 적은 타일 붙임 시공법

____

정답 (가) 타일거푸집 선붙임공법
(나) 밀착공법 (동시줄눈공법)

87. 다음 용어를 설명하시오.

득 점	배 점
	4

(1) 유리시공법 중 DPG (Dot point Glazing System) 공법 :

(2) 유리의 현수 (Suspension) 공법 :

정답 (1) 기존의 창틀을 사용 안하고 강화유리판에 구멍을 뚫고 특수가공 볼트를 사용하여 유리를 고정하는 방법
※ 자연미, 개방감, 채광효과가 우수하다.
(2) 대형판유리를 멀리온 없이 유리만으로 세우는 공법으로 유리상단에 특수 고정철물을 장치하여 달아 맨 공법
※ 자연미, 개방감, 채광효과가 우수하다.

88. 두꺼운 유리나 색유리에서 많이 발생하는 유리의 열파(열파손) 현상을 설명하시오. 〔20 ④, 21 ①〕

득 점	배 점
	4

•

정답 유리의 중앙부와 유리 Frame이 면하는 주변부와의 온도차이로 인한 팽창, 수축 차이 때문에 응력이 생겨서 유리가 파손되는 현상

보충설명 열파방지대책
① 판유리와 차양막 사이를 10cm 이상 이격할 것
② 냉방된 공기가 직접 닿지 않도록 할 것
③ 유리에 필름이나 페인트칠을 하지 말 것
④ 유리와 지지 Frame은 확실히 단열시킬 것
⑤ 배강도 유리나 강화유리를 사용할 것

89. 다음 용어의 정의와 특징을 간단히 기술하시오.

득 점	배 점
	6

(1) PEB (Pre-Engineered Building) System :

(2) LEB (Lightweight Pre-Engineered Building) System :

정답 (1) Tapered Beam 구조로 불리는 철골구조물로써 전용 Software에 의해 구조계산, 설계 도면 작업을 동시에 하여 부재칫수, 형상을 미리 제작한 것.

※ 공장제작에 의해 품질이 우수하고 표준화, 규격화로 공기단축, 작업이 간편하다. 장 Span에 내부 기둥이 없어 효율이 증대된다.

(2) PEB System과 유사한 고품질의 조립식 경량 철골을 말한다. 문형틀 구조물로써 최대 20m까지 내부기둥 없이 시공가능하다. 조립식 건물, 물류센터 등에 사용된다.

90. PC판과 Curtain wall의 우수침입 원인에 대한 대책을 쓰시오.

득 점	배 점
	5

(1) 중력에 의한 침투 대책 : ____________

(2) 표면장력에 의한 침투 대책 : ____________

(3) 모세관현상에 의한 침투 대책 : ____________

(4) 운동에너지에 의한 침투 대책 : ____________

(5) 기압차이로 인한 침투 대책 : ____________

정답 (1) 턱을 두거나 구배를 상향으로 조정
(2) 물 끊기 홈 설치
(3) 틈새를 크게 (에어포켓 설치)
(4) 문틈 내부를 미로로 만든다.
(5) 등압원리를 이용하여 기압차를 제거한다.

91. 도장공사시 발생되는 결함을 4가지 쓰고 그 원인을 쓰시오.

득 점	배 점
	4

① ____________

② ____________

③ ____________

④ ____________

정답 (1) 자국 (붓자국, 건자국) : 칠이 되거나 칠의 증발이 빠른 경우 발생
(2) 흘러내림 (느슨해짐) : 두껍게 바르거나, 시너과다 사용시
(3) 주름 : 급격한 건조, 유성도료를 두껍게 한 경우
(4) 백화 (브러싱) : 도장 기온이 떨어져 공기 중 수분이 도면에 응집
※ 기타
① 색분리 : 혼입불충분, 용제과다첨가
② 광택불량 : 바탕재 흡수가 크거나 두꺼운 경우, 백화발생, 시너용량 부적절
③ 리프팅 : 도막의 수축, 박리(재벌도료 용제가 초벌에 침투)
④ 번짐 (브리트) : 초벌바탕에 염료, 기름, 역청재칠등 원인
⑤ 건조불량 : 기온 낮고, 습도 높은 경우(바탕재 수분, 기름, 수지등이 묻은 경우)

92. 유지관리의 정의와 유지관리 계획을 세우고 행하는 목적을 4가지 적으시오.

득 점	배 점
	6

(1) 유지관리 ______________________

____

(2) 유지관리 계획을 세우고 행하는 목적

가. ______________ 나. ______________

다. ______________ 라. ______________

정답 (1) "유지관리"라 함은 완공된 시설물의 기능을 보전하고 시설물 이용자의 편의와 안전을 높이기 위하여 시설물을 일상적으로 점검 · 정비하고 손상된 부분을 원상복구하며 경과시간에 따라 요구되는 시설물의 개량 · 보수 · 보강에 필요한 활동을 하는 것을 말한다. (시설물의 안전관리에 관한 특별법상의 정의)

(2) 가. 건물사용자의 편리성, 쾌적성, 안전성 제공
나. 법적규제, 의무 준수
다. 건물수명의 유지, 연장
라. 재해 등 긴급상황에 적절한 대응으로 사용자의 안전과 재산보전

※ 기타 : 건물의 미관유지

※ 유지관리(Maintenance) : 구조물의 사용기간에 구조물의 성능을 요구되는 수준 이상으로 유지하기 위한 모든 기술행위(콘크리트 표준시방서의 용어설명)

93. NCS(국가직무능력 표준) 규정에서 정의하고 있는 보수와 보강의 정의를 설명하시오.

득 점	배 점
	4

(1) 보수(Repair) : ______________________

(2) 보강(Strengthening) : ______________________

정답 (1) 보수(Repair)라 함은 열화된 부재나 구조물의 재료적 성능과 기능을 원상 혹은 사용상 지장이 없는 상태까지 회복시키는 것으로 당초의 성능으로 복원시키는 것을 말한다.

(2) 보강(Strengthening)이라 함은 부재나 구조물의 내하력, 강성 등의 역학적 성능저하를 회복 또는 증진시키고자 하는 것을 말한다.

94. 시설물의 물리적, 기능적, 환경적 상황을 시설물의 이상에 대하여 신속하고도 적절한 조치를 취하기 위하여 실시하는 조사를 점검(點檢)이라고 하는데 이러한 점검의 종류를 3가지 적으시오.

득 점	배 점
	3

(1) ______________________

(2) ______________________

(3) ______________________

정답 (1) 초기점검
(2) 정기점검
(3) 정밀점검

해설
(1) 초기점검: 준공과 함께 6개월이내에 시행하는 점검. 정기점검 수준으로 행함. 건축물의 유지관리대장 작성의 근간이 된다.
※ 초기점검후 안전점검은 정기점검, 정밀점검 긴급점검으로 구분하여 실시된다.
(2) 정기점검: 유지관리가 필요한 모든 시설물을 대상으로 한다.
※ 분기별 1회 이상 실시한다.
(3) 정밀점검: 시설물의 안전관리에 관한 특별법 시행령에서 정한 1,2종 시설물과 관리주체가 필요하다고 판단하는 시설물을 대상으로 한다.
※ 건축물은 3년에 1회 이상으로 한다.
(4) 긴급점검: 태풍, 집중호우, 폭설 등의 재해가 발생한 경우, 긴급한 손상이 발견된 때 행한다. 관계행정기관 장이 필요하다고 판단하여 관리주체에게 긴급점검을 요청한 때 또는 관리주체가 필요하다고 판단하는 시설물을 대상으로 한다. (손상점검과 특별점검이 있다)
(5) 정밀안전진단: 관리주체가 안전점검을 실시한 결과 시설물의 재해예방 및 안전성 확보 등을 위하여 필요하다고 판단하는 시설물과 "시설물의 안전관리에 관한 특별법 시행령"에서 정하는 10년이 경과된 1종 시설물을 대상으로 행한다.
※ 5년에 1회 이상 정기적으로 실시함.

95. 콘크리트 압축강도를 측정하는 방법에는 비파괴검사와 일부파괴검사가 있는데 이 중 국부파괴법의 종류를 3가지만 적으시오.

득 점	배 점
	3

(1) ______________________

(2) ______________________

(3) ______________________

정답 (1) 관입저항법: 윈저법, CPT핀테스트법
(2) 인발법 : 미국식 인발시험기, LOK시험기 CAPO시험기등
(3) Break - off법 : 코어휨내력 시험법
※ Pull -off법: 코어 인발강도 시험법

96. 유지관리란 완공된 시설물의 기능을 보존하고, 사용자의 편의와 안전도모를 위하여 일상적 · 정기적으로 상태를 조사하고 손상부에 조치를 취하는 모든 기술활동을 말한다. 완성된 구조물의 기능보존이란 일반적인 구조물의 요구성능을 본래설계 수준대로 유지관리하는 것을 말하는데 일반적인 구조물의 요구성능을 4가지 적으시오. (각각 한단어 혹은 두 단어로 표현하시오.)

득 점	배 점
	4

(가) ______________ (나) ______________

(다) ______________ (라) ______________

정답 (가) 안전성능(내하성능)
(나) 사용성능(사용성, 기능성)
(다) 내구성능
(라) 미관 · 경관

참고 내하성 (耐荷性) : 부재의 내하력(구조물이나 구조부재가 견딜 수 있는 하중 또는 힘의 한도)으로 평가하는 시설물의 성능

97. NCS(국가직무능력표준)에서 관지라는 유지관리 계획을 수립하고 절차서를 작성하고 시행하는 직무능력을 요구하고 있는데 일반적인 유지관리의 절차를 보기의 항목을 이용하여 순서대로 나열하시오.

득 점	배 점
	4

[보기]
(1) 기록　(2) 점검　(3) 결함의 예측
(4) 평가 및 판정　(5) 대책　(6) 유지관리계획

정답 (6) – (2) – (3) – (4) – (5) – (1)

해설 시행순서: 시설물별 유지관리계획작성 – 점검실시 – 결함 예측 및 발견
– 원인과 손상추이의 정확한 평가 및 판정 – 적절한대책수립
– 기록(보고서작성 혹은 유지관리대장 기록)등으로 진행된다.

98. 다음의 글을 읽고 (　) 안에 들어갈 알맞은 말을 보기에서 골라 번호로 쓰시오.

득 점	배 점
	3

• 정기점검에서는 점검결과 시설물 상태 평가를 부재별로 작성하여 문제부위에 대하여 상세한 등급을 매기게 되며 (①)에서는 전체 시설물에 대하여 세부상태의 등급을 정한다. 시설물 결함의 상태등급에서 (②)은 경미한 손상의 양호상태를 표시하며, 긴급한보수 · 보강이 필요한 상태는 (③)으로 표시한다.

[보기]
㉮ 수시점검　㉯ 정밀안전진단　㉰ 정밀점검　㉱ A(A등급)
㉲ B(B등급)　㉳ C(C등급)　㉴ D(D등급)　㉵ E(E등급)

① ________　② ________　③ ________

정답 ① : ㉯
② : ㉲
③ : ㉴

해설 ※ 시설물 상태평가

부 호	상 태
A	문제점이 없는 최상의 상태
B	경미한 손상의 양호한 상태
C	보조부재에 손상이 있는 보통의 상태
D	주요부재에 진전된 노후화(강재의 피로균열, 콘크리트의 전단균열, 침하 등)로 긴급한 보수·보강이 필요한 상태로 사용제한 여부를 판단
E	주요부재에 심각한 노후화 또는 단면손실이 발생하였거나 안전성에 위험이 있어 시설물을 즉각 사용금지하고 개축이 필요한 상태

99. 시방서에서 규정한 다음 용어 대하여 설명하시오.

득 점	배 점
	6

(1) 열화(deterioration)혹은 열화현상 ____________________

(2) 표면박리(Scaling) ____________________

(3) 팝아웃(pop – out)현상 ____________________

정답 (1) 구조물의 재료적 성질 또는 물리, 화학, 기후적 혹은 환경적인 요인에 의하여 주로 시공 이후에 장기적으로 발생하는 내구성능의 저하현상으로써 시간의 경과에 따라 진행함
(2) 동결융해 작용, 제빙화학제와 동결융해의 복합작용 등에 의하여 콘크리트 또는 모르타르의 표면이 작은 조각상으로 떨어져 나가는 현상
(3) 내동해성이나 내알칼리 골재반응성이 작은 골재를 콘크리트에 사용하는 경우 동결융해 작용이나 알칼리 골재반응에 의해 골재가 팽창하여 파괴되어 떨어져 나가거나 그 위치의 콘크리트 표면이 떨어져 나가는 현상

100. 콘크리트 열화 증상의 대표적 형상이 균열이라 할 수 있으며, 균열발생의 원인에는 재료, 시공, 사용환경, 구조외력에 의해 원인별로 그 발생시기 및 형태, 특징도 다르게 나타난다. 다음 설명이 뜻하는 균열발생원인을 보기에서 골라 기호로 쓰시오.

득 점	배 점
	4

(1) 가는 균열이 발생하며, 탈형하면 콘크리트면이 하얗게 된다. 표면에 그물모양 균열이 수일 ~ 수십일 이상에서 발생된다. ____________________

(2) 수십일 이상에서 발생되며, 방사형의 표면 그물모양의 균열이 발생됨. ____________________

(3) 폭이 크고 짧은 균열이 비교적 빨리 불규칙하게 발생된다. 수시간 에서 1일 사이에 발생됨. ____________________

(4) 철근을 따라 큰 균열이 발생되며 콘크리트의 피복이 떨어져 나가고 녹이 유출된다. 수십일 이상에서 발생된다. ____________________

[보기]

(가) 중성화나 염분에 의한 철근 팽창	(나) 시멘트의 이상 팽창
(다) 시멘트의 이상 응결	(라) 알카리 반응성 골재 사용
(마) 초기동해에 따른 균열	(바) 구조물의 부등침하

정답 (1) (마)
(2) (나)
(3) (다)
(4) (가)

해설 (라) 다습한 곳에서 많이 발생된다.
※ 알카리 반응성골재 사용시 수십일 이상에서 콘크리트 내부에서 거북 등 모양으로 발생된다.
(바) 구조물의 부등침하 균열은 수십일이상에서 45° 방향으로 표면관통 균열이 발생한다.

건축기사실기-건축시공 (1권)

저 자 한규대 · 김형중
안광호 · 이병억

발행인 이 종 권

2001年 1月 12日 改訂版 3刷發行
2010年 1月 20日 10次改訂 1刷發行
2011年 1月 27日 11次改訂 1刷發行
2011年 6月 15日 11次改訂 2刷發行
2011年 8月 22日 11次改訂 3刷發行
2012年 2月 13日 12次改訂 1刷發行
2012年 4月 10日 12次改訂 2刷發行
2012年 5月 11日 12次改訂 3刷發行
2013年 2月 8日 13次改訂 1刷發行
2014年 2月 17日 14次改訂 1刷發行
2015年 1月 28日 15次改訂 1刷發行
2016年 2月 2日 16次改訂 1刷發行
2017年 2月 3日 17次改訂 1刷發行
2018年 1月 29日 18次改訂 1刷發行
2019年 1月 22日 19次改訂 1刷發行
2020年 1月 23日 20次改訂 1刷發行
2021年 1月 11日 21次改訂 1刷發行
2022年 1月 10日 22次改訂 1刷發行
2023年 1月 26日 23次改訂 1刷發行
2024年 1月 30日 24次改訂 1刷發行

發行處 (주) 한솔아카데미

(우)06775 서울시 서초구 마방로10길 25 트윈타워 A동 2002호
TEL : (02)575-6144/5 FAX : (02)529-1130
〈1998. 2. 19 登錄 第16-1608號〉

※ 본 교재의 내용 중에서 오타, 오류 등은 발견되는 대로 한솔아카데미 인터넷 홈페이지를 통해 공지하여 드리며 보다 완벽한 교재를 위해 끊임없이 최선의 노력을 다하겠습니다.

※ 파본은 구입하신 서점에서 교환해 드립니다.

www.inup.co.kr / www.bestbook.co.kr

ISBN 979-11-6654-453-8 14540
ISBN 979-11-6654-452-1 (세트)